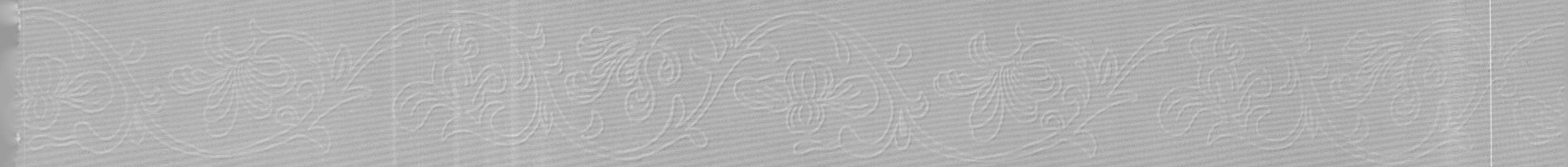

中國國家圖書館編

國家圖書館藏敦煌遺書

第三十七册　北敦〇二七〇一號——北敦〇二七九二號

北京圖書館出版社

圖書在版編目(CIP)數據

國家圖書館藏敦煌遺書·第三十七册/中國國家圖書館編;任繼愈主編.—北京:北京圖書館出版社,2006.10

ISBN 7-5013-2979-6

Ⅰ.國…　Ⅱ.①中…②任…　Ⅲ.敦煌學-文獻　Ⅳ.K870.6

中國版本圖書館 CIP 數據核字(2006)第 114628 號

書　　名	國家圖書館藏敦煌遺書·第三十七册
著　　者	中國國家圖書館編　任繼愈主編
責任編輯	徐　蜀　孫　彦
封面設計	李　瑾

出　　版	北京圖書館出版社　(100034　北京西城區文津街 7 號)
發　　行	010-66139745　66151313　66175620　66126153 66174391(傳真)　66126156(門市部)
E-mail	cbs@nlc.gov.cn(投稿)　btsfxb@nlc.gov.cn(郵購)
Website	www.nlcpress.com
經　　銷	新華書店
印　　刷	北京文津閣印務有限責任公司

開　　本	八開
印　　張	58.75
版　　次	2006 年 10 月第 1 版第 1 次印刷
印　　數	1-250 册(套)

書　　號	ISBN 7-5013-2979-6/K·1262
定　　價	990.00 圓

編輯委員會

主　　編　任繼愈
常務副主編　方廣錩
副 主 編　李際寧　張志清
編委（按姓氏筆畫排列）　王克芬　王姿怡　吳玉梅　胡新英　陳　穎　黄　霞（常務）　劉玉芬

出版委員會

主　任　詹福瑞
副主任　陳　力
委　員（按姓氏筆畫排列）　李　健　姜　紅　郭又陵　徐　蜀　孫　彦

攝製人員（按姓氏筆畫排列）

于向洋　王富生　王遂新　谷韶軍　張　軍　張紅兵　張　陽　曹　宏　郭春紅　楊　勇　嚴　平

目錄

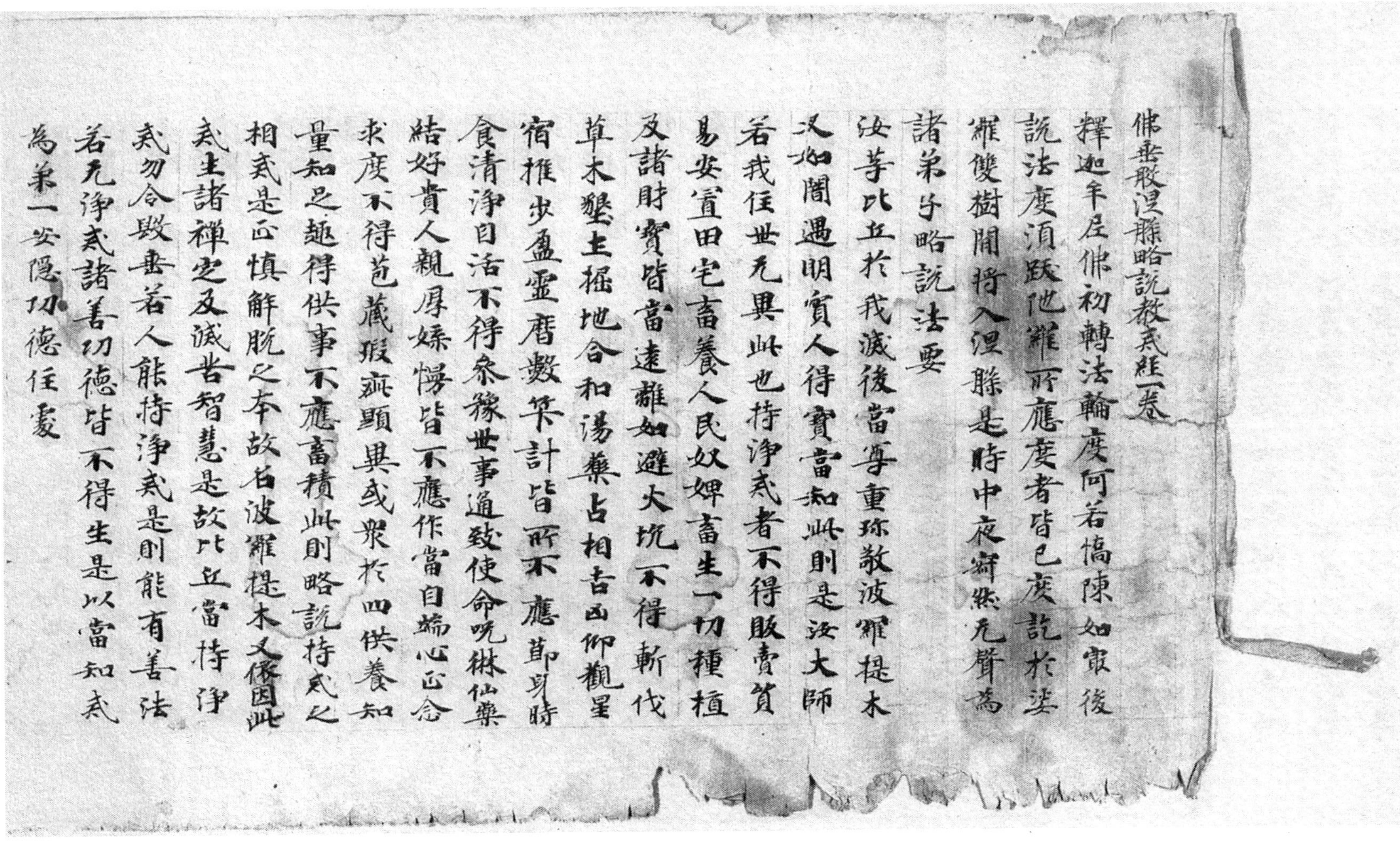

佛垂般涅槃略說教戒經一卷
釋迦牟尼佛初轉法輪度阿若憍陳如最後
說法度須跋陀羅所應度者皆已度訖於娑
羅雙樹間將入涅槃是時中夜寂然无聲為
諸弟子略說法要
汝等比丘於我滅後當尊重珍敬波羅提木
叉如闇遇明貧人得寶當知此則是汝大師
若我住世无異此也持淨戒者不得販賣貿
易安置田宅畜養人民奴婢畜生一切種植
及諸財寶皆當遠離如避火坑不得斬伐
草木墾土掘地合和湯藥占相吉凶仰觀星
宿推步盈虛曆數筭計皆所不應節身時
食清淨自活不得參豫世事通致使命呪術仙藥
結好貴人親厚媟嫚皆不應作當自端心正念
求度不得苞藏瑕疵顯異惑眾於四供養知
量知足趣得供事不應畜積此則略說持戒之
相戒是正順解脫之本故名波羅提木叉依因此
戒生諸禪定及滅苦智慧是故比丘當持淨
戒勿令毀缺若人能持淨戒是則能有善法
若无淨戒諸善功德皆不得生是以當知戒
為第一安隱功德住處

BD02701 號　佛垂般涅槃略說教誡經　（3–1）

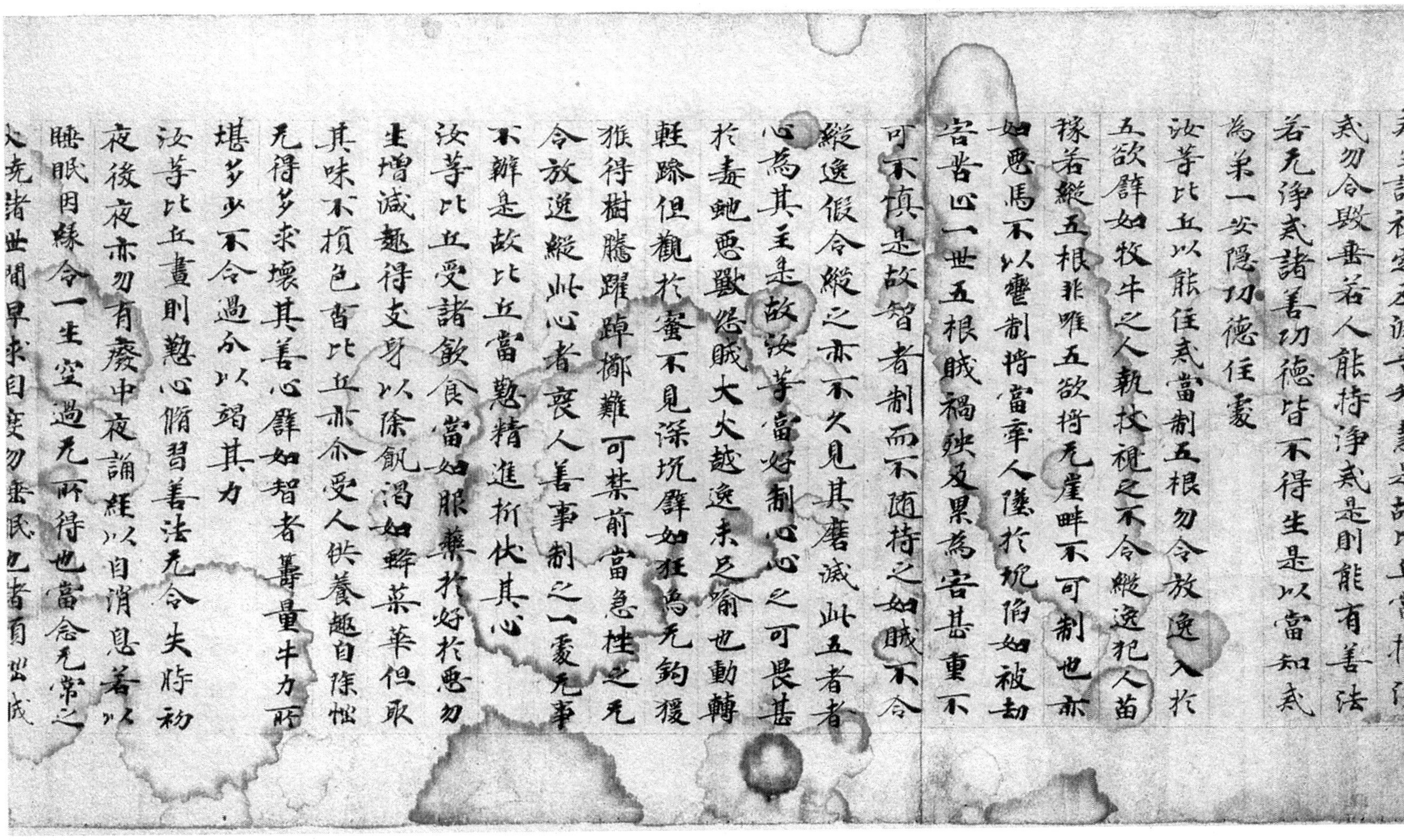

戒生諸禪定及滅苦智慧是故比丘當持淨
戒勿令毀缺若人能持淨戒是則能有善法
若无淨戒諸善功德皆不得生是以當知戒
為第一安隱功德住處
汝等比丘已能住戒當制五根勿令放逸入於
五欲譬如牧牛之人執杖視之不令縱逸犯人苗
稼若縱五根非唯五欲將无崖畔不可制也亦
如惡馬不以轡制將當牽人墜於坑陷如被劫
害苦止一世五根賊禍殃及累世為害甚重不
可不慎是故智者制而不隨持之如賊不令
縱逸假令縱之亦不久見其磨滅此五根者
心為其主是故汝等當好制心心之可畏甚
於毒蛇惡獸怨賊大火越逸未足喻也動轉
輕躁但觀於蜜不見深坑譬如狂象无鉤猨
猴得樹騰躍踔擲難可禁制當急挫之无
令放逸縱此心者喪人善事制之一處无事
不辦是故比丘當懃精進折伏其心
汝等比丘受諸飲食當如服藥於好於惡勿
生增減趣得支身以除飢渴如蜂採華但取
其味不損色香比丘亦爾受人供養趣自除惱
无得多求壞其善心譬如智者籌量牛力所
堪多少不令過分以竭其力
汝等比丘晝則懃心修習善法无令失時初
夜後夜亦勿有廢中夜誦經以自消息無以
睡眠因緣令一生空過无所得也當念无常之
火燒諸世間早求自度勿睡眠也[illegible]

BD02701 號　佛垂般涅槃略說教誡經　（3–2）

不辦是故比丘當懃精進折伏其心
汝等比丘受諸飲食當如服藥於好於惡勿
生增減趣得支身以除飢渴如蜂菜華但取
其味不損色香比丘亦爾受人供養趣自除惱
无得多求壞其善心譬如智者籌量牛力所
堪多少不令過分以竭其力
汝等比丘晝則懃心脩習善法无令失時初
夜後夜亦勿有廢中夜誦經以自消息若以
睡眠因緣令一生空過无所得也當念无常之
火燒諸世間早求自度勿睡眠也諸煩惱賊
常伺煞人甚於怨家安可睡眠不自驚悟煩
惱毒虵睡在汝心譬如黑蚖在汝室睡當以持
戒之鉤早并除之睡虵既出乃可安眠不出而眠
是无慙人也慙愧衣服於諸莊嚴最為第一慙
如鐵鉤能制人非法是故比丘常當慙恥无得暫
替若離慙恥則失諸功德有慙愧之人則有
善法若无愧者與諸禽獸无相異也
汝等比丘若有人來節節支解當自攝心无
令瞋恨亦當護口勿出惡言若縱恚心則自
妨道失功德利忍之為德持戒苦行所不能
及能行忍者乃可名為有力大人若其不

BD02701號　佛垂般涅槃略說教誡經

（3–3）

若他反逆　抄劫竊盜　如是等罪　橫羅其殃
如斯罪人　永不見佛　衆聖中王　說法教化
如斯罪人　常生難處　狂聾心亂　永不聞法
於无數劫　如恒河沙　生輒聾瘂　諸根不具
常處地獄　如遊園觀　在餘惡道　如己舍宅
駝驢豬狗　是其行處　謗斯經故　獲罪如是
若得為人　聾盲瘖瘂　貧窮諸衰　以自莊嚴
水腫乾痟　疥癩癰疽　如是等病　以為衣服
身常臭處　垢穢不淨　深著我見　增益瞋恚
婬欲熾盛　不擇禽獸　謗斯經故　獲罪如是
告舍利弗　謗斯經者　若說其罪　窮劫不盡
以是因緣　我故語汝　无智人中　莫說此經
若有利根　智慧明了　多聞強識　求佛道者
如是之人　乃可為說　若人曾見　億百千佛
殖諸善本　深心堅固　如是之人　乃可為說
若人精進　常修慈心　不惜身命　乃可為說
若人恭敬　无有異心　離諸凡愚　獨處山澤
如是之人　乃可為說　又舍利弗　若見有人
捨惡知識　親近善友　如是之人　乃可為說
若見佛子　持戒清潔　如淨明珠　求大乘經

BD02702號　妙法蓮華經卷二

（2–1）

駞驢豬狗 是其行處 謗斯經故 獲罪如是
若得為人 聾盲瘖瘂 貧窮諸衰 以自莊嚴
水腫乾痟 疥癩癰疽 如是等病 以為衣服
身常臭處 垢穢不淨 深著我見 增益瞋恚
婬欲熾盛 不擇禽獸 謗斯經故 獲罪如是
告舍利弗 謗斯經者 若說其罪 窮劫不盡
以是因緣 我故語汝 无智人中 莫說此經
若有利根 智慧明了 多聞強識 求佛道者
如是之人 乃可為說 若人曾見 億百千佛
殖諸善本 深心堅固 如是之人 乃可為說
若人精進 常修慈心 不惜身命 乃可為說
若人恭敬 无有異心 離諸凡愚 獨處山澤
如是之人 乃可為說 又舍利弗 若見有人
捨惡知識 親近善友 如是之人 乃可為說
若見佛子 持戒清潔 如淨明珠 求大乘經
如是之人 乃可為說 若人无瞋 質直柔爽
常愍一切 恭敬諸佛 如是之人 乃可為說
復有佛子 於大衆中 以清淨心 種種因緣
譬喻言辭 說法无礙 如是之人 乃可為說
若有比丘 為一切智 四方求法 合掌頂受
但樂受持 大乘經典 乃至不受 餘經一偈

BD02702 號　妙法蓮華經卷二　（2–2）

以信得入 況餘聲聞 其餘聲聞 信佛語故
隨順此經 非己智分 又舍利弗 憍慢懈怠
計我見者 莫說此經 凡夫淺識 深著五欲
聞不能解 亦勿為說 若人不信 毀謗此經
則斷一切 世間佛種 或復頻蹙 而懷疑惑
汝當聽說 此人罪報 若佛在世 若滅度後
其有誹謗 如斯經典 見有讀誦 書持經者
輕賤憎嫉 而懷結恨 此人罪報 汝今復聽
其人命終 入阿鼻獄 具足一劫 劫盡更生
如是展轉 至无數劫 從地獄出 當墮畜生
若狗野干 其形頓瘦 黧黮疥癩 人所觸嬈
又復為人 之所惡賤 常困飢渴 骨肉枯竭
生受楚毒 死被凡石 斷佛種故 受斯罪報
若作馲駝 或生驢中 身常負重 加諸杖捶
但念水草 餘无所知 謗斯經故 獲罪如是
有作野干 來入聚落 身體疥癩 又无一目
為諸童子 之所打擲 受諸苦痛 或時致死
於此死已 更受蟒身 其形長大 五百由旬
聾騃无足 宛轉腹行 為諸小虫 之所唼食
晝夜受苦 无有休息 謗斯經故 獲罪如是
若得為人 諸根闇鈍 矬陋攣躄 盲聾背傴

BD02703 號　妙法蓮華經卷二　（2–1）

汝當聽說　此人罪報　若佛在世　若滅度後
其有誹謗　如斯經典　見有讀誦　書持經者
輕賤憎嫉　而懷結恨　此人罪報　汝今復聽
其人命終　入阿鼻獄　具足一劫　劫盡更生
如是展轉　至无數劫　從地獄出　當墮畜生
若狗野干　其形頓瘦　黧黮疥癩　人所觸嬈
又復為人　之所惡賤　常困飢渴　骨肉枯竭
生受楚毒　死被瓦石　斷佛種故　受斯罪報
若作馲駝　或生驢中　身常負重　加諸杖捶
但念水草　餘无所知　謗斯經故　獲罪如是
有作野干　來入聚落　身體疥癩　又无一目
為諸童子　之所打擲　受諸苦痛　或時致死
於此死已　更受蟒身　其形長大　五百由旬
聾騃无足　宛轉腹行　為諸小虫　之所唼食
晝夜受苦　无有休息　謗斯經故　獲罪如是
若得為人　諸根闇鈍　矬陋攣躄　盲聾背傴
有所言說　人不信受　口氣常臭　鬼魅所著
貧窮下賤　為人所使　多病痟瘦　无所依怙
雖親附人　人不在意　若有所得　尋復忘失
若修醫道　順方治病　更增他疾　或復致死
若自有病　无人救療　設服良藥　而復增劇

BD02703號　妙法蓮華經卷二　（2–2）

文殊師利　導師何故　眉間
雨曼陁羅　曼殊沙華　栴檀
以是因緣　地皆嚴淨　而
時四部衆　咸皆歡喜　身
眉間光明　照于東方　万
從阿鼻獄　上至有頂　諸
生死所趣　善惡業緣　受
又覩諸佛　聖主師子　演
其聲清淨　出柔軟音　教諸菩薩　无數億万
梵音深妙　令人樂聞　各於世界　講說正法
種種因緣　以无量喻　照明佛法　開悟衆生
若人遭苦　厭老病死　為說涅槃　盡諸苦際
若人有福　曾供養佛　志求勝法　為說緣覺
若有佛子　修種種行　求无上慧　為說淨道
文殊師利　我住於此　見聞若斯　及千億事
如是衆多　今當略說　我見彼土　恒沙菩薩
種種因緣　而求佛道　或有行施　金銀珊瑚
真珠摩尼　車𤦲馬瑙　金剛諸珍　奴婢車乘
寶飾輦轝　歡喜布施　迴向佛道　願得是乘
三界第一　諸佛所歎　或有菩薩　駟馬寶車
欄楯華蓋　軒飾布施　復見菩薩　身肉手足
及妻子施　求无上道　又見菩薩　頭目身體
欣樂施與　求佛智慧　文殊師利　我見諸王

BD02704號　妙法蓮華經卷一　（19–1）

真珠摩尼　車𤦲馬瑙　金剛諸珎　奴婢車乘
寶飾輦轝　歡喜布施　迴向佛道　願得是乘
三界第一　諸佛所歎　或有菩薩　駟馬寶車
欄楯華蓋　軒飾布施　復見菩薩　身肉手足
及妻子施　求无上道　又見菩薩　頭目身體
欣樂施與　求佛智慧　文殊師利　我見諸王
往詣佛所　問无上道　便捨樂土　宮殿臣妾
剃除鬚髮　而被法服　或見菩薩　而作比丘
獨處閑靜　樂誦經典　又見菩薩　勇猛精進
入於深山　思惟佛道　又見離欲　常處空閑
深脩禪定　得五神通　又見菩薩　安禪合掌
以千万偈　讚諸法王　復見菩薩　智深志固
能問諸佛　聞悉受持　又見佛子　定慧具足
以无量喻　為衆講法　欣樂說法　化諸菩薩
破魔兵衆　而擊法鼓　又見菩薩　寂然宴默
天龍恭敬　不以為喜　又見菩薩　處林放光
濟地獄苦　令入佛道　又見佛子　未嘗睡眠
經行林中　勤求佛道　又見具戒　威儀无缺
净如寶珠　以求佛道　又見佛子　住忍辱力
增上慢人　惡罵捶打　皆悉能忍　以求佛道
又見菩薩　離諸戲笑　及癡眷屬　親近智者
一心除亂　攝念山林　億千万歲　以求佛道
或見菩薩　餚饍飲食　百種湯藥　施佛及僧
名衣上服　價直千万　或无價衣　施佛及僧
千万億種　栴檀寶舍　衆妙臥具　施佛及僧
清净園林　華菓茂盛　流泉浴池　施佛及僧
如是等施　種種微妙　歡喜无猒　求无上道
或有菩薩　說寂滅法　種種教照　无數衆生

清净園林　華菓茂盛　流泉浴池　施佛及僧
如是等施　種種微妙　歡喜无猒　求无上道
或有菩薩　說寂滅法　種種教照　无數衆生
或見菩薩　觀諸法性　无有二相　猶如虛空
又見佛子　心无所著　以此妙慧　求无上道
文殊師利　又有菩薩　佛滅度後　供養舍利
又見佛子　造諸塔廟　无數恒沙　嚴飾國界
寶塔高妙　五千由旬　縱廣正等　二千由旬
一一塔廟　各千幢幡　珠交露幔　寶鈴和鳴
諸天龍神　人及非人　香華伎樂　常以供養
文殊師利　諸佛子等　為供舍利　嚴飾塔廟
國界自然　殊特妙好　如天樹王　其華開敷
佛放一光　我及衆會　見此國界　種種殊妙
諸佛神力　智慧希有　放一淨光　照无量國
我等見此　得未曾有　佛子文殊　願決衆疑
四衆欣仰　瞻仁及我　世尊何故　放斯光明
佛子時答　決疑令喜　何所饒益　演斯光明
佛坐道場　所得妙法　為欲說此　為當授記
示諸佛土　衆寶嚴淨　及見諸佛　此非小緣
文殊當知　四衆龍神　瞻察仁者　為說何等
尒時文殊師利語彌勒菩薩摩訶薩及諸大
士善男子等如我惟忖今佛世尊欲說大乘
而大法雨吹大法螺擊大法鼓演大法義諸
善男子我於過去諸佛曾見此瑞放斯光已
即說大法是故當知今佛現光亦復如是欲
令衆生咸得聞知一切世間難信之法故現
斯瑞諸善男子如過去无量无邊不可思議
阿僧祇劫尒時有佛号日月燈明如來應供

耳說大法是故當知今佛現光亦復如是欲
令衆生咸得聞知一切世間難信之法故現
斯瑞諸善男子如過去无量无邊不可思議
阿僧祇劫尒時有佛号日月燈明如來應供
正遍知明行足善逝世間解无上士調御丈
夫天人師佛世尊演說正法初善中善後善
其義深遠其語巧妙純一无雜具足清白梵
行之相為求聲聞者說應四諦法度生老病
死究竟涅槃為求辟支佛者說應十二因緣
法為諸菩薩說應六波羅蜜令得阿耨多羅
三藐三菩提成一切種智次復有佛亦名日
月燈明次復有佛亦名日月燈明如是二万
佛皆同一字号日月燈明又同一姓姓頗羅
墮弥勒當知初佛後佛皆同一字名日月燈
明十号具足所可說法初中後善其㝡後佛
未出家時有八子一名有意二名善意三名
无量意四名寶意五名增意六名除疑意七
名響意八名法意是八王子威德自在各領
四天下是諸王子聞父出家得阿耨多羅三
藐三菩提悉捨王位亦隨出家發大乘意常
脩梵行皆為法師已於千万佛所殖諸善本
是時日月燈明佛說大乘經名无量義教菩
薩法佛所護念說是經已即於大衆中結跏
趺坐入於无量義處三昧身心不動是時天
而曼陁羅華摩訶曼陁羅華曼殊沙華摩
訶曼殊沙華而散佛上及諸大衆普佛世界六
曼殊沙華而散佛上及諸大衆普佛世界六
種震動尒時會中比丘比丘尼優婆塞優婆

BD02704 號　妙法蓮華經卷一

（19–4）

訶曼殊沙華而散佛上及諸大衆普佛世界六
曼殊沙華而散佛上及諸大衆普佛世界六
種震動尒時會中比丘比丘尼優婆塞優婆
夷天龍夜叉乾闥婆阿脩羅迦樓羅緊那羅
摩睺羅伽人非人等及諸小王轉輪聖王等
是諸大衆得未曾有歡喜合掌一心觀佛尒
時如來放眉間白毫相光照東方万八千佛
土靡不周遍如今所見是諸佛土弥勒當知
尒時會中有二十億菩薩樂欲聽法是諸菩薩
見此光明普照佛土得未曾有欲知此光所
為因緣時有菩薩名曰妙光有八百弟子是
時日月燈明佛從三昧起因妙光菩薩說大
乘經名妙法蓮華教菩薩法佛所護念六十
小劫不起于座時會聽者亦坐一處六十小
劫身心不動聽佛所說謂如食頃是時衆中
无有一人若身若心而生懈惓日月燈明佛於
六十小劫說是經已即於梵魔沙門婆羅
門及天人阿脩羅衆中而宣此言如來於今
日中夜當入无餘涅槃時有菩薩名曰德藏
日月燈明佛即授其記告諸比丘是德藏菩
薩次當作佛号曰淨身多陁阿伽度阿羅訶
三藐三佛陁佛授記已便於中夜入无餘涅
槃佛滅度後妙光菩薩持妙法蓮華經滿八
十小劫為人演說日月燈明佛八子皆師妙
光妙光教化令其堅固阿耨多羅三藐三菩
提是諸王子供養无量百千万億佛已皆成
佛道其㝡後成佛者名曰燃燈八百弟子中
有一人号曰求名貪著利養雖復讀誦衆經

BD02704 號　妙法蓮華經卷一

（19–5）

光妙光教化令其堅固阿耨多羅三藐三菩
提是諸王子供養无量百千万億佛已皆成
佛道其最後成佛者名曰燃燈八百弟子中
有一人号曰求名貪著利養雖復讀誦衆經
而不通利多所忘失故号求名是人亦以種
諸善根因緣故得值无量百千万億諸佛供
養恭敬尊重讚歎弥勒當知尒時妙光菩薩
豈異人乎我身是也求名菩薩汝身是也今
見此瑞與本无異是故惟忖今日如來當說
大乘經名妙法蓮華教菩薩法佛所護念尒
時文殊師利於大衆中欲重宣此義而說偈
言

我念過去世　无量无數劫　有佛人中尊　号日月燈明
世尊演說法　度无量衆生　无數億菩薩　令入佛智慧
佛未出家時　所生八王子　見大聖出家　亦隨脩梵行
時佛說大乘　經名无量義　於諸大衆中　而為廣分別
佛說此經已　即於法座上　跏趺坐三昧　名无量義處
天雨曼陁華　天鼓自然鳴　諸天龍鬼神　供養人中尊
一切諸佛土　即時大震動　佛放眉間光　現諸希有事
此光照東方　万八千佛土　示一切衆生　生死業報處
有見諸佛土　以衆寶莊嚴　瑠璃頗梨色　斯由佛光照
及見諸天人　龍神夜叉衆　乾闥婆那羅　各供養其佛
又見諸如來　自然成佛道　身色如金山　端嚴甚微妙
如淨瑠璃中　內現真金像　世尊在大衆　敷演深法義
一一諸佛土　聲聞衆无數　因佛光所照　悉見彼大衆
或有諸比丘　在於山林中　精進持淨戒　猶如護明珠
又見諸菩薩　行施忍辱等　其數如恒沙　斯由佛光照
又見諸菩薩　深入諸禪定　身心寂不動　以求无上道

或有諸比丘　在於山林中　精進持淨戒　猶如護明珠
又見諸菩薩　行施忍辱等　其數如恒沙　斯由佛光照
又見諸菩薩　深入諸禪定　身心寂不動　以求无上道
又見諸菩薩　知法寂滅相　各於其國土　說法求佛道
尒時四部衆　見日月燈明　現大神通力　其心皆歡喜
各各自相問　是事何因緣　天人所奉尊　適從三昧起
讚妙光菩薩　汝為世間眼　一切所歸信　能奉持法藏
如我所說法　唯汝能證知　世尊既讚歎　令妙光歡喜
說是法華經　滿六十小劫　不起於此座　所說上妙法
是妙光法師　悉皆能受持　佛說是法華　令衆歡喜已
尋即於是日　告於天人衆　諸法實相義　已為汝等說
我今於中夜　當入於涅槃　汝一心精進　當離於放逸
諸佛甚難值　億劫時一遇　世尊諸子等　聞佛入涅槃
各各懷悲惱　佛滅一何速　聖主法之王　安慰无量衆
我若滅度時　汝等勿憂怖　是德藏菩薩　於无漏實相
心已得通達　其次當作佛　号曰為淨身　亦度无量衆
佛此夜滅度　如薪盡火滅　分布諸舍利　而起无量塔
比丘比丘尼　其數如恒沙　倍復加精進　以求无上道
是妙光法師　奉持佛法藏　八十小劫中　廣宣法華經
是諸八王子　妙光所開化　堅固无上道　當見无數佛
供養諸佛已　隨順行大道　相繼得成佛　轉次而授記
最後天中天　号曰然燈佛　諸仙之導師　度脫无量衆
是妙光法師　時有一弟子　心常懷懈怠　貪著於名利
求名利无猒　多遊族姓家　棄捨所習誦　廢忘不通利
以是因緣故　号之為求名　亦行衆善業　得見无數佛
供養於諸佛　隨順行大道　具六波羅蜜　今見釋師子
其後當作佛　号名曰弥勒　廣度諸衆生　其數无有量

求名利无厭　多遊族姓家　棄捨所習誦　廢忘不通利
以是因緣故　号之為求名　亦行衆善業　得見无數佛
供養於諸佛　隨順行大道　具六波羅蜜　今見釋師子
其後當作佛　号名曰弥勒　廣度諸衆生　其數无有量
彼佛滅度後　懈怠者汝是　妙光法師者　今則我身是
我見燈明佛　本光瑞如此　以是知今佛　欲說法華經
今相如本瑞　是諸佛方便　今佛放光明　助發實相義
諸人今當知　合掌一心待　佛當雨法雨　充足求道者
諸求三乘人　若有疑悔者　佛當為除斷　令盡无有餘

妙法蓮華經方便品第二

尒時世尊從三昧安詳而起告舍利弗諸佛
智慧甚深无量其智慧門難解難入一切聲
聞辟支佛所不能知所以者何佛曾親近百
千万億无數諸佛盡行諸佛无量道法勇猛
精進名稱普聞成就甚深未曾有法隨宜所
說意趣難解舍利弗吾從成佛已來種種因
緣種種譬喻廣演言教无數方便引導衆生
令離諸著所以者何如來方便知見波羅蜜
皆已具足舍利弗如來知見廣大深遠无量
无礙力无所畏禪定解脫三昧深入无際成
就一切未曾有法舍利弗如來能種種分別
巧說諸法言辭柔軟悅可衆心舍利弗取要
言之无量无邊未曾有法佛悉成就止舍利
弗不須復說所以者何佛所成就第一希有
難解之法唯佛與佛乃能究盡諸法實相所
謂諸法如是相如是性如是體如是力如是
作如是因如是緣如是果如是報如是本末
究竟等尒時世尊欲重宣此義而說偈言

BD02704號　妙法蓮華經卷一

(19-8)

難解之法唯佛與佛乃能究盡諸法實相所
謂諸法如是相如是性如是體如是力如是
作如是因如是緣如是果如是報如是本末
究竟等尒時世尊欲重宣此義而說偈言
世雄不可量　諸天及世人　一切衆生類　无能知佛者
佛力无所畏　解脫諸三昧　及佛諸餘法　无能測量者
本從无數佛　具足行諸道　甚深微妙法　難見難可了
於无量億劫　行此諸道已　道場得成果　我已悉知見
如是大果報　種種性相義　我及十方佛　乃能知是事
是法不可示　言辭相寂滅　諸餘衆生類　无有能得解
除諸菩薩衆　信力堅固者　諸佛弟子衆　曾供養諸佛
一切漏已盡　住是最後身　如是諸人等　其力所不堪
假使滿世間　皆如舍利弗　盡思共度量　不能測佛智
正使滿十方　皆如舍利弗　及餘諸弟子　亦滿十方剎
盡思共度量　亦復不能知　辟支佛利智　无漏最後身
亦滿十方界　其數如竹林　斯等共一心　於億无量劫
欲思佛實智　莫能知少分　新發意菩薩　供養无數佛
了達諸義趣　又能善說法　如稻麻竹葦　充滿十方剎
一心以妙智　於恒河沙劫　咸皆共思量　不能知佛智
不退諸菩薩　其數如恒沙　一心共思求　亦復不能知
又告舍利弗　无漏不思議　甚深微妙法　我今已具得
唯我知是相　十方佛亦然　舍利弗當知　諸佛語无異
於佛所說法　當生大信力　世尊法久後　要當說真實
告諸聲聞衆　及求緣覺乘　我令脫苦縛　逮得涅槃者
佛以方便力　示以三乘教　衆生處處著　引之令得出
尒時大衆中有諸聲聞漏盡阿羅漢阿若憍
陳如等千二百人及發聲聞辟支佛心比丘
比丘尼優婆塞優婆夷各作是念今者世尊

BD02704號　妙法蓮華經卷一

(19-9)

佛以方便力　示以三乘教　衆生處處著　引之令得出
尒時大衆中有諸聲聞漏盡阿羅漢阿若憍
陳如等千二百人及發聲聞辟支佛心比丘
比丘尼優婆塞優婆夷各作是念今者世尊
何故慇懃稱歎方便而作是言佛所得法甚
深難解有所言說意趣難知一切聲聞辟支
佛所不能及佛說一解脫義我等亦得此法
到於涅槃而今不知是義所趣尒時舍利弗
知四衆心疑自亦未了而白佛言世尊何因
何緣慇懃稱歎諸佛第一方便甚深微妙難
解之法我自昔來未曾從佛聞如是說今者
四衆咸皆有疑唯願世尊敷演斯事世尊何
故慇懃稱歎甚深微妙難解之法尒時舍利
弗欲重宣此義而說偈言
慧日大聖尊　久乃說是法　自說得如是　力无畏三昧
禪定解脫等　不可思議法　道場所得法　无能發問者
我意難可測　亦无能問者　无問而自說　稱歎所行道
智慧甚微妙　諸佛之所得　无漏諸羅漢　及求涅槃者
今皆墮疑網　佛何故說是　其求縁覺者　比丘比丘尼
諸天龍鬼神　及乾闥婆等　相視懷猶豫　瞻仰兩足尊
是事爲云何　願佛爲解說　於諸聲聞衆　佛說我第一
我今自於智　疑惑不能了　爲是究竟法　爲是所行道
佛口所生子　合掌瞻仰待　願出微妙音　時爲如實說
諸天龍神等　其數如恒沙　求佛諸菩薩　大數有八万
又諸万億國　轉輪聖王至　合掌以敬心　欲聞具足道
尒時佛告舍利弗止止不須復說若說是事
一切世間諸天及人皆當驚疑舍利弗重白
佛言世尊唯願說之唯願說之所以者何是

諸天龍神等　其數如恒沙　求佛諸菩薩　大數有八万
又諸万億國　轉輪聖王至　合掌以敬心　欲聞具足道
尒時佛告舍利弗止止不須復說若說是事
一切世間諸天及人皆當驚疑舍利弗重白
佛言世尊唯願說之唯願說之所以者何是
會无數百千万億阿僧祇衆生曾見諸佛諸
根猛利智慧明了聞佛所說則能敬信尒時
舍利弗欲重宣此義而說偈言
法王无上尊　唯說願勿慮　是會无量衆　有能敬信者
佛復止舍利弗若說是事一切世間天人阿
脩羅皆當驚疑增上慢比丘將墜於大坑尒
時世尊重說偈言
止止不須說　我法妙難思　諸增上慢者　聞必不敬信
尒時舍利弗重白佛言世尊唯願說之唯願
說之今此會中如我等比百千万億世世已
曾從佛受化如此人等必能敬信長夜安隱
多所饒益尒時舍利弗欲重宣此義而說
偈言
无上兩足尊　願說第一法　我爲佛長子　唯垂分別說
是會无量衆　能敬信此法　佛已曾世世　教化如是等
皆一心合掌　欲聽受佛語　我等千二百　及餘求佛者
願爲此衆故　唯垂分別說　是等聞此法　則生大歡喜
尒時世尊告舍利弗汝已慇懃三請豈得不
說汝今諦聽善思念之吾當爲汝分別解說
說此語時會中有比丘比丘尼優婆塞優婆
夷五千人等即從座起礼佛而退所以者何
此輩罪根深重及增上慢未得謂得未證謂
證有如此失是以不住世尊默然而不制止

說此語時會中有比丘比丘尼優婆塞優婆
夷五千人等即從座起礼佛而退所以者何
此輩罪根深重及增上慢未得謂得未證謂
證有如此失是以不住世尊嘿然而不制止
尒時佛告舍利弗我今此衆无復枝葉純有
貞實舍利弗如是增上慢人退亦佳矣汝今
善聽當為汝說舍利弗言唯然世尊願樂欲
聞佛告舍利弗如是妙法諸佛如來時乃說
之如優曇鉢華時一現耳舍利弗汝等當信
佛之所說言不虛妄舍利弗諸佛隨宜說法
意趣難解所以者何我以无數方便種種因
緣譬喻言辭演說諸法是法非思量分別之
所能解唯有諸佛乃能知之所以者何諸佛
世尊唯以一大事因緣故出現於世舍利弗
云何名諸佛世尊唯以一大事因緣故出現
於世諸佛世尊欲令衆生開佛知見使得清
淨故出現於世欲示衆生佛知見故出現於
世欲令衆生悟佛知見故出現於世欲令衆
生入佛知見道故出現於世舍利弗是為
諸佛以一大事因緣故出現於世佛告舍利弗
諸佛如來但教化菩薩諸有所作常為一事
唯以佛之知見示悟衆生舍利弗如來但以
一佛乘故為衆生說法无有餘乘若二若三
舍利弗一切十方諸佛法亦如是舍利弗過
去諸佛以无量无數方便種種因緣譬喻言
辭而為衆生演說諸法是法皆為一佛乘故
是諸衆生從諸佛聞法究竟皆得一切種智
舍利弗未來諸佛當出於世亦以无量无數

BD02704號　妙法蓮華經卷一

（19–12）

去諸佛以无量无數方便種種因緣譬喻言
辭而為衆生演說諸法是法皆為一佛乘故
是諸衆生從諸佛聞法究竟皆得一切種智
舍利弗未來諸佛當出於世亦以无量无數
方便種種因緣譬喻言辭而為衆生演說諸
法是法皆為一佛乘故是諸衆生從佛聞法
究竟皆得一切種智舍利弗現在十方无量
百千万億佛土中諸佛世尊多所饒益安樂
衆生是諸佛亦以无量无數方便種種因緣
譬喻言辭而為衆生演說諸法是法皆為
一佛乘故是諸衆生從佛聞法究竟皆得一
切種智舍利弗是諸佛但教化菩薩欲以佛
之知見示衆生故欲以佛之知見悟衆生故欲
令衆生入佛之知見故舍利弗我今亦復如
是知諸衆生有種種欲深心所著隨其本性
以種種因緣譬喻言辭方便力故而為說法
舍利弗如此皆為得一佛乘一切種智故舍
利弗十方世界中尚无二乘何况有三舍利
弗諸佛出於五濁惡世所謂劫濁煩惱濁衆
生濁見濁命濁如是舍利弗劫濁亂時衆生
垢重慳貪嫉妬成就諸不善根故諸佛以方
便力於一佛乘分別說三舍利弗若我弟子
自謂阿羅漢辟支佛者不聞不知諸佛如來
但教化菩薩事此非佛弟子非阿羅漢非辟
支佛又舍利弗是諸比丘比丘尼自謂已得
阿羅漢是冣後身究竟涅槃便不復志求
阿耨多羅三藐三菩提當知此輩皆是增

BD02704號　妙法蓮華經卷一

（19–13）

自謂阿羅漢辟支佛者不聞不知諸佛如來
但教化菩薩事此非佛弟子非阿羅漢非辟
支佛又舍利弗是諸比丘比丘尼自謂已得
阿羅漢是㝡後身究竟涅槃便不復志求
阿耨多羅三藐三菩提當知此輩皆是增
上慢人所以者何若有比丘實得阿羅漢若
不信此法无有是處除佛滅度後現前无
佛所以者何佛滅度後如是等經受持讀誦
解義者是人難得若遇餘佛於此法中便得
決了舍利弗汝等當一心信解受持佛語諸
佛如來言无虛妄无有餘乘唯一佛乘尒時
世尊欲重宣此義而說偈言
比丘比丘尼 有懷增上慢 優婆塞我慢 優婆夷不信
如是四衆等 其數有五千 不自見其過 於戒有缺漏
護惜其瑕疵 是小智已出 衆中之糟糠 佛威德故去
斯人尠福德 不堪受是法 此衆无枝葉 唯有諸貞實
舍利弗善聽 諸佛所得法 无量方便力 而為衆生說
衆生心所念 種種所行道 若干諸欲性 先世善惡業
佛悉知是已 以諸緣譬喻 言辭方便力 令一切歡喜
或說脩多羅 伽陁及本事 本生未曾有 亦說於因緣
譬喻并祇夜 優波提舍經 鈍根樂小法 貪著於生死
於諸无量佛 不行深妙道 衆苦所惱亂 為是說涅槃
我設是方便 令得入佛慧 未曾說汝等 當得成佛道
所以未曾說 說時未至故 今正是其時 決定說大乘
我此九部法 隨順衆生說 入大乘為本 以故說是經
有佛子心淨 柔軟亦利根 无量諸佛所 而行深妙道
為此諸佛子 說是大乘經 我記如是人 來世成佛道
以深心念佛 脩持淨戒故 此等聞得佛 大喜充遍身

BD02704號　妙法蓮華經卷一　（19–14）

我此九部法 隨順衆生說 入大乘為本 以故說是經
有佛子心淨 柔軟亦利根 无量諸佛所 而行深妙道
為此諸佛子 說是大乘經 我記如是人 來世成佛道
以深心念佛 脩持淨戒故 此等聞得佛 大喜充遍身
佛知彼心行 故為說大乘 聲聞若菩薩 聞我所說法
乃至於一偈 皆成佛无疑 十方佛土中 唯有一乘法
无二亦无三 除佛方便說 但以假名字 引導於衆生
說佛智慧故 諸佛出於世 唯此一事實 餘二則非真
終不以小乘 濟度於衆生 佛自住大乘 如其所得法
定慧力莊嚴 以此度衆生 自證无上道 大乘平等法
若以小乘化 乃至於一人 我則墮慳貪 此事為不可
若人信歸佛 如來不欺誑 亦无貪嫉意 斷諸法中惡
故佛於十方 而獨无所畏 我以相嚴身 光明照世間
无量衆所尊 為說實相印 舍利弗當知 我本立誓願
欲令一切衆 如我等无異 如我昔所願 今者已滿足
化一切衆生 皆令入佛道 若我遇衆生 盡教以佛道
无智者錯亂 迷惑不受教 我知此衆生 未曾脩善本
堅著於五欲 癡愛故生惱 以諸欲因緣 墜墮三惡道
輪迴六趣中 備受諸苦痛 受胎之微形 世世常增長
薄德少福人 衆苦所逼迫 入邪見稠林 若有若无等
依止此諸見 具足六十二 深著虛妄法 堅受不可捨
我慢自矜高 諂曲心不實 於千万億劫 不聞佛名字
亦不聞正法 如是人難度 是故舍利弗 我為設方便
說諸盡苦道 示之以涅槃 我雖說涅槃 是亦非真滅
諸法從本來 常自寂滅相 佛子行道已 來世得作佛
我有方便力 開示三乘法 一切諸世尊 皆說一乘道
今此諸大衆 皆應除疑惑 諸佛語无異 唯一无二乘
過去无數劫 无量滅度佛 百千万億種 其數不可量

BD02704號　妙法蓮華經卷一　（19–15）

我有方便力　開示三乘法　一切諸世尊　皆說一乘道
今此諸大衆　皆應除疑惑　諸佛語无異　唯一无二乘
過去无數劫　无量滅度佛　百千万億種　其數不可量
如是諸世尊　種種緣譬喻　无數方便力　演說諸法相
是諸世尊等　皆說一乘法　化无量衆生　令入於佛道
又諸大聖主　知一切世間　天人群生類　深心之所欲
更以異方便　助顯第一義　若有衆生類　值諸過去佛
若聞法布施　或持戒忍辱　精進禪智等　種種脩福德
如是諸人等　皆已成佛道　諸佛滅度已　若人善軟心
如是諸衆生　皆已成佛道　諸佛滅度已　供養舍利者
起万億種塔　金銀及頗梨　車𤦲與馬惱　玫瑰瑠璃珠
清淨廣嚴飾　莊校於諸塔　或有起石廟　栴檀及沈水
木蜜并餘材　塼瓦泥土等　若於曠野中　積土成佛廟
乃至童子戲　聚沙為佛塔　如是諸人等　皆已成佛道
若人為佛故　建立諸形像　刻雕成衆相　皆已成佛道
或以七寶成　鍮石赤白銅　白鑞及鉛錫　鐵木及與泥
或以膠漆布　嚴飾作佛像　如是諸人等　皆已成佛道
綵畫作佛像　百福莊嚴相　自作若使人　皆已成佛道
乃至童子戲　若草木及筆　或以指爪甲　而畫作佛像
如是諸人等　漸漸積功德　具足大悲心　皆已成佛道
但化諸菩薩　度脫无量衆　若人於塔廟　寶像及畫像
以華香幡蓋　敬心而供養　若使人作樂　擊鼓吹角貝
簫笛琴箜篌　琵琶鐃銅鈸　如是衆妙音　盡持以供養
或以歡喜心　歌唄頌佛德　乃至一小音　皆已成佛道
若人散亂心　乃至以一華　供養於畫像　漸見无數佛
或有人礼拜　或復但合掌　乃至舉一手　或復小低頭
以此供養像　漸見无量佛　自成无上道　廣度无數衆

BD02704 號　妙法蓮華經卷一

(19-16)

若人散亂心　乃至以一華　供養於畫像　漸見无數佛
或有人礼拜　或復但合掌　乃至舉一手　或復小低頭
以此供養像　漸見无量佛　自成无上道　廣度无數衆
入无餘涅槃　如薪盡火滅　若人散亂心　入於塔廟中
一稱南无佛　皆已成佛道　於諸過去佛　在世或滅後
若有聞是法　皆已成佛道　未來諸世尊　其數无有量
是諸如來等　亦方便說法　一切諸如來　以无量方便
度脫諸衆生　入佛无漏智　若有聞法者　无一不成佛
諸佛本誓願　我所行佛道　普欲令衆生　亦同得此道
未來世諸佛　雖說百千億　无數諸法門　其實為一乘
諸佛兩足尊　知法常无性　佛種從緣起　是故說一乘
是法住法位　世間相常住　於道場知已　導師方便說
天人所供養　現在十方佛　其數如恒沙　出現於世間
安隱衆生故　亦說如是法　知第一寂滅　以方便力故
雖示種種道　其實為佛乘　知衆生諸行　深心之所念
過去所習業　欲性精進力　及諸根利鈍　以種種因緣
譬喻亦言辭　隨應方便說　今我亦如是　安隱衆生故
以種種法門　宣示於佛道　我以智慧力　知衆生性欲
方便說諸法　皆令得歡喜　舍利弗當知　我以佛眼觀
見六道衆生　貧窮无福慧　入生死險道　相續苦不斷
深著於五欲　如犛牛愛尾　以貪愛自蔽　盲瞑无所見
不求大勢佛　及與斷苦法　深入諸邪見　以苦欲捨苦
為是衆生故　而起大悲心　我始坐道場　觀樹亦經行
於三七日中　思惟如是事　我所得智慧　微妙最第一
衆生諸根鈍　著樂癡所盲　如斯之等類　云何而可度
尒時諸梵王　及諸天帝釋　護世四天王　及大自在天
并餘諸天衆　眷屬百千万　恭敬合掌礼　請我轉法輪

BD02704 號　妙法蓮華經卷一

(19-17)

[illegible]
於三七日中　思惟如是事　我所得智慧　微妙最第一
衆生諸根鈍　著樂癡所盲　如斯之等類　云何而可度
尒時諸梵王　及諸天帝釋　護世四天王　及大自在天
并餘諸天衆　眷屬百千万　恭敬合掌礼　請我轉法輪
我即自思惟　若但讚佛乘　衆生沒在苦　不能信是法
破法不信故　墜於三惡道　我寧不說法　疾入於涅槃
尋念過去佛　所行方便力　我今所得道　亦應說三乘
作是思惟時　十方佛皆現　梵音慰喻我　善哉釋迦文
第一之導師　得是无上法　隨諸一切佛　而用方便力
我等亦皆得　最妙第一法　為諸衆生類　分別說三乘
少智樂小法　不自信作佛　是故以方便　分別說諸果
雖復說三乘　但為教菩薩　舍利弗當知　我聞聖師子
深淨微妙音　喜稱南无佛　復作如是念　我出濁惡世
如諸佛所說　我亦隨順行　思惟是事已　即趣波羅柰
諸法寂滅相　不可以言宣　以方便力故　為五比丘說
是名轉法輪　便有涅槃音　及以阿羅漢　法僧差別名
從久遠劫來　讚示涅槃法　生死苦永盡　我常如是說
舍利弗當知　我見佛子等　志求佛道者　无量千万億
咸以恭敬心　皆來至佛所　曾從諸佛聞　方便所說法
我即作是念　所以出於世　為說佛慧故　今正是其時
舍利弗當知　鈍根小智人　著相憍慢者　不能信是法
今我喜无畏　於諸菩薩中　正直捨方便　但說无上道
菩薩聞是法　疑網皆已除　千二百羅漢　悉亦當作佛
如三世諸佛　說法之儀式　我今亦如是　說无分別法
諸佛興出世　懸遠值遇難　正使出于世　說是法復難
无量无數劫　聞是法亦難　能聽是法者　斯人亦復難
譬如優曇華　一切皆愛樂　天人所希有　時時乃一出

BD02704號　妙法蓮華經卷一　　(19–18)

[illegible]
諸佛興出世　懸遠值遇難　正使出于世　說是法復難
无量无數劫　聞是法亦難　能聽是法者　斯人亦復難
譬如優曇華　一切皆愛樂　天人所希有　時時乃一出
聞法歡喜讚　乃至發一言　則為已供養　一切三世佛
是人甚希有　過於優曇華　汝等勿有疑　我為諸法王
普告諸大衆　但以一乘道　教化諸菩薩　无聲聞弟子
汝等舍利弗　聲聞及菩薩　當知是妙法　諸佛之秘要
以五濁惡世　但樂著諸欲　如是等衆生　終不求佛道
當來世惡人　聞佛說一乘　迷惑不信受　破法墮惡道
有慚愧清淨　志求佛道者　當為如是等　廣讚一乘道
舍利弗當知　諸佛法如是　以万億方便　隨宜而說法
其不習學者　不能曉了此　汝等既已知　諸佛世之師
隨宜方便事　无復諸疑惑　心生大歡喜　自知當作佛

妙法蓮華經卷第一

BD02704號　妙法蓮華經卷一　　(19–19)

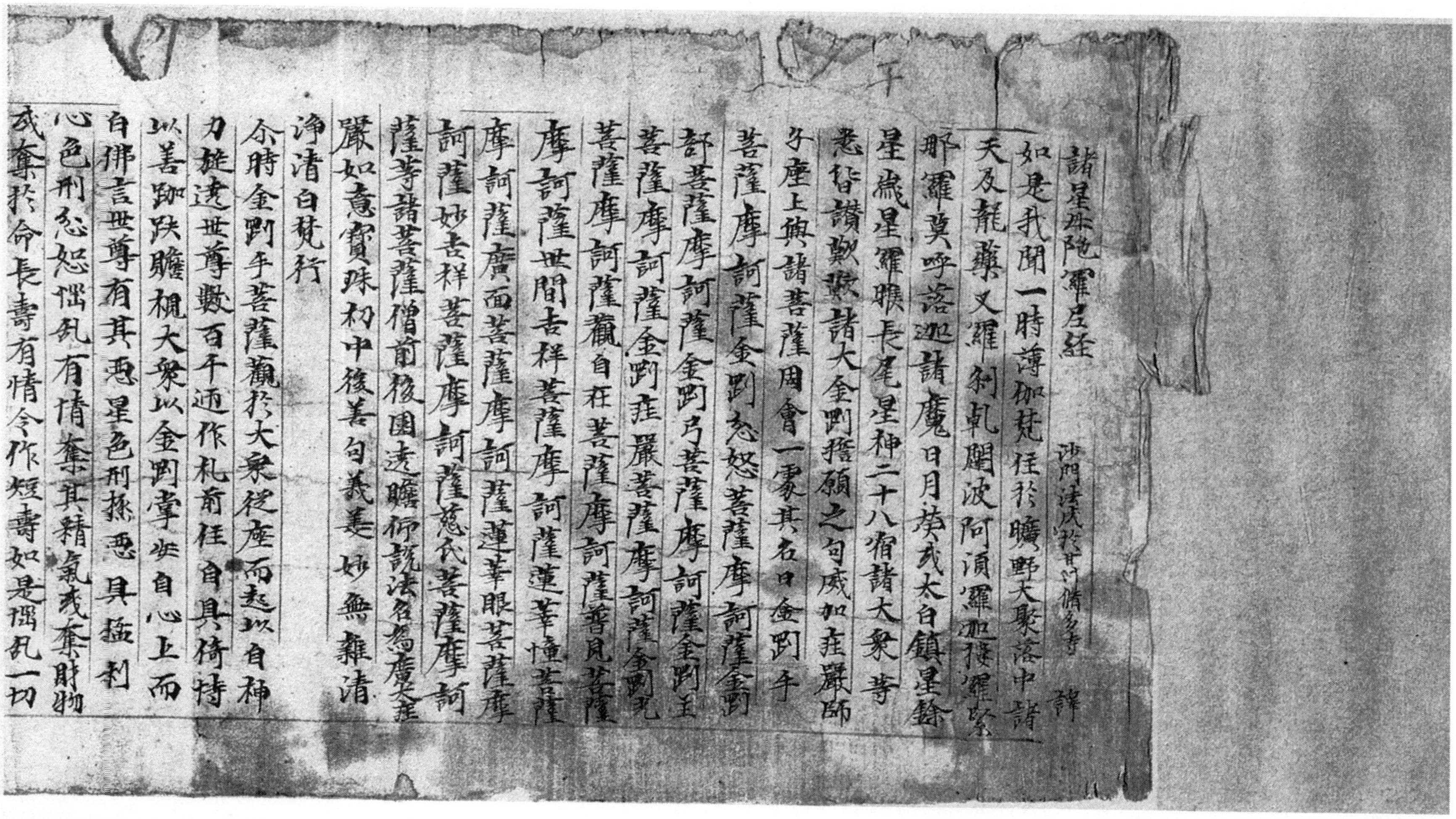

諸星母陀羅尼經　沙門法成於甘州脩多寺譯
如是我聞一時薄伽梵住於曠野大聚落中諸
天及龍藥叉羅剎乾闥婆阿須羅迦樓羅緊
那羅莫呼落迦諸魔日月熒惑太白鎮星辰
星歲星羅睺長尾星神二十八宿諸大衆等
悉皆讚歎諸大金剛持頌之句威如師
子座上與諸菩薩同會一處其名曰金剛手
菩薩摩訶薩金剛忿怒菩薩摩訶薩金剛
部菩薩摩訶薩金剛弓菩薩摩訶薩金剛王
菩薩摩訶薩金剛莊嚴菩薩摩訶薩金剛光
菩薩摩訶薩觀自在菩薩摩訶薩普見菩薩
摩訶薩世間吉祥菩薩摩訶薩蓮華幢菩薩
摩訶薩廣面菩薩摩訶薩蓮華眼菩薩摩
訶薩妙吉祥菩薩摩訶薩慈氏菩薩摩訶
薩等諸菩薩僧前後圍遶瞻仰說法名為慶莊
嚴如意寶珠初中後善句義善妙無雜清
淨清白梵行
尒時金剛手菩薩觀於大衆從座而起以自神
力旋遶世尊數百千迊作禮前住自具倚持
以善跏趺瞻視大衆以金剛掌安自心上而
白佛言世尊有其惡星色形極惡具猛利
心色形忿怒惱亂有情奪其精氣或奪財物
或奪於命長壽有情令作短壽如是惱亂一切

BD02705 號　諸星母陀羅尼經

（5–1）

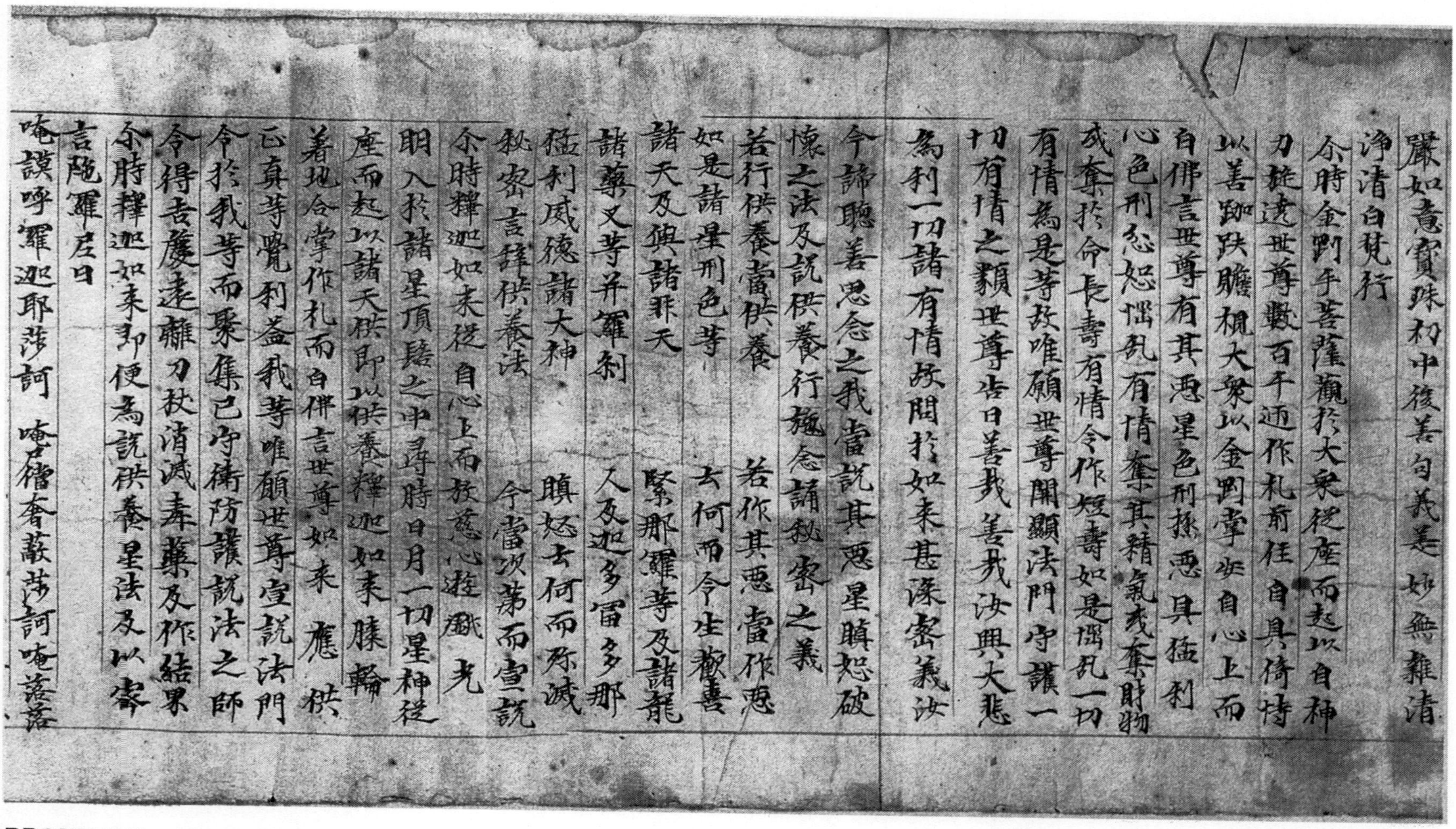

嚴如意寶珠初中後善句義善妙無雜清
淨清白梵行
尒時金剛手菩薩觀於大衆從座而起以自神
力旋遶世尊數百千迊作禮前住自具倚持
以善跏趺瞻視大衆以金剛掌安自心上而
白佛言世尊有其惡星色形極惡具猛利
心色形忿怒惱亂有情奪其精氣或奪財物
或奪於命長壽有情令作短壽如是惱亂一切
有情為是等故唯願世尊開顯法門守護一
切有情之類世尊告曰善哉善哉汝興大悲
為利一切諸有情故問於如來甚深密義汝
今諦聽善思念之我當說其惡星瞋怒破
壞之法及說供養行施念誦祕密之義
若行供養當供養　若作其惡當作惡
如是諸星形色等　云何而令生歡喜
諸天及與諸非天　緊那羅等及諸龍
諸藥叉等并羅剎　人及迦多冨多那
猛利威德諸大神　瞋怒云何而殄滅
祕密言辭供養法　今當次第而宣說
尒時薄迦如來從自心上而放慈心遊戲光
明入於諸星頂髻之中尋時日月一切星神從
座而起以諸天供即以供養薄迦如來膝輪
著地合掌作禮而白佛言世尊如來應供
正真等覺利益我等唯願世尊宣說法門
令於我等而聚集已守衛防護說法之師
令得吉慶遠離刀杖消滅毒藥及作結界
尒時薄迦如來即便為說供養星法及以密
言陁羅尼曰
唵謨呼羅迦耶莎訶　唵僧奢薩莎訶唵落落

BD02705 號　諸星母陀羅尼經

（5–2）

令於我等而聚集已守衛防護說法之師
令得吉慶遠離刀杖消滅毒藥及作結界
尒時釋迦如來即便為說供養星法及以密
言陁羅尼曰
唵譃呼羅迦耶莎訶　唵盧瞻奢薩莎訶唵落落
當伽俱麼囉也莎訶　唵報須也報須也莎訶唵報伽
阿悉婆須也莎訶　唵阿須囉薩多麼也莎訶唵
吒哩悉𡃤歎囉耶也莎訶　唵阿密多畢哩耶
莎訶　唵稽底羯多薩莎訶
金剛手此則是彼九星秘密心呪讀便成辦
當作十二指一色香壇中安供養或凡或銅
金銀等器奉獻供養一一供養當誦一百八
遍金剛手然後誦此諸星母陁羅尼秘密言
皆滿足七遍一切諸星而作守護所有貧窮
悉得解脫命將欲盡而得長壽金剛手若苾
芻苾芻尼烏波素迦烏波斯迦及餘有情之
類若懸耳根而不中夭金剛手諸星壇中設
供養已每日而讀誦者彼說法師一切諸星
如彼所願悉令滿足與彼同類貪遺諸事
皆得消滅
尒時釋迦如來即便為說諸星母陁羅尼
即說呪曰
南謨佛陁耶　南謨婆拶囉馱囉耶　南麼鉢麼
達囉耶　南麼薩婆迦囉訶　南麼薩婆阿奢
波囉甫迦喃　南謨諾奢多囉　南謨埭多奢
囉尸喃　揑也没底没底　歎室囉歎室囉鉢
明鉢明　婆囉婆囉　鉢婆囉鉢婆囉　三婆囉
三婆囉　基多耶基多耶　麼囉麼囉　麼訖
陁麼訖陁　伽頌耶　薩婆碧達　俱嚕俱嚕
晉耶晉耶 [illegible]

BD02705 號　諸星母陀羅尼經　（5–3）

波囉甫迦喃　南謨諾奢多囉　南謨埭多奢
囉尸喃　揑也没底没底　歎室囉歎室囉鉢
明鉢明　婆囉婆囉　鉢婆囉鉢婆囉　三婆囉
三婆囉　基多耶基多耶　麼囉麼囉　麼訖
陁麼訖陁　伽頌耶　薩婆碧達　俱嚕俱嚕
晉耶晉耶　乇舍波耶乇舍波耶　肩肱㫒伭
頌麼耶頌麼曳　咄嚕多伱　達奢耶羯
麼喃　薄伽薄帝　落叉耶落叉耶　麼那婆
波哩波藍　婆囉波薩都王悉荼　薩婆
吒訶　那乇奢多囉　陂多麼歎伱　歎囉
伱歎囉薄伽薄底　麼訶摩曳　薩馱
耶咄悉荼麼奢耶　波波伱　底賛　底賛底
都嚕都嚕　賛底　謀揄謀揄　貧謀貧
謀　訶婆訶薩　星吒哩星吒訛訶　參達
甫囉耶達　末努多藍　薩婆埋他迦多
阿伭悉伭　婆麼耶莎訶　唵莎訶　吽莎訶
紇哩莎訶　吽莎訶　担航莎訶　鉢麼頌囉
莎訶　阿室哆耶莎訶　藴麼耶莎訶　頌囉
伱須多耶莎訶　没他耶莎訶　勃多悉波伭
曳莎訶　𪘬伽囉耶莎訶　吒奢那跋那耶莎
訶　囉訶薩莎訶　鷄多薩莎訶　没他耶莎訶
歎拶囉達囉耶莎訶　鉢麼頌囉莎訶　构麼囉
耶莎訶　諾乇沙多囉難莎訶　薩婆烏鉢
多囉歎難莎訶　唵薩婆歎伭底　叭叭莎訶
金剛手此是諸星母陁羅尼秘密呪句成辦
一切諸事根本金剛手此陁羅尼秘密呪句
從於九月白月七日而起於首具足長淨至
十四日供養諸星而受持之月十五日若能
晝夜而讀誦者至滿九年無其死畏亦無星
[illegible]

BD02705 號　諸星母陀羅尼經　（5–4）

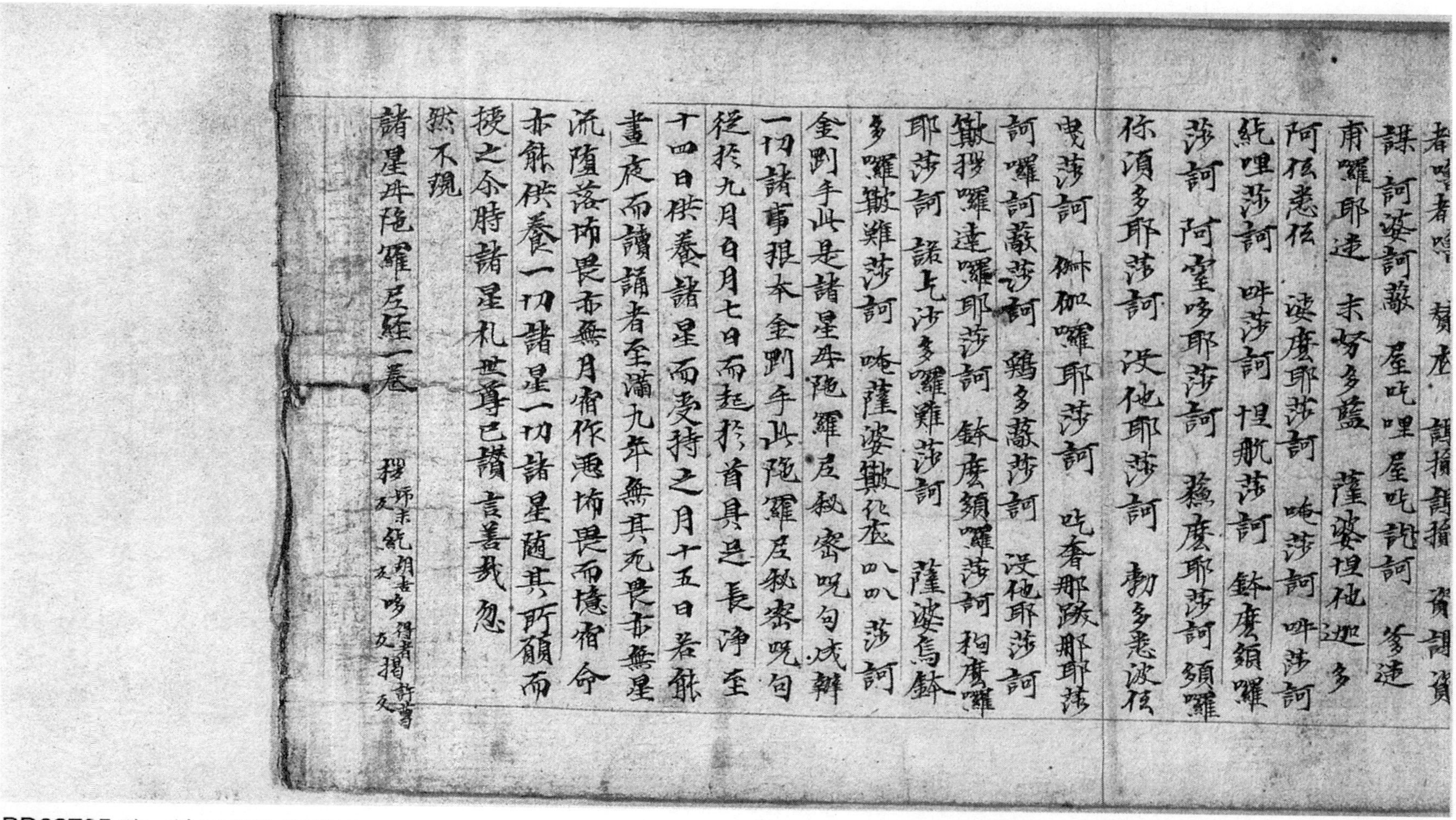

者嚕者嚕 賴底 誐揁誐揁 資謂資
誅訶娑訶藪 星吒哩星吒訖訶 參逵
甫囉耶逵 末姤多藍 薩婆怛他迦多
阿伭悉伭 逘麼耶莎訶 唵莎訶 吽莎訶
紇哩莎訶 吽莎訶 怛舧莎訶 缽麼頞囉
莎訶 阿堂哆耶莎訶 蘇麼耶莎訶 頞囉
伱須多耶莎訶 沒他耶莎訶 勃多悉波伭
曳莎訶 緐伽囉耶莎訶 吒耆那蹊那耶莎
訶囉訶藪莎訶 鷄多藪莎訶 沒他耶莎訶
歎㧊囉逹囉耶莎訶 缽麼頞囉莎訶 枸麼囉
耶莎訶 讓乞沙多囉難莎訶 薩婆烏缽
多囉歎難莎訶 唵薩婆歎㐌㐌 叭叭 莎訶
金剛手此是諸星母陀羅尼秘密呪句 戍難
一切諸事根本金剛手此陀羅尼秘密呪句
從於九月白月七日而起於首具足長淨至
十四日供養諸星而受持之月十五日若能
晝夜而讀誦者至滿九年無其死畏亦無星
流墮落怖畏亦無月宿作惡怖畏而壞宿命
亦能供養一切諸星一切諸星隨其所願而
授之尒時諸星礼世尊已讚言善哉忽
然不現
諸星母陀羅尼經一卷
㧊奶末反 紇胡吉反 哆得者反 揭許曹反

BD02705 號　諸星母陀羅尼經

（5–5）

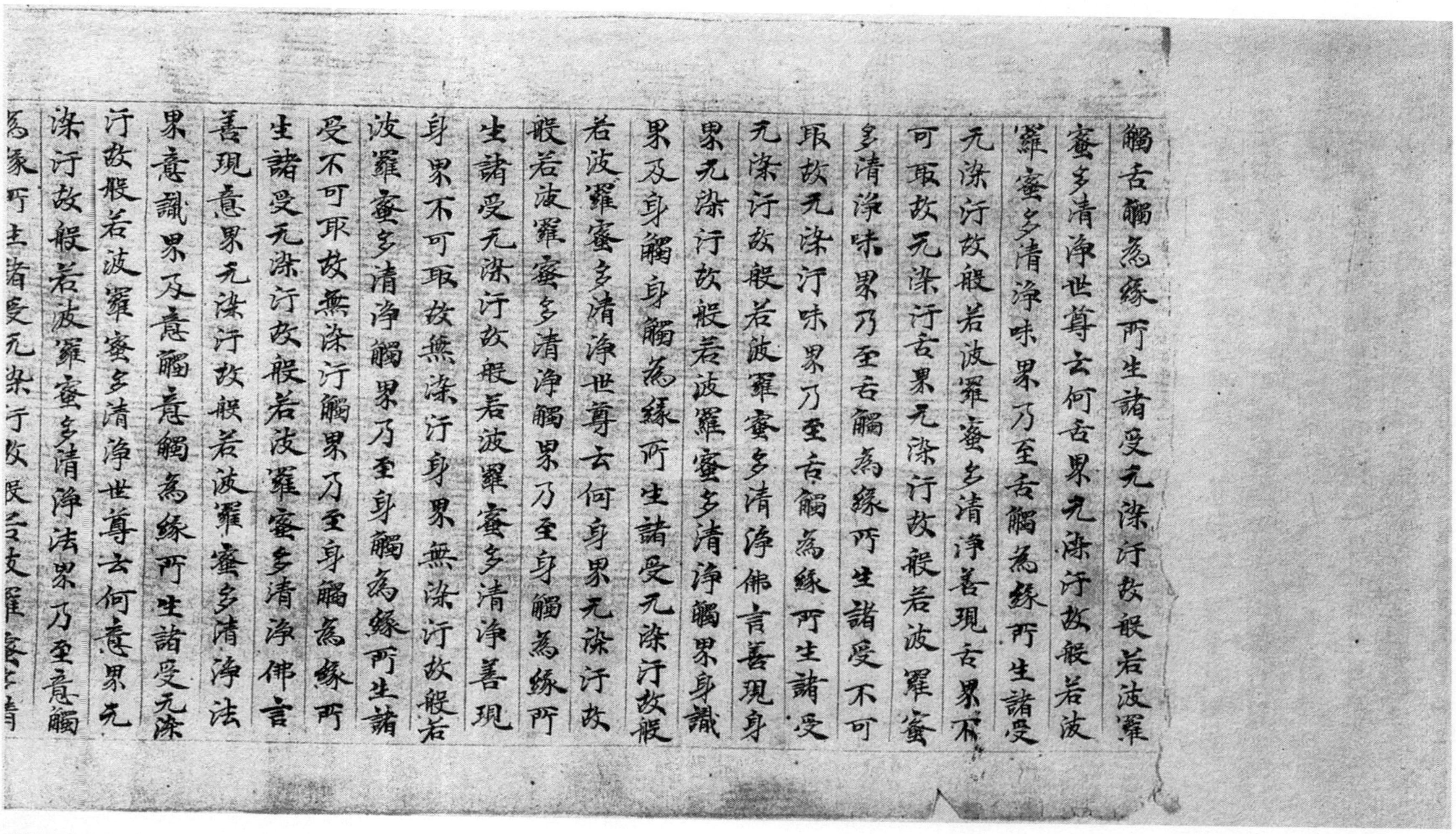

觸舌觸為緣所生諸受无染汙故般若波羅
蜜多清淨世尊云何舌界无染汙故般若波
羅蜜多清淨味界乃至舌觸為緣所生諸受
无染汙故般若波羅蜜多清淨善現舌界不
可取故无染汙舌界无染汙故般若波羅蜜
多清淨味界乃至舌觸為緣所生諸受不可
取故无染汙味界乃至舌觸為緣所生諸受
无染汙故般若波羅蜜多清淨佛言善現身
界无染汙故般若波羅蜜多清淨觸界身識
界及身觸身觸為緣所生諸受无染汙故般
若波羅蜜多清淨世尊云何身界无染汙故
般若波羅蜜多清淨觸界乃至身觸為緣所
生諸受无染汙故般若波羅蜜多清淨善現
身界不可取故無染汙身界無染汙故般若
波羅蜜多清淨觸界乃至身觸為緣所生諸
受不可取故無染汙觸界乃至身觸為緣所
生諸受无染汙故般若波羅蜜多清淨佛言
善現意界无染汙故般若波羅蜜多清淨法
界意識界及意觸意觸為緣所生諸受无染
汙故般若波羅蜜多清淨世尊云何意界无
染汙故般若波羅蜜多清淨法界乃至意觸
為緣所生諸受无染汙故般若波羅蜜多清

BD02706 號　大般若波羅蜜多經卷二九三

（5–1）

汙故般若波羅蜜多清淨世尊云何意界无
染汙故般若波羅蜜多清淨法界乃至意觸
為緣所生諸受无染汙故般若波羅蜜多清
淨善現意界不可取故无染汙意界無染汙
故般若波羅蜜多清淨法界乃至意觸為緣
所生諸受不可取故无染汙法界乃至意觸
為緣所生諸受无染汙故般若波羅蜜多清
淨
佛言善現地界无染汙故般若波羅蜜多清
淨水火風空識界无染汙故般若波羅蜜多
清淨世尊云何地界无染汙故般若波羅蜜多
清淨水火風空識界无染汙故般若波羅
蜜多清淨善現地界不可取故无染汙地界
无染汙故般若波羅蜜多清淨水火風空識
界不可取故无染汙水火風空識界无染汙
故般若波羅蜜多清淨
佛言善現无明无染汙故般若波羅蜜多清
淨行識名色六處觸受愛取有生老死愁歎
苦憂惱无染汙故般若波羅蜜多清淨世尊
云何无明无染汙故般若波羅蜜多清淨行
乃至老死愁歎苦憂惱无染汙故般若波羅蜜
蜜多清淨善現无明不可取故无染汙无明无
染汙故般若波羅蜜多清淨行乃至老死愁
歎苦憂惱不可取故无染汙行乃至老死愁
歎苦憂惱无染汙故般若波羅蜜多清淨
佛言善現布施波羅蜜多无染汙故般若波

BD02706 號　大般若波羅蜜多經卷二九三　（5–2）

染汙故般若波羅蜜多清淨行乃至老死愁
歎苦憂惱不可取故无染汙行乃至老死愁
歎苦憂惱无染汙故般若波羅蜜多清淨
佛言善現布施波羅蜜多无染汙故般若波
羅蜜多清淨淨戒安忍精進靜慮般若波羅
蜜多无染汙故般若波羅蜜多清淨世尊云
何布施波羅蜜多无染汙故般若波羅蜜多清
淨淨戒乃至般若波羅蜜多无染汙故般若
波羅蜜多清淨善現布施波羅蜜多不可取
故無染汙布施波羅蜜多无染汙故般若波
羅蜜多清淨淨戒乃至般若波羅蜜多不可
取故无染汙淨戒乃至般若波羅蜜多无染
汙故般若波羅蜜多清淨
佛言善現內空无染汙故般若波羅蜜多清
淨外空內外空空空大空勝義空有為空无
為空畢竟空无際空散空无變異空本性空
自相空共相空一切法空不可得空无性空
自性空无性自性空无染汙故般若波羅蜜
多清淨世尊云何內空无染汙故般若波羅
蜜多清淨外空乃至无性自性空无染汙故
般若波羅蜜多清淨善現內空不可取故无
染汙內空无染汙故般若波羅蜜多清淨外
空乃至无性自性空不可取故无染汙外空
乃至无性自性空无染汙故般若波羅蜜多
清淨
佛言善現真如无染汙故般若波羅蜜多清
淨法界法性不虛妄性不變異性平等性離

BD02706 號　大般若波羅蜜多經卷二九三　（5–3）

空乃至无性自性空不可取故无染汙外空
乃至无性自性空无染汙故般若波羅蜜多
清淨
佛言善現真如无染汙故般若波羅蜜多清
淨法界法性不虛妄性不變異性平等性離
生性法定法住實際虛空界不思議界无染
汙故般若波羅蜜多清淨世尊云何真如无
染汙故般若波羅蜜多清淨法界乃至不思
議界无染汙故般若波羅蜜多清淨善現真
如不可取故無染汙真如无染汙故般若波
羅蜜多清淨法界乃至不思議界不可取故
无染汙法界乃至不思議界无染汙故般若
波羅蜜多清淨
佛言善現苦聖諦无染汙故般若波羅蜜多
清淨集滅道聖諦无染汙故般若波羅蜜多
清淨世尊云何苦聖諦无染汙故般若波羅
蜜多清淨集滅道聖諦无染汙故般若波羅
蜜多清淨善現苦聖諦不可取故无染汙若
聖諦无染汙故般若波羅蜜多清淨集滅道
聖諦不可取故无染汙集滅道聖諦无染汙
故般若波羅蜜多清淨
佛言善現四靜慮无染汙故般若波羅蜜多
清淨四无量四无色定无染汙故般若波羅
蜜多清淨世尊云何四靜慮无染汙故般若
波羅蜜多清淨四无量四无色定无染汙故
般若波羅蜜多清淨善現四靜慮不可取故
无染汙四靜慮无染汙故般若波羅蜜多清

BD02706號　大般若波羅蜜多經卷二九三

（5–4）

蜜多清淨善現苦聖諦不可取故无染汙若
聖諦无染汙故般若波羅蜜多清淨集滅道
聖諦不可取故无染汙集滅道聖諦无染汙
故般若波羅蜜多清淨
佛言善現四靜慮无染汙故般若波羅蜜多
清淨四无量四无色定无染汙故般若波羅
蜜多清淨世尊云何四靜慮无染汙故般若
波羅蜜多清淨四无量四无色定无染汙故
般若波羅蜜多清淨善現四靜慮不可取故
无染汙四靜慮无染汙故般若波羅蜜多清
淨四无量四无色定不可取故无染汙四无量
四無色定無染汙故般若波羅蜜多清淨

大般若波羅蜜多經卷第二百九十三

BD02706號　大般若波羅蜜多經卷二九三

（5–5）

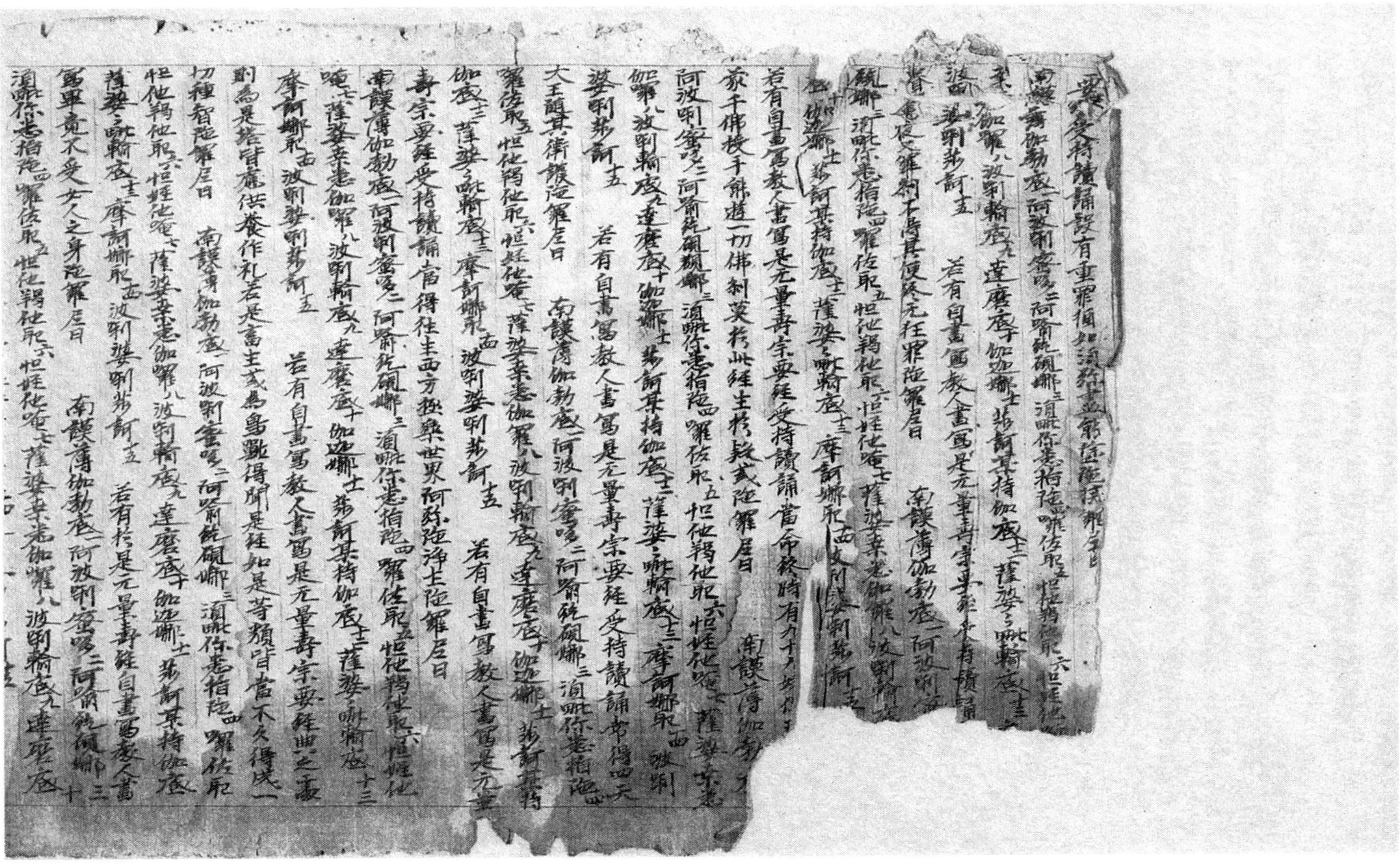

BD02707 號 1　無量壽宗要經　　（7–1）

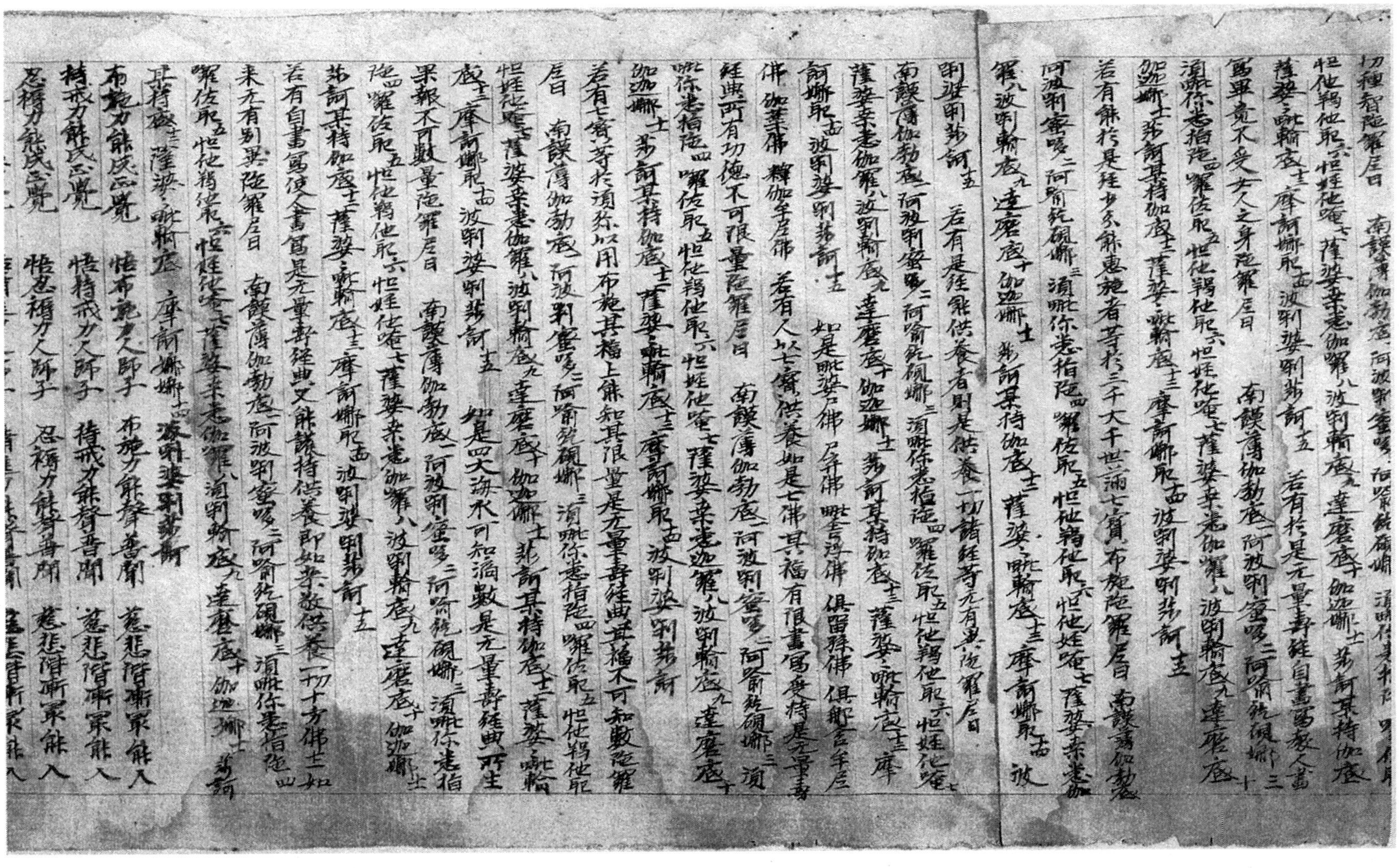

BD02707 號 1　無量壽宗要經　　（7–2）

囉佐耶五怛他羯他耶六怛姪他七唵八薩婆桑悉迦囉九波唎輸底十達磨底十一[illegible]
甚精底十三薩婆毗輸底 摩訶娜耶十四 波唎婆唎莎訶十五
布施力能成正覺 悟布施力人師子 布施力能聲普聞 慈悲階衛衆能入
持戒力能成正覺 悟持戒力人師子 持戒力能聲普聞 慈悲階衛衆能入
忍辱力能成正覺 悟忍辱力人師子 忍辱力能聲普聞 慈悲階衛衆能入
精進力能成正覺 悟精進力人師子 精進力能聲普聞 慈悲階衛衆能入
禪定力能成正覺 悟禪定力人師子 禪定力能聲普聞 慈悲階衛衆能入
智慧力能成正覺 悟智慧力人師子 智慧力能聲普聞 慈悲階衛衆能入
尒時如來說是經已一切世間天人阿脩羅揵闥婆等聞佛所說
皆大歡喜信受奉行

佛說無量壽宗要經

大乘無量壽經
如是我聞一時薄伽梵在舍衛國祇樹給孤獨園與大苾芻僧千二百五十人大菩薩
摩訶薩俱同會坐尒時世尊告曼殊室利童子曼殊上方有世界名無量功德聚彼
土有佛号無量智決定王如來阿羅訶三藐三菩提現為衆生開示說法曼殊師聽
南閻浮提人皆短壽大限百年於中殀枉橫死者衆曼殊如是無量壽如來功德名稱
法要若有衆生得聞名号若自書或使人書能為經卷受持讀誦若於舍宅所住之處
以種種花鬘瓔珞塗香末香而為供養如其命盡復得延年滿足百歲如是曼殊若
有衆生得聞是無量壽決定王如來一百八名号者益其長壽若有衆生大命將盡憶念
是如來名号便得增壽如是曼殊若有善男子善女人欲求長壽於是無量壽如來一百
八名号有得聞者或自書若使人書受持讀誦得如是等果報福德具足陁羅尼曰
南謨薄伽勃底一阿波唎蜜多二阿喻紇硯娜三須毗你悉指陁四囉佐耶五怛他羯他耶六怛姪他唵七
薩婆桑悉迦囉八波唎輸底九達磨底十伽迦娜十一莎訶其持迦底十二薩婆毗輸底十三摩訶娜耶十四
波唎婆唎莎訶十五 世尊復告曼殊室利如是如來一百八名号若有自書或使
人書為經卷者受持讀誦如壽命盡復滿百年壽此身後得往生無量福智世
界無量壽淨土陁羅尼曰 南謨薄伽勃底一阿波唎蜜多二阿喻紇硯娜三須毗你悉指
陁四囉佐耶五怛他羯他耶六怛姪他唵七薩婆桑悉迦囉八波唎輸底九達磨底十伽迦娜十一
莎訶其持迦底十二薩婆毗輸底十三摩訶娜耶十四波唎婆唎莎訶十五
尒時復有九十九姟佛一時同聲說是無量壽宗要經陁羅尼曰 南謨薄伽勃底一
[illegible]

BD02707 號 1　無量壽宗要經
BD02707 號 2　無量壽宗要經

（7–3）

界無量壽淨土陁羅尼曰 [illegible]
陁四囉佐耶五怛他羯他耶六怛姪他唵七薩婆桑悉迦囉八波唎輸底九達磨底十伽迦娜十一
莎訶其持迦底十二薩婆毗輸底十三摩訶娜耶十四波唎婆唎莎訶十五
尒時復有九十九姟佛一時同聲說是無量壽宗要經陁羅尼曰 南謨薄伽勃底一
阿波唎蜜多二阿喻紇硯娜三須毗你悉指陁四囉佐耶五怛他羯他耶六怛姪他唵七薩婆桑
悉迦囉八波唎輸底九達磨底十伽迦娜十一莎訶其持迦底十二薩婆毗輸底十三摩訶娜耶十四
波唎婆唎莎訶十五 尒時復有一百四姟佛一時同聲說是無量宗要經陁羅尼曰
南謨薄伽勃底一阿波唎蜜多二阿喻紇硯娜三須毗你悉指陁四囉佐耶五怛他羯他耶六怛姪他唵七
薩婆桑悉迦囉八波唎輸底九達磨底十伽迦娜十一莎訶其持迦底十二薩婆毗輸底十三摩訶娜耶十四
波唎婆唎莎訶十五 尒時復有七姟佛一時同聲說是無量壽宗要經陁羅尼曰
南謨薄伽勃底一阿波唎蜜多二阿喻紇硯娜三須毗你悉指陁四囉佐耶五怛他羯他耶六怛姪他唵七薩
婆桑悉迦囉八波唎輸底九達磨底十伽迦娜十一莎訶其持迦底十二薩婆毗輸底十三摩訶娜耶十四
波唎婆唎莎訶十五 尒時復有六十五姟佛一時同聲說是無量壽宗要經陁羅尼曰
南謨薄伽勃底一阿波唎蜜多二阿喻紇硯娜三須毗你悉指陁四囉佐耶五怛他羯他耶六怛姪他唵七薩
婆桑悉迦囉八波唎輸底九達磨底十伽迦娜十一莎訶其持迦底十二薩婆毗輸底十三摩訶娜耶十四
波唎婆唎莎訶十五 尒時復有五十五姟佛一時同聲說是無量宗要經陁羅尼曰
南謨薄伽勃底一阿波唎蜜多二阿喻紇硯娜三須毗你悉指陁四囉佐耶五怛他羯他耶六怛姪他唵七薩
婆桑悉迦囉八波唎輸底九達磨底十伽迦娜十一莎訶其持迦底十二薩婆毗輸底十三摩訶娜耶十四
波唎婆唎莎訶十五 尒時復有卌五姟佛一時同聲說是無量壽宗要經陁羅尼曰
南謨薄伽勃底一阿波唎蜜多二阿喻紇硯娜三須毗你悉指陁四囉佐耶五怛他羯他耶六怛姪他唵七薩
婆桑悉迦囉八波唎輸底九達磨底十伽迦娜十一莎訶其持迦底十二薩婆毗輸底十三摩訶娜耶十四
波唎婆唎莎訶十五 尒時復有卅六姟佛一時同聲說是無量壽宗要經陁羅尼曰
南謨薄伽勃底一阿波唎蜜多二阿喻紇硯娜三須毗你悉指陁四囉佐耶五怛他羯他耶六怛姪他唵七薩
婆桑悉迦囉八波唎輸底九達磨底十伽迦娜十一莎訶其持迦底十二薩婆毗輸底十三摩訶娜耶十四
波唎婆唎莎訶十五 尒時復有廿五姟佛一時同聲說是無量壽宗要經陁羅尼曰
南謨薄伽勃底一阿波唎蜜多二阿喻紇硯娜三須毗你悉指陁四囉佐耶五怛他羯他耶六怛姪他唵七
薩婆桑悉迦囉八波唎輸底九達磨底十伽迦娜十一莎訶其持迦底十二薩婆毗輸底十三摩訶娜耶十四
波唎婆唎莎訶十五 尒時復有恒河沙姟佛一時同聲說是無量壽宗要經陁羅尼曰
南謨薄伽勃底一阿波唎蜜多二阿喻紇硯娜三須毗你悉指陁四囉佐耶五怛他羯他耶六怛姪他唵七薩
婆桑悉迦囉八波唎輸底九達磨底十伽迦娜十一莎訶其持迦底十二薩婆毗輸底十三摩訶娜耶十四
波唎婆唎莎訶十五 善男子若有自書寫教人書寫是無量壽宗要經如其命盡復得
南謨薄伽勃底一阿波唎蜜多二阿喻紇硯娜三須毗你悉指陁四囉佐[illegible]

BD02707 號 2　無量壽宗要經

（7–4）

波唎婆唎莎訶十五　尒時復有恒河沙殑伽一時同聲說是无量壽宗要經陁羅尼曰
南謨薄伽勃底一阿波唎蜜哆二阿喻紇硜孃那三須毗你悉指陁四囉佐耶五怛他羯他耶六怛姪他唵七
薩婆桑悉迦囉八波唎輸底九達磨底十伽迦娜十一莎訶某持伽底十二薩婆婆毗輸底十三摩訶娜耶十四
波唎婆唎莎訶十五　若男子若有自書寫教人書寫是无量壽宗要經如其命盡復得
長壽滿百年陁羅尼曰　南謨薄伽勃底一阿波唎蜜哆二阿喻紇硜孃那三須毗你悉指陁四囉佐
耶五怛他羯他耶六怛姪他唵七薩婆桑悉迦囉八波唎輸底九達磨底十伽迦娜十一莎訶某持伽底
十二薩婆婆毗輸底十三摩訶娜耶十四波唎婆唎莎訶十五　若有自書寫教人書寫是无量壽宗要
經讀誦受持畢竟不墮地獄在在所生得宿命智陁羅尼曰　南謨薄伽勃底一阿波唎蜜哆二
阿喻紇硜孃那三須毗你悉指陁四囉佐耶五怛他羯他耶六怛姪他唵七薩婆桑悉迦囉八波唎輸底九
達磨底十伽迦娜十一莎訶某持伽底十二薩婆婆毗輸底十三摩訶娜耶十四波唎婆唎莎訶十五
若有自書寫教人書寫是无量宗要經受持讀誦如同書寫八万四千一切經典陁羅尼曰
南謨薄伽勃底一阿波唎蜜哆二阿喻紇硜孃那三須毗你悉指陁四囉佐耶五怛他羯他耶六怛姪他唵七薩
婆桑悉迦囉八波唎輸底九達磨底十伽迦娜十一莎訶某持伽底十二薩婆婆毗輸底十三摩訶娜耶十四
波唎婆唎莎訶十五　若有自書寫教人書寫是无量壽宗要經讀誦受持如同書寫八万四千
部建立塔廟陁羅尼曰　南謨薄伽勃底一阿波唎蜜哆二阿喻紇硜孃那三須毗你悉指陁四囉佐耶
五怛他羯他耶六怛姪他唵七薩婆桑悉迦囉八波唎輸底九達磨底十伽迦娜十一莎訶某持伽底十二薩婆
婆毗輸底十三摩訶娜耶十四波唎婆唎莎訶十五　若有自書寫教人書寫是无量壽宗要經能消五无
間等一切重罪陁羅尼曰　南謨薄伽勃底一阿波唎蜜哆二阿喻紇硜孃那三須毗你悉指陁四囉佐耶五
怛他羯他耶六怛姪他唵七薩婆桑悉迦囉八波唎輸底九達磨底十伽迦娜十一莎訶某持伽底十二薩婆
婆毗輸底十三摩訶娜耶十四波唎婆唎莎訶十五　若有自書寫教人書寫是无量壽宗要經受持讀誦
假有重罪猶如須彌盡能除滅陁羅尼曰　南謨薄伽勃底一阿波唎蜜哆二阿喻紇硜孃那三
須毗你悉指陁四囉佐耶五怛他羯他耶六怛姪他唵七薩婆桑悉迦囉八波唎輸底九達磨底十
伽迦娜十一莎訶某持伽底十二薩婆婆毗輸底十三摩訶娜耶十四波唎婆唎莎訶十五
若有自書寫教人書寫是无量壽宗要經受持讀誦若魔魔之眷屬夜叉羅剎不得
其便終无枉死陁羅尼曰　南謨薄伽勃底一阿波唎蜜哆二阿喻紇硜孃那三須毗你悉指陁四
囉佐耶五怛他羯他耶六怛姪他唵七薩婆桑悉迦囉八波唎輸底九達磨底十伽迦娜十一莎訶
某持伽底十二薩婆婆毗輸底十三摩訶娜耶十四波唎婆唎莎訶十五　若有自書寫教人書寫是
无量壽宗要經受持讀誦當命終時有九十九殑佛現其人前承千授佛手能遊一切佛
剎莫於此生疑惑陁羅尼曰　南謨薄伽勃底一阿波唎蜜哆二阿喻紇硜孃那三須毗你悉指
陁四囉佐耶五怛他羯他耶六怛姪他唵七薩婆桑悉迦囉八波唎輸底九達磨底十伽迦娜十一
莎訶某持伽底十二薩婆婆毗輸底十三摩訶娜耶十四波唎婆唎莎訶十五　若有自書寫教人
書寫是无量壽宗要經受持讀誦常得四天大王隨其衛護陁羅尼曰

BD02707 號 2　無量壽宗要經　（7–5）

某持伽底十二薩婆婆毗輸底十三摩訶娜耶十四波唎婆唎莎訶十五　若有自書寫教人書寫是
无量壽宗要經受持讀誦當命終時有九十九殑佛現其人前承千授佛手能遊一切佛
剎莫於此生疑惑陁羅尼曰　南謨薄伽勃底一阿波唎蜜哆二阿喻紇硜孃那三須毗你悉指
陁四囉佐耶五怛他羯他耶六怛姪他唵七薩婆桑悉迦囉八波唎輸底九達磨底十伽迦娜十一
莎訶某持伽底十二薩婆婆毗輸底十三摩訶娜耶十四波唎婆唎莎訶十五　若有自書寫教人
書寫是无量壽宗要經受持讀誦常得四天大王隨其衛護陁羅尼曰
南謨薄伽勃底一阿波唎蜜哆二阿喻紇硜孃那三須毗你悉指陁四囉佐耶五怛他羯他耶六怛姪他唵七
薩婆桑悉迦囉八波唎輸底九達磨底十伽迦娜十一莎訶某持伽底十二薩婆婆毗輸底十三摩訶
娜耶十四波唎婆唎莎訶十五　若有自書寫教人書寫是无量壽宗要經受持讀誦當得往
生西方极樂世界阿彌陁淨土陁羅尼曰　南謨薄伽勃底一阿波唎蜜哆二阿喻紇硜孃那三須毗你
悉指陁四囉佐耶五怛他羯他耶六怛姪他唵七薩婆桑悉迦囉八波唎輸底九達磨底十伽迦娜十一
莎訶某持伽底十二薩婆婆毗輸底十三摩訶娜耶十四波唎婆唎莎訶十五　若有自書寫教人書寫是
无量壽宗要經典之處則為是塔皆應供養作禮若是畜生或鳥獸得聞是經如是等類
皆當不久得成一切種智陁羅尼曰　南謨薄伽勃底一阿波唎蜜哆二阿喻紇硜孃那三須毗你悉指陁四囉
佐耶五怛他羯他耶六怛姪他唵七薩婆桑悉迦囉八波唎輸底九達磨底十伽迦娜十一莎訶某持伽底十二
薩婆婆毗輸底十三摩訶娜耶十四波唎婆唎莎訶十五　若有於是經自書寫教人書寫畢竟不受女人之身陁
羅尼曰　南謨薄伽勃底一阿波唎蜜哆二阿喻紇硜孃那三須毗你悉指陁四囉佐耶五怛他羯他耶六怛
姪他唵七薩婆桑悉迦囉八波唎輸底九達磨底十伽迦娜十一莎訶某持伽底十二薩婆婆毗輸底十三摩
訶娜耶十四波唎婆唎莎訶十五　若有能於是經少分能惠施者於三千大千世界滿中七寶布施陁羅
尼曰　南謨薄伽勃底一阿波唎蜜哆二阿喻紇硜孃那三須毗你悉指陁四囉佐耶五怛他羯他耶六怛姪他唵七薩
婆桑悉迦囉八波唎輸底九達磨底十伽迦娜十一莎訶某持伽底十二薩婆婆毗輸底十三摩訶娜耶十四波唎
婆唎莎訶十五　若有能供養是經者即是供養一切諸經等无有異陁羅尼曰　南謨薄伽勃底一阿波唎蜜哆二
阿喻紇硜孃那三須毗你悉指陁四囉佐耶五怛他羯他耶六怛姪他唵七薩婆桑悉迦囉八波唎輸底九達磨底十
伽迦娜十一莎訶某持伽底十二薩婆婆毗輸底十三摩訶娜耶十四波唎婆唎莎訶十五　如毗婆尸佛尸棄佛毗舍浮
佛俱留孫佛俱那含牟尼佛迦葉佛釋迦牟尼佛　若有人以七寶供養如是七佛其福有限書寫
受持是无量壽經典所有功德不可限量陁羅尼曰　南謨薄伽勃底一阿波唎蜜哆二阿喻紇硜
孃那三須毗你悉指陁四囉佐耶五怛他羯他耶六怛姪他唵七薩婆桑悉迦囉八波唎輸底九達磨底十
伽迦娜十一莎訶某持伽底十二薩婆婆毗輸底十三摩訶娜耶十四波唎婆唎莎訶十五　若有七寶供養
等於須彌山用布施其福上能知其限量是无量壽經典其福不可知數陁羅尼曰
南謨薄伽勃底一阿波唎蜜哆二阿喻紇硜孃那三須毗你悉指陁四囉佐耶五怛他羯他耶六怛姪他唵七薩
婆桑悉迦囉八波唎輸底九達磨底十伽迦娜十一莎訶某持伽底十二薩婆婆毗輸底十三摩訶娜耶
[illegible]莎訶十五　[illegible]陁羅尼曰

BD02707 號 2　無量壽宗要經　（7–6）

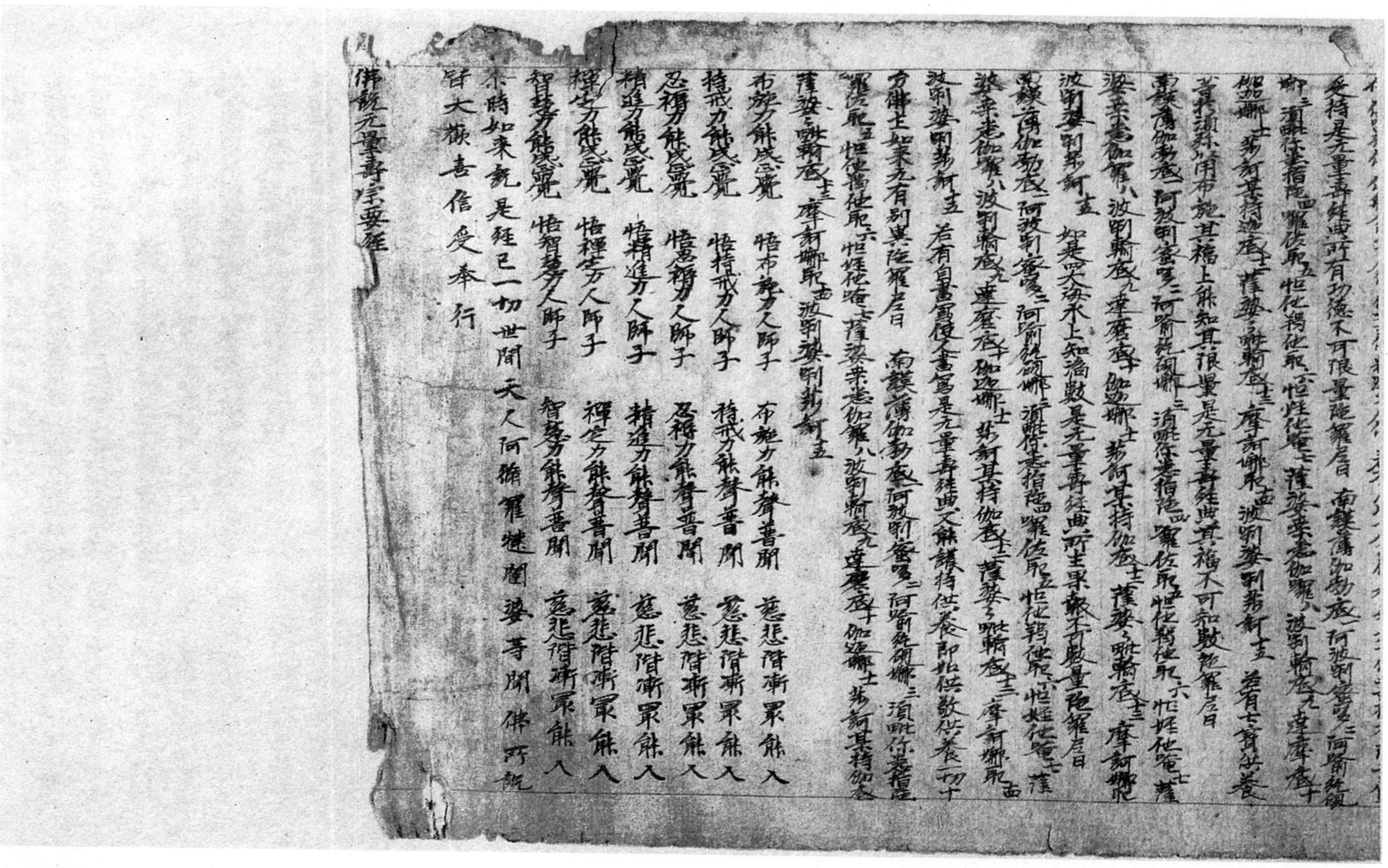

BD02707 號 2　無量壽宗要經　（7–7）

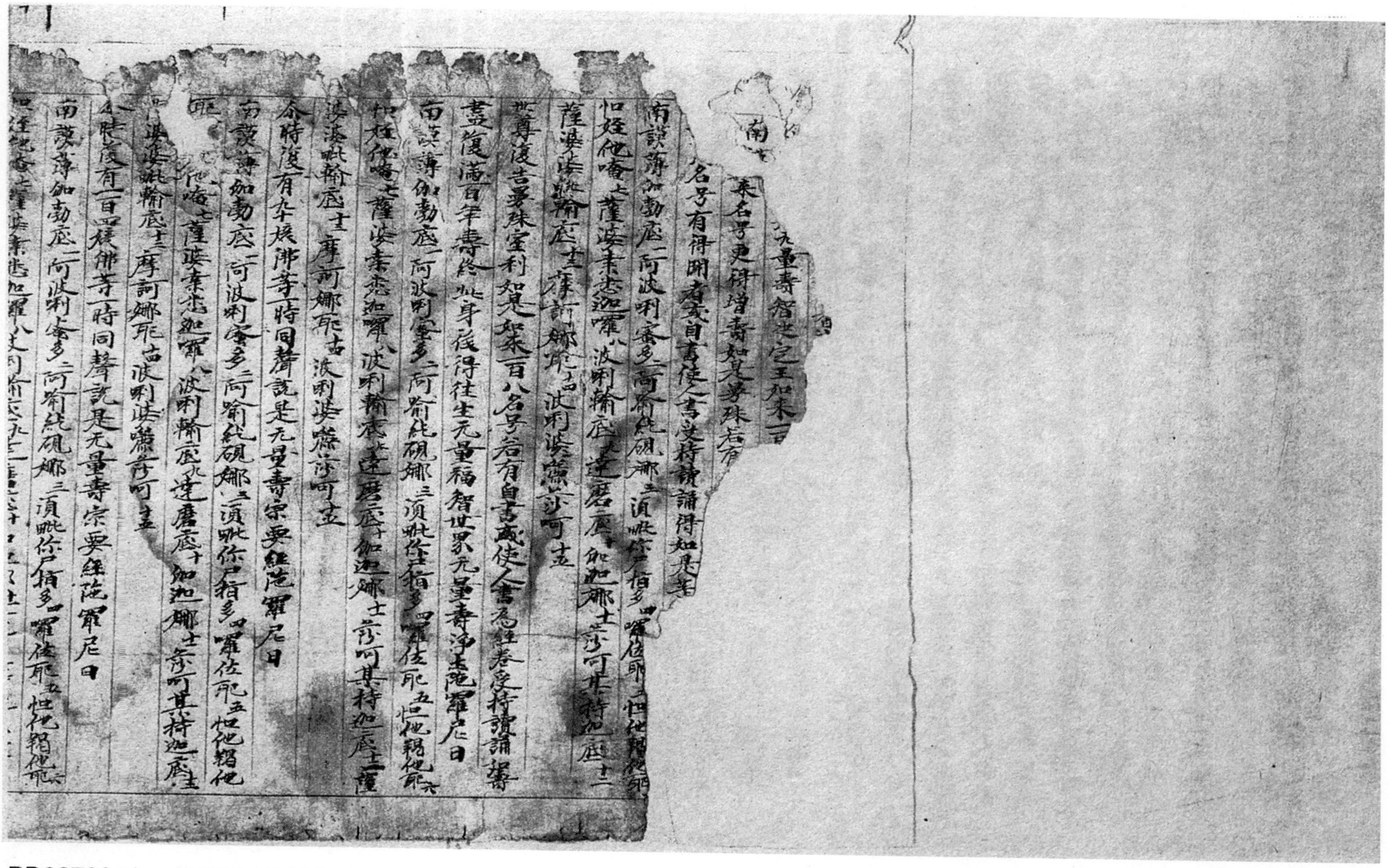

BD02708 號　無量壽宗要經　（6–1）

尒時復有卆姟佛等一時同聲說是无量壽宗要經陁羅尼曰
南謨薄伽勃底一阿波唎蜜多二阿喻紇硯娜三須毗你尸積多四囉佐耶五怛他羯他
耶六怛姪他唵七薩婆桑悉迦囉八波唎輸底九達磨底十伽迦娜十一莎呵其持迦底十二
娑婆毗輸底十三摩訶娜耶十四波唎婆嚇十五莎呵十六
尒時復有一百四姟佛等一時同聲說是无量壽宗要經陁羅尼曰
南謨薄伽勃底一阿波唎蜜多二阿喻紇硯娜三須毗你尸積多四囉佐耶五怛他羯他耶六
怛姪他唵七薩婆桑悉迦囉八波唎輸底九達磨底十伽迦娜十一莎呵其持迦底十二薩
婆毗輸底十三摩訶娜耶十四波唎波嚇十五莎呵十六
尒時復有七姟佛等一時同聲說是无量壽宗要經陁羅尼曰
南謨薄伽勃底一阿波唎蜜多二阿喻紇硯娜三須毗你尸積多四囉佐耶五怛他羯他
耶六怛姪他唵七薩婆達悉迦囉八波唎輸底九達磨底十伽迦娜十一莎呵其持迦底十二
有六十五姟佛一時同聲說是无量壽宗要經陁羅尼曰
伽勃底一阿波唎蜜多二阿喻紇硯娜三須毗你尸積多四囉佐耶五怛他羯他耶六
怛姪他唵七薩婆桑悉迦囉八波唎輸底九達磨底十伽迦娜十一莎呵其持迦底十二薩婆
娑毗輸底十三摩訶娜耶十四波唎婆嚇十五莎呵十六
復有五十五姟佛一時同聲說是无量壽宗要經陁羅尼曰
薄伽勃底一阿波唎蜜多二阿喻紇硯娜三須毗你尸積多四囉佐耶五怛他羯他耶六
姪他唵七薩婆桑悉迦囉八波唎輸底九達磨底十伽迦娜十一莎呵其持迦底十二薩
婆婆毗輸底十三摩訶娜耶十四波唎婆嚇十五莎呵十六
尒時復有四十五姟佛一時同聲說是无量宗要經陁羅尼曰
南謨薄伽勃底一阿波唎蜜多二阿喻紇硯娜三須毗你尸積多四囉佐耶五怛他羯他耶六
怛姪他唵七薩婆桑悉迦囉八波唎輸底九達磨底十伽迦娜十一莎呵其持迦底十二薩
婆毗輸底十三摩訶娜耶十四波唎婆嚇十五莎呵十六
尒時復有三十六姟佛一時同聲說是无量壽宗要經陁羅尼曰
謨薄伽勃底一阿波唎蜜多二阿喻紇硯娜三須毗你尸積多四囉佐耶五怛他羯
他耶六怛姪他唵七薩婆桑悉迦囉八波唎輸底九達磨底十伽迦娜十一莎呵其持迦底十二
摩訶娜耶十四波唎婆嚇十五莎呵十六
尒時復有二十五姟佛一時同聲說是无量壽宗要經陁羅尼曰
南謨薄伽勃底一阿波唎蜜多二阿喻紇硯娜三須毗你尸積多四囉佐耶五怛他羯他耶六
怛姪他唵七薩婆桑悉迦囉八波唎輸底九達磨底十伽迦娜十一莎呵其持迦底十二薩

BD02708號　無量壽宗要經　（6–2）

謨薄伽勃底一阿波唎蜜多二阿喻紇硯娜三須毗你尸積多四囉佐耶五怛他羯
耶六怛姪他唵七薩婆桑悉迦囉八波唎輸底九達磨底十伽迦娜十一莎呵其持迦底十二
摩訶娜耶十四波唎婆嚇十五莎呵十六
尒時復有二十五姟佛一時同聲說是无量壽宗要經陁羅尼曰
南謨薄伽勃底一阿波唎蜜多二阿喻紇硯娜三須毗你尸積多四囉佐耶五怛他羯他耶六
怛姪他唵七薩婆桑悉迦囉八波唎輸底九達磨底十伽迦娜十一莎呵其持迦底十二薩
婆婆毗輸底十三摩訶娜耶十四波唎婆嚇十五莎呵十六
尒時復有恒河沙姟佛一時同聲說是无量壽宗要經陁羅尼曰
南謨薄伽勃底一阿波唎蜜多二阿喻紇硯娜三須毗你尸積多四囉佐耶五怛他羯他耶六
怛姪他唵七薩婆桑悉迦囉八波唎輸底九達磨底十伽迦娜十一莎呵其持他底十二薩婆
婆毗輸底十三摩訶娜耶十四波唎波嚇十五莎呵十六
善男子若有自書寫教人書寫是无量壽宗要經如其命盡復得長壽所滿年陁羅尼曰
南謨薄伽勃底一阿波唎蜜多二阿喻紇硯娜三須毗你尸積多四囉佐耶五怛他羯他耶六
怛姪他唵七薩婆桑悉迦囉八波唎輸底九達磨底十伽迦娜十一莎呵其持迦底十二薩婆
婆毗輸底十三摩訶娜耶十四波唎婆嚇十五莎呵十六
若有自書寫教人書寫是无量壽宗要經讀誦受持畢竟不墮地獄在在所生得宿命智
陁羅尼曰　南謨薄伽勃底一阿波唎蜜多二阿喻紇硯娜三須毗你尸積多四囉佐耶五怛
他羯他耶六怛姪他唵七薩婆桑悉迦囉八波唎輸底九達磨底十伽迦娜十一莎呵其持迦底十二
薩婆婆毗輸底十三摩訶娜耶十四波唎婆嚇十五莎呵十六
若有自書寫教人書寫是无量壽宗要經受持讀誦如同書寫八万四千一切經典陁羅尼曰
南謨薄伽勃底一阿波唎蜜多二阿喻紇硯娜三須毗你尸積多四囉佐耶五怛他羯他耶六怛
姪他唵七薩婆桑悉迦囉八波囉輸底九達磨底十伽迦娜十一莎呵其持迦底十二薩婆婆
毗輸底十三摩訶娜耶十四波唎婆嚇十五莎呵十六
若有自書寫教人書寫是无量壽宗要經受讀誦即是書寫八万四千部建立塔廟陁羅尼曰
南謨薄伽勃底一阿波唎蜜多二阿喻紇硯娜三須毗你尸積多四囉佐耶五怛他羯他耶六
怛姪他唵七薩婆桑悉迦囉八波唎輸底九達磨底十伽迦娜十一莎呵其持迦底十二薩婆
婆毗輸底十三摩訶娜耶十四波唎婆嚇十五莎呵十六
若有自書寫教人書寫是无量壽宗要經能消五无間等一切重罪陁羅尼曰
南謨伽勃底一阿波唎蜜多二阿喻紇硯娜三須毗你尸積多四囉佐耶五怛他羯他耶六怛姪
他唵七薩婆桑悉迦囉八波唎輸底九達磨底十伽迦娜十一莎呵其持迦底十二薩婆婆

BD02708號　無量壽宗要經　（6–3）

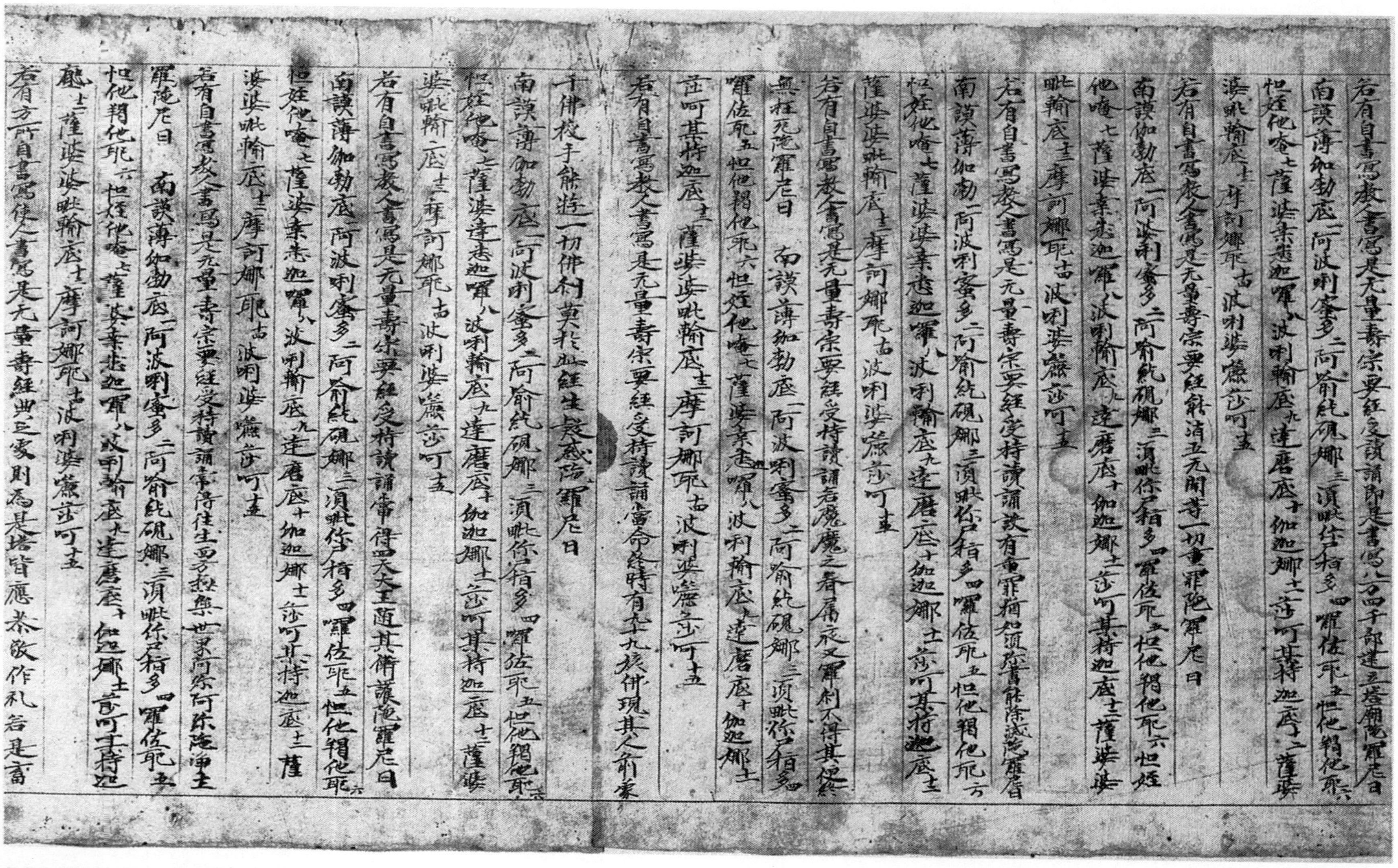

BD02708號　無量壽宗要經　（6–4）

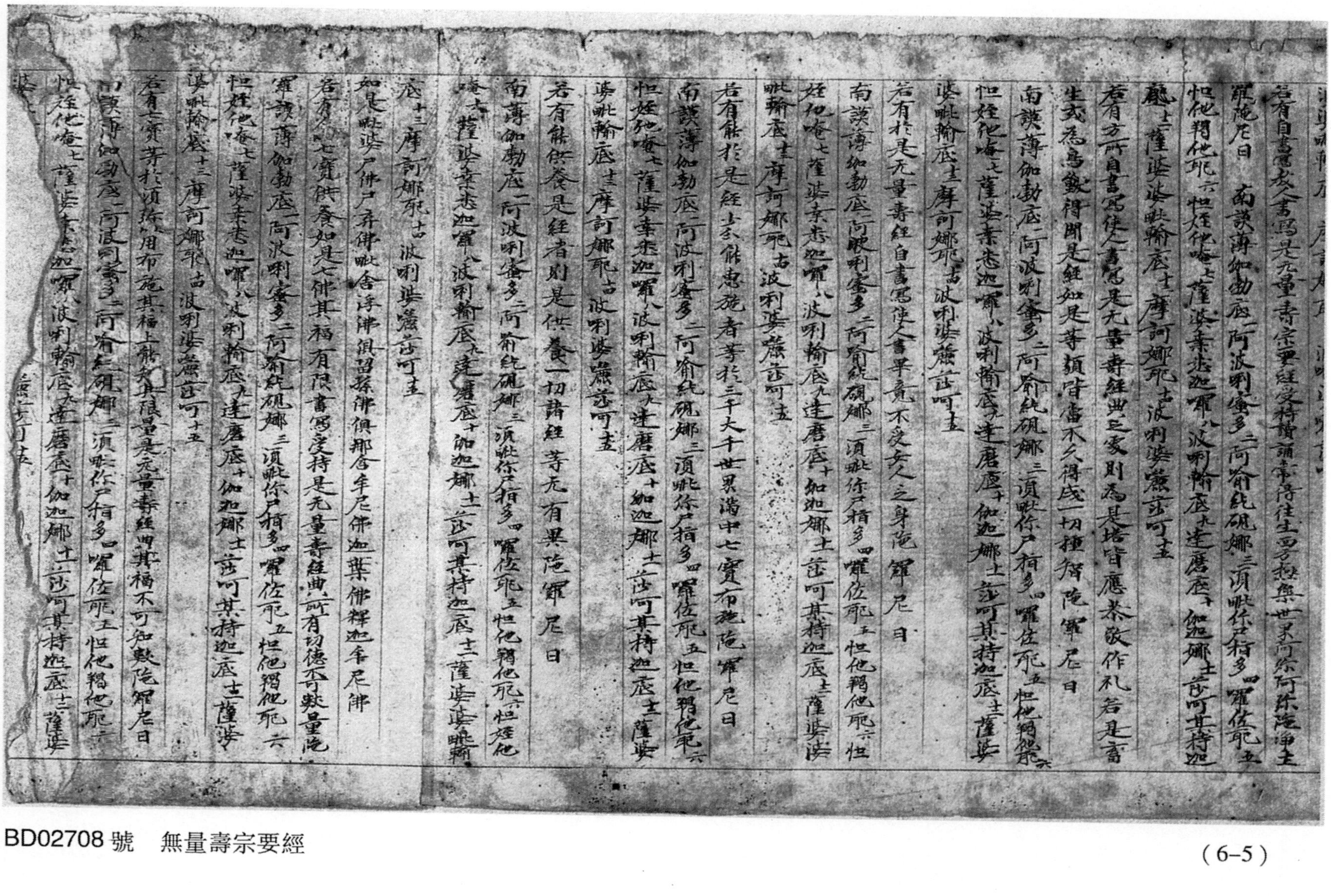

BD02708號　無量壽宗要經　（6–5）

姪他唵七薩婆桑悉迦囉八波唎輸底九達磨底十伽迦娜十一莎呵其持迦底十二薩婆婆
毗輸底十三摩訶娜耶十四波唎婆嚧莎呵十五
若有能於是經少分能忠施者等於三千大千世界滿中七寶布施陀羅尼曰
南謨薄伽勃底一阿波唎蜜多二阿喻紇硯娜三須毗你尸指多四囉佐耶五怛他羯他耶六
怛姪他唵七薩婆桑悉迦囉八波唎輸底九達磨底十伽迦娜十一莎呵其持迦底十二薩婆
婆毗輸底十三摩訶娜耶十四波唎婆嚧莎呵十五
若有能供養是經者則是供養一切諸經等无有異陀羅尼曰
南薄伽勃底一阿波唎蜜多二阿喻紇硯娜三須毗你尸指多四囉佐耶五怛他羯他耶六怛姪他
唵七薩婆桑悉迦囉八波唎輸底九達磨底十伽迦娜十一莎呵其持迦底十二薩婆婆毗輸
底十三摩訶娜耶十四波唎婆嚧莎呵十五
如是毗婆尸佛尸棄佛毗舍浮佛俱留孫佛俱那含牟尼佛迦葉佛釋迦牟尼佛
若有人七寶供養如是七佛其福有限書寫受持是无量壽經典所有功德不可數量陀
羅謨薄伽勃底一阿波唎蜜多二阿喻紇硯娜三須毗你尸指多四囉佐耶五怛他羯他耶六
怛姪他唵七薩婆桑悉迦囉八波唎輸底九達磨底十伽迦娜十一莎呵其持迦底十二薩婆
婆毗輸底十三摩訶娜耶十四波唎婆嚧莎呵十五
若有七寶等於須彌山用布施其福上能知其限量是无量壽經典其福不可知數陀羅尼曰
南謨薄伽勃底一阿波唎蜜多二阿喻紇硯娜三須毗你尸指多四囉佐耶五怛他羯他耶六
怛姪他唵七薩婆桑悉迦囉八波唎輸底九達磨底十伽迦娜十一莎呵其持迦底十二薩婆
婆[illegible]

BD02708 號　無量壽宗要經　（6–6）

无量壽宗要經
如是我聞一時薄伽梵在舍衛國祇樹給孤獨園與大苾蒭僧千二百五十人大菩薩摩訶
薩衆俱同會坐尒時世尊告曼殊室利童子曼殊上方有世界名无量功德聚彼
土有佛号无量壽智決定王如來阿羅訶三藐三菩提現爲衆聞示說諸曼殊諦
聽南閻浮提人皆短壽大限百年於中狡枉橫死者衆曼殊如是无量壽如來功德名稱
法要若有衆生得聞名号若自書或使人書能爲經卷受持讀誦若於舍宅所住之處以種種花鬘瓔
珞塗香末香而爲供養如其命盡復得長壽滿足百年歲如是曼殊若有衆生得聞是
无量壽智決定王如來一百八名号者益其長壽若有衆生大命將盡憶念是如來名号更
得增壽如是曼殊若有善男子善女人欲求長壽於是无量壽如來一百八名号有得聞者
或自書若使人書受持讀誦得如是等果報福具足陀羅尼曰　南謨薄伽勃底阿波唎蜜
哆二阿唎輸紇硯娜三須毗你悉指陀四囉佐耶五怛他羯他耶六怛姪他唵七薩婆桑悉迦囉八波唎輸底
達磨底十伽迦娜十一莎訶其特迦底十二薩婆婆毗輸底十三摩訶娜耶十四波唎婆婆莎訶十五　世尊復
告曼殊室利如是如來一百八名号若有自書或使人書爲經卷受持讀誦如壽命盡復
滿百年終此身後往生西方无量福智世界无量壽淨土陀羅尼曰　南謨薄伽勃
底一阿波唎蜜哆二阿喻紇硯娜三須毗你悉指陀四囉佐耶五怛他羯他耶六怛姪他唵七薩婆桑悉迦
囉八波唎輸底九達磨底十伽迦娜十一莎訶其特迦底十二薩婆婆毗輸底十三摩訶娜耶十四波唎婆婆
莎訶十五　尒時有九十九殑伽沙佛一時同聲說是无量壽宗要經陀羅尼曰　南謨薄伽
勃底一阿波唎蜜哆二阿喻紇硯娜三須毗你悉指陀四囉佐耶五怛他羯他耶六怛姪他唵七薩
婆桑悉迦囉八波唎輸底九達磨底十伽迦娜十一莎訶其特迦底十二薩婆婆毗輸底十三摩訶娜耶十四波
唎婆婆莎訶十五　尒時復有一百四殑伽沙佛一時同聲說是无量壽宗要經陀羅尼曰　南
謨薄伽勃底一阿波唎蜜哆二阿喻紇硯娜三須毗你悉指陀四囉佐耶五怛他羯他耶六怛姪他唵七薩
婆桑悉迦囉八波唎輸底九達磨底十伽迦娜十一莎訶其特迦底十二薩婆婆毗輸底十三摩訶娜耶十四波
唎婆婆莎訶十五　尒時復有七殑伽沙佛一時同聲說是无量壽宗要經陀羅尼曰　南謨薄伽勃
[illegible]

BD02709 號　無量壽宗要經　（4–1）

波唎婆嚟莎訶 尒時復有一百四姟佛一時同聲說是无量壽宗要經陁羅尼曰 南謨薄伽勃底 阿波唎蜜多 阿喻紇硯娘 須毗你悉指陁 囉佐耶 怛他羯他耶 怛姪他 唵 薩婆桑悉迦囉 波唎輸底 達磨底 伽伽娜 莎訶揭底 娑婆婆毗輸底 摩訶娜耶 波唎婆嚟莎訶 尒時復有七姟佛一時同聲說是无量壽宗要經陁羅尼曰 南謨薄伽勃底 阿波唎蜜多 阿喻紇硯娘 須毗你悉指陁 囉佐耶 怛他羯他耶 怛姪他 唵 薩婆桑悉迦囉 波唎輸底 達磨底 伽伽娜 莎訶揭底 娑婆婆毗輸底 摩訶娜耶 波唎婆嚟莎訶 尒時復有六十五姟佛一時同聲說是无量壽宗要經陁羅尼曰 南謨薄伽勃底 阿波唎蜜多 阿喻紇硯娘 須毗你悉指陁 囉佐耶 怛他羯他耶 怛姪他 唵 薩婆桑悉迦囉 波唎輸底 達磨底 伽伽娜 莎訶揭底 娑婆婆毗輸底 摩訶娜耶 波唎婆嚟莎訶 尒時復有五十五姟佛一時同聲說是无量壽宗要經陁羅尼曰 南謨薄伽勃底 阿波唎蜜多 阿喻紇硯娘 須毗你悉指陁 囉佐耶 怛他羯他耶 怛姪他 唵 薩婆桑悉迦囉 波唎輸底 達磨底 伽伽娜 莎訶揭底 娑婆婆毗輸底 摩訶娜耶 波唎婆嚟莎訶 尒時復有卌五姟佛一時同聲說是无量壽宗要經陁羅尼曰 南謨薄伽勃底 阿波唎蜜多 阿喻紇硯娘 須毗你悉指陁 囉佐耶 怛他羯他耶 怛姪他 唵 薩婆桑悉迦囉 波唎輸底 達磨底 伽伽娜 莎訶揭底 娑婆婆毗輸底 摩訶娜耶 波唎婆嚟莎訶 尒時復有三十五姟佛一時同聲說是无量壽宗要經陁羅尼曰 南謨薄伽勃底 阿波唎蜜多 阿喻紇硯娘 須毗你悉指陁 囉佐耶 怛他羯他耶 怛姪他 唵 薩婆桑悉迦囉 波唎輸底 達磨底 伽伽娜 莎訶揭底 娑婆婆毗輸底 摩訶娜耶 波唎婆嚟莎訶 尒時復有二十五姟佛一時同聲說是无量壽宗要經陁羅尼曰 南謨薄伽勃底 阿波唎蜜多 阿喻紇硯娘 須毗你悉指陁 囉佐耶 怛他羯他耶 怛姪他 唵 薩婆桑悉迦囉 波唎輸底 達磨底 伽伽娜 莎訶揭底 娑婆婆毗輸底 摩訶娜耶 波唎婆嚟莎訶 尒時復有恒河沙姟佛一時同聲說是无量壽宗要經陁羅尼曰 南謨薄伽勃底 阿波唎蜜多 阿喻紇硯娘 須毗你悉指陁 囉佐耶 怛他羯他耶 怛姪他 唵 薩婆桑悉迦囉 波唎輸底 達磨底 伽伽娜 莎訶揭底 娑婆婆毗輸底 摩訶娜耶 波唎婆嚟莎訶 善男子若有自書寫教人書寫是无量壽宗要經如其命盡復得長壽滿年陁羅尼曰 南謨薄伽勃底 阿波唎蜜多 阿喻紇硯娘 須毗你悉指陁 囉佐耶 怛他羯他耶 怛姪他 唵 薩婆桑悉迦囉 波唎輸底 達磨底 伽伽娜 莎訶揭底 娑婆婆毗輸底 摩訶娜耶 波唎婆嚟莎訶 若有自書寫教人書寫是无量壽宗要經讀誦受持畢竟不墮短命地獄 在在所生得宿命智陁羅尼曰 南謨薄伽勃底 阿波唎蜜多 阿喻紇硯娘 須毗你悉指陁 囉佐耶 怛他羯他耶 怛姪他 唵 薩婆桑悉迦囉 波唎輸底 達磨底 伽伽娜 莎訶揭底

BD02709 號　無量壽宗要經

（4–2）

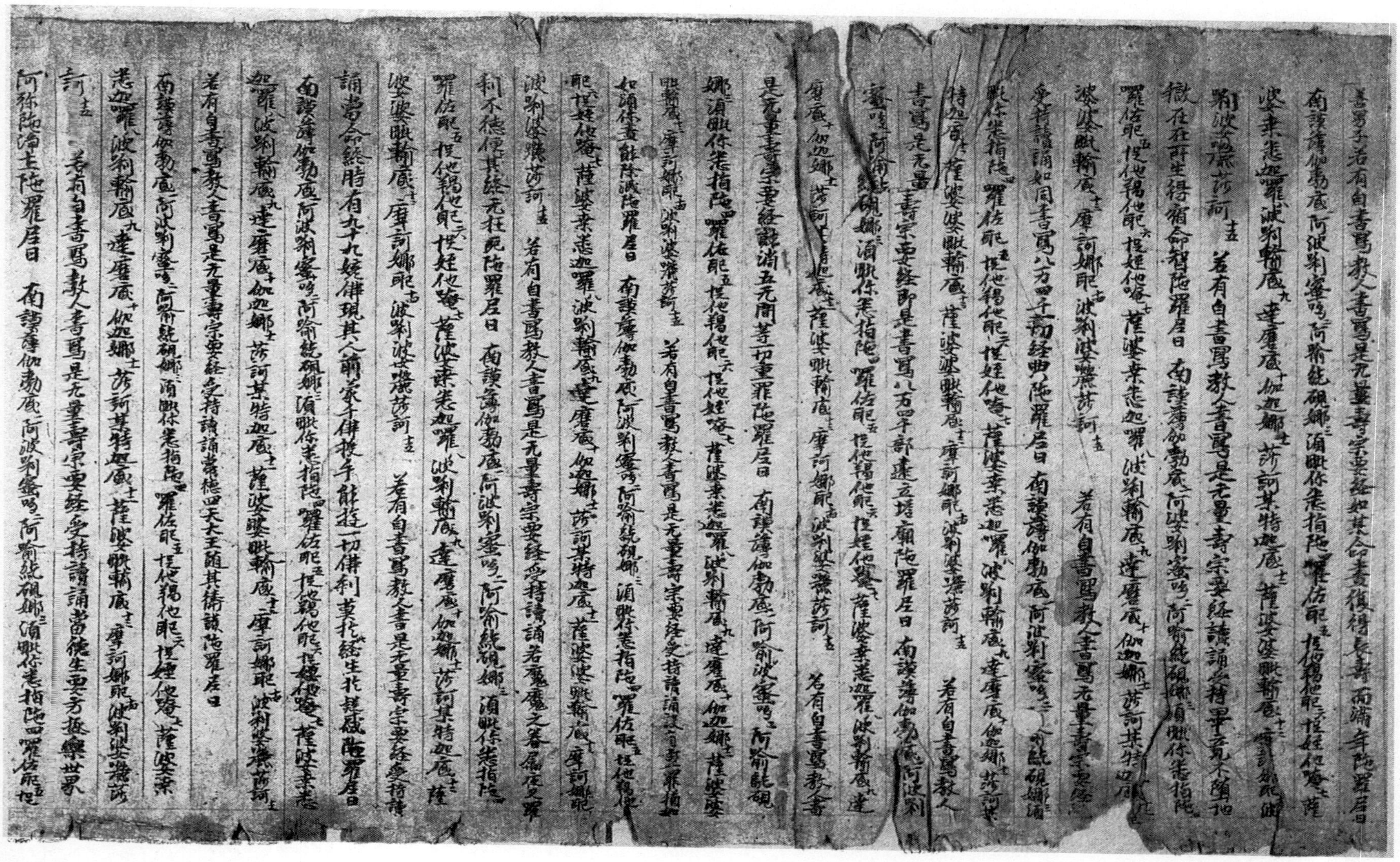

善男子若有自書寫教人書寫是无量壽宗要經如其命盡復得長壽滿年陁羅尼曰 南謨薄伽勃底 阿波唎蜜多 阿喻紇硯娘 須毗你悉指陁 囉佐耶 怛他羯他耶 怛姪他 唵 薩婆桑悉迦囉 波唎輸底 達磨底 伽伽娜 莎訶揭底 娑婆婆毗輸底 摩訶娜耶 波唎婆嚟莎訶 若有自書寫教人書寫是无量壽宗要經讀誦受持畢竟不墮短命地獄 在在所生得宿命智陁羅尼曰 南謨薄伽勃底 阿波唎蜜多 阿喻紇硯娘 須毗你悉指陁 囉佐耶 怛他羯他耶 怛姪他 唵 薩婆桑悉迦囉 波唎輸底 達磨底 伽伽娜 莎訶揭底 娑婆婆毗輸底 摩訶娜耶 波唎婆嚟莎訶 若有自書寫教人書寫无量壽宗要經受持讀誦如同書寫八万四千部經典陁羅尼曰 南謨薄伽勃底 阿波唎蜜多 阿喻紇硯娘 須毗你悉指陁 囉佐耶 怛他羯他耶 怛姪他 唵 薩婆桑悉迦囉 波唎輸底 達磨底 伽伽娜 莎訶揭底 娑婆婆毗輸底 摩訶娜耶 波唎婆嚟莎訶 若有自書寫教人書寫是无量壽宗要經即是書寫八万四千部建立塔廟陁羅尼曰 南謨薄伽勃底 阿波唎蜜多 阿喻紇硯娘 須毗你悉指陁 囉佐耶 怛他羯他耶 怛姪他 唵 薩婆桑悉迦囉 波唎輸底 達磨底 伽伽娜 莎訶揭底 娑婆婆毗輸底 摩訶娜耶 波唎婆嚟莎訶 若有自書寫教人書寫是无量壽宗要經受持讀誦消滅五无間等一切重罪陁羅尼曰 南謨薄伽勃底 阿波唎蜜多 阿喻紇硯娘 須毗你悉指陁 囉佐耶 怛他羯他耶 怛姪他 唵 薩婆桑悉迦囉 波唎輸底 達磨底 伽伽娜 莎訶揭底 娑婆婆毗輸底 摩訶娜耶 波唎婆嚟莎訶 若有自書寫教人書寫是无量壽宗要經受持讀誦若魔魔之眷屬夜叉羅剎不德便其人陁羅尼曰 南謨薄伽勃底 阿波唎蜜多 阿喻紇硯娘 須毗你悉指陁 囉佐耶 怛他羯他耶 怛姪他 唵 薩婆桑悉迦囉 波唎輸底 達磨底 伽伽娜 莎訶揭底 娑婆婆毗輸底 摩訶娜耶 波唎婆嚟莎訶 若有自書寫教人書寫是无量壽宗要經受持讀誦者臨命終時有九十九姟佛現其人前來手接手往一切佛剎莫生疑惑陁羅尼曰 南謨薄伽勃底 阿波唎蜜多 阿喻紇硯娘 須毗你悉指陁 囉佐耶 怛他羯他耶 怛姪他 唵 薩婆桑悉迦囉 波唎輸底 達磨底 伽伽娜 莎訶揭底 娑婆婆毗輸底 摩訶娜耶 波唎婆嚟莎訶 若有自書寫教人書寫是无量壽宗要經受持讀誦常得四天大王隨其衛護陁羅尼曰 南謨薄伽勃底 阿波唎蜜多 阿喻紇硯娘 須毗你悉指陁 囉佐耶 怛他羯他耶 怛姪他 唵 薩婆桑悉迦囉 波唎輸底 達磨底 伽伽娜 莎訶揭底 娑婆婆毗輸底 摩訶娜耶 波唎婆嚟莎訶 若有自書寫教人書寫是无量壽宗要經受持讀誦當得往生西方極樂世界阿彌陁淨土陁羅尼曰 南謨薄伽勃底 阿波唎蜜多 阿喻紇硯娘 須毗你悉指陁 囉佐耶 怛他

BD02709 號　無量壽宗要經

（4–3）

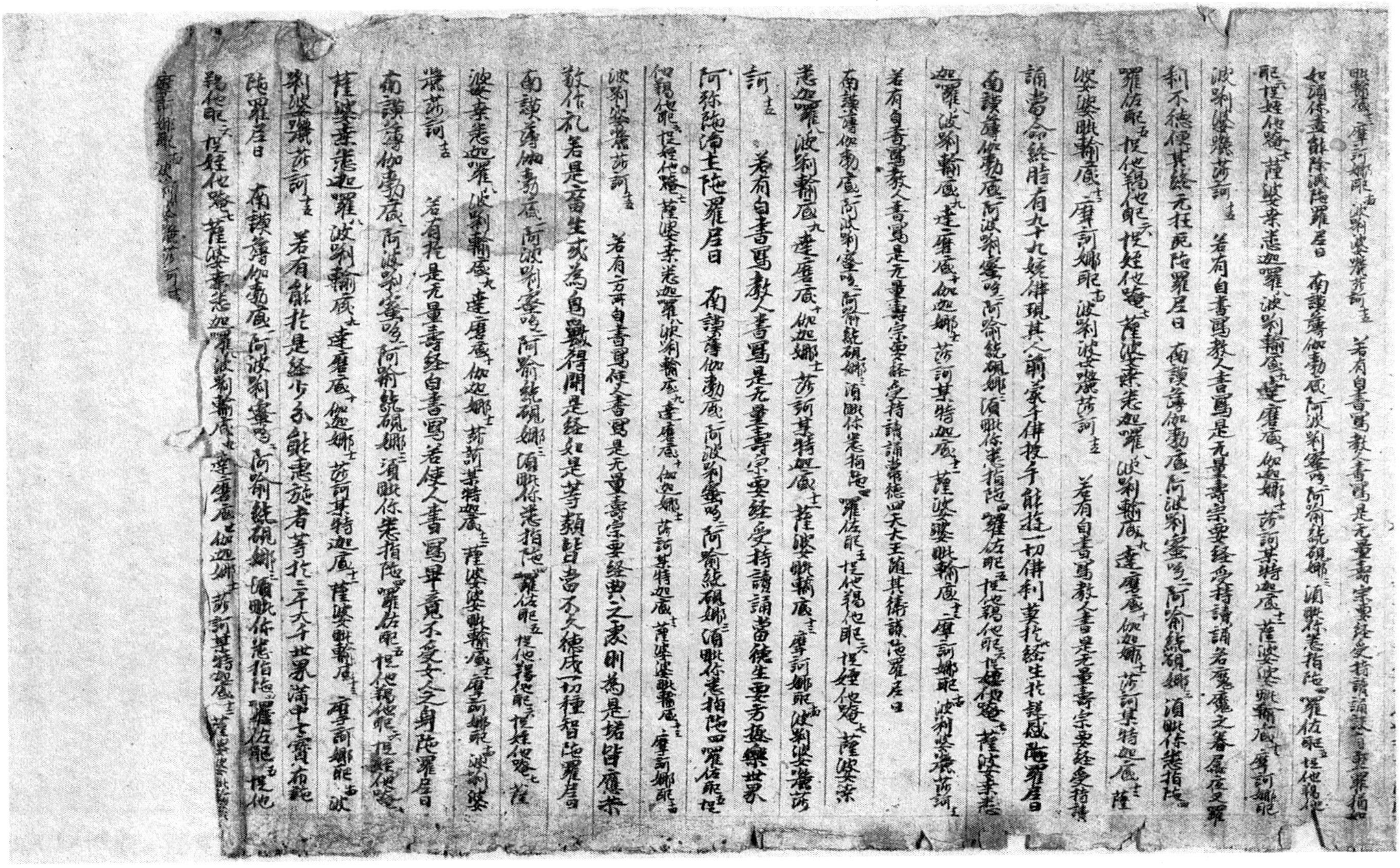

BD02709號　無量壽宗要經　（4–4）

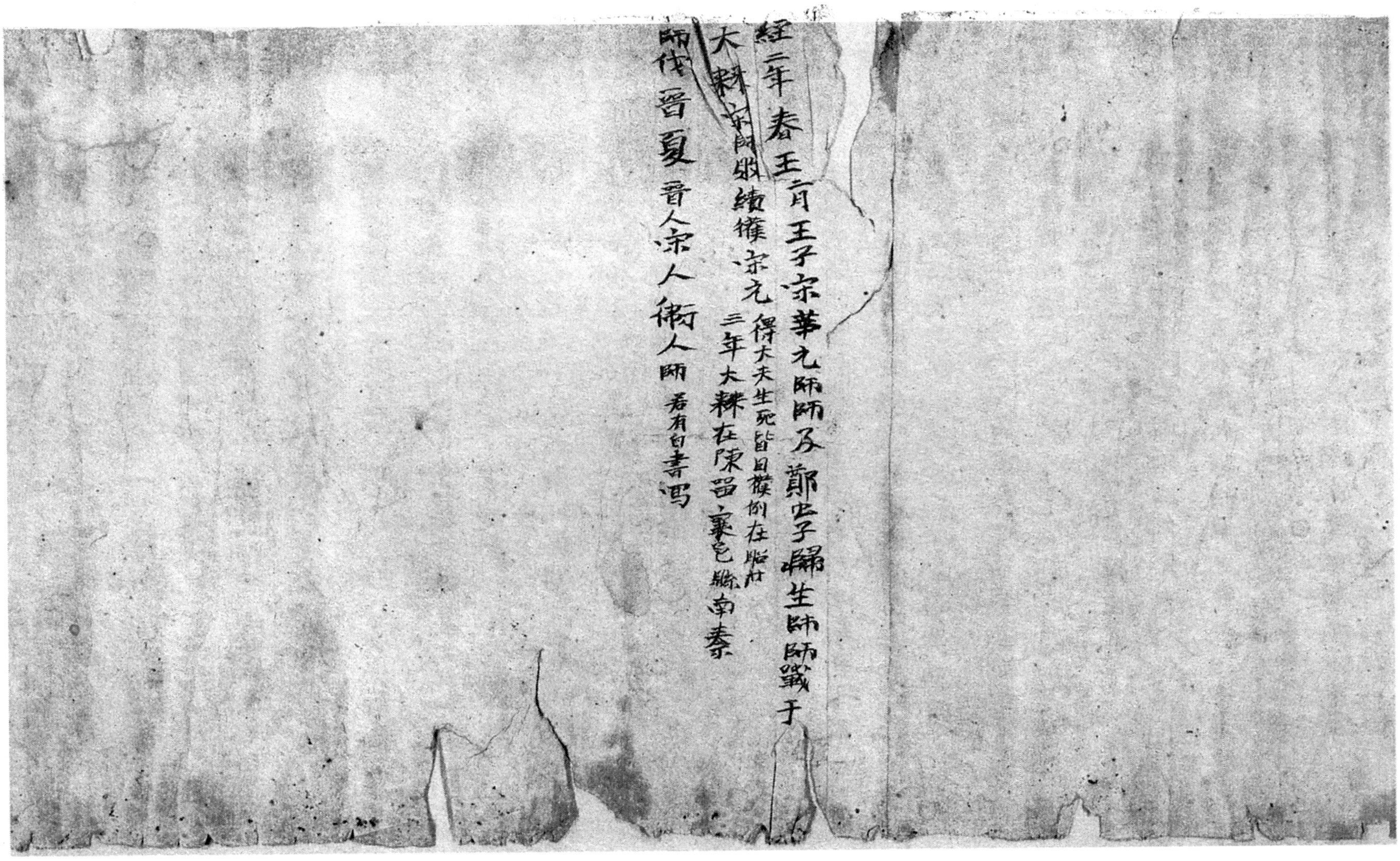
經二年春王二月壬子宋華元帥師及鄭公子歸生帥師戰于
大棘宋師敗績獲宋華元得大夫生死皆曰獲例在昭廿三年大棘在陳留襄邑縣南秦
師伐晉夏晉人宋人衛人陳

BD02709號背　春秋左傳　（1–1）

勝鬘師子吼一乘大方

如是我聞一時　爾時波

斯匿王及　信法　共相謂言勝鬘

夫人是我之女聰慧利根通敏易悟若見佛

者必速解法心得无疑宜時遣信發其道意

夫人白言今正是時王及夫人与勝鬘書略

讚如來无量功德即遣内人名旃提羅使人

奉書至阿踰闍國入其宮内敬授勝鬘勝鬘

得書歡喜頂受讀誦受持生希有心向旃提

羅而說偈言

我聞佛音聲　世所未曾有　所言真實者　應當修供養

仰惟佛世尊　普為世間出　亦應垂哀愍　必令我得見

即生此念時　佛於空中現　普放淨光明　顯示无比身

勝鬘及眷屬　頭面接足礼　咸以清淨心　歎佛實功德

如來妙色身　世間无与等　无比不思議　是故今敬礼

如來色无盡　智慧亦復然　一切法常住　是故我歸依

降伏心過惡　及與身四種　已到難伏地　是故礼法王

BD02710號　勝鬘師子吼一乘大方便方廣經（不分章）

（4-1）

勝鬘及眷屬　頭面接足礼　咸以清淨心　歎佛實功德

如來妙色身　世間无与等　无比不思議　是故今敬礼

如來色无盡　智慧亦復然　一切法常住　是故我歸依

降伏心過惡　及與身四種　已到難伏地　是故礼法王

知一切尒炎　智慧身自在　攝持一切法　是故今敬礼

敬礼過稱量　敬礼无譬類　敬礼无邊法　敬礼難思議

哀愍覆護我　令法種增長　此世及後生　願佛常攝受

我久安立汝　前世已開覺　今復攝受汝　未來生亦然

我已作功德　現在及餘世　如是衆善本　唯願見攝受

尒時勝鬘及諸眷屬頭面礼佛佛於衆中即

為授記汝歎如來真實功德以此善根當於无

量阿僧祇劫天人之中為自在王一切生處常

得見我現前讚歎如今无異當復供養无量阿

僧祇佛過二万阿僧祇劫當得作佛号普光如

來應正遍知彼佛國土无諸惡趣老病衰惱不

適意苦亦无不善惡業道名彼國衆生色力

壽命五欲衆具皆悉快樂勝於他化自在諸

天彼諸衆生純一大乘諸有修習善根衆生皆

集於彼勝鬘夫人得受記時无量衆生諸天

及人願生彼國世尊悉記皆當往生

尒時勝鬘聞受記已恭敬而立受十大受世尊

我從今日乃至菩提於所受戒不起犯心世尊

我從今日乃至菩提於諸尊長不起慢心世尊

我從今日乃至菩提於諸衆生不起恚心世尊

我從今日乃至菩提於他身色及外衆具不起

BD02710號　勝鬘師子吼一乘大方便方廣經（不分章）

（4-2）

尒時勝鬘聞受記已恭敬而立受十大受世尊
我從今日乃至菩提於所受戒不起犯心世尊
我從今日乃至菩提於諸尊長不起慢心世尊
我從今日乃至菩提於諸衆生不起恚心世尊
我從今日乃至菩提於他身色及外衆具不起
嫉心世尊我從今日乃至菩提於內外法不起
慳心世尊我從今日乃至菩提不自為己受畜
財物凡有所受悉為成熟貧苦衆生世尊我從
今日乃至菩提不自為己行四攝法為一切衆生故
以不愛染心无猒足心无㝵心攝受衆生世尊我
從今日乃至菩提若見孤獨幽繫疾病種種厄
難困苦衆生終不暫捨必欲安隱以義饒益令
脫衆苦然後乃捨世尊我從今日乃至菩提若
見捕養衆惡律儀及諸犯戒終不弃捨我得力
時於彼彼處見此衆生應折伏者而折伏之應
攝受者而攝受之何以故以折伏攝受故令法
久住故法久住者天人充滿惡道減少於如來
所轉法輪而得隨轉見是利故救攝不捨世
尊我從今日乃至菩提攝受正法終不忘失
何以故忘失法者則忘大乘忘大乘者則忘波
羅蜜忘波羅蜜者則不欲大乘若菩薩不決定
大乘者則不能得攝正法欲隨所樂入永不堪
任越凡夫地我見如是无量大過又見未來攝
受正法菩薩摩訶薩无量福利故受此大受法
主世尊現為我證唯佛世尊現前證知而諸
衆生善根微薄或起疑網以十大受極難度

大乘者則不能得攝正法欲隨所樂入永不堪
任越凡夫地我見如是无量大過又見未來攝
受正法菩薩摩訶薩无量福利故受此大受法
主世尊現為我證唯佛世尊現前證知而諸
衆生善根微薄或起疑網以十大受極難度
故彼或長夜非義饒益不得安樂為安彼故
今於佛前說實誠誓我受此十大受如說行
者以此誓故於大衆中當雨天華出天妙音說
是語時於虛空中雨衆天華出妙聲言如
是如汝所說真實无異彼見妙華及聞音聲
一切衆會疑惑悉除喜悅无量而發願言恒与
勝鬘常共俱會同其所行世尊悉記一切大衆
如其所願
尒時勝鬘復於佛前發三大願而作是言以
此實願安慰无量无邊衆生以此善根於一
切生得正法智是名第一大願我得正法智
已以无厭心為衆生說是名第二大願我於
攝受正法捨身命財護持正法是名第
三大願尒時世尊即
記勝鬘三大誓願如
一切色悉入空界如

那羅達菩薩漏盡和　因坻達菩薩漏盡和
和輪調菩薩漏盡和　无緣觀菩薩漏盡和
是八菩薩俱白佛言世尊我等於諸佛所受
得陁羅尼神呪而今說之擁護受持讀誦八
陽經者永无恐怖使一切不善之物不得侵損
讀經法師即於佛前而說呪曰
阿佉尼　尼佉尼　阿比羅　曼隷　曼多隷
世尊若有不善者欲来惱法師聞我說此呪
頭破作七分如梨樹枝
是時无邊身菩薩白佛言世尊云何名爲
八陽經唯願世尊爲諸聽衆解說其義令
得醒悟速達心本入佛知見永斷疑悔佛言
善哉善哉善男子汝等諦聽吾今爲汝解
說八陽之經八者分別也陽者明解也明解大
乘无爲之理了能分別八識因緣空實无所得
又云八識爲經陽明爲緯經緯相投以成經教
故名八陽經八識者眼是色識耳是聲識鼻
是香識舌是味識身是觸識意是分別識含

BD02711 號　天地八陽神咒經

（4–1）

說八陽之經八者分別也陽者明解也明解大
乘无爲之理了能分別八識因緣空實无所得
又云八識爲經陽明爲緯經緯相投以成經教
故名八陽經八識者眼是色識耳是聲識鼻
是香識舌是味識身是觸識意是分別識含
藏識阿賴耶識是名八識明了分別八識相源
空无所有即知兩眼光明天光明天中即現
日月光明世尊兩耳是聲聞天中即現无量
聲如来兩鼻是佛香天佛香天中即現香
積如来口舌是法味天法味天中即現法喜如
来身是盧舍那天盧舍那天中即現成就盧
舍那佛盧舍那鏡像佛盧舍那光明佛意是无
分別天无分別天中即現不動如来大光明佛心
是法界天法界天中即現空王如来含藏識
天演出阿那含經大涅槃經阿賴耶識天演
出大智度論經瑜伽論經善男子佛即是法
法即是佛合爲一相即現大通智勝如来
佛說此經時一切大地六種震動光照天地无
有邊際浩浩蕩蕩而无所名一切幽冥皆悉
明朗一切地獄並皆消滅一切罪人俱得離苦
發无上菩提
尒時衆中八万八千菩薩一時成佛号曰虛空
藏如来應正等覺劫名圓滿國号无邊一
切人民无有彼此並證无諍三昧六万六千比
丘比丘尼優婆塞優婆夷等得大惣持入不二

BD02711 號　天地八陽神咒經

（4–2）

發无上菩提
尒時衆中八万八千菩薩一時成佛号曰盧空
藏如来應正等覺劫名圓滿國号无邊一
切人民无有彼此並證无諍三昧六万六千比
丘比丘尼優婆塞優婆夷得大惣持入不二
法門无量天龍夜叉乾闥婆阿脩羅迦樓
羅緊那羅摩睺羅伽人非人等得法眼淨
行菩薩道
復次善男子若復有人得官登位之日及新
入宅之日即讀此經三遍甚大吉利獲福无量
善男子若讀此經一遍者如讀一切經一遍能
冩一巻如冩一切經一部其功德不可稱不可量
无有邊際如斯人等即成聖道
復次无邊身菩薩摩訶薩若有衆生不信正
法常生邪見忽聞此經即生誹謗言非佛說
是人現世得白癩病惡瘡膿血遍體交流腥臊
臭穢人皆憎嫉命終之日即墮阿鼻无間地
獄上火徹下下火徹上鐵叉遍身穿穴五藏
洋銅灌口筋骨爛壞一日一夜万死万生受大
苦痛无有休息謗斯經故獲罪如是佛為
罪人而說偈言
身是自然身　五體自然體　長乃自然長　老乃自然老
生則自然生　死則自然死　求長不得長　求短不得短
苦樂汝自當　邪正由汝己　欲作有為功　讀經莫問師
千千万万代　得道轉法輪

BD02711號　天地八陽神咒經　（4–3）

洋銅灌口筋骨爛壞一日一夜万死万
苦痛无有休息謗斯經故獲罪如是佛為
罪人而說偈言
身是自然身　五體自然體　長乃自然長　老乃自然老
生則自然生　死則自然死　求長不得長　求短不得短
苦樂汝自當　邪正由汝己　欲作有為功　讀經莫問師
千千万万代　得道轉法輪
佛說此經已一切聽衆得未曾有心明意淨
歡喜踊躍皆見諸相非相入佛知見悟佛知見
无入无悟无知无見不得一法即涅槃樂
佛說八陽神呪經

BD02711號　天地八陽神咒經　（4–4）

書及路伽耶陀
有兇戲相扠相撲及那羅等種種變現之
又不親近栴陁羅及畜猪羊雞狗田獵魰捕
諸惡律儀如是人等或時來者則為說法无
所悕望又不親近求聲聞比丘比丘尼優婆
塞優婆夷亦不問訊若於房中若經行處若
在講堂中不共住止或時來者隨宜說法无
所悕求文殊師利又菩薩摩訶薩不應於女人
身取能生欲想相而為說法亦不樂見若入
他家不與小女處女寡女等共語亦復不近
五種不男之人以為親厚不獨入他家若有
因緣須獨入時但一心念佛若為女人說法
不露齒咲不現胷臆乃至為法猶不親厚況
復餘事不樂畜年少弟子沙彌小兒亦不樂
與同師常好坐禪在於閑處脩攝其心文
殊師利是名初親近處復次菩薩摩訶薩觀
一切法空如實相不顛倒不動不退不轉如
虛空无所有性一切語言道斷不生不出不
起无名无相實无所有无量无邊无礙无障
但以因緣有從顛倒生故說常樂觀如是法

BD02712 號　妙法蓮華經卷五

（4–1）

一切法空如實相不顛倒不動不退不轉如
虛空无所有性一切語言道斷不生不出不
起无名无相實无所有无量无邊无礙无障
但以因緣有從顛倒生故說常樂觀如是法
相是名菩薩摩訶薩第二親近處尒時世尊
欲重宣此義而說偈言
若有菩薩　於後惡世　无怖畏心　欲說是經
應入行處　及親近處　常離國王　及國王子
大臣官長　兇險戲者　及栴陁羅　外道梵志
亦不親近　增上慢人　貪著小乘　三藏學者
破戒比丘　名字羅漢　及比丘尼　好戲咲者
深著五欲　求現滅度　諸優婆夷　皆勿親近
若是人等　以好心來　到菩薩所　為聞佛道
菩薩則以　无所畏心　不懷悕望　而為說法
寡女處女　及諸不男　皆勿親近　以為親厚
亦莫親近　屠兒魁膾　田獵魰捕　為利煞害
販肉自活　衒賣女色　如是之人　皆勿親近
兇險相撲　種種嬉戲　諸婬女等　盡勿親近
莫獨屏處　為女說法　若說法時　无得戲咲
入里乞食　將一比丘　若无比丘　一心念佛
是則名為　行處近處　以此二處　能安樂說
又復不行　上中下法　有為无為　實不實法
亦不分別　是男是女　不得諸法　不知不見
是則名為　菩薩行處　一切諸法　空无所有
无有常住　亦无起滅　是名智者　所親近處

BD02712 號　妙法蓮華經卷五

（4–2）

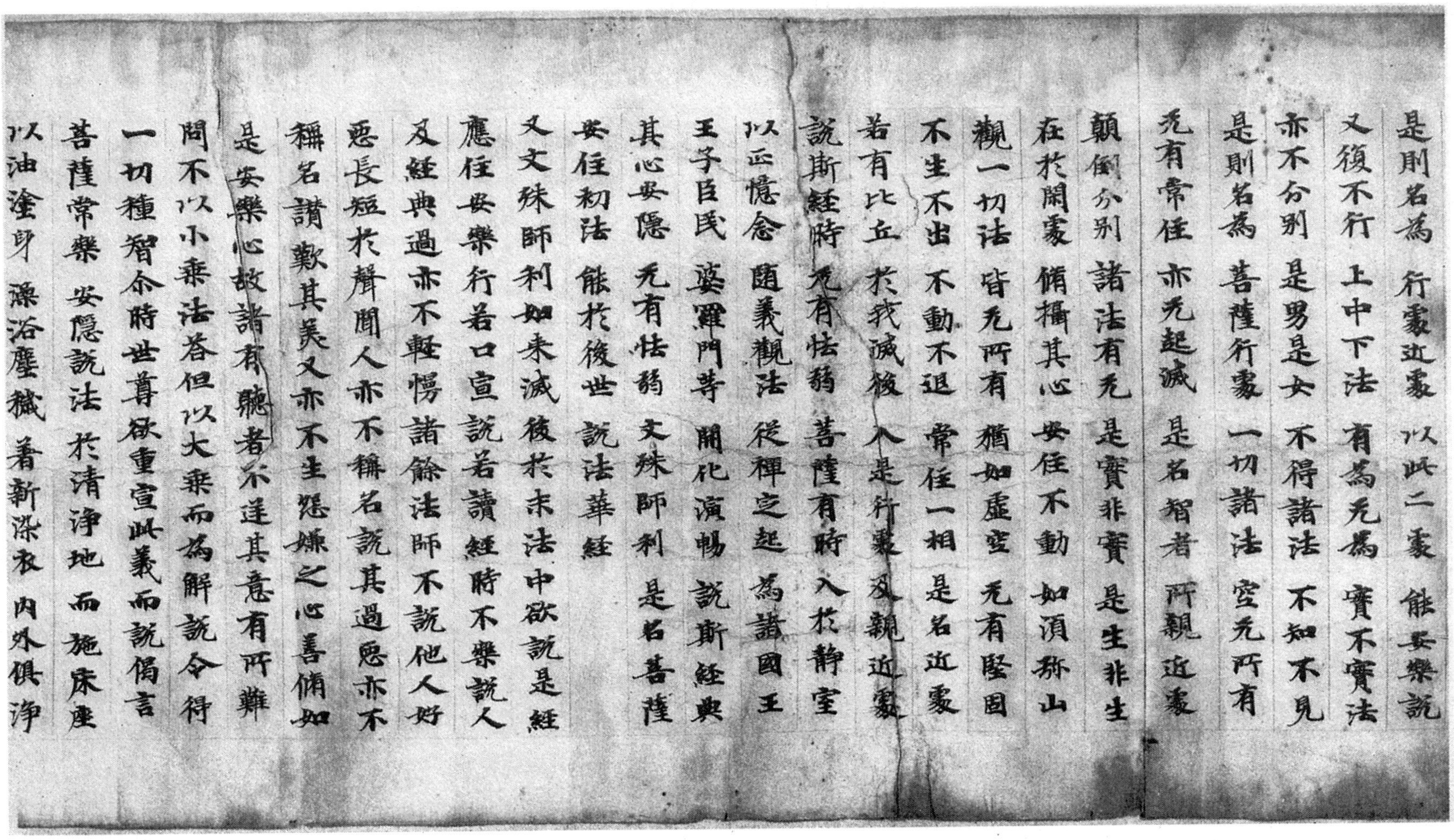

是則名爲 行處近處 以此二處 能安樂說
又復不行 上中下法 有爲无爲 實不實法
亦不分別 是男是女 不得諸法 不知不見
是則名爲 菩薩行處 一切諸法 空无所有
无有常住 亦无起滅 是名智者 所親近處
顛倒分別 諸法有无 是實非實 是生非生
在於閑處 脩攝其心 安住不動 如須弥山
觀一切法 皆无所有 猶如虛空 无有堅固
不生不出 不動不退 常住一相 是名近處
若有比丘 於我滅後 入是行處 及親近處
說斯經時 无有怯弱 菩薩有時 入於靜室
以正憶念 隨義觀法 從禪定起 爲諸國王
王子臣民 婆羅門等 開化演暢 說斯經典
其心安隱 无有怯弱 文殊師利 是名菩薩
安住初法 能於後世 說法華經
又文殊師利 如來滅後 於末法中 欲說是經
應住安樂行 若口宣說 若讀經時 不樂說人
及經典過 亦不輕慢 諸餘法師 不說他人好
惡長短 於聲聞人 亦不稱名 說其過惡 亦不
稱名讚歎其美 又亦不生怨嫌之心 善脩如
是安樂心故 諸有聽者 不逆其意 有所難
問 不以小乘法荅 但以大乘而爲解說 令得
一切種智 尒時世尊 欲重宣此義而說偈言
菩薩常樂 安隱說法 於清淨地 而施床座
以油塗身 澡浴塵穢 著新淨衣 內外俱淨

BD02712號　妙法蓮華經卷五　（4–3）

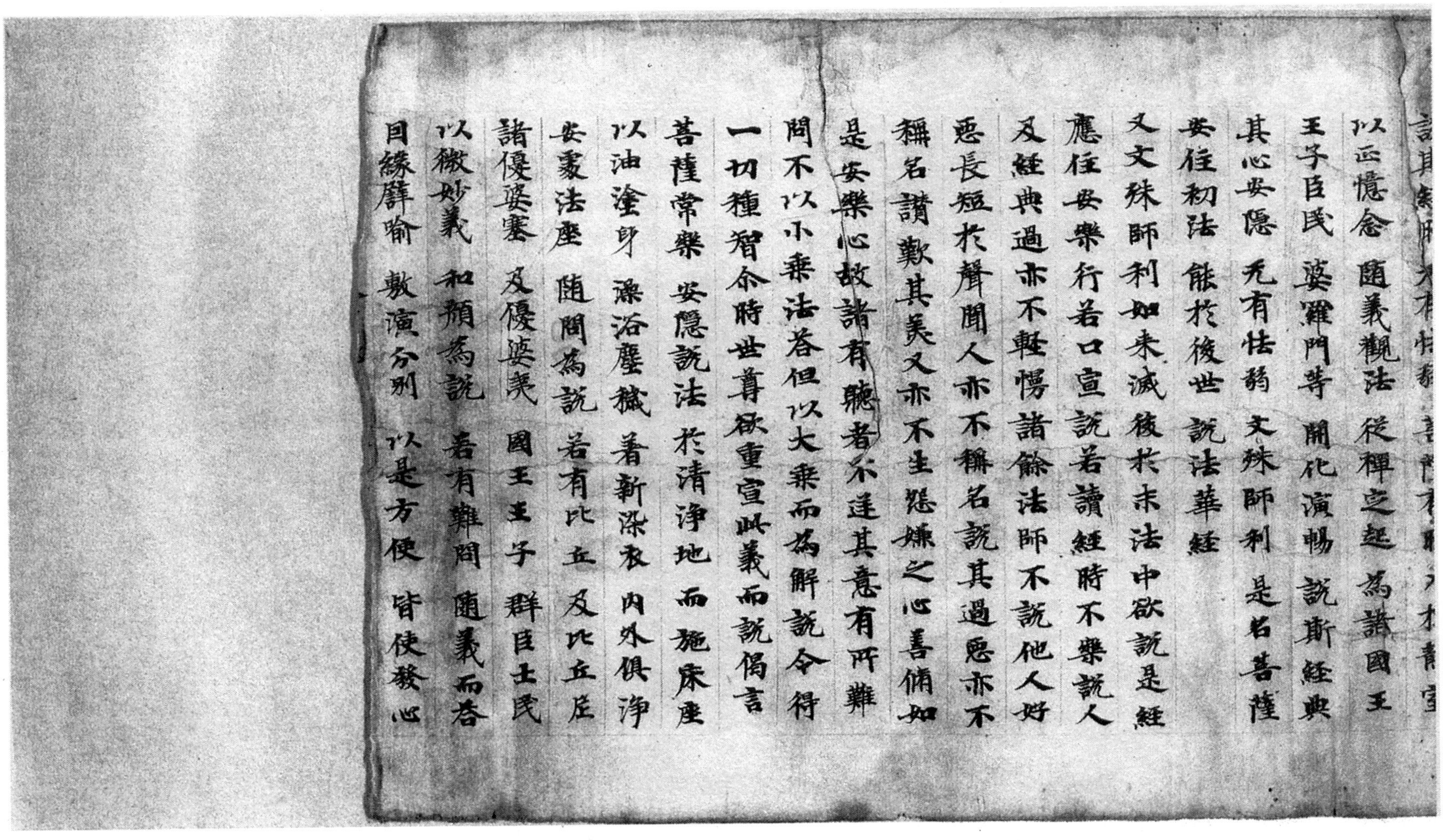

說斯經時 无有怯弱 菩薩有時 入於靜室
以正憶念 隨義觀法 從禪定起 爲諸國王
王子臣民 婆羅門等 開化演暢 說斯經典
其心安隱 无有怯弱 文殊師利 是名菩薩
安住初法 能於後世 說法華經
又文殊師利 如來滅後 於末法中 欲說是經
應住安樂行 若口宣說 若讀經時 不樂說人
及經典過 亦不輕慢 諸餘法師 不說他人好
惡長短 於聲聞人 亦不稱名 說其過惡 亦不
稱名讚歎其美 又亦不生怨嫌之心 善脩如
是安樂心故 諸有聽者 不逆其意 有所難
問 不以小乘法荅 但以大乘而爲解說 令得
一切種智 尒時世尊 欲重宣此義而說偈言
菩薩常樂 安隱說法 於清淨地 而施床座
以油塗身 澡浴塵穢 著新淨衣 內外俱淨
安處法座 隨問爲說 若有比丘 及比丘尼
諸優婆塞 及優婆夷 國王王子 群臣士民
以微妙義 和顏爲說 若有難問 隨義而荅
因緣譬喻 敷演分別 以是方便 皆使發心

BD02712號　妙法蓮華經卷五　（4–4）

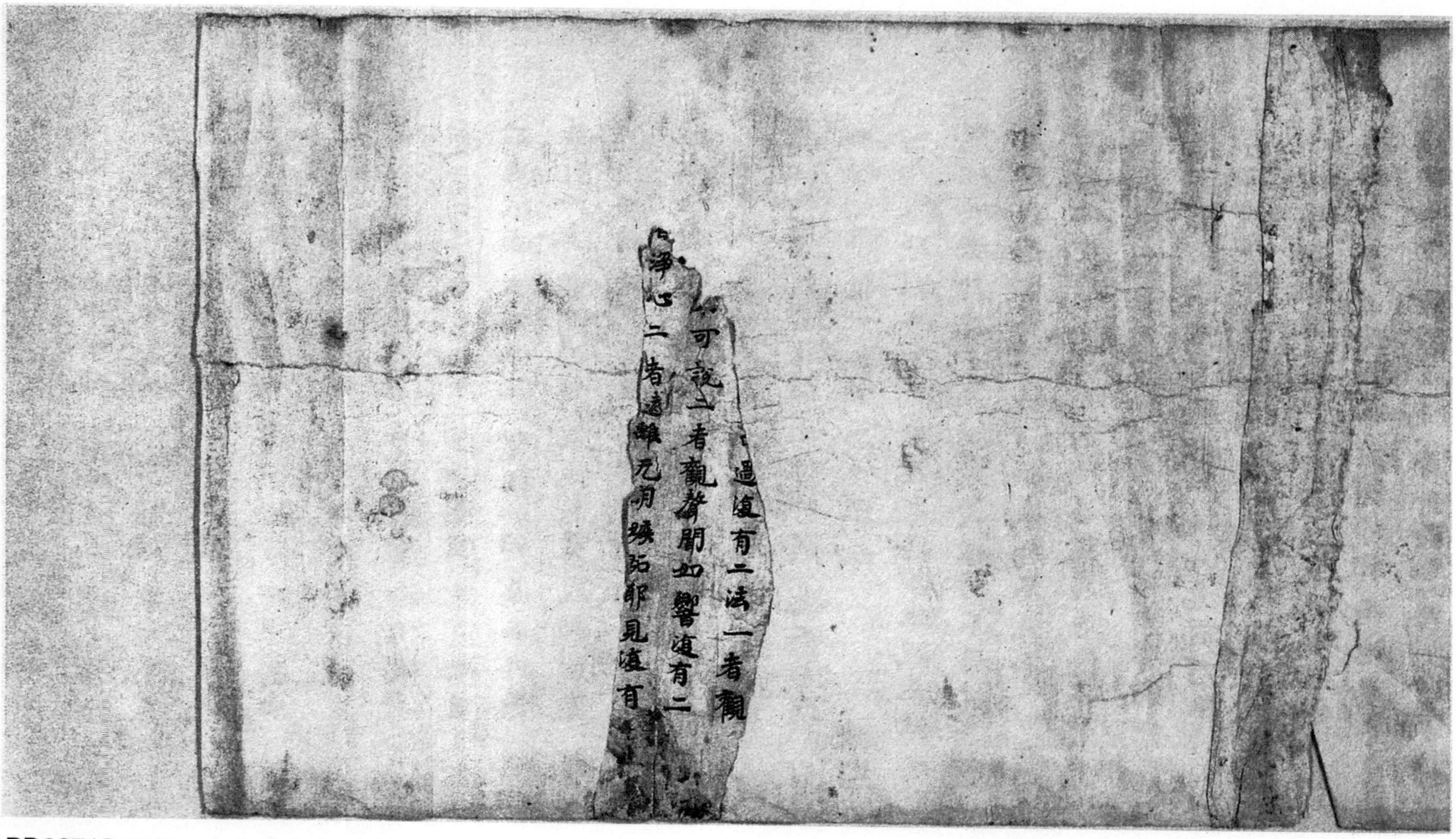

BD02712 號背　大方等大集經卷一〇

（1–1）

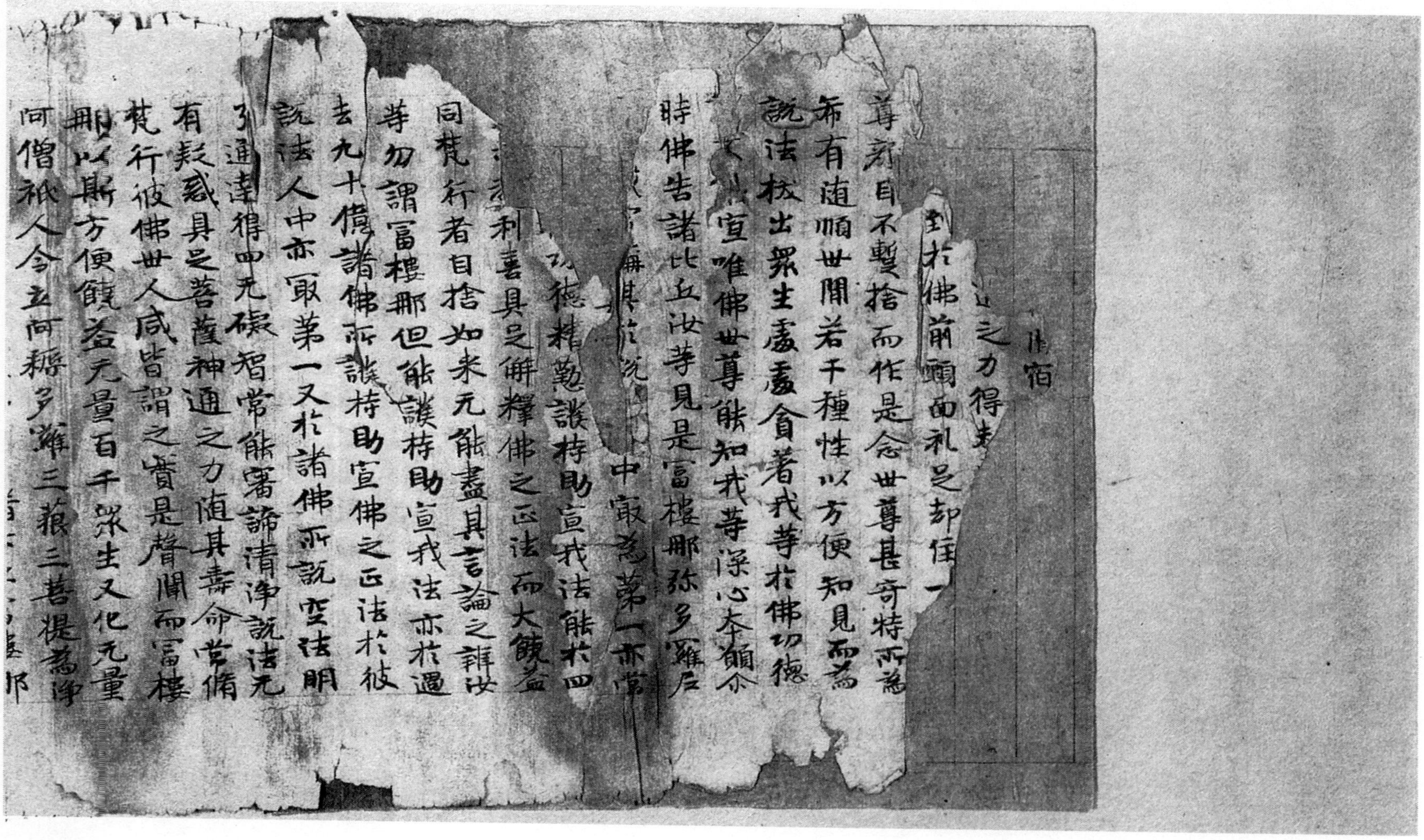

BD02713 號　妙法蓮華經卷四

（30–1）

說法人中亦最第一又於諸佛所說空法明
了通達得四无礙智常能審諦清淨說法无
有疑惑具足菩薩神通之力隨其壽命常脩
梵行彼佛世人咸皆謂之實是聲聞而富樓
那以斯方便饒益无量百千衆生又化无量
阿僧祇人令立阿耨多羅三藐三菩提為淨
佛土故常作佛事教化衆生諸比丘富樓那
亦於七佛說法人中而得第一今於我所說
法人中亦為第一於賢劫中當来諸佛說法
人中亦復第一而皆護持助宣佛法亦於未
来護持助宣无量无邊諸佛之法教化饒益
无量衆生令立阿耨多羅三藐三菩提為淨
佛土故常勤精進教化衆生漸漸具足菩薩
之道過无量阿僧祇劫當於此土得阿耨多
羅三藐三菩提号曰法明如来應供正遍知
明行足善逝世間解无上士調御丈夫天人
師佛世尊其佛以恒河沙等三千大千世界
為一佛土七寶為地地平如掌无有山陵谿
澗溝壑七寶臺觀充滿其中諸天宮殿近處
虛空人天交接兩得相見无諸惡道亦无女
人一切衆生皆以化生无有婬欲得大神通
身出光明飛行自在志念堅固精進智慧普
皆金色三十二相而自莊嚴其國衆生常
以二食一者法喜食二者禪悅食有无量阿
僧祇千万億那由他諸菩薩衆得大神通四
无礙智善能教化衆生之類其聲聞衆筭數
校計所不能知皆得具足六通三明及八解

BD02713 號　妙法蓮華經卷四　（30–2）

以二食一者法喜食二者禪悅食有无量阿
僧祇千万億那由他諸菩薩衆得大神通四
无礙智善能教化衆生之類其聲聞衆筭數
校計所不能知皆得具足六通三明及八解
脫其佛國土有如是等无量功德莊嚴成就
劫名寶明國名善淨其佛壽命无量阿僧祇
劫法住甚久佛滅度後起七寶塔遍滿其國尒
時世尊欲重宣此義而說偈言
諸比丘諦聽　佛子所行道　善學方便故　不可得思議
知衆樂小法　而畏於大智　是故諸菩薩　作聲聞緣覺
以无數方便　化諸衆生類　自說是聲聞　去佛道甚遠
度脫无量衆　皆悉得成就　雖少欲懈怠　漸當令作佛
内祕菩薩行　外現是聲聞　少欲猒生死　實自淨佛土
示衆有三毒　又現邪見相　我弟子如是　方便度衆生
若我具足說　種種現化事　衆生聞是者　心則懷疑惑
今此富樓那　於昔千億佛　勤脩所行道　宣護諸佛法
為求无上慧　而於諸佛所　現居弟子上　多聞有智慧
所說无所畏　能令衆歡喜　未曾有疲惓　而以助佛事
已度大神通　具四无礙智　知諸根利鈍　常說清淨法
演暢如是義　教諸千億衆　令住大乘法　而自淨佛土
未来亦供養　无量无數佛　護助宣正法　亦自淨佛土
常以諸方便　說法无所畏　度不可計衆　成就一切智
供養諸如来　護持法寶藏　其後得成佛　号名曰法明
其國名善淨　七寶所合成　劫名為寶明　菩薩衆甚多
其數无量億　皆度大神通　威德力具足　充滿其國土
聲聞亦无數　三明八解脫　得四无礙智　以是等為僧
其國諸衆生　婬欲皆已斷　純一變化生　具相莊嚴身

BD02713 號　妙法蓮華經卷四　（30–3）

供養諸如來 護持法寶藏 其後得成佛 号名曰法明
其國名善淨 七寶所合成 劫名為寶明 菩薩衆甚多
其數无量億 皆度大神通 威德力具足 充滿其國土
聲聞亦无數 三明八解脫 得四无礙智 以是等為僧
其國諸衆生 婬欲皆已斷 純一變化生 具相莊嚴身
法喜禪悅食 更无餘食想 无有諸女人 亦无諸惡道
富樓那比丘 功德悉成滿 當得斯淨土 賢聖甚衆多
如是无量事 我今但略說
尒時千二百阿羅漢心自在者作是念我
等歡喜得未曾有若世尊各見授記如餘大
弟子者不亦快乎佛知此等心之所念告摩
訶迦葉是千二百阿羅漢我今當現前次第
與受阿耨多羅三藐三菩提記於此衆中我
大衆子憍陳如比丘當供養六万二千億佛
然後得成為佛号曰普明如来應供正遍知
明行足善逝世間解无上士調御丈夫天人
師佛世尊其五百阿羅漢優樓頻螺迦葉伽
耶迦葉那提迦葉迦留陁夷優陁夷阿㝹樓
䭾離婆多劫賓那薄拘羅周陁莎伽陁等
皆當得阿耨多羅三藐三菩提盡同一号名曰
普明尒時世尊欲重宣此義而說偈言
憍陳如比丘 當見无量佛 過阿僧祇劫 乃成等正覺
常放大光明 具足諸神通 名聞遍十方 一切之所敬
常說无上道 故号為普明 其國土清淨 菩薩皆勇猛
咸升妙樓閣 遊諸十方國 以无上供具 奉獻於諸佛
作是供養已 心懷大歡喜 須臾還本國 有如是神力
佛壽六万劫 正法住倍壽 像法復倍是 法滅天人憂

BD02713號　妙法蓮華經卷四

（30–4）

憍陳如比丘 當見无量佛 過阿僧祇劫 乃成等正覺
常放大光明 具足諸神通 名聞遍十方 一切之所敬
常說无上道 故号為普明 其國土清淨 菩薩皆勇猛
咸升妙樓閣 遊諸十方國 以无上供具 奉獻於諸佛
作是供養已 心懷大歡喜 須臾還本國 有如是神力
佛壽六万劫 正法住倍壽 像法復倍是 法滅天人憂
其五百比丘 次第當作佛 同号曰普明 轉次而授記
我滅度之後 某甲當作佛 其所化世間 亦如我今日
國土之嚴淨 及諸神通力 菩薩聲聞衆 正法及像法
壽命劫多少 皆如上所說 迦葉汝已知 五百自在者
餘諸聲聞衆 亦當復如是 其不在此會 汝當為宣說
尒時五百阿羅漢於佛前得受記已歡喜踊
躍即從座起到於佛前頭面礼足悔過自責
世尊我等常作是念自謂已得究竟滅度今
乃知之如无智者所以者何我等應得如来
智慧而便自以小智為足世尊譬如有人至
親友家醉酒而臥是時親友官事當行以无
價寶珠繫其衣裏與之而去其人醉臥都不
覺知起已遊行到於他國為衣食故勤力求
索甚大艱難若少有所得便以為足於後親
友會遇見之而作是言咄哉丈夫何為衣食
乃至如是我昔欲令汝得安樂五欲自恣於
某年日月以无價寶珠繫汝衣裏今故現在
而汝不知勤苦憂惱以求自活甚為癡也汝
今可以此寶貿易所須常可如意无所乏短
佛亦如是為菩薩時教化我等令發一切智
心而尋廢忘不知不覺既得阿羅漢道自謂

BD02713號　妙法蓮華經卷四

（30–5）

乃至如是我昔欲令汝得安樂五欲自恣於
某年日月以无價寶珠繫汝衣裏今故現在
而汝不知懃苦憂惱以求自活甚為癡也汝
今可以此寶貿易所須常可如意无所乏短
佛亦如是為諸菩薩時教化我等令發一切智
心而尋廢忘不知不覺既得阿羅漢道自謂
滅度資生艱難得少為足一切智願猶在不
失今者世尊覺悟我等作如是言諸比丘汝
等所得非究竟滅我久令汝等種佛善根以
方便故示涅槃相而汝謂為實得滅度世尊
我今乃知實是菩薩得受阿耨多羅三藐三
菩提記以是因緣甚大歡喜得未曾有尒時
阿若憍陳如等欲重宣此義而說偈言
我等聞无上　安隱授記聲　歡喜未曾有　礼无量智佛
今於世尊前　自悔諸過咎　於无量佛寶　得少涅槃分
如无智愚人　便自以為足　譬如貧窮人　往至親友家
其家甚大富　具設諸餚饍　以无價寶珠　繫著內衣裏
嘿與而捨去　時臥不覺知　是人既已起　遊行詣他國
求衣食自濟　資生甚艱難　得少便為足　更不願好者
不覺內衣裏　有无價寶珠　與珠之親友　後見此貧人
苦切責之已　示以所繫珠　貧人見此珠　其心大歡喜
富有諸財物　五欲而自恣　我等亦如是　世尊於長夜
常愍見教化　令種无上願　我等无智故　不覺亦不知
得少涅槃分　自足不求餘　今佛覺悟我　言非實滅度
得佛无上慧　尒乃為真滅　我今從佛聞　受記莊嚴事
及轉次受決　身心遍歡喜
妙法蓮華經授學无學人記品第九

常愍見教化　令種无上願　我等无智故　不覺亦不知
得少涅槃分　自足不求餘　今佛覺悟我　言非實滅度
得佛无上慧　尒乃為真滅　我今從佛聞　受記莊嚴事
及轉次受決　身心遍歡喜
妙法蓮華經授學无學人記品第九
尒時阿難羅睺羅而作是念我等每自思
惟設得受記不亦快乎即從座起到於佛
前頭面礼足俱白佛言世尊我等於此亦應
有分唯有如來我等所歸又我等為一切世
間天人阿脩羅所見知識阿難常為侍者護
持法藏羅睺羅是佛之子若佛見授阿耨
多羅三藐三菩提記者我願既滿衆望亦足
尒時學无學聲聞弟子二千人皆從座起偏
袒右肩到於佛前一心合掌瞻仰世尊如阿
難羅睺羅所願住立一面尒時佛告阿難汝
於來世當得作佛号山海慧自在通王如來
應供正遍知明行足善逝世間解无上士調
御丈夫天人師佛世尊當供養六十二億諸
佛護持法藏然後得阿耨多羅三藐三菩提
教化二十千万億恒河沙諸菩薩等令成阿
耨多羅三藐三菩提國名常立勝幡其土
清淨瑠璃為地劫名妙音遍滿其佛壽命
无量千万億阿僧祇劫若人於千万億无量
阿僧祇劫中筭數校計不能得知正法住世
倍於壽命像法住世復倍正法阿難是山海
慧自在通王佛為十方无量千万億恒河沙
等諸佛如來所共讚歎稱其功德尒時世尊

阿僧祇劫中筭數校計不能得知正法住世
倍於壽命像法住世復倍正法阿難是山海
慧自在通王佛爲十方无量千万億恒河沙
等諸佛如来所共讚歎稱其功德尒時世尊
欲重宣此義而說偈言
我今僧中說　阿難持法者　當供養諸佛　然後成正覺
号曰山海慧　自在通王佛　其國土清淨　名常立勝幡
教化諸菩薩　其數如恒沙　佛有大威德　名聞滿十方
壽命无有量　以愍衆生故　正法倍壽命　像法復倍是
如恒河沙等　无數諸衆生　於此佛法中　種佛道因緣
尒時會中新發意菩薩八千人咸作是念
我等尚不聞諸大菩薩得如是記有何因緣
而諸聲聞得如是決尒時世尊知諸菩薩心
之所念而告之曰諸善男子我與阿難等於
空王佛所同時發阿耨多羅三藐三菩提心
阿難常樂多聞我常勤精進是故我已得成
阿耨多羅三藐三菩提而阿難護持我法亦
護將来諸佛法藏教化成就諸菩薩衆其
本願如是故獲斯記阿難面於佛前自聞受
記及國土莊嚴所願具足心大歡喜得未曾
有即時憶念過去无量千万億諸佛法藏通
達无礙如今所聞亦識本願尒時阿難而說
偈言
世尊甚希有　令我念過去　无量諸佛法　如今日所聞
我今无復疑　安住於佛道　方便爲侍者　護持諸佛法
尒時佛告羅睺羅汝於来世當得作佛号蹈
七寶華如来應供正遍知明行足善逝世間

BD02713 號　妙法蓮華經卷四

（30–8）

尒時佛告羅睺羅汝於来世當得作佛号蹈
七寶華如来應供正遍知明行足善逝世間
解无上士調御丈夫天人師佛世尊當供養
十世界微塵等數諸佛如来常爲諸佛而作
長子猶如今也是蹈七寶華佛國土莊嚴壽
命劫數所化弟子正法像法亦如山海慧自
在通王如来无異亦爲此佛而作長子過是
已後當得阿耨多羅三藐三菩提尒時世尊
欲重宣此義而說偈言
我爲太子時　羅睺爲長子　我今成佛道　受法爲法子
於未来世中　見无量億佛　皆爲其長子　一心求佛道
羅睺羅密行　唯我能知之　現爲我長子　以示諸衆生
无量億千万　功德不可數　安住於佛法　以求无上道
尒時世尊見學无學二千人其意柔軟寂然
清淨一心觀佛佛告阿難汝見是學无學二
千人不唯然已見阿難是諸人等當供養五
十世界微塵數諸佛如来恭敬尊重護持法
藏末後同時於十方國各得成佛皆同一号
名曰寶相如来應供正遍知明行足善逝世
間解无上士調御丈夫天人師佛世尊壽命
一劫國土莊嚴聲聞菩薩正法像法皆悉同
等尒時世尊欲重宣此義而說偈言
是二千聲聞　今於我前住　悉皆與授記　未来當成佛
所供養諸佛　如上說塵數　護持其法藏　後當成正覺
各於十方國　悉同一名号　俱時坐道場　以證无上慧
皆名爲寶相　國土及弟子　正法與像法　悉等无有異

BD02713 號　妙法蓮華經卷四

（30–9）

所供養諸佛　如上說塵數　護持其法藏　後當成正覺
各於十方國　悉同一名号　俱時坐道場　以證无上慧
皆名為寶相　國土及弟子　正法與像法　悉等无有異
咸以諸神通　度十方眾生　名聞普周遍　漸入於涅槃
尒時學无學二千人聞佛授記歡喜踊躍
而說偈言
世尊慧燈明　我聞授記音　心歡喜充滿　如甘露見灌

妙法蓮華經法師品第十

尒時世尊因藥王菩薩告八万大士藥王汝
見是大眾中无量諸天龍王夜叉乾闥婆阿
脩羅迦樓羅緊那羅摩睺羅伽人與非人
及比丘比丘尼優婆塞優婆夷求聲聞者求
辟支佛者求佛道者如是等類咸於佛前聞
妙法華經一偈一句乃至一念隨喜者我皆
與授記當得阿耨多羅三藐三菩提佛告藥
王又如來滅度之後若有人聞妙法華經乃
至一偈一句一念隨喜者我亦與授阿耨多
羅三藐三菩提記若復有人受持讀誦解
說書寫妙法華經乃至一偈於此經卷敬視
如佛種種供養華香瓔珞末香塗香燒香
繒蓋幢幡衣服伎樂乃至合掌恭敬藥王當
知是諸人等已曾供養十万億佛於諸佛所
成就大願愍眾生故生此人間藥王若有人
問何等眾生於未來世當得作佛應示是諸
人等於未來世必得作佛何以故若善男子
善女人於法華經乃至一句受持讀誦解說書
寫種種供養經卷華香瓔珞末香塗香燒香

問何等眾生於未來世當得作佛應示是諸
人等於未來世必得作佛何以故若善男子
善女人於法華經乃至一句受持讀誦解說書
寫種種供養經卷華香瓔珞末香塗香燒香
繒蓋幢幡衣服伎樂合掌恭敬是人一切世
間所應瞻奉應以如來供養而供養之當知
此人是大菩薩成就阿耨多羅三藐三菩提
哀愍眾生願生此間廣演分別妙法華經何
況盡能受持種種供養者藥王當知是人自
捨清淨業報於我滅度後愍眾生故生於惡
世廣演此經若是善男子善女人我滅度後
能竊為一人說法華經乃至一句當知是人
則如來使如來所遣行如來事何況於大眾中
廣為人說藥王若有惡人以不善心於一劫中
現於佛前常毀罵佛其罪尚輕若人以一惡
言毀呰在家出家讀誦法華經者其罪甚重
藥王其有讀誦法華經者當知是人以佛莊
嚴而自莊嚴則為如來肩所荷擔其所至方
應隨向礼一心合掌恭敬供養尊重讚嘆華
香瓔珞末香塗香燒香繒蓋幢幡衣服餚饍
作諸伎樂人中上供而供養之應持天寶而
以散之天上寶聚應以奉獻所以者何是人歡
喜說法須臾聞之即得究竟阿耨多羅三藐
三菩提故尒時世尊欲重宣此義而說偈言
若欲住佛道　成就自然智　常當勤供養　受持法華者
其有欲疾得　一切種智慧　當受持是經　并供養持者
若有能受持　妙法華經者　當知佛所使　愍念諸眾生

若欲住佛道　成就自然智　常當勤供養　受持法華者
其有欲疾得　一切種智慧　當受持是經　并供養持者
若有能受持　妙法華經者　當知佛所使　愍念諸衆生
諸有能受持　妙法華經者　捨於清淨土　愍衆故生此
當知如是人　自在所欲生　能於此惡世　廣說无上法
應以天華香　及天寶衣服　天上妙寶聚　供養說法者
吾滅後惡世　能持是經者　當合掌礼敬　如供養世尊
上饌衆甘美　及種種衣服　供養是佛子　冀得須臾聞
若能於後世　受持是經者　我遣在人中　行於如來事
若於一劫中　常懷不善心　作色而罵佛　獲无量重罪
其有讀誦持　是法華經者　須臾加惡言　其罪復過彼
有人求佛道　而於一劫中　合掌在我前　以无數偈讚
由是讚佛故　得无量功德　歎美持經者　其福復過彼
於十八億劫　以最妙色聲　及與香味觸　供養持經者
如是供養已　若得須臾聞　則應自欣慶　我今獲大利
藥王今告汝　我所說諸經　而於此經中　法華最第一
尒時佛復告藥王菩薩摩訶薩　我所說經典
无量千万億　已說今說當說　而於其中此法
華經最為難信難解　藥王此經是諸佛秘要
之藏　不可分布妄授與人　諸佛世尊之所守
護　從昔已來未曾顯說　而此經者如來現在
猶多怨嫉　况滅度後　藥王當知　如來滅後其
能書持讀誦供養為他人說者　如來則為以
衣覆之　又為他方現在諸佛之所護念　是人
有大信力及志願力諸善根力　當知此人與
如來共宿　則為如來手摩其頭　藥王在在處

BD02713號　妙法蓮華經卷四

（30–12）

能書持讀誦供養為他人說者如來則為以
衣覆之又為他方現在諸佛之所護念是人
有大信力及志願力諸善根力當知此人與
如來共宿則為如來手摩其頭藥王在在處
處若說若讀若誦若書若經卷所住處皆應
起七寶塔極令高廣嚴飾不須復安舍利所
以者何此中已有如來全身此塔應以一切
華香瓔珞繒蓋幢幡伎樂歌頌供養恭敬尊
重讚歎若有人得見此塔礼拜供養當知是
等皆近阿耨多羅三藐三菩提藥王多有人
在家出家行菩薩道若不能得見聞讀誦書
持供養是法華經者當知是人未善行菩薩
道若有得聞是經典者乃能善行菩薩之道
其有衆生求佛道者若見若聞是法華經聞
已信解受持者當知是人得近阿耨多羅三
藐三菩提藥王譬如有人渴乏須水於彼高
原穿鑿求之猶見乾土知水尚遠施功不已
轉見濕土遂漸至泥其心決定知水必近菩
薩亦復如是若未聞未解未能修習是法華
經當知是人去阿耨多羅三藐三菩提尚遠
若得聞解思惟修習必知得近阿耨多羅三
藐三菩提所以者何一切菩薩阿耨多羅三
藐三菩提皆屬此經此經開方便門示真實
相是法華經藏深固幽遠无人能到今佛教
化成就菩薩而為開示藥王若有菩薩聞是
法華經驚疑怖畏當知是為新發意菩薩
若聲聞人聞是經驚疑怖畏當知是為增上

BD02713號　妙法蓮華經卷四

（30–13）

相是法華經藏深固幽遠无人能到今佛教
化成就菩薩而為開示藥王若有菩薩聞是
法華經驚疑怖畏當知是為新發意菩薩
若聲聞人聞是經驚疑怖畏當知是為增上
慢者藥王若有善男子善女人如来滅後欲
為四衆說是法華經者云何應說是善男子
善女人入如来室著如来衣坐如来座尒乃
應為四衆廣說斯經如来室者一切衆生中
大慈悲心是如来衣者柔和忍辱心是如来
座者一切法空是安住是中然後以不懈怠
心為諸菩薩及四衆廣說是法華經藥王我
於餘國遣化人為其集聽法衆亦遣化比丘
比丘尼優婆塞優婆夷聽其說法是諸化人
聞法信受隨順不逆若說法者在空閑處我時
廣遣天龍鬼神乾闥婆阿脩羅等聽其說
法我雖在異國時時令說法者得見我身若
於此經忘失句逗我還為說令得具足尒時
世尊欲重宣此義而說偈言
欲捨諸懈怠　應當聽此經　是經難得聞　信受者亦難
如人渴須水　穿鑿於高原　猶見乾燥土　知去水尚遠
漸見濕土泥　決定知近水　藥王汝當知　如是諸人等
不聞法華經　去佛智甚遠　若聞是深經　決了聲聞法
是諸經之王　聞已諦思惟　當知此人等　近於佛智慧
若人說此經　應入如来室　著於如来衣　而坐如来座
處衆无所畏　廣為分別說　大慈悲為室　柔和忍辱衣
諸法空為座　處此為說法　若說此經時　有人惡口罵
加刀杖瓦石　念佛故應忍　我千万億土　現淨堅固身

若人說此經　應入如来室　著於如来衣　而坐如来座
處衆无所畏　廣為分別說　大慈悲為室　柔和忍辱衣
諸法空為座　處此為說法　若說此經時　有人惡口罵
加刀杖瓦石　念佛故應忍　我千万億土　現淨堅固身
於无量億劫　為衆生說法　若我滅度後　能說此經者
我遣化四衆　比丘比丘尼　及清信士女　供養於法師
引導諸衆生　集之令聽法　若人欲加惡　刀杖及瓦石
則遣變化人　為之作衛護　若說法之人　獨在空閑處
寂漠无人聲　讀誦此經典　我尒時為現　清淨光明身
若忘失章句　為說令通利　若人具是德　或為四衆說
空處讀誦經　皆得見我身　若人在空閑　我遣天龍王
夜叉鬼神等　為作聽法衆　是人樂說法　分別无罣礙
諸佛護念故　能令大衆喜　若親近法師　速得菩薩道
隨順是師學　得見恒沙佛

妙法蓮華經見寶塔品第十一

尒時佛前有七寶塔高五百由旬縱廣二百
五十由旬從地踊出住在空中種種寶物而
莊校之五千欄楯龕室千万无數幢幡以為
嚴飾垂寶瓔珞寶鈴万億而懸其上四面皆
出多摩羅跋栴檀之香充遍世界其諸幡蓋
以金銀琉璃車渠馬瑙真珠玫瑰七寶合成
高至四天王宮三十三天雨天曼陁羅華供
養寶塔餘諸天龍夜叉乾闥婆阿脩羅迦樓
羅緊那羅摩睺羅伽人非人等千万億衆以
一切華香瓔珞幡蓋伎樂供養寶塔恭敬尊
重讚歎尒時寶塔中出大音聲歎言善哉善
哉釋迦牟尼世尊能以平等大慧教菩薩法

一切華香瓔珞幡蓋伎樂供養寶塔恭敬尊
重讚歎尒時寶塔中出大音聲歎言善哉善
哉釋迦牟尼世尊能以平等大慧教菩薩法
佛所護念妙法華經為大衆說如是如是釋
迦牟尼世尊如所說者皆是真實尒時四衆
見大寶塔住在空中又聞塔中所出音聲皆
得法喜怪未曾有從座而起恭敬合掌却住
一面尒時有菩薩摩訶薩名大樂說知一切
世間天人阿脩羅等心之所疑而白佛言世
尊以何因緣有此寶塔從地踊出又於其中
發是音聲尒時佛告大樂說菩薩此寶塔中
有如來全身乃往過去東方无量千万億阿
僧祇世界國名寶淨彼中有佛号曰多寶其
佛行菩薩道時作大誓願若我成佛滅度之
後於十方國土有說法華經處我之塔廟為
聽是經故踊現其前為作證明讚言善哉彼
佛成道已臨滅度時於天人大衆中告諸比
丘我滅度後欲供養我全身者應起一大塔
其佛以神通願力十方世界在在處處若有
說法華經者彼之寶塔皆踊出其前全身在
於塔中讚言善哉善哉大樂說今多寶如
來塔聞說法華經故從地踊出讚言善哉善哉
是時大樂說菩薩以如來神力故白佛言世
尊我等願欲見此佛身佛告大樂說菩薩摩
訶薩是多寶佛有深重願若我寶塔為聽法
華經故出於諸佛前時其有欲以我身示四

BD02713號　妙法蓮華經卷四

華經故出於諸佛前時其有欲以我身示四
衆者彼佛分身諸佛在於十方世界說法盡
還集一處然後我身乃出現耳大樂說我分
身諸佛在於十方世界說法者今應當集大
樂說白佛言世尊我等亦願欲見世尊分身
諸佛礼拜供養尒時佛放白毫一光即見東
方五百万億那由他恒河沙等國土諸佛彼
諸國土皆以頗梨為地寶樹寶衣以為莊嚴
无數千万億菩薩充滿其中遍張寶幔寶網
羅上彼國諸佛以大妙音而說諸法及見无
量千万億菩薩遍滿諸國為衆說法南西北
方四維上下白毫相光所照之處亦復如是
尒時十方諸佛各告衆菩薩言善男子我今
應往娑婆世界釋迦牟尼佛所并供養多寶
如來寶塔時娑婆世界即變清淨琉璃為地
寶樹莊嚴黃金為繩以界八道无諸聚落村
營城邑大海江河山川林藪燒大寶香曼陀
羅華遍布其地以寶網幔羅覆其上懸諸寶
鈴唯留此會衆移諸天人置於他土是時諸
佛各將一大菩薩以為侍者至娑婆世界各
到寶樹下一一寶樹高五百由旬枝葉華菓
次第莊嚴諸寶樹下皆有師子之座高五由
旬亦以大寶而校餝之尒時諸佛各於此座
結加趺坐如是展轉遍滿三千大千世界而
於釋迦牟尼佛一方所分之身猶故未盡時
釋迦牟尼佛欲容受所分身諸佛故八方各
更變二百万億那由他國皆令清淨无有地

BD02713號　妙法蓮華經卷四

結加趺坐如是展轉遍滿三千大千世界而
於釋迦牟尼佛一方所分之身猶故未盡時
釋迦牟尼佛欲容受所分身諸佛故八方各
更變二百万億那由他國皆令清淨无有地
獄餓鬼畜生及阿脩羅又移諸天人置於他
土所化之國亦以琉璃為地寶樹莊嚴樹高
五百由旬枝葉華菓次第嚴飾樹下皆有寶
師子座高五由旬種種諸寶以為莊校亦无
大海江河及目真隣陀山摩訶目真隣陀山
鐵圍山大鐵圍山須弥山等諸山王通為一
佛國土寶地平正寶交露幔遍覆其上懸諸
幡蓋燒大寶香諸天寶華遍布其地釋迦
牟尼佛為諸佛當来坐故復於八方各變二百
万億那由他國皆令清淨无有地獄餓鬼畜
生及阿脩羅又移諸天人置於他土所化之
國亦以琉璃為地寶樹莊嚴樹高五百由旬
枝葉華菓次第莊嚴樹下皆有寶師子座高
五由旬亦以大寶而校飾之亦无大海江河
及目真隣陀山摩訶目真隣陀山鐵圍山大鐵
圍山須弥山等諸山王通為一佛國土寶地平
正寶交露幔遍覆其上懸諸幡蓋燒大寶香
諸天寶華遍布其地尒時東方釋迦牟尼所
分之身百千万億那由他恒河沙等國土中
諸佛各各說法来集於此如是次第十方諸
佛皆悉来集坐於八方尒時一一方四百万
億那由他國土諸佛如来遍滿其中是時諸

諸佛各各說法来集於此如是次第十方諸
佛皆悉来集坐於八方尒時一一方四百万
億那由他國土諸佛如来遍滿其中是時諸
佛各在寶樹下坐師子座皆遣侍者問訊釋
迦牟尼佛各賷寶華滿掬而告之言善男子
汝往詣耆闍崛山釋迦牟尼佛所如我辭曰
少病少惱氣力安樂及菩薩聲聞衆悉安隱
不以此寶華散佛供養而作是言彼某甲佛
與欲開此寶塔諸佛遣使亦復如是尒時釋
迦牟尼佛見所分身諸佛悉已来集各各坐於
師子之座皆聞諸佛與欲同開寶塔即從座
起住虛空中一切四衆起立合掌一心觀佛
於是釋迦牟尼佛以右指開七寶塔戶出大
音聲如却關鑰開大城門即時一切衆會皆
見多寶如来於寶塔中坐師子座全身不散
如入禪定又聞其言善哉善哉釋迦牟尼佛
快說是法華經我為聽是經故而来至此尒
時四衆等見過去无量千万億劫滅度佛說
如是言嘆未曾有以天寶華聚散多寶佛及
釋迦牟尼佛上尒時多寶佛於寶塔中分半
座與釋迦牟尼佛而作是言釋迦牟尼佛可
就此座即時釋迦牟尼佛入其塔中坐其半
座結加趺坐尒時大衆見二如来在七寶塔
中師子座上結加趺坐各作是念佛坐高遠
唯願如来以神通力令我等輩俱處虛空即
時釋迦牟尼佛以神通力接諸大衆皆在虛
空以大音聲普告四衆誰能於此娑婆國土

中師子座上結加趺坐各作是念佛坐高遠
唯願如来以神通力令我等輩俱處虛空即
時釋迦牟尼佛以神通力接諸大衆皆在虛
空以大音聲普告四衆誰能於此娑婆國土
廣說妙法華經今正是時如来不久當入涅
槃佛欲以此妙法華經付囑有在尒時世尊
欲重宣此義而說偈言
聖主世尊 雖久滅度 在寶塔中 尚為法来
諸人云何 不懃為法 此佛滅度 无央數劫
處處聽法 以難遇故 彼佛本願 我滅度後
在在所往 常為聽法 又我分身 无量諸佛
如恒沙等 来欲聽法 及見滅度 多寶如来
各捨妙土 及弟子衆 天人龍神 諸供養事
令法久住 故来至此 為坐諸佛 以神通力
移无量衆 令國清淨 諸佛各各 詣寶樹下
如清淨池 蓮華莊嚴 其寶樹下 諸師子座
佛坐其上 光明嚴飾 如夜闇中 然大炬火
身出妙香 遍十方國 衆生蒙薰 喜不自勝
譬如大風 吹小樹枝 以是方便 令法久住
告諸大衆 我滅度後 誰能護持 讀說斯經
今於佛前 自說誓言 其多寶佛 雖久滅度
以大誓願 而師子吼 多寶如来 及與我身
所集化佛 當知此意 諸佛子等 誰能護法
當發大願 令得久住 其有能護 此經法者
則為供養 我及多寶 此多寶佛 處於寶塔
常遊十方 為是經故 亦復供養 諸来化佛

當發大願 令得久住 其有能護 此經法者
則為供養 我及多寶 此多寶佛 處於寶塔
常遊十方 為是經故 亦復供養 諸来化佛
莊嚴光飾 諸世界者 若說此經 則為見我
多寶如来 及諸化佛 諸善男子 各諦思惟
此為難事 宜發大願 諸餘經典 數如恒沙
雖說此等 未足為難 若接須弥 擲置他方
无數佛土 亦未為難 若以足指 動大千界
遠擲他國 亦未為難 若立有頂 為衆演說
无量餘經 亦未為難 若佛滅後 於惡世中
能說此經 是則為難 假使有人 手把虛空
而以遊行 亦未為難 於我滅後 若自書持
若使人書 是則為難 若以大地 置足甲上
昇於梵天 亦未為難 佛滅度後 於惡世中
暫讀此經 是則為難 假使劫燒 擔負乾草
入中不燒 亦未為難 我滅度後 若持此經
為一人說 是則為難 若持八万 四千法藏
十二部經 為人演說 令諸聽者 得六神通
雖能如是 亦未為難 於我滅後 聽受此經
問其義趣 是則為難 若人說法 令千万億
无量无數 恒沙衆生 得阿羅漢 具足神通
雖有是益 亦未為難 於我滅後 若能奉持
如斯經典 是則為難 我為佛道 於无量土
從始至今 廣說諸經 而於其中 此經第一
若有能持 則持佛身 諸善男子 於我滅後
誰能護持 讀誦此經 今於佛前 自說誓言
此經難持 若暫持者 我則歡喜 諸佛亦然

雖有是益亦未為難　於我滅後　若能奉持
如斯經典　是則為難　我為佛道　於无量土
從始至今　廣說諸經　而於其中　此經第一
若有能持　則持佛身　諸善男子　於我滅後
誰能護持　讀誦此經　今於佛前　自說誓言
此經難持　若暫持者　我則歡喜　諸佛亦然
如是之人　諸佛所嘆　是則勇猛　是則精進
是名持戒　行頭陁者　則為疾得　无上佛道
能於來世　讀持此經　是真佛子　住淳善地
佛滅度後　能解其義　是諸天人　世間之眼
於恐畏世　能須臾說　一切天人　皆應供養
妙法蓮華經提婆達多品第十二
尒時佛告諸菩薩及天人四衆吾於過去无
量劫中求法華經无有懈惓於多劫中常作
國王發願求於无上菩提心不退轉為欲滿
足六波羅蜜懃行布施心无悋惜象馬七珎
國城妻子奴婢僕從頭目髓腦身肉手足不
惜軀命時世人民壽命无量為於法故捐捨
國位委政太子擊鼓宣令四方求法誰能為
我說大乘者吾當終身供給走使時有仙人
來白王言我有大乘名妙法　華　若不違
我當為宣說王聞仙人言歡喜踊躍即隨仙人
供給所須採菓汲水拾薪設食乃至以身而
為牀座身心无惓于時奉事經於千歲為於
法故精懃給侍令无所乏尒時世尊欲重宣
此義而說偈言
我念過去劫　為求大法故　雖作世國王　不貪五欲樂

BD02713號　妙法蓮華經卷四　（30–22）

為牀座身心无惓于時奉事經於千歲為於
法故精懃給侍令无所乏尒時世尊欲重宣
此義而說偈言
我念過去劫　為求大法故　雖作世國王　不貪五欲樂
椎鍾告四方　誰有大法者　若為我解說　身當為奴僕
時有阿私仙　來白於大王　我有微妙法　世間所希有
若能脩行者　吾當為汝說　時王聞仙言　心生大喜悅
即便隨仙人　供給於所須　採薪及菓蓏　隨時恭敬與
情存妙法故　身心无懈惓　普為諸衆生　懃求於大法
亦不為己身　及以五欲樂　故為大國王　懃求獲此法
遂致得成佛　今故為汝說
佛告諸比丘尒時王者則我身是時仙人者
今提婆達多是由提婆達多善知識故令我
具足六波羅蜜慈悲喜捨三十二相八十
種好紫磨金色十力四无所畏四攝法十八
不共神通道力成等正覺廣度衆生皆因
提婆達多善知識故告諸四衆提婆達多却
後過无量劫當得成佛号曰天王如來應供
正遍知明行足善逝世間解无上士調御丈
夫天人師佛世尊世界名天道時天王佛住
世二十中劫廣為衆生說於妙法恒河沙衆
生得阿羅漢果无量衆生發緣覺心恒河沙
衆生發无上道心得无生忍至不退轉時天
王佛般涅槃後正法住世二十中劫全身舍
利起七寶塔高六十由旬縱廣四十由旬諸
天人民悉以雜華末香燒香塗香衣服瓔珞
幢幡寶蓋伎樂歌頌禮拜供養七寶妙塔无

BD02713號　妙法蓮華經卷四　（30–23）

衆生發无上道心得无生忍至不退轉時天
王佛般涅槃後正法住世二十中劫全身舍
利起七寶塔高六十由旬縱廣四十由旬諸
天人民悉以雜華末香燒香塗香衣服瓔珞
幢幡寶蓋伎樂歌唄礼拜供養七寶妙塔无
量衆生得阿羅漢果无量衆生悟辟支佛不
可思議衆生發菩提心至不退轉佛告諸比
丘未來世中若有善男子善女人聞妙法華
經提婆達多品淨心信敬不生疑惑者不墮
地獄餓鬼畜生生十方佛前所生之處常聞
此經若生人天中受勝妙樂若在佛前蓮華
化生於時下方多寶世尊所從菩薩名曰智積
白多寶佛當還本土釋迦牟尼佛智積曰
善男子且待須臾此有菩薩名文殊師利可
與相見論說妙法可還本土尒時文殊師利坐
千葉蓮華大如車輪俱來菩薩亦坐寶蓮
華從於大海娑竭羅龍宮自然踊出住虛空
中詣靈鷲山從蓮華下至於佛所頭面敬礼
二世尊足修敬已畢往智積所共相慰問却坐
一面智積菩薩問文殊師利仁往龍宮所化
衆生其數幾何文殊師利言其數无量不可
稱計非口所宣非心所測且待須臾自當證
知所言未竟无數菩薩坐寶蓮華從海踊出
詣靈鷲山住在虛空此諸菩薩皆是文殊師
利之所化度具菩薩行皆共論說六波羅蜜
本聲聞人在虛空中說聲聞行今皆修行大
乘空義文殊師利謂智積曰於海教化其事

BD02713號　妙法蓮華經卷四

（30–24）

知所言未竟无數菩薩坐寶蓮華從海踊出
詣靈鷲山住在虛空此諸菩薩皆是文殊師
利之所化度具菩薩行皆共論說六波羅蜜
本聲聞人在虛空中說聲聞行今皆修行大
乘空義文殊師利謂智積曰於海教化其事
如是尒時智積菩薩以偈讚曰
大智德勇健　化度无量衆　今此諸大會　及我皆已見
演暢實相義　開闡一乘法　廣導諸衆生　令速成菩提
文殊師利言我於海中唯常宣說妙法華經
智積問文殊師利言此經甚深微妙諸經中
寶世所希有頗有衆生勤加精進修行此經
速得佛不文殊師利言有娑竭羅龍王女年
始八歲智慧利根善知衆生諸根行業得陀
羅尼諸佛所說甚深秘藏悉能受持深入禪
定了達諸法於剎那頃發菩提心得不退轉
辯才无礙慈念衆生猶如赤子功德具足心
念口演微妙廣大慈悲仁讓志意和雅能至
菩提智積菩薩言我見釋迦如來於无量劫
難行苦行積功累德求菩薩道未曾止息觀
三千大千世界乃至无有如芥子許非是菩
薩捨身命處為衆生故然後乃得成菩提道
不信此女於須臾頃便成正覺言論未訖時
龍王女忽現於前頭面礼敬却住一面以偈
讚曰
深達罪福相　遍照於十方　微妙淨法身　具相三十二
以八十種好　用莊嚴法身　天人所戴仰　龍神咸恭敬
一切衆生類　无不宗奉者　又聞成菩提　唯佛當證知

BD02713號　妙法蓮華經卷四

（30–25）

不信此女於須臾頃便成正覺言論未訖時
龍王女忽現於前頭面礼敬却住一面以偈
讚曰
深達罪福相　遍照於十方　微妙淨法身　具相三十二
以八十種好　用莊嚴法身　天人所戴仰　龍神咸恭敬
一切衆生類　无不宗奉者　又聞成菩提　唯佛當證知
我闡大乘教　度脫苦衆生
時舍利弗語龍女言汝謂不久得无上道是
事難信所以者何女身垢穢非是法器云何
能得无上菩提佛道懸曠經无量劫懃苦積
行具脩諸度然後乃成又女身猶有五障一
者不得作梵天王二者帝釋三者魔王四者
轉輪聖王五者佛身云何女身速得成佛尒
時龍女有一寶珠價直三千大千世界持以
上佛佛即受之龍女謂智積菩薩尊者舍利
弗言我獻寶珠世尊納受是事疾不荅言甚
疾女言以汝神力觀我成佛復速於此當時
衆會皆見龍女忽然之間變成男子具菩薩
行即往南方无垢世界坐寶蓮華成等正覺
三十二相八十種好普為十方一切衆生演
說妙法尒時娑婆世界菩薩聲聞天龍八部
人與非人皆遥見彼龍女成佛普為時會人
天說法心大歡喜悉遥敬礼无量衆生聞法
解悟得不退轉无量衆生得受道記无垢世
界六反震動娑婆世界三千衆生住不退地
三千衆生發菩提心而得受記智積菩薩
及舍利弗一切衆會默然信受

BD02713 號　妙法蓮華經卷四　（30–26）

解悟得不退轉无量衆生得受道記无垢世
界六反震動娑婆世界三千衆生住不退地
三千衆生發菩提心而得受記智積菩薩
及舍利弗一切衆會默然信受
妙法蓮華經持品第十三
尒時藥王菩薩摩訶薩及大樂說菩薩摩訶
薩與二万菩薩眷屬俱皆於佛前作是誓言
唯願世尊不以為慮我等於佛滅後當奉持
讀誦說此經典後惡世衆生善根轉少多增
上慢貪利供養增不善根遠離解脫雖難可
教化我等當起大忍力讀誦此經持說書寫
種種供養不惜身命尒時衆中五百阿羅漢
得受記者白佛言世尊我等亦自誓願於異
國土廣說此經復有學无學八千人得受記
者從座而起合掌向佛作是誓言世尊我等
亦當於他國土廣說此經所以者何是娑婆
國中人多弊惡懷增上慢功徳淺薄瞋濁諂
曲心不實故尒時佛姨母摩訶波闍波提比
丘尼與學无學比丘尼六千人俱從座而起
一心合掌瞻仰尊顏目不暫捨於時世尊告
憍曇弥何故憂色而視如來汝心將无謂我
不說汝名授阿耨多羅三藐三菩提記耶憍
曇弥我先揔說一切聲聞皆已授記今汝欲
知記者將來之世當於六万八千億諸佛法
中為大法師及六千學无學比丘尼俱為法
師汝如是漸漸具菩薩道當得作佛号一切
衆生憙見如來應供正遍知明行足善逝世

BD02713 號　妙法蓮華經卷四　（30–27）

知記者將来之世當於六万八千億諸佛法
中爲大法師亦六千學无學比丘尼俱爲法
師汝如是漸漸具菩薩道當得作佛号一切
衆生喜見如来應供正遍知明行足善逝世
間解无上士調御丈夫天人師佛世尊憍曇
弥是一切衆生喜見如来六千菩薩轉次授
記得阿耨多羅三藐三菩提尒時羅睺羅母
耶輸陁羅比丘尼作是念世尊於授記中獨
不說我名佛告耶輸陁羅汝於来世百千万
億諸佛法中脩菩薩行爲大法師漸具佛道
於善國中當得作佛号具足千万光相如来
應供正遍知明行足善逝世間解无上士調
御丈夫天人師佛世尊佛壽无量阿僧祇劫
尒時摩訶波闍波提比丘尼及耶輸陁羅比
丘尼并其眷属皆大歡喜得未曾有即於
佛前而說偈言
世尊導師　安隱天人　我等聞記　心安具足
諸比丘尼說是偈已白佛言世尊我等亦能
於他方國廣宣此經尒時世尊視八十万億
那由他諸菩薩摩訶薩是諸菩薩皆是阿惟
致致轉不退法輪得諸陁羅尼即從座起至
於佛前一心合掌而作是念若世尊告勅我
等持說此經者當如佛教廣宣斯法復作是
念佛今嘿然不見告勅我當云何時諸菩薩
敬順佛意并欲自滿本願便於佛前作師子
吼而發誓言世尊我等於如来滅後周旋往
反十方世界能令衆生書寫此經受持讀誦

BD02713號　妙法蓮華經卷四

(30–28)

於佛前一心合掌而作是念若世尊告勅我
等持說此經者當如佛教廣宣斯法復作是
念佛今嘿然不見告勅我當云何時諸菩薩
敬順佛意并欲自滿本願便於佛前作師子
吼而發誓言世尊我等於如来滅後周旋往
反十方世界能令衆生書寫此經受持讀誦
解說其義如法脩行正憶念皆是佛之威力
唯願世尊在於他方遙見守護即時諸菩薩
俱同發聲而說偈言
唯願不爲慮　於佛滅度後　恐怖惡世中　我等當廣說
有諸无智人　惡口罵詈等　及加刀杖者　我等皆當忍
惡世中比丘　耶智心諂曲　未得謂爲得　我慢心充滿
或有阿練若　納衣在空閑　自謂行真道　輕賤人間者
貪著利養故　與白衣說法　爲世所恭敬　如六通羅漢
是人懷惡心　常念世俗事　假名阿練若　好出我等過
而作如是言　此諸比丘等　爲貪利養故　說外道論議
自作此經典　誑惑世間人　爲求名聞故　分別於是經
常在大衆中　欲毀我等故　向國王大臣　婆羅門居士
及餘比丘衆　誹謗說我惡　謂是耶見人　說外道論議
我等敬佛故　悉忍是論惡　爲斯所輕言　汝等皆是佛
如此輕慢言　皆當忍受之　濁劫惡世中　多有諸恐怖
惡鬼入其身　罵詈毀辱我　我等敬信佛　當著忍辱鎧
爲說是經故　忍此諸難事　我不愛身命　但惜无上道
我等於来世　護持佛所囑　世尊自當知　濁世惡比丘
不知佛方便　隨宜所說法　惡口而顰蹙　數數見擯出
遠離於塔寺　如是等衆惡　念佛告勅故　皆當忍是事

BD02713號　妙法蓮華經卷四

(30–29)

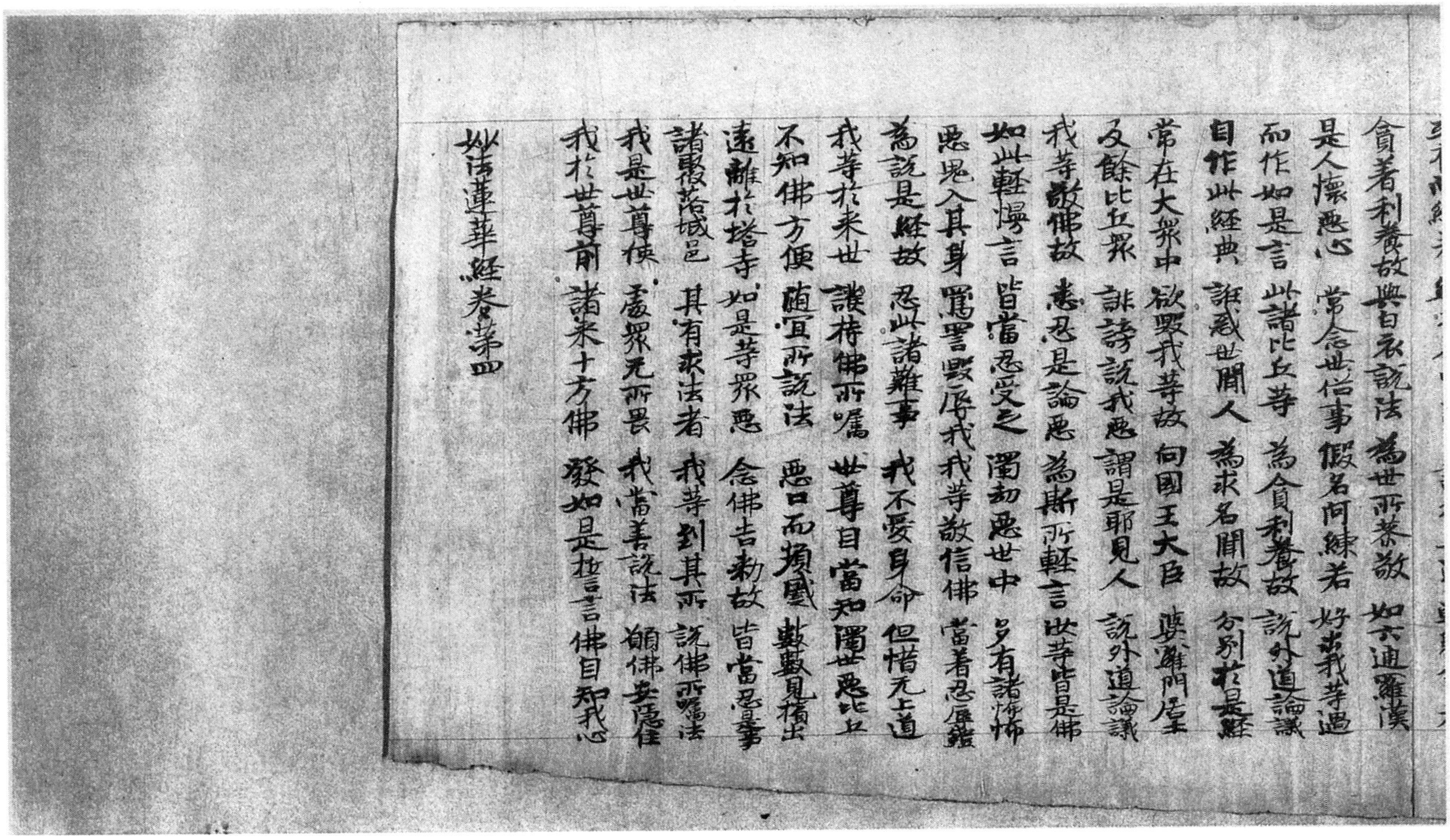

貪著利養故　與白衣說法　為世所恭敬　如六通羅漢
是人懷惡心　常念世俗事　假名阿練若　好出我等過
而作如是言　此諸比丘等　為貪利養故　說外道論議
自作此經典　誑惑世間人　為求名聞故　分別於是經
常在大眾中　欲毀我等故　向國王大臣　婆羅門居士
及餘比丘眾　誹謗說我惡　謂是邪見人　說外道論議
我等敬佛故　悉忍是論惡　為斯所輕言　汝等皆是佛
如此輕慢言　皆當忍受之　濁劫惡世中　多有諸恐怖
惡鬼入其身　罵詈毀辱我　我等敬信佛　當著忍辱鎧
為說是經故　忍此諸難事　我不愛身命　但惜无上道
我等於來世　護持佛所囑　世尊自當知　濁世惡比丘
不知佛方便　隨宜所說法　惡口而顰蹙　數數見擯出
遠離於塔寺　如是等眾惡　念佛告勅故　皆當忍是事
諸聚落城邑　其有求法者　我等到其所　說佛所囑法
我是世尊使　處眾无所畏　我當善說法　願佛安隱住
我於世尊前　諸來十方佛　發如是誓言　佛自知我心
妙法蓮華經卷第四

BD02713 號　妙法蓮華經卷四　　（30–30）

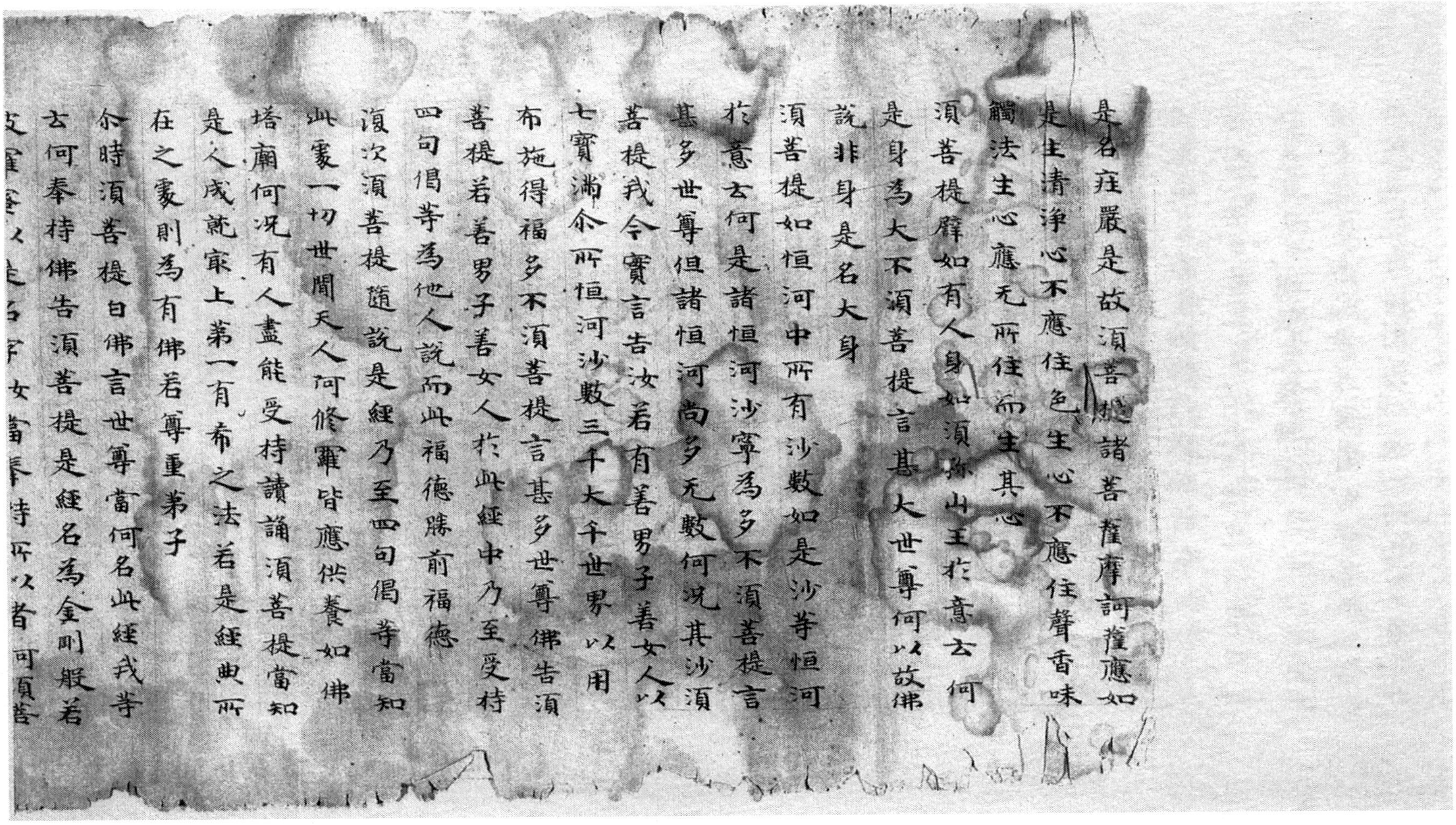

是名莊嚴是故須菩提諸菩薩摩訶薩應如
是生清淨心不應住色生心不應住聲香味
觸法生心應无所住而生其心
須菩提譬如有人身如須彌山王於意云何
是身為大不須菩提言甚大世尊何以故佛
說非身是名大身
須菩提如恒河中所有沙數如是沙等恒河
於意云何是諸恒河沙寧為多不須菩提言
甚多世尊但諸恒河尚多无數何況其沙須
菩提我今實言告汝若有善男子善女人以
七寶滿尒所恒河沙數三千大千世界以用
布施得福多不須菩提言甚多世尊佛告須
菩提若善男子善女人於此經中乃至受持
四句偈等為他人說而此福德勝前福德
復次須菩提隨說是經乃至四句偈等當知
此處一切世間天人阿脩羅皆應供養如佛
塔廟何況有人盡能受持讀誦須菩提當知
是人成就最上第一希有之法若是經典所
在之處則為有佛若尊重弟子
尒時須菩提白佛言世尊當何名此經我等
云何奉持佛告須菩提是經名為金剛般若
波羅蜜以是名字汝當奉持所以者何須菩

BD02714 號　金剛般若波羅蜜經　　（10–1）

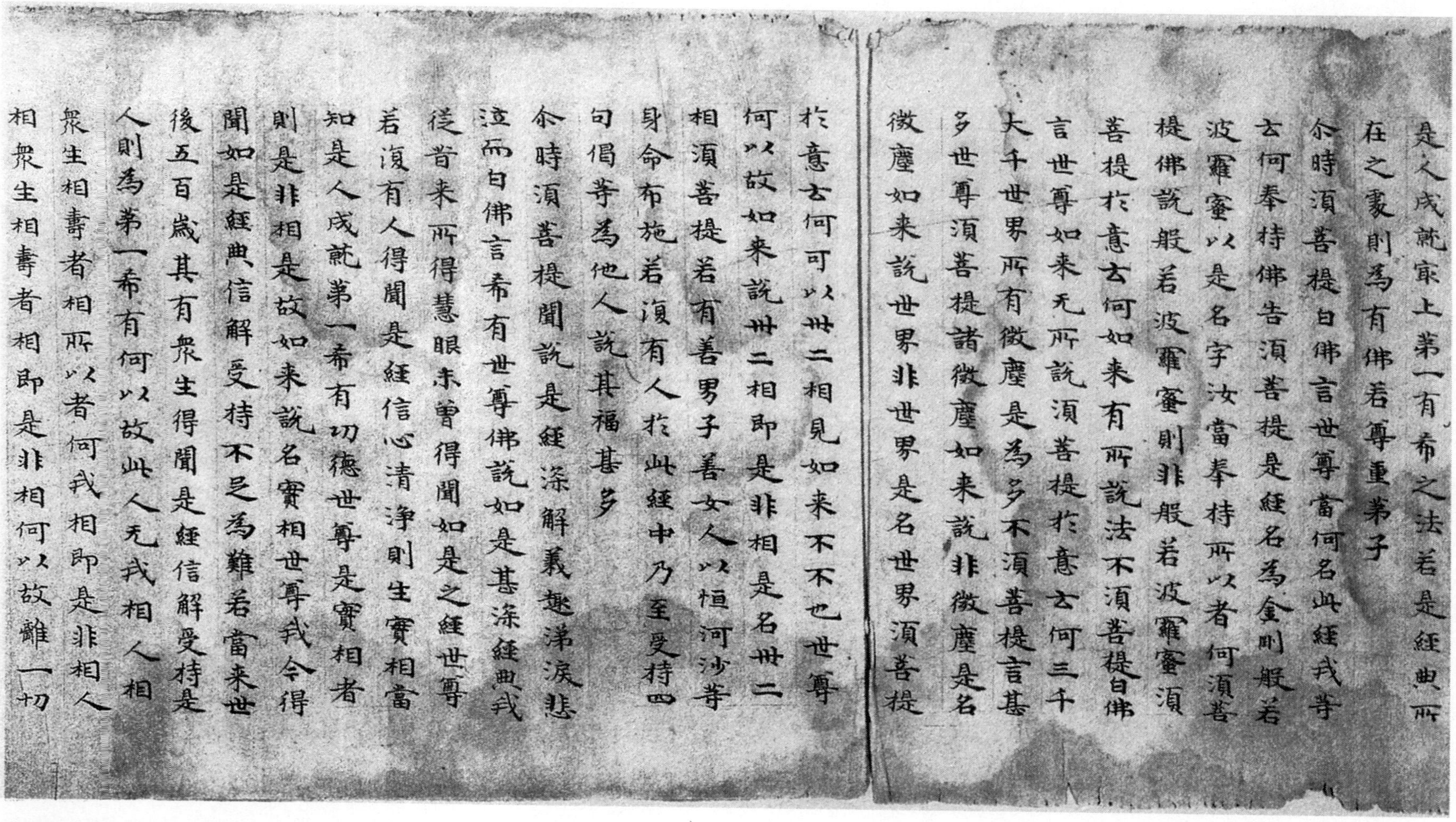

是人成就最上第一希有之法若是經典所
在之處則為有佛若尊重弟子
尒時須菩提白佛言世尊當何名此經我等
云何奉持佛告須菩提是經名為金剛般若
波羅蜜以是名字汝當奉持所以者何須菩
提佛說般若波羅蜜則非般若波羅蜜須
菩提於意云何如來有所說法不須菩提白佛
言世尊如來无所說須菩提於意云何三千
大千世界所有微塵是為多不須菩提言甚
多世尊須菩提諸微塵如來說非微塵是名
微塵如來說世界非世界是名世界須菩提
於意云何可以卅二相見如來不不也世尊
何以故如來說卅二相即是非相是名卅二
相須菩提若有善男子善女人以恒河沙等
身命布施若復有人於此經中乃至受持四
句偈等為他人說其福甚多
尒時須菩提聞說是經深解義趣涕淚悲
泣而白佛言希有世尊佛說如是甚深經典我
從昔來所得慧眼未曾得聞如是之經世尊
若復有人得聞是經信心清淨則生實相當
知是人成就第一希有功德世尊是實相者
則是非相是故如來說名實相世尊我今得
聞如是經典信解受持不足為難若當來世
後五百歲其有衆生得聞是經信解受持是
人則為第一希有何以故此人无我相人相
衆生相壽者相所以者何我相即是非相人
相衆生相壽者相即是非相何以故離一切

BD02714號　金剛般若波羅蜜經

（10–2）

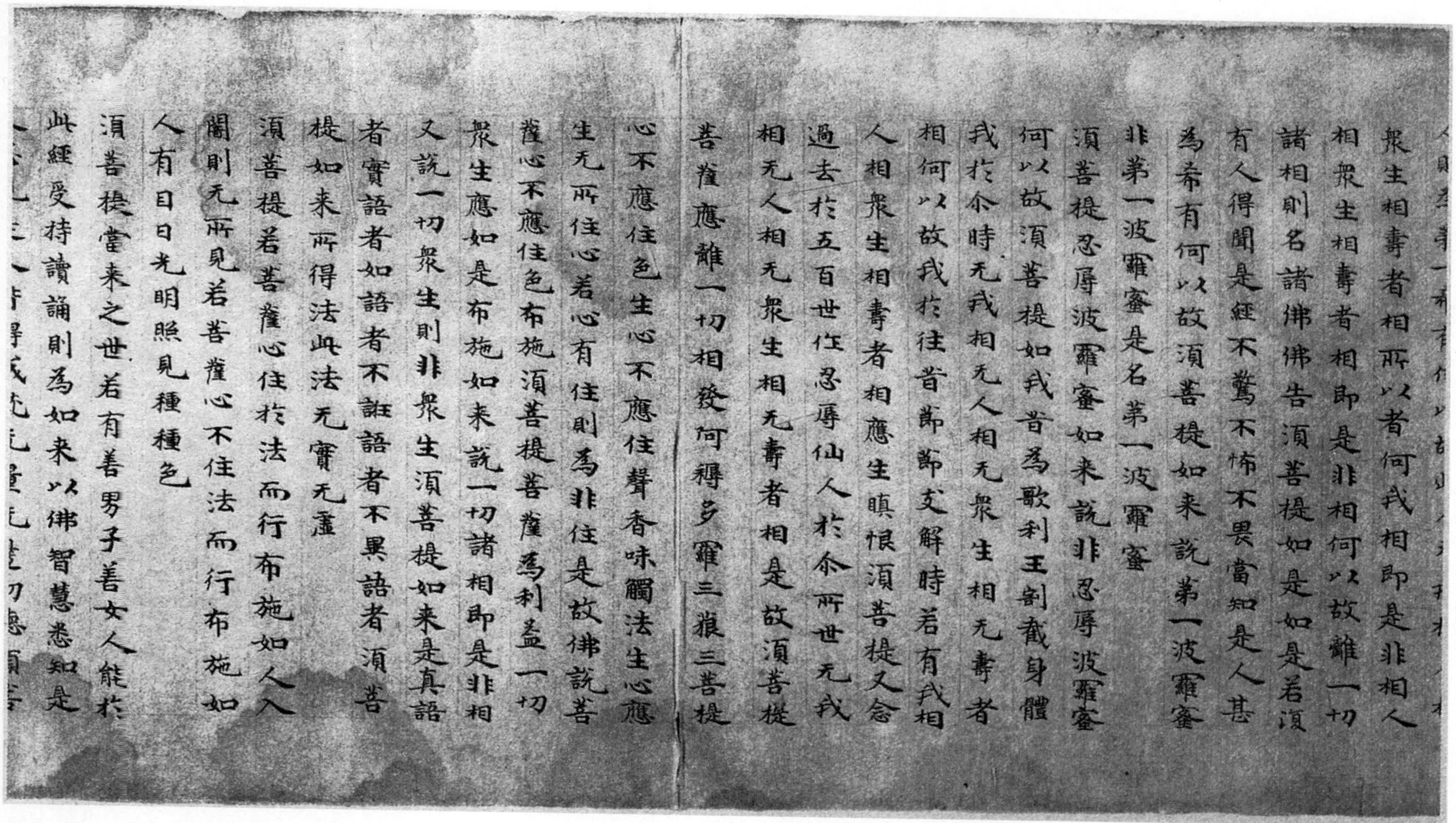

衆生相壽者相所以者何我相即是非相人
相衆生相壽者相即是非相何以故離一切
諸相則名諸佛佛告須菩提如是如是若復
有人得聞是經不驚不怖不畏當知是人甚
為希有何以故須菩提如來說第一波羅蜜
非第一波羅蜜是名第一波羅蜜
須菩提忍辱波羅蜜如來說非忍辱波羅蜜
何以故須菩提如我昔為歌利王割截身體
我於尒時无我相无人相无衆生相无壽者
相何以故我於往昔節節支解時若有我相
人相衆生相壽者相應生瞋恨須菩提又念
過去於五百世作忍辱仙人於尒所世无我
相无人相无衆生相无壽者相是故須菩提
菩薩應離一切相發阿耨多羅三藐三菩提
心不應住色生心不應住聲香味觸法生心應
生无所住心若心有住則為非住是故佛說菩
薩心不應住色布施須菩提菩薩為利益一切
衆生應如是布施如來說一切諸相即是非相
又說一切衆生則非衆生須菩提如來是真語
者實語者如語者不誑語者不異語者須菩
提如來所得法此法无實无虛
須菩提若菩薩心住於法而行布施如人入
闇則无所見若菩薩心不住法而行布施如
人有目日光明照見種種色
須菩提當來之世若有善男子善女人能於
此經受持讀誦則為如來以佛智慧悉知是

BD02714號　金剛般若波羅蜜經

（10–3）

須菩提若菩薩心住於法而行布施如人入
闇則无所見若菩薩心不住法而行布施如
人有目日光明照見種種色
須菩提當来之世若有善男子善女人能於
此經受持讀誦則為如来以佛智慧悉知是
人悉見是人皆得成就无量无邊功德須菩
提若有善男子善女人初日分以恒河沙等
身布施中日分復以恒河沙等身布施後日
分亦以恒河沙等身布施如是无量百千万
億劫以身布施若復有人聞此經典信心不
逆其福勝彼何況書寫受持讀誦為人解說
須菩提以要言之是經有不可思議不可稱
量无邊功德如来為發大乘者說為發最上
乘者說若有人能受持讀誦廣為人說如来
悉知是人悉見是人皆成就不可量不可稱
无有邊不可思議功德如是人等則為荷擔
如来阿耨多羅三藐三菩提何以故須菩提
若樂小法者著我見人見眾生見壽者見則
於此經不能聽受讀誦為人解說須菩提在
在處處若有此經一切世間天人阿修羅所
應供養當知此處則為是塔皆應恭敬作礼
圍繞以諸華香而散其處復次須菩提善男
子善女人受持讀誦此經若為人輕賤是人
先世罪業應墮惡道以今世人輕賤故先世
罪業則為消滅當得阿耨多羅三藐三菩提
須菩提我念過去无量阿僧祇劫於然燈佛
前得值八百四千万億那由他諸佛悉皆供
養承事无空過者若復有人於後末世能受

BD02714 號　金剛般若波羅蜜經　（10–4）

先世罪業應墮惡道以今世人輕賤故先世
罪業則為消滅當得阿耨多羅三藐三菩提
須菩提我念過去无量阿僧祇劫於然燈佛
前得值八百四千万億那由他諸佛悉皆供
養承事无空過者若復有人於後末世能受
持讀誦此經所得功德於我所供養諸佛功
德百分不及一千万億分乃至筭數譬喻所
不能及須菩提若善男子善女人於後末世
有受持讀誦此經所得功德我若具說者或
有人聞心則狂亂狐疑不信須菩提當知是
經義不可思議果報亦不可思議
尒時須菩提白佛言世尊善男子善女人發
阿耨多羅三藐三菩提心云何應住云何降
伏其心佛告須菩提善男子善女人發阿耨
多羅三藐三菩提心者當生如是心我應滅
度一切眾生滅度一切眾生已而无有一眾
生實滅度者何以故若菩薩有我相人相眾
生相壽者相即非菩薩所以者何須菩提實
无有法發阿耨多羅三藐三菩提心者
須菩提於意云何如来於然燈佛所有法得
阿耨多羅三藐三菩提不不也世尊如我解
佛所說義佛於然燈佛所无有法得阿耨多
羅三藐三菩提佛言如是如是須菩提實无
有法如来得阿耨多羅三藐三菩提須菩提
若有法如来得阿耨多羅三藐三菩提者然
燈佛則不與我受記汝於来世當得作佛号
釋迦牟尼以實无有法得阿耨多羅三藐三

BD02714 號　金剛般若波羅蜜經　（10–5）

若有法如来得阿耨多羅三藐三菩提者然
燈佛則不與我受記汝於来世當得作佛号
釋迦牟尼以實无有法得阿耨多羅三藐三
菩提是故然燈佛與我受記作是言汝於来
世當得作佛号釋迦牟尼何以故如来者即
諸法如義若有人言如来得阿耨多羅三藐
三菩提須菩提實无有法佛得阿耨多羅三
藐三菩提須菩提如来所得阿耨多羅三藐
三菩提於是中无實无虛是故如来說一切
法皆是佛法須菩提所言一切法者即非一
切法是故名一切法須菩提譬如人身長大
須菩提言世尊如来說人身長大則為非大
身是名大身須菩提菩薩亦如是若作是言
我當滅度无量衆生則不名菩薩何以故須
菩提无有法名為菩薩是故佛說一切法无
我无人无衆生无壽者須菩提若菩薩作是
言我當莊嚴佛土是不名菩薩何以故如来
說莊嚴佛土者即非莊嚴是名莊嚴須菩提
若菩薩通達无我法者如来說名真是菩薩
須菩提於意云何如来有肉眼不如是世尊
如来有肉眼須菩提於意云何如来有天眼
不如是世尊如来有天眼須菩提於意云何
如来有慧眼不如是世尊如来有慧眼須菩
提於意云何如来有法眼不如是世尊如来
有法眼須菩提於意云何如来有佛眼不如
是世尊如来有佛眼須菩提於意云何恒河
中所有沙佛說是沙不如是世尊如来說是

BD02714 號　金剛般若波羅蜜經　（10–6）

如来有慧眼不如是世尊如来有慧眼須菩
提於意云何如来有法眼不如是世尊如来
有法眼須菩提於意云何如来有佛眼不如
是世尊如来有佛眼須菩提於意云何恒河
中所有沙佛說是沙不如是世尊如来說是
沙須菩提於意云何如一恒河中所有沙有
如是等恒河是諸恒河所有沙數佛世界如
是寧為多不甚多世尊佛告須菩提尒所國
土中所有衆生若干種心如来悉知何以故
如来說諸心皆為非心是名為心所以者何
須菩提過去心不可得現在心不可得未来
心不可得須菩提於意云何若有人滿三千
大千世界七寶以用布施是人以是因緣得
福多不如是世尊此人以是因緣得福甚多
須菩提若福德有實如来不說得福德多以
福德无故如来說得福德多
須菩提於意云何佛可以具足色身見不不
也世尊如来不應以色身見何以故如来說
具足色身即非具足色身是名具足色身須
菩提於意云何如来可以具足諸相見不不
也世尊如来不應以具足諸相見何以故如
来說諸相具足即非具足是名諸相具足
須菩提汝勿謂如来作是念我當有所說法
莫作是念何以故若人言如来有所說法即
為謗佛不能解我所說故須菩提說法者
无法可說是名說法
須菩提白佛言世尊佛得阿耨多羅三藐三

BD02714 號　金剛般若波羅蜜經　（10–7）

須菩提汝勿謂如來作是念我當有所說法
莫作是念何以故若人言如來有所說法即
為謗佛不能解我所說故須菩提說法者
无法可說是名說法
須菩提白佛言世尊佛得阿耨多羅三藐三
菩提為无所得耶如是如是須菩提我於阿
耨多羅三藐三菩提乃至无有少法可得是
名阿耨多羅三藐三菩提復次須菩提是法
平等无有高下是名阿耨多羅三藐三菩提
以无我无人无衆生无壽者修一切善法則
得阿耨多羅三藐三菩提須菩提所言善法
者如來說非善法是名善法
須菩提若三千大千世界中所有諸須弥山
王如是等七寶聚有人持用布施若人以此
般若波羅蜜經乃至四句偈等受持為他人
說於前福德百分不及一百千万億分乃至
筭數譬喻所不能及須菩提於意云何汝等
勿謂如來作是念我當度衆生須菩提莫作
是念何以故實无有衆生如來度者若有衆
生如來度者如來則有我人衆生壽者須菩
提如來說有我者則非有我而凡夫之人以
為有我須菩提凡夫者如來說則非凡夫
須菩提於意云何可以卅二相觀如來不須
菩提言如是如是以卅二相觀如來佛言須
菩提若以卅二相觀如來者轉輪聖王則是
如來須菩提白佛言世尊如我解佛所說義
不應以卅二相觀如來尒時世尊而說偈言

BD02714號　金剛般若波羅蜜經　（10–8）

菩提言如是如是以卅二相觀如來佛言須
菩提若以卅二相觀如來者轉輪聖王則是
如來須菩提白佛言世尊如我解佛所說義
不應以卅二相觀如來尒時世尊而說偈言
若以色見我　以音聲求我　是人行邪道　不能見如來
須菩提汝若作是念如來不以具足相故得
阿耨多羅三藐三菩提須菩提莫作是念如
來不以具足相故得阿耨多羅三藐三菩提
須菩提汝若作是念發阿耨多羅三藐三菩
提者說諸法斷滅莫作是念何以故發阿耨
多羅三藐三菩提者於法不說斷滅相須菩
提若菩薩以滿恒河沙等世界七寶布施若
復有人知一切法无我得成於忍此菩薩勝
前菩薩所得功德須菩提以諸菩薩不受福
德故須菩提白佛言世尊云何菩薩不受福
德須菩提菩薩所作福德不應貪著是故說
不受福德須菩提若有人言如來若來若去
若坐若卧是人不解我所說義何以故如來
者无所從來亦无所去故名如來
須菩提若善男子善女人以三千大千世界
碎為微塵於意云何是微塵衆寧為多不甚
多世尊何以故若是微塵衆實有者佛則不
說是微塵衆所以者何佛說微塵衆則非微
塵衆是名微塵衆世尊如來所說三千大千
世界則非世界是名世界何以故若世界實
有者則是一合相如來說一合相則非一合

BD02714號　金剛般若波羅蜜經　（10–9）

說是微塵衆所以者何佛說微塵衆則非微
塵衆是名微塵衆世尊如来所說三千大千
世界則非世界是名世界何以故若世界實
有者則是一合相如来說一合相則非一合
相是名一合相一合相者則是不可說但凡
夫之人貪著其事須菩提若人言佛說我見
人見衆生見壽者見須菩提於意云何是人
解我所說義不世尊是人不解如来所說義
何以故世尊說我見人見衆生見壽者見即
非我見人見衆生見壽者見是名我見人見
衆生見壽者見須菩提發阿耨多羅三藐三
菩提心者於一切法應如是知如是見如是
信解不生法相須菩提所言法相者如来說
即非法相是名法相須菩提若有人以滿无
量阿僧祇世界七寶持用布施若有善男子
善女人發菩薩心者持於此經乃至四句偈
等受持讀誦為人演說其福勝彼云何為人
演說不取於相如如不動何以故
一切有為法　如夢幻泡影　如露亦如電　應作如是觀
佛說是經已長老須菩提及諸比丘比丘尼
優婆塞優婆夷一切世間天人阿脩羅聞佛
所說皆大歡喜信受奉行
金剛般若波羅蜜經

BD02714 號　金剛般若波羅蜜經

（10–10）

今當分明宣　是諸世
及不著者盡以為塵一塵一劫
於此百千万億那由他阿
我常在此娑婆世界說法
百千万億那由他阿僧祇國
導利衆生諸善男子於是中間我說然燈佛
等又復言其入於涅槃如是皆以方便分別
諸善男子若有衆生来至我所我以佛眼觀
其信等諸根利鈍隨所應度處處自說名字
不同年紀大小亦復現言當入涅槃又以種
種方便說微妙法能令衆生發歡喜心諸善
男子如来見諸衆生樂於小法德薄垢重者
為是人說我少出家得阿耨多羅三藐三菩
提然我實成佛已来久遠若斯但以方便教
化衆生令入佛道作如是說諸善男子如来
所演經典皆為度脫衆生或說己身或說他
身或示己身或示他身或示己事或示他事
諸所言說皆實不虛所以者何如来如實知
見三界之相无有生死若退若出亦无在世
及滅度者非實非虛非如非異不如三界見
於三界如斯之事如来明見无有錯謬以諸
衆生有種種性種種欲種種行種種憶想分

BD02715 號　妙法蓮華經卷五

（7–1）

身或示己身或示他身或示己事或示他事
諸所言說皆實不虛所以者何如来如實知
見三界之相无有生死若退若出亦无在世
及滅度者非實非虛非如非異不如三界見
於三界如斯之事如来明見无有錯謬以諸
衆生有種種性種種欲種種行種種憶想分
別故欲令生諸善根以若干因緣譬喻言辭
種種說法所作佛事未曾暫癈如是我成佛
已来甚大久遠壽命无量阿僧祇劫常住不
滅諸善男子我本行菩薩道所成壽命今猶
未盡復倍上數然今非實滅度而便唱言當
取滅度如来以是方便教化衆生所以者何
若佛久住於世薄德之人不種善根貧窮下
賤貪著五欲入於憶想妄見網中若見如来
常在不滅便起憍恣而懷猒怠不能生難遭
想恭敬之心是故如来以方便說比丘當知
諸佛出世難可值遇所以者何諸薄德人過
无量百千万億劫或有見佛或不見者以此
事故我作是言諸比丘如来難可得見斯衆
生等聞如是語必當生於難遭之想心懷戀
慕渴仰於佛便種善根是故如来雖不實滅
而言滅度又善男子諸佛如来法皆如是為
度衆生皆實不虛譬如良醫智慧聰達明
練方藥善治衆病其人多諸子息若十二十乃
至百數以有事緣遠至餘國諸子於後飲他
毒藥藥發悶亂宛轉于地是時其父還来歸

BD02715 號　妙法蓮華經卷五　（7–2）

而言滅度又善男子諸佛如来法皆如是為
度衆生皆實不虛譬如良醫智慧聰達明
練方藥善治衆病其人多諸子息若十二十乃
至百數以有事緣遠至餘國諸子於後飲他
毒藥藥發悶亂宛轉于地是時其父還来歸
家諸子飲毒或失本心或不失者遙見其父
皆大歡喜拜跪問訊善安隱歸我等愚癡
誤服毒藥願見救療更賜壽命父見子等苦
惱如是依諸經方求好藥草色香美味皆悉
具足擣篩和合與子令服而作是言此大良藥
色香美味皆悉具足汝等可服速除苦惱无
復衆患其諸子中不失心者見此良藥色香
俱好即便服之病盡除愈餘失心者見其父
来雖亦歡喜問訊求索治病然與其藥而不
肯服所以者何毒氣深入失本心故於此好
色香藥而謂不美父作是念此子可愍為毒
所中心皆顛倒雖見我喜求索救療如是好
藥而不肯服我今當設方便令服此藥即作
是言汝等當知我今衰老死時已至是好良
藥今留在此汝可取服勿憂不差作是教已
復至他國遣使還告汝父已死是時諸子聞
父背喪心大憂惱而作是念若父在者慈愍
我等能見救護今者捨我遠喪他國自惟孤
露无復恃怙常懷悲感心遂醒悟乃知此藥
色味香美即取服之毒病皆愈其父聞子
悉已得差尋便来歸咸使見之諸善男子於

BD02715 號　妙法蓮華經卷五　（7–3）

我等能見救護今者捨我遠喪他國自惟孤
露无復恃怙常懷悲感心遂醒悟乃知此藥
色味香美即取服之毒病皆愈其父聞子
悉已得差尋便來歸咸使見之諸善男子於
意云何頗有人能說此良醫虛妄罪不不也世
尊佛言我亦如是成佛已來无量无邊百千
万億那由他阿僧祇劫為衆生故以方便力
言當滅度亦无有能如法說我虛妄過者尒
時世尊欲重宣此義而說偈言
自我得佛來 所經諸劫數 无量百千万 億載阿僧祇
常說法教化 无數億衆生 令入於佛道 尒來无量劫
為度衆生故 方便現涅槃 而實不滅度 常住此說法
我常住於此 以諸神通力 令顛倒衆生 雖近而不見
衆見我滅度 廣供養舍利 咸皆懷戀慕 而生渴仰心
衆生既信伏 質直意柔軟 一心欲見佛 不自惜身命
時我及衆僧 俱出靈鷲山 我時語衆生 常在此不滅
以方便力故 現有滅不滅 餘國有衆生 恭敬信樂者
我復於彼中 為說无上法 汝等不聞此 但謂我滅度
我見諸衆生 沒在於苦惱 故不為現身 令其生渴仰
因其心戀慕 乃出為說法 神通力如是 於阿僧祇劫
常在靈鷲山 及餘諸住處 衆生見劫盡 大火所燒時
我此土安隱 天人常充滿 園林諸堂閣 種種寶莊嚴
寶樹多華菓 衆生所遊樂 諸天擊天鼓 常作衆伎樂
雨曼陀羅華 散佛及大衆 我淨土不毀 而衆見燒盡
憂怖諸苦惱 如是悉充滿 是諸罪衆生 以惡業因緣

BD02715號　妙法蓮華經卷五

（7–4）

我此土安隱 天人常充滿 園林諸堂閣 種種寶莊嚴
寶樹多華菓 衆生所遊樂 諸天擊天鼓 常作衆伎樂
雨曼陀羅華 散佛及大衆 我淨土不毀 而衆見燒盡
憂怖諸苦惱 如是悉充滿 是諸罪衆生 以惡業因緣
過阿僧祇劫 不聞三寶名 諸有脩功德 柔和質直者
則皆見我身 在此而說法 或時為此衆 說佛壽无量
久乃見佛者 為說佛難值 我智力如是 慧光照无量
壽命无數劫 久脩業所得 汝等有智者 勿於此生疑
當斷令永盡 佛語實不虛 如醫善方便 為治狂子故
實在而言死 无能說虛妄 我亦為世父 救諸苦患者
為凡夫顛倒 實在而言滅 以常見我故 而生憍恣心
放逸著五欲 墮於惡道中 我常知衆生 行道不行道
隨所應可度 為說種種法 每自作是念 以何令衆生
得入无上道 速成就佛身

妙法蓮華經分別功德品第十七

尒時大會聞佛說壽命劫數長遠如是无量
无邊阿僧祇衆生得大饒益於時世尊告弥
勒菩薩摩訶薩阿逸多我說是如來壽命長
遠時六百八十万億那由他恒河沙衆生得
无生法忍復千倍菩薩摩訶薩得聞持陁羅
尼門復有一世界微塵數菩薩摩訶薩得樂
說无閡辯才復有一世界微塵數菩薩摩訶
薩得百千万億无量旋陁羅尼復有三千大
千世界微塵數菩薩摩訶薩能轉不退法輪
復有二千中國土微塵數菩薩摩訶薩能
轉清淨法輪復有小千國土微塵數菩薩摩訶

BD02715號　妙法蓮華經卷五

（7–5）

薩得百千万億无量捉陁羅尼復有三千大
千世界微塵數菩薩摩訶薩能轉不退法輪
復有二千中國土微塵數菩薩摩訶薩能
轉清淨法輪復有小千國土微塵數菩薩摩訶
薩八生當得阿耨多羅三藐三菩提復有四
四天下微塵數菩薩摩訶薩四生當得阿耨多
羅三藐三菩提復有三四天下微塵數菩薩
摩訶薩三生當得阿耨多羅三藐三菩提復
有二四天下微塵數菩薩摩訶薩二生當得
阿耨多羅三藐三菩提復有一四天下微塵
數菩薩摩訶薩一生當得阿耨多羅三藐三
菩提復有八世界微塵數衆生皆發阿耨多
羅三藐三菩提心佛說是諸菩薩摩訶薩得
大法利時於虛空中雨曼陁羅華摩訶曼陁
羅華以散无量百千万億寶樹下師子座上
諸佛幷散七寶塔中師子座上釋迦牟尼佛
及久滅度多寶如來亦散一切諸大菩薩及
四部衆又雨細抹栴檀沉水香等於虛空中
天鼓自鳴妙聲深遠又雨千種天衣垂諸瓔
珞真珠瓔珞摩尼珠瓔珞如意珠瓔珞遍於
九方衆寶香爐燒无價香自然周至供養大
會一一佛上有諸菩薩執持幡蓋次第而上
至于梵天是諸菩薩以妙音聲歌无量頌讚
嘆諸佛尒時弥勒菩薩從座而起偏袒右肩
合掌向佛而說偈言

BD02715號　妙法蓮華經卷五　（7–6）

會一一佛上有諸菩薩執持幡蓋次第而上
至于梵天是諸菩薩以妙音聲歌无量頌讚
嘆諸佛尒時弥勒菩薩從座而起偏袒右肩
合掌向佛而說偈言
佛說希有法　昔所未曾聞　世尊有大力　壽命不可量
无數諸佛子　聞世尊分別　說得法利者　歡喜充遍身
或住不退地　或得陁羅尼　或无閡樂說　万億捉惣持
或有大千界　微塵數菩薩　各各皆能轉　不退之法輪
復有中千界　微塵數菩薩　各各皆能轉　清淨之法輪
復有小千界　微塵數菩薩　餘各八生在　當得成佛道
復有四三二　如此四天下　微塵諸菩薩　隨數生成佛
或一四天下　微塵數菩薩　餘有一生在　當成一切智
如是等衆生　聞佛壽長遠　得无量无漏　清淨之果報
復有八世界　微塵數衆生　聞佛說壽命　皆發无上心
世尊說无量　不可思議法　多有所饒益　如虛空无邊
雨天曼陁羅　摩訶曼陁羅　釋梵如恒沙　无數佛土來
雨栴檀沉香　繽紛而亂墜　如鳥飛空下　供散於諸佛
天鼓虛空中　自然出妙聲　天衣千万種　旋轉而來下
衆寶妙香爐　燒无價之香　自然悉周遍　供養諸世尊
其大菩薩衆　執七寶幡蓋　高妙万億種　次第至梵天
一一諸佛前　寶幢懸勝幡　亦以千万偈　歌詠諸如來

BD02715號　妙法蓮華經卷五　（7–7）

若屬生死若屬涅槃不應觀無相無願解脫
門若屬生死若屬涅槃不應觀空解脫門若
在內若在外若在兩間不應觀無相無願解
脫門若在內若在外若在兩間不應觀空解
脫門若可得若不可得不應觀無相無願解
脫門若可得若不可得
復次善現諸菩薩摩訶薩修行般若波羅蜜
多時不應觀陁羅尼門若常若無常不應觀
三摩地門若常若無常不應觀陁羅尼門若
樂若苦不應觀三摩地門若樂若苦不應觀
陁羅尼門若我若無我不應觀三摩地門若
我若無我不應觀陁羅尼門若淨若不淨不
應觀三摩地門若淨若不淨不應觀陁羅尼
門若空若不空不應觀三摩地門若空若不
空不應觀陁羅尼門若有相若無相不應觀
三摩地門若有相若無相不應觀陁羅尼門
若有願若無願不應觀三摩地門若有願若
無願不應觀陁羅尼門若寂靜若不寂靜不
應觀三摩地門若寂靜若不寂靜不應觀陁
羅尼門若遠離若不遠離不應觀三摩地門
若遠離若不遠離不應觀陁羅尼門若有為

BD02716號　大般若波羅蜜多經卷一二

（3–1）

三摩地門若[illegible]
若有願若無願不應觀三摩地門若有願若
無願不應觀陁羅尼門若寂靜若不寂靜不
應觀三摩地門若寂靜若不寂靜不應觀陁
羅尼門若遠離若不遠離不應觀三摩地門
若遠離若不遠離不應觀陁羅尼門若有為
若無為不應觀三摩地門若有為若無為不
應觀陁羅尼門若有漏若無漏不應觀三摩
地門若有漏若無漏不應觀陁羅尼門若生
若滅不應觀三摩地門若生若滅不應觀陁
羅尼門若善若非善不應觀三摩地門若善
若非善不應觀陁羅尼門若有罪若無罪不
應觀三摩地門若有罪若無罪不應觀陁羅
六神通若有相若無相不應觀五眼若有願
若無願不應觀六神通若有願若無願不應
觀五眼若寂靜若不寂靜不應觀六神通若
寂靜若不寂靜不應觀五眼若遠離若不遠
離不應觀六神通若遠離若不遠離不應觀
五眼若有為若無為不應觀六神通若有為
若無為不應觀五眼若有漏若無漏不應觀
六神通若有漏若無漏不應觀五眼若生若
滅不應觀六神通若生若滅不應觀五眼若
善若非善不應觀六神通若善若非善不應
觀五眼若有罪若無罪不應觀六神通若有
罪若無罪不應觀五眼若有煩惱若無煩惱
不應觀六神通若有煩惱若無煩惱不應觀
五眼若世間若出世間不應觀六神通若世
間若出世間不應觀五眼若雜染若清淨不

BD02716號　大般若波羅蜜多經卷一二

（3–2）

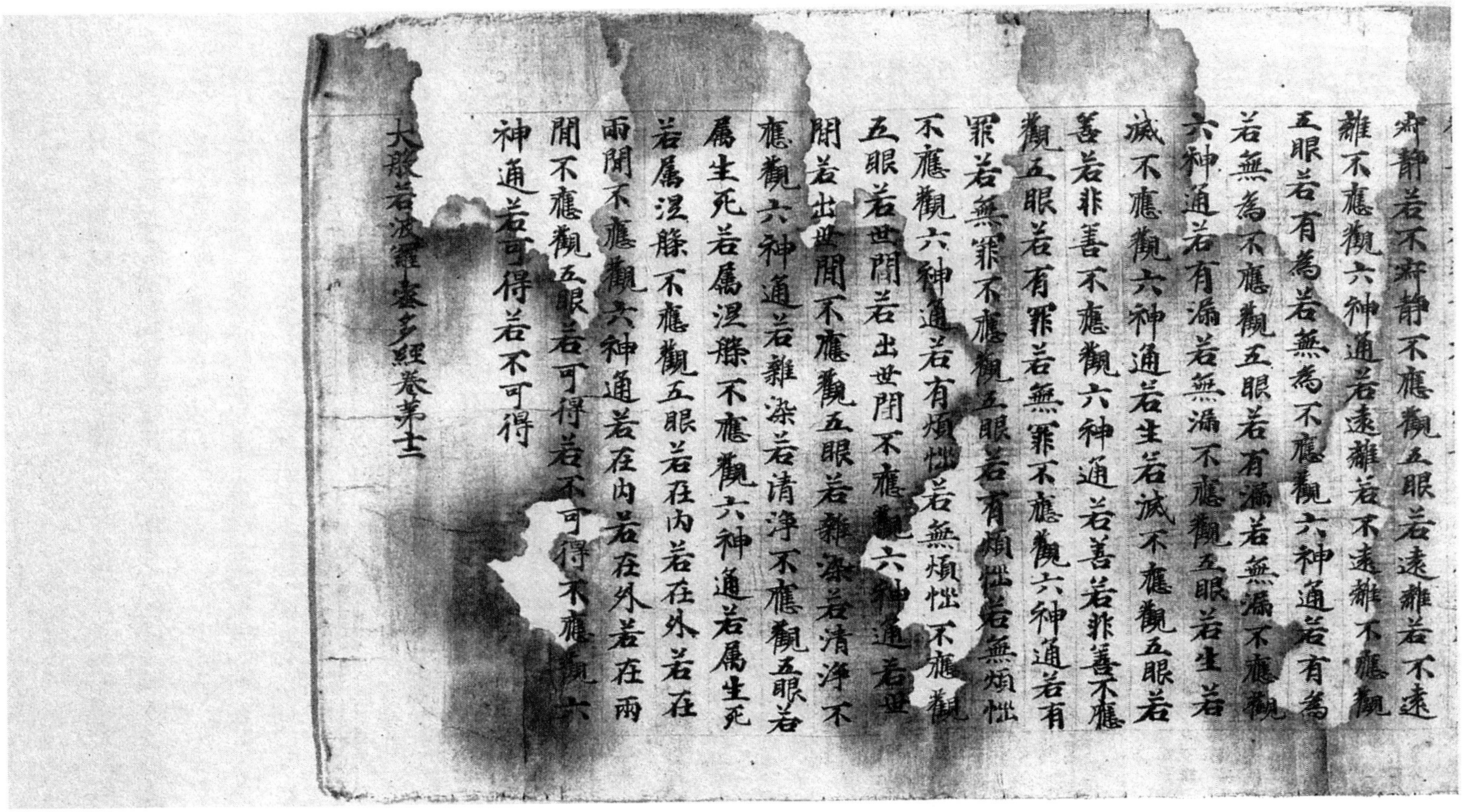

寂靜若不寂靜不應觀五眼若遠離若不遠
離不應觀六神通若遠離若不遠離不應觀
五眼若有為若無為不應觀六神通若有為
若無為不應觀五眼若有漏若無漏不應觀
六神通若有漏若無漏不應觀五眼若生若
滅不應觀六神通若生若滅不應觀五眼若
善若非善不應觀六神通若善若非善不應
觀五眼若有罪若無罪不應觀六神通若有
罪若無罪不應觀五眼若有煩惱若無煩惱
不應觀六神通若有煩惱若無煩惱不應觀
五眼若世間若出世間不應觀六神通若世
間若出世間不應觀五眼若雜染若清淨不
應觀六神通若雜染若清淨不應觀五眼若
屬生死若屬涅槃不應觀六神通若屬生死
若屬涅槃不應觀五眼若在內若在外若在
兩間不應觀六神通若在內若在外若在兩
間不應觀五眼若可得若不可得不應觀六
神通若可得若不可得

大般若波羅蜜多經卷第十二

BD02716號　大般若波羅蜜多經卷一二　（3–3）

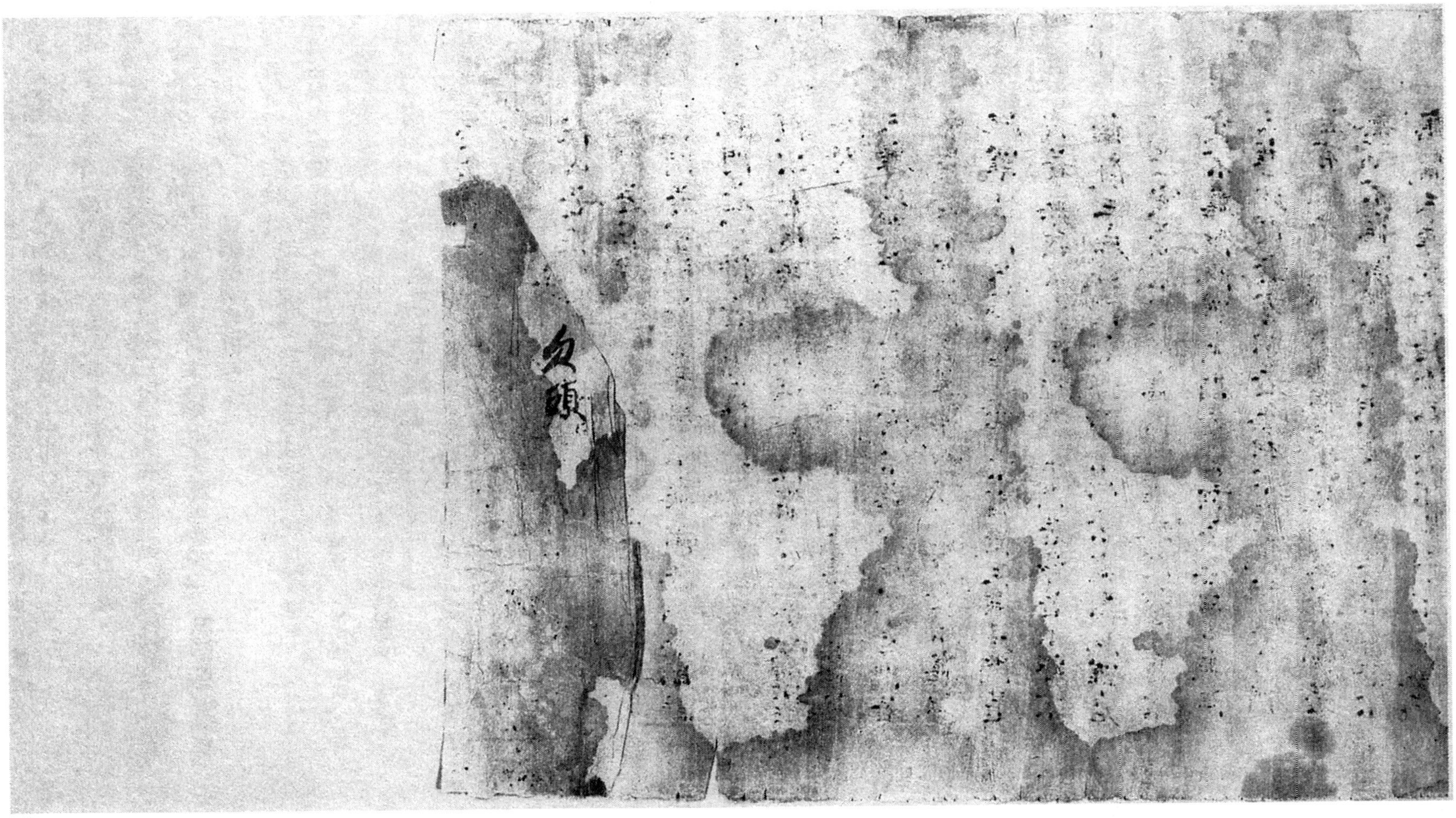

BD02716號背　勘記　（1–1）

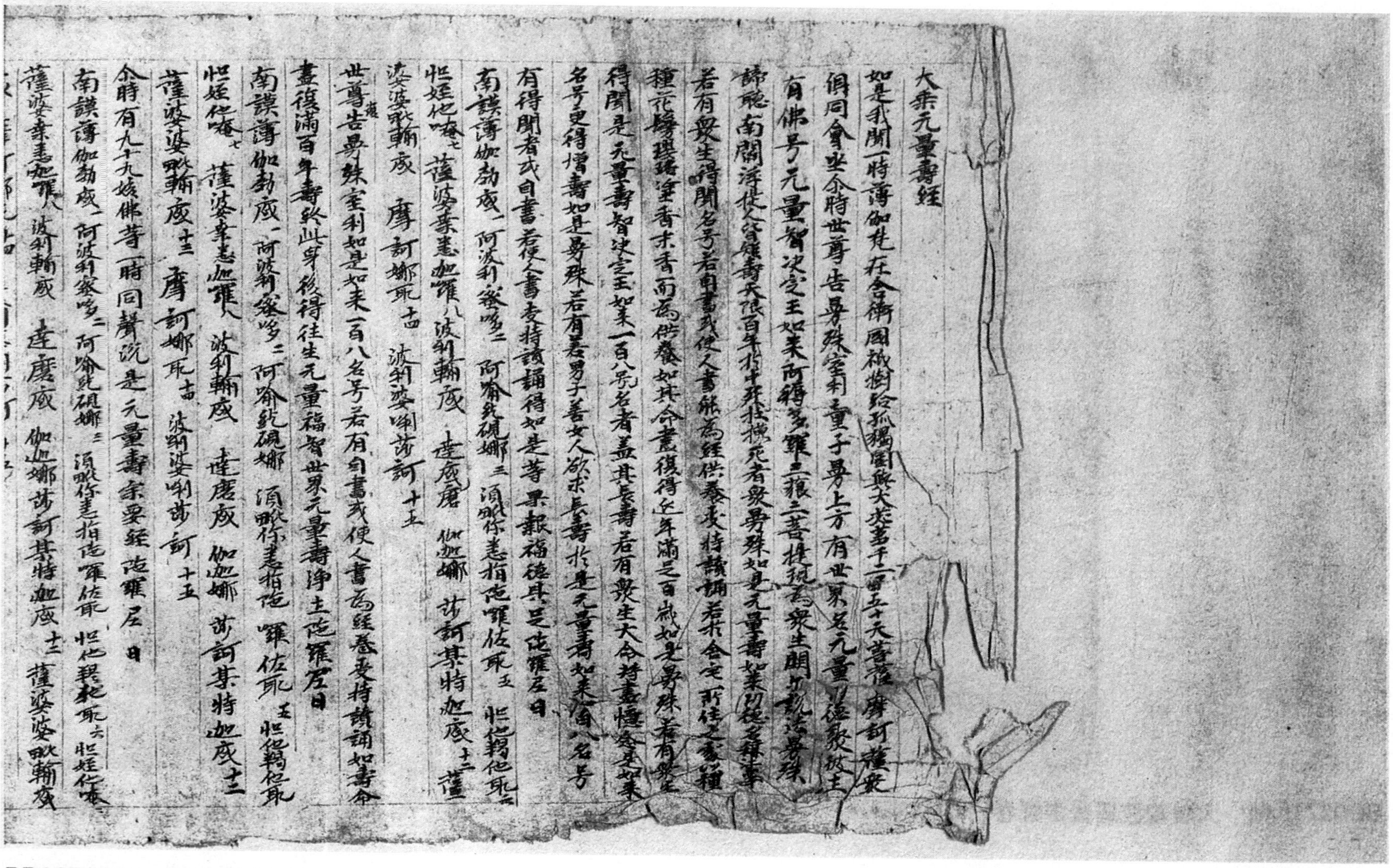
大乘无量壽經
如是我聞一時薄伽梵在舍衛國祇樹給孤獨園與大苾蒭千二百五十人菩薩摩訶薩衆
俱同會坐尒時世尊告曼殊室利童子曰上方有世界名无量功德聚彼土
有佛号无量智決定王如來阿羅訶三藐三菩提現為衆生開示說法曼殊
師聽南閻浮提人命壽天限百年於中夭枉橫死者衆曼殊如是无量壽如來功德名稱法要
若有衆生得聞名号若自書或使人書能為經供養受持讀誦若於舍宅所住之處種
種花鬘瓔珞塗香末香而為供養如其命盡復得延年滿足百歲如是曼殊若有衆生
得聞是无量壽智決定王如來一百八名者益其長壽若有衆生大命將盡憶念是如來
名号更得增壽如是曼殊若有善男子善女人欲求長壽於是无量壽如來百八名号
有得聞者或自書若使人書受持讀誦得如是等果報福德具足陁羅尼曰
南謨薄伽勃底一阿波唎蜜哆二阿喻紇硯娜三須毗你悉指陁囉佐耶五怛他羯他耶六
怛姪他唵七薩婆桑塞迦囉八波唎輸底達磨底伽迦娜莎訶某特迦底十二薩
婆婆毗輸底摩訶娜耶十四波唎婆唎莎訶十五
世尊告曼殊室利如是如來一百八名号若有自書或使人書為經卷受持讀誦如壽命
盡復滿百年壽終此身後得往生无量福智世界无量壽淨土陁羅尼曰
南謨薄伽勃底一阿波唎蜜哆二阿喻紇硯娜須毗你悉指陁囉佐耶五怛他羯他耶
怛姪他唵七薩婆桑塞迦囉八波唎輸底達磨底伽迦娜莎訶某特迦底十二
薩婆婆毗輸底十三摩訶娜耶十四波唎婆唎莎訶十五
尒時有九十九姟佛等一時同聲說是无量壽宗要經陁羅尼曰
南謨薄伽勃底一阿波唎蜜哆二阿喻紇硯娜三須毗你悉指陁囉佐耶怛他羯他耶六怛姪他唵
薩婆桑塞迦囉八波唎輸底達磨底伽迦娜莎訶某特迦底十二薩婆婆毗輸底

BD02717 號　無量壽宗要經

（7–1）

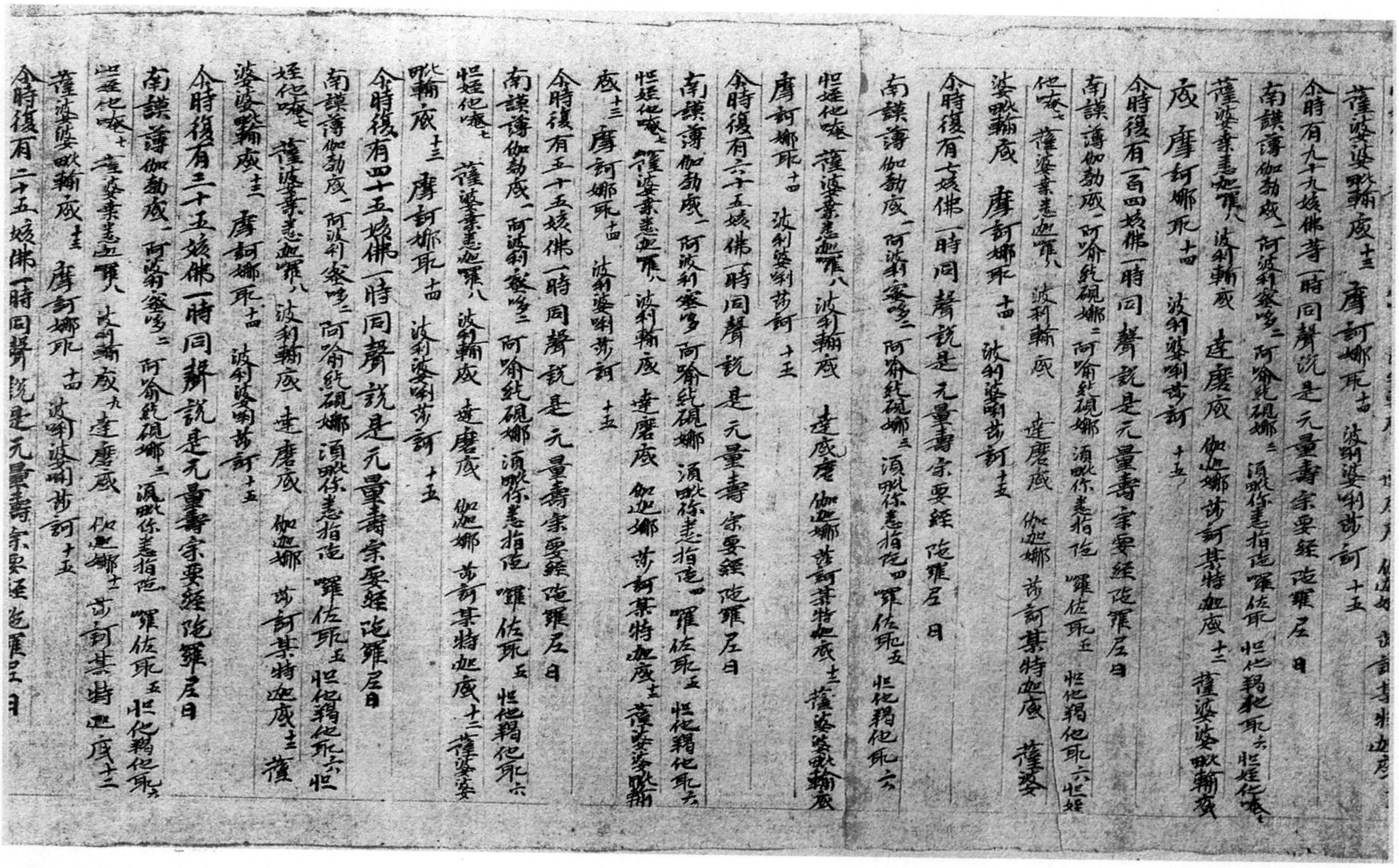
薩婆婆毗輸底十三摩訶娜耶十四波唎婆唎莎訶十五
尒時有九十九姟佛等一時同聲說是无量壽宗要經陁羅尼曰
南謨薄伽勃底一阿波唎蜜哆二阿喻紇硯娜三須毗你悉指陁囉佐耶怛他羯他耶六怛姪他唵七
薩婆桑塞迦囉八波唎輸底達磨底伽迦娜莎訶某特迦底十二薩婆婆毗輸
底摩訶娜耶十四波唎婆唎莎訶十五
尒時復有一百四姟佛一時同聲說是无量壽宗要經陁羅尼曰
南謨薄伽勃底一阿喻紇硯娜須毗你悉指陁囉佐耶五怛他羯他耶六怛姪
他唵七薩婆桑塞迦囉八波唎輸底達磨底伽迦娜莎訶某特迦底薩婆
婆毗輸底摩訶娜耶十四波唎婆唎莎訶十五
尒時復有七姟佛一時同聲說是无量壽宗要經陁羅尼曰
南謨薄伽勃底一阿波唎蜜哆二阿喻紇硯娜三須毗你悉指陁四囉佐耶五怛他羯他耶六
怛姪他唵薩婆桑塞迦囉八波唎輸底達磨底伽迦娜莎訶某特迦底十二薩婆婆毗輸底
摩訶娜耶十四波唎婆唎莎訶十五
尒時復有六十五姟佛一時同聲說是无量壽宗要經陁羅尼曰
南謨薄伽勃底一阿波唎蜜哆阿喻紇硯娜須毗你悉指陁四囉佐耶五怛他羯他耶六
怛姪他唵七薩婆桑塞迦囉八波唎輸底達磨底伽迦娜莎訶某特迦底十二薩婆婆毗
輸底十三摩訶娜耶十四波唎婆唎莎訶十五
尒時復有五十五姟佛一時同聲說是无量壽宗要經陁羅尼曰
南謨薄伽勃底一阿波唎蜜哆二阿喻紇硯娜須毗你悉指陁囉佐耶五怛他羯他耶六
怛姪他唵七薩婆桑塞迦囉八波唎輸底達磨底伽迦娜莎訶某特迦底十二薩婆婆
毗輸底十三摩訶娜耶十四波唎婆唎莎訶十五
尒時復有四十五姟佛一時同聲說是无量壽宗要經陁羅尼曰
南謨薄伽勃底一阿波唎蜜哆二阿喻紇硯娜須毗你悉指陁囉佐耶五怛他羯他耶六怛
姪他唵七薩婆桑塞迦囉八波唎輸底達磨底伽迦娜莎訶某特迦底十二薩
婆婆毗輸底十三摩訶娜耶十四波唎婆唎莎訶十五
尒時復有三十五姟佛一時同聲說是无量壽宗要經陁羅尼曰
南謨薄伽勃底一阿波唎蜜哆二阿喻紇硯娜三須毗你悉指陁囉佐耶五怛他羯他耶六怛
姪他唵七薩婆桑塞迦囉八波唎輸底九達磨底伽迦娜十一莎訶某特迦底十二
薩婆婆毗輸底十三摩訶娜耶十四波唎婆唎莎訶十五
尒時復有二十五姟佛一時同聲說是无量壽宗要經陁羅尼曰

BD02717 號　無量壽宗要經

（7–2）

姪他唵七 薩婆桑悉迦囉八 波利輸底 達磨底 伽迦娜 莎訶某特迦底十二 薩
婆婆毗輸底十三 摩訶娜耶十四 波利婆唎莎訶十五
尒時復有三十五姟佛一時同聲說是无量壽宗要經陁羅尼曰
南謨薄伽勃底一 阿波唎蜜哆二 阿喻紇硯娜三 須毗你悉指陁 囉佐耶五 怛他羯他耶六
怛姪他唵七 薩婆桑悉迦囉八 波利輸底九 達磨底 伽迦娜十一 莎訶某特迦底十二
薩婆婆毗輸底十三 摩訶娜耶十四 波唎婆唎莎訶十五
尒時復有二十五姟佛一時同聲說是无量壽宗要經陁羅尼曰
南謨薄伽勃底 波利輸蜜哆二 阿喻紇硯娜三 須毗你悉指陁 囉佐耶五 怛他羯他耶
怛姪他唵七 薩婆桑悉迦囉八 波利輸底 達磨底 伽迦娜 莎訶某特迦底十二
薩婆婆毗輸底十三 摩訶娜耶 十四 波利婆唎莎訶 十五
尒時復有恒河沙姟佛一時同聲說是无量壽宗要經陁羅尼曰
南謨薄伽勃底一 阿波利蜜哆二 阿喻紇硯娜三 須毗你悉指陁四 囉佐耶五 怛他羯他耶六
怛姪他唵七 薩婆桑悉迦囉八 波利輸底九 達磨底 伽迦娜 莎訶某特迦底十二 薩
婆婆毗輸底十三 摩訶娜耶十四 波唎婆唎莎訶 十五
善男子若有自書寫教人書寫是无量壽宗要經如其命盡復得長壽而滿年
陁羅尼曰 南謨薄伽勃底 阿波利蜜哆二 阿喻紇硯娜三 須毗你悉指陁四 囉佐耶
怛他羯他耶六 怛姪他唵七 薩婆桑悉迦囉八 波利輸底 達磨底 伽迦娜 莎訶某特迦底十二
薩婆婆毗輸底 摩訶娜耶十四 波唎婆唎莎訶 十五
若有自書寫教人書寫是无量壽宗要經讀誦受持畢竟不墮地獄在在所生得
宿命智 陁羅尼曰
南謨薄伽勃底 阿波利蜜哆二 阿喻紇硯娜三 須你毗悉指陁四 囉佐耶五 怛他羯他耶六
怛姪他唵七 薩婆桑悉迦囉八 波利輸底 達磨底 伽迦娜 莎訶某特迦底十二
薩婆婆毗輸底 摩訶娜耶十四 波利婆唎莎訶十五
若有自書寫教人書寫是无量壽宗要經受持讀誦如同書寫八万四千一切經典陁羅尼曰
南謨薄伽勃底一 阿波利蜜哆二 阿喻紇硯娜 須毗你悉指陁四 囉佐耶五 怛他羯他耶六 怛姪他
唵七 薩婆桑悉迦囉八 波利輸底 達磨底 伽迦娜 莎訶某特迦底十二 薩婆婆毗輸
底 摩訶娜耶十四 波唎婆唎莎訶 十五
若有自書寫教人書寫是无量壽宗要經即是書寫八万四千部建立塔廟陁
羅尼曰 南謨薄伽勃底一 阿波利蜜哆二 阿喻紇硯娜三 須毗你悉指陁四 囉他耶
五怛他羯他耶 怛姪他唵七 薩婆桑悉伽囉八 波利輸底九 達磨底 伽迦娜 莎訶某特迦
底 薩婆[illegible]毗輸底 摩訶娜耶 波利婆唎莎訶十五

BD02717號　無量壽宗要經　（7–3）

南謨薄伽勃底一 阿波利蜜哆二 阿喻紇硯娜 須毗你悉指陁四 囉佐耶五 怛他羯他耶六 怛姪他
唵七 薩婆桑悉迦囉八 波利輸底 達磨底 伽迦娜 莎訶某特迦底十二 薩婆婆毗輸
底 摩訶娜耶十四 波利婆唎莎訶 十五
若有自書寫教人書寫是无量壽宗要經即是書寫八万四千部建立塔廟陁
羅尼曰 南謨薄伽勃底一 阿波利蜜哆二 阿喻紇硯娜三 須毗你悉指陁四 囉他耶
五怛他羯他耶 怛姪他唵七 薩婆桑悉伽囉八 波利輸底九 達磨底 伽迦娜 莎訶某特迦
底 薩婆婆毗輸底 摩訶娜耶 波利婆唎莎訶 十五
若有自書寫教人書寫是无量壽宗要經能消五无間等一切重罪陁羅尼曰
南謨薄伽勃底一 阿波利蜜哆二 阿喻紇硯娜三 須毗你悉指陁四 囉佐耶五 怛他羯他耶六
怛姪他唵七 薩婆桑悉迦囉八 波利波底九 達底磨 伽迦娜 莎訶某特迦底十二 薩婆婆
毗輸底 摩訶娜耶十四 波利婆唎莎訶 十五
若有自書寫教人書寫是无量壽宗要經受持讀誦設有重罪猶如須彌山盡
能除滅 陁羅尼曰
南謨薄伽勃底 阿波利蜜哆二 阿喻紇硯娜三 須毗你悉指陁四 囉佐耶五 怛他
羯他耶六 怛姪他唵七 薩婆桑悉迦囉八 波利輸底 達磨底 伽迦娜 莎訶某特迦底十二
薩婆婆毗輸底十三 摩訶娜耶十四 波唎婆唎莎訶 十五
若有自書寫教人書寫是无量壽宗要經受持讀誦若魔魔之眷屬夜叉羅刹不得
其便終无枉死 陁羅尼曰
南謨薄伽勃底一 阿波利蜜哆二 阿喻紇硯娜三 須毗你悉指陁 囉佐耶五 怛他羯他耶六 怛姪他唵七
薩婆桑悉迦囉八 波利輸底 達磨底 伽迦娜 莎訶某特迦底 薩婆婆毗輸底十三
摩訶娜耶十四 波唎婆唎莎訶 十五
若有自書寫教人書寫是无量壽宗要經受持讀誦命欲終時有九十九姟佛親其人
前來手佛授手能遊一切佛刹莫於此經生於疑惑 陁羅尼曰
南謨薄伽勃底一 阿波利蜜哆二 阿喻紇硯娜三 須毗你悉指陁四 囉佐耶五 怛他羯他耶六
怛姪他唵七 薩婆桑悉迦囉八 波利輸底 達磨底十 伽迦娜 莎訶某特迦底十二 薩婆婆
毗輸底 摩訶娜耶十四 波唎婆唎莎訶 十五
若有自書寫教人書寫是无量壽宗要經受持讀誦常得四天大王隨其衛護陁羅尼曰
南謨薄伽勃底一 阿波利蜜哆二 阿喻紇硯娜 須毗你悉指陁 囉佐耶五 怛他羯他耶六 怛姪他唵七
薩婆桑悉迦囉八 波利輸底 達磨底 伽迦娜 莎訶某特迦底十二 薩婆婆
毗輸底 摩訶娜耶十四 波唎婆唎莎訶 十五

BD02717號　無量壽宗要經　（7–4）

輸底　摩訶娜耶　波唎婆唎莎訶
若有自書寫教人書寫是无量壽宗要經受持讀誦常得四天大王隨其衛護陀羅尼曰
南謨薄伽勃底一　阿波利蜜哆二　阿喻紇硯娜　須毗你悉指陀　囉佐耶五　怛他羯他耶六　怛姪他唵
薩婆桑悉迦囉八　波利輸底　達摩底　伽伽娜　莎訶某特迦底十二　薩婆婆
毗輸底　摩訶娜耶十四　波唎婆唎莎訶十五
若有自書寫教人書寫是无量壽宗要經受持讀誦當得往生西方極樂世界阿
弥陀淨土陀羅尼曰
南謨薄伽勃底一　阿波利蜜哆二　阿喻紇硯娜三　須毗你悉指陀　囉佐耶五　怛他羯他耶
怛姪他唵七　薩婆桑悉迦囉八　波利輸底九　達摩底　伽伽娜　莎訶某特迦底十三
薩婆婆毗輸底十三　摩訶娜耶十四　波利婆唎莎訶十五
若有方所自書寫使人書寫是无量壽經典之處則為是塔皆應恭敬作禮若是
畜生或鳥獸得聞是經如是等類皆當不久得成一切種智陀羅尼曰
南謨薄伽勃底一　阿波利蜜哆二　阿喻紇硯娜三　須毗你悉指陀四　囉佐耶五　怛他羯他耶六
怛姪他唵七　薩婆婆毗輸底　波利輸底　達摩底　伽伽娜　莎訶某特迦底十三　薩婆婆
毗輸底　摩訶娜耶十四　波利婆唎莎訶十五
若有於是无量壽經自書寫若使人書畢竟不受女人之身陀羅尼曰
南謨薄伽勃底一　阿波利蜜哆三　阿喻紇硯娜三　須毗你悉指陀四　囉佐耶五　怛他羯他耶六
怛姪他唵七　薩婆桑悉迦囉八　波利輸底　達摩底　伽伽娜　莎訶某特迦底　薩婆婆
毗輸底　摩訶娜耶十四　波利婆唎莎訶十五
南謨薄伽勃底一　阿波利蜜哆二　阿喻紇硯娜三　須毗你悉指陀四　囉佐耶五　怛姪羯他耶六
怛姪他唵七　薩婆婆桑悉迦囉八　波利輸底　達摩底　伽伽娜　莎訶某特迦底十二
薩婆婆毗輸底十三　摩訶娜耶十四　波利婆唎莎訶十五
若有能於是經少分能惠施者普於三千大千世界滿中七寶布施陀羅尼曰
南謨薄伽勃底一　阿波利蜜哆二　阿喻紇硯娜　須毗你悉指陀四　囉佐耶五　怛他羯他耶六
怛姪他唵七　薩婆桑悉迦囉八　波利輸底　達摩底　伽伽娜　莎訶某特迦底十二　薩婆
婆毗輸底十三　摩訶娜耶十四　波利婆唎莎訶十五
若有能供養是經者則是供養一切諸經等无有異陀羅尼曰
南謨薄伽勃底一　阿波利蜜哆二　阿喻紇硯娜三　須毗你悉指陀四　囉佐耶五　怛他羯他耶六
怛姪他唵七　薩婆桑悉迦囉八　波利輸底九　達摩底　伽伽娜　莎訶某特迦底十二
薩婆婆毗輸底　摩訶娜耶十四　波利婆唎莎訶十五
如是毗婆尸佛尸棄佛　毗舍浮佛　俱留孫佛　俱那含牟尼佛　迦葉佛　釋迦牟尼佛

BD02717 號　無量壽宗要經

（7–5）

須毗你悉指陀　囉佐耶　怛他羯他耶
怛姪他唵七　薩婆桑悉迦囉八　波利輸底九　達摩底　伽伽娜　莎訶某特迦底十二
薩婆婆毗輸底　摩訶娜耶十四　波利婆唎莎訶十五
如是毗婆尸佛尸棄佛　毗舍浮佛　俱留孫佛　俱那含牟尼佛　迦葉佛　釋迦牟尼佛
若有人以七寶供養如是七佛其福有限書寫受持是无量壽經典所有果位不可限量
陀羅尼曰　南謨薄伽勃底　阿波利蜜哆二　阿喻紇硯娜三　須毗你悉指陀四　囉佐耶
怛他羯他耶六　怛姪他唵七　薩婆桑悉迦囉八　波利輸底　達摩底十　伽伽娜十一　莎訶某特
迦底十二　薩婆婆毗輸底十三　摩訶娜耶十四　波利婆唎莎訶十五
若有七寶等於須弥以用布施其福不可知其限量是无量壽經典其福不可知數陀
羅尼曰　南謨薄伽勃底一　阿波利蜜哆二　阿喻紇硯娜三　須毗你悉指陀　囉佐耶五　怛他
羯他耶六　怛姪他唵七　薩婆桑悉迦囉八　波利輸底九　達摩底　伽伽娜　莎訶某特迦
底　薩婆婆毗輸底十三　摩訶娜耶十四　波利婆唎莎訶十五
如是四大海水可知渧數是无量壽經典所生果報不可數量陀羅尼曰
南謨薄伽勃底一　阿波利蜜哆二　阿喻紇硯娜三　須毗你悉指陀四　囉佐耶五　怛他羯他耶
怛姪他唵七　薩婆桑悉迦囉八　波利輸底九　達摩底十　伽伽娜十一　薩婆某特迦底　薩婆
婆毗輸底十三　摩訶娜耶十四　波利婆唎莎訶十五
若有自書使人書寫是无量壽經典又能讀持供養即如恭敬供養一切十方佛土
等无有別異陀羅尼曰
南謨薄伽勃底一　阿波利蜜哆二　阿喻紇硯娜三　須毗你悉指陀　囉佐耶五　怛他
羯他耶六　怛姪他唵七　薩婆桑悉迦囉八　波利輸底　達摩底　伽伽娜　莎訶某特迦
底　薩婆婆毗輸底　摩訶娜耶　波利婆唎莎訶十五
布施力能成正覺　悟布施力人師子　布施力能聲普聞　慈悲階漸最能入
持戒力能成正覺　悟持戒力人師子　持戒力能聲普聞　慈悲階漸最能入
忍辱力能成正覺　悟忍辱力人師子　忍辱力能聲普聞　慈悲階漸最能入
精進力能成正覺　悟精進力人師子　精進力能聲普聞　慈悲階漸最能入
禪定力能成正覺　悟禪定力人師子　禪定力能聲普聞　慈悲階漸最能入
智慧力能成正覺　悟智慧力人師子　智慧力能聲普聞　慈悲階漸最能入
尒時如來說是經已一切世間天人阿脩羅揵闥婆等聞佛所說皆大歡喜信
受奉行
佛說无量壽宗要經

BD02717 號　無量壽宗要經

（7–6）

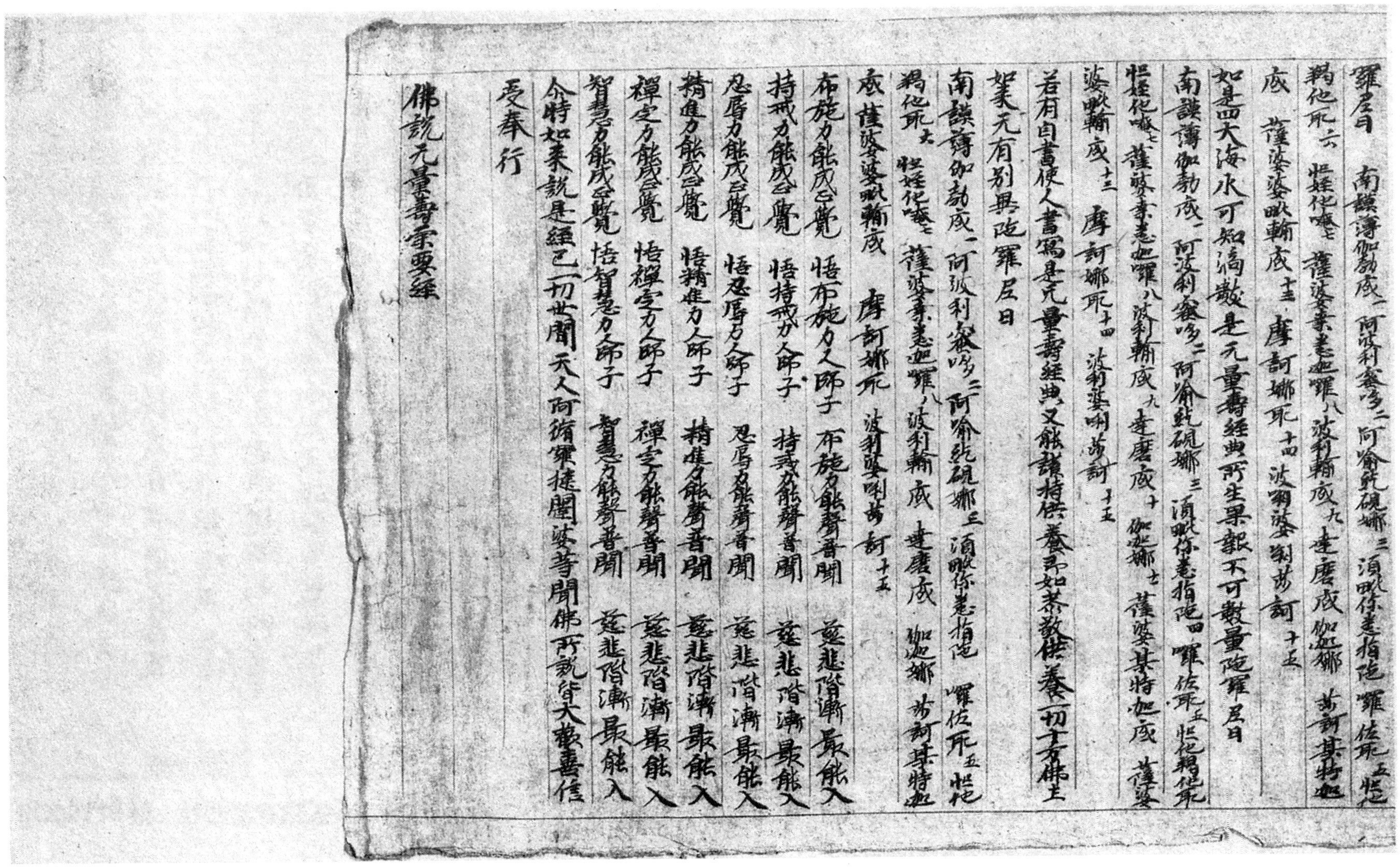

羅尼曰 南謨薄伽勃底一 阿波唎蜜哆二 阿喻紇硯娜三 須毗你悉指陁 囉佐耶五 怛他
羯他耶六 怛姪他唵七 薩婆桑悉迦囉八 波唎輸底九 達磨底 伽伽娜 莎訶其特伽
底 薩婆娑毗輸底十二 摩訶娜耶十四 波唎婆唎莎訶十五
如是四大海水可知滴數，是无量壽經典所生果報不可數量。陁羅尼曰
南謨薄伽勃底一 阿波唎蜜哆二 阿喻紇硯娜三 須毗你悉指陁四 囉佐耶五 怛他羯他
耶六 怛姪他唵七 薩婆桑悉迦囉八 波唎輸底九 達磨底十 伽伽娜十一 薩婆其特伽底 薩婆
婆毗輸底十三 摩訶娜耶十四 波唎婆唎莎訶十五
若有自書使人書寫是无量壽經典，又能讀誦持供養，即如恭敬供養一切十方佛土
如來无有別異。陁羅尼曰
南謨薄伽勃底一 阿波唎蜜哆二 阿喻紇硯娜三 須毗你悉指陁 囉佐耶五 怛他
羯他耶六 怛姪他唵七 薩婆桑悉迦囉八 波唎輸底 達磨底 伽伽娜 莎訶其特伽
底 薩婆娑毗輸底 摩訶娜耶 波唎婆唎莎訶十五
布施力能成正覺 悟布施力人師子 布施力能聲普聞 慈悲階漸最能入
持戒力能成正覺 悟持戒力人師子 持戒力能聲普聞 慈悲階漸最能入
忍辱力能成正覺 悟忍辱力人師子 忍辱力能聲普聞 慈悲階漸最能入
精進力能成正覺 悟精進力人師子 精進力能聲普聞 慈悲階漸最能入
禪定力能成正覺 悟禪定力人師子 禪定力能聲普聞 慈悲階漸最能入
智慧力能成正覺 悟智慧力人師子 智慧力能聲普聞 慈悲階漸最能入
尒時如來說是經已，一切世間天人阿脩羅揵闥婆等，聞佛所說，皆大歡喜，信
受奉行
佛說无量壽宗要經

BD02717 號　無量壽宗要經　（7–7）

BD02717 號背　寺院題名　（1–1）

薩得法華三昧
華經觀世音菩薩普門品第廿五
尒時無盡意菩薩即從座起偏袒右肩合掌
向佛而作是言世尊觀世音菩薩以何因緣
名觀世音佛告無盡意菩薩善男子若有無
量百千万億衆生受諸苦惱聞是觀世音菩
薩一心稱名觀世音菩薩即時觀其音聲皆
得解脫若有持是觀世音菩薩名者設入大
火火不能燒由是菩薩威神力故若為大水
漂稱其名号即得淺處若有百千万億衆
求金銀瑠璃車𤦲馬瑙珊瑚虎珀真珠
寶入於大海假使黑風吹其船舫飄墮羅
鬼國其中若有乃至一人稱觀世音菩薩
是諸人等皆得解脫羅剎之難以是因
緣名觀世音若復有人臨當被害稱觀世音
菩薩名者彼所執刀杖尋段段壞而得解脫
若三千大千國土滿中夜叉羅剎欲來惱人
聞其稱觀世音菩薩名者是諸惡鬼尚不能
以惡眼視之況復加害設復有人若有罪若

BD02718號　妙法蓮華經卷七

（6–1）

緣名觀世音若復有人臨當被害稱觀世音
菩薩名者彼所執刀杖尋段段壞而得解脫
若三千大千國土滿中夜叉羅剎欲來惱人
聞其稱觀世音菩薩名者是諸惡鬼尚不能
以惡眼視之況復加害設復有人若有罪若
無罪杻械枷鎖檢繫其身稱觀世音菩薩名
者皆悉斷壞即得解脫若三千大千國土滿
中怨賊有一商主將諸商人賫持重寶經過
嶮路其中一人作是唱言諸善男子勿得恐
怖汝等應當一心稱觀世音菩薩名号是菩
薩能以无畏施於衆生汝等若稱名者於此
怨賊當得解脫衆商人聞俱發聲言南无觀
世音菩薩稱其名故即得解脫无盡意觀世
音菩薩摩訶薩威神之力巍巍如是若有衆
生多於婬欲常念恭敬觀世音菩薩便得離
欲若多瞋恚常念恭敬觀世音菩薩便得離
瞋若多愚癡常念恭敬觀世音菩薩便得離
癡无盡意觀世音菩薩有如是等大威神力
多所饒益是故衆生常應心念若有女人設
欲求男礼拜供養觀世音菩薩便生福德智
慧之男設欲求女便生端正有相之女宿殖
德本衆人愛敬无盡意觀世音菩薩有如是
力若有衆生恭敬礼拜觀世音菩薩福不唐
捐是故衆生皆應受持觀世音菩薩名号无
盡意若有人受持六十二億恒河沙菩薩名
字復盡形供養飲食衣服卧具醫藥於汝意

BD02718號　妙法蓮華經卷七

（6–2）

力若有衆生恭敬礼拜觀世音菩薩福不唐
捐是故衆生皆應受持觀世音菩薩名号无
盡意若有人受持六十二億恒河沙菩薩名
字復盡形供養飲食衣服卧具醫藥於汝意
云何是善男子善女人功德多不无盡意言
甚多世尊佛言若復有人受持觀世音菩薩
名号乃至一時礼拜供養是二人福正等无
異於百千万億劫不可窮盡无盡意受持觀
世音菩薩名号得如是无量无邊福德之利
无盡意菩薩白佛言世尊觀世音菩薩云何
遊此娑婆世界云何而為衆生說法方便之
力其事云何佛告无盡意菩薩善男子若有
國土衆生應以佛身得度者觀世音菩薩即
現佛身而為說法應以辟支佛身得度者即
現辟支佛身而為說法應以聲聞身得度者
即現聲聞身而為說法應以梵王身得度者
即現梵王身而為說法應以帝釋身得度者
即現帝釋身而為說法應以自在天身得度
者即現自在天身而為說法應以大自在天
身得度者即現大自在天身而為說法應以
天大将軍身得度者即現天大将軍身而為
說法應以毗沙門身得度者即現毗沙門身
而為說法應以小王身得度者即現小王身而
為說法應以長者身得度者即現長者身
而為說法應以居士身得度者即現居士身
而為說法應以宰官身得度者即現宰官身

BD02718 號　妙法蓮華經卷七　（6–3）

為說法應以長者身得度者即現長者身
而為說法應以居士身得度者即現居士身
而為說法應以宰官身得度者即現宰官身
而為說法應以婆羅門身得度者即現婆羅
門身而為說法應以比丘比丘尼優婆塞優
婆夷身得度者即現比丘比丘尼優婆塞優
婆夷身而為說法應以長者居士宰官婆羅
門婦女身得度者即現婦女身而為說法應
以童男童女身得度者即現童男童女身而
為說法應以天龍夜叉乾闥婆阿脩羅迦樓
羅緊那羅摩睺羅伽人非人等身得度者即
皆現之而為說法應以執金剛神得度者即
現執金剛神而為說法无盡意是觀世音菩薩
成就如是功德以種種形遊諸國土度脫衆生
是故汝等應當一心供養觀世音菩薩是觀
世音菩薩摩訶薩於怖畏急難之中能施
无畏是故此娑婆世界皆号之為施无畏者
无盡意菩薩白佛言世尊我今當供養觀世
音菩薩即解頸衆寶珠瓔珞價直百千兩金
而以與之作是言仁者受此法施珎寶瓔珞
時觀世音菩薩不肯受之无盡意復白觀世
音菩薩言仁者愍我等故受此瓔珞尒時佛
告觀世音菩薩當愍此无盡意菩薩及四衆
天龍夜叉乾闥婆阿脩羅迦樓羅緊那羅摩
睺羅伽人非人等故受是瓔珞即時觀世音
菩薩愍諸四衆及於天龍人非人等受其瓔

BD02718 號　妙法蓮華經卷七　（6–4）

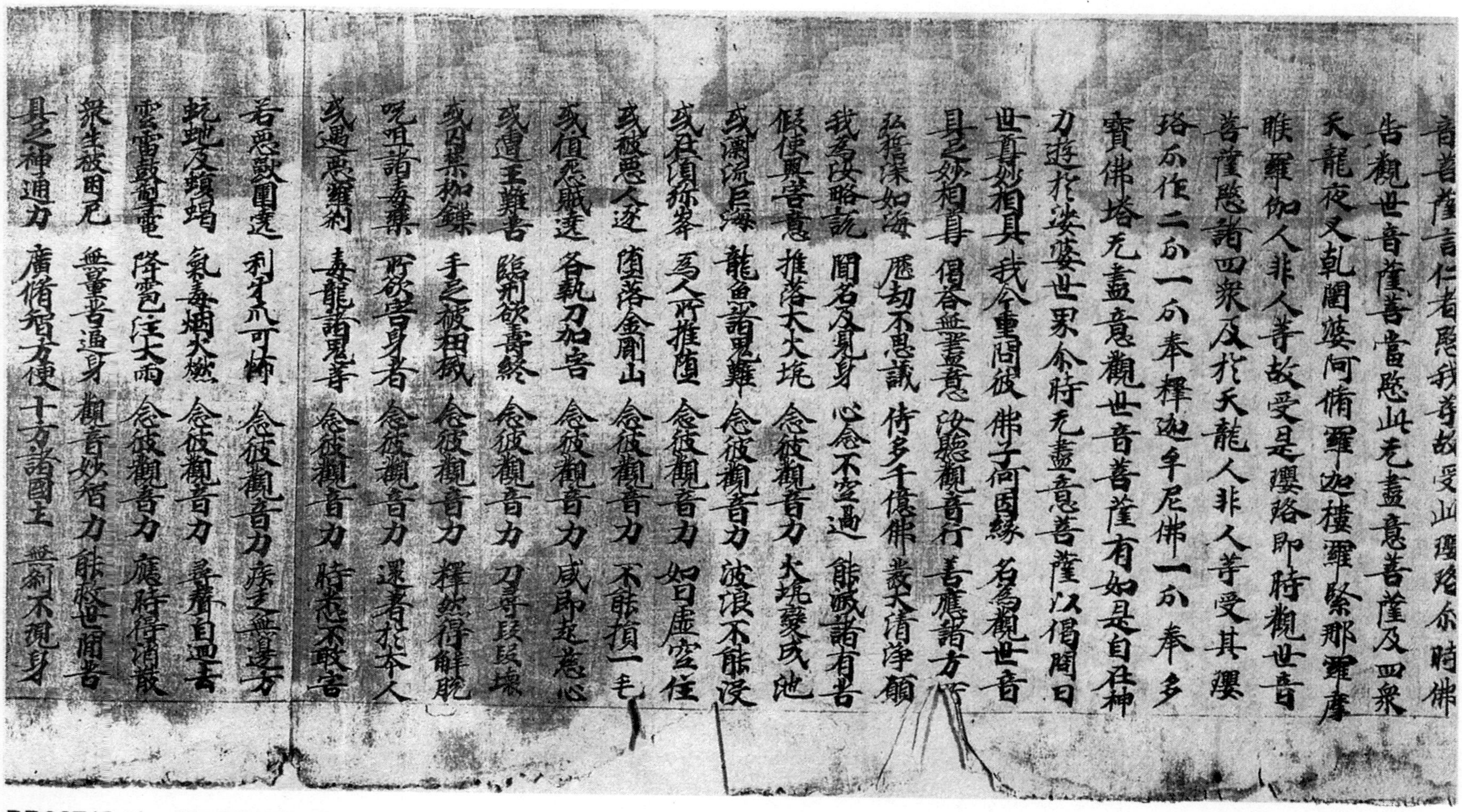

菩薩言仁者愍我等故受此瓔珞 尒時佛
告觀世音菩薩當愍此無盡意菩薩及四衆
天龍夜叉乾闥婆阿脩羅迦樓羅緊那羅摩
睺羅伽人非人等故受是瓔珞 即時觀世音
菩薩愍諸四衆及於天龍人非人等受其瓔
珞分作二分 一分奉釋迦牟尼佛 一分奉多
寶佛塔 無盡意觀世音菩薩有如是自在神
力遊於娑婆世界 尒時無盡意菩薩以偈問曰
世尊妙相具 我今重問彼 佛子何因緣 名爲觀世音
具足妙相尊 偈答無盡意 汝聽觀音行 善應諸方所
弘誓深如海 歷劫不思議 侍多千億佛 發大清淨願
我爲汝略說 聞名及見身 心念不空過 能滅諸有苦
假使興害意 推落大火坑 念彼觀音力 火坑變成池
或漂流巨海 龍魚諸鬼難 念彼觀音力 波浪不能沒
或在須彌峯 爲人所推墮 念彼觀音力 如日虛空住
或被惡人逐 墮落金剛山 念彼觀音力 不能損一毛
或值怨賊遶 各執刀加害 念彼觀音力 咸即起慈心
或遭王難苦 臨刑欲壽終 念彼觀音力 刀尋段段壞
或囚禁枷鎖 手足被杻械 念彼觀音力 釋然得解脫
呪詛諸毒藥 所欲害身者 念彼觀音力 還著於本人
或遇惡羅剎 毒龍諸鬼等 念彼觀音力 時悉不敢害
若惡獸圍遶 利牙爪可怖 念彼觀音力 疾走無邊方
蚖蛇及蝮蠍 氣毒煙火燃 念彼觀音力 尋聲自迴去
雲雷鼓掣電 降雹澍大雨 念彼觀音力 應時得消散
衆生被困厄 無量苦逼身 觀音妙智力 能救世間苦
具足神通力 廣脩智方便 十方諸國土 無剎不現身

BD02718 號　妙法蓮華經卷七

（6–5）

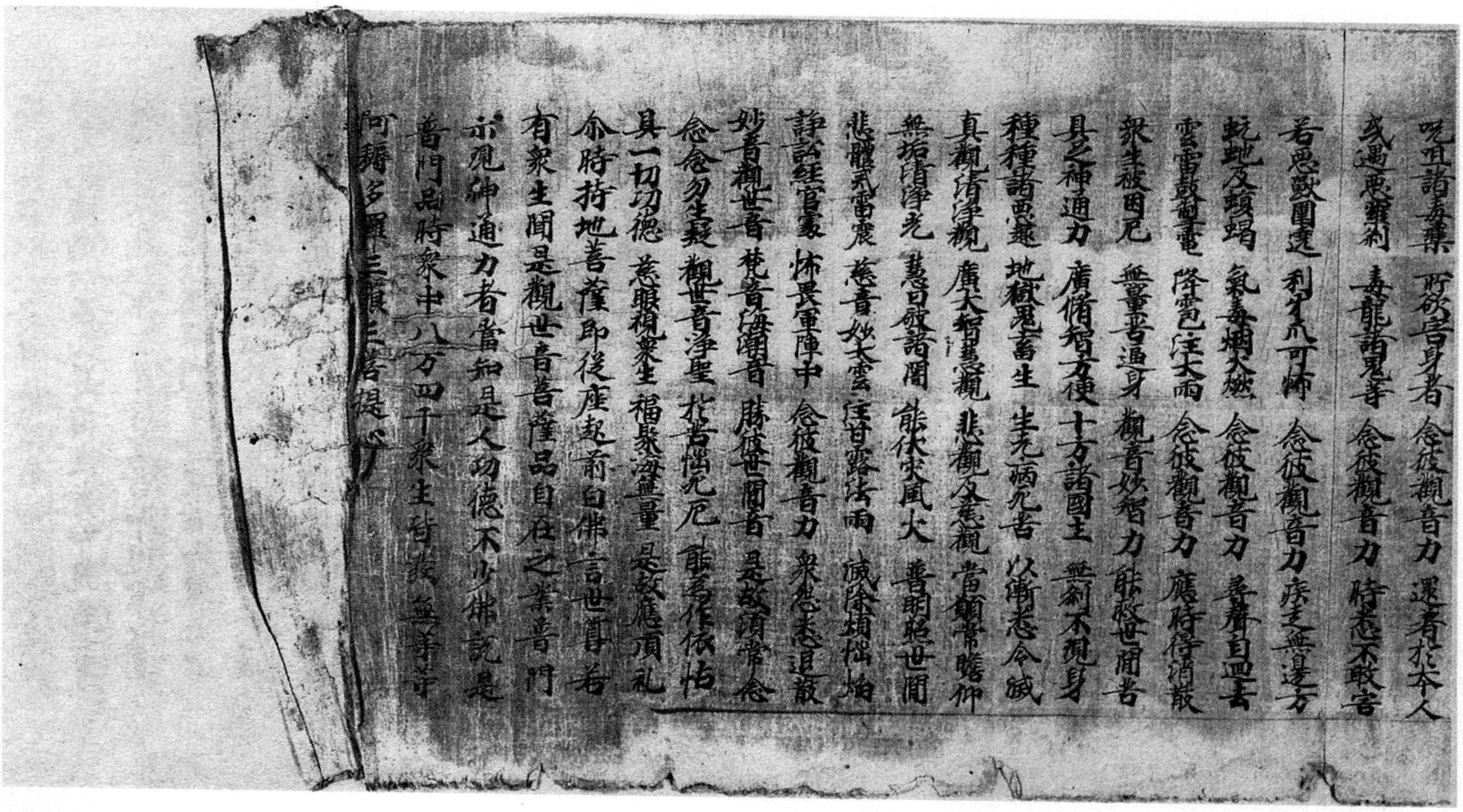

呪詛諸毒藥 所欲害身者 念彼觀音力 還著於本人
或遇惡羅剎 毒龍諸鬼等 念彼觀音力 時悉不敢害
若惡獸圍遶 利牙爪可怖 念彼觀音力 疾走無邊方
蚖蛇及蝮蠍 氣毒煙火燃 念彼觀音力 尋聲自迴去
雲雷鼓掣電 降雹澍大雨 念彼觀音力 應時得消散
衆生被困厄 無量苦逼身 觀音妙智力 能救世間苦
具足神通力 廣脩智方便 十方諸國土 無剎不現身
種種諸惡趣 地獄鬼畜生 生老病死苦 以漸悉令滅
真觀清淨觀 廣大智慧觀 悲觀及慈觀 常願常瞻仰
無垢清淨光 慧日破諸闇 能伏災風火 普明照世間
悲體戒雷震 慈意妙大雲 澍甘露法雨 滅除煩惱焰
諍訟經官處 怖畏軍陣中 念彼觀音力 衆怨悉退散
妙音觀世音 梵音海潮音 勝彼世間音 是故須常念
念念勿生疑 觀世音淨聖 於苦惱死厄 能爲作依怙
具一切功德 慈眼視衆生 福聚海無量 是故應頂禮
尒時持地菩薩即從座起前白佛言世尊若
有衆生聞是觀世音菩薩品自在之業普門
示現神通力者當知是人功德不少佛說是
普門品時衆中八万四千衆生皆發無等等
阿耨多羅三藐三菩提心

BD02718 號　妙法蓮華經卷七

（6–6）

非名名非色蘊等
蘊等非合非散但
與名俱自性空故
俱无所有都不可
如是唯客所攝由
有假名舍利子如眼
攝所以者何眼處等
等中无名名中无眼
設何以故以眼處等
空中若眼處等若
菩薩摩訶薩名亦
說諸菩薩摩訶薩但有假名都无自性舍
子如色處乃至法處名唯客所攝所以者何
色處等非名名非色處等色處等中无名
名中无色處等非合非散但假施設何以
故以色處等與名俱自性空故自性空中
若色處等若名俱无所有都不可得諸菩薩
摩訶薩名亦復如是唯客所攝由斯故說諸
菩薩摩訶薩但有假名都无自性舍利子如
眼界乃至意界名唯客所攝所以者何眼界
等非名名非眼界等眼界等中无名名中无眼
界等非合非散但假施設何以故以眼界等

BD02719 號　大般若波羅蜜多經卷四九七　（5–1）

菩薩摩訶薩但有假名都无自性舍利子如
眼界乃至意界名唯客所攝所以者何眼界
等非名名非眼界等眼界等中无名名中无眼
界等非合非散但假施設何以故以眼界等
與名俱自性空故自性空中若眼界等若名
俱无所有都不可得諸菩薩摩訶薩名亦復
如是唯客所攝由斯故說諸菩薩摩訶薩但
有假名都无自性舍利子如色界乃至法界
名唯客所攝所以者何色界等非名名非色
界等色界等中无名名中无色界等非合非
散但假施設何以故以色界等與名俱自性
空故自性空中若色界等若名俱无所有都
不可得諸菩薩摩訶薩名亦復如是唯客所
攝由斯故說諸菩薩摩訶薩但有假名都无
自性舍利子如眼識界乃至意識界名唯客
所攝所以者何眼識界等非名名非眼識界
等眼識界等中无名名中无眼識界等非合
非散但假施設何以故以眼識界等與名俱
自性空故自性空中若眼識界等若名俱无
所有都不可得諸菩薩摩訶薩名亦復如是
唯客所攝由斯故諸菩薩摩訶薩但有假
名都无自性舍利子如眼觸乃至意觸名唯
客所攝所以者何眼觸等非名名非眼觸等
眼觸等中无名名中無眼觸等非非合非散但
假施設何以故以眼觸等與名俱自性空故
自性空中若眼觸等若名俱无所有都不可

BD02719 號　大般若波羅蜜多經卷四九七　（5–2）

客所攝所以者何眼觸等非名名非眼觸等
眼觸等中无名名中無眼觸等非非合非散但
假施設何以故以眼觸等與名俱自性空故
自性空中若眼觸等若名俱无所有都不可
得諸菩薩摩訶薩名亦復如是唯客所攝由
斯故說諸菩薩摩訶薩有假名都无自性
舍利子如眼觸為緣所生諸受乃至意觸為
緣所生諸受名唯客所攝所以者何眼觸
為緣所生諸受等非名名非眼觸為緣所生
諸受等眼觸為緣所生諸受等中无名名
中无眼觸為緣所生諸受等非合非散但
假施設何以故以眼觸為緣所生諸受等
與名俱自性空故自性空中若眼觸為緣
所生諸受等若名俱无所有都不可得諸
菩薩摩訶薩名亦復如是唯客所攝由斯故
說諸菩薩摩訶薩但有假名都无自
性舍利子如地界乃至識界名唯客所攝所
以者何地界等非名名非地界等地界等中
无名名中无地界等非合非散但假施設何
以故以地界等與名俱自性空故自性空中
若地界等若名俱无所有都不可得諸菩薩
摩訶薩名亦復如是唯客所攝由斯故說諸
菩薩摩訶薩但有假名都无自性舍利子如
因緣乃至增上緣名唯客所攝所以者何因
緣等非名名非因緣等因緣等中无名名中
无因緣等非合非散但假施設何以故以因

摩訶薩名亦復如是唯客所攝由斯故說諸
菩薩摩訶薩但有假名都无自性舍利子如
因緣乃至增上緣名唯客所攝所以者何因
緣等非名名非因緣等因緣等中无名名中
无因緣等非合非散但假施設何以故以因
緣等與名俱自性空故自性空中若因緣等
若名俱无所有都不可得諸菩薩摩訶薩名
亦復如是唯客所攝由斯故說諸菩薩摩訶
薩但有假名都无自性舍利子如無明乃至
老死名唯客所攝所以者何無明等非名名
非無明等無明等中無名名中無無明等非
合非散但假施設何以故無明等與名俱
自性空故自性空中若無明等若名俱无所
有都不可得諸菩薩摩訶薩名亦復如是
唯客所攝由斯故說諸菩薩摩訶薩但有假名
都无自性舍利子如布施波羅蜜多乃至般
若波羅蜜多名唯客所攝所以者何布施波
羅蜜多等非名名非布施波羅蜜多等布施
波羅蜜多等中無名名中無布施波羅蜜多
等非合非散但假施設何以故以布施波羅
蜜多等與名俱自性空故自性空中若布施
波羅蜜多等若名俱无所有都不可得諸菩
薩摩訶薩名亦復是唯客所攝由斯故說
諸菩薩摩訶薩但有假名都无自性舍利子
如內空乃至无性自性空名唯客所攝所以者
何內空等非名名非內空等內空等中無
名名中無內空等非合非散但假施設何以

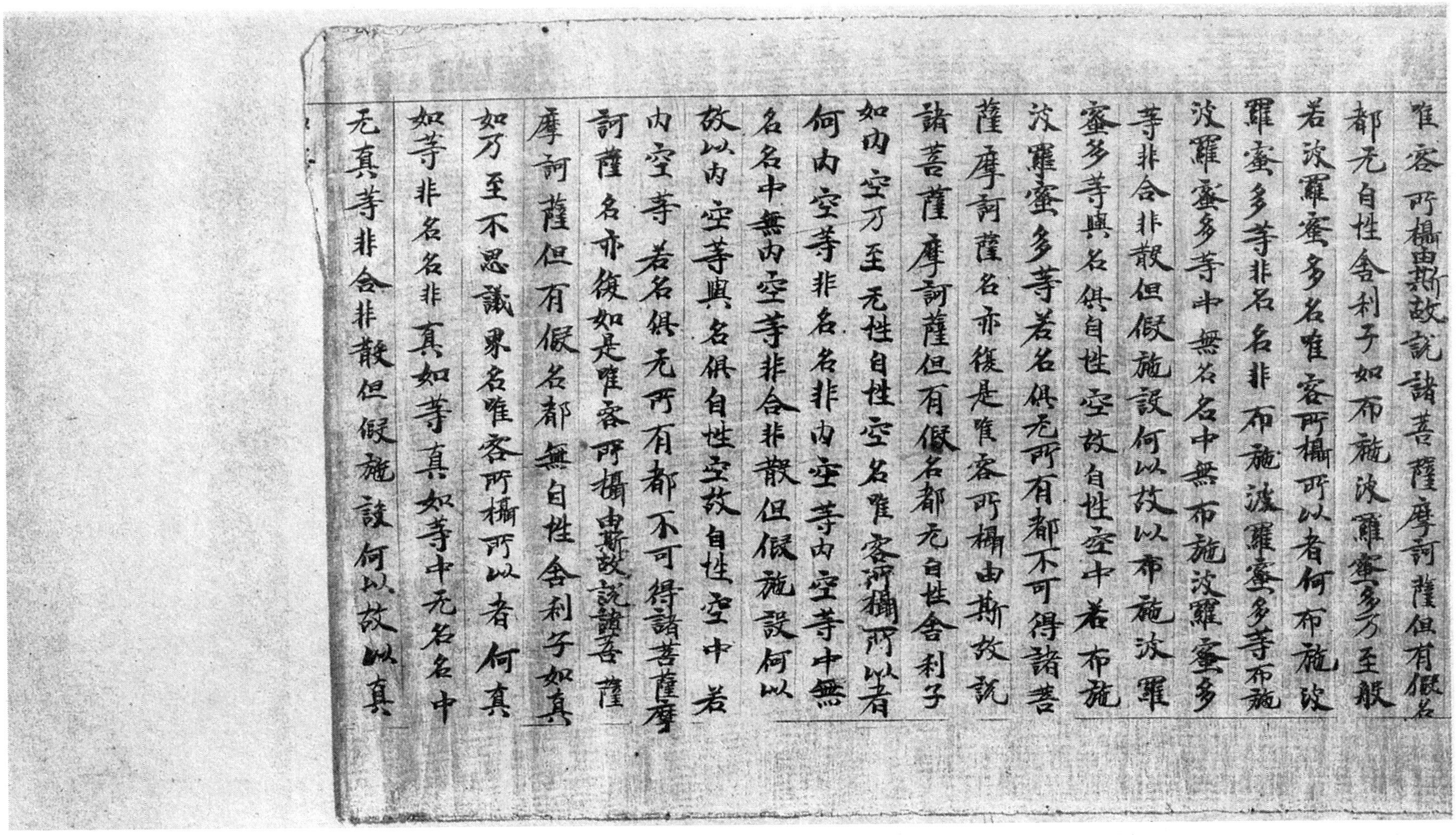

唯容所攝由斯故說諸菩薩摩訶薩但有假名
都无自性舍利子如布施波羅蜜多乃至般
若波羅蜜多名唯容所攝所以者何布施波
羅蜜多等非名名非布施波羅蜜多等布施
波羅蜜多等中無名名中無布施波羅蜜多
等非合非散但假施設何以故以布施波羅
蜜多等與名俱自性空故自性空中若布施
波羅蜜多等若名俱无所有都不可得諸菩
薩摩訶薩名亦復是唯容所攝由斯故說
諸菩薩摩訶薩但有假名都无自性舍利子
如內空乃至无性自性空名唯容所攝所以者
何內空等非名名非內空等內空等中無
名名中無內空等非合非散但假施設何以
故以內空等與名俱自性空故自性空中若
內空等若名俱无所有都不可得諸菩薩摩
訶薩名亦復如是唯容所攝由斯故說諸菩薩
摩訶薩但有假名都無自性舍利子如真
如乃至不思議界名唯容所攝所以者何真
如等非名名非真如等真如等中无名名中
无真等非合非散但假施設何以故以真

BD02719號　大般若波羅蜜多經卷四九七　（5–5）

BD02719號背　勘記　（1–1）

……為他人說其福勝彼
故須菩提一切諸佛及諸佛阿耨多
三菩提法皆從此經出須菩提所
即非佛法
須菩提於意云何須陁洹能作是念我得
陁洹果不須菩提言不也世尊何以故須陁
洹名為入流而无所入不入色聲香味觸法
是名須陁洹須菩提於意云何斯陁含能
是念我得斯陁含果不須菩提言不也
何以故斯陁含名一往來而實无往來是名
斯陁含須菩提於意云何阿那含能作是念
我得阿那含果不須菩提言不也世尊何以
故阿那含名為不來而實无來是故名阿那
含須菩提於意云何阿羅漢能作是念我得
阿羅漢道不須菩提言不也世尊何以故實
無有法名阿羅漢世尊若阿羅漢作是念我
得阿羅漢道即為著我人衆生壽者世尊佛
說我得無諍三昧人中最為第一是第一離
欲阿羅漢我不作是念我是離欲阿羅漢世
尊我若作是念我得阿羅漢道世尊則不說
須菩提是樂阿蘭那行者以須菩提實無所
行而名須菩提是樂阿蘭那行
佛告須菩提於意云何如來昔在然燈佛所

BD02720 號　金剛般若波羅蜜經

（4–1）

須菩提是樂阿蘭那行者以須菩提實無所
行而名須菩提是樂阿蘭那行
佛告須菩提於意云何如來昔在然燈佛所
於法有所得不世尊如來在然燈佛所於法
實無所得須菩提於意云何菩薩莊嚴佛土
不不也世尊何以故莊嚴佛土者則非莊嚴
是名莊嚴是故須菩提諸菩薩摩訶薩應如
是生清淨心不應住色生心不應住聲香味
觸法生心應無所住而生其心須菩提譬如
有人身如須弥山王於意云何是身為大不
須菩提言甚大世尊何以故佛說非身是名
大身
須菩提如恒河中所有沙數如是沙等恒河
於意云何是諸恒河沙寧為多不須菩提言
甚多世尊但諸恒河尚多無數何況其沙須
菩提我今實言告汝若有善男子善女人以
七寶滿尒所恒河沙數三千大千世界以用
布施得福多不須菩提言甚多世尊佛告須
菩提若善男子善女人於此經中乃至受持
四句偈等為他人說而此福德勝前福德復
次須菩提隨說是經乃至四句偈等當知此
處一切世間天人阿脩羅皆應供養如佛塔
廟何況有人盡能受持讀誦須菩提當知是
人成就最上第一希有之法若是經典所在
之處則為有佛若尊重弟子

BD02720 號　金剛般若波羅蜜經

（4–2）

四句偈等為他人說而此福德勝前福德復
次須菩提隨說是經乃至四句偈等當知此
處一切世間天人阿脩羅皆應供養如佛塔
廟何況有人盡能受持讀誦須菩提當知是
人成就最上第一希有之法若是經典所在
之處則為有佛若尊重弟子
尒時須菩提白佛言世尊當何名此經我等
云何奉持佛告須菩提是經名為金剛般若
波羅蜜以是名字汝當奉持所以者何須菩
提佛說般若波羅蜜則非般若波羅蜜須菩
提於意云何如來有所說法不須菩提白佛
言世尊如來無所說須菩提於意云何三千
大千世界所有微塵是為多不須菩提言甚
多世尊須菩提諸微塵如來說非微塵是名
微塵如來說世界非世界是名世界須菩提
於意云何可以三十二相見如來不不也世
尊何以故如來說三十二相即是非相是名
三十二相須菩提若善男子善女人以恒河
沙等身命布施若復有人於此經中乃至
受持四句偈等為他人說其福甚多
尒時須菩提聞說是經深解義趣涕淚悲泣
而白佛言希有世尊佛說如是甚深經典我
從昔來所得慧眼未曾得聞如是之經世尊
若復有人得聞是經信心清淨則生實相當
知是人成就第一希有功德世尊是實相者
則是非相是故如來說名實相世尊我今得

BD02720號　金剛般若波羅蜜經　（4–3）

若復有人得聞是經信心清淨則生實相當
知是人成就第一希有功德世尊是實相者
則是非相是故如來說名實相世尊我今得
聞如是經典信解受持不足為難若當來世
後五百歲其有眾生得聞是經信解受持是
人則為第一希有何以故此人無我相人相
眾生相壽者相所以者何我相即是非相人
相眾生相壽者相即是非相何以故離一切
諸相則名諸佛
佛告須菩提如是如是若復有人得聞是經
不驚不怖不畏當知是人甚為希有何以故
須菩提如來說第一波羅蜜非第一波羅蜜
是名第一波羅蜜須菩提忍辱波羅蜜如來
說非忍辱波羅蜜何以故須菩提如我昔為
歌利王割截身體我於尒時無我相無人相
無眾生相無壽者相何以故我於往昔節節
支解時若有我相人相眾生相壽者相應生
瞋恨須菩提又念過去於五百世作忍辱仙
人於尒所世無我相無人相無眾生相無壽
者相是故須菩提菩薩應離一切相發阿耨
多羅三藐三菩提心不應住色生心不應住
聲香味觸法生心應生無所住心若心有住
則為非住是故佛說菩薩心不應住色布施
須菩提菩薩為利益一切眾生應如是布施

BD02720號　金剛般若波羅蜜經　（4–4）

淨故不思議界清淨何以故若一切智智清
淨若一來不還阿羅漢果清淨若不思議界
清淨無二無二分無別無斷故善現一切
智智清淨故獨覺菩提清淨獨覺菩提清淨故
不思議界清淨何以故若一切智智清淨若
獨覺菩提清淨若不思議界清淨無二無二
分無別無斷故善現一切智智清淨故一切
菩薩摩訶薩行清淨一切菩薩摩訶薩行
清淨故不思議界清淨何以故若一切智智清
淨若一切菩薩摩訶薩行清淨若不思議界
清淨無二無二分無別無斷故善現一切智
智清淨故諸佛無上正等菩提清淨諸佛無
上正等菩提清淨故不思議界清淨何以故若
一切智智清淨若諸佛無上正等菩提清淨
若不思議界清淨無二無二分無別無斷故
復次善現一切智智清淨故色清淨色清淨
故苦聖諦清淨何以故若一切智智清淨若
色清淨若苦聖諦清淨無二無二分無別無
斷故一切智智清淨故受想行識清淨受想
行識清淨故苦聖諦清淨何以故若一切智
智清淨若受想行識清淨若苦聖諦清淨無
二無二分無別無斷故善現一切智智清淨

BD02721 號 1　大般若波羅蜜多經卷二六三

（13–1）

色清淨若苦聖諦清淨無二無二分無別無
斷故一切智智清淨故受想行識清淨受想
行識清淨故苦聖諦清淨何以故若一切智
智清淨若受想行識清淨若苦聖諦清淨無
二無二分無別無斷故善現一切智智清淨故
眼處清淨眼處清淨故苦聖諦清淨何以
故若一切智智清淨若眼處清淨若苦聖諦
清淨無二無二分無別無斷故一切智智清
淨故耳鼻舌身意處清淨耳鼻舌身意處
清淨故苦聖諦清淨何以故若一切智智清淨
若耳鼻舌身意處清淨若苦聖諦清淨無二
無二分無別無斷故善現一切智智清淨故色
處清淨色處清淨故苦聖諦清淨何以故
若一切智智清淨若色處清淨若苦聖諦清
淨無二無二分無別無斷故一切智智清淨故
聲香味觸法處清淨聲香味觸法處清淨
故苦聖諦清淨何以故若一切智智清淨若
聲香味觸法處清淨若苦聖諦清淨無二無
二分無別無斷故善現一切智智清淨故眼
界清淨眼界清淨故苦聖諦清淨何以故若
一切智智清淨若眼界清淨若苦聖諦清淨
無二無二分無別無斷故一切智智清淨故色
界眼識界及眼觸眼觸為緣所生諸受清
淨色界乃至眼觸為緣所生諸受清淨故苦
聖諦清淨何以故若一切智智清淨若色界

BD02721 號 1　大般若波羅蜜多經卷二六三

（13–2）

界眼識界及眼觸眼觸為緣所生諸受清
淨色界乃至眼觸為緣所生諸受清淨故苦
聖諦清淨何以故若一切智智清淨若色界
乃至眼觸為緣所生諸受清淨若苦聖諦清
淨無二無二分無別無斷故善現一切智智
清淨故耳界清淨耳界清淨故苦聖諦清淨
何以故若一切智智清淨若耳界清淨若
苦聖諦清淨無二無二分無別無斷故一切
智智清淨故聲界耳識界及耳觸耳觸為緣
所生諸受清淨聲界乃至耳觸為緣所生諸
受清淨故苦聖諦清淨何以故若一切智智
清淨若聲界乃至耳觸為緣所生諸受清淨
若苦聖諦清淨無二無二分無別無斷故善
現一切智智清淨故鼻界清淨鼻界清淨故
苦聖諦清淨何以故若一切智智清淨若鼻
界清淨若苦聖諦清淨無二無二分無別無
斷故一切智智清淨故香界鼻識界及鼻觸
鼻觸為緣所生諸受清淨香界乃至鼻觸為
緣所生諸受清淨故苦聖諦清淨何以故若
一切智智清淨若香界乃至鼻觸為緣所生
諸受清淨若苦聖諦清淨無二無二分無別無
斷故善現一切智智清淨故舌界清淨舌
界清淨故苦聖諦清淨何以故若一切智智
清淨若舌界清淨若苦聖諦清淨無二無二
分無別無斷故一切智智清淨故味界舌識
界及舌觸舌觸為緣所生諸受清淨味界及

界清淨故苦聖諦清淨何以故若一切智智
清淨若舌界清淨若苦聖諦清淨無二無二
分無別無斷故一切智智清淨故味界舌識
界及舌觸舌觸為緣所生諸受清淨味界及
至舌觸為緣所生諸受清淨故苦聖諦清淨
何以故若一切智智清淨若味界乃至舌觸
為緣所生諸受清淨若苦聖諦清淨無二無
二分無別無斷故善現一切智智清淨故身界
清淨身界清淨故苦聖諦清淨何以故若
一切智智清淨若身界清淨若苦聖諦清淨
無二無二分無別無斷故一切智智清淨故
觸界身識界及身觸身觸為緣所生諸受清
淨觸界乃至身觸為緣所生諸受清淨故苦
聖諦清淨何以故若一切智智清淨若觸界
乃至身觸為緣所生諸受清淨若苦聖諦清
淨無二無二分無別無斷故善現一切智智清
淨故意界清淨意界清淨故苦聖諦清淨何
以故若一切智智清淨若意界清淨若苦聖
諦清淨無二無二分無別無斷故一切智智
清淨故法界意識界及意觸意觸為緣所生
諸受清淨法界乃至意觸為緣所生諸受清
淨故苦聖諦清淨何以故若一切智智清淨
若法界乃至意觸為緣所生諸受清淨若苦
聖諦清淨無二無二分無別無斷故善現一
切智智清淨故地界清淨地界清淨故苦聖
諦清淨何以故若一切智智清淨若地界清

若法界乃至意觸為緣所生諸受清淨若苦
聖諦清淨無二無二分無別無斷故善現一
切智智清淨故地界清淨地界清淨故苦聖
諦清淨何以故若一切智智清淨若地界清
淨若苦聖諦清淨無二無二分無別無斷故
一切智智清淨故水火風空識界清淨水火
風空識界清淨故苦聖諦清淨何以故若一
切智智清淨若水火風空識界清淨若苦聖
諦清淨無二無二分無別無斷故善現一切
智智清淨故無明清淨無明清淨故苦聖諦
清淨何以故若一切智智清淨若無明清淨
若苦聖諦清淨無二無二分無別無斷故一切
智智清淨故行識名色六處觸受愛取有
生老死愁歎苦憂惱清淨行乃至老死愁歎
苦憂惱清淨故苦聖諦清淨何以故若一切智
智清淨若行乃至老死愁歎苦憂惱清淨若
苦聖諦清淨無二無二分無別無斷故
善現一切智智清淨故布施波羅蜜多清淨
布施波羅蜜多清淨故苦聖諦清淨何以故
若一切智智清淨若布施波羅蜜多清淨若
苦聖諦清淨無二無二分無別無斷故一切
智智清淨故淨戒安忍精進靜慮般若波羅
蜜多清淨淨戒乃至般若波羅蜜多清淨故
苦聖諦清淨何以故若一切智智清淨若淨
戒乃至般若波羅蜜多清淨若苦聖諦清淨
無二無二分無別無斷故善現一切智智清淨

BD02721 號 1　大般若波羅蜜多經卷二六三

（13–5）

戒乃至般若波羅蜜多清淨若苦聖諦清淨
無二無二分無別無斷故善現一切智智清淨
故內空清淨內空清淨故苦聖諦清淨何
以故若一切智智清淨若內空清淨若苦聖
諦清淨無二無二分無別無斷故一切智智清
淨故外空內外空空空大空勝義空有為空
無為空畢竟空無際空散空無變異空本性
空自相空共相空一切法空不可得空無性
空自性空無性自性空清淨外空乃至無性
自性空清淨故苦聖諦清淨何以故若一切
智智清淨若外空乃至無性自性空清淨若
苦聖諦清淨無二無二分無別無斷故善現
一切智智清淨故真如清淨真如清淨故苦
聖諦清淨何以故若一切智智清淨若真如
清淨若苦聖諦清淨無二無二分無別無斷
故一切智智清淨故法界法性不虛妄性不變
異性平等性離生性法定法住實際虛空
界不思議界清淨法界乃至不思議界清淨
故苦聖諦清淨何以故若一切智智清淨若法
界乃至不思議界清淨若苦聖諦清淨無二
無二分無別無斷故善現一切智智清淨故
集聖諦清淨集聖諦清淨故苦聖諦清淨何
以故若一切智智清淨若集聖諦清淨若苦
聖諦清淨無二無二分無別無斷故一切智
智清淨故滅道聖諦清淨滅道聖諦清淨故
苦聖諦清淨何以故若一切智智清淨若滅

BD02721 號 1　大般若波羅蜜多經卷二六三

（13–6）

智智清淨故滅道聖諦清淨滅道聖諦清淨故
苦聖諦清淨何以故若一切智智清淨若滅
道聖諦清淨若苦聖諦清淨無二無二分無
別無斷故善現一切智智清淨故四靜慮清
淨四靜慮清淨故苦聖諦清淨何以故若一
切智智清淨若四靜慮清淨若苦聖諦清淨
無二無二分無別無斷故一切智智清淨故
四無量四無色定清淨四無量四無色定清
淨故苦聖諦清淨何以故若一切智智清淨
若四無量四無色定清淨若苦聖諦清淨無
二無二分無別無斷故善現一切智智清淨故
八解脫清淨八解脫清淨故苦聖諦清淨何
以故若一切智智清淨若八解脫清淨若
苦聖諦清淨無二無二分無別無斷故一切
智智清淨故八勝處九次第定十遍處清淨
八勝處九次第定十遍處清淨故苦聖諦清
淨何以故若一切智智清淨若八勝處九次
第定十遍處清淨若苦聖諦清淨無二無二
分無別無斷故善現一切智智清淨故四念
住清淨四念住清淨故苦聖諦清淨何以故若
一切智智清淨若四念住清淨若苦聖諦清
淨無二無二分無別無斷故一切智智清淨故
四正斷四神足五根五力七等覺支八聖道
支清淨四正斷乃至八聖道支清淨故苦
聖諦清淨何以故若一切智智清淨若四正

BD02721號1　大般若波羅蜜多經卷二六三　（13–7）

淨無二無二分無別無斷故一切智智清淨故
四正斷四神足五根五力七等覺支八聖道
支清淨四正斷乃至八聖道支清淨故苦
聖諦清淨何以故若一切智智清淨若四正
斷乃至八聖道支清淨若苦聖諦清淨無二
無二分無別無斷故善現一切智智清淨故空
解脫門清淨空解脫門清淨故苦聖諦清
淨何以故若一切智智清淨若空解脫門清
淨若苦聖諦清淨無二無二分無別無斷故
一切智智清淨故無相無願解脫門清淨無
相無願解脫門清淨故苦聖諦清淨何以故
若一切智智清淨若無相無願解脫門清淨
若苦聖諦清淨無二無二分無別無斷故善
現一切智智清淨故菩薩十地清淨菩薩十
地清淨故苦聖諦清淨何以故若一切智智
清淨若菩薩十地清淨若苦聖諦清淨無二
無二分無別無斷故
善現一切智智清淨故五眼清淨五眼清淨
故苦聖諦清淨何以故若一切智智清淨若
五眼清淨若苦聖諦清淨無二無二分無別
無斷故一切智智清淨故六神通清淨六神
通清淨故苦聖諦清淨何以故若一切智智
清淨若六神通清淨若苦聖諦清淨無二無
二分無別無斷故善現一切智智清淨故佛
十力清淨佛十力清淨故苦聖諦清淨何
以故若一切智智清淨若佛十力清淨若苦

BD02721號1　大般若波羅蜜多經卷二六三　（13–8）

二分無別無斷故善現一切智智清淨故佛
十力清淨佛十力清淨故苦聖諦清淨何
以故若一切智智清淨若佛十力清淨若苦
聖諦清淨無二無二分無別無斷故一切智智
清淨故四無所畏四無礙解大慈大悲大喜
大捨十八佛不共法清淨四無所畏乃至十
八佛不共法清淨故苦聖諦清淨何以故若
一切智智清淨若四無所畏乃至十八佛不
共法清淨若苦聖諦清淨無二無二分無別
無斷故善現一切智智清淨故無忘失法清
淨無忘失法清淨故苦聖諦清淨何以故若
一切智智清淨若無忘失法清淨若苦聖諦
清淨無二無二分無別無斷故一切智智清
淨故恒住捨性清淨恒住捨性清淨故苦聖
諦清淨何以故若一切智智清淨若恒住捨
性清淨若苦聖諦清淨無二無二分無別無
斷故善現一切智智清淨故一切智清淨一
切智清淨故苦聖諦清淨何以故若一切智
智清淨若一切智清淨若苦聖諦清淨無二
無二分無別無斷故一切智智清淨故道相
智一切相智清淨道相智一切相智清淨故
苦聖諦清淨何以故若一切智智清淨若道
相智一切相智清淨若苦聖諦清淨無二無
二分無別無斷故善現一切智智清淨故一
切陁羅尼門清淨一切陁羅尼門清淨故苦
聖諦清淨何以故若一切智智清淨若一切

BD02721 號 1　大般若波羅蜜多經卷二六三

（13–9）

相智一切相智清淨若苦聖諦清淨無二無
二分無別無斷故善現一切智智清淨故一
切陁羅尼門清淨一切陁羅尼門清淨故苦
聖諦清淨何以故若一切智智清淨若一切
陁羅尼門清淨若苦聖諦清淨無二無二分
無別無斷故一切智智清淨故一切三摩地
門清淨一切三摩地門清淨故苦聖諦清淨
何以故若一切智智清淨若一切三摩地門
清淨若苦聖諦清淨無二無二分無別無
斷故
善現一切智智清淨故預流果清淨預流果
清淨故苦聖諦清淨何以故若一切智智清
淨若預流果清淨若苦聖諦清淨無二無二
分無別無斷故一切智智清淨故一來不還
阿羅漢果清淨一來不還阿羅漢果清淨故
苦聖諦清淨何以故若一切智智清淨若一
來不還阿羅漢果清淨若苦聖諦清淨無二
無二分無別無斷故善現一切智智清淨故
獨覺菩提清淨獨覺菩提清淨故苦聖諦
清淨何以故若一切智智清淨若獨覺菩提清
淨若苦聖諦清淨無二無二分無別無斷故
善現一切智智清淨故一切菩薩摩訶薩行
清淨一切菩薩摩訶薩行清淨故苦聖諦清
淨何以故若一切智智清淨若一切菩薩摩
訶薩行清淨若苦聖諦清淨無二無二分無
別無斷故善現一切智智清淨故諸佛無上

BD02721 號 1　大般若波羅蜜多經卷二六三

（13–10）

淨何以故若一切智智清淨若一切菩薩摩
訶薩行清淨若苦聖諦清淨無二無二分無
別無斷故善現一切智智清淨故諸佛無上
正等菩提清淨諸佛無上正等菩提清淨故
苦聖諦清淨何以故若一切智智清淨若諸
佛無上正等菩提清淨若苦聖諦清淨無二
無二分無別無斷故
復次善現一切智智清淨故色清淨色清淨
故集聖諦清淨何以故若一切智智清淨若
色清淨若集聖諦清淨無二無二分無別無
斷故一切智智清淨故受想行識清淨受想
行識清淨故集聖諦清淨何以故若一切智
智清淨若受想行識清淨若集聖諦清淨無
二無二分無別無斷故善現一切智智清淨
故眼處清淨眼處清淨故集聖諦清淨何以
故若一切智智清淨若眼處清淨若集聖諦
清淨無二無二分無別無斷故一切智智清
淨故耳鼻舌身意處清淨耳鼻舌身意處清
淨故集聖諦清淨何以故若一切智智清淨
若耳鼻舌身意處清淨若集聖諦清淨無二
無二分無別無斷故善現一切智智清淨故
色處清淨色處清淨故集聖諦清淨何以故
若一切智智清淨若色處清淨若集聖諦清
淨無二無二分無別無斷故一切智智清淨故
聲香味觸法處清淨聲香味觸法處清淨故
集聖諦清淨何以故若一切智智清淨若聲

BD02721 號 1　大般若波羅蜜多經卷二六三　（13–11）

若一切智智清淨若色處清淨若集聖諦清
淨無二無二分無別無斷故一切智智清淨故
聲香味觸法處清淨聲香味觸法處清淨故
集聖諦清淨何以故若一切智智清淨若聲
香味觸法處清淨若集聖諦清淨無二無二
分無別無斷故善現一切智智清淨故眼界
清淨眼界清淨故集聖諦清淨何以故若一
切智智清淨若眼界清淨若集聖諦清淨無
二無二分無別無斷故一切智智清淨故色

清淨何以故若一切智智清淨若佛十力
清淨若五眼清淨无二无二分无別无斷故
一切智智清淨故四无所畏四无礙解大慈大
悲大喜大捨十八佛不共法清淨四无所
畏乃至十八佛不共法清淨故五眼清淨
何以故若一切智智清淨若四无所畏乃至
十八佛不共法清淨若五眼清淨无二无
二分无別无斷故善現一切智智清淨故无
忘失法清淨无忘失法清淨故五眼清淨何
以故若一切智智清淨若无忘失法清淨若
五眼清淨无二无二分无別无斷故一切智
智清淨故恒住捨性清淨恒住捨性清淨
故五眼清淨何以故若一切智智清淨若
恒住捨性清淨若五眼清淨无二无二分
无別无斷故善現一切智智清淨故一切智
清淨一切智清淨故五眼清淨何以故若一
切智智清淨若一切智清淨若五眼清淨无
二无二分无別无斷故一切智智清淨故道

BD02721 號 1　大般若波羅蜜多經卷二六三　（13–12）
BD02721 號 2　大般若波羅蜜多經卷二七四

十八佛不共法清淨若五眼清淨无二无
二分无別无斷故善現一切智智清淨故无
忘失法清淨无忘失法清淨故五眼清淨何
以故若一切智智清淨若无忘失法清淨若
五眼清淨无二无二分无別无斷故一切
智智清淨故恒住捨性清淨恒住捨性清淨
故五眼清淨何以故若一切智智清淨若
恒住捨性清淨若五眼清淨无二无二分
无別无斷故善現一切智智清淨故一切智
清淨一切智清淨故五眼清淨何以故若一
切智智清淨若一切智清淨若五眼清淨无
二无二分无別无斷故一切智智清淨故道
相智一切相智清淨道相智一切相智清淨
故五眼清淨何以故若一切智智清淨若道
相智一切相智清淨若五眼清淨无二无
二分无別无斷故善現一切智智清淨故一
切陁羅尼門清淨一切陁羅尼門清淨故五
眼清淨何以故若一切智智清淨若一切陁
羅尼門清淨若五眼清淨无二无二分无別
无斷故一切智智清淨故一切三摩地門清
淨一切三摩地門清淨故五眼清淨何以故
若一切智智清淨若一切三摩地門清淨若

BD02721 號 2　大般若波羅蜜多經卷二七四　（13–13）

大乘无量壽經
如是我聞一時薄伽梵在舍衛國祇樹給孤獨園與大苾芻僧千二百五十人大菩薩摩
衆俱同會坐尒時世尊告曼殊室利童子曼殊上方有世界名无量功德聚彼土有佛号
无量智決定王如來阿羅訶三藐三菩提現為衆生開示說法曼殊諦聽南閻浮提
人皆短壽大限百年於中夭枉者衆曼殊如是无量壽如來功德名稱法要若有
衆生得聞名号若自書或使人書能為經卷受持讀誦於其舍宅所住之處以種種花鬘
瓔珞塗香末香而為供養其命盡復得延年滿足百歲如是曼殊若有衆生得聞
是无量壽智決定王如來一百八名号者益其長壽若有衆生大命將盡憶念是如來
名号更得增壽如是曼殊若有善男子善女人欲求長壽於是无量壽如來一百八名号
有得聞者或自書若使人書受持讀誦得如是等果報福德具足陀羅尼曰
南謨薄伽勃底一阿波唎蜜哆二阿喻紇硯娜三須毗你失指陀四囉佐耶五怛他羯他耶六怛姪他唵七
薩婆桑悉迦囉八波唎輸底九達磨底十伽迦娜十一莎訶某持迦底十二薩婆毗輸底十三摩
訶娜耶十四波唎婆唎莎訶十五世尊復告曼殊室利如是如來一百八名号若有自書或使人書
為經卷受持讀誦如壽命盡復滿百年壽終此身後得往生无量福智世界无量壽淨
土陀羅尼曰　南謨薄伽勃底一阿波唎蜜哆二阿喻紇硯娜三須毗你失指陀四囉佐耶五怛他羯他
耶六怛姪他唵七薩婆桑悉迦囉八波唎輸底九達磨底十伽迦娜十一莎訶某持迦底十二薩婆毗
輸底十三摩訶娜耶十四波唎婆唎莎訶十五尒時復有九十九俱胝佛一時同聲說是无量壽宗要
經陀羅尼曰　南謨薄伽勃底一阿波唎蜜哆二阿喻紇硯娜三須毗你失指陀四囉佐耶五怛他羯他耶六怛姪
他唵七薩婆桑悉迦囉八波唎輸底九達磨底十伽迦娜十一莎訶某持迦底十二薩婆毗輸底十三摩
訶娜耶十四波唎婆唎莎訶十五尒時復有一百四俱胝佛一時同聲說是无量壽宗要經陀羅尼曰
南謨薄伽勃底一阿波唎蜜哆二阿喻紇硯娜三須毗你失指陀四囉佐耶五怛他羯他耶六怛姪他唵七薩婆
桑悉迦囉八波唎輸底九達磨底十伽迦娜十一莎訶某持迦底十二薩婆毗輸底十三摩訶娜耶十四波唎

BD02722 號　無量壽宗要經　（5–1）

[illegible]

絰陀羅尼曰 南謨薄伽勃底一 阿波唎蜜哆二 阿喻紇硯娜三 須毗你悉指陀四 囉佐耶五 怛他羯他耶六
怛姪他唵七 薩婆桑悉迦囉八 波唎輸底九 達磨底十 伽伽娜十一 莎訶某持迦底十二 薩婆婆毗輸底十三
摩訶娜耶十四 波唎婆唎莎訶十五 尒時復有一百四姟佛一時同聲說是无量壽宗要絰陀羅尼曰
南謨薄伽勃底一 阿波唎蜜哆二 阿喻紇硯娜三 須毗你悉指陀四 囉佐耶五 怛他羯他耶六 怛姪他唵七 薩婆
桑悉迦囉八 波唎輸底九 達磨底十 伽伽娜十一 莎訶某持迦底十二 薩婆婆毗輸底十三 摩訶娜耶十四 波唎
婆唎莎訶十五 尒時復有七姟佛一時同聲說是无量壽宗要絰陀羅尼曰 南謨薄伽勃底一 阿
波唎蜜哆二 阿喻紇硯娜三 須毗你悉指陀四 囉佐耶五 怛他羯他耶六 怛姪他唵七 薩婆桑悉迦囉八 波
唎輸底九 達磨底十 伽伽娜十一 莎訶某持迦底十二 薩婆婆毗輸底十三 摩訶娜耶十四 波唎婆唎莎訶
尒時復有六十五姟佛一時同聲說是无量壽宗要絰陀羅尼曰 南謨薄伽勃底一 阿波唎蜜哆二 阿喻
紇硯娜三 須毗你悉指陀四 囉佐耶五 怛他羯他耶六 怛姪他唵七 薩婆桑悉迦囉八 波唎輸底九 達磨底
伽伽娜十一 莎訶某持迦底十二 薩婆婆毗輸底十三 摩訶娜耶十四 波唎婆唎莎訶十五
尒時復有五十五姟佛一時同聲說是无量壽宗要絰陀羅尼曰 南謨薄伽勃底一 阿波唎蜜哆二 阿
喻紇硯娜三 須毗你悉指陀四 囉佐耶五 怛他羯他耶六 怛姪他唵七 薩婆桑悉迦囉八 波唎輸底九 達
磨底十 伽伽娜十一 莎訶某持迦底十二 薩婆婆毗輸底十三 摩訶娜耶十四 波唎婆唎莎訶十五
尒時復有四十五姟佛一時同聲說是无量壽宗要絰陀羅尼曰 南謨薄伽勃底一 阿波唎蜜哆
阿喻紇硯娜三 須毗你悉指陀四 囉佐耶五 怛他羯他耶六 怛姪他唵七 薩婆桑悉迦囉八 波唎輸
底九 達磨底十 伽伽娜十一 莎訶某持迦底十二 薩婆婆毗輸底十三 摩訶娜耶十四 波唎婆唎莎訶十五
尒時復有三十六姟佛一時同聲說是无量壽宗要絰陀羅尼曰 南謨薄伽勃底一 阿波唎蜜哆
阿喻紇硯娜三 須毗你悉指陀四 囉佐耶五 怛他羯他耶六 怛姪他唵七 薩婆桑悉迦囉八 波唎輸底九
達磨底十 伽伽娜十一 莎訶某持迦底十二 薩婆婆毗輸底十三 摩訶娜耶十四 波唎婆唎莎訶十五
尒時復有二十五姟佛一時同聲說是无量壽宗要絰陀羅尼曰 南謨薄伽勃底一 阿波唎蜜
哆二 阿喻紇硯娜三 須毗你悉指陀四 囉佐耶五 怛他羯他耶六 怛姪他唵七 薩婆桑悉迦囉八 波唎
輸底九 達磨底十 伽伽娜十一 莎訶某持迦底十二 薩婆婆毗輸底十三 摩訶娜耶十四 波唎婆唎莎訶
尒時復有恒河沙姟佛一時同聲說是无量壽宗要絰陀羅尼曰 南謨薄伽勃底一 阿波唎蜜哆二 阿
喻紇硯娜三 須毗你悉指陀四 囉佐耶五 怛他羯他耶六 怛姪他唵七 薩婆桑悉迦囉八 波唎輸底九 達
磨底十 伽伽娜十一 莎訶某持迦底十二 薩婆婆毗輸底十三 摩訶娜耶十四 波唎婆唎莎訶十五
善男子若有自書寫教人書寫是无量壽宗要絰如其命盡復得長壽而滿年陀羅尼曰
南謨薄伽勃底一 阿波唎蜜哆二 阿喻紇硯娜三 須毗你悉指陀四 囉佐耶五 怛他羯他耶六 怛姪他
唵七 薩婆桑悉迦囉八 波唎輸底九 達磨底十 伽伽娜十一 莎訶某持迦底十二 薩婆婆毗輸底十三 摩訶
娜耶十四 波唎婆唎莎訶十五 若有自書寫教人書寫无量壽宗要絰讀誦受持畢竟不墮地

BD02722 號　無量壽宗要經　（5–2）

尒時復有恒河沙姟佛一時同聲說是无量壽宗要絰陀羅尼曰 南謨薄伽勃底一 阿波唎蜜哆二 阿
喻紇硯娜三 須毗你悉指陀四 囉佐耶五 怛他羯他耶六 怛姪他唵七 薩婆桑悉迦囉八 波唎輸底九 達
磨底十 伽伽娜十一 莎訶某持迦底十二 薩婆婆毗輸底十三 摩訶娜耶十四 波唎婆唎莎訶十五
善男子若有自書寫教人書寫是无量壽宗要絰如其命盡復得長壽而滿年陀羅尼曰
南謨薄伽勃底一 阿波唎蜜哆二 阿喻紇硯娜三 須毗你悉指陀四 囉佐耶五 怛他羯他耶六 怛姪他
唵七 薩婆桑悉迦囉八 波唎輸底九 達磨底十 伽伽娜十一 莎訶某持迦底十二 薩婆婆毗輸底十三 摩訶
娜耶十四 波唎婆唎莎訶十五 若有自書寫教人書寫无量壽宗要絰讀誦受持畢竟不墮地
在獄在所生得宿命智陀羅尼曰 南謨薄伽勃底一 阿波唎蜜哆二 阿喻紇硯娜三 須毗你悉
指陀四 囉佐耶五 怛他羯他耶六 怛姪他唵七 薩婆桑悉迦囉八 波唎輸底九 達磨底十 伽伽娜十一 莎訶
某持迦底十二 薩婆婆毗輸底十三 摩訶娜耶十四 波唎婆唎莎訶十五 若有自書寫教人書寫是无
量壽宗要絰受持讀誦如同書寫八万四千一切絰典陀羅尼曰 南謨薄伽勃底一 阿波唎蜜哆二
阿喻紇硯娜三 須毗你悉指陀四 囉佐耶五 怛他羯他耶六 怛姪他唵七 薩婆桑悉迦囉八 波唎輸底九 達
磨底十 伽伽娜十一 莎訶某持迦底十二 薩婆婆毗輸底十三 摩訶娜耶十四 波唎婆唎莎訶十五
若有自書寫教人書寫是无量壽宗要絰即是書寫八万四千部建立塔廟陀羅尼曰
南謨薄伽勃底一 阿波唎蜜哆二 阿喻紇硯娜三 須毗你悉指陀四 囉佐耶五 怛他羯他耶六 怛姪他唵
薩婆桑悉迦囉八 波唎輸底九 達磨底十 伽伽娜十一 莎訶某持迦底十二 薩婆婆毗輸底十三 摩
訶娜耶十四 波唎婆唎莎訶十五 若有自書寫教人書寫是无量壽宗要絰能消五无間等
一切重罪陀羅尼曰 南謨薄伽勃底一 阿波唎蜜哆二 阿喻紇硯娜三 須毗你悉指陀四 囉佐耶五
怛他羯他耶六 怛姪他唵七 薩婆桑悉迦囉八 波唎輸底九 達磨底十 伽伽娜十一 莎訶某持迦底十二 薩
婆婆毗輸底十三 摩訶娜耶十四 波唎婆唎莎訶十五 若有自書寫教人書寫是无量壽宗要絰受持
讀誦設有重罪猶如須弥盡能除滅陀羅尼曰 南謨薄伽勃底一 阿波唎蜜哆二 阿喻紇硯娜三 須
毗你悉指陀四 囉佐耶五 怛他羯他耶六 怛姪他唵七 薩婆桑悉迦囉八 波唎輸底九 達磨底十 伽伽娜十一
莎訶某持迦底十二 薩婆婆毗輸底十三 摩訶娜耶十四 波唎婆唎莎訶十五 若有自書寫教人書寫是
无量壽宗要絰受持讀誦若魔魔之眷屬夜叉羅剎不得其便終无枉死陀羅尼曰
南謨薄伽勃底一 阿波唎蜜哆二 阿喻紇硯娜三 須毗你悉指陀四 囉佐耶五 怛他羯他耶六 怛姪他唵七 薩
婆桑悉迦囉八 波唎輸底九 達磨底十 伽伽娜十一 莎訶某持迦底十二 薩婆婆毗輸底十三 摩訶娜耶十四
波唎婆唎莎訶十五 若有自書寫教人書寫是无量壽宗要絰受持讀誦當命終時有九十
九姟佛現其人前今千佛授手能遊一切佛剎莫於此絰生於疑惑陀羅尼曰 南謨薄伽勃底一 阿
波唎蜜哆二 阿喻紇硯娜三 須毗你悉指陀四 囉佐耶五 怛他羯他耶六 怛姪他唵七 薩婆桑悉迦囉八
波唎輸底九 達磨底十 伽伽娜十一 莎訶某持迦底十二 薩婆婆毗輸底十三 摩訶娜耶十四 波唎婆唎莎訶
若有自書寫教人書寫是无量壽宗要絰受持讀誦常得四天大王隨其衛護陀羅尼曰
[illegible]

BD02722 號　無量壽宗要經　（5–3）

波唎婆唎莎訶十五　若有自書寫教人書寫是无量壽宗要經受持讀誦當來終時有九十
九俱胝佛現其人前來千佛授手能遊一切佛剎莫於此經生於疑惑陀羅尼曰　南謨薄伽勃底一阿
波唎蜜哆二阿喻紇硯那三須毗你悉指陀四囉佐耶五怛他羯他耶六怛姪他唵七薩婆桑悉迦囉八
波唎輸底九達磨底十伽迦娜十一莎訶其持迦底十二薩婆婆毗輸底十三摩訶娜耶十四波唎婆唎莎訶
若有自書寫教人書寫是无量壽宗要經受持讀誦常得四天大王隨其衛護陀羅尼曰
南謨薄伽勃底一阿波唎蜜哆二阿喻紇硯那三須毗你悉指陀四囉佐耶五怛他羯他耶六怛姪他唵七
薩婆桑悉迦囉八波唎輸底九達磨底十伽迦娜十一莎訶其持迦底十二薩婆婆毗輸底十三摩訶
娜耶十四波唎婆唎莎訶十五　若有自書寫教人書寫是无量壽宗要經受持讀誦當得往生西
方極樂世界阿弥陀淨土陀羅尼曰　南謨薄伽勃底一阿波唎蜜哆二阿喻紇硯那三須毗你悉指陀四
囉佐耶五怛他羯他耶六怛姪他唵七薩婆桑悉迦囉八波唎輸底九達磨底十伽迦娜十一莎訶其持迦
底十二薩婆婆毗輸底十三摩訶娜耶十四波唎婆唎莎訶十五　若有方所自書寫使人書寫是无量
壽經典之處則爲是塔皆應恭敬作禮若是畜生或爲鳥獸得聞是經如是等類皆當不久
得成一切種智陀羅尼曰　南謨薄伽勃底一阿波唎蜜哆二阿喻紇硯那三須毗你悉指陀四囉佐耶五
怛他羯他耶六怛姪他唵七薩婆桑悉迦囉八波唎輸底九達磨底十伽迦娜十一莎訶其持迦底十二薩
婆婆毗輸底十三摩訶娜耶十四波唎婆唎莎訶十五　若有於是无量壽經自書寫若使人書畢竟不
受女人之身陀羅尼曰　南謨薄伽勃底一阿波唎蜜哆二阿喻紇硯那三須毗你悉指陀四囉佐耶五怛他
羯他耶六怛姪他唵七薩婆桑悉迦囉八波唎輸底九達磨底十伽迦娜十一莎訶其持迦底十二薩婆
毗輸底十三摩訶娜耶十四波唎婆唎莎訶十五　若有能於是經少分能惠施者等於三千大千世
界中七寶布施陀羅尼曰　南謨薄伽勃底一阿波唎蜜哆二阿喻紇硯那三須毗你悉指陀四
囉佐耶五怛他羯他耶六怛姪他唵七薩婆桑悉迦囉八波唎輸底九達磨底十伽迦娜十一莎訶
其持迦底十二薩婆婆毗輸底十三摩訶娜耶十四波唎婆唎莎訶十五　若有能供養是經者
則是供養一切諸經等无有異陀羅尼曰　南謨薄伽勃底一阿波唎蜜哆二阿喻紇硯那三
須毗你悉指陀四囉佐耶五怛他羯他耶六怛姪他唵七薩婆桑悉迦囉八波唎輸底九達磨
底十伽迦娜十一莎訶其持迦底十二薩婆婆毗輸底十三摩訶娜耶十四波唎婆唎莎訶十五
如是毗婆尸佛　尸弃佛　毗舍浮佛　俱留孫佛　俱那含牟尼佛　迦葉佛　釋迦牟尼佛
若有人以七寶供養如是七佛其福有限書寫受持是无量壽經典所有功德不可限量陀羅尼曰
南謨薄伽勃底一阿波唎蜜哆二阿喻紇硯那三須毗你悉指陀四囉佐耶五怛他羯他耶六怛姪他唵七薩婆
桑悉迦囉八波唎輸底九達磨底十伽迦娜十一莎訶其持迦底十二薩婆婆毗輸底十三摩訶娜耶十四波
唎婆唎莎訶十五　若有七寶等於須弥以用布施其福上能知其限量是无量壽經典其福不
可知數陀羅尼曰　南謨薄伽勃底一阿波唎蜜哆二阿喻紇硯那三須毗你悉指陀四囉佐耶五怛他羯他
耶六怛姪他唵七薩婆桑悉迦囉八波唎輸底九達磨底十伽迦娜十一莎訶其持迦底十二薩婆婆毗輸底十三摩

BD02722號　無量壽宗要經

（5–4）

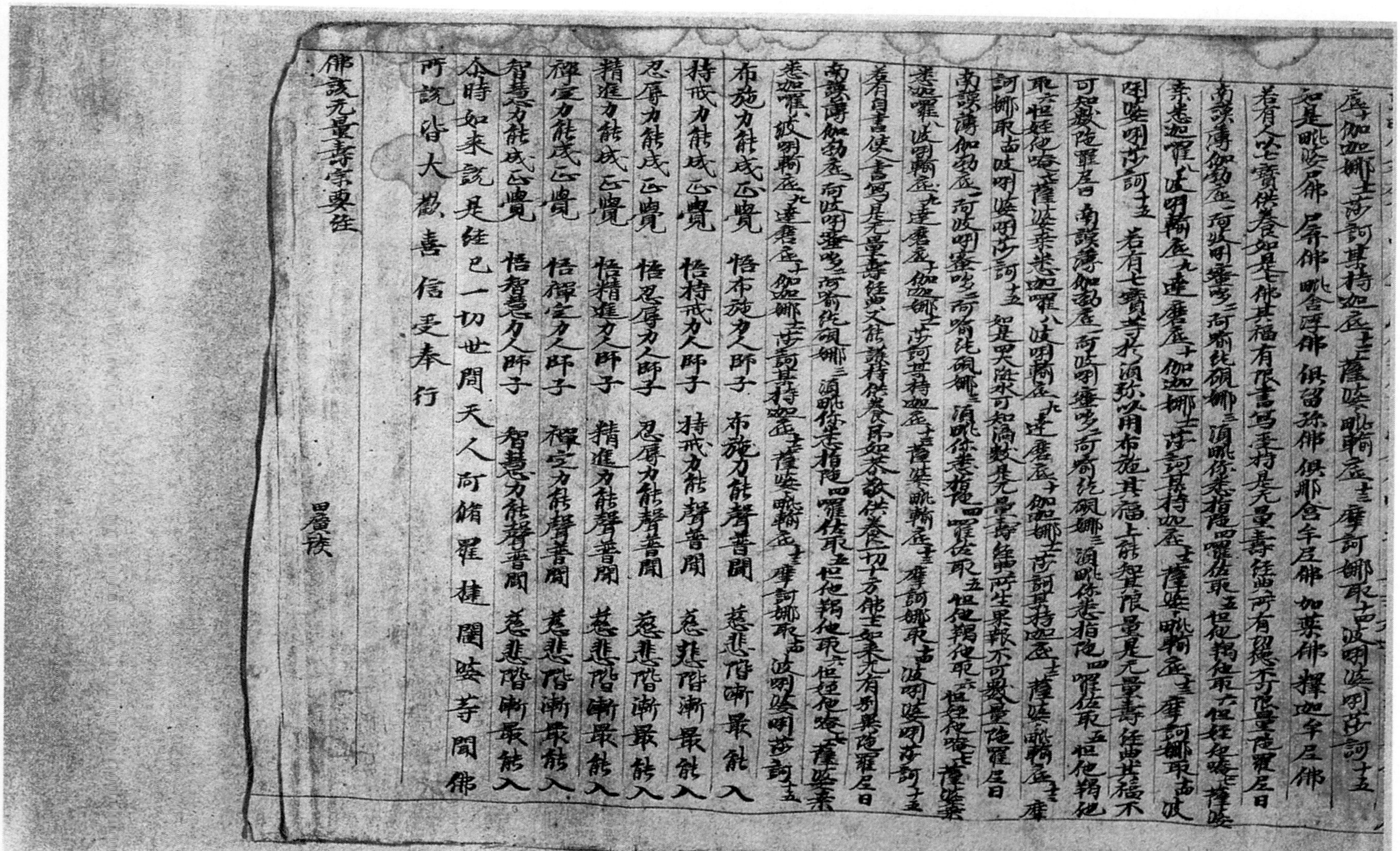

底十伽迦娜十一莎訶其持迦底十二薩婆婆毗輸底十三摩訶娜耶十四波唎婆唎莎訶十五
如是毗婆尸佛　尸弃佛　毗舍浮佛　俱留孫佛　俱那含牟尼佛　迦葉佛　釋迦牟尼佛
若有人以七寶供養如是七佛其福有限書寫受持是无量壽經典所有功德不可限量陀羅尼曰
南謨薄伽勃底一阿波唎蜜哆二阿喻紇硯那三須毗你悉指陀四囉佐耶五怛他羯他耶六怛姪他唵七薩婆
桑悉迦囉八波唎輸底九達磨底十伽迦娜十一莎訶其持迦底十二薩婆婆毗輸底十三摩訶娜耶十四波
唎婆唎莎訶十五　若有七寶等於須弥以用布施其福上能知其限量是无量壽經典其福不
可知數陀羅尼曰　南謨薄伽勃底一阿波唎蜜哆二阿喻紇硯那三須毗你悉指陀四囉佐耶五怛他羯他
耶六怛姪他唵七薩婆桑悉迦囉八波唎輸底九達磨底十伽迦娜十一莎訶其持迦底十二薩婆婆毗輸底十三摩
訶娜耶十四波唎婆唎莎訶十五　如是四大海水可知滴數是无量壽經所生果報不可數量陀羅尼曰
南謨薄伽勃底一阿波唎蜜哆二阿喻紇硯那三須毗你悉指陀四囉佐耶五怛他羯他耶六怛姪他唵七薩婆桑
悉迦囉八波唎輸底九達磨底十伽迦娜十一莎訶其持迦底十二薩婆婆毗輸底十三摩訶娜耶十四波唎婆唎莎訶十五
若有自書使人書寫是无量壽經典又能讚持供養即如恭敬供養一切十方佛土如來无有別異陀羅尼曰
南謨薄伽勃底一阿波唎蜜哆二阿喻紇硯那三須毗你悉指陀四囉佐耶五怛他羯他耶六怛姪他唵七薩婆桑
悉迦囉八波唎輸底九達磨底十伽迦娜十一莎訶其持迦底十二薩婆婆毗輸底十三摩訶娜耶十四波唎婆唎莎訶十五
布施力能成正覺　悟布施力人師子　布施力能聲普聞　慈悲階漸最能入
持戒力能成正覺　悟持戒力人師子　持戒力能聲普聞　慈悲階漸最能入
忍辱力能成正覺　悟忍辱力人師子　忍辱力能聲普聞　慈悲階漸最能入
精進力能成正覺　悟精進力人師子　精進力能聲普聞　慈悲階漸最能入
禪定力能成正覺　悟禪定力人師子　禪定力能聲普聞　慈悲階漸最能入
智慧力能成正覺　悟智慧力人師子　智慧力能聲普聞　慈悲階漸最能入
尒時如來說是經已一切世間天人阿脩羅揵闥婆等聞佛
所說皆大歡喜信受奉行

佛說无量壽宗要經

田廣談

BD02722號　無量壽宗要經

（5–5）

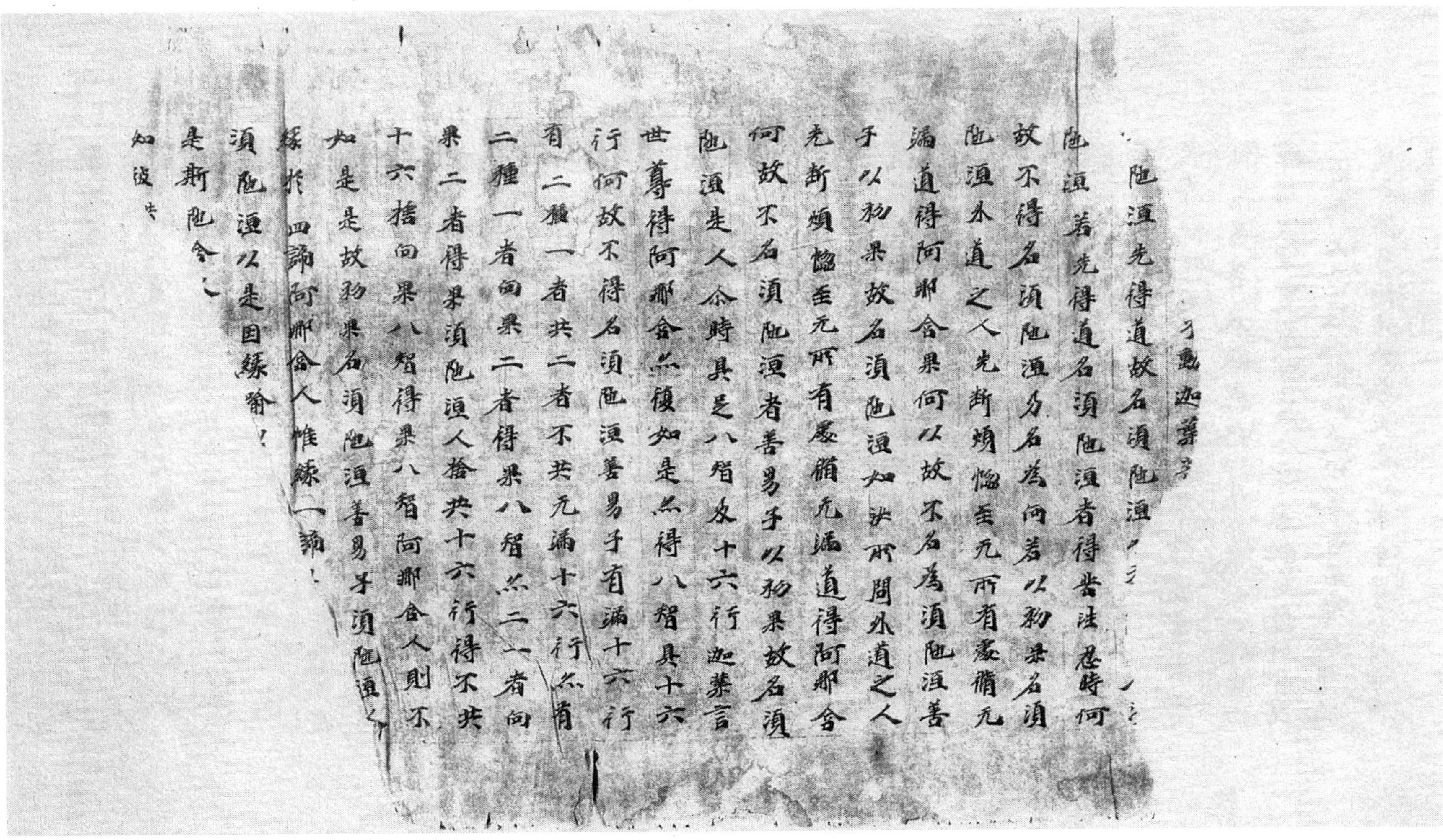
陁洹先得道故名須陁洹
陁洹若先得道名須陁洹者得煖法是時何
故不得名須陁洹乃名為向若以初果名須
陁洹外道之人先斷煩惱至无所有處脩无
漏道得阿那含果何以故不名為須陁洹善
子以初果故名須陁洹如汝所問外道之人
先斷煩惱至无所有處脩无漏道得阿那含
何故不名須陁洹者善男子以初果故名須
陁洹是人尒時具足八智及十六行迦葉言
世尊得阿那含亦復如是亦得八智具十六
行何故不得名須陁洹善男子有漏十六行
有二種一者共二者不共无漏十六行亦有
二種一者向果二者得果八智亦二一者向
果二者得果須陁洹人捨共十六行得不共
十六捨向果八智得果八智阿那含人則不
如是是故初果名須陁洹善男子須陁洹之
緣於四諦阿那含人惟緣一諦
須陁洹以是因緣稱
是斯陁含
如彼

BD02723號　大般涅槃經（北本）卷三六　（1–1）

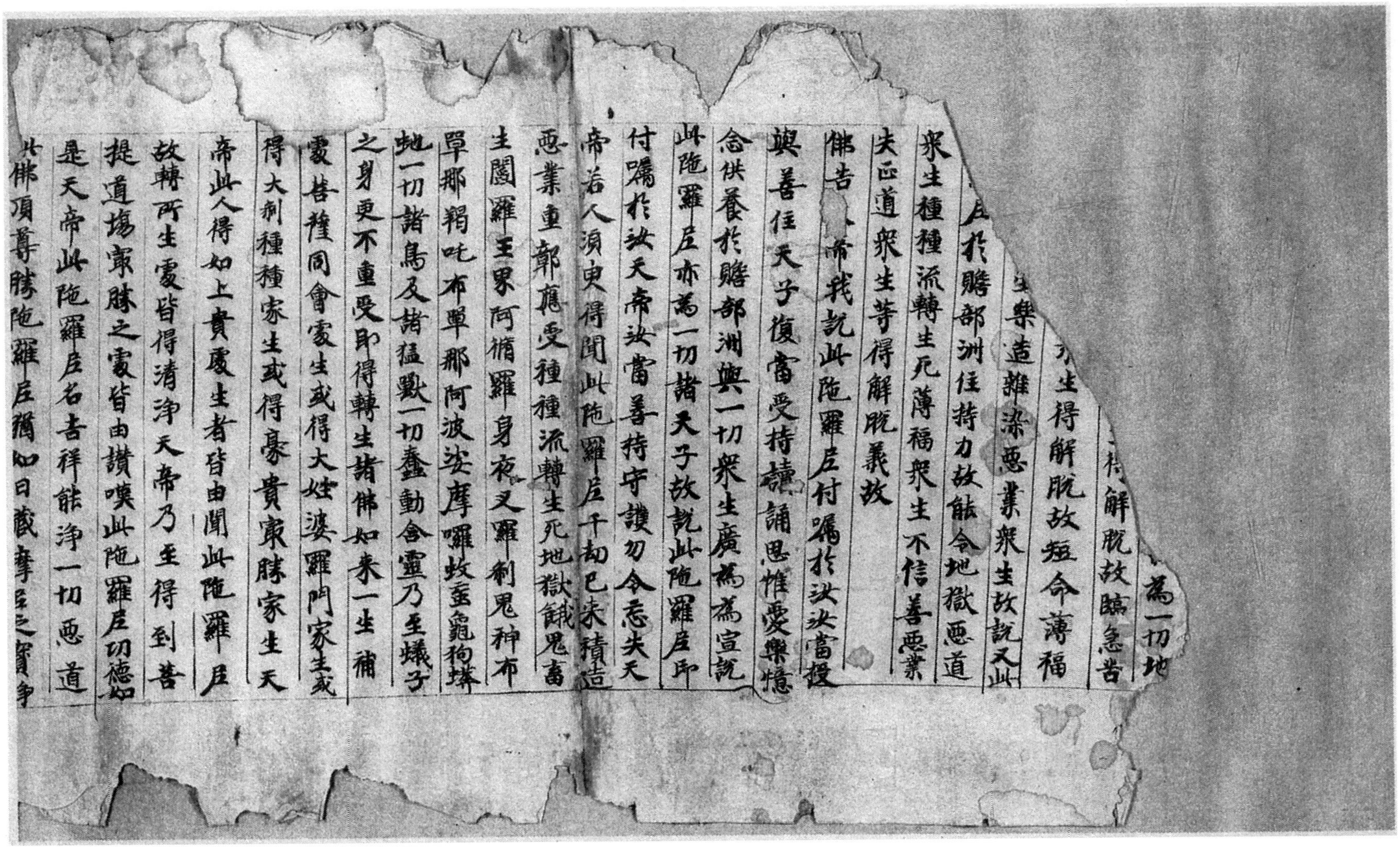
為一切地
得解脫故臨急苦
生得解脫故短命薄福
樂造雜染惡業衆生故說又此
尼於贍部洲住持力故能令地獄惡道
衆生種種流轉生死薄福衆生不信善惡業
失正道衆生等得解脫義故
佛告天帝我說此陁羅尼付囑於汝汝當授
與善住天子復當受持讀誦思惟愛樂憶
念供養於贍部洲與一切衆生廣為宣說
此陁羅尼亦為一切諸天子故說此陁羅尼印
付囑於汝天帝汝當善持守護勿令忘失天
帝若人須臾得聞此陁羅尼千劫已來積造
惡業重鄣應受種種流轉生死地獄餓鬼畜
生閻羅王界阿脩羅身夜叉羅剎鬼神布
單那羯吒布單那阿波娑摩囉蚊虻龜狗蟒
蛇一切諸鳥及諸猛獸一切蠢動含靈乃至蟻子
之身更不重受即得轉生諸佛如來一生補
處菩薩同會處生或得大姓婆羅門家生或
得大剎利種種家生或得豪貴最勝家生天
帝此人得如上貴處生者皆由聞此陁羅尼
故轉所生處皆得清淨天帝乃至得到菩
提道場最勝之處皆由讚歎此陁羅尼功德如
是天帝此陁羅尼名吉祥能淨一切惡道
此佛頂尊勝陁羅尼猶如日藏摩尼之寶淨

BD02724號　佛頂尊勝陀羅尼經（佛陀波利本）　（5–1）

得大剎種種家生或得豪貴家勝家生天
帝此人得如上貴處生者皆由聞此陀羅尼
故轉所生處皆得清淨天帝乃至得到菩
提道場最勝之處皆由讚嘆此陀羅尼功德如
是天帝此陀羅尼名吉祥能淨一切惡道
此佛頂尊勝陀羅尼猶如日藏摩尼之寶淨
光瑕穢淨等虛空光焰照徹无不周遍若諸
衆生持此陀羅尼亦復如是亦如閻浮檀金
明淨柔軟令人喜見不為穢惡之所染著天
帝若有衆生持此陀羅尼亦復如是乘斯
善淨得生善道天帝此陀羅尼所在之處
若能書寫流通受持讀誦聽聞供養能如是
者一切惡道皆得清淨一切地獄諸苦悉皆
消滅佛告天帝若人能書寫此陀羅尼安高
幢上或安高山或安樓上乃至安置窣堵波中
天帝若有苾芻苾芻尼優婆塞優婆夷族
姓男族姓女於幢等上或見幢或與幢相近
其影映身或有風吹陀羅尼上幢等上塵落
在身上天帝彼諸衆生所有罪業應墮惡道
地獄畜生閻羅王界餓鬼阿脩羅身惡道
之苦皆悉不受亦不為罪垢之所染汙天帝此
等衆生皆為一切諸佛之所授記皆得不退
轉於阿耨多羅三藐三菩提
天帝何況更以多諸供具華鬘塗香末香
幢幡蓋等衣服瓔珞作諸莊嚴於四衢道造
窣堵波安置陀羅尼合掌恭敬旋遶行道歸
依礼拜天帝彼人能如是供養者名摩訶薩埵
真是佛子持法棟梁又是如來全身舍利窣堵

BD02724 號　佛頂尊勝陀羅尼經（佛陀波利本）

（5–2）

天帝何況更以多諸供具華鬘塗香末香
幢幡蓋等衣服瓔珞作諸莊嚴於四衢道造
窣堵波安置陀羅尼合掌恭敬旋遶行道歸
依礼拜天帝彼人能如是供養者名摩訶薩埵
真是佛子持法棟梁又是如來全身舍利窣堵
波塔
尒時閻摩羅法王於時夜分來詣佛所到已
以種種天衣妙華塗香莊嚴供養佛已遶佛
七帀頂礼佛足而作是言我聞如來演說讚
持大力陀羅尼者我常隨逐守護不令持者
墮於地獄以彼隨順如來言教而護念之
尒時護世四天大王遶佛三帀白佛言世尊
唯願如來為我廣說此持陀羅尼法
尒時佛告四天王汝今諦聽我當為汝宣說
受持此陀羅尼法亦為短命諸衆生說當先
洗浴著新淨衣白月圓滿十五日時持齋誦
此陀羅尼滿其千遍令短命衆生還得增壽
永離病苦一切業鄣悉皆消滅一切地獄
諸苦亦得解脫諸飛鳥畜生含靈之類聞
此陀羅尼一經於耳盡此一身更不復受
佛言若遇大惡病聞此陀羅尼即得永離一
切諸病亦得消滅應墮惡道亦得除斷即得
往生極樂世界從此身已後更不受胞胎之身所生
之處蓮華化生一切生處憶持不忘常識宿命
佛言若人先造一切極重罪業遂即命終乘
斯惡業應墮地獄或墮畜生閻羅王界或墮
餓鬼乃至墮大阿鼻地獄或生水中或生禽
獸異類之身取其亡者隨身分骨以土一把
誦此陀羅尼二十一遍散亡者骨上即得生天

BD02724 號　佛頂尊勝陀羅尼經（佛陀波利本）

（5–3）

佛言若人先造一切極重罪業遂即命終乘
斯惡業應墮地獄或墮畜生閻羅王界或墮
餓鬼乃至墮大阿鼻地獄或生水中或生禽
獸異類之身取其亡者隨身分骨以土一把
誦此陀羅尼二十一遍散亡者骨上即得生天
佛言若人能日日誦此陀羅尼二十一遍應
消一切世間廣大供養捨身往生極樂世界
若常誦念得大涅槃復增壽命受勝快樂
捨此身已即得往生種種微妙諸佛剎土常與諸佛俱會
至十方種種微妙諸佛剎土常與諸佛俱會
一處一切如來恒為演說微妙之義一切世尊即授
其記身光照曜一切佛剎佛言若誦此陀羅
尼法於其佛前先取淨土作壇隨其大小
方四角作以種種草華散於壇上燒眾名
香右膝著地胡跪心常念佛作慕陀羅尼印
屈其頭指以大母指押合掌當其心上誦此
陀羅尼一百八遍訖於其壇中如雲王雨華
能遍供養八十八俱胝殑伽沙那庾多百千
諸佛彼佛世尊咸共讚言善哉希有真是
佛子即得無鄣导智三昧得大菩提心莊嚴
三昧持此陀羅尼法應如是
佛言天帝我以此方便一切眾生應墮地獄
道令得解脫一切惡道亦得消淨復令持者
增益壽命天帝汝去將我陀羅尼授與善
住天子滿其七日汝與善住俱來見我
爾時天帝於世尊所受此陀羅尼法奉持還
於本天授與善住天子爾時善住天子受
此陀羅尼已滿六日六夜依法受持一切願滿
應受一切惡道等苦即得解脫住菩提道增

BD02724號　佛頂尊勝陀羅尼經（佛陀波利本）　（5–4）

住天子滿其七日汝與善住俱來見我
爾時天帝於世尊所受此陀羅尼法奉持還
於本天授與善住天子爾時善住天子受
此陀羅尼已滿六日六夜依法受持一切願滿
應受一切惡道等苦即得解脫住菩提道增
壽無量甚大歡喜高聲嘆言希有如來希
有妙法希有明驗甚為難得令我解脫
爾時帝釋至第七日與善住天子將諸天眾
嚴持華鬘塗香末香寶幢幡蓋天衣瓔珞
微妙莊嚴往詣佛所設大供養以妙天衣及
諸瓔珞供養世尊繞百千帀於佛前立踊躍歡
喜而坐聽法
爾時世尊舒金色臂摩善住天子頂而為說
法授菩提記佛言此經名淨一切惡道佛頂
尊勝陀羅尼汝當受持爾時大眾聞法歡
喜信受奉行
佛頂尊勝陀羅尼經

BD02724號　佛頂尊勝陀羅尼經（佛陀波利本）　（5–5）

尒時舍利弗[illegible]歡憙即起合掌瞻仰尊顏
而白佛言今從世尊聞此法音心懷踊躍得
未曾有所以者何我昔從佛聞如是法見諸
菩薩受記作佛而我等不預斯事甚自感傷
失於如來无量知見世尊我常獨處山林樹
下若坐若行每作是念我等同入法性云何
如來以小乘法而見濟度是我等咎非世尊
也所以者何若我等待說所因成就阿耨多
羅三藐三菩提者必以大乘而得度脫然我
等不解方便隨宜所說初聞佛法遇便信受
思惟取證世尊我從昔來終日竟夜每自剋
責而今從佛聞所未聞未曾有法斷諸疑悔
身意泰然快得安隱今日乃知真是佛子從
佛口生從法化生得佛法分尒時舍利弗欲重
宣此義而說偈言
我聞是法音　得所未曾有　心懷大歡憙　疑網皆已除
昔來蒙佛教　不失於大乘　佛音甚希有　能除眾生惱
我已得漏盡　聞亦除憂惱　我處於山谷　或在林樹下
若坐若經行　常思惟是事　嗚呼深自責　云何而自欺
我等亦佛子　同入无漏法　不能於未來　演說无上道
金色三十二　十力諸解脫　同共一法中　而不得此事
八十種妙好　十八不共法　如是等功德　而我皆已失
我獨經行時　見佛在大眾　名聞滿十方　廣饒益眾生
自惟失此利　我為自欺誑　我常於日夜　每思惟是事

BD02725號　妙法蓮華經卷二

（2–1）

也所以者何若我等待說所因成就阿耨多
羅三藐三菩提者必以大乘而得度脫然我
等不解方便隨宜所說初聞佛法遇便信受
思惟取證世尊我從昔來終日竟夜每自剋
責而今從佛聞所未聞未曾有法斷諸疑悔
身意泰然快得安隱今日乃知真是佛子從
佛口生從法化生得佛法分尒時舍利弗欲重
宣此義而說偈言
我聞是法音　得所未曾有　心懷大歡憙　疑網皆已除
昔來蒙佛教　不失於大乘　佛音甚希有　能除眾生惱
我已得漏盡　聞亦除憂惱　我處於山谷　或在林樹下
若坐若經行　常思惟是事　嗚呼深自責　云何而自欺
我等亦佛子　同入无漏法　不能於未來　演說无上道
金色三十二　十力諸解脫　同共一法中　而不得此事
八十種妙好　十八不共法　如是等功德　而我皆已失
我獨經行時　見佛在大眾　名聞滿十方　廣饒益眾生
自惟失此利　我為自欺誑　我常於日夜　每思惟是事
欲以問世尊　為失為不失　我常見世尊　稱讚諸菩薩

BD02725號　妙法蓮華經卷二

（2–2）

居
比丘
有破戒比
適是法師是時
護法故身便往至說
比丘極共戰鬪令說法者
時身被刀劍箭槊之創體无完處
尒時覺德尋讚王言善哉善哉王今
正法者當來之世此身當為无量法器
是時得聞法已心大歡喜尋即命終生阿
佛國而為彼佛作第一弟子其王將從人民
眷屬有戰鬪者有隨喜者一切不退菩提之
心命終悉生阿閦佛國覺德比丘却後壽終
亦得往生阿閦佛國而為彼佛作聲聞衆中
第二弟子若有正法欲滅盡時應當如是受
持擁護迦葉尒時王者則我身是說法比丘
迦葉佛是迦葉護正法者得如是等无量果
報以是因緣我於今日得種種相以自莊嚴
成就法身不可壞身迦葉菩薩復白佛言世
尊如來常身猶如畫石佛告迦葉菩薩善男
子以是因緣故比丘比丘尼優婆塞優婆夷
應當懃加護持正法護法果報廣大无量善

BD02726號　大般涅槃經（北本）卷三　（2–1）

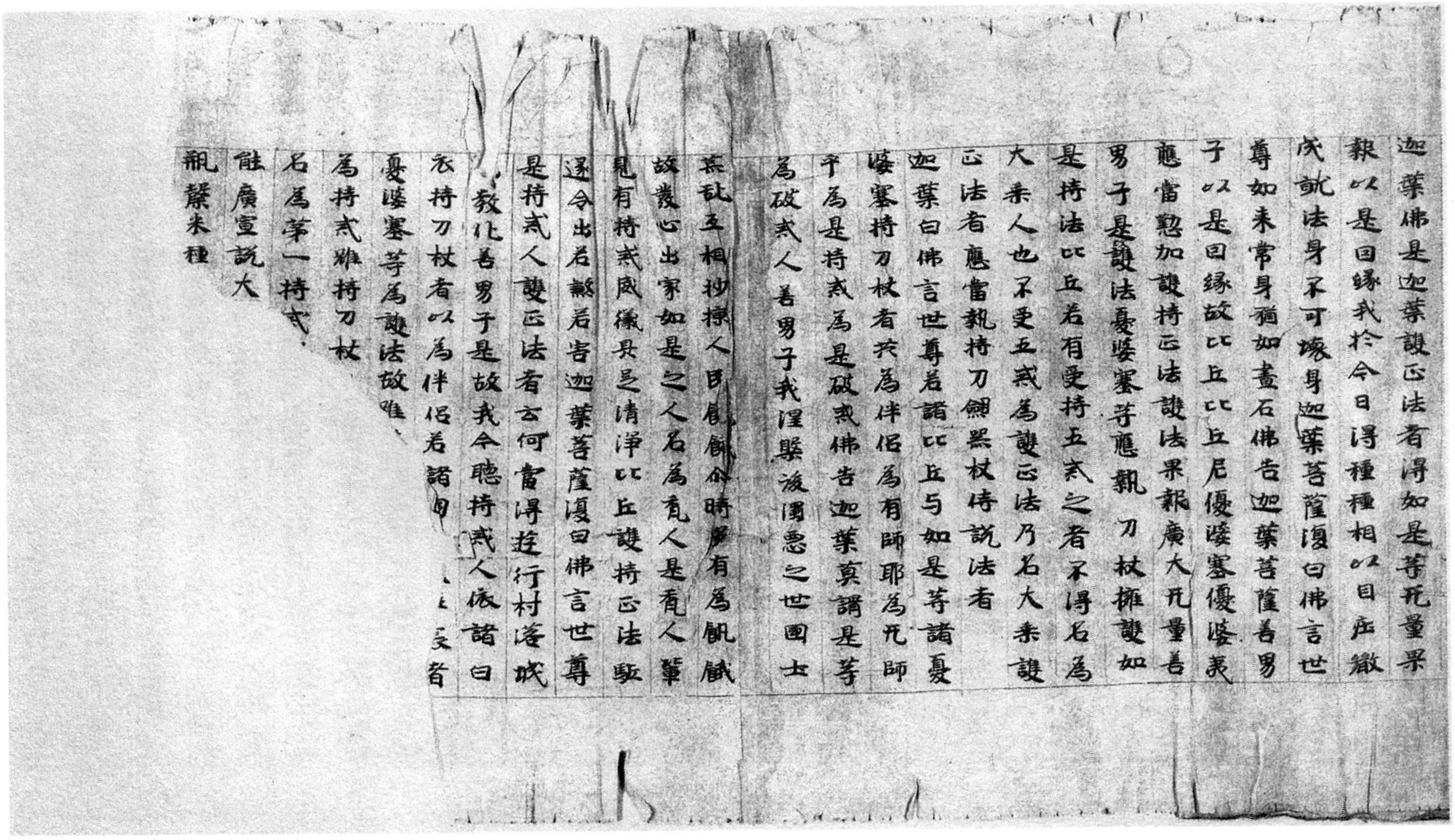
迦葉佛是迦葉護正法者得如是等无量果
報以是因緣我於今日得種種相以自莊嚴
成就法身不可壞身迦葉菩薩復白佛言世
尊如來常身猶如畫石佛告迦葉菩薩善男
子以是因緣故比丘比丘尼優婆塞優婆夷
應當懃加護持正法護法果報廣大无量善
男子是故護法優婆塞等應執刀杖擁護如
是持法比丘若有受持五戒之者不得名為
大乘人也不受五戒為護正法乃名大乘護
正法者應當執持刀劍器杖侍說法者
迦葉白佛言世尊若諸比丘與如是等諸優
婆塞持刀杖者共為伴侶為有師耶為无師
乎為是持戒為是破戒佛告迦葉莫謂是等
為破戒人善男子我涅槃後濁惡之世國土
荒亂互相抄掠人民飢餓尒時多有為飢餓
故發心出家如是之人名為禿人是禿人輩
見有持戒威儀具足清淨比丘護持正法驅
逐令出若殺若害迦葉菩薩復白佛言世尊
是持戒人護正法者云何當得遊行村落城
邑教化善男子是故我今聽持戒人依諸白
衣持刀杖者以為伴侶若諸國王大臣長者
優婆塞等為護法故雖
為持戒雖持刀杖
名為第一持戒
能廣宣說大
祇槃未種

BD02726號　大般涅槃經（北本）卷三　（2–2）

BD02727 號　無量壽宗要經

（6–1）

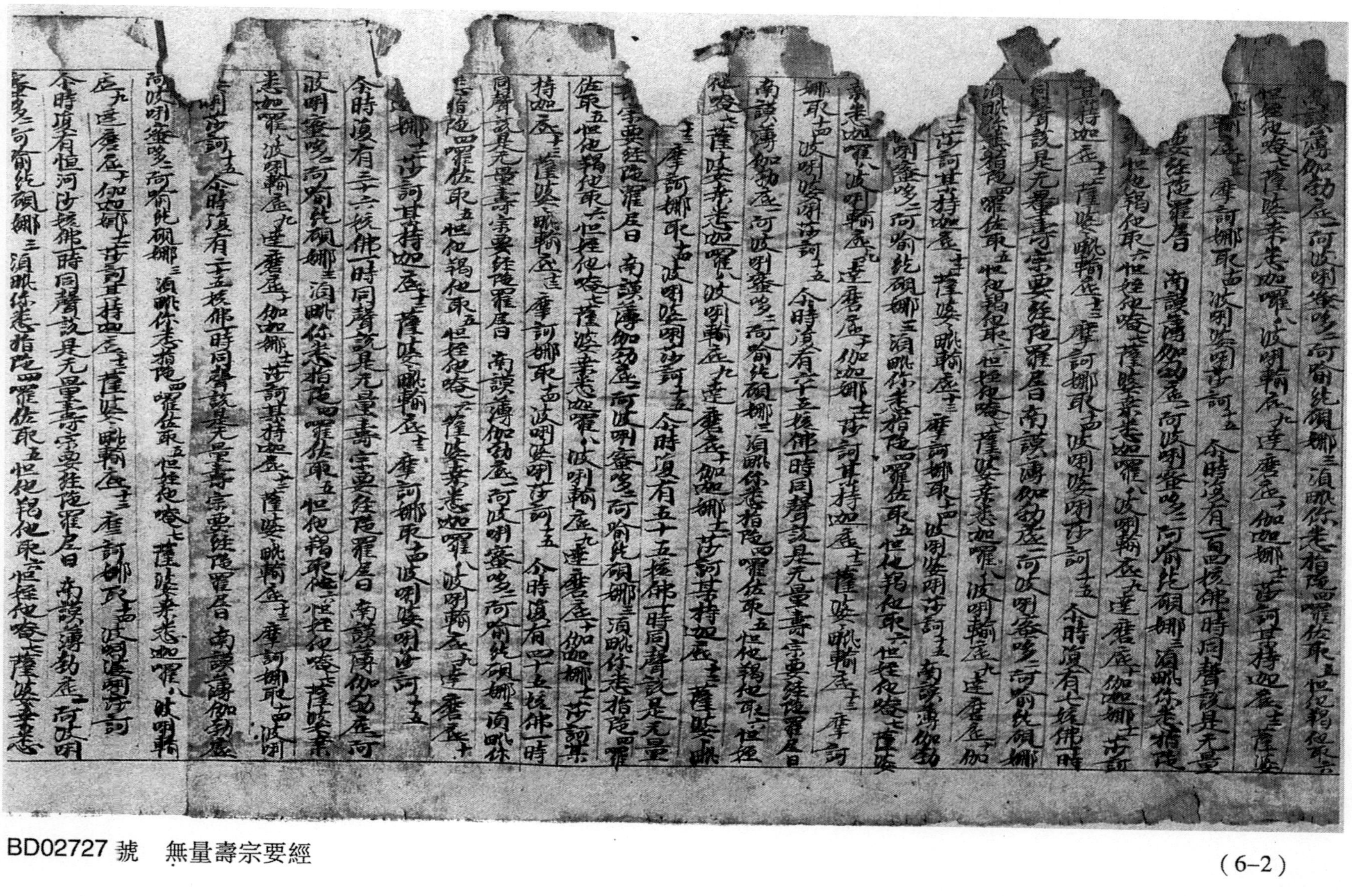

BD02727 號　無量壽宗要經

（6–2）

BD02727 號　無量壽宗要經　　（6–3）

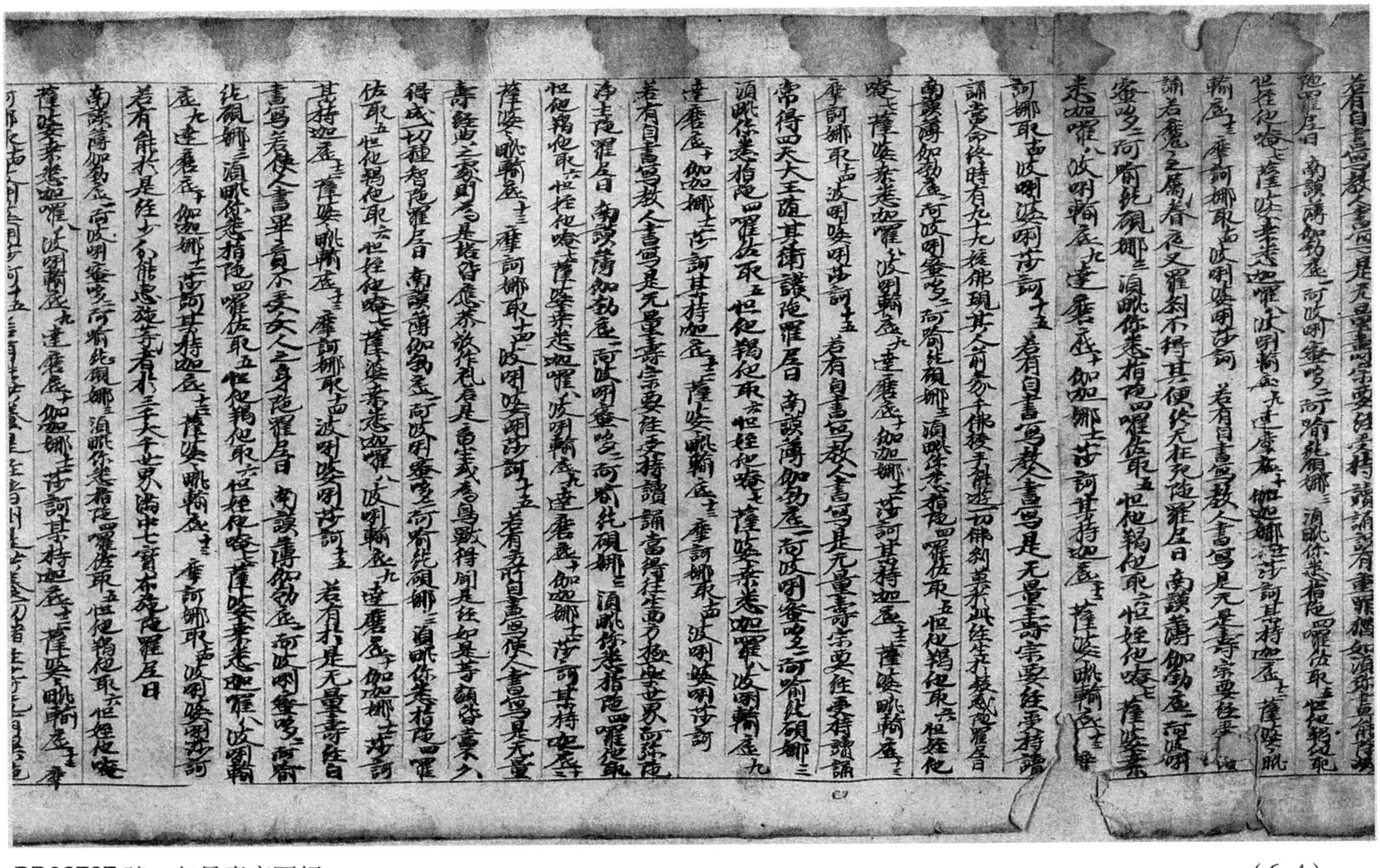

BD02727 號　無量壽宗要經　　（6–4）

若有能於是經少分能惠施者於三千大千世界滿中七寶布施陁羅尼曰
南謨薄伽勃底一 阿波唎蜜哆二 阿喻紇硯那三 須毗你悉指陁四 囉佐耶五 怛他羯他耶六 怛姪他唵七
薩婆桑悉迦囉八 波唎輸底九 達磨底十 伽伽那十一 莎訶某持伽底十二 薩婆毗輸底十三 摩
訶娜耶十四 波唎婆唎莎訶十五 若有能供養是經者則是供養一切諸經等无有異陁
羅尼曰 南謨薄伽勃底一 阿波唎蜜哆二 阿喻紇硯那三 須毗你悉指陁四 囉佐耶五 怛他
羯他耶六 怛姪他唵七 薩婆桑悉迦囉八 波唎輸底九 達磨底十 伽伽那十一 莎訶某持伽
底十二 薩婆毗輸底十三 摩訶娜耶十四 波唎婆唎莎訶 如是毗婆尸佛 尸弃佛
毗舍浮佛 俱留孫佛 俱那含牟尼佛 迦葉佛 釋迦牟尼佛 若有人以七寶供
養如是七佛其福有限書寫受持是无量壽經所有功德不可限量陁羅尼曰
南謨薄伽勃底一 阿波唎蜜哆二 阿喻紇硯那三 須毗你悉指陁四 囉佐耶五 怛他羯他耶六 怛姪他唵七 薩
婆桑悉迦囉八 波唎輸底九 達磨底十 伽伽那十一 莎訶某持伽底十二 薩婆毗輸底十三
摩訶娜耶十四 波唎婆唎莎訶 若有七寶等於須弥山以用布施其福上能知其
限量是无量壽經典其福不可知數陁羅尼曰 南謨薄伽勃底一 阿波唎蜜哆二 阿喻紇硯
那三 須毗你悉指陁四 囉佐耶五 怛他羯他耶六 怛姪他唵七 薩婆桑悉迦囉八 波唎輸
底九 達磨底十 伽伽那十一 莎訶某持伽底十二 薩婆毗輸底十三 摩訶娜耶十四 波唎婆
唎莎訶十五 如是四大海水可知渧數是无量經典所生果報不可數量陁羅尼曰
南謨薄伽勃底一 阿波唎蜜哆二 阿喻紇硯那三 須毗你悉指陁四 囉佐耶五 怛他羯他耶六
怛姪他唵七 薩婆桑悉迦囉八 波唎輸底九 達磨底十 伽伽那十一 莎訶某持伽底十二 薩婆
毗輸底十三 摩訶娜耶十四 波唎婆唎莎訶十五 若有自書使人書寫是无量壽經典亦能
讃持供養即如恭敬供養一切十方佛土如來无有別異陁羅尼曰 南謨薄伽勃底一 阿
波唎蜜哆二 阿喻紇硯那三 須毗你悉指陁四 囉佐耶五 怛他羯他耶六 怛姪他唵七 薩婆桑
悉迦囉八 波唎輸底九 達磨底十 伽伽那十一 莎訶某持伽底十二 薩婆毗輸底十三 摩
訶娜耶十四 波唎婆唎莎訶十五
布施力能成正覺　悟布施力人師子　布施力能聲普聞　慈悲階漸是能入
持戒力能成正覺　悟持戒力人師子　持戒力能聲普聞　慈悲階漸是能入
忍辱力能成正覺　悟忍辱力人師子　忍辱力能聲普聞　慈悲階漸是能入
精進力能成正覺　悟精進力人師子　精進力能聲普聞　慈悲階漸是能入
禪定力能成正覺　悟禪定力人師子　禪定力能聲普聞　慈悲階漸是能入
智慧力能成正覺　悟智慧力人師子　智慧力能聲普聞　慈悲階漸是能入

BD02727號　無量壽宗要經

（6–5）

南謨薄伽勃底一 阿波唎蜜哆二 阿喻紇硯那三 須毗你悉指陁四 囉佐耶五 怛他羯他耶六
怛姪他唵七 薩婆桑悉迦囉八 波唎輸底九 達磨底十 伽伽那十一 莎訶某持伽底十二 薩婆
毗輸底十三 摩訶娜耶十四 波唎婆唎莎訶十五 若有自書使人書寫是无量壽經典亦能
讃持供養即如恭敬供養一切十方佛土如來无有別異陁羅尼曰 南謨薄伽勃底一 阿
波唎蜜哆二 阿喻紇硯那三 須毗你悉指陁四 囉佐耶五 怛他羯他耶六 怛姪他唵七 薩婆桑
悉迦囉八 波唎輸底九 達磨底十 伽伽那十一 莎訶某持伽底十二 薩婆毗輸底十三 摩
訶娜耶十四 波唎婆唎莎訶十五
布施力能成正覺　悟布施力人師子　布施力能聲普聞　慈悲階漸是能入
持戒力能成正覺　悟持戒力人師子　持戒力能聲普聞　慈悲階漸是能入
忍辱力能成正覺　悟忍辱力人師子　忍辱力能聲普聞　慈悲階漸是能入
精進力能成正覺　悟精進力人師子　精進力能聲普聞　慈悲階漸是能入
禪定力能成正覺　悟禪定力人師子　禪定力能聲普聞　慈悲階漸是能入
智慧力能成正覺　悟智慧力人師子　智慧力能聲普聞　慈悲階漸是能入
尒時如來說是經已一切世間天人阿脩羅揵闥
婆等聞佛所說皆大歡喜信受奉行

佛說无量壽宗要經

田廣談

BD02727號　無量壽宗要經

（6–6）

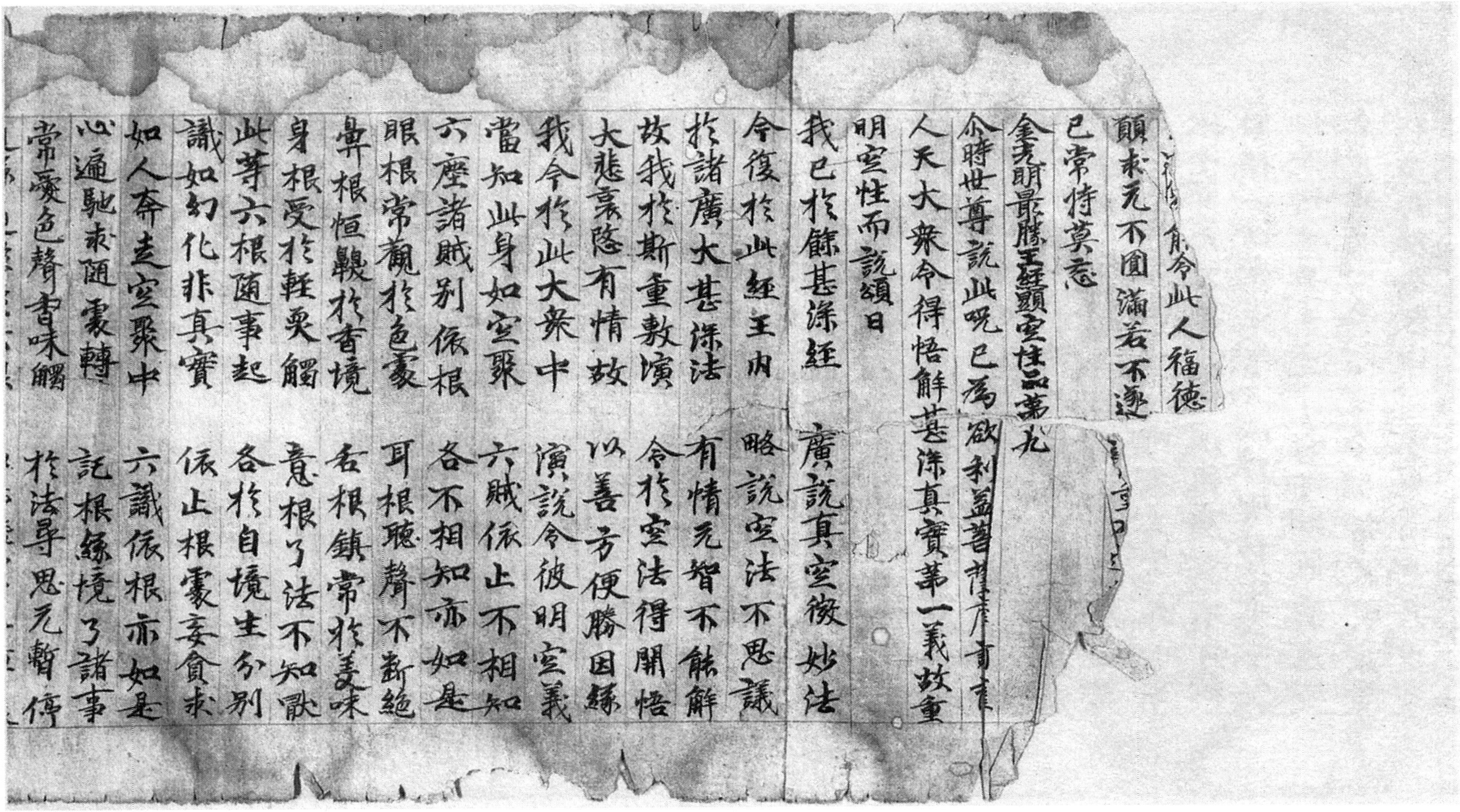

已常侍莫忘
願求无不圓滿若不遂
金光明最勝王經顯空性品第九
尒時世尊說此呪已為欲利益菩薩摩訶
人天大衆令得悟解甚深真實第一義故重
明空性而說頌曰
我已於餘甚深經　廣說真空微妙法
今復於此經王內　略說空法不思議
於諸廣大甚深法　有情无智不能解
故我於斯重敷演　令於空法得開悟
大悲哀愍有情故　以善方便勝因緣
我今於此大衆中　演說令彼明空義
當知此身如空聚　六賊依止不相知
六塵諸賊別依根　各不相知亦如是
眼根常觀於色處　耳根聽聲不斷絕
鼻根恒嗅於香境　舌根鎮常於美味
身根受於輕耎觸　意根了法不知猒
此等六根隨事起　各於自境生分別
識如幻化非真實　依止根處妄貪求
如人奔走空聚中　六識依根亦如是
心遍馳求隨處轉　託根緣境了諸事
常愛色聲香味觸　於法尋思无暫停

BD02728號　金光明最勝王經卷五　（6–1）

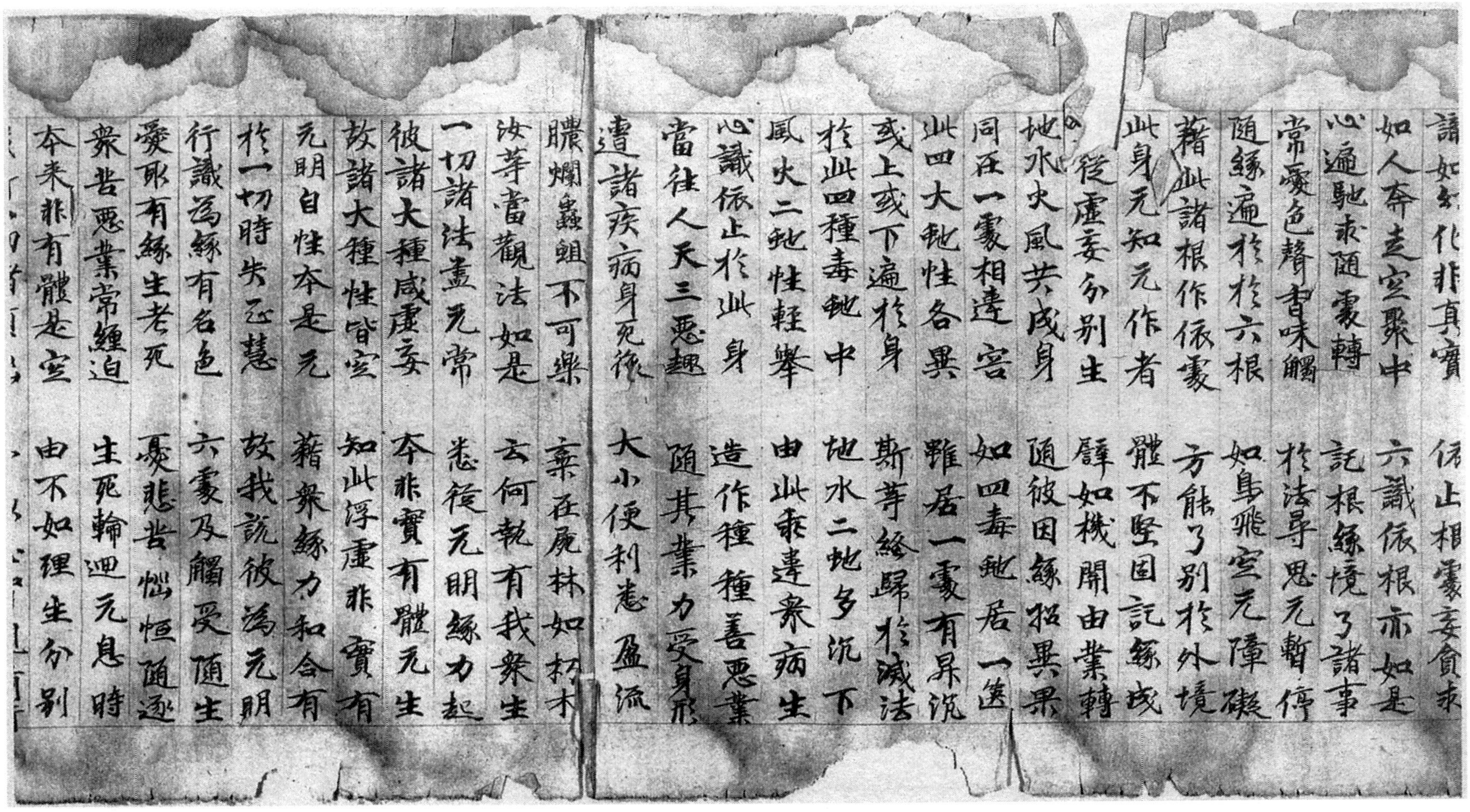

識如幻化非真實　依止根處妄貪求
如人奔走空聚中　六識依根亦如是
心遍馳求隨處轉　託根緣境了諸事
常愛色聲香味觸　於法尋思无暫停
隨緣遍於於六根　如鳥飛空无障礙
藉此諸根作依處　方能了別於外境
此身无知无作者　體不堅固託緣成
從虛妄分別生　譬如機關由業轉
地水火風共成身　隨彼因緣招異果
同在一處相違害　如四毒蛇居一篋
此四大蛇性各異　雖居一處有昇沈
或上或下遍於身　斯等終歸於滅法
於此四種毒蛇中　地水二蛇多沈下
風火二蛇性輕舉　由此乖違衆病生
心識依止於此身　造作種種善惡業
當往人天三惡趣　隨其業力受身形
遭諸疾病身死後　大小便利悉盈流
膿爛蟲蛆不可樂　棄在屍林如朽木
汝等當觀法如是　云何執有我衆生
一切諸法悉无常　悉從无明緣力起
彼諸大種咸虛妄　本非實有體无生
故說大種性皆空　知此浮虛非實有
无明自性本是无　藉衆緣力和合有
於一切時失正慧　故我說彼為无明
行識為緣有名色　六處及觸受隨生
愛取有緣生老死　憂悲苦惱恒隨逐
衆苦惡業常纏迫　生死輪迴无息時
本來非有體是空　由不如理生分別

BD02728號　金光明最勝王經卷五　（6–2）

竟更業常纏迫　生死輪迴无息時
本來非有體是空　由不如理生分別
我斷一切諸煩惱　常以正智現前行
了五蘊宅悉皆空　求證菩提真實處
我開甘露大城門　示現甘露微妙器
既得甘露真實味　常以甘露施群生
我擊最勝大法鼓　我吹最勝大法螺
我然最勝大明燈　我降最勝大法雨
降伏煩惱諸怨結　建立无上大法幢
於生死海濟群迷　我當開閉三惡趣
煩惱熾火燒眾生　无有救護无依止
清涼甘露充足彼　身心熱惱並皆除
由是我於无量劫　恭敬供養諸如來
堅持禁戒趣菩提　求證法身安樂處
施他眼耳及手足　妻子僮僕心无悋
財寶七珍莊嚴具　隨來求者咸供給
忍辱諸度皆遍修　十地圓滿成正覺
故我得稱一切智　无有眾生度量者
假使三千大千界　盡此土地生長物
所有藂林諸樹木　稻麻竹葦及枝條
此等諸物皆伐取　並悉細末作微塵
隨處積集量難知　乃至充滿虛空界
一切十方諸剎土　所有三千大千界
地土皆悉末為塵　此微塵量不可數
假使一切眾生智　以此智慧與一人
如是智者量无邊　容可知彼微塵數
牟尼世尊一念智　令彼智人共度量
於多俱胝劫數中　不能算知其少分

BD02723號　金光明最勝王經卷五

（6–3）

假使一切眾生智　以此智慧與一人
如是智者量无邊　容可知彼微塵數
牟尼世尊一念智　令彼智人共度量
於多俱胝劫數中　不能算知其少分
時諸大眾聞佛說此甚深空性有无量眾
生悉能了達四大五蘊體性俱空六根六境妄
生繫縛願捨輪迴正修出離深心慶喜如說
奉持
金光明最勝王經依空滿願品第十
尒時如意寶光耀天女於大眾中聞說深法
歡喜踊躍從座而起偏袒右肩右膝著地
合掌恭敬白佛言世尊唯願為說於甚深理修
行之法而說頌言
我問照世界　兩足最勝尊　菩薩正行法　唯願慈聽許
佛言善女天　若有疑惑者　隨汝意所問　吾當分別說
是時天女請世尊曰
云何諸菩薩　行菩提正行　離生死涅槃　饒益自他故
佛告善女天依於法界行菩提法修平等行謂於五
蘊能現法界法界即是五蘊五蘊不可說非
五蘊亦不可說何以故若法界是五蘊即是
斷見若離五蘊即是常見離於二相不著二
邊不可見過所見无名无相是則名為說於
法界善女天云何五蘊能現法界如是五蘊
不從因緣生何以故若從因緣生者為已生
故生為未生故生若已生生者何用因緣若
未生生者不可得生何以故未生諸法即是
非有无名无相非校量譬喻之所能及非是

BD02723號　金光明最勝王經卷五

（6–4）

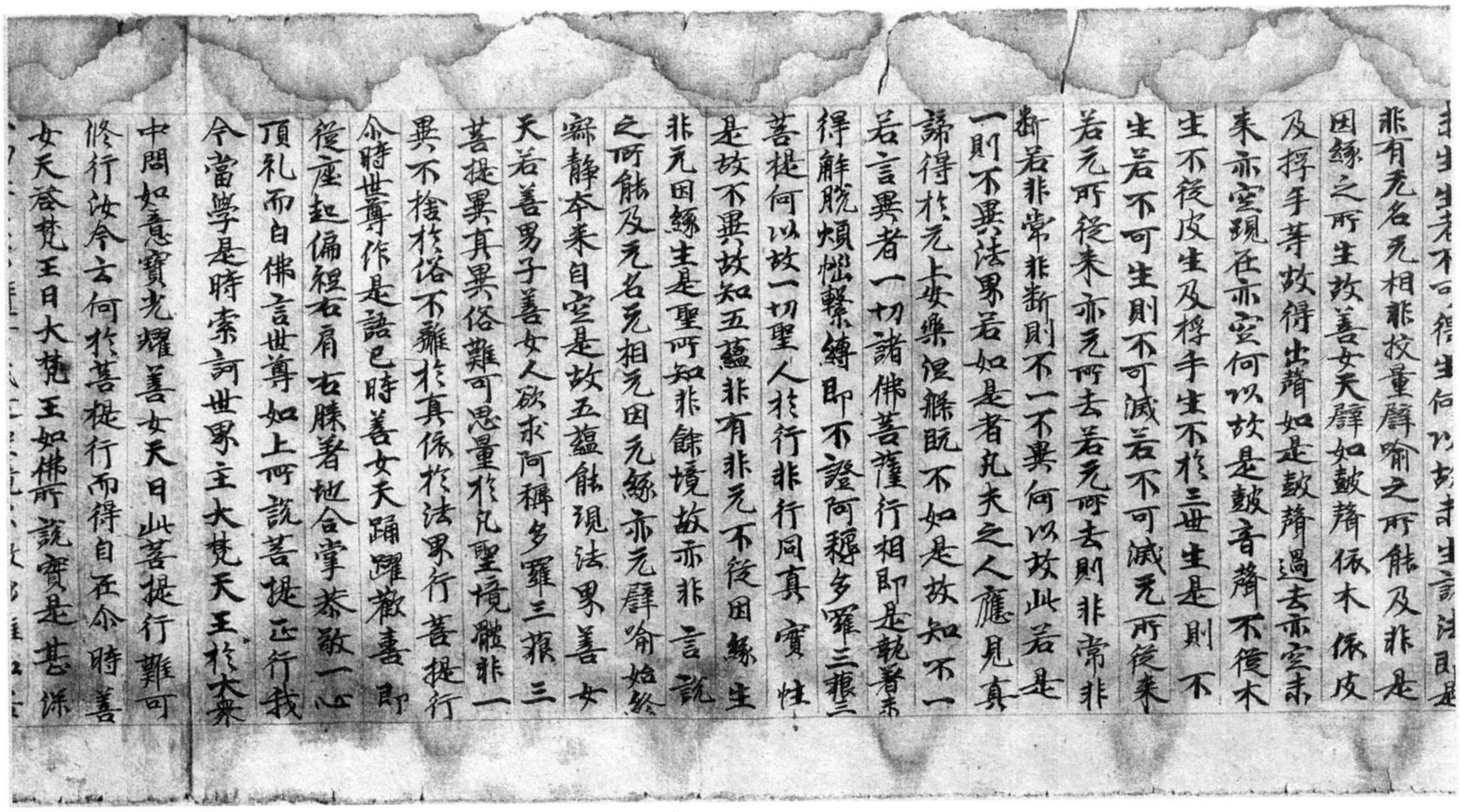

非有无名无相非校量譬喻之所能及非是
因緣之所生故善女天譬如皷聲依木依皮
及桴手等故得出聲如是皷聲過去亦空未
來亦空現在亦空何以故是皷音聲不從木
生不從皮生及桴手生不於三世生是則不
生若不可生則不可滅若不可滅无所從來
若无所從來亦无所去若无所去則非常非
斷若非常非斷則不一不異何以故此若是
一則不異法界若如是者凡夫之人應見真
諦得於无上安樂涅槃既不如是故知不一
若言異者一切諸佛菩薩行相即是執著未
得解脫煩惱繫縛即不證阿耨多羅三藐三
菩提何以故一切聖人於行非行同真實性
是故不異故知五蘊非有非无不從因緣生
非无因緣生是聖所知非餘境故亦非言說
之所能及无名无相无因无緣亦无譬喻始終
寂靜本來自空是故五蘊能現法界善女
天若善男子善女人欲求阿耨多羅三藐三
菩提異真異俗難可思量於凡聖境體非一
異不捨於俗不離於真依於法界行菩提行
尒時世尊作是語已時善女天踊躍歡喜即
從座起偏袒右肩右膝著地合掌恭敬一心
頂禮而白佛言世尊如上所說菩提正行我
今當學是時索訶世界主大梵天王於大衆
中問如意寶光耀善女天曰此菩提行難可
修行汝今云何於菩提行而得自在尒時善
女天荅梵王曰大梵王如佛所說實是甚深

BD02728號　金光明最勝王經卷五　（6–5）

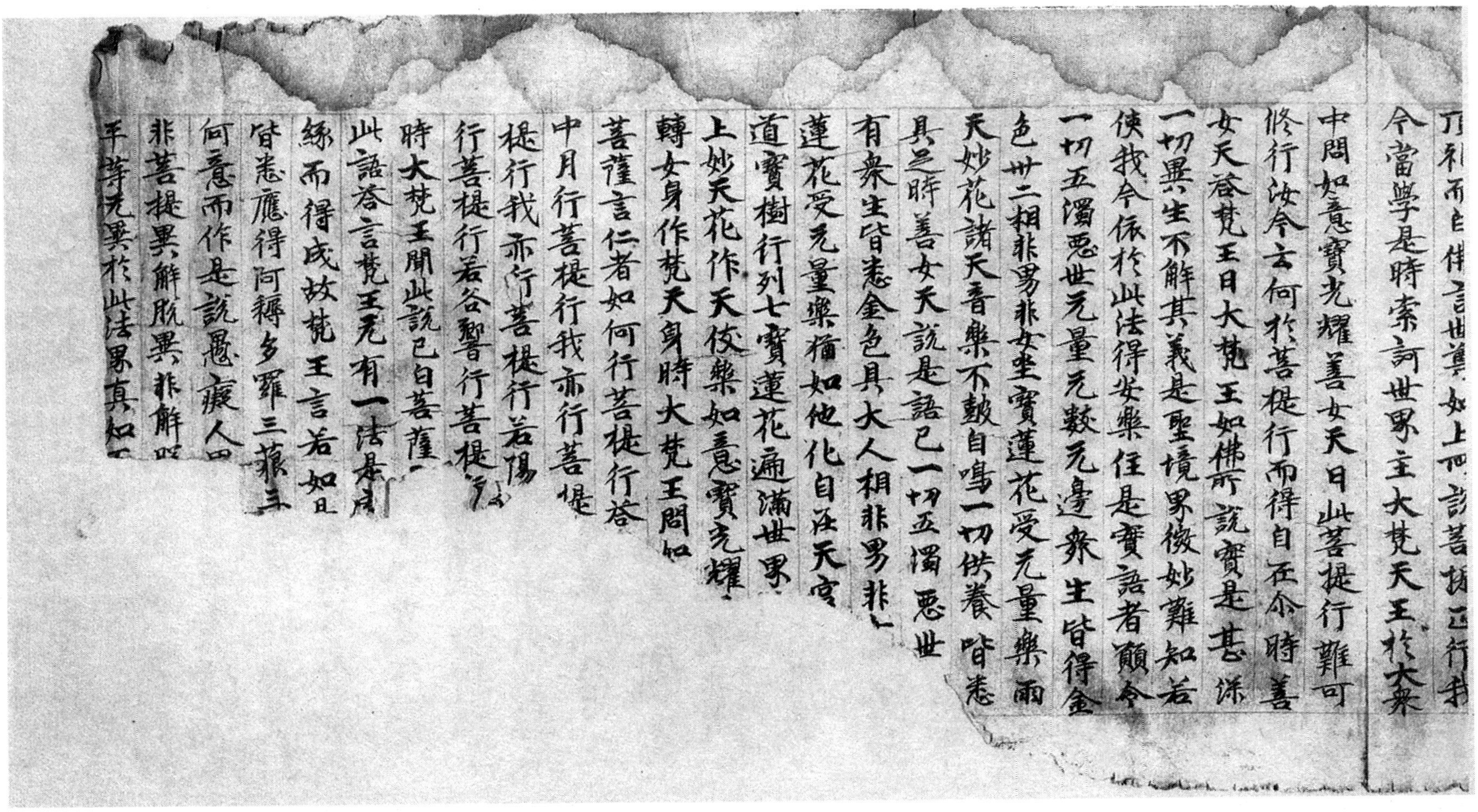

頂禮而白佛言世尊如上所說菩提正行我
今當學是時索訶世界主大梵天王於大衆
中問如意寶光耀善女天曰此菩提行難可
修行汝今云何於菩提行而得自在尒時善
女天荅梵王曰大梵王如佛所說實是甚深
一切異生不解其義是聖境界微妙難知若
使我今依於此法得安樂住是實語者願令
一切五濁惡世无量无數无邊衆生皆得金
色卅二相非男非女坐寶蓮花受无量樂雨
天妙花諸天音樂不皷自鳴一切供養皆悉
具足時善女天說是語已一切五濁惡世
有衆生皆悉金色具大人相非男非
蓮花受无量樂猶如他化自在天宮
道寶樹行列七寶蓮花遍滿世界
上妙天花作天伎樂如意寶光耀
轉女身作梵天身時大梵王問如
菩薩言仁者如何行菩提行荅
中月行菩提行我亦行菩提
提行我亦行菩提行若陽
行菩提行若谷響行菩提
時大梵王聞此說已白菩薩
此語荅言梵王无有一法是
緣而得成故梵王言若如
皆悉應得阿耨多羅三藐三
何意而作是說愚癡人
非菩提異解脫異非解
平等无異於此法界真如

BD02728號　金光明最勝王經卷五　（6–6）

佛說菩薩……
我今盧舍那　方坐蓮華臺　周帀千華上
一華百億國　一國一釋迦　各坐菩提樹　一時成佛道
是千百億　盧舍那本身　千百億釋迦　各接微塵眾
俱來至我所　聽我誦佛戒　甘露門則開　是時千百億
還至本道場　各坐菩提樹　誦我本師戒　十重四十八
明日月　亦如瓔珞珠　微塵菩薩眾　由是成正覺
是盧舍那誦　我亦如是誦　汝新學菩薩　頂戴受持戒
受持是戒已　轉授諸眾生　諦聽我正誦　佛法中戒藏
波羅提木叉　大眾心諦信　汝是當成佛　我是已成佛
常作如是信　戒品已具足　一切有心者　皆應攝佛戒
眾生受佛戒　即入諸佛位　位同大覺已　真是諸佛子
大眾皆恭敬　至心聽我誦
爾時釋迦牟尼佛初坐菩提樹下成無上覺

BD02729 號　梵網經盧舍那佛說菩薩心地戒品第十卷下　（26–1）

常作如是信……
眾生受佛戒　即入諸佛位　位同大覺已　真是諸佛子
大眾皆恭敬　至心聽我誦
爾時釋迦牟尼佛初坐菩提樹下成無上覺初
結菩薩波羅提木叉孝順父母師僧三寶孝
順至道之法孝名為戒亦名制止即口放無量光
明是時百萬億大眾諸菩薩十八梵六欲天
子十六大國王合掌至心聽佛誦一切諸佛
大乘戒告諸菩薩言我今半月半月自誦
諸佛法戒汝等一切發心菩薩亦誦乃至
發趣十長養十金剛十地諸菩薩亦誦是
故戒光從口出有緣非無因故光光非青黃
赤白黑非色心非有非無非因果法諸佛
之本原行菩薩道之根本是大眾諸佛子之
根本是故諸佛子應受持應讀誦善學佛子
諦聽受佛戒者國王王子百官宰相比丘比
尼十八梵六欲天庶民黃門婬男婬女奴婢八
鬼神金剛神畜生乃至變化人但解法
語盡受得戒皆名第一清淨者
佛告諸佛子言有十重波羅提木叉若受菩
戒不誦此戒者非菩薩非佛種子我亦如是
誦一切菩薩已學一切菩薩當學一切菩薩
今學已略說波羅提木叉相貌……

BD02729 號　梵網經盧舍那佛說菩薩心地戒品第十卷下　（26–2）

佛告諸弟子言有十重波羅提木叉若受菩薩
戒不誦此戒者非菩薩非佛種子我亦如是
誦一切菩薩已學一切菩薩當學一切菩薩
今學已略說波羅提木叉相貌應當學
敬心奉持
佛告佛子若自殺教人殺方便讚歎殺見
作隨喜乃至呪殺殺因殺緣殺法殺業乃
至一切有命者不得故殺是菩薩應起常
住慈悲心孝順心方便救護而自恣心快意
殺生者是菩薩波羅夷罪
若佛子自盜教人盜方便盜盜因盜緣盜法盜
業呪盜乃至鬼神有主劫賊物一切財物一針
草不得故盜而菩薩應生佛性孝順心慈悲
心常助一切人生福生樂而反更盜人物者是菩薩
波羅夷罪
若佛子自婬教人婬乃至一切女人不得故婬婬
因婬緣婬法婬業乃至畜生女諸天鬼神女
及非道行婬而菩薩應生孝順心救度一切
衆生淨法與人而反更起一切人婬不擇畜生
乃至母女姊妹六親行婬無慈悲心是菩薩
波羅夷罪
若佛子自妄語教人妄語方便妄語妄語因
妄語緣妄語法妄語業乃至不見言見見

BD02729號　梵網經盧舍那佛說菩薩心地戒品第十卷下　（26–3）

乃至母女姊妹六親行婬無慈悲心是菩薩
波羅夷罪
若佛子自妄語教人妄語方便妄語妄語因
妄語緣妄語法妄語業乃至不見言見見言不見
言不見身心妄語而菩薩常生正語正見亦生衆生
正語正見而反更起一切衆生邪語邪見邪業者
是菩薩波羅夷罪
若佛子自酤酒教人酤酒酤酒因酤酒緣酤
酒法酤酒業一切酒不得酤是酒起罪因緣
而菩薩應生一切衆生明達之慧而反更生衆
生顛倒之心者是菩薩波羅夷罪
若佛子口自說出家在家菩薩比丘比丘
尼罪過教人說罪過罪過因罪過緣罪過
法罪過業而菩薩聞外道惡人及二乘惡
人說佛法中非法非律常生悲心教化是惡
人輩令生大乘善信而菩薩反更自說佛法中罪
過者是菩薩波羅夷罪
若佛子自讚毀他亦教人自讚毀他毀他
因毀他緣毀他法毀他業而菩薩應代
一切衆生受加毀辱惡事自向己好事與他人若
自揚己德隱他人好事令他人受毀者是菩薩
波羅夷罪
若佛子自慳教人慳慳因慳緣慳法慳業

BD02729號　梵網經盧舍那佛說菩薩心地戒品第十卷下　（26–4）

……應代
一切眾生受加毀辱，惡事自向己，好事與他人。若
自揚己德，隱他人好事，令他人受毀者，是菩薩
波羅夷罪。
若佛子自慳、教人慳，慳因、慳緣、慳法、慳業。
而菩薩見一切貧窮人來乞者，隨前人所須
一切給與。而菩薩以惡心瞋心，乃至不施一錢一針
草，有求法者不為說一句一偈一微塵許法，
而反更罵辱者，是菩薩波羅夷罪。
若佛子自瞋、教人瞋，瞋因、瞋緣、瞋法、瞋業。而菩
薩應生一切眾生中善根無諍之事，常生悲心，而反更
於一切眾生中乃至於非眾生中，以惡口罵辱，加以手打，及以刀
杖，意猶不息，前人求悔，善言懺謝，猶瞋不解者，是菩
薩波羅夷罪。
若佛子自謗三寶、教人謗三寶，
謗因、謗緣、謗法、謗業。而菩薩見外道及以惡人一言
謗佛音聲，如三百鉾刺心，況口自謗，不生信心孝順心，而反更
助惡人邪見人謗者，是菩薩波羅夷罪。
善學諸人者，是菩薩十波羅提木叉，應當學，於中不應一一犯
如微塵許，何況具足犯十戒。若有犯者，不得現身發菩提
心，亦失國王位、轉[輪]輪王位，亦失比丘比丘尼位，亦失十發趣、十長養、
十金剛、十地、佛性常住妙果，一切皆失，墮三惡道中，二劫三劫
不聞父母三寶名字，以是不應一一犯。汝等一切諸菩薩，今
學、當學、已學，是十戒應當學，敬心奉持。八萬威儀品
當廣明。
佛告諸菩薩言：已說十波羅提木叉

十金剛、十地、佛性常住妙果，一切皆失，墮三惡道中，二劫三劫
不聞父母三寶名字，以是不應一一犯。汝等一切諸菩薩，今
學、當學、已學，是十戒應當學，敬心奉持。八萬威儀品
當廣明。
佛告諸菩薩言：已說十波羅提木叉
竟，四十八輕今當說。若佛子欲受國王
位時、受轉輪王位時、百官受位時，應
先受菩薩戒，一切鬼神救護王身、百官
之身，諸佛歡喜。既得戒已，生孝順心
恭敬心，見上座和上阿闍梨大同學同
見同行者，應起承迎禮拜問訊。而菩薩
反生憍心慢心癡心，不起承迎禮拜，一一不如法供養。
以自賣身國城男女七寶百物而供給之。
若不爾者，犯輕垢罪。
若佛子故飲酒，而生酒過失無量。若自
身手過酒[器]與人飲酒者，五百世無手，何況
自飲。不得教一切人飲及一切眾生飲酒，
自飲酒。若故自飲、教人飲者，犯輕垢罪。
若佛子故食肉，一切肉不得食，斷大慈悲
種子，一切眾生見而捨去，故一切菩薩不得
食一切眾生肉，食肉得無量罪。若故食者

若佛子故食肉一切肉不得食斷大慈悲佛
種子一切衆生見而捨去故一切菩薩不得
食一切衆生肉食肉得无量罪若故食者
犯輕垢罪
若佛子不得食五辛大蒜革葱慈葱蘭
葱興渠是五種一切食中不得食若故食
者犯輕垢罪
若佛子見一切衆生犯八戒五戒十戒毀禁七
逆八難一切犯戒罪應教懺悔而菩薩不教
懺悔共住同僧利養而共布薩一衆說戒而不
舉其罪教不悔過者犯輕垢罪
若佛子見大乘法師大乘同學同見同行者
來入僧房舍宅城邑若百里千里來者即起迎
來送去礼拜供養日日三時供養日食三両
百味飲食牀座衣藥供事法師一切所須盡給與
之常請法師三時說法日日三時礼拜不生瞋
心患惱之心爲法滅身請法若不尒者犯
輕垢罪
若佛子一切處有講毗尼經律……巳……中
講法處是新學菩薩應持經律卷至法師所

BD02729號　梵網經盧舍那佛說菩薩心地戒品第十卷下　　（26–7）

心患惱之心爲法滅身請法若不尒者犯
輕垢罪
若佛子一切處有講毗尼經律……巳……中
講法處是新學菩薩應持經律卷至法師所
諮受聽問若山林樹下僧地房中一切說法
處悉至聽受若不至彼聽受者犯輕垢罪
若佛子心背大乘常住經律言非佛說而受
持二乘聲聞外道惡見一切禁戒邪見經律
者犯輕垢罪
若佛子見一切疾病人供養如佛无異八福田
中看病福田第一福田若父母師僧弟子病
諸根不具百種病苦惱皆養令差而菩薩
瞋恨心不至僧房中城邑曠野山林道路中
見病不救濟者犯輕垢罪
若佛子不得畜一切刀杖弓箭鉾斧鬪戰之
具及惡網羅殺生之器一切不得畜而菩薩
乃至殺父母尚不加報況殺一切衆生若故
畜刀杖者犯輕垢罪如是十戒應當學
持下六品中廣開
佛言佛子爲利養惡心故通國使命軍

BD02729號　梵網經盧舍那佛說菩薩心地戒品第十卷下　　（26–8）

畜刀杖犯輕垢罪如是十戒應當學
持下六品中廣開
佛言佛子爲利養惡心故通國使命軍陣合
會興師相殺无量衆生而菩薩不得入
中往來况故作國賊若故作者犯輕垢罪
若佛子故販賣良人奴婢六畜市易棺材板
木盛死之具尚不應自作况教人作若故作
者犯輕垢罪
若佛子以惡心故无事謗他良人善人法師
師僧國王貴人言犯七逆十重父母兄弟六
親中應生孝順心慈悲心而反更加於逆害
墮不如意處者犯輕垢罪
若佛子以惡心故放大火燒山林曠野田
四月乃至九月放火若燒他人居家屋宅城
邑僧房田木及鬼神官物一切有主物不得
故燒若故燒者犯輕垢罪
若佛子自佛弟子及外道人六親
識應一一教受持大乘經律應教解義理使發
菩提心十發趣心十長養心十金剛心一一解其次第法

BD02729 號　梵網經盧舍那佛說菩薩心地戒品第十卷下　（26–9）

若佛子自佛弟子及外道人六親
識應一一教受持大乘經律應教解義理使發
菩提心十發趣心十長養心十金剛心一一解其次第法
用而菩薩以惡心瞋心横教他二乘聲聞戒
經律外道耶見論等者犯輕垢罪
若佛子應好心先學大乘威儀經律廣開
解義味見後新學菩薩有百里千里來求
大乘經律應如法爲說一切苦行若燒身燒
臂燒指若不燒身臂指供養諸佛非出家
菩薩乃至餓虎狼師子一切餓鬼悉應捨身
肉手足而供養之然後一一次第爲說正法使心
開意解而菩薩爲利養故應答不答倒說經
律文字无前无後謗三寶說者犯輕垢罪
若佛子自爲飲食錢物利養名譽故親近國
王王子大臣百官恃作形勢乞索打拍牽挽
横取錢物一切求利名爲惡求多求教他人
求都无慈心无孝順心者犯輕垢罪
若佛子學誦戒者日日六時持菩薩戒解其
義理佛性之性而菩薩不解一句一偈戒律因

BD02729 號　梵網經盧舍那佛說菩薩心地戒品第十卷下　（26–10）

若佛子學誦戒者日日六時持菩薩戒解其
義理佛性之性而菩薩不解一句一偈戒律因
緣詐言能解者即爲自欺誑亦欺誑他人一一不
解一切法而爲他作師受戒者犯輕垢罪
若佛子以惡心故見持戒比丘手捉香爐行
菩薩行而鬭過兩頭謗欺賢人无惡不造
若故作者犯輕垢罪
若佛子以慈心故行放生業一切男子是我
父一切女人是我母我生生无不從之受生
故六道衆生皆是我父母而殺而食者即
殺我父母亦殺我故身一切地水是我先身
一切火風是我本體故常行放生業生生受
生若見世人殺畜生時應方便救護解其苦
難常教化講說菩薩戒救度衆生若父母兄
弟死亡之日應請法師講菩薩戒經律福資
亡者得見諸佛生人天上若不尒者犯輕垢罪
如是十戒應當學敬心奉持如滅罪品中廣
明一一解戒
佛言佛子以瞋報瞋以打報打若殺父母兄

BD02729 號　梵網經盧舍那佛說菩薩心地戒品第十卷下　（26–11）

如是十戒應當學敬心奉持如滅罪品中廣
明一一解戒
佛言佛子以瞋報瞋以打報打若殺父母兄
弟六親不得加報若國主爲他人殺者亦不
得加報殺生報生不順孝道尚不畜奴婢打
拍罵辱日日起三業罪无量況故作七逆之
罪而出家菩薩无慈報讎乃至六親中若故
作者犯輕垢罪
若佛子始出家未有所解而自恃聰明
有智或高貴年宿或恃大姓高門大解大富
饒財七寶以此憍慢而不諮受先學法師經
律其法師者或小姓年少卑門貧窮諸根
不具而實有德一切經律盡解而新學菩薩
不得觀法師種性而不來諮受法師第一義
諦者犯輕垢罪
若佛子佛滅度後欲以好心受菩薩戒時
於佛菩薩形像前自誓受戒當七日佛前懺
悔得見好相便得受戒若不得好相應二七三

BD02729 號　梵網經盧舍那佛說菩薩心地戒品第十卷下　（26–12）

於佛菩薩形像前自誓受戒當七日佛前懺
悔得見好相便得受戒若不得好相應二七三
七日乃至一年要得好相得好相已便得佛菩
薩形像前受戒若不得好相雖佛菩薩形
像前受戒不名得戒若先受菩薩戒法師前
受戒時不須要見好相何以故是法師師師
相受故不須好相是以法師前受戒即得戒以
生重心故若千里內无能授戒師得佛菩薩
形像前受得戒而要見好相若法師自倚解經
律大乘學戒與國王太子百官以為善友而
新學菩薩來問若經義律義輕心惡心慢心
不一一好答問者犯輕垢罪
若佛子有佛經律大乘正法正見正性正法
身而不能勤學脩習而捨七寶反學邪見
二乘外道俗典阿毗曇雜論書記是斷佛
性鄣道因緣非行菩薩道者故作者犯輕
垢罪
若佛子佛滅度後為說法主為僧房主教化

BD02729號　梵網經盧舍那佛說菩薩心地戒品第十卷下　（26–13）

若佛子佛滅度後為說法主為僧房主教化
主坐禪主行來主應生慈心善和鬪諍善
守三寶物莫无度用如自己有而反亂
鬪諍恣心用三寶物者犯輕垢罪
若佛子先住僧房中後見客菩薩比丘
來入僧房舍宅城邑國王宅舍中乃至夏
坐安居處及大會中先住僧應迎
來送去飲食供養房舍臥具繩床事
事給與若无有物應自賣身及男女
身供給所須悉以與之若有檀越來
請眾僧客僧有利養分僧房主應次
第差客僧受請而先住僧獨受請而
不差客僧房主得无量罪畜生无異
非沙門非釋種性若故作者犯輕垢罪
若佛子一切不得受別請利養入己
此利養屬十方僧而別受請即取十方僧
物入己及八福田諸佛聖人一一師僧父母
人物自己用故犯輕垢罪

BD02729號　梵網經盧舍那佛說菩薩心地戒品第十卷下　（26–14）

此利養屬十方僧而別受請即取十方僧
物入已及八福田諸佛聖人一一師僧父母病
人物自已用故犯輕垢罪
若佛子有出家菩薩在家菩薩及一切檀
越請僧福田求願之時應入僧房中問
知事人今欲次第請者即得十方賢聖僧
而世人別請五百羅漢菩薩僧不如僧
次一凡夫僧若別請僧者是外道法
七佛无別請法不順孝道若故別請
僧者犯輕垢罪
若佛子以惡心故為利養販賣男女色自
手作食自磨自舂占相男女解夢吉凶
是男是女呪術工巧調鷹方法和百種
藥千種毒藥虵毒生金銀蠱毒都无慈
心若故作者犯輕垢罪
若佛子以惡心故自身謗三寶詐現親附口
便說空行在有中為白衣通致男女交會
淫色作諸縛着於六齋日年三長齋月殺
煞生劫盜破齋犯戒者犯輕垢罪如是
十戒應當學敬心奉持制戒品中廣解

BD02729 號　梵網經盧舍那佛說菩薩心地戒品第十卷下　（26–15）

淫色作諸縛着於六齋日年三長齋月殺
煞生劫盜破齋犯戒者犯輕垢罪如是
十戒應當學敬心奉持制戒品中廣解
佛言佛子佛滅度後於惡世中若見外道
一切惡人劫賊賣佛菩薩父母形像販賣經
律販賣比丘比丘尼亦賣發心菩薩道人
或為官使與一切人作奴婢者而菩薩見
是事已應生慈心方便救護處處教化
取物贖佛菩薩形像及比丘比丘尼發心菩
經律若不贖者犯輕垢罪
若佛子不得畜刀杖弓箭販賣輕秤小斗因
官形勢取人財物害心繫縛破壞成功長
養猫狸猪狗若故養者犯輕垢罪
若佛子以惡心故觀一切男女等鬪軍陣兵
將劫賊等鬪亦不得聽吹貝鼓角琴瑟
箏笛箜篌歌叫伎樂之聲不得樗蒲圍
碁波羅塞戲彈碁六博拍毱擲石投壺
八道行城爪鏡芝草楊枝鉢盂髑髏
而作卜筮不得作盜賊使命一一不得作若
故作者犯輕垢罪

BD02729 號　梵網經盧舍那佛說菩薩心地戒品第十卷下　（26–16）

八道行城抗鏡芝草楊枝鉢盂髑髏
而作卜筮不得作盜賊使命一一不得作若
故作者犯輕垢罪
若佛子護持禁戒行住坐臥日夜六時讀誦
是戒猶如金剛如帶持浮囊欲渡大海如草
繫比丘常生大乘善信自知我是未成之佛諸
佛是已成之佛發菩提心念念不去心若起
一念二乘外道心者犯輕垢罪
若佛子常應發一切願孝順父母師僧三寶
常願得好師同學善友知識常教我大乘
經律十發趣十長養十金剛十地使我開解
如法脩行堅持佛戒寧捨身命念念不去
心若一切菩薩不發是願者犯輕垢罪
若佛子發十大願已持佛禁戒作是願
寧以此身投大熾然猛火大坑刀山終不
毀犯三世諸佛經律與一切女人作不淨行
復作是願寧以熱鐵羅網千重周匝
身終不以破戒之身受信心檀越一切
服復作是願寧以此口吞熱鐵丸及大流
猛火逕百千劫終不以破戒之口食信
心檀越百味飲食復作是願寧以此身

BD02729號　梵網經盧舍那佛說菩薩心地戒品第十卷下　（26–17）

猛火逕百千劫終不以破戒之口食信
心檀越百味飲食復作是願寧以此身
臥大猛火羅網熱鐵地上終不以破戒之
身受信心檀越百種牀坐復作是願
寧以此身受三百鉾刺終不以破戒之身
受信心檀越百味醫藥復作是願寧
以此身投熱鐵鑊經百千劫終不以破戒之
身受信心檀越千種房舍屋宅園林田
地復作是願寧以鐵鎚打碎此身從頭
至足令如微塵終不以此破戒之身受
信心檀越恭敬禮拜復作是願寧以
百千熱鐵刀鉾挑其兩目終不以此破
戒之心視他好色復作是願寧以百千
鐵錐遍身攙刺耳根逕一劫二劫終
以破戒之心聽好音聲復作是願寧
百千刃刀割去其鼻終不以破戒之心
貪嗅諸香復作是願寧以百千刃刀割
出其舌終不以破戒之心食人百味淨食
復作是願寧以利斧斬斫其身終不以
破戒之心貪著好觸復作是願願一切衆
生悉得成佛而菩薩若不發是願者犯輕垢罪

BD02729號　梵網經盧舍那佛說菩薩心地戒品第十卷下　（26–18）

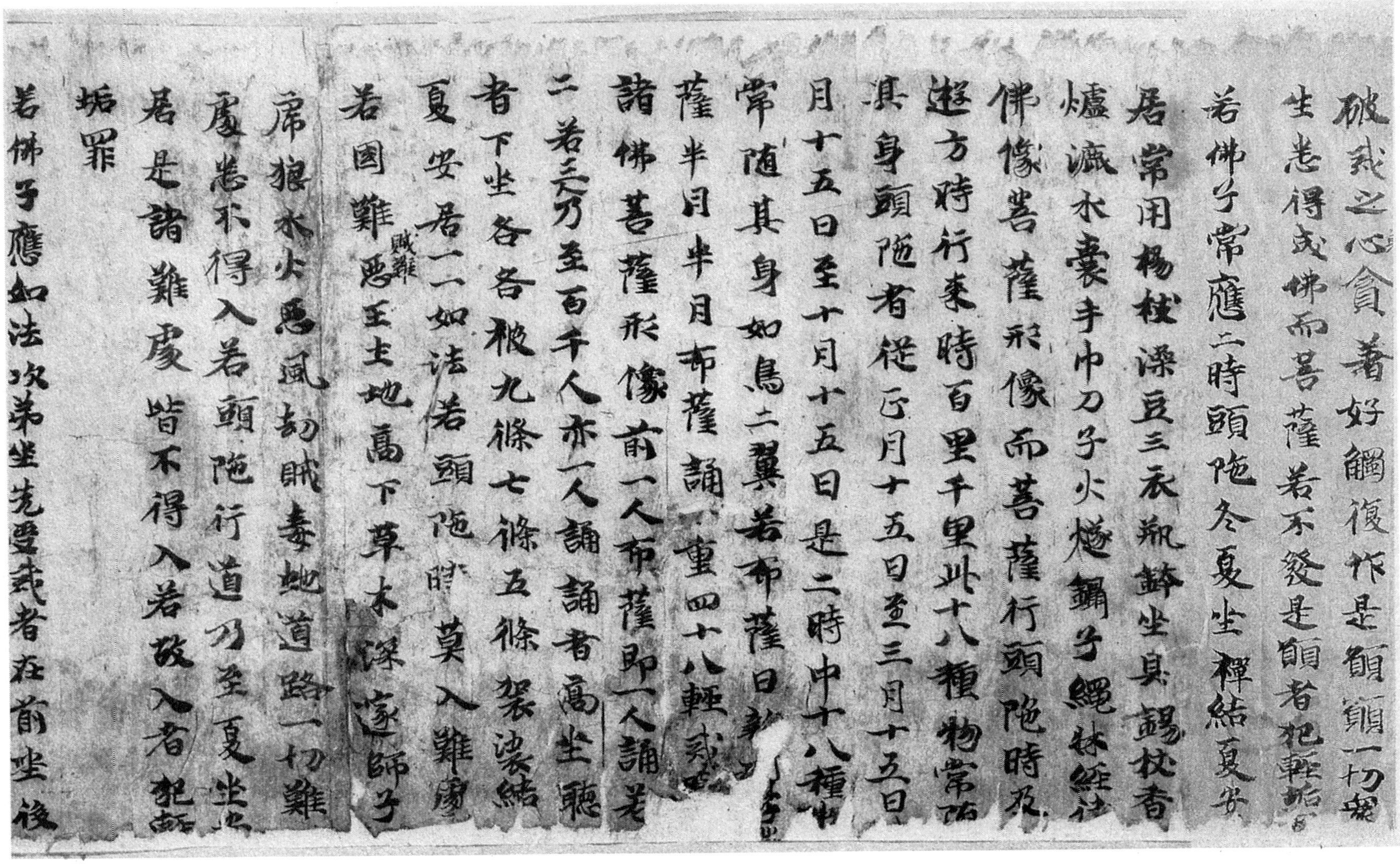

破戒之心貪著好觸復作是願願一切衆
生悉得成佛而菩薩若不發是願者犯輕垢
若佛子常應二時頭陁冬夏坐禪結夏安
居常用楊枝澡豆三衣瓶鉢坐具錫杖香
爐漉水囊手巾刀子火燧鑷子繩牀經律
佛像菩薩形像而菩薩行頭陁時及
遊方時行來時百里千里此十八種物常隨
其身頭陁者從正月十五日至三月十五日
月十五日至十月十五日是二時中十八種物
常隨其身如鳥二翼若布薩日新
薩半月半月布薩誦重四十八輕戒
諸佛菩薩形像前一人布薩即一人誦若
二若三乃至百千人亦一人誦誦者高坐聽
者下坐各各被九條七條五條袈裟結
夏安居一一如法若頭陁時莫入難處
若國難賊難惡王土地高下草木深邃師子
虎狼水火風劫賊毒蛇道路一切難
處悉不得入若頭陁行道乃至夏坐安
居是諸難處皆不得入若故入者犯輕
垢罪
若佛子應如法次第坐先受戒者在前坐後

BD02729 號　梵網經盧舍那佛說菩薩心地戒品第十卷下　（26–19）

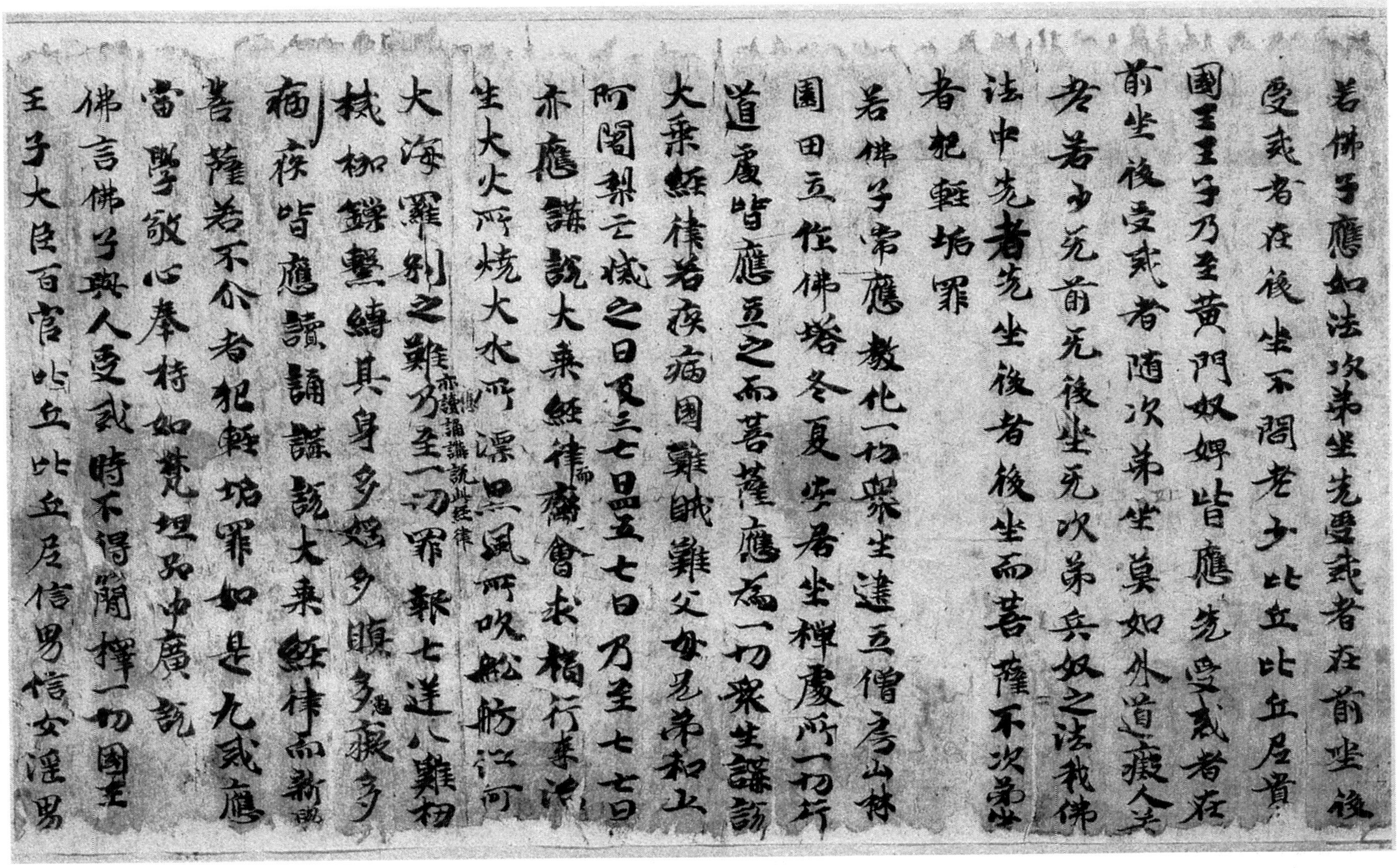

若佛子應如法次第坐先受戒者在前坐後
受戒者在後坐不問老少比丘比丘尼貴
國王王子乃至黃門奴婢皆應先受戒者在
前坐後受戒者隨次第坐莫如外道癡人若
老若少無前無後坐無次第兵奴之法我佛
法中先者先坐後者後坐而菩薩不次第坐
者犯輕垢罪
若佛子常應教化一切衆生建立僧房山林
園田立作佛塔冬夏安居坐禪處所一切行
道處皆應立之而菩薩應為一切衆生講說
大乘經律若疾病國難賊難父母兄弟和上
阿闍梨亡滅之日及三七日四五七日乃至七七日
亦應講說大乘經律而齋會求福行來治
生大火所燒大水所漂黑風所吹船舫江河
大海羅剎之難亦讀誦講說此經律乃至一切罪報七逆八難杻
械枷鎖繫縛其身多婬多瞋多愚癡多
病皆應讀誦講說大乘經律而新學
菩薩若不爾者犯輕垢罪如是九戒應
當學敬心奉持如梵壇品中廣說
佛言佛子與人受戒時不得簡擇一切國王
王子大臣百官比丘比丘尼信男信女婬男

BD02729 號　梵網經盧舍那佛說菩薩心地戒品第十卷下　（26–20）

當學敬心奉持如梵壇品中廣說
佛言佛子與人受戒時不得簡擇一切國王
王子大臣百官比丘比丘尼信男信女淫男
淫女十八梵六欲天无根二根黃門奴婢一切
鬼神盡得受戒應教身所著袈裟皆
壞色與道相應皆染使青黃赤黑紫
色一切染衣乃至卧具盡以壞色身所著
衣一切染色若一切國土中國人所著衣服比丘
皆應與其俗服有異若欲受戒時師應
問言汝現身不作七逆罪不而菩薩法師
不得與七逆人現身受戒七逆者出佛身
血煞父母和上阿闍梨破羯磨轉法輪僧
聖人若具七遮即身不得戒餘一切人得受戒
出家人法不向國王礼拜不向父母礼拜六親
不敬鬼神不礼但解法師語有百里千里
來求戒者而菩薩法師以惡心瞋心而不
即與授一切衆生戒者犯輕垢罪
若佛子教化人起信心時菩薩與他人作教戒
法師者見欲受戒人應教請二師和上阿闍
梨二師應問言汝有七遮罪不若現身有
七遮師不應與受无七遮者得受…

BD02729號　梵網經盧舍那佛說菩薩心地戒品第十卷下　（26–21）

法師者見欲受戒人應教請二師和上阿闍
梨二師應問言汝有七遮罪不若現身有
七遮師不應與受无七遮者得受若有犯十
戒者應教懺悔在佛菩薩形像前日日六時
誦十重四十八輕戒若到礼三世千佛須見好相
若一七日二三七日乃至一年要見好相好
相者佛來摩頂見光見花種種異相便
得罪滅若无好相雖懺无益是人現身亦不
戒而得增受戒若犯四十八輕戒者對手
懺滅不同七遮而教誡師於是法中一一好
解若不解大乘經律若輕若重是非之
相不解第一義諦習種性長養性不可壞
性道性正性其中多少觀行出入十禪支
於一切行法一一不得此法中意而菩薩
利養故為名聞故惡求貪利弟子而詐現
解一切經律為供養故是自欺詐亦欺詐
他人與人受戒者犯輕垢罪
若佛子不得為利養於未受菩薩戒者
前外道惡人前說此千佛大戒邪見人前
亦不得說除國王餘一切人不得說是惡人
輩不受佛戒名為畜生生生不見三寶

BD02729號　梵網經盧舍那佛說菩薩心地戒品第十卷下　（26–22）

若佛子不得爲利養於未受菩薩戒者
前外道惡人前說此千佛大戒邪見人前
亦不得說除國王餘一切人不得說是惡人
輩不受佛戒名爲畜生生生不見三寶
如木石无心名爲外道邪見人輩木頭
无異而菩薩於是惡人前說七佛教戒
者犯輕垢罪
若佛子信心出家受佛正戒故起心毀犯
聖戒者不得受一切檀越供養亦不得國
王地上行不得飲國王水五千大鬼常遮
其前鬼言大賊入房舍城邑宅中鬼復
常掃其脚跡一切世人罵言佛法中賊一切
衆生眼不欲見犯戒之人畜生无異木頭
異若毀正戒者犯輕垢罪
若佛子常應一心受持讀誦剝皮爲紙
刺血爲墨以髓爲水析骨爲筆書寫佛
戒木皮角紙絹素竹帛亦應悉書持常以七寶
无價香花一切雜寶爲箱函盛經律卷
若不如法供養者犯輕垢罪
若佛子常起大悲心若入一切城邑舍宅見

BD02729號　梵網經盧舍那佛說菩薩心地戒品第十卷下　（26–23）

无價香花一切雜寶爲箱函盛經律卷
若不如法供養者犯輕垢罪
若佛子常起大悲心若入一切城邑舍宅見
一切衆生唱言汝等衆生盡應受三歸十戒
若見牛馬猪羊一切畜生應心念口言汝是
畜生發菩薩心而菩薩入一切處山林川
野皆使一切衆生發菩提心是菩薩若不
教化衆生者犯輕垢罪
若佛子常行教化起大悲心入檀越貴人家
一切衆中不得立爲白衣說法應白衣衆前
高座上坐法師比丘不得地立爲四衆白衣
說法若說法時法師高坐香花供養四衆
聽者下坐如孝順父母敬順師教如事火婆
羅門其說法者若不如法說者犯輕垢罪
若佛子皆以信心受佛戒者若國王太子百官四
部弟子自恃高貴破滅佛法戒律明作制
法制我四部弟子不聽出家行道亦復不
聽造立形像佛塔經律破三寶之罪而故
作破法者犯輕垢罪
若佛子以好心出家而爲名聞利養於國王
百官前說七佛戒橫與比丘比丘尼菩薩弟
子繫縛事如師子身中蟲自食師子非外道

BD02729號　梵網經盧舍那佛說菩薩心地戒品第十卷下　（26–24）

作破法者犯輕垢罪
若佛子以好心出家而爲名聞利養於國王
百官前說七佛戒橫與比丘比丘尼菩薩弟
子繫縛如師子身中蟲自食師子非外道
天魔能破佛戒若受佛戒者應護佛戒如
念一子如事父母而聞外道惡人以惡言謗佛
戒時如三百鉾刺心千刀万杖打拍其身等
无有異寧自入地獄百劫而不一聞惡言破佛
戒之聲而况自破佛戒教人破法因緣亦无
孝順心若故作者犯輕垢罪是九戒應
汝心奉持當
諸佛子是四十八輕戒汝等受持過去諸佛
菩薩已誦現在諸佛菩薩今誦未來
諸佛菩薩當誦佛子諦聽十重四十八輕
戒三世諸佛已誦當誦今誦我今亦如
是誦汝等一切大衆若國王王子百官宰相
比丘比丘尼信男信女受持菩薩戒者應
受持讀誦解說書寫佛性常住戒卷
流通三世一切衆生化化不絕得見千佛佛
佛授手世世不墮惡道八難常生人道天中
我今在此菩提樹下略開七佛法戒汝等
當一心學波羅提木叉歡喜奉行如無[illegible]

BD02729號　梵網經盧舍那佛說菩薩心地戒品第十卷下

(26–25)

諸佛子是四十八輕戒汝等受持過去諸佛
菩薩已誦現在諸佛菩薩今誦未來
諸佛菩薩當誦佛子諦聽十重四十八輕
戒三世諸佛已誦當誦今誦我今亦如
是誦汝等一切大衆若國王王子百官宰相
比丘比丘尼信男信女受持菩薩戒者應
受持讀誦解說書寫佛性常住戒卷
流通三世一切衆生化化不絕得見千佛佛
佛授手世世不墮惡道八難常生人道天中
我今在此菩提樹下略開七佛法戒汝等
當一心學波羅提木叉歡喜奉行如無天
王品勸學中一一廣明三千學士時坐聽者聞
佛自誦心心頂戴喜躍受持

佛說菩薩戒經一卷

BD02729號　梵網經盧舍那佛說菩薩心地戒品第十卷下

(26–26)

BD02729 號背　雜寫、殘字痕　（4–1）

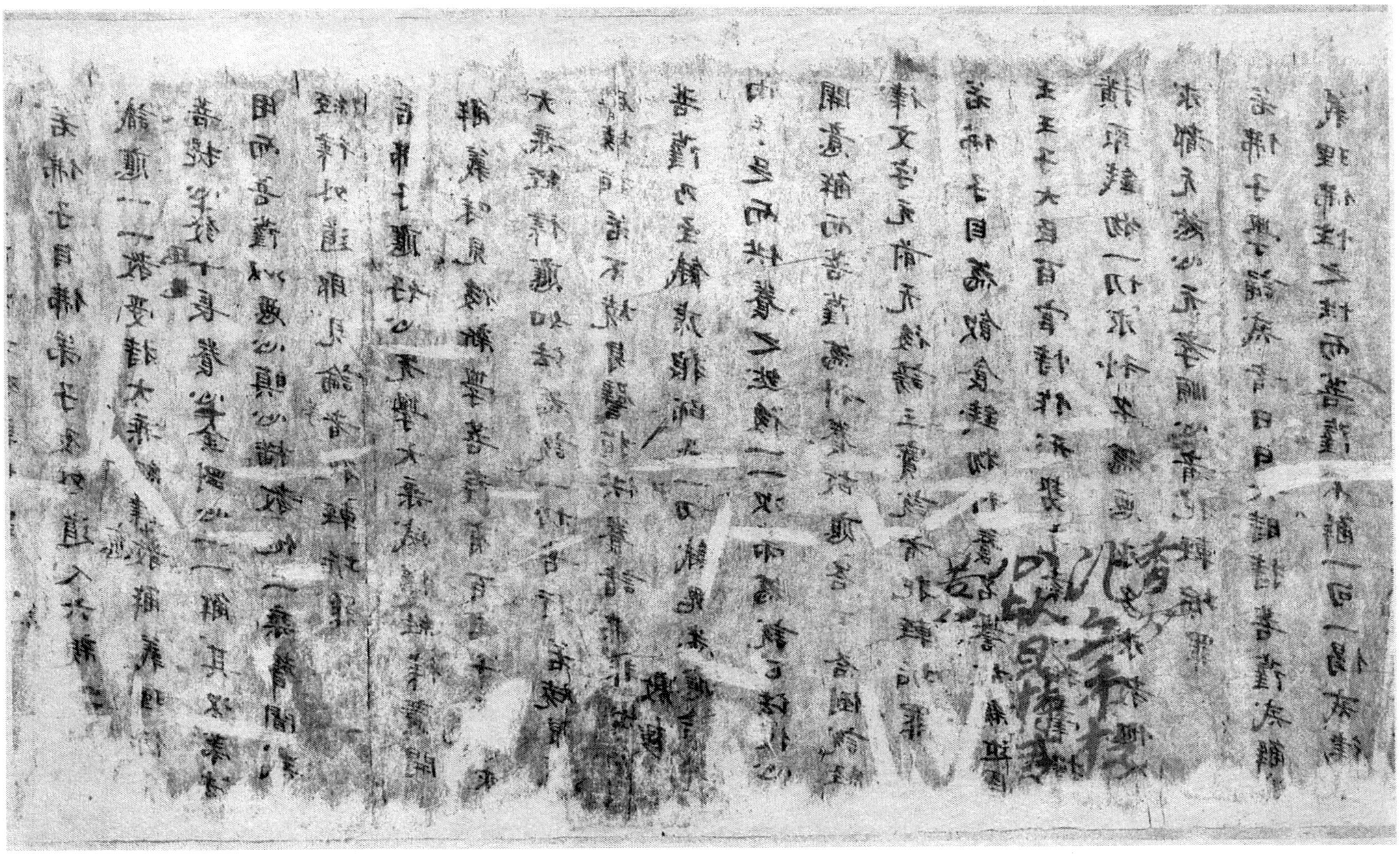

BD02729 號背　雜寫、殘字痕　（4–2）

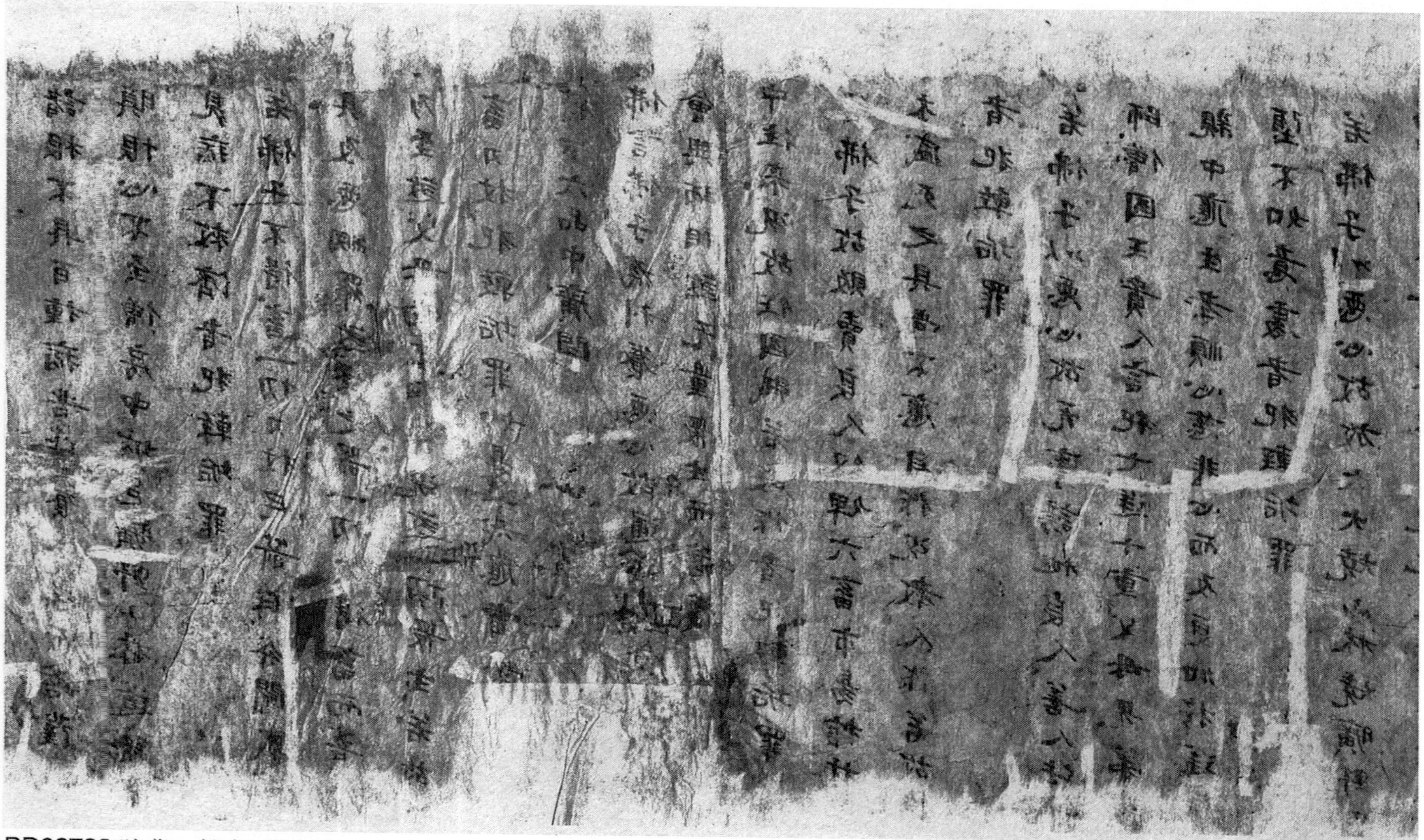

BD02729 號背　雜寫、殘字痕

（4–3）

BD02729 號背　雜寫、殘字痕

（4–4）

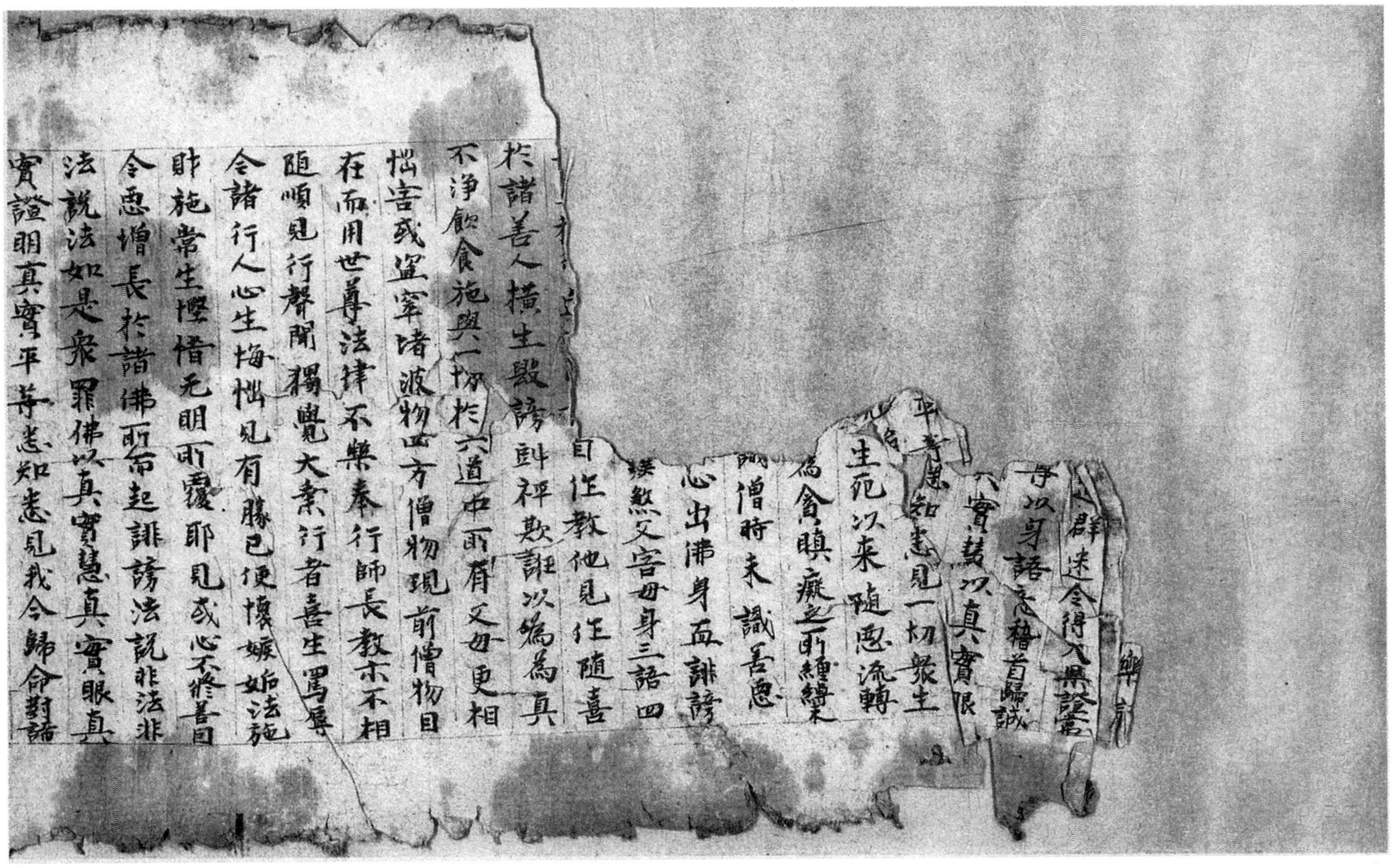

樂
群迷令得入無諸
等以身語意稽首歸誠
實慧真實眼
平等悉知悉見一切眾生
生死以來隨惡流轉
為貪瞋癡之所纏縛未
識僧時未識善惡
心出佛身血誹謗
殺父害母身三語四
自作教他見作隨喜
於諸善人橫生毀謗斗秤欺誑以偽為真
不淨飲食施與一切於六道中所有父母更相
惱害或盜窣堵波物四方僧物現前僧物自
在而用世尊法律不樂奉行師長教示不相
隨順見行聲聞獨覺大乘行者喜生罵辱
令諸行人心生悔惱見有勝己便懷嫉妬法施
財施常生慳惜无明所覆邪見惑心不修善因
令惡增長於諸佛所而起誹謗法說非法非
法說法如是眾罪佛以真實慧真實眼真
實證明真實平等悉知悉見我今歸命對諸

BD02730號　金光明最勝王經卷三　（16–1）

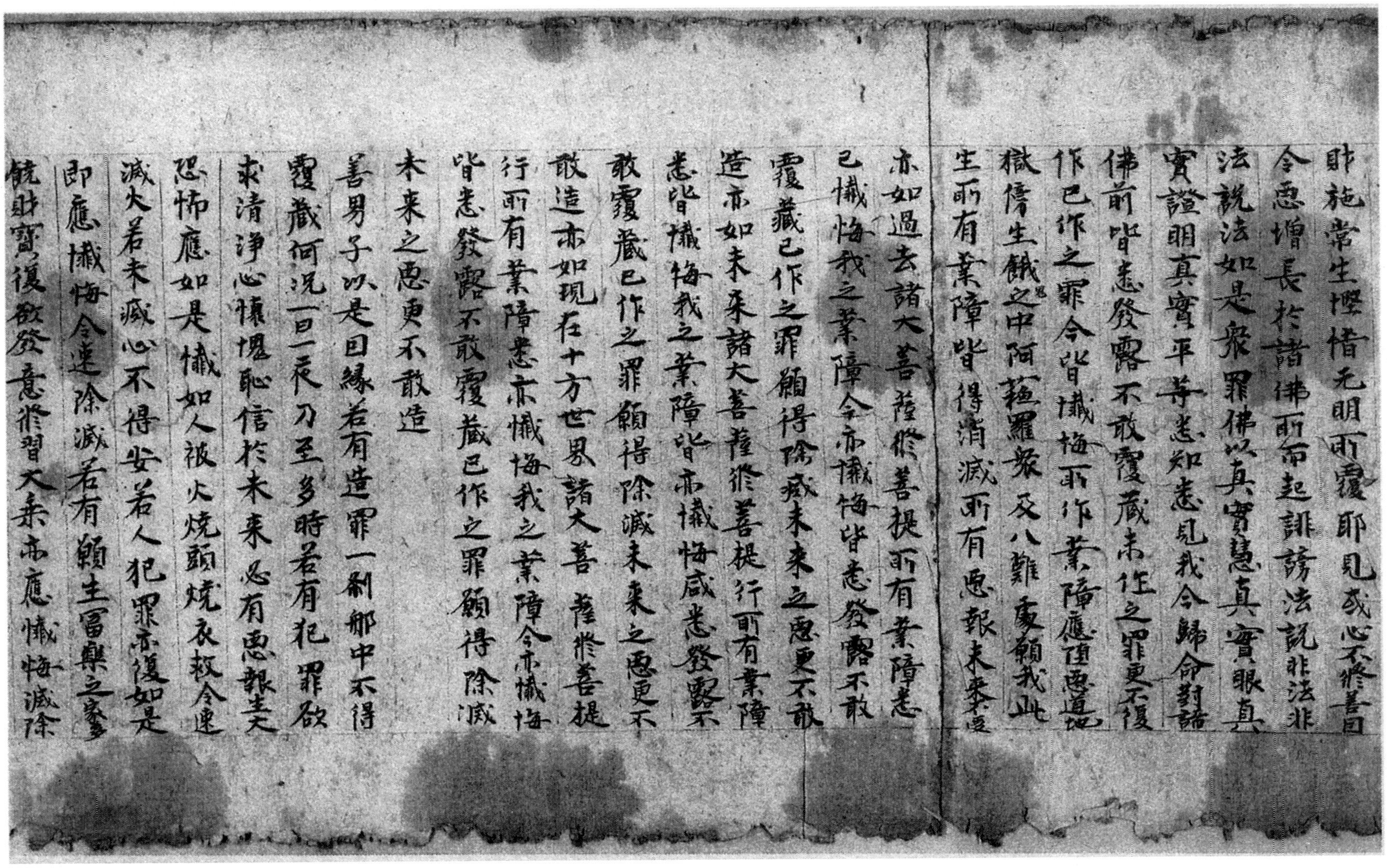

財施常生慳惜无明所覆邪見惑心不修善因
令惡增長於諸佛所而起誹謗法說非法非
法說法如是眾罪佛以真實慧真實眼真
實證明真實平等悉知悉見我今歸命對諸
佛前皆悉發露不敢覆藏未作之罪更不復
作已作之罪今皆懺悔所作業障應墮惡道地
獄傍生餓鬼之中阿蘇羅眾及八難處願我此
生所有業障皆得消滅所有惡報未來不受
亦如過去諸大菩薩修菩提所有業障悉
已懺悔我之業障今亦懺悔皆悉發露不敢
覆藏已作之罪願得除滅未來之惡更不敢
造亦如未來諸大菩薩修菩提行所有業障
悉皆懺悔我之業障皆亦懺悔咸悉發露不
敢覆藏已作之罪願得除滅未來之惡更不
敢造亦如現在十方世界諸大菩薩修菩提
行所有業障悉亦懺悔我之業障今亦懺悔
皆悉發露不敢覆藏已作之罪願得除滅
未來之惡更不敢造
善男子以是因緣若有造罪一剎那中不得
覆藏何況一日一夜乃至多時若有犯罪欲
求清淨心懷慚愧信於未來必有惡報生大
恐怖應如是懺如人被火燒頭燒衣救令速
滅火若未滅心不得安若人犯罪亦復如是
即應懺悔令速除滅若有願生富樂之家多
饒財寶復欲發意修習大乘亦應懺悔滅除

BD02730號　金光明最勝王經卷三　（16–2）

滅若未滅心不得安若人犯罪亦復如是
即應懺悔令速除滅若有願生富樂之家多
饒財寶復欲發意修習大乘亦應懺悔滅除
業障欲生豪貴婆羅門種剎帝利家及轉
輪王寶具足亦應懺悔滅除業障
善男子若有欲生四天王眾三十三天夜摩
天覩史多天樂變化天他化自在天亦應懺悔
滅除業障若欲生梵眾梵輔大梵天少光
无量光極光淨天少淨无量淨遍淨天无雲
福生廣果无煩无熱善現天善見色究竟天
亦應懺悔滅除業障若欲求預流果一來
果不還果阿羅漢果亦應懺悔滅除業障若
欲願三明六通聲聞獨覺自在菩提至究竟
地求一切智智淨智不思議智不動智三藐
三菩提正遍智者亦應懺悔滅除業障何
以故善男子一切諸法從因生緣如來所說
異相生異相滅因緣異故如是過去諸法皆
已滅盡所有業障无復遺餘是諸行法未得
現生而今得生未來業障更不復起何以故
善男子一切法空如來所說无有我人眾生
壽者亦无生滅亦无行法善男子一切諸法
皆依於本亦不可說何以故過一切相故若
有善男子善女人如是入於微妙真理生信
敬心是名无眾而有於本以是義故說

BD02730號　金光明最勝王經卷三

（16–3）

皆依於本亦不可說何以故過一切相故若
有善男子善女人如是入於微妙真理生信
敬心是名无眾而有於本以是義故說
於懺悔滅除業障
善男子若人成就四法能除業障永得清淨
云何為四一者不起邪心正念成就二者於甚
深理不生誹謗三者於初行菩薩起一切智
心四者於諸眾生起慈无量是謂為四尒時
世尊而說頌曰
專心護三業　不誹謗深法　作一切智想　慈心淨業障
善男子有四業障難可除滅云何為四一者於
菩薩律儀犯極重惡二者於大乘經心生誹
謗三者於自善根不能增長四者貪著有
无出心離復有四種對治業障云何為四一者
於十方世界一切如來至心親近說一切罪二
者為一切眾生勸請諸佛說深妙法三
者隨喜一切眾所有功德四者所有一切功
德善根悉皆迴向阿耨多羅三藐三菩提尒
時天帝釋白佛言世尊世間所有善男子善女人
於大乘行有能行者有不行者云何能德
隨喜一切眾生功德善根佛言善男子若有
眾生雖於大乘未能修習然於晝夜六時
偏袒右肩右膝著地合掌恭敬一心專念作
隨喜時得福无量應作是言十方世界一切

BD02730號　金光明最勝王經卷三

（16–4）

衆生雖於大乘未能修習然於晝夜六時
偏袒右肩右膝著地合掌恭敬一心專念作
隨喜時得福无量應作是言十方世界一切
衆生現在修行施戒心慧我今皆悉深生隨
喜由作如是隨喜福故必當獲得尊重殊勝
无上无等最妙之果如是過去未來一切衆
生所有善根皆悉隨喜又於現在初行菩薩
發菩提心所有功德過百大劫行菩薩行有
大功德獲无生忍至不退輪一生補處 如是
一切功德之蘊皆悉至心隨喜讚歎過去未
來一切菩薩所有功德隨喜讚歎亦復如是
復於現在十方世界一切諸佛應正遍知證妙
菩提為度无邊諸衆生故轉无上法輪 行
无礙法施擊法鼓吹法螺建法幢雨法雨哀
愍勸化一切衆生咸令信受皆蒙法施悉得
充足无盡安樂又復所有菩薩聲聞獨覺
功德積集善根若有衆生未具如是諸功德
者悉令具足我皆隨喜如是過去未來諸
佛菩薩聲聞獨覺所有功德亦皆至心隨喜
讚歎善男子如是隨喜當得无量功德之聚
如恒河沙三千大千世界所有衆生皆斷煩惱
成阿羅漢若有善男子善女人盡其形壽
常以上妙衣服飲食卧具醫藥而為供養如
是功德不及如前隨喜功德千分之一何以故

BD02730號　金光明最勝王經卷三　（16–5）

成阿羅漢若有善男子善女人盡其形壽
常以上妙衣服飲食卧具醫藥而為供養如
是功德不及如前隨喜功德千分之一何以故
供養功德有數有量不攝一切諸功德故
隨喜功德无量无數能攝三世一切功德是故
若人欲求增長勝善根者應脩如是隨喜功
德若有女人願轉女身為男子者亦應脩習
隨喜功德必得隨心現成男子 尒時天帝釋白
佛言世尊已知隨喜功德勸請功德唯願為
說欲令未來一切菩薩當轉法輪現在 菩薩
正脩行故佛告帝釋若善男子善女人願求
阿耨多羅三藐三菩提者應當修行聲聞獨
覺大乘之道是人當於晝夜六時如前威儀
一心專念作如是言 我今歸依十方一切諸佛
世尊已得阿耨多羅三藐三菩提未轉无上法
輪欲捨報身入涅槃者我皆至誠頂礼勸請
轉大法輪雨大法雨然大法燈照明理趣施
无㝵法莫般涅槃久住於世度脱安樂一切
衆生如前所說乃至无盡安樂我今以此勸
請功德迴向阿耨多羅三藐三菩提如是過去
未來現在諸大菩薩勸請功德迴向菩提我
亦如是勸請功德迴向无上正等菩提善男
子假使有人以三千大千世界中七寶供養
如來若復有人勸請如來轉大法輪所得功

BD02730號　金光明最勝王經卷三　（16–6）

轉大法輪雨大法雨燃大法燈照明理趣施
无㝵法莫般涅槃久住於世度脫安樂一切
衆生如前所說乃至无盡安樂我今以此勸
請功德迴向阿耨多羅三藐三菩提如是過去
未來現在諸大菩薩勸請功德迴向菩提我
亦如是勸請功德迴向无上正等菩提善男
子假使有人以三千大千世界中七寶供養
如來若復有人勸請如來轉大法輪所得功
德其福勝彼何以故彼是財施此是法施善
男子且置三千大千世界七寶布施若人以
滿恒河沙數大千世界七寶供養一切諸佛
勸請功德亦勝於彼由其法施有五勝利
何為五一者法施兼利自他財施不尒二者
法施能令衆生出於三界財施之福出不欲
界三者法施能淨法身財施但唯增長色
四者法施无窮財施有盡五者法施能斷无
明財施唯伏貪愛是故善男子勸請功德无
量无邊難可譬喻如我昔菩薩道時勸請
諸佛轉大法輪由彼善根是故今日一切帝
釋諸梵王等勸請於我轉大法輪善男子
請轉法輪為欲度脫安樂諸衆生故我於
往昔為菩提行勸請如來久住於世莫般涅
槃依此善根我得十力四无所畏四无礙辯
大慈大悲證得无數不共之法我當入於
无餘涅槃我之正法久住於世我法者身清

BD02730號　金光明最勝王經卷三　（16–7）

請轉法輪為欲度脫安樂諸衆生故我於
往昔為菩提行勸請如來久住於世莫般涅
槃依此善根我得十力四无所畏四无礙辯
大慈大悲證得无數不共之法我當入於
无餘涅槃我之正法久住於世我法者身清
淨无彼比種種妙相无量智慧无量自在无量
功德難可思議一切衆生皆蒙利益百千万
劫說不能盡法身攝藏一切諸法一切諸法不
攝法身法身常住不墮常見雖復斷滅亦非斷
見能破衆生種種異見能生衆生種種真見
能解一切衆生之縛无縛可解能植衆生諸
善根本未成熟者令成熟已成熟者令解
脫无作无動遠離闠閙寂靜无為自在安樂
過於三世能現三世出於聲聞獨覺之境諸
大菩薩之所脩行一切如來體无有異此等皆
由勸請功德善根力故如是法身我今已得
是故若有欲得阿耨多羅三藐三菩提者於
諸經中一句一頌為人解說功德善根尚无
限量何況勸請如來轉大法輪久住於世莫
般涅槃
時天帝釋復白佛言世尊若善男子善女人
為求阿耨多羅三藐三菩提故脩三乘道所
有善根云何迴向一切智佛告天帝善男子
若有衆生欲求菩提脩三乘道所有善根
願迴向者當於晝夜六時慇重至心作如是

BD02730號　金光明最勝王經卷三　（16–8）

若有樂學欲求菩提修三乘道所有善根
願迴向者當於晝夜六時殷重至心作如是
說我從无始生死以來於三寶所修行成就
所有善根乃至施与傍生一摶之食或以善
言和解諍訟或受三歸及諸學處或復懺悔
勸請隨喜所有善根我今作意悉皆攝聚
施一切衆生无悔悋心是解脫分善根所攝
如佛世尊之所知見不可稱量无尋清淨如
是所有功德善根悉以迴施一切衆生不住
相心不捨相心我亦如是功德善根悉以迴施
一切衆生願皆獲得如意之手撝空出寶
滿衆生願富樂无盡智慧无窮妙法辯才悉
皆无滯共諸衆生同證阿耨多羅三藐三菩提
得一切智因此善根更復出生无量善法
亦皆迴向无上菩提又如過去諸大菩薩修
行之時功德善根悉皆迴向一切衆智現在
未來亦復如是然我所有功德善根亦皆迴
向阿耨多羅三藐三菩提是諸善根願共一
切衆生俱成正覺如餘諸佛坐於道場菩提
樹下不可思議无礙清淨住於无盡法藏陁
羅尼首楞嚴定破魔波旬无量兵衆應見
覺知應可通達如是一切一剎那中悉皆照
了於後夜中獲甘露法證甘露義我及衆
生願皆同證如是妙覺猶如

BD02730號　金光明最勝王經卷三　（16–9）

樹下不可思議无礙清淨住於无盡法藏陁
羅尼首楞嚴定破魔波旬无量兵衆應見
覺知應可通達如是一切一剎那中悉皆照
了於後夜中獲甘露法證甘露義我及衆
生願皆同證如是妙覺猶如
无量壽佛　勝光佛　妙光佛　阿閦佛
功德善光佛　師子光明佛　百光明佛　網光明佛
寶相佛　寶焰佛　焰明佛　焰威光明佛
吉祥上王佛　微妙聲佛　妙莊嚴佛　法幢佛
上勝身佛　可愛色身佛　光明遍照佛　梵淨王佛
上性佛
如是等如來應正遍知過去未來及以現在
亦現應化得阿耨多羅三藐三菩提轉无上
法轉為度衆生我亦如是廣說如上
善男子若有淨信男子女人於此金光明最
勝經王滅業障品受持讀誦憶念不忘為他
廣說得无量无邊大功德聚譬如三千大千世
界所有衆生一時皆得成就人身得人身已
成獨覺道若有男子女人盡其形壽恭敬
尊重四事供養一一獨覺各施七寶如須彌山
此諸獨覺入涅槃後皆以珍寶起塔供養其
塔高廣十二踰繕那以諸花香寶幢幡蓋常
為供養善男子於意云何是人所獲功德寧
為多不天帝釋言甚多世尊善男子若復有
人於此金光明微妙經典衆經之王滅業障品
受持讀誦憶念不忘為他廣說所獲功德於

BD02730號　金光明最勝王經卷三　（16–10）

……是人所獲功德
為多不天帝釋言甚多世尊善男子若復有
人於此金光明微妙經典衆經之王滅業障品
受持讀誦憶念不忘為他廣說所獲功德於
前所說供養功德百分不及一百千万億分
乃至校量譬喻所不能及何以故是善男子
善女人住正行中勸請十方一切諸佛轉无上
法輪皆為諸佛勸喜讚歎善男子如我所
說一切施中法施為勝是故善男子於三寶
所設諸供養不可為比勸受三歸持一切戒无
有毀犯三業不空不可為比一切世界一切衆
生隨力隨能隨所願樂於三乘中勸發菩提
心不可為比於三世中一切世界所有衆生皆
得无礙速令成就无量功德不可為比三世刹
土一切衆生令无障礙得三菩提不可為比
三世刹土一切衆生勸令遠出四惡道苦不
可為比三世刹土一切衆勸令除滅極重
惡業不可為比一切苦惱令解脫不可為比一
切怖畏苦惱逼切皆令得解不可為比三世
佛前一切衆生所有功德勸令隨喜發菩提
願不可為比勸除惡行罵辱之業一切功德
皆願成就所在生中勸請供養尊重讚歎一
切三寶勸請衆生淨脩福行成滿菩提不可
為比是故當知勸請一切世界三寶勸請滿
足六波羅蜜請轉於无上法輪勸請住世
經无量劫演說无量甚深妙法功德甚深
无能比者
尒時天帝釋及恒河女神无量梵王四大天衆

BD02730號　金光明最勝王經卷三

（16–11）

為比是故當知勸請一切世界三寶勸請滿
足六波羅蜜請轉於无上法輪勸請住世
經无量劫演說无量甚深妙法功德甚深
无能比者
尒時天帝釋及恒河女神无量梵王四大天衆
從座而起偏袒右肩右膝著地合掌頂礼
白佛言世尊我等皆得聞是金光明最勝王
經今悉受持讀誦通利為他廣說於此法住
何以故世尊我等欲求阿耨多羅三藐三菩
提隨順此義種種勝相如法行故尒時梵王
及天帝釋等於說法處皆以種種曼陁羅花
而散佛上三千大千世界地大動一切天鼓
及諸音樂不鼓自鳴放金色光遍世界出妙
音聲時天帝釋白佛言世尊此等皆是金
光明經威神之力慈悲普救種種利益種種
增長菩薩善根滅諸業障佛言如是如是如
汝所說何以故善男子我念往昔過无量百
千阿僧祇劫有佛名寶王光大照如來應正
遍知出現於世住世六百八十億劫尒時寶王
大光照如來為欲度脫人天釋梵沙門婆羅
門一切衆生令安樂故當出現時初會說
法度百千億億万衆皆得阿羅漢果諸漏已
盡三明六通自在无㝵於弟二會復度九十千
億億万衆皆得阿羅漢果諸漏已盡三明
六通自在无礙於弟三會復度九十八千十
億万衆皆得阿羅漢果圓滿如上
善男子我於尒時作女人身名福寶光明於
弟三會親近世尊受持讀誦是金光明經為

BD02730號　金光明最勝王經卷三

（16–12）

六通自在无礙於第三會復度九十八千千
億万衆皆得阿羅漢果圓滿如上
善男子我於尒時作女人身名福寶光明於
第三會親近世尊受持讀誦是金光明經為
他廣說求阿耨多羅三藐三菩提故時彼世
尊為我受記此福寶光明女於未來世當得
作佛號釋迦牟尼如來應正遍知明行足善
逝世間解无上士調御丈夫天人師佛世尊捨
女人身後後是以來越四惡道生人天中受上
妙樂八十四百千生作轉輪王至于今日得成
正覺名稱普聞遍滿世界時會大衆忽覩
見寶王大光照如來轉无上法輪說微妙法善
男子去此索訶世界東方過百千恒河沙數
佛土有世界名寶莊嚴其寶王大光照如來
今現在彼未般涅槃說微妙法廣化羣生汝
等見者即是彼佛
善男子若有善男子善女人聞是寶王大光
照如來名號者於菩薩地得不退轉至大涅
槃若有女人聞是佛名者臨命終時得見彼
佛來至其所即見佛已究竟不復更受女身
善男子是金光明微妙經典種種利益種種
增長菩薩善根滅諸業障善男子若有苾
芻苾芻尼鄔波索迦鄔波斯迦隨在何處為
人講說是金光明微妙經典於其國土皆獲四
種福利善根云何為四一者國王无病離諸灾
厄二者壽命長遠无有障礙三者无諸怨敵
兵衆勇捷四者安隱豐樂正法流通何以故如
是人王常為釋梵四王藥叉之衆共守護故

BD02730號　金光明最勝王經卷三　（16–13）

種福利善根云何為四一者國王无病離諸灾
厄二者壽命長遠无有障礙三者无諸怨敵
兵衆勇捷四者安隱豐樂正法流通何以故如
是人王常為釋梵四王藥叉之衆共守護故
尒時世尊告天衆曰善男子是事實不是時
无量釋梵四王及藥叉衆俱時同聲答世尊言
如是如是若有國主講宣讀誦此妙經王是
諸國主我等四王常來擁護行住共俱其
王若有一切灾障及諸怨敵我等四王皆使消
殄憂愁疾疫亦令除差增益壽命感應禎
祥所願隨心恒生歡喜我等亦能令其國中
所有軍兵悉皆勇健佛言善哉善哉善男
子如汝所說汝當修行何以故是諸國主如法行
時一切人民隨王修習如法行者汝等皆蒙
色力勝利宮殿光明眷屬强盛時釋梵等
白佛言如是世尊佛言若有講讀此妙經典
流通之處於其國中大臣輔相有種利益
云何為四一者更相親穆尊重愛念二者常
為人王心所愛重亦為沙門婆羅門大國小
國之所尊敬三者輕財重法不求世利嘉名
普暨衆所欽仰四者壽命延長安隱快樂是
名四益若有國土宣說是經沙門婆羅門得
四種勝利云何為四一者衣服飲食卧具醫藥
无所乏少二者皆得安心思惟讀誦三者依
於山林得安樂住四者隨心所願皆得滿足
是名四種勝利若有國土宣說是經一切人
民皆得豐樂无諸疾病商估往還多獲寶
貨具足勝福是名種種功得利益

BD02730號　金光明最勝王經卷三　（16–14）

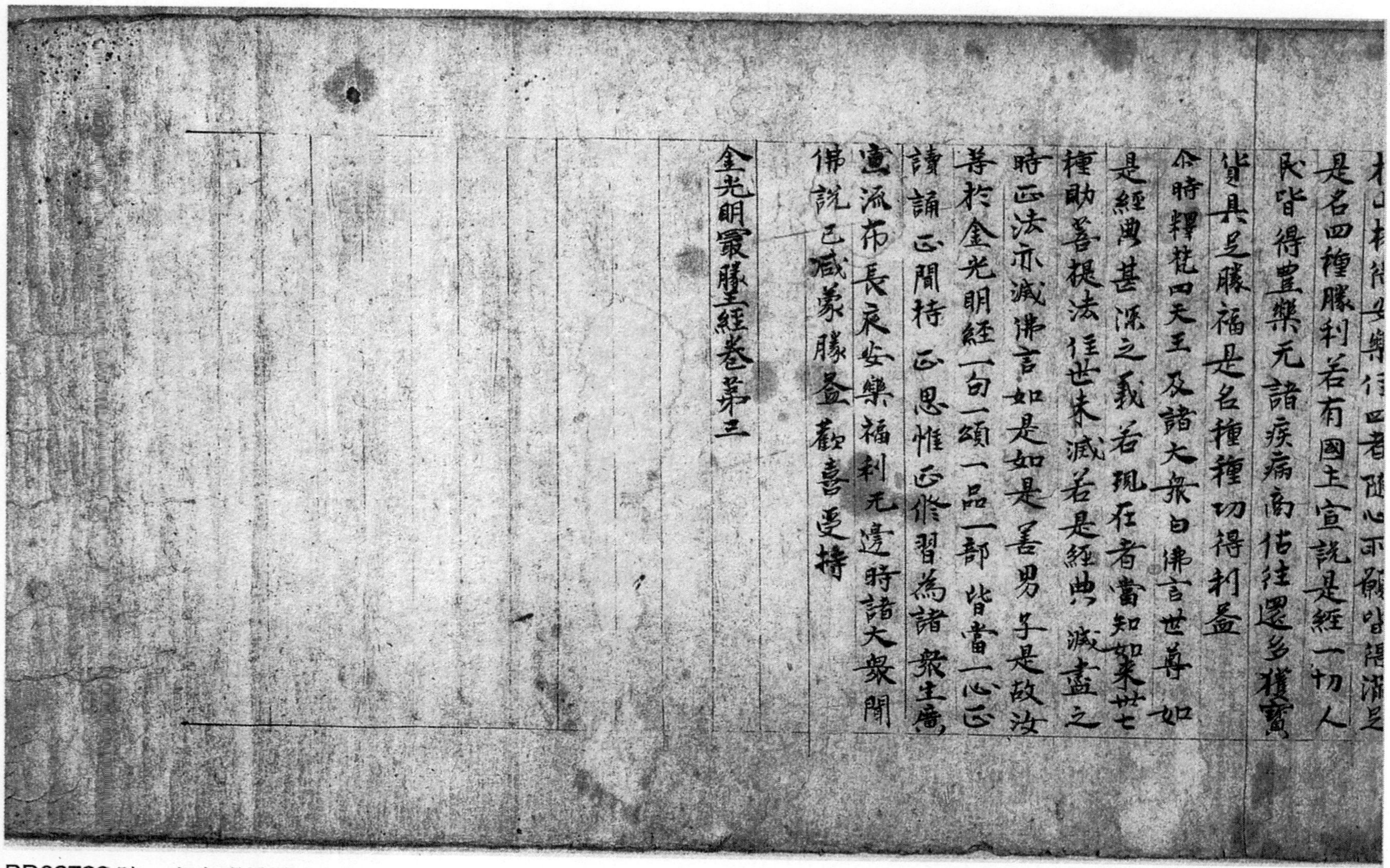
於山林間安樂行四者隨心所願皆得滿足
是名四種勝利若有國主宣說是經一切人
民皆得豐樂无諸疾病商估往還多獲寶
貨具足勝福是名種種功得利益
尒時釋梵四天王及諸大衆白佛言世尊如
是經典甚深之義若現在者當知如來卅七
種助菩提法住世未滅若是經典滅盡之
時正法亦滅佛言如是如是善男子是故汝
等於金光明經一句一頌一品一部皆當一心正
讀誦正聞持正思惟正修習為諸衆生廣
宣流布長夜安樂福利无邊時諸大衆聞
佛說已咸蒙勝益歡喜受持
金光明最勝王經卷第三

BD02730 號　金光明最勝王經卷三　（16–15）

等於金光明經一句一頌一品一部皆當一心正
讀誦正聞持正思惟正修習為諸衆生廣
宣流布長夜安樂福利无邊時諸大衆聞
佛說已咸蒙勝益歡喜受持
金光明最勝王經卷第三

BD02730 號　金光明最勝王經卷三　（16–16）

樂諸衆生故常行法施誘進群迷令得大果
證常樂故如是等諸佛世尊以身語意稽首
歸誠至心礼敬彼諸世尊以真實慧以真實
眼真實證明真實平等悉知悉見一切衆生
善惡之業我從無始生死以來隨惡流轉共
諸衆生造業障罪爲貪瞋癡之所纏縛未識
佛時未識法時未識僧時未識善惡由身語
意造無間罪惡心出佛身血誹謗正法破和

BD02731號　金光明最勝王經卷三　（15-1）

善惡之業我從無始生死以來隨惡流轉共
諸衆生造業障罪爲貪瞋癡之所纏縛未識
佛時未識法時未識僧時未識善惡由身語
意造無間罪惡心出佛身血誹謗正法破和
合僧殺阿羅漢殺害父母身三語四意三種
行造十惡業自作教他見作隨喜於諸善人
横生毀謗斗秤欺誑以僞爲真不淨飲食施
與一切於六道中所有父母更相惱害或盜
窣堵波物四方僧物現前僧物自在而用世
尊法律不樂奉行師長教示不相隨順見行
聲聞獨覺大乘行者憙生罵辱令諸行人心
生悔惱見有勝己便懷嫉妬法施財施常生
慳惜無明所覆邪見惑心不修善因令惡增
長於諸佛所而起誹謗法説非法非法説法
如是衆罪佛以真實慧真實眼真實證明真
實平等悉知悉見我今歸命對諸佛前皆悉
發露不敢覆藏未作之罪更不復作已作之
罪今皆懺悔所作業障應墮惡道地獄傍生
餓鬼之中阿蘇羅衆及八難處願我此生所
有業障皆得消滅所有惡報未來不受亦如
過去諸大菩薩修菩提行所有業障悉已懺
悔我之業障今亦懺悔皆悉發露不敢覆藏
已作之罪願得除滅未來之惡更不敢造亦
如未來諸大菩薩修菩提行所有業障悉已
懺悔我之業障今亦懺悔皆悉發露不敢覆

BD02731號　金光明最勝王經卷三　（15-2）

已作之罪願得除滅未來之惡更不敢造亦
如未來諸大菩薩修菩提行所有業障悉已
懺悔我之業障今亦懺悔皆悉發露不敢覆
藏已作之罪願得除滅未來之惡更不敢造
亦如現在十方世界諸大菩薩修菩提行所
有業障悉已懺悔我之業障今亦懺悔皆悉
發露不敢覆藏已作之罪願得除滅未來之
惡更不敢造
善男子以是因緣若有造罪一剎那中不得
覆藏何況一日一夜乃至多時若有犯罪欲
求清淨心懷慚恥信於未來必有惡報生大
恐怖應如是懺如人被火燒頭燒衣救令速
滅火若未滅心不得安若人犯罪亦復如是
即應懺悔令速除滅若有願生富樂之家多
饒財寶復欲發意修習大乘亦應懺悔滅除
業障欲生豪貴婆羅門種剎帝利家及轉輪
王七寶具足亦應懺悔滅除業障
善男子若有欲生四大王衆三十三天夜摩
天覩史多天樂變化天他化自在天亦應懺
悔滅除業障若欲生梵衆梵輔大梵天少光
無量光極光淨天少淨無量淨遍淨天無雲
福生廣果無煩無熱善現天善見色究竟天
亦應懺悔滅除業障若欲求預流果一來果
不還果阿羅漢果亦應懺悔滅除業障若欲
願求三明六通聲聞獨覺自在菩提至究竟

BD02731號　金光明最勝王經卷三

（15–3）

福生廣果無煩無熱善現天善見色究竟天
亦應懺悔滅除業障若欲求預流果一來果
不還果阿羅漢果亦應懺悔滅除業障若欲
願求三明六通聲聞獨覺自在菩提至究竟
地求一切智智淨智不思議智不動智三藐
三菩提正遍智者亦應懺悔滅除業障何以
故善男子一切諸法從因緣生如來所說異
相生異相滅因緣異故如是過去諸法皆已
滅盡所有業障無復遺餘是諸行法未得現
生而今得生未來業障更不復起何以故善
男子一切法空如來所說無有我人衆生壽
者亦無生滅亦無行法善男子一切諸法皆
依於本亦不可說何以故過一切相故若有
善男子善女人如是入於微妙真理生信敬
心是名無衆生而有於本以是義故說於懺
悔滅除業障
善男子若人成就四法能除業障永得清淨
云何為四一者不起邪心正念成就二者於
甚深理不生誹謗三者於初行菩薩起一切
智心四者於諸衆生起慈無量是謂為四尒
時世尊而說頌言
專心護三業　不誹謗深法　作一切智想　慈心淨業障
善男子有四業障難可滅除云何為四一者
於菩薩律儀犯極重惡二者於大乘經心生
誹謗三者於自善根不能增長四者貪著三
有無出離心復有四種對治業障云何為四

BD02731號　金光明最勝王經卷三

（15–4）

善男子有四業障難可滅除云何為四一者
於菩薩律儀犯極重惡二者於大乘經心生
誹謗三者於自善根不能增長四者貪著三
有無出離心復有四種對治業障云何為四
一者於十方世界一切如來至心親近說一
切罪二者為一切衆生勸請諸佛說深妙法
三者隨喜一切衆生所有功德四者所有一
切功德善根悉皆迴向阿耨多羅三藐三菩
提尒時天帝釋白佛言世尊世間所有男子
女人於大乘行有能行者有不行者云何能
得隨喜一切衆生功德善根佛言善男子若
有衆生雖於大乘未能修習然於晝夜六時
偏袒右肩右膝著地合掌恭敬一心專念作
隨喜時得福無量應作是言十方世界一切
衆生現在修行施戒心慧我今皆悉深生隨
喜由作如是隨喜福故必當獲得尊重殊勝
無上無等最妙之果如是過去未来一切衆
生所有善根皆悉隨喜又於現在初行菩薩
發菩提心所有功德過百大劫行菩薩行有
大功德獲無生忍至不退轉一生補處如是
一切功德之蘊皆悉至心隨喜讚歎過去未
来一切菩薩所有功德隨喜讚歎亦復如是
復於現在十方世界一切諸佛應正遍知證
妙菩提為度無邊諸衆生故轉無上法輪行
無礙法施擊法鼓吹法螺建法幢雨法雨哀
愍勸化一切衆生咸令信受皆蒙法施悉得

復於現在十方世界一切諸佛應正遍知證
妙菩提為度無邊諸衆生故轉無上法輪行
無礙法施擊法鼓吹法螺建法幢雨法雨哀
愍勸化一切衆生咸令信受皆蒙法施悉得
充足無盡安樂又復所有菩薩聲聞獨覺功
德積集善根若有衆生未具如是諸功德者
悉令具足我皆隨喜如是過去未来諸佛菩
薩聲聞獨覺所有功德亦皆至心隨喜讚歎
善男子如是隨喜當得無量功德之聚如恒
河沙三千大千世界所有衆生皆斷煩惱成
阿羅漢若有善男子善女人盡其形壽常以
上妙衣服飲食卧具醫藥而為供養如是功
德不及如前隨喜功德千分之一何以故供
養功德有數有量不攝一切諸功德故隨喜功
德無量無數能攝三世一切功德是故若人
欲求增長勝善根者應修如是隨喜功德若
有女人願轉女身為男子者亦應修習隨喜
功德必得隨心現成男子尒時天帝釋白佛
言世尊已知隨喜功德勸請功德唯願為說
欲令未来一切菩薩當轉法輪現在菩薩正
修行故佛告帝釋若有善男子善女人願求
阿耨多羅三藐三菩提者應當修行聲聞獨
覺大乘之道是人當於晝夜六時如前威儀
一心專念作如是言我今歸依十方一切諸
佛世尊已得阿耨多羅三藐三菩提未轉無
上法輪欲捨報身入涅槃者我皆至誠頂礼

一心專念作如是言我今歸依十方一切諸
佛世尊已得阿耨多羅三藐三菩提未轉無
上法輪欲捨報身入涅槃者我皆至誠頂礼
勸請轉大法輪雨大法雨然大法燈照明理
趣施無礙法莫般涅槃久住於世度脫安樂
一切衆生如前所說乃至無盡安樂我今以
此勸請功德迴向阿耨多羅三藐三菩提如
過去未來現在諸大菩薩勸請功德迴向菩
提我亦如是勸請功德迴向無上正等菩提
善男子假使有人以三千大千世界滿中七
寶供養如來若復有人勸請如來轉大法輪
所得功德其福勝彼何以故彼是財施此是
法施善男子且置三千大千世界七寶布施
若人以滿恒河沙數大千世界七寶供養一
切諸佛勸請功德亦勝於彼由其法施有五
勝利云何爲五一者法施兼利自他財施不
尒二者法施能令衆生出於三界財施之福
不出欲界三者法施能淨法身財施但唯增
長於色四者法施無窮財施有盡五者法施
能斷無明財施唯伏貪愛是故善男子勸請
功德無量無邊難可譬喻如我昔行菩薩道
時勸請諸佛轉大法輪由彼善根是故今日
一切帝釋諸梵王等勸請於我轉大法輪善
男子請轉法輪爲欲度脫安樂諸衆生故我
於往昔爲菩提行勸請如來久住於世莫般
涅槃依此善根我得十力四無所畏四無礙

冢 冡 以 王 口 冡 以 以

BD02731號　金光明最勝王經卷三

（15–7）

一切帝釋諸梵王等勸請於我轉大法輪善
男子請轉法輪爲欲度脫安樂諸衆生故我
於往昔爲菩提行勸請如來久住於世莫般
涅槃依此善根我得十力四無所畏四無礙
辯大慈大悲證得無數不共之法我當入於
無餘涅槃我之正法久住於世我法身者清
淨無比種種妙相無量智慧無量自在無量
功德難可思議一切衆生皆蒙利益百千万
劫說不能盡法身攝藏一切諸法一切諸法
不攝法身法身常住不墮常見雖復斷滅亦
非斷見能破衆生種種異見能生衆生種種
真見能解一切衆生之縛無縛可解能植衆
生諸善根本未成熟者令成熟已成熟者令
解脫無作無動遠離閙鬧寂靜無爲自在安
樂過於三世能現三世出於聲聞獨覺之境
諸大菩薩之所修行一切如來體無有異此
等皆由勸請功德善根力故如是法身我今
已得是故若有欲得阿耨多羅三藐三菩提
者於諸經中一句一頌爲人解說功德善根
尚無限量何况勸請如來轉大法輪久住於
世莫般涅槃
時天帝釋復白佛言世尊若善男子善女人
爲求阿耨多羅三藐三菩提故修三乘道所
有善根云何迴向一切智智佛告天帝善男
子若有衆生欲求菩提修三乘道所有善根
願於晝夜六時慇重正心作如是

BD02731號　金光明最勝王經卷三

（15–8）

有善根云何迴向一切智智佛告天帝善男
子若有衆生欲求菩提修三乘道所有善根
願迴向者當於晝夜六時慇重至心作如是
說我從無始生死以來於三寶所修行成就
所有善根乃至施與傍生一摶之食或以善
言和解諍訟或受三歸及諸學處或復懺悔
勸請隨喜所有善根我今作意悉皆攝取迴
施一切衆生無悔恡心是解脫分善根所攝
如佛世尊之所知見不可稱量無礙清淨如
是所有功德善根悉以迴施一切衆生不住
相心不捨相心我亦如是功德善根悉以迴
施一切衆生願皆獲得如意之手擬空出寶
滿衆生願富樂無盡智慧無窮妙法辯才悉
皆無滯共諸衆生同證阿耨多羅三藐三菩
提得一切智因此善根更復出生無量善法
亦皆迴向無上菩提又如過去諸大菩薩修
行之時功德善根悉皆迴向一切種智現在
未來亦復如是然我所有功德善根亦皆迴
向阿耨多羅三藐三菩提是諸善根願共一
切衆生俱成正覺如餘諸佛坐於道場菩提
樹下不可思議無礙清淨住於無盡法藏陁
羅尼首楞嚴定破魔波旬無量兵衆應見覺
知應可通達如是一切一剎那中悉皆照了
於後夜中獲甘露法證甘露義我及衆生願
皆同證如是妙覺猶如

BD02731 號　金光明最勝王經卷三　（15-9）

知應可通達如是一切一剎那中悉皆照了
於後夜中獲甘露法證甘露義我及衆生願
皆同證如是妙覺猶如
無量壽佛　勝光佛　妙光佛　阿閦佛
功德善光佛　師子光明佛　百光明佛　網光明佛
寶相佛　寶焰佛　焰明佛　焰盛光明佛
吉祥上王佛　微妙聲佛　妙莊嚴佛　法幢佛
上勝身佛　可愛色身佛　光明遍照佛　梵淨王佛
上性佛
如是等如來應正遍知過去未來及以現在
示現應化得阿耨多羅三藐三菩提轉無上
法輪為度衆生我亦如是廣說如上
善男子若有淨信男子女人於此金光明最
勝經王滅業障品受持讀誦憶念不忘為他
廣說得無量無邊大功德聚譬如三千大千
世界所有衆生一時皆得成就人身得人身
已成獨覺道若有男子女人盡其形壽恭敬
尊重四事供養一一獨覺各施七寶如須弥
山此諸獨覺入涅槃後皆以珍寶起塔供養
其塔高廣十二踰繕那以諸花香寶幢幡蓋
常為供養善男子於意云何是人所獲功德
寧為多不天帝釋言甚多世尊善男子若復
有人於此金光明微妙經典衆經之王滅業
障品受持讀誦憶念不忘為他廣說所獲功
德於前所說供養功德百分不及一百千万

BD02731 號　金光明最勝王經卷三　（15-10）

有人於此金光明微妙經典衆經之王滅業
障品受持讀誦憶念不忘爲他廣說所獲功
德於前所說供養功德百分不及一百千万
億分乃至挍量譬喻所不能及何以故是善
男子善女人住正行中勸請十方一切諸佛
轉無上法輪皆爲諸佛歡喜讚歎善男子如
我所說一切施中法施爲勝是故善男子於
三寶所設諸供養不可爲比勸受三歸持一
切戒無有毀犯三業不空不可爲比一切世
界一切衆生隨力隨能隨所願樂於三乘中
勸發菩提心不可爲比於三世中一切世界
所有衆生皆得無礙速令成就無量功德不
可爲比三世剎土一切衆生令無障礙得三
菩提不可爲比三世剎土一切衆生勸令速
出四惡道苦不可爲比三世剎土一切衆生
勸令除滅極重惡業不可爲比一切苦惱勸
令解脫不可爲比一切怖畏苦惱逼切皆令
得解不可爲比三世佛前一切衆生所有功
德勸令隨喜發菩提願不可爲比勸除惡行
罵辱之業一切功德皆願成就所在生中勸
請供養尊重讚歎一切三寶勸請衆生淨修
福行成滿菩提不可爲比是故當知勸請一
切世界三世三寶勸請滿足六波羅蜜勸請
轉於無上法輪勸請住世經無量劫演說無
量甚深妙法功德甚深無能比者

BD02731號　金光明最勝王經卷三

（15–11）

切世界三世三寶勸請滿足六波羅蜜勸請
轉於無上法輪勸請住世經無量劫演說無
量甚深妙法功德甚深無能比者
尒時天帝釋及恒河女神無量梵王四大天
衆從座而起偏袒右肩右膝著地合掌頂礼
白佛言世尊我等皆得聞是金光明冣勝王
經今悉受持讀誦通利爲他廣說依此法住
何以故世尊我等欲求阿耨多羅三藐三菩
提隨順此義種種勝相如法行故尒時梵王
及天帝釋等於說法處皆以種種曼陁羅花
而散佛上三千大千世界地皆大動一切天
鼓及諸音樂不鼓自鳴放金色光遍滿世界
出妙音聲時天帝釋白佛言世尊此等皆是
金光明經威神之力慈悲普救種種利益種
種增長菩薩善根滅諸業障佛言如是如是
如汝所說何以故善男子我念往昔過無量
百千阿僧祇劫有佛名寶王大光照如來應
正遍知出現於世住世六百八十億劫尒時
寶王大光照如來爲欲度脫人天釋梵沙門
婆羅門一切衆生令安樂故當出現時初會
說法度百千億億万衆皆得阿羅漢果諸漏
已盡三明六通自在無礙於第二會復度九
十千億億万衆皆得阿羅漢果諸漏已盡三
明六通自在無礙於第三會復度九十八千
億億万衆皆得阿羅漢果圓滿如上

BD02731號　金光明最勝王經卷三

（15–12）

明六通自在無礙於第三會復度九十八千
億億万衆皆得阿羅漢果圓滿如上
善男子我於尒時作女人身名福寶光明於
第三會親近世尊受持讀誦是金光明經為
他廣說求阿耨多羅三藐三菩提故時彼世
尊為我授記此福寶光明女於未来世當得
作佛号釋迦牟尼如来應正遍知明行足善
逝世間解無上士調御丈夫天人師佛世尊
捨女身後從是以来越四惡道生人天中受
上妙樂八十四百千生作轉輪王至于今日
得成正覺名稱普聞遍滿世界時會大衆忽
然皆見寶王大光照如来轉無上法輪說微
妙法善男子去此索訶世界東方過百千恒
河沙數佛土有世界名寶莊嚴其寶王大光
照如来今現在彼未般涅槃說微妙法廣化
群生汝等見者即是彼佛
善男子若有善男子善女人聞是寶王大光
照如来名号者於菩薩地得不退轉至大涅
槃若有女人聞是佛名者臨命終時得見彼
佛来至其所既見佛已究竟不復更受女身
善男子是金光明微妙經典種種利益種種
增長菩薩善根滅諸業障善男子若有苾芻
苾芻尼鄔波索迦鄔波斯迦隨在何處為人
講說是金光明微妙經典於其國土皆獲四
種福利善根云何為四一者國王無病離諸

增長菩薩善根滅諸業障善男子若有苾芻
苾芻尼鄔波索迦鄔波斯迦隨在何處為人
講說是金光明微妙經典於其國土皆獲四
種福利善根云何為四一者國王無病離諸
災厄二者壽命長遠無有障礙三者無諸怨
敵兵衆勇健四者安隱豐樂正法流通何以
故如是人王常為釋梵四王藥叉之衆共守
護故尒時世尊告天衆曰善男子是事實不
是時無量釋梵四王及藥叉衆俱時同聲答
世尊言如是如是若有國土講宣讀誦此妙
經王是諸國主我等四王常来擁護行住共
俱其王若有一切災障及諸怨敵我等四王
皆使消殄憂愁疾疫亦令除差增益壽命感
應禎祥所願遂心恒生歡喜我等亦能令其
國中所有軍兵悉皆勇健佛言善哉善哉善
男子如汝所說汝當修行何以故是諸國主
如法行時一切人民隨王修習如法行者汝
等皆蒙色力勝利宮殿光明眷屬強盛時釋
梵等白佛言如是世尊若有講讀此妙
經典流通之處於其國中大臣輔相有四種
益云何為四一者更相親穆尊重愛念二者
常為人王心所愛重亦為沙門婆羅門大國小
國之所遵敬三者輕財重法不求世利嘉名
普暨衆所欽仰四者壽命延長安隱快樂是
名四益若有國土宣說是經沙門婆羅門得
四種勝利云何為四一者衣服飲食臥具醫
藥無所乏少二者皆得安心思惟讀誦三者

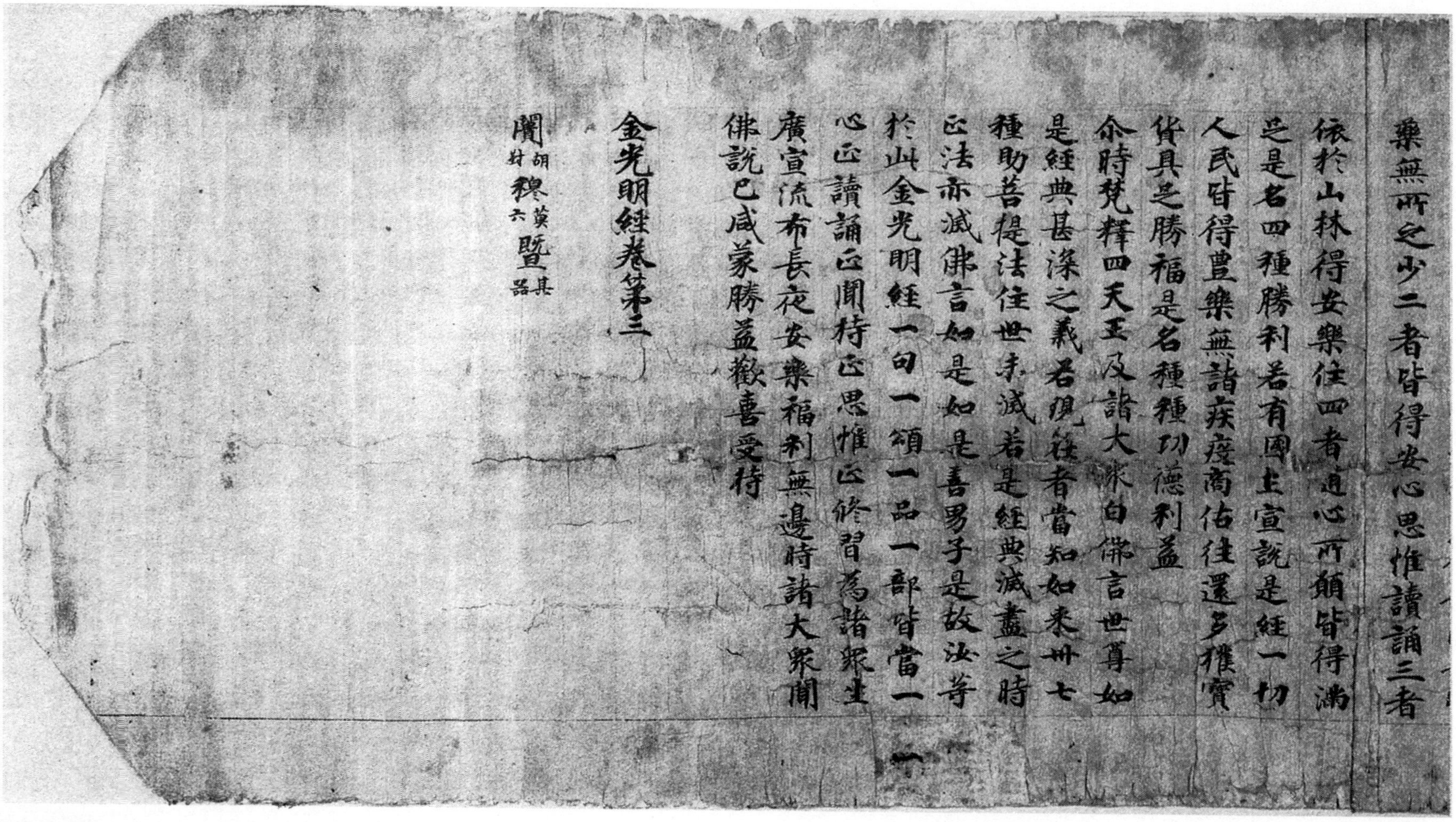

樂無所乏少二者皆得安心思惟讀誦三者
依於山林得安樂住四者隨心所願皆得滿
足是名四種勝利若有國土宣說是經一切
人民皆得豐樂無諸疾疫商估往還多獲寶
貨具足勝福是名種種功德利益
尒時梵釋四天王及諸大衆白佛言世尊如
是經典甚深之義若現在者當知如來卅七
種助菩提法住世未滅若是經典滅盡之時
正法亦滅佛言如是如是善男子是故汝等
於此金光明經一句一頌一品一部皆當一
心正讀誦正聞持正思惟正修習為諸衆生
廣宣流布長夜安樂福利無邊時諸大衆聞
佛說已咸蒙勝益歡喜受持
金光明經卷第三
闠胡對　穆莫六　暨其器

BD02731 號　金光明最勝王經卷三　　（15–15）

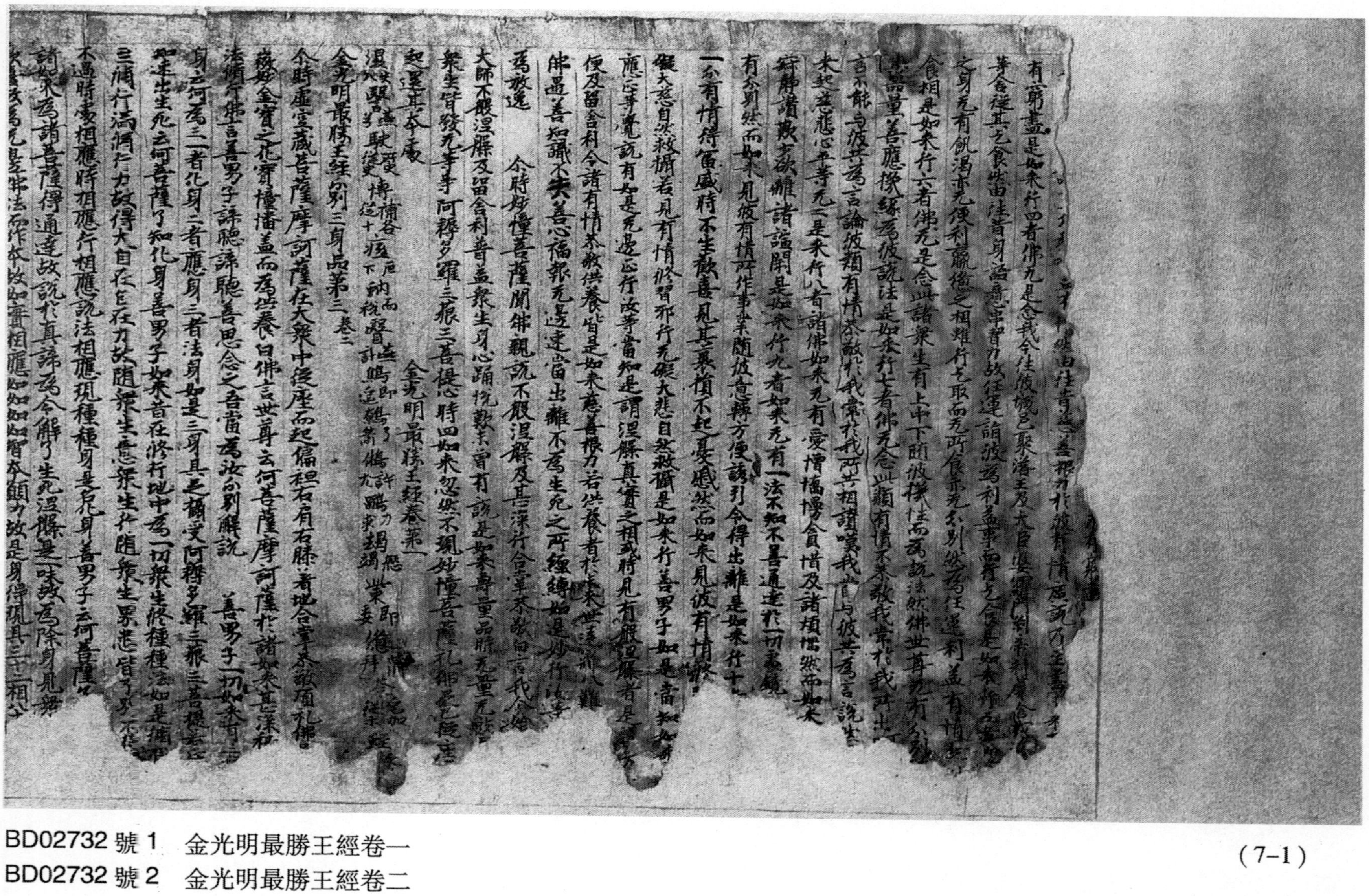

一切有情得蒙威持不生歡喜見其衰損不起憂感然而如來見彼有情
發大慈自然救攝若見有情修習邪行无礙大悲自然救攝是如來行善男子如是當
應正等覺說有如是无邊正行汝等當知是謂涅槃真實之相或時見有般涅槃者
便及留舍利令諸有情恭敬供養皆是如來慈善根力若供養者於未來世
佛遇善知識不失善心福報无邊速當出離不為生死之所纏縛如是妙行汝等
為放逸　尒時妙幢菩薩聞佛親說不般涅槃及甚深行合掌恭敬白言我今
大師不般涅槃及留舍利普益衆生身心踊悅歎未曾有說是如來壽量品時无量无
衆生皆發无等等阿耨多羅三藐三菩提心時四如來忽然不現妙幢菩薩禮佛足
起還其本處
金光明最勝王經卷第一
金光明最勝王經分別三身品第三　卷二
尒時虛空藏菩薩摩訶薩在大衆中從座而起偏袒右肩右膝著地合掌恭敬頂禮

BD02732 號 1　金光明最勝王經卷一　　（7–1）
BD02732 號 2　金光明最勝王經卷二

BD02732 號 2　金光明最勝王經卷二　　（7–2）

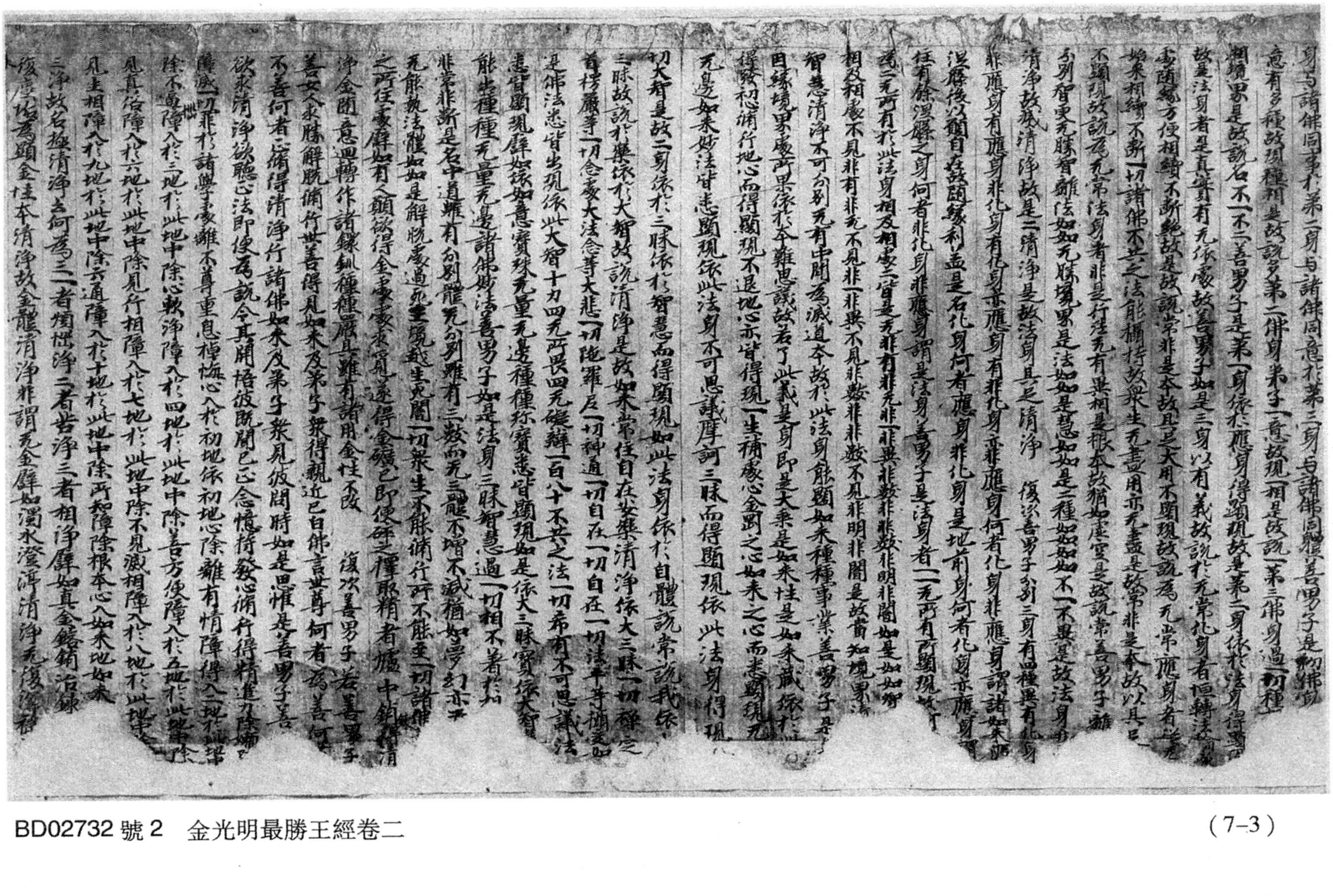

BD02732 號 2　金光明最勝王經卷二　　（7–3）

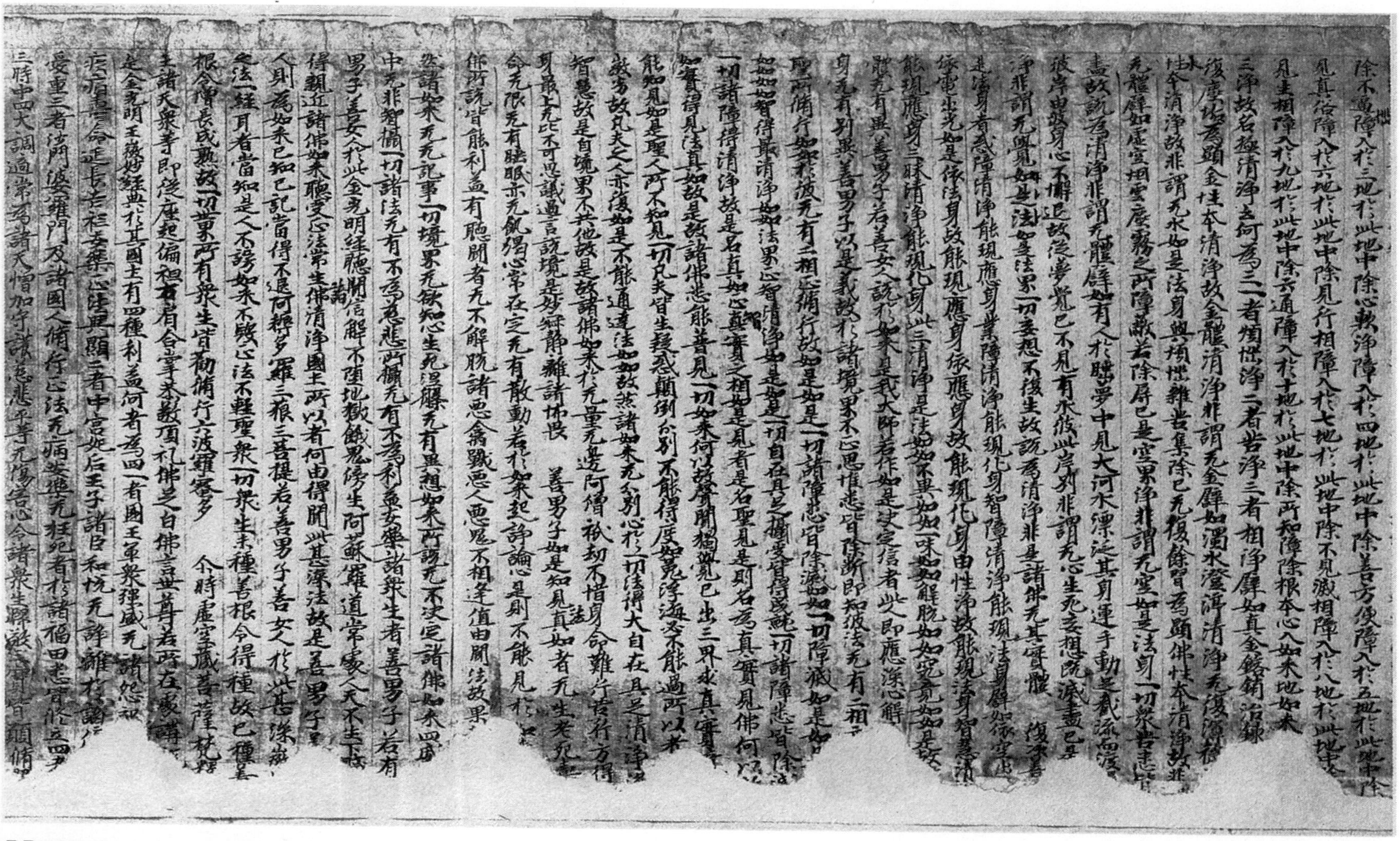

BD02732 號 2　金光明最勝王經卷二　　（7–4）

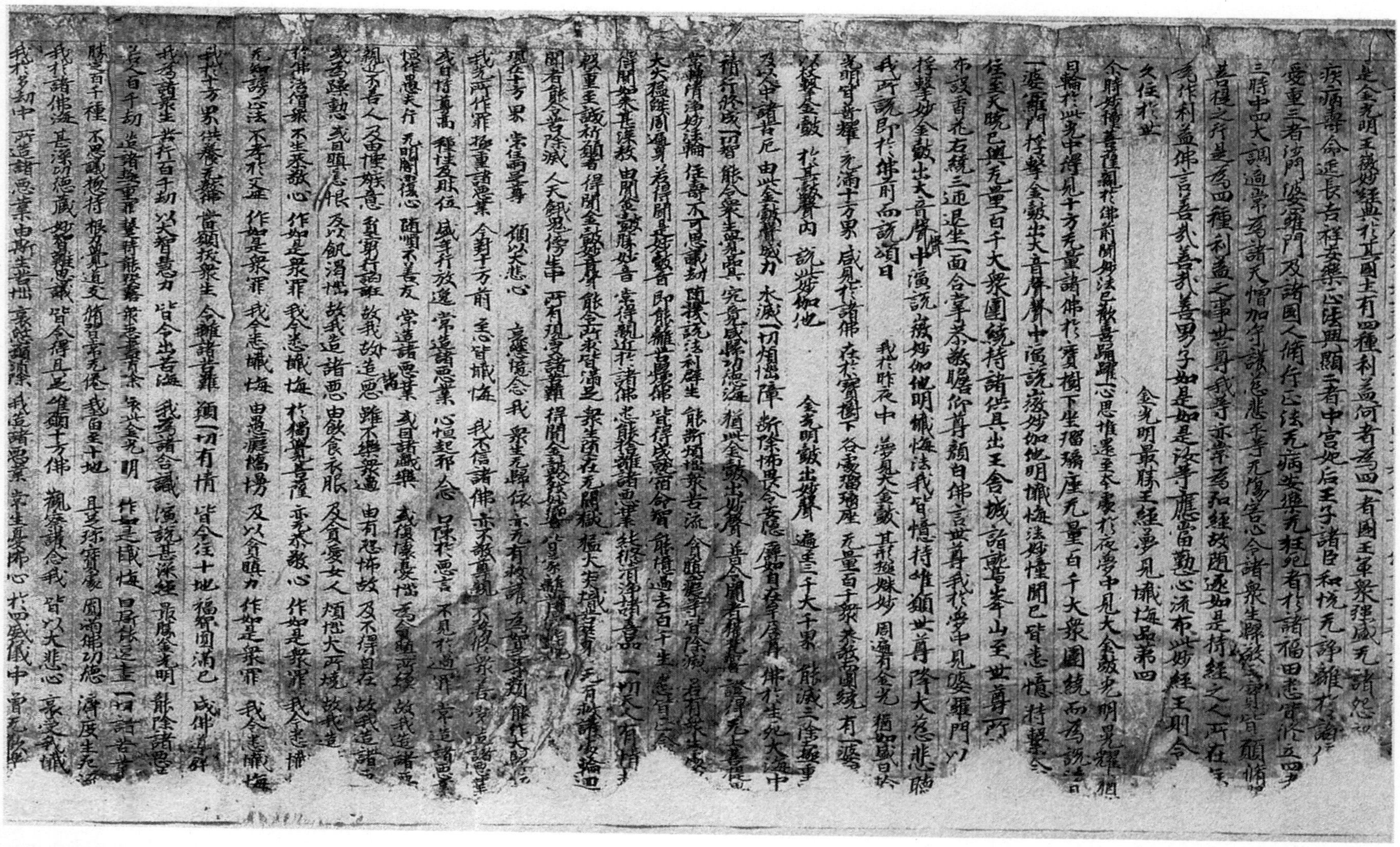

BD02732 號 2　金光明最勝王經卷二　　（7–5）

BD02732 號 2　金光明最勝王經卷二　（7–6）

BD02732 號 2　金光明最勝王經卷二　（7–7）

者宣流布是妙經
之經已當得不可思
功德之聚於未來世无量百
之中常受快樂於未來世值遇
發成阿耨多羅三藐三菩提一切
於永滅无餘南无寶炎
照如來應正遍智南无
千億那由他莊嚴其身輝曜如來正遍知燈炎
如是微妙法炬南无第一威德成就衆事大
功德天南无不可思量智慧功德成就大辯天

金光明經正論品第十一

尒時佛告地神堅牢過去有王名力尊相其
王有子名曰信相不久受灌頂之位統領
國土尒時父王告其太子信相世有王論善
治國土我於昔時曾為太子不久當紹父
王位尒時父王持是正論為我說我以是
論於二万歲善治國土未曾一念以非法行
於自眷屬情无愛為何等名為治世正論地

BD02733號　金光明經卷三

（10–1）

國土尒時父王告其太子信相世有王論善
治國土我於昔時曾為太子不久當紹父
王位尒時父王持是正論為我說我以是
論於二万歲善治國土未曾一念以非法行
於自眷屬情无愛為何等名為治世正論地
神尒時力尊相王為信相太子說是偈言
我今當說　諸王正論　為利衆生　斷諸疑惑
一切人王　諸天天王　應當歡喜　合掌諦聽
諸王和合　集金剛山　護世四鎮　起問梵王
大師梵尊　天中自在　能除疑惑　唯為我斷
云何是人　得名為天　云何人王　復名天子
生在人中　處在宮殿　正法治世　而名為天
護世四王　問是事已　時梵天尊　即說偈言
汝今雖以　此義問我　我要當為　一切衆生
敷揚宣暢　第一勝論
因集業故　生於人中　王領國土　故稱人王
處在胎中　諸天守護　或先守護　然後入胎
雖在人中　生為人王　以天護故　故稱天子
三十三天　各生已德　分与是人　故稱天子
神力所加　故得自在　遠離惡法　遮令不起
安住善法　脩令增廣　能令衆生　多生天上
半名人王　亦名執樂　羅剎魍魎　能遮諸惡
亦名父母　教誨脩善　示現果報　諸天所護
善惡諸業　現在未來　現受果報　諸天所護

BD02733號　金光明經卷三

（10–2）

亦名父母　教誨脩善　示現果報　諸天所護
善惡諸業　現在未來　現受果報　諸天所護
若有惡事　縱而不問　不隨其罪　不以正教
捨離善法　增長惡趣　故使國中　多諸姦鬪
三十三天　各生瞋恨　由其國王　縱惡不治
壞國惡法　姦詐熾盛　他方怨敵　竟來侵略
自家所有　錢財珍寶　諸惡盜賊　共相劫奪
如法治世　不行是事　若行是者　其國殄滅
譬如狂象　蹋蓮花池
暴風卒起　暴降惡雨　惡星數出　日月無光
五穀菓實　咸不滋茂　由王捨正　使國飢饉
天於宮殿　悲懷愁惱　由王暴虐　不脩善事
是諸天王　各相謂言　是王行惡　与惡為伴
以造惡故　速得天瞋　以天瞋故　不久國敗
非法兵杖　姦詐鬪訟　疾疫惡病　集其國土
諸天即便　捨離是王　令其國敗　生大愁惱
兄弟姊妹　眷屬妻子　孤遊流離　身及重亡
流星數墮　二日並現　他方惡賊　侵掠其土
人民飢餓　多諸疾疫　所重大臣　捨離薨亡
象馬車乘　一念壐滅　諸家財產　國土所有
互相劫奪　刀兵而死　五星諸宿　違失常度
諸惡疾疫　流遍其國　諸受寵祿　所任大臣
及餘群僚　專行非法　如是行惡　偏受恩遇

BD02733號　金光明經卷三　（10–3）

象馬車乘　一念壐滅　諸家財產　國土所有
互相劫奪　刀兵而死　五星諸宿　違失常度
諸惡疾疫　流遍其國　諸受寵祿　所任大臣
及餘群僚　專行非法　如是行惡　偏受恩遇
諸善法者　日日衰滅　於行惡者　而生恭敬
見脩善者　心不頋錄　故使世間　三災並起
星宿失度　降暴風雨　破壞甘露　无上正法
衆生等類　及以地肥　恭敬碎惡　毀壞善人
故天降雹　飢餓疫死　穀米菓實　滋味衰滅
多病衆生　充滿其國　甘美盛菓　日日衰滅
世弘惡味　隨時增長　本所遊行　可愛之處
悉皆枯悴　无可樂者　衆生所食　精妙上味
漸漸損減　食无飢實　顏貌醜陋　氣力衰微
凡所食噉　不知厭足　力進勇猛　悉減无有
煩惱懶怠　充滿其國　多有病苦　逼切其身
惡星變動　羅剎亂行　若有人王　行於非法
增長惡伴　損人天道　於三有中　多受苦惱
起如是等　无量惡事　皆由人王　愛著眷屬
縱之造惡　捨而不治
善為諸天　所護念者　如是人王　終不為是
有行善者　得生天中　不行善者　墮在三塗
三十三天　皆生燋熱　由王縱惡　捨而不誨
違逆諸天　及父母勅　不能正治　則非孝子

BD02733號　金光明經卷三　（10–4）

……天中　不行善者　墮在三塗
三十三天　皆生煩熱　由王縱惡　捨而不診
違逆諸天　及父母勅　不能正治　則非孝子
起諸舒惡　壞國土者　不應縱捨　當正治罪
是故諸天　護持是王　以滅惡法　修集善故
現世正法　得增王位　應各別說　善不善業
能示因果　故得為王　諸天護持　隨國佐助
為自為他　修正治國　有壞國者　應當正教
為身及國　修行正法　不應行惡　惡不應縱
所有餘事　不能壞國　要因多舒　然後傾敗
若起多舒　壞於國土　譬如大象　壞蓮花池
能損諸天　故天生惱　起諸惡事　遍滿其國
是故應隨　正法治惡　以化善惡　不傾非法
寧捨身命　不愛眷屬　於親非親　心常平等
親及非親　和合為一　正行名稱　流布三界
正法治國　人多行善　常以善心　御臨國主
能令天眾　具足充滿　是故正治　名為人主
一切諸天　擁護人王　猶如父母　愛護其子
故令日月　五星諸宿　隨其分齊　不失常度
風雨隨時　無諸災禍　令國豐實　安樂熾盛
增益熾盛　諸天之眾　以是因緣　諸天王等
寧捨身命　不應為惡
不應捨離　正法珍寶　由正法寶　世人受樂
常當親近　修正法者　聚集功德　莊嚴其身

BD02733號　金光明經卷三

(10-5)

寧捨身命　不應為惡
不應捨離　正法珍寶　由正法寶　世人受樂
常當親近　修正法者　聚集功德　莊嚴其身
於自眷屬　常知止足　當遠惡人　修治正法
安止眾生　於諸善法　教勅防護　令離不善
是故國土　安隱豐樂　是王亦得　威德具足
隨諸人民　所行惡法　常當調伏　如法教詔
是王當得　名好善譽　善能攝護　安樂眾生

金光明經善集品第十一

於是如來　復為地神　說往因緣　而作偈言
我昔為曾　轉輪聖王　捨四大地　及以大海
又於是時　以四天下　滿中珍寶　奉上諸佛
凡所布施　皆捨所重　不見可愛　而不捨者
於過去世　無數劫中　求正法故　常捨身命
又過去世　不可識劫　有佛世尊　名曰寶勝
其佛世尊　般涅槃後　時有聖王　名曰善集
於四天下　而得自在　正法之勢　盡大海際
其王有城　名水音尊　於其城中　止住治化
夜睡夢中　聞佛功德　及見比丘　名曰寶冥
善能宣暢　如來正法　所謂金光　微妙經典
明如日中　悉能遍照　是轉輪王　夢是事已
即尋覺寤　心喜遍身　即出宮殿　至僧坊所
供養恭敬　諸大聖眾　問諸大德　是大眾中
頗有比丘　名曰寶冥　成就一切　諸功德不

BD02733號　金光明經卷三

(10-6)

明如日中　悉能遍照　是轉輪王　夢是事已
即尋醒覺　心喜遍身　即出宮殿　至僧坊所
供養恭敬　諸大眾僧　問諸大德　是大眾中
頗有比丘　名曰寶冥　成就一切　諸功德不
尒時寶冥　在一窟中　安坐不動　思惟正念
讀誦如是　金光明經　時有比丘　即將是王
至其所止　到寶冥所　是時寶冥　故在窟中
形服殊特　威德熾盛　即示王言　是窟中者
即是所問　寶冥比丘　能持甚深　諸佛所行
名金光明　諸經之王　時善集王　即尋敬化
寶冥比丘　作如是言　面如滿月　威德照然
唯願為我　敷演宣暢　是金光明　諸經之王
時寶冥尊　即受王請　許為宣說　是金光明
三千大千　世界諸天　知當說法　悉生歡喜
於淨微妙　鮮潔之處　種種珎寶　廁填其地
上妙香水　持用灑之　散諸妙花　遍滿其處
王於是時　自敷法坐　懸繒幡蓋　寶餝挍絞
種種微妙　殊特末香　悉以奉散　大法高坐
一切諸天　龍及鬼神　摩睺羅伽　緊那羅等
即而天上　曼陀羅花　遍散法坐　滿其處所
不可思議　百千万億　那由他等　无量諸天
一時俱來　集說法所　是時寶冥　尋從窟出
諸天即時　以婆羅花　供養奉散　寶冥比丘
是時寶冥　洗浴身軆　著妙鮮衣　至法坐所

BD02733號　金光明經卷三　（10–7）

不可思議　百千万億　那由他等　无量諸天
一時俱來　集說法所　是時寶冥　尋從窟出
諸天即時　以婆羅花　供養奉散　寶冥比丘
是時寶冥　洗浴身軆　著妙鮮衣　至法坐所
合掌散花　是法高坐　一切天王　及諸天人
而曼陀羅　大曼陀羅
无量百千　種種伎樂　於虛空中　不鼓自鳴
寶冥比丘　能說法者　尋上高坐　結跏趺坐
即念十方　不可思議　无量千億　諸佛世尊
於諸眾生　興大悲心　及善集王　所得王領
盡一日月　所照之處　時說法者　即尋為王
敷揚宣暢　是妙經典
是時大王　為聞法故　於比丘前　合掌而立
聞於正法　讚言善哉　其心悲悼　涕淚交流
尋復踊銳　心意悅怡
為欲供養　此經典故　尒時即捉　如意珠王
為諸眾生　發大誓願　願於今日　此閻浮提
悉雨无量　種種珎異　積七琦寶　及妙瓔珞
以是因緣　悉令无量　一切眾生　悉受快樂
即於尒時　尋而七寶　及諸寶餝　天冠耳璫
種種瓔珞　甘饌寶坐　悉皆充滿　遍四天下
時天善集　即持如是　滿四天下　无量七寶
於寶勝佛　遺法之中　以用布施　供養三寶
尒時為王　說法比丘　於今現在　阿閦佛是

BD02733號　金光明經卷三　（10–8）

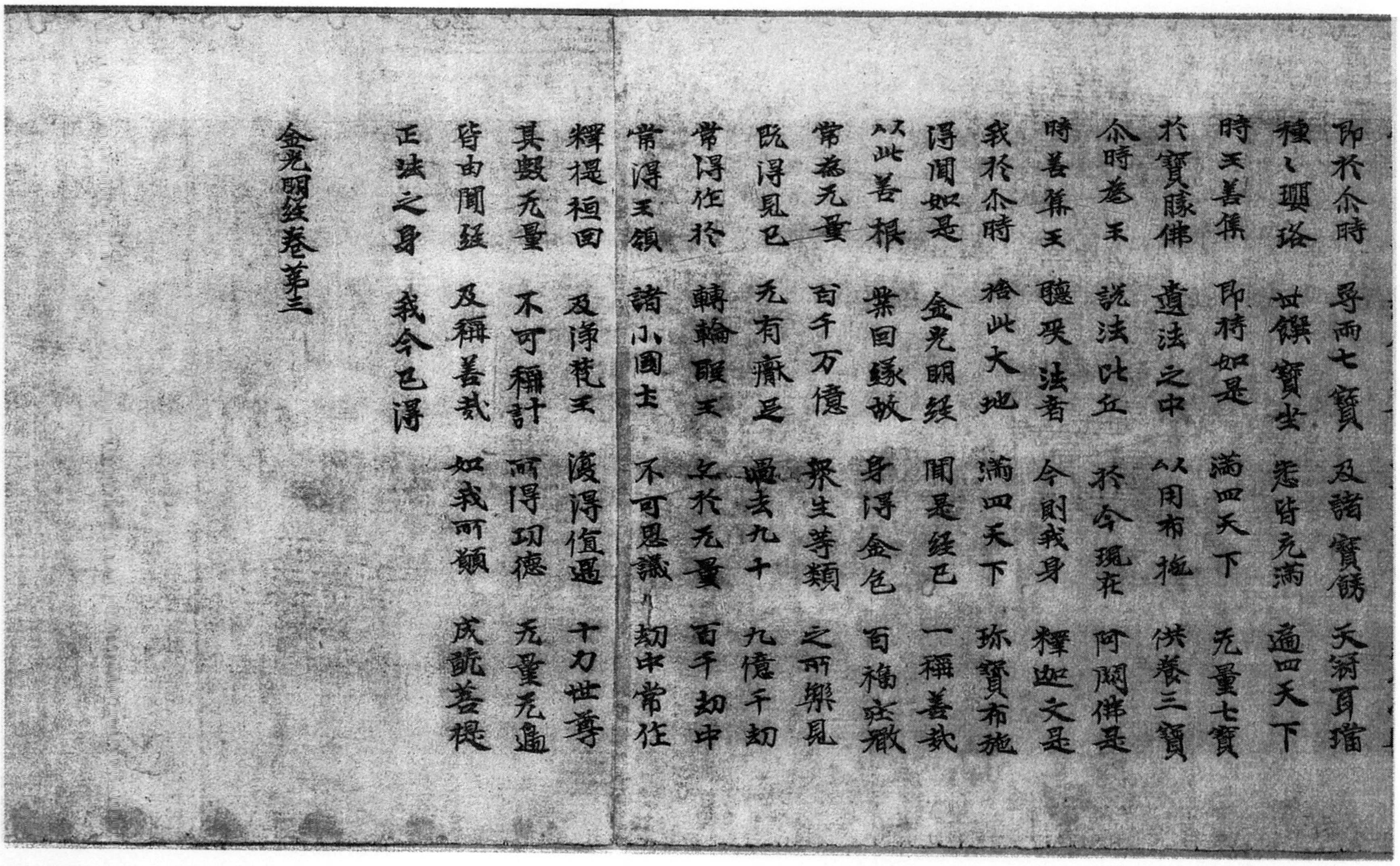

即於尒時　身雨七寶　及諸寶餝　天冠耳璫
種種瓔珞　甘饌寶衣　悉皆充滿　遍四天下
時王善集　即持如是　滿四天下　无量七寶
於寶勝佛　遺法之中　以用布施　供養三寶
尒時善王　說法比丘　於今現在　阿閦佛是
時善集王　聽受法者　今則我身　釋迦文是
我於尒時　捨此大地　滿四天下　珎寶布施
得聞如是　金光明經　聞是經已　一稱善哉
以此善根　業因緣故　身得金色　百福莊嚴
常為无量　百千万億　衆生等類　之所樂見
既得見已　无有猒足　過去九十　九億千劫
常得作於　轉輪聖王　亦於无量　百千劫中
常得王領　諸小國土　不可思議　八劫中常作
釋提桓因　及淨梵王　復得值遇　十力世尊
其數无量　不可稱計　所得功德　无量无邊
皆由聞經　及稱善哉　如我所願　成就菩提
正法之身　我今已得

金光明經卷第三

BD02733 號　金光明經卷三　(10–9)

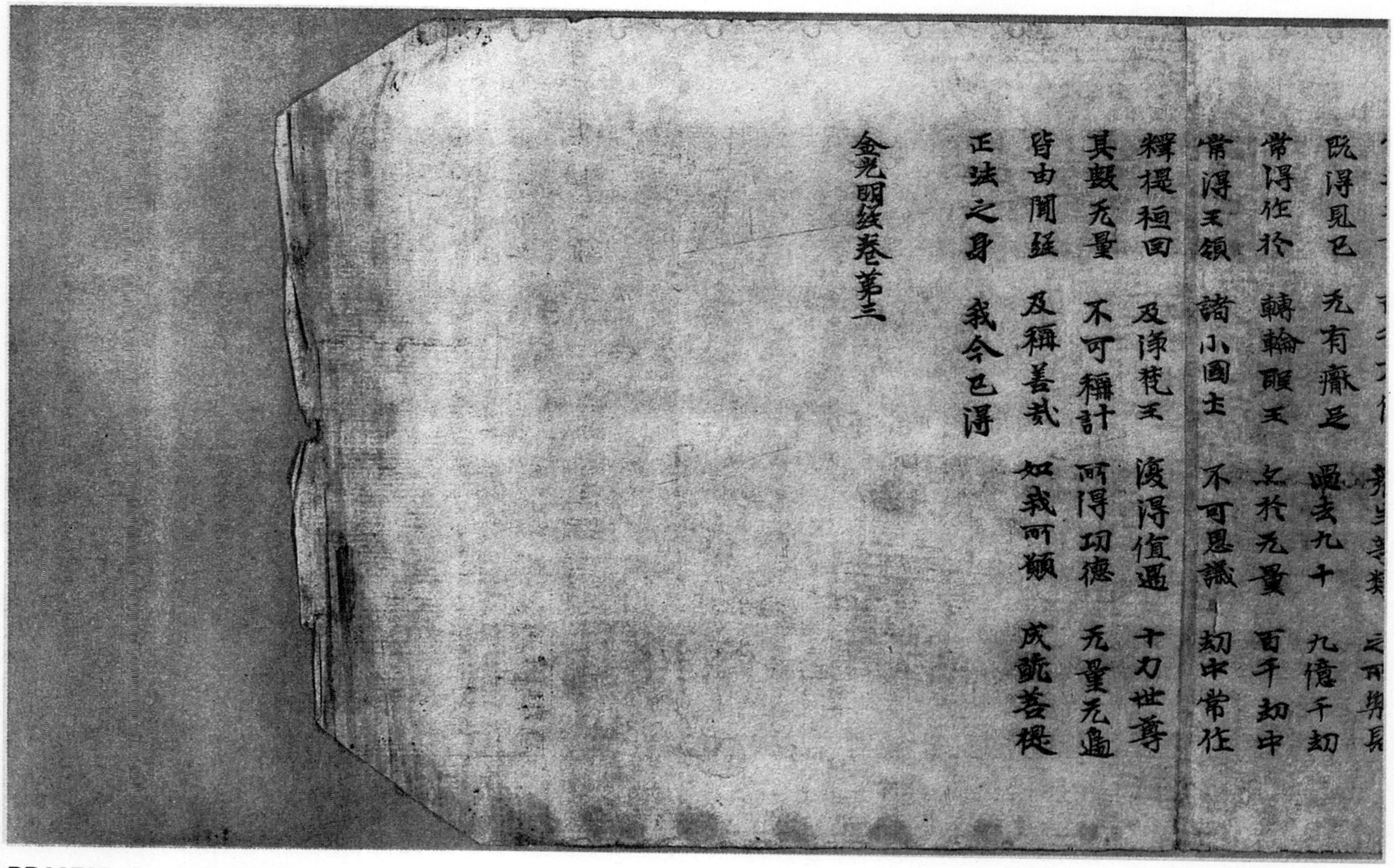

既得見已　无有猒足　過去九十　九億千劫
常得作於　轉輪聖王　亦於无量　百千劫中
常得王領　諸小國土　不可思議　八劫中常作
釋提桓因　及淨梵王　復得值遇　十力世尊
其數无量　不可稱計　所得功德　无量无邊
皆由聞經　及稱善哉　如我所願　成就菩提
正法之身　我今已得

金光明經卷第三

BD02733 號　金光明經卷三　(10–10)

以瑠璃為地 金繩界其道 七寶雜色樹 常有華果實
彼國諸菩薩 志念常堅固 神通波羅蜜 皆已悉具足
於无數佛所 善學菩薩道 如是等大士 華光佛所化
佛為王子時 棄國捨世榮 於最末後身 出家成佛道
華光佛住世 壽十二小劫 其國人民衆 壽命八小劫
佛滅度之後 正法住於世 三十二小劫 廣度諸衆生
正法滅盡已 像法三十二 舍利廣流布 天人所供養
華光佛所為 其事皆如是 其兩足聖尊 最勝无倫疋
彼即是汝身 宜應自欣慶
尒時四部衆比丘比丘尼優婆塞優婆夷天
龍夜叉乾闥婆阿脩羅迦樓羅緊那羅摩睺
羅伽等大衆見舍利弗於佛前受阿耨多羅三
藐三菩提記心大歡喜踊躍无量各各脫身
所著上衣以供養佛釋提桓因梵天王等與
无數天子亦以天妙衣天曼陁羅華摩訶曼
陁羅華等供養於佛所散天衣住虛空中而
自迴轉諸天伎樂百千萬種於虛空中一時
俱作雨衆天華而作是言佛昔於波羅柰初
轉法輪今乃復轉无上最大法輪尒時諸天
子欲重宣此義而說偈言
昔於波羅柰 轉四諦法輪 分別說諸法 五衆之生滅

BD02734號 妙法蓮華經卷二

（2–1）

正法滅盡已 像法三十二 舍利廣流布 天人所供養
華光佛所為 其事皆如是 其兩足聖尊 最勝无倫疋
彼即是汝身 宜應自欣慶
尒時四部衆比丘比丘尼優婆塞優婆夷天
龍夜叉乾闥婆阿脩羅迦樓羅緊那羅摩睺
羅伽等大衆見舍利弗於佛前受阿耨多羅三
藐三菩提記心大歡喜踊躍无量各各脫身
所著上衣以供養佛釋提桓因梵天王等與
无數天子亦以天妙衣天曼陁羅華摩訶曼
陁羅華等供養於佛所散天衣住虛空中而
自迴轉諸天伎樂百千萬種於虛空中一時
俱作雨衆天華而作是言佛昔於波羅柰初
轉法輪今乃復轉无上最大法輪尒時諸天
子欲重宣此義而說偈言
昔於波羅柰 轉四諦法輪 分別說諸法 五衆之生滅
今復轉最妙 无上大法輪 是法甚深奧 少有能信者
我等從昔來 數聞世尊說 未曾聞如是 深妙之上法
世尊說是法 我等皆隨喜 大智舍利弗 今得受尊記
我等亦如是 必當得作佛 於一切世間 最尊无有上
佛道叵思議 方便隨宜說 我所有福業 今世若過世

BD02734號 妙法蓮華經卷二

（2–2）

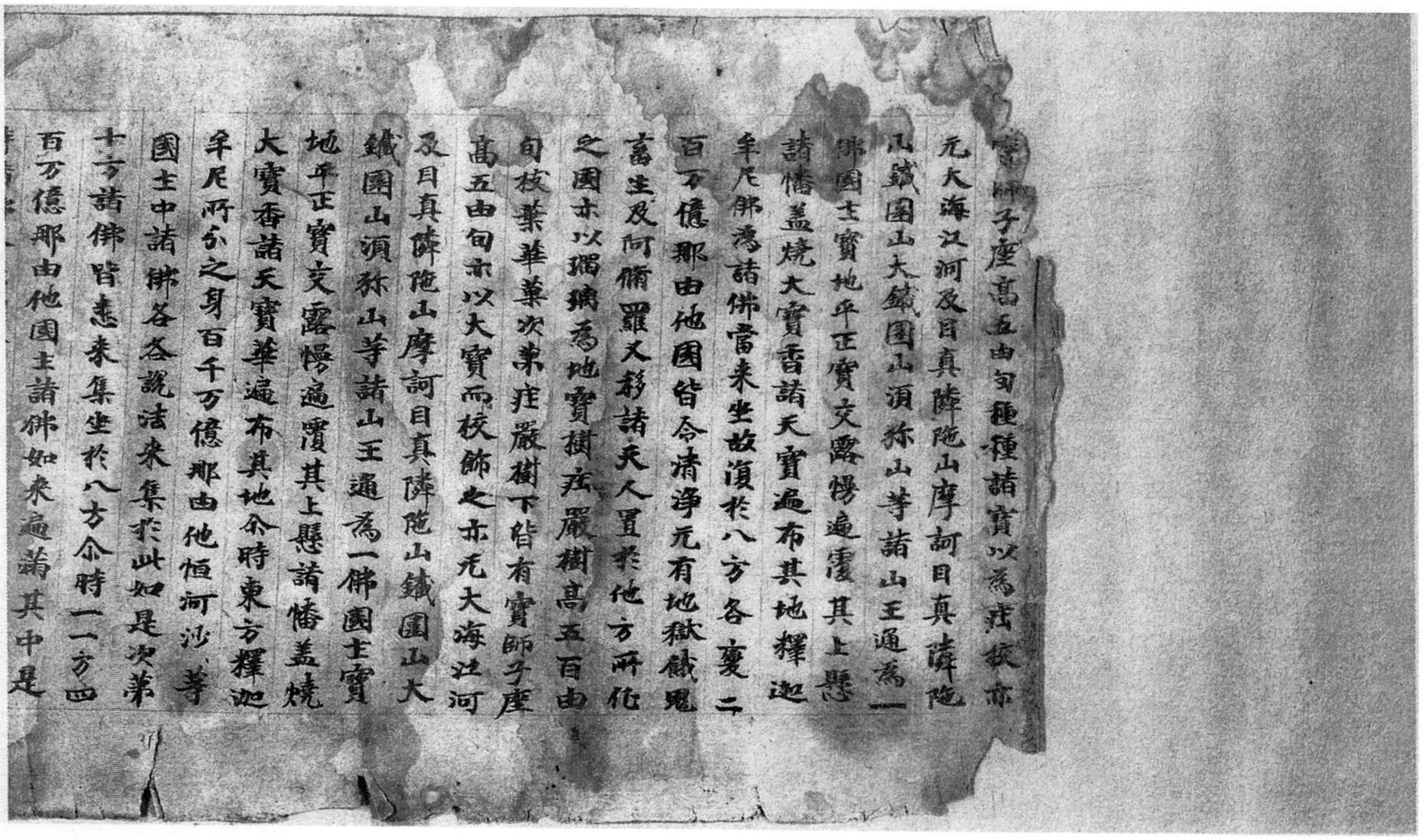

寶師子座高五由旬種種諸寶以為莊校亦
无大海江河及目真隣陁山摩訶目真隣陁
山鐵圍山大鐵圍山須弥山等諸山王通為一
佛國土寶地平正寶交露幔遍覆其上懸
諸幡蓋燒大寶香諸天寶華遍布其地釋迦
牟尼佛為諸佛當來坐故復於八方各更變二
百万億那由他國皆令清淨无有地獄餓鬼
畜生及阿脩羅又移諸天人置於他方所化
之國亦以琉璃為地寶樹莊嚴樹高五百由
旬枝葉華菓次苐莊嚴樹下皆有寶師子座
高五由旬亦以大寶而校飾之亦无大海江河
及目真隣陁山摩訶目真隣陁山鐵圍山大
鐵圍山須弥山等諸山王通為一佛國土寶
地平正寶交露幔遍覆其上懸諸幡蓋燒
大寶香諸天寶華遍布其地尒時東方釋迦
牟尼所分之身百千万億那由他恒河沙等
國土中諸佛各各說法來集於此如是次苐
十方諸佛皆悉來集坐於八方尒時一一方四
百万億那由他國土諸佛如來遍滿其中是

BD02735 號　妙法蓮華經卷四　（13–1）

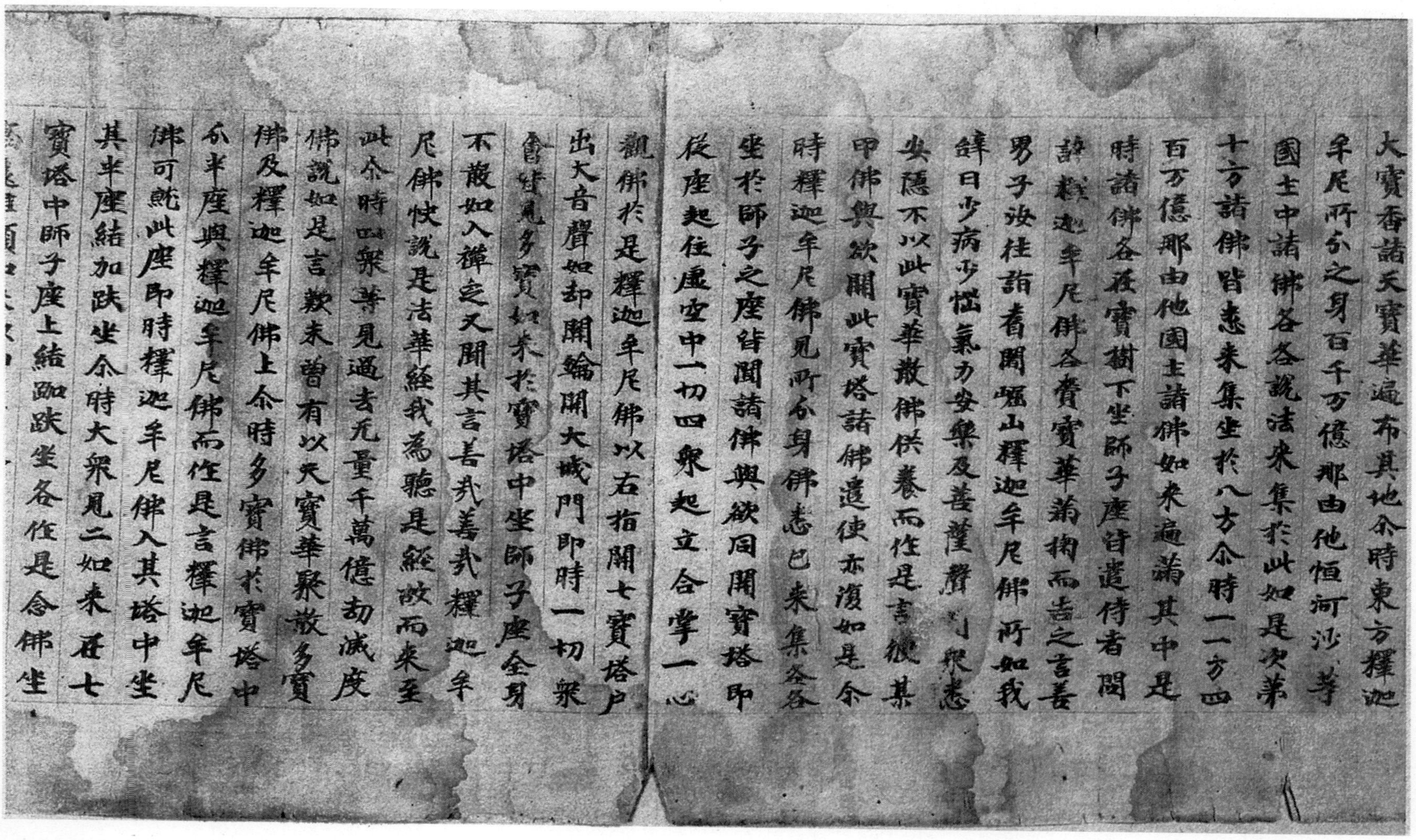

大寶香諸天寶華遍布其地尒時東方釋迦
牟尼所分之身百千万億那由他恒河沙等
國土中諸佛各各說法來集於此如是次苐
十方諸佛皆悉來集坐於八方尒時一一方四
百万億那由他國土諸佛如來遍滿其中是
時諸佛各在寶樹下坐師子座皆遣侍者問
訊釋迦牟尼佛各賚寶華滿掬而告之言善
男子汝往詣耆闍崛山釋迦牟尼佛所如我
辭曰少病少惱氣力安樂及菩薩聲聞衆悉
安隱不以此寶華散佛供養而作是言彼某
甲佛與欲開此寶塔諸佛遣使亦復如是尒
時釋迦牟尼佛見所分身佛悉已來集各各
坐於師子之座皆聞諸佛與欲同開寶塔即
從座起住虛空中一切四衆起立合掌一心
觀佛於是釋迦牟尼佛以右指開七寶塔戶
出大音聲如却關鑰開大城門即時一切衆
會皆見多寶如來於寶塔中坐師子座全身
不散如入禪定又聞其言善哉善哉釋迦牟
尼佛快說是法華經我為聽是經故而來至
此尒時四衆等見過去无量千萬億劫滅度
佛說如是言歎未曾有以天寶華聚散多寶
佛及釋迦牟尼佛上尒時多寶佛於寶塔中
分半座與釋迦牟尼佛而作是言釋迦牟尼
佛可就此座即時釋迦牟尼佛入其塔中坐
其半座結加趺坐尒時大衆見二如來在七
寶塔中師子座上結跏趺坐各作是念佛坐

BD02735 號　妙法蓮華經卷四　（13–2）

分半座與釋迦牟尼
佛可就此座即時釋迦牟尼佛入其塔中坐
其半座結加趺坐尒時大衆見二如來在七
寶塔中師子座上結跏趺坐各作是念佛坐
高遠唯願如來以神通力令我等輩俱處虛
空尒時釋迦牟尼佛以神通力接諸大衆皆
在虛空以大音聲普告四衆誰能於此娑婆
國土廣說妙法華經今正是時如來不久當
入涅槃佛欲以此妙法華經付屬有在尒時
世尊欲重宣此義而說偈言
聖主世尊 雖久滅度 在寶塔中 尚為法來
諸人云何 不勤為法 此佛滅度 无央數劫
處處聽法 以難遇故 彼佛本願 我滅度後
在在所往 常為聽法 又我分身 无量諸佛
如恒沙等 來欲聽法 及見滅度 多寶如來
各捨妙土 及弟子衆 天人龍神 諸供養事
令法久住 故來至此 為坐諸佛 以神通力
移无量衆 令國清淨 諸佛各各 詣寶樹下
如清涼池 蓮華莊嚴 其寶樹下 諸師子座
佛坐其上 光明嚴飾 如夜闇中 然大炬火
身出妙香 遍十方國 衆生蒙薰 喜不自勝
譬如大風 吹小樹枝 以是方便 令法久住
告諸大衆 我滅度後 誰能護持 讀說斯經
今於佛前 自說誓言 其多寶佛 雖久滅度
以大誓願 而師子吼 多寶如來 及與我身
所集化佛 當知此意 諸佛子等 誰能護法

BD02735號　妙法蓮華經卷四　（13–3）

佛坐其上 光明嚴飾 如夜闇中 然大炬火
身出妙香 遍十方國 衆生蒙薰 喜不自勝
譬如大風 吹小樹枝 以是方便 令法久住
告諸大衆 我滅度後 誰能護持 讀說斯經
今於佛前 自說誓言 其多寶佛 雖久滅度
以大誓願 而師子吼 多寶如來 及與我身
所集化佛 當知此意 諸佛子等 誰能護法
當發大願 令得久住 其有能護 此經法者
則為供養 我及多寶 此多寶佛 處於寶塔
常遊十方 為是經故 亦復供養 諸來化佛
莊嚴光飾 諸世界者 若說此經 則為見我
多寶如來 及諸化佛 諸善男子 各諦思惟
此為難事 宜發大願 諸餘經典 數如恒沙
雖說此等 未足為難 若接須彌 擲置他方
无數佛土 亦未為難 若以足指 動大千界
遠擲他國 亦未為難 若立有頂 為衆演說
无量餘經 亦未為難 若佛滅後 於惡世中
能說此經 是則為難 假使有人 手把虛空
而以遊行 亦未為難 於我滅後 若自書持
若使人書 是則為難 若以大地 置足甲上
昇於梵天 亦未為難 佛滅度後 於惡世中
暫讀此經 是則為難 假使劫燒 擔負乾草
入中不燒 亦未為難 我滅度後 若持此經
為一人說 是則為難 若持八萬 四千法藏
十二部經 為人演說 令諸聽者 得六神通
雖能如是 亦未為難 於我滅後 聽受此經

BD02735號　妙法蓮華經卷四　（13–4）

為一人說 是則為難 若持八萬 四千法藏
十二部經 為人演說 令諸聽者 得六神通
雖能如是 亦未為難 於我滅後 聽受此經
問其義趣 是則為難 若人說法 令千萬億
无量无數 恒沙衆生 得阿羅漢 具六神通
雖有是益 亦未為難 於我滅度 若能奉持
如斯經典 是則為難 我為佛道 於无量土
從始至今 廣說諸經 而於其中 此經第一
若有能持 則持佛身 諸善男子 於我滅後
誰能受持 讀誦此經 今於佛前 自說誓言
此經難持 若暫持者 我則歡喜 諸佛亦然
如是之人 諸佛所歎 是則勇猛 是則精進
是名持戒 行頭陁者 則為疾得 无上佛道
能於來世 讀持此經 是真佛子 住淳善地
佛滅度後 能解其義 是諸天人 世間之眼
於恐畏世 能須臾說 一切天人 皆應供養

妙法蓮華經提婆達多品第十二

尒時佛告諸菩薩及天人四衆吾於過去无
量劫中求法華經无有懈惓於多劫中常
作國王發願求於无上菩提心不退轉為欲
滿足六波羅蜜勤行布施心无悋惜象馬七
珎國城妻子奴婢僕從頭目髓腦身肉手足不
惜軀命時世人民壽命无量為於法故捐捨
國位委政太子擊鼓宣令四方求法誰能為
我說大乘者吾當終身供給走使時有仙人
來白王言我有大乘名妙法蓮華經若不違
我當為宣說王聞仙言歡喜踊躍即隨仙人供

BD02735號　妙法蓮華經卷四　（13–5）

我說大乘者吾當終身供給走使時有仙人
來白王言我有大乘名妙法蓮華經若不違
我當為宣說王聞仙言歡喜踊躍即隨仙人供
給所須採菓汲水拾薪設食乃至以身而為
床座身心无惓于時奉事經於千歲為於法
故精勤給侍令无所乏尒時世尊欲重宣此
義而說偈言

我念過去劫 為求大法故 雖作世國王 不貪五欲樂
搥鍾告四方 誰有大法者 若為我解說 身當為奴僕
時有阿私仙 來白於大王 我有微妙法 世間所希有
若能脩行者 吾當為汝說 時王聞仙言 心生大喜悅
即便隨仙人 供給於所須 採薪及菓蓏 隨時恭敬與
情存妙法故 身心无懈惓 普為諸衆生 勤求於大法
亦不為己身 及以五欲樂 故為大國王 勤求獲此法
遂致得成佛 今故為汝說

佛告諸比丘尒時王者則我身是時仙人者
今提婆達多是由提婆達多善知識故令我
具足六波羅蜜慈悲喜捨三十二相八十種
好紫磨金色十力四无所畏四攝法十八不
共神通道力成等正覺廣度衆生皆因提婆
達多善知識故告諸四衆提婆達多却後過
无量劫當得成佛號曰天王如來應供正遍
知明行足善逝世間解无上士調御丈夫天
人師佛世尊世界名天道時天王佛住世二
十中劫廣為衆生說於妙法恒河沙衆生得
阿羅漢果无量衆生發緣覺心恒河沙衆生

BD02735號　妙法蓮華經卷四　（13–6）

知明行足善逝世間解无上士調御丈夫
人師佛世尊世界名天道時天王佛住世二
十中劫廣為衆生說於妙法恒河沙衆生得
阿羅漢果无量衆生發緣覺心恒河沙衆生
發无上道心得无生法忍至不退轉時天王
佛般涅槃後正法住世二十中劫全身舍利
起七寶塔高六十由旬縱廣四十由旬諸天人
民悉以雜華末香燒香塗香衣服瓔珞幢幡
寶蓋伎樂歌頌礼拜供養七寶妙塔无量
衆生得阿羅漢果无量衆生悟辟支佛不可
思議衆生發菩提心至不退轉佛告諸比丘未
來世中若有善男子善女人聞妙法華經提
婆達多品淨心信敬不生疑惑者不墮地獄
餓鬼畜生生十方佛前所生之處常聞此經
若生人天中受勝妙樂若在佛前蓮華化生
於時下方多寶世尊所從菩薩名曰智積白
多寶佛當還本土釋迦牟尼佛告智積曰善
男子且待須臾此有菩薩名文殊師利可與
相見論說妙法可還本土尒時文殊師利坐
千葉蓮華大如車輪俱來菩薩亦坐寶蓮華
從於大海娑竭羅龍宮自然踊出住虛空中
詣靈鷲山從蓮華下至於佛所頭面礼敬二
世尊足脩敬已畢往智積所共相慰問却坐
一面智積菩薩問文殊師利仁往龍宮所化
衆生其數幾何文殊師利言其數无量不可
稱計非口所宣非心所測且待須臾自當有證
所言未竟无數菩薩坐寶蓮華從海踊出

BD02735 號　妙法蓮華經卷四　（13–7）

一面智積菩薩問文殊師利仁往龍宮所化
衆生其數幾何文殊師利言其數无量不可
稱計非口所宣非心所測且待須臾自當有證
所言未竟无數菩薩坐寶蓮華從海踊出
詣靈鷲山住在虛空此諸菩薩皆是文殊師
利之所化度具菩薩行皆共論說六波羅蜜
本聲聞人在虛空中說聲聞行今皆脩行大
乘空義文殊師利謂智積曰於海教化其事
如是尒時智積菩薩以偈讚曰
大智德勇健　化度无量衆　今此諸大會　及我皆已見
演暢實相義　開闡一乘法　廣度諸衆生　令速成菩提
文殊師利言我於海中唯常宣說妙法華經
智積問文殊師利言此經甚深微妙諸經中
寶世所希有頗有衆生勤加精進脩行此經
速得佛不文殊師利言有娑竭羅龍王女年
始八歲智慧利根善知衆生諸根行業得陁
羅尼諸佛所說甚深秘藏悉能受持深入禪
定了達諸法於剎那頃發菩提心得不退轉
辯才无导慈念衆生猶如赤子功德具足心
念口演微妙廣大慈悲仁讓志意和雅能至
菩提智積菩薩言我見釋迦如來於无量劫
難行苦行積功累德求菩薩道未曾止息觀
三千大千世界乃至无有如芥子許非是菩
薩捨身命處為衆生故然後乃得成菩提道
不信此女於須臾頃便成正覺言論未訖時
龍王女忽現於前頭面礼敬却住一面以偈

BD02735 號　妙法蓮華經卷四　（13–8）

薩捨身命處為衆生故然後乃得成菩提道
不信此女於須臾頃便成正覺言論未訖時
龍王女忽現於前頭面礼敬却住一面以偈
讃曰
深達罪福相　遍照於十方　微妙淨法身　具相三十二
以八十種好　用莊嚴法身　天人所戴仰　龍神咸恭敬
一切衆生類　无不宗奉者　又聞成菩提　唯佛當證知
我闡大乘教　度脫苦衆生
時舍利弗語龍女言汝謂不久得无上道是
事難信所以者何女身垢穢非是法器云何
能得无上菩提佛道懸曠經无量劫勤苦積
行具修諸度然後乃成又女人身猶有五障一
者不得作梵天王二者帝釋三者魔王四者
轉輪聖王五者佛身云何女身速得成佛尒
時龍女有一寶珠價直三千大千世界持以
上佛佛即受之龍女謂智積菩薩尊者舍利
弗言我獻寶珠世尊納受是事疾不荅言甚
疾女言以汝神力觀我成佛復速於此當時
衆會皆見龍女忽然之間變成男子具菩薩
行即往南方无垢世界坐寶蓮華成等正覺
三十二相八十種好普為十方一切衆生演說
妙法尒時娑婆世界菩薩聲聞天龍八部
人與非人皆遙見彼龍女成佛普為時會人
天說法心大歡喜悉遙敬礼无量衆生聞法
解悟得不退轉无量衆生得受道記无垢世
界六反震動娑婆世界三千衆生住不退地

BD02735號　妙法蓮華經卷四

（13–9）

天說法心大歡喜悉遙敬礼无量衆生聞法
解悟得不退轉无量衆生得受道記无垢世
界六反震動娑婆世界三千衆生住不退地
三千衆生發菩提心而得受記智積菩薩及
舍利弗一切衆會默然信受
妙法蓮華經持品第十三
尒時藥王菩薩摩訶薩及大樂說菩薩摩訶
薩與二萬菩薩眷屬俱皆於佛前作是誓言
唯願世尊不以為慮我等於佛滅後當奉持
讀誦說此經典後惡世衆生善根轉少多增
上慢貪利供養增不善根遠離解脫雖難可
教化我等當起大忍力讀誦此經持說書寫
種種供養不惜身命尒時衆中五百阿羅漢
得授記者白佛言世尊我等亦自誓願於異
國土廣說此經復有學无學八千人得授記
者從座而起合掌向佛作是誓言世尊我等
亦當於他國土廣說此經所以者何是娑婆
國中人多弊惡懷增上慢功德淺薄瞋濁諂
曲心不實故尒時佛姨母摩訶波闍波提比
丘尼與學无學比丘尼六千人俱從座而起
一心合掌瞻仰尊顏目不暫捨於時世尊告
憍曇彌何故憂色而視如來汝心將无謂我
不說汝名授阿耨多羅三藐三菩提記耶憍
曇彌我先惣說一切聲聞皆已授記今汝欲
知記者將來之世當於六萬八千億諸佛法
中為大法師及六千學无學比丘尼俱為法

BD02735號　妙法蓮華經卷四

（13–10）

曇彌我先惣說一切聲聞皆已授記今汝欲
知記者將來之世當於六萬八千億諸佛法
中為大法師及六千學无學比丘尼俱為法
師汝如是漸漸具菩薩道當得作佛号一切
衆生喜見如來應供正遍知明行足善逝世
間解无上士調御丈夫天人師佛世尊憍曇
彌是一切衆生喜見佛及六千菩薩轉次授
記得阿耨多羅三藐三菩提尒時羅睺羅
母耶輸陁羅比丘尼作是念世尊於授記中獨
不說我名佛告耶輸陁羅汝於來世百千万
億諸佛法中修菩薩行為大法師漸具佛道
於善國中當得作佛号具足千萬光相如來
應供正遍知明行足善逝世間解无上士調
御丈夫天人師佛世尊佛壽无量阿僧祇劫
尒時摩訶波闍波提比丘尼及耶輸陁羅比
丘尼并其眷屬皆大歡喜得未曾有即於
佛前而說偈言
世尊導師　安隱天人　我等聞記　心安具足
諸比丘尼說是偈已白佛言世尊我等亦能
於他方國土廣宣此經尒時世尊視八十萬
億那由他諸菩薩摩訶薩是諸菩薩皆是
阿惟越致轉不退法輪得諸陁羅尼即從座
起至於佛前一心合掌而作是念若世尊告勅
我等持說此經者當如佛教廣宣斯法復作
是念佛今默然不見告勅我當云何時諸菩
薩敬順佛意并欲自滿本願便於佛前作師

BD02735號　妙法蓮華經卷四　（13–11）

是念佛今默然不見告勅我當云何時諸菩
薩敬順佛意并欲自滿本願便於佛前作師
子吼而發誓言世尊我等於如來滅後周旋
往反十方世界能令衆生書寫此經受持讀
誦解說其義如法修行正憶念皆是佛之威
力唯願世尊在於他方遙見守護即時諸菩
薩俱同發聲而說偈言
唯願不為慮　於佛滅度後　恐怖惡世中　我等當廣說
有諸无智人　惡口罵詈等　及加刀杖者　我等皆當忍
惡世中比丘　邪智心諂曲　未得謂為得　我慢心充滿
或有阿練若　納衣在空閑　自謂行真道　輕賤人間者
貪著利養故　與白衣說法　為世所恭敬　如六通羅漢
是人懷惡心　常念世俗事　假名阿練若　好出我等過
而作如是言　此諸比丘等　為貪利養故　說外道論議
自作此經典　誑惑世間人　為求名聞故　分別於是經
常在大衆中　欲毀我等故　向國王大臣　婆羅門居士
及餘比丘衆　誹謗說我惡　謂是邪見人　說外道論議
我等敬佛故　悉忍是諸惡　為斯所輕言　汝等皆是佛
如此輕慢言　皆當忍受之　濁劫惡世中　多有諸恐怖
惡鬼入其身　罵詈毀辱我　我等敬信佛　當著忍辱鎧
為說是經故　忍此諸難事　我不愛身命　但惜无上道
我等於來世　護持佛所囑　世尊自當知　濁世惡比丘
不知佛方便　隨宜所說法　惡口而顰蹙　數數見擯出
遠離於塔寺　如是等衆惡　念佛告勅故　皆當忍是事
諸聚落城邑　其有求法者　我皆到其所　說佛所囑法
我是世尊使　處衆无所畏　我當善說法　願佛安隱住

BD02735號　妙法蓮華經卷四　（13–12）

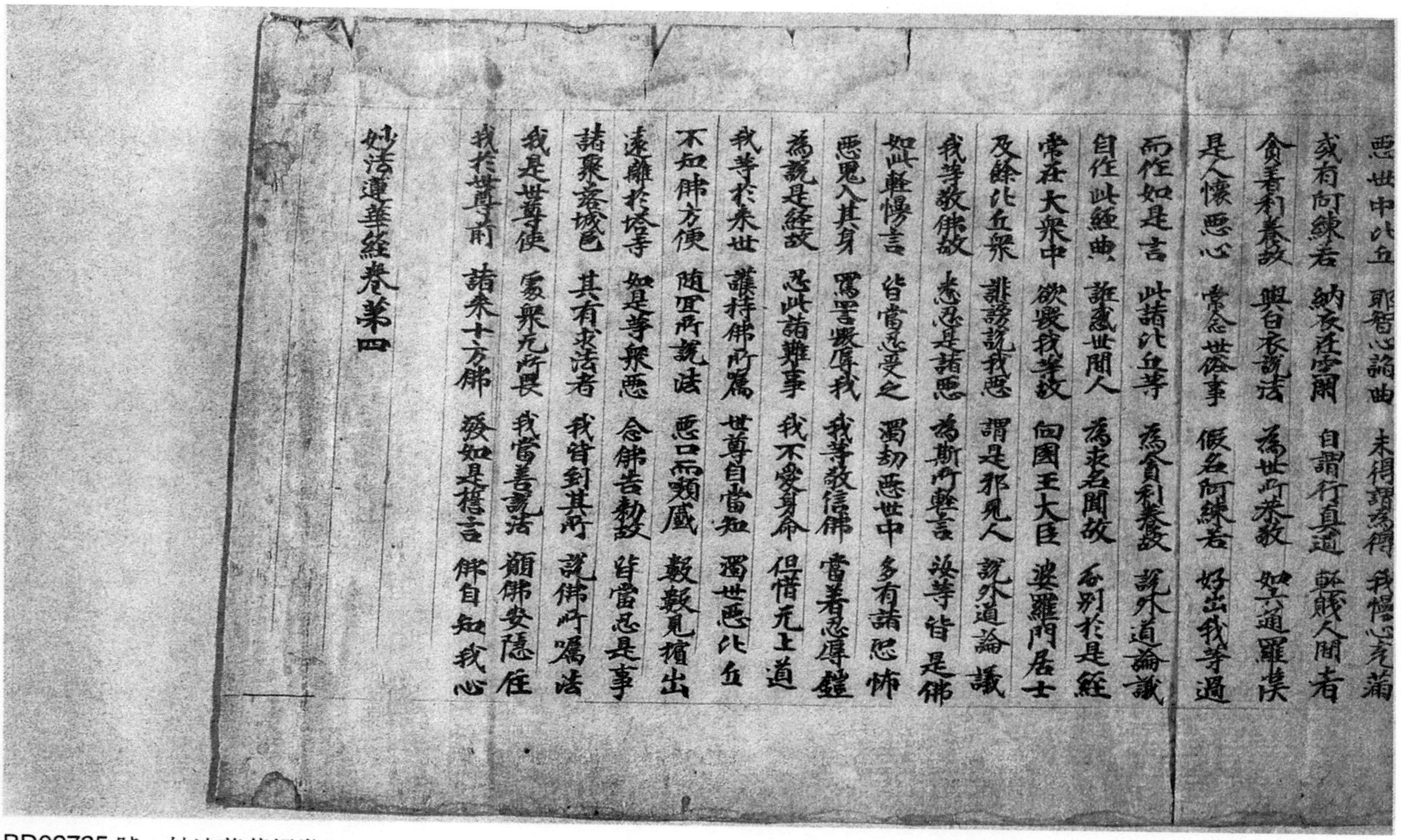

惡世中比丘　邪智心諂曲　未得謂為得　我慢心充滿
或有阿練若　納衣在空閑　自謂行真道　輕賤人間者
貪著利養故　與白衣說法　為世所恭敬　如六通羅漢
是人懷惡心　常念世俗事　假名阿練若　好出我等過
而作如是言　此諸比丘等　為貪利養故　說外道論議
自作此經典　誑惑世間人　為求名聞故　分別於是經
常在大眾中　欲毀我等故　向國王大臣　婆羅門居士
及餘比丘眾　誹謗說我惡　謂是邪見人　說外道論議
我等敬佛故　悉忍是諸惡　為斯所輕言　汝等皆是佛
如此輕慢言　皆當忍受之　濁劫惡世中　多有諸恐怖
惡鬼入其身　罵詈毀辱我　我等敬信佛　當著忍辱鎧
為說是經故　忍此諸難事　我不愛身命　但惜无上道
我等於來世　護持佛所囑　世尊自當知　濁世惡比丘
不知佛方便　隨宜所說法　惡口而顰蹙　數數見擯出
遠離於塔寺　如是等眾惡　念佛告勅故　皆當忍是事
諸聚落城邑　其有求法者　我皆到其所　說佛所囑法
我是世尊使　處眾无所畏　我當善說法　願佛安隱住
我於世尊前　諸來十方佛　發如是誓言　佛自知我心

妙法蓮華經卷第四

BD02735 號　妙法蓮華經卷四

（13–13）

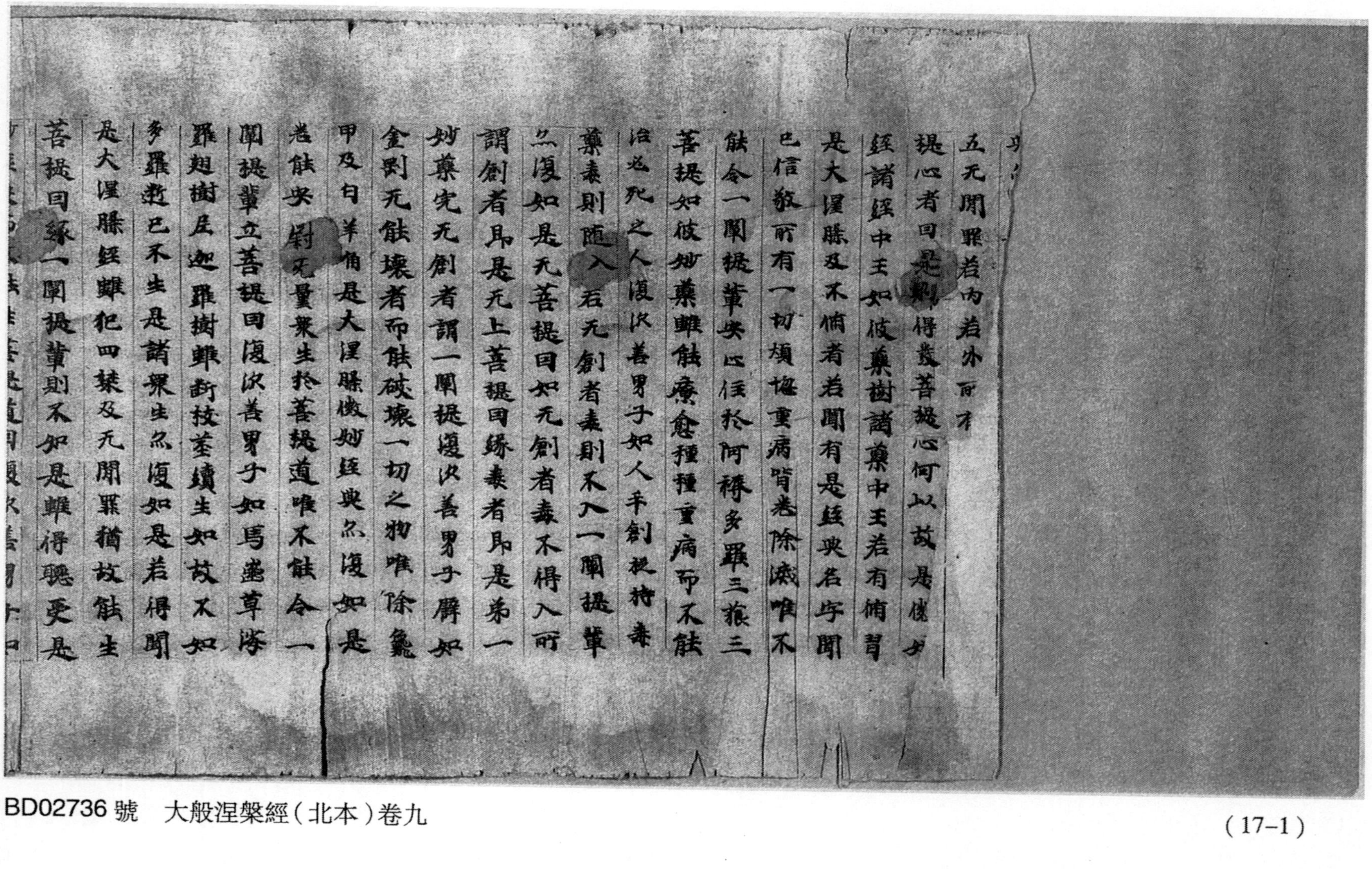

五无間罪若內若外而有
提心者因是則得發菩提心何以故是[illegible]
經諸經中王如彼藥樹諸藥中王若有脩習
是大涅槃及不脩者若聞有是經典名字聞
已信敬所有一切煩惱重病皆悉除滅唯不
能令一闡提輩安止住於阿耨多羅三藐三
菩提如彼妙藥雖能療愈種種重病而不能
治必死之人復次善男子如人手創捉持毒
藥毒則隨入若无創者毒則不入一闡提輩
亦復如是无菩提因如无創者毒不得入所
謂創者即是无上菩提因緣毒者即是第一
妙藥完无創者謂一闡提復次善男子譬如
金剛无能壞者而能破壞一切之物唯除龜
甲及白羊角是大涅槃微妙經典亦復如是
悉能安止无量眾生於菩提道唯不能令一
闡提輩立菩提因復次善男子如馬齒草娑
羅翅樹尼迦羅樹雖斷枝莖續生如故不如
多羅樹已不生是諸眾生亦復如是若得聞
是大涅槃經雖犯四禁及无間罪猶故能生
菩提因緣一闡提輩則不如是雖得聽受是

BD02736 號　大般涅槃經（北本）卷九

（17–1）

羅翅樹尼迦羅樹雖斫枝莖續生如故不如
多羅樹已不生是諸衆生亦復如是若得聞
是大涅槃經雖犯四禁及无間罪猶故能生
菩提因緣一闡提輩則不如是雖得聽受是
妙經典而不能生菩提道因復次善男子如
佉陀羅樹鎮頭迦樹斫已不生及諸燋種一
闡提輩亦復如是雖得聞是大涅槃經而不
能發菩提因緣猶如燋種復次善男子譬如
大雨終不住空是大涅槃微妙經典亦復如
是普雨法雨於一闡提則不能住是一闡提
周體鐵密猶如金剛不容外物迦葉菩薩白
佛言世尊如佛所說偈
不見善不作　唯見惡可作　是處可怖畏　猶如險惡道
世尊如是所說有何等義佛言善男子不見
者謂不見佛性善者即是阿耨多羅三藐三
菩提不作者所謂不能親近善友唯見者見
无因果惡者謂謗方等大乘經典可作者謂
一闡提說无方等以是義故一闡提輩无心
趣向清淨善法何等善法謂涅槃也趣涅槃
者謂能脩集賢善之行而一闡提无賢善行
是故不能趣向涅槃是處可畏謂謗正法誰
應怖畏所謂智者何以故以謗法者无有善
心及方便故險惡道者謂諸行也迦葉復言
如佛所說
云何見所作　云何得善法　何處不怖畏　如王夷坦道
是義何謂佛言善男子見所作者發露諸惡
從生死際所作諸惡悉皆發露至无至處以
是義故是處无畏喻如人王所遊正路其中

BD02736號　大般涅槃經（北本）卷九　（17–2）

如佛所說
云何見所作　云何得善法　何處不怖畏　如王夷坦道
是義何謂佛言善男子見所作者發露諸惡
從生死際所作諸惡悉皆發露至无至處以
是義故是處无畏喻如人王所遊正路其中
盜賊悉皆逃走如是發露一切諸惡悉滅无
餘復次不見所作者謂一闡提所作衆惡而
不自見是一闡提憍慢心故雖多作惡於是事
中初无怖畏以是義故不得涅槃喻如獼
猴捉水中月善男子假使一切无量衆生一
時成於阿耨多羅三藐三菩提已此諸如來
亦復不見彼一闡提成於菩提以是義故名
不見所作又復不見誰之所作所謂不見如
來所作佛為衆生說有佛性一闡提輩流轉
生死不能知見以是義故名為不見如來所
作又一闡提見於如來畢竟涅槃謂真无常
猶如燈滅膏油俱盡何以故是人惡業不減
損故若有菩薩所作善業迴向阿耨多羅三
藐三菩提時一闡提輩雖復毀呰破壞不信
然諸菩薩猶故施與欲共成於无上之道何
以故諸佛法尒
作惡即不受　如乳即成酪　猶灰覆火上　愚者輕蹈之
一闡提者名為无目是故不見阿羅漢道如
阿羅漢不行生死險惡之道以无目故誹謗
方等不欲脩集如阿羅漢懃脩慈心一闡提
輩不脩方等亦復如是若人說言我今不信
聲聞經典信受大乘讀誦解說是故我今即
是菩薩一切衆生悉有佛性以佛性故衆生

BD02736號　大般涅槃經（北本）卷九　（17–3）

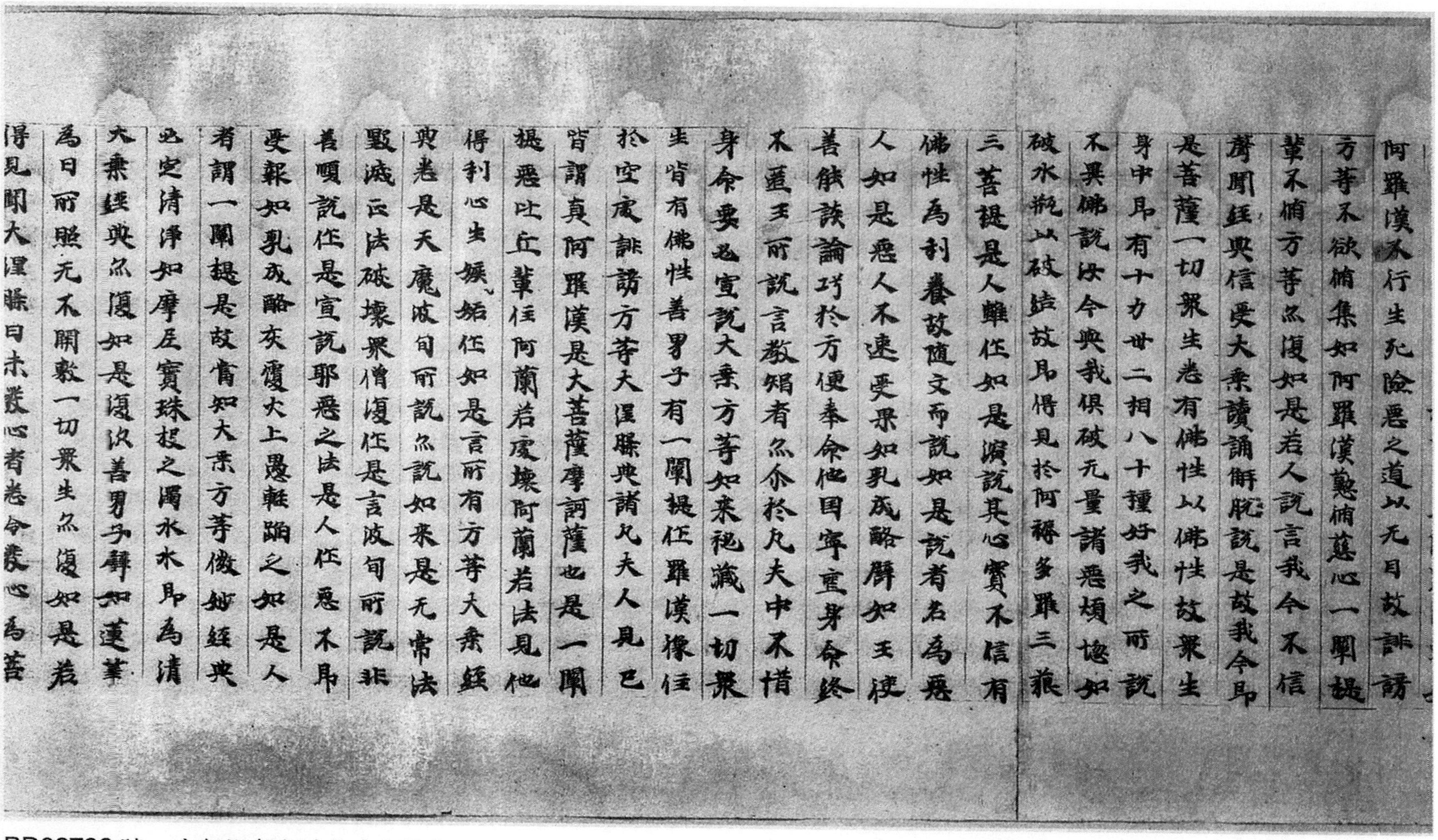

阿羅漢不行生死險惡之道以无自故誹謗
方等不欲脩集如阿羅漢懃脩慈心一闡提
輩不脩方等亦復如是若人說言我今不信
聲聞經典信受大乘讀誦解脫說是故我今即
是菩薩一切衆生悉有佛性以佛性故衆生
身中即有十力卅二相八十種好我之所說
不異佛說汝今與我俱破无量諸惡煩惱如
破水瓶以破結故即得見於阿耨多羅三藐
三菩提是人雖作如是演說其心實不信有
佛性爲利養故隨文而說如是說者名爲惡
人如是惡人不速受衆如乳成酪譬如王使
善能談論巧於方便奉命他國寧喪身命終
不匿王所說言教智者亦尒於凡夫中不惜
身命要必宣說大乘方等如來祕藏一切衆
生皆有佛性善男子有一闡提作羅漢像住
於空處誹謗方等大涅槃典諸凡夫人見已
皆謂真阿羅漢是大菩薩摩訶薩也是一闡
提惡比丘輩住阿蘭若處壞阿蘭若法見他
得利心生嫉妬作如是言所有方等大乘經
典悉是天魔波旬所說亦說如來是无常法
毀滅正法破壞衆僧復作是言波旬所說非
善順說作是宣說耶惡之法是人作惡不即
受報如乳成酪灰覆火上愚者輕蹈之如是人
者謂一闡提是故當知大乘方等微妙經典
必定清淨如摩尼寶珠投之濁水水即爲清
大乘經典亦復如是復次善男子譬如蓮華
爲日所照无不開敷一切衆生亦復如是若
得見聞大涅槃日未發心者悉令發心爲菩

BD02736 號　大般涅槃經（北本）卷九

（17–4）

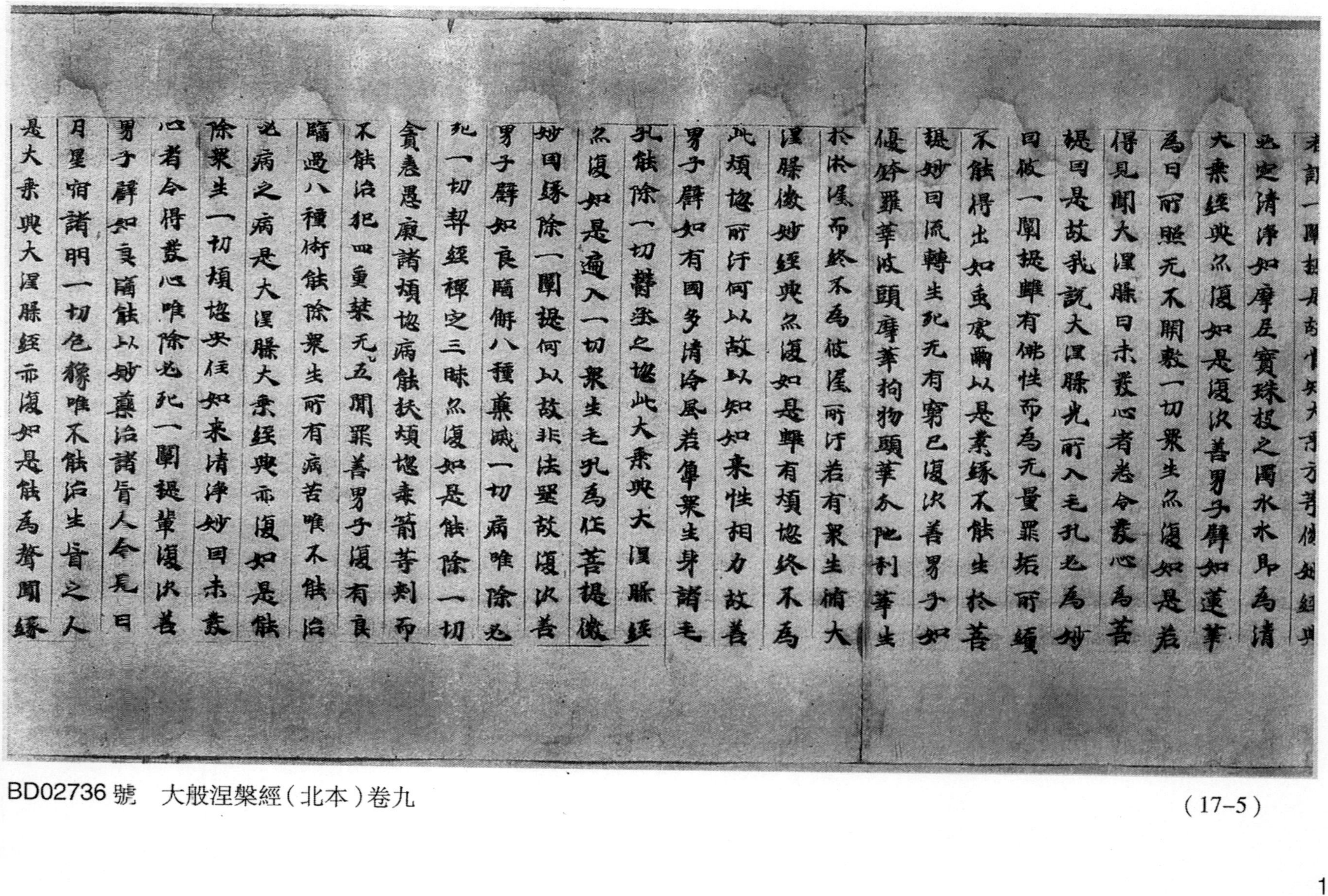

者謂一闡提是故當知大乘方等微妙經典
必定清淨如摩尼寶珠投之濁水水即爲清
大乘經典亦復如是復次善男子譬如蓮華
爲日所照无不開敷一切衆生亦復如是若
得見聞大涅槃日未發心者悉令發心爲菩
提因是故我說大涅槃光所入毛孔必爲妙
因彼一闡提雖有佛性而爲无量罪垢所纏
不能得出如蠶處繭以是業緣不能生於菩
提妙因流轉生死无有窮已復次善男子如
優鉢羅華波頭摩華拘物頭華分陁利華生
於淤泥而不爲彼泥所汙若有衆生脩大
涅槃微妙經典亦復如是雖有煩惱終不爲
此煩惱所汙何以故以知如來性相力故善
男子譬如有國多清冷風若觸衆生身諸毛
孔能除一切鬱蒸之惱此大乘典大涅槃經
亦復如是遍入一切衆生毛孔爲作菩提微
妙因緣除一闡提何以故非法器故復次善
男子譬如良醫解八種藥滅一切病唯除必
死一切契經禪定三昧亦復如是能除一切
貪恚愚癡諸煩惱病能拔煩惱毒箭等刺而
不能治犯四重禁五无間罪善男子復有良
醫過八種術能除衆生所有病苦唯不能治
必死之病是大涅槃大乘經典亦復如是能
除衆生一切煩惱安住如來清淨妙因未發
心者令得發心唯除必死一闡提輩復次善
男子譬如良醫能以妙藥治諸盲人令見日
月星宿諸明一切色像唯不能治生盲之人
是大乘典大涅槃經亦復如是能爲聲聞緣

BD02736 號　大般涅槃經（北本）卷九

（17–5）

月星宿諸明一切色像唯不能治生盲之人
是大乘典大涅槃經亦復如是能為聲聞緣
覺之人開發慧眼令其安住无量无邊大乘
經典未發心者謂犯四禁五无間罪悉能令
發菩提之心唯除生盲一闡提輩復次善男
子譬如良醫善解八術為治眾生一切病苦
興種種方咒下諸藥及以塗身熏藥灌鼻散
藥丸藥若貧愚人不欲服之良醫慈念即將
是人還其舍宅強與令服以藥力故所患得
除女人產時兒衣未出與之令服服已即出
并令嬰兒安樂无患是大乘典大涅槃經亦
復如是所至之處若至舍宅能除眾生无量
煩惱犯四重禁五无間罪未發心者悉令發
心除一闡提迦葉菩薩白佛言世尊犯四重
禁及五无間若極重惡譬如斷截多羅樹頭
更不復生是等未發菩提之心云何能與作
菩提因佛言善男子是諸眾生若於夢中夢
墮地獄受諸苦惱即生悔心哀哉我等自招
此罪若我今得脫是罪者必定當發菩提之
心我今所見最上極惡使是悟已即知正法
有大果報如彼嬰兒漸漸長大當作是念是
醫最良善解方藥我本處胎與我母藥母以
藥故身得安隱以是因緣我命得全奇哉我
母受大苦惱滿足十月懷抱我胎既生之後
推乾去濕除去不淨大小便利乳餔長養將
護我身以是義故我當報恩色養侍衛隨順
供養犯四重禁及五无間罪臨命終時念是

BD02736 號　大般涅槃經（北本）卷九　（17–6）

推乾去濕除去不淨大小便利乳餔長養將
護我身以是義故我當報恩色養侍衛隨順
供養犯四重禁及五无間罪臨命終時念是
大乘大涅槃經雖墮地獄畜生餓鬼天上人
中如是經典亦為是人作菩提因除一闡提
復次善男子譬如良醫及良醫子所知深奧
出過諸醫善知除毒无上咒術若惡毒蛇若
龍若蝮以諸咒術咒藥令良復以此藥用塗
草屣以此草屣觸諸毒虫毒為之消唯除一
毒名曰大龍是大乘典大涅槃經亦復如是
若有眾生犯四重禁五无間罪悉能除滅令
住菩提如藥草屣能消眾毒未發心者悉能
令發安止住於菩提之道是故大乘大般涅
槃經威神藥故令諸眾生生於安樂唯除大
龍一闡提輩復次善男子譬如有人以新毒
藥用塗大鼓於眾人中擊之發聲雖无心欲
聞聞之皆死唯除一人不橫死者是大乘典
大涅槃經亦復如是在在處處諸行眾中有
聞聲者所有貪欲瞋恚愚癡悉皆滅盡其中
雖有无心思念是大涅槃因緣力故能滅煩
惱而結自滅犯四重禁及五无間聞是經已
亦作无上菩提因緣漸斷煩惱除不橫死一
闡提也復次善男子譬如闇夜諸所營作一
切皆息若未訖者要待日明學大乘者雖脩
契經一切諸定要待大乘大涅槃日聞於如
來微密之教然後乃當造菩提業安住正法
猶如天雨潤益增長一切諸種成就果實悉

BD02736 號　大般涅槃經（北本）卷九　（17–7）

契經一切諸定要待大乘大涅槃日聞於如
来微密之教然後乃當造菩提業安住正法
猶如天雨潤益增長一切諸種成就菓實悉
除飢饉多受豐樂如来祕藏无量法雨亦復
如是悉能除滅八種熱病是經出世如彼菓
實多所利益安樂一切能令衆生見於佛性如
法華中八千聲聞得受記莂成大菓實如秋
收冬藏更无所作一闡提輩亦復如是於諸
善法无所營作復次善男子譬如良醫聞他
人子非人所持尋以妙藥并遣一使勅語使
言汝持此藥速與彼人彼人若遇諸惡鬼神
以藥力故悉當遠去汝若遲晚吾自當往終
不令彼枉横死也如是病人若見使者及吾
威德諸苦悉除得安隱樂是大乘典大涅槃
經亦復如是若比丘比丘尼優婆塞優婆夷
及諸外道有能受持如是經典讀誦通利復
為他人分別廣說若自書寫令他書寫斯等
皆為菩提因緣若犯四禁及五逆罪若為邪
鬼毒惡所持聞是經典所有諸惡悉皆消滅
如見良醫惡鬼遠去當知是人是真菩薩摩
訶薩也何以故暫得聞是大涅槃故亦以生
念如来常故暫得聞者尚得如是何況書寫
受持讀誦除一闡提其餘皆是菩薩摩訶薩
復次善男子譬如聾人不聞音聲一闡提輩
亦復如是雖復欲聽是妙經典亦不得聞何
以故无因緣故復次善男子譬如良醫一
切醫方无不通達然復廣知无量呪術是醫
見王作如是言大王今者有必死病其王荅

BD02736號　大般涅槃經（北本）卷九

（17–8）

亦復如是雖復欲聽是妙經典亦不得聞何
以故无因緣故復次善男子譬如良醫一
切醫方无不通達然復廣知无量呪術是醫
見王作如是言大王今者有必死病其王荅
言汝不見我腹內之事云何而言有必死病
醫即荅言若不見信應服下藥既下之後王
自驗之王不肯服尒時良醫以呪術力令王
糞門遍生創疱兼復招下虫血雜出王見是
已生大怖懼讚彼良醫善哉善哉汝先所白
吾不用之今乃知汝於吾此身作大利益恭
敬是醫猶如父母是大乘典大涅槃經亦復
如是於諸衆生有欲无欲悉能令彼煩惱崩
落是諸衆生乃至夢中夢見是經恭敬供養
喻如大王恭敬良醫是大良醫知必死者終
不治之是大乘典大涅槃經亦復如是終不
能治一闡提也復次善男子譬如良醫善知
八種藥悉能療治一切諸病唯不能治必死
之人諸佛菩薩亦復如是悉能療救一切有
罪唯不能治必死之人一闡提輩復次善男
子譬如良醫善知八種微妙經術復能博達
過於八種以己所知先教其子若水若陸山
閒藥草悉令識知如是漸漸教八事已次復
教餘最上妙術如来應正遍知亦復如是先
教其子諸比丘等方便除滅一切煩惱修學
淨身不堅固想謂水陸山閒水者喻身要若
如水上泡陸者喻身不堅如芭蕉樹其山閒
者喻煩惱中脩无我想以是義故身名无我
如来如是於諸弟子漸漸教學九部經法令

BD02736號　大般涅槃經（北本）卷九

（17–9）

淨身不堅固想謂水陸山間水者喻身受苦
如水上泡陸者喻身不堅如芭蕉樹其山間
者喻煩惱中脩无我想以是義故身名无我
如来如是於諸弟子漸漸教學九部經法令
善通利然後教學如来祕藏為其子故說如
来常住如来如是說大乘典大涅槃經為諸衆
生已發心者及未發心作菩提因除一闡提
如是善男子是大乘典大涅槃經无量无邊
不可思議未曾有也當知即是无上良醫最
上最勝衆經中王復次善男子譬如大船從
海此岸至於彼岸復從彼岸還至此岸如来
應正遍知亦復如是乘大涅槃大乘寶船周
旋往返濟度衆生在在處處有應度者悉令
得見如来之身以是義故如来名曰无上船
師譬如有船則有船師有船師則有衆生度
於大海如来常住化度衆生亦復如是復次
善男子譬如有人在大海中乘船欲度若得
順風須臾之間則能得過无量由旬若不得
者雖復久住逕无量歲不離本處有時船壞
沒水而死衆生如是在於愚癡生死大海乘
諸行船若得值遇大般涅槃猛利之風則能
疾到无上道岸若不值遇當久流轉无量生
死或時破壞墮於地獄畜生餓鬼復次善男
子譬如有人不遇風王久住大海作是思惟
我等今者必在此死如是念時忽遇利風隨
順度海復作是言快哉是風未曾有也令我
等輩安隱得過大海之難衆生如是久住愚

BD02736號　大般涅槃經（北本）卷九　（17–10）

我等今者必在此死如是念時忽遇利風隨
順度海復作是言快哉是風未曾有也令我
等輩安隱得過大海之難衆生如是久住愚
癡生死大海因苦窮悴未遇如是大涅槃風
則應生念我等必定墮於地獄畜生餓鬼是
諸衆生思惟是時忽遇大乘大涅槃風隨順
吹向入於阿耨多羅三藐三菩提方知真實
生奇特想歎言快哉我從昔來未曾見聞如
是如来微密之藏尒乃於是大涅槃經生清
淨信復次善男子如蛇脫故皮為死滅耶不
也世尊善男子如来亦尒方便示現棄捨毒
身可言如来无常滅耶不也世尊如来於此
閻浮提中方便捨身如彼毒蛇捨於故皮是
故如来名為常住復次善男子譬如金師得
好真金隨意造作種種諸器如来亦尒於廿
五有悉能示現種種色身為化衆生拔生死
故是故如来名无邊身雖復示現種種諸身
亦名常住无有變易復次善男子如菴羅樹
及閻浮樹一年三變有時生華光色敷榮有
時生葉滋茂蓊鬱有時彫落狀似枯死善男
子於意云何是樹實為枯滅不也不也世尊
善男子如来亦尒於三界中示三種身有時
初生有時長大有時涅槃而如来身實非无
常迦葉菩薩讚言善哉善哉誠如聖教如来
常住无有變易善男子如来密語甚深難解
譬如大王告諸群臣先陁婆来先陁婆者一
名四實一者鹽二者器三者水四者馬如是

BD02736號　大般涅槃經（北本）卷九　（17–11）

常住无有變易善男子如來密語甚深難解
譬如大王告諸群臣先陁婆來先陁婆者一
名四實一者鹽二者器三者水四者馬如是
四法皆同此名有智之臣善知此名若王洗
時索先陁婆即便奉水若王食時索先陁婆
即便奉鹽若王食已將欲飲漿索先陁婆即
便奉器若王欲遊索先陁婆即便奉馬如是
智臣善解大王四種密語是大乘經亦復如
是有四无常大乘智臣應當善知若佛出世
為眾生說如來涅槃智臣當知此是如來為
計常者說无常相欲令比丘脩无常想或復
說言正法當滅智臣應知此是如來為計樂
者說於苦相欲令比丘多脩苦想或復說言
我今病苦眾僧破壞智臣當知此是如來為
計我者說无我相欲令比丘脩无我想或復
說言所謂空者是正解脫智臣當知此是如
來說正解脫无廿五有欲令比丘脩學空想
以是義故是正解脫則名為空亦名不動謂
不動者是解脫中无有苦故是故不動是正
解脫為无有相謂无相者无有色聲香味觸
等故名无相是正解脫常不變易是解脫中
无有无常熱惱變易是故解脫名曰常住不
變清涼或復說言一切眾生有如來性智臣
當知此是如來說於常法欲令比丘脩正常
法是諸比丘若能如是隨順學者當知是人
真我弟子善知如來微密之藏如彼大王智
慧之臣善知王意善男子如是大王亦有如

BD02736號　大般涅槃經（北本）卷九

（17–12）

法是諸比丘若能如是隨順學者當知是人
真我弟子善知如來微密之藏如彼大王智
慧之臣善知王意善男子如是大王亦有如
是密語之法何況如來而當无也善男子是
故如來微密之教難可得知唯有智者乃能
解我甚深佛法非是世間凡夫品類所能信
也復次善男子如波羅奢樹迦尼迦樹阿梨
迦樹值天亢旱不生華實及餘水陸所生之
物皆悉枯死无有潤澤不能增長一切諸藥
无復勢力善男子是大乘典大涅槃經亦復
如是於我滅後有諸眾生不能恭敬无有威
德何以故是諸眾生不知來如微密藏故所
以者何以是眾生薄福德故復次善男子如
來正法將欲滅盡尒時多有行惡比丘不知
如來微密之藏懶墮懈怠不能讀誦宣揚分
別如來正法譬如癡賊棄捨真寶擔負草麩
不解如來微密藏故於是經中懈怠不懃哀
哉大險當來之世甚可怖畏苦哉眾生不懃
聽受是大乘典大涅槃經唯諸菩薩摩訶薩
等能於是經取真實義不著文字隨順不逆
為眾生說復次善男子如牧牛女為欲賣乳
貪多利故加二分水轉賣與餘牧牛女人彼
女得已復加二分轉復賣與近城女人女人
得已復加二分轉復賣與城中女人彼女得
已復加二分詣市賣之時有一人為子納婦
當須好乳以瞻賓客至市欲買是賣乳者
多索價數是人答言汝乳多水不直尒許正值

BD02736號　大般涅槃經（北本）卷九

（17–13）

得已復加二分轉復賣與城中女人彼女得
已復加二分詣市賣之時有一人為子納婦
當須好乳以瞻賓客至市欲買是賣乳者
多索價數是人答言此乳多水不直尒許正值
我今瞻待賓客是故當取取已還家煑用作
糜都无乳味雖復无味於苦味中千倍為勝
何以故乳之為味諸味中最善男子我涅槃
後正法未滅餘八十年尒時是經於閻浮提
當廣流布是時當有諸惡比丘抄略是經分
作多分能滅正法色香美味是諸惡人雖復
讀誦如是經典滅除如來深密要義安置世
間莊嚴文飾无義之語抄前著後抄後著前
前後著中中著前後當知如是諸惡比丘是
魔伴侶受畜一切不淨之物而言如來悉聽
我畜如牧牛女多加水乳諸惡比丘亦復如
是雜以世語錯定是經令多眾生不得正說
正寫正取尊重讚歎供養恭敬是惡比丘為
利養故不能廣宣流布是經所可分流少不
足言如彼牧牛貧窮女人展轉賣乳乃至成
糜而无乳味是大乘典大涅槃經亦復如是
展轉薄淡无有氣味雖无氣味猶勝餘經足
一千倍如彼乳味於諸味中為千倍勝何以
故是大乘典大涅槃經於聲聞經最為上首
喻如牛乳味中最勝以是義故名大涅槃復
次善男子若善男子善女人等无有不求男
子身者何以故一切女人皆是眾惡之所住
處復次善男子如蚊子尿不能令此大地潤

次善男子若善男子善女人等无有不求男
子身者何以故一切女人皆是眾惡之所住
處復次善男子如蚊子尿不能令此大地潤
洽其女人者婬欲難滿亦復如是譬如大地
一切作丸如葶藶子如是等男與一女人共
為欲事猶不能足假使男子數如恒沙與一
女人共為欲事猶不能足善男子譬如大海
一切天雨百川眾流皆悉投歸而彼大海未
曾滿足女人之法亦復如是假使一切能為
男者與一女人共為欲事而亦不足復次善
男子如阿輸迦樹波吒羅樹迦尼迦樹春華
敷榮有蜂唼取色香細味不知猒足女人欲
男亦復如是不知猒足善男子以是義故諸
善男子善女人等聽是大乘大涅槃經常應
呵責女人之相求於男子何以故是大經典
有丈夫相所謂佛性若人不知是佛性者則
无男相所以者何不能自知有佛性故若有
不能知佛性者我說是等名為女人若能自
知有佛性者我說是等為丈夫相若有女
人能知自身定有佛性當知是等即為男子
善男子是大乘典大涅槃經无量无邊不可
思議功德之聚何以故以說如來祕密藏故
是故善男子善女人若欲速知如來秘藏應
當方便懃脩此經迦葉菩薩白佛言世尊如
是如是如佛所說我今已有丈夫之相得入
如來秘密藏故如來今日始覺悟我因是即
得決定通達佛言善哉善哉善男子汝今隨

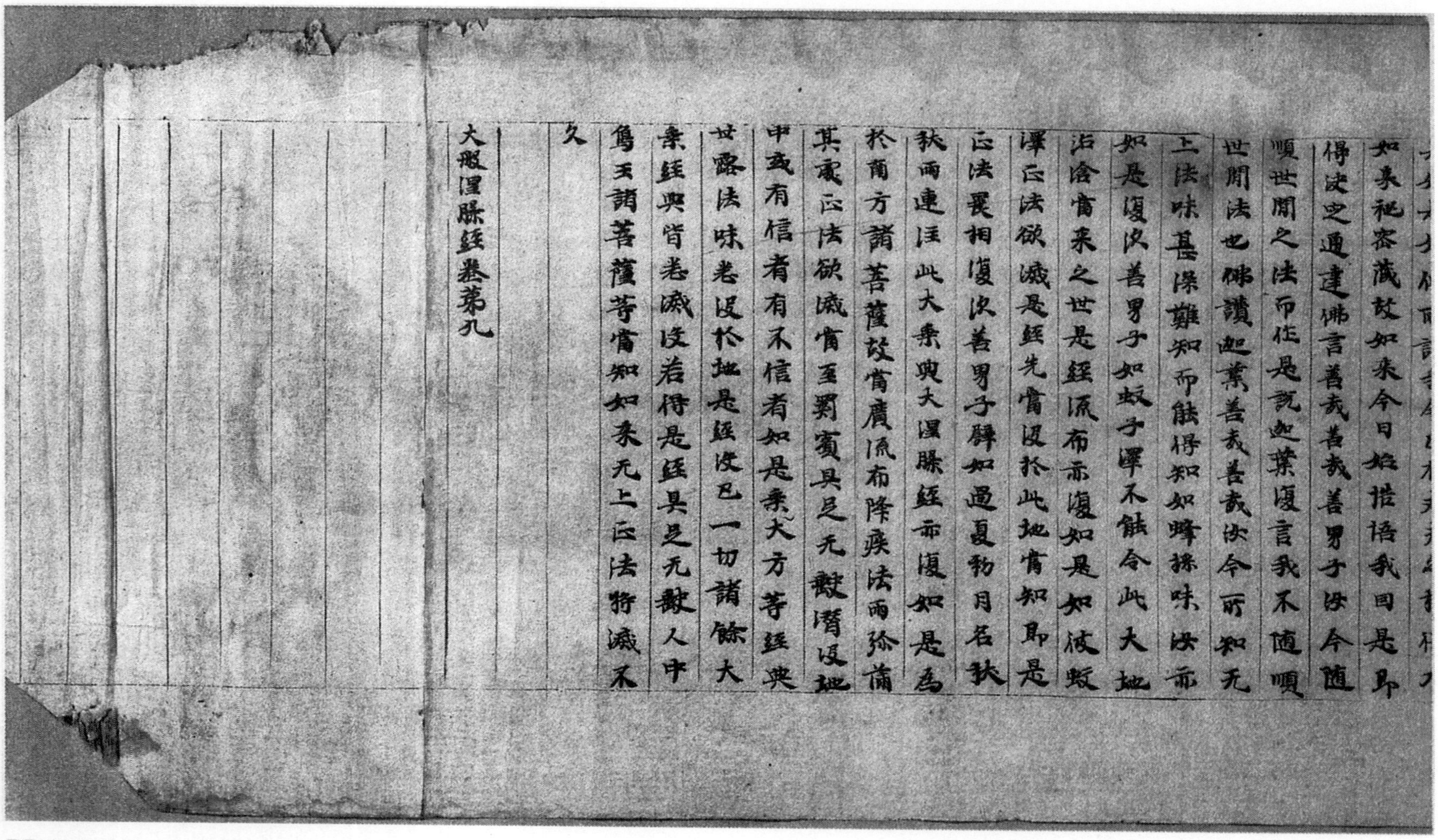

如来祕密藏故如来今日始捨語我是即
得決定通達佛言善哉善哉善男子汝今隨
順世間之法而作是說迦葉復言我不隨順
世間法也佛讚迦葉善哉善哉汝今所知无
上法味甚深難知而能得知如蜂採味汝亦
如是復次善男子如蚊子渧不能令此大地
沾洽當來之世是經流布亦復如是如彼蚊
渧正法欲滅是經先當沒於此地當知即是
正法衰相復次善男子譬如過夏初月名秋
秋雨連注此大乘典大涅槃經亦復如是為
於南方諸菩薩故當廣流布降注法雨彌滿
其處正法欲滅當至罽賓具足无缺潛沒地
中或有信者有不信者如是乘大方等經典
甘露法味悉沒於地是經沒已一切諸餘大
乘經典皆悉滅沒若得是經具足无缺人中
象王諸菩薩等當知如來无上正法將滅不
久

大般涅槃經卷第九

BD02736號　大般涅槃經（北本）卷九　（17–16）

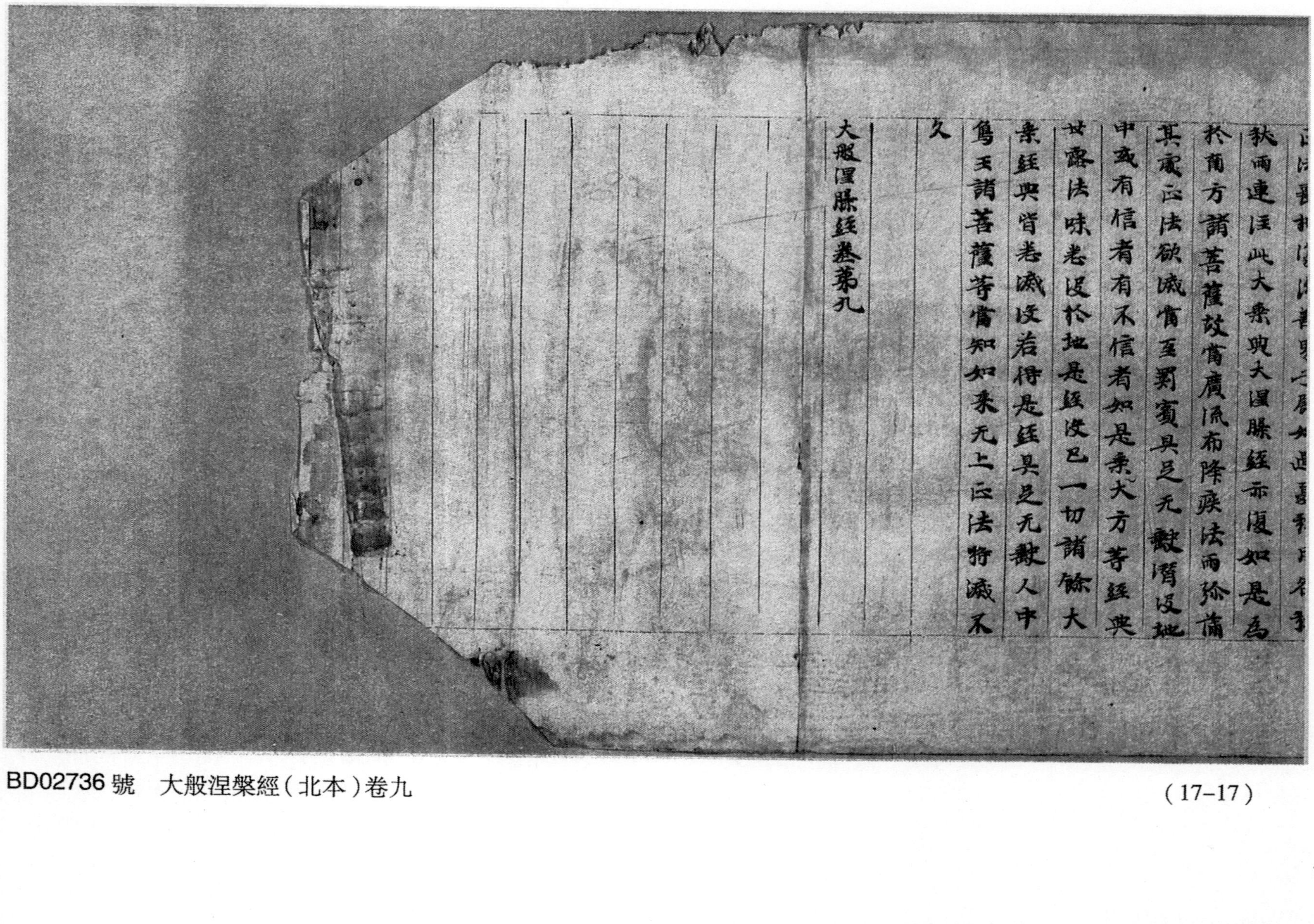

正法衰相復次善男子譬如過夏初月名秋
秋雨連注此大乘典大涅槃經亦復如是為
於南方諸菩薩故當廣流布降注法雨彌滿
其處正法欲滅當至罽賓具足无缺潛沒地
中或有信者有不信者如是乘大方等經典
甘露法味悉沒於地是經沒已一切諸餘大
乘經典皆悉滅沒若得是經具足无缺人中
象王諸菩薩等當知如來无上正法將滅不
久

大般涅槃經卷第九

BD02736號　大般涅槃經（北本）卷九　（17–17）

爲名ト云唯識云我謂主宰法謂軌持无
性一者後說二者先陳後說名軌先陳名持
有无爲有爲名軌无爲名持法之 此相難後
五種即無疑釋也即心等五種皆名法也即是
有法 故主釋之通有財色无六釋攻通
心法者有六種義一集起
是二積集名心屬前七識
轉現行法集熏起種故緣
攝二釋雖各有能集所集
世三緣慮名心謂能緣慮自分境故四或名爲識
義故五或名爲意等无間故六義名心意識入楞伽云藏識說
今取能
名心思量性名意能了諸境相是說名爲識第二心所有法亦有三
義唯識云一恒依心起二与心相應三計屬於心如屬我物立我所名
第三色法有其四義一識所依色唯屬五根二識所緣色唯屬五境三總
相而言質礙名色四色有二一者有對若准有宗極微所成大乘即用能
造色成觸有色是二者无對非極微成即法處色不相應行五有兩
釋 言行者即是行蘊有二一相應行即心所法二不相應行即是得相
若今言不相應行前相應行二者具是應言非色不相應行即蘊四聚
即不相應持業釋也或蘊四聚之不相應遷有本 五不相應行不与
又非心法故從脉而說名心不相應理實亦非心所相應无爲法者
有四種一不生不滅簡四相故二无去无來非三世故三无彼无此離自
地故四无得无失不壞滅故此顯无爲離此四句无造作故名曰无爲或簡
有爲名曰无爲俱舍云蘊不說无爲義不相應故出五法體者有二種義
一者有爲无爲出體二者三種出體前四種法有爲之體第五一種无爲之體

BD02737號　百法明門論疏（擬）

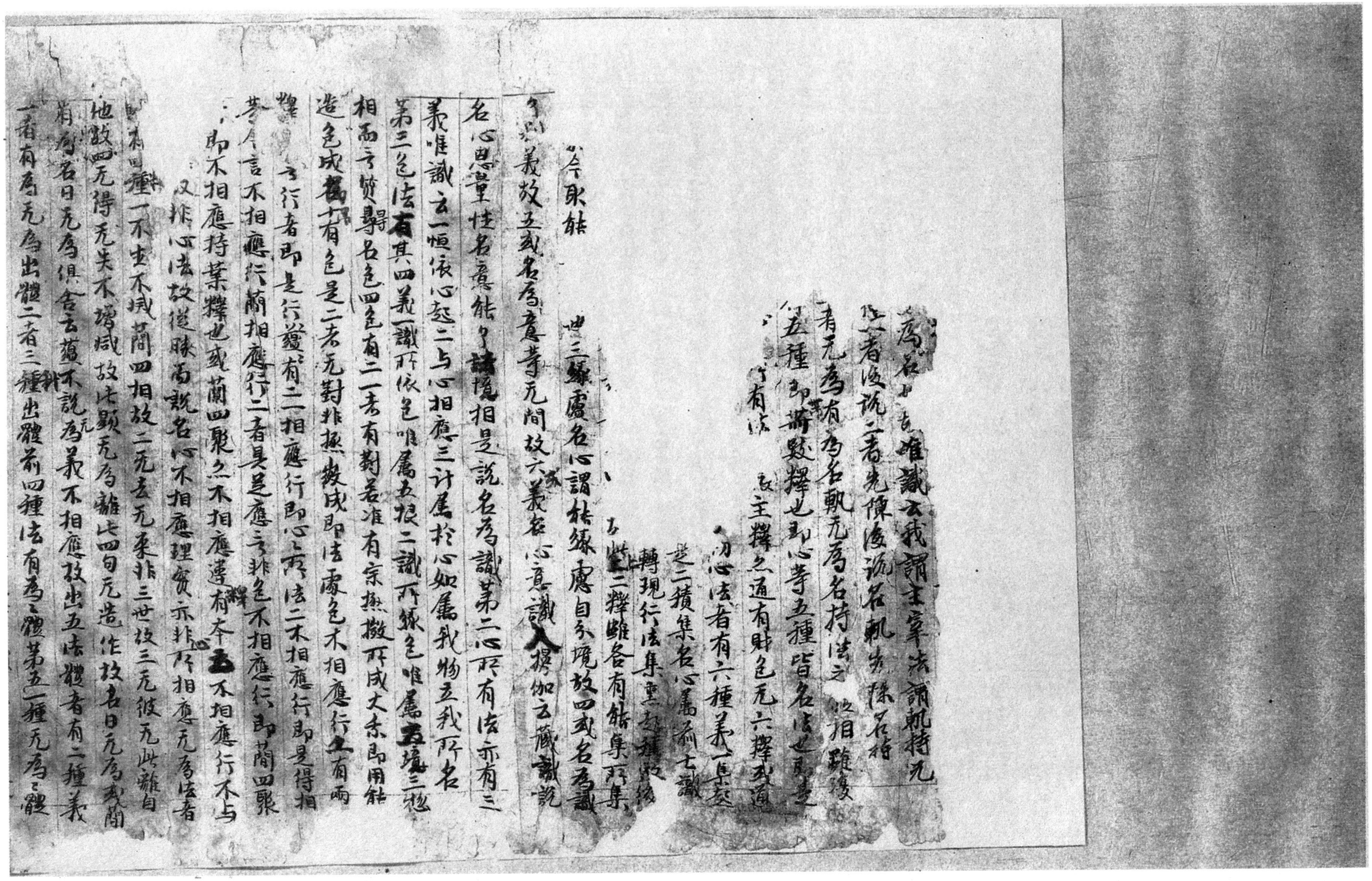

即不相應持業釋也或薗四聚之不相應違有本𫞂不相應行不与
又非心法故從勝爲號名心不相應理實亦非心所相應无爲法者
[illegible]種一不生不滅簡四相故二无去无來非三世故三无彼无此離自
地故四无得无失不增減故此顯无爲離此四句无造作故名曰无爲或簡
有爲名曰无爲俱舍云蘊不說无爲義不相應故出五法體者有二種義
一者有爲无爲出體二者三科出體前四種法有爲之體第五一種无爲之體
三科出體者謂蘊處界所言蘊者即是五蘊第一心法識蘊爲體二心所有
法及不相應除受想行蘊爲體受想二種即受想爲體三色法者色蘊爲
體无爲非是蘊攝聚非聚有差別故或詮无爲能詮名等亦是積聚名
依此釋是行蘊中名句文三及色蘊中聲所攝也所言處者即十二處第一心
法意處爲體第二心所及不相應第五无爲並是法處少分爲體第三色
法即分爲二初中十種色中十處爲體法處色法處少分爲體所言界者即
界第一心法七心界爲體第二心所及不相應第五无爲各用法界一分爲
色法亦分爲二初十種色十界爲體後者色亦用法界少分爲體
三科法惣攝百法无不得盡問蘊處界何名俱舍論云聚生
門種族恍蘊處界三釋曰諸有爲法和合聚義緣前過義重擔義是
蘊義第一種色者謂三世內外麁細勝劣遠近如是略爲一聚名色蘊餘
此聚故名色蘊釋云无常已滅名過去若法未生名未來若法已生名
現在自身名內所餘名外有對名麁无對名細染汙名劣不染汙名勝未
來名遠現在名近受等諸蘊隨所依力應知遠近麁細同前處者心心所
法生長門義是處義處釋曰即六種識依六根門緣外六境而得生長名之
爲處謂能生長心心所法故名處也是能生義作用義界者因義種族義
義中間三識藉六根六境事生与彼爲因識生諸法故名爲界如一山中有多
銅鐵金銀等族說名爲界如此一身或一相續有十八類諸法種族名十八界問何
緣說此蘊處界三答愚根樂三故說蘊處界三釋曰傳說有情愚有三種者
迷心所不迷心王不迷色法故五蘊二迷色法不迷心王所說十二處三
迷色心不迷心所說十八界即有情根性有上中下樂有三品謂略及中廣
如次爲說三科法門問五蘊中何緣心所惣置行蘊別分受相爲二蘊耶
答曰諍根生死因及次第因故於諸心所法受相別爲蘊 釋曰諍根有二謂
着諸欲及著諸見此二受相如其次第爲最勝故味受力故貪著諸欲倒
倒力故貪著諸見又生死法以受及想爲最勝故由躭著受起倒相故生
死輪迴問何緣諸蘊如是次第答隨麁染器等界別故第五釋曰色有對
故諸蘊中麁无色中麁唯受想行故世尊說我手等痛二想麁男
女等相易了知故次行麁過識貪嗔等行易了知故識最爲細惣取境增
難分別故此即隨麁立蘊次第或從无始生死已來男女於色更相愛樂
此由躭著樂受味故復由因相倒生故此倒因生由[illegible]

BD02737號　百法明門論疏（擬）　（39–2）

死輪迴問何緣諸蘊如是次第答隨麁染器不界別故第五釋曰色有對
故諸蘊中麁无色中麁唯受想行故世尊說我手等痛二想麁男
女等相易了知故次行麁遍識貪嗔等行易了知故識最為細總取境相
難分別故此即隨麁立蘊次第或從无始生死已來男女於色更相愛樂
此由貌着樂受味故復由回相倒生故此倒相生由煩惱故識而生此及前三
皆染汙識復由此隨染立蘊次第或色如器受如飲食想同助伴行似厨人識
如食者故隨器不立蘊次第或隨界別立蘊次第謂界中有諸妙欲色相
顯現色界靜慮有勝喜不受相顯現三无色中取空不相想想顯了第四
中思最為勝行相顯了此即識住其中廢立中心諸最勝者垢者煩惱別名
如何說心名之為垢蕭云是心不為貪欲所縛亦復不為嗔恚所縛不化
云嚴自性清淨心亦名无垢智維摩經中言心垢故衆生垢者非也此中應言
由第八異熟有染心故五蘊有情亦成雜染離離染有情亦縛攝大乘云
異熟業不皆名雜染故唯識第三云謂染淨法以心為本因心而生依心而
住心受彼熏持彼種故此有五釋且叙一三一約新熏本有辯謂染淨法以心為
本者總自二種種子以心為本因心而生者釋新熏種依心住者是本有種心
受彼熏者新熏持彼種故者重釋本有二約有為无為釋以心為本是
總句謂有為无為法以第八賴耶為本因者心而生者別釋有為依心住者
別釋无為心受彼熏者釋有為義持彼種者釋无為義攝大乘論名所
知依通与三性為所依故心所有法中約小乘俱舍第四約五義以釋相應頌曰
心意識體一心心所有依有緣有行相相應義有五釋謂心心所五義時法中
合說彼无別故卑不故說相應所依緣行相時事皆卑不故若大乘瑜伽論
唯除行相四義等相名為相應彼論問云何故名相應答由事等故處等故時等
所化等故體者各有一體故處者同緣一切境故所化者同依一根故時者同一
刹那故今依四義以釋相應五義中心心所法了別領納不行解相各異故言行
相雖異相應者必同刹那同所依根不故唯識云行相雖異而時依同若依
雜心唯約一義或約四義以釋相應彼論略云問相應有為何義答不故是相
應義問心所或多或少云何言不答事不故若一心中為二受者非相應義以
此相生餘心法亦尔以是義故不義是相應義復次依時行緣不義是相
應義同一刹那同一根不善心行生心法亦尔若以緣色若依眼根
且依一義以釋心所有法故彼云依心而有故名心所有法疏云由心於所法不
与心王行相各各不同者此有二意一以理成立二引證成謂心於所緣唯取總
相如心緣青之時但緣青之總相心所於中能取總相亦取別相助成心等故
遍行得心所名如畫師資作模填彩者舉喻顯示師謂所師資即弟子
心取總相如師作模心所取別喻如填彩助成本師故略不屬言心所取總能
一心心所取總別相諸說不同廿宗四釋一云心體唯取境上青不想相而同取相

与心王行相各各不同者此有二意一以理成立二引證成謂心於所緣唯取總
相如心緣青之時但緣青之總相心所於中能取總相亦取別相助成心事故
遍行得心所名如畫師資作模填彩者舉喻顯示師謂所師資即弟子
心取總相如師作模心所取別喻如填彩助成本師故略不屬當心所取總能
一心心所取總亦相諸說不同廿宗四釋一云心體唯取境上青等總相而不取別相
心所唯取順違本相而不取總以一心法不應有二作用故一云心能取總兼取別
相以自在心有勝用故心所取別而不取總以心所法隨心起故一云心體唯取
總相心所取別亦取總相心不隨所故唯取總所必隨心故亦取總一云心及心所各各
能取總別二相今依大乘心唯取總心所通總別故瑜伽云遍行五法通取總
別唯識云能了別事之總相而復不說亦取別相故知心體取總非別猶如國
王總知國事諸臣佐等兼知總別解色法中二所現影者謂心起自變影
像心所起時亦變影像然所變影託境方生境謂因緣所緣緣等故論云
心心所緣皆非離自性故我說一切唯有識非餘現影一義一能顯即心心所二所
顯謂一切相色非色法有非法有苦樂人天地獄鬼所見境眼見毛輪夢中境界
無非心變今言心者亦攝心所定相應故言二所顯影故唯識第一云諸有對
色以理推求離識尚無況對色現無色像而可說為真實有者故唯心變
如是次第者即以勝劣能所實假有為無為次第也且依明次第諸論有五
種一者瑜伽唯識等說十二支中十因二果即生起次第二觀行次第謂如四聖
諦先觀苦果後觀集因證滅修道即先後因為次第也三者麁細次第如六
度中檀度乃至後後細故四勝劣為次第如前說五者言說次第如四正勤勤斷
二惡勤修二善已生未生防護修習等為次第此中小乘即以麁細為次第
先色後心觀身身不靜等自下別解五法中第一心法眼等者瑜伽第一五識
身地云云何五識身者謂五識身自性彼所依彼緣彼助伴彼作業如是總名五
識身相應地云何眼識自性謂依眼了別色彼所依者俱有依謂眼等無間依
謂意種子依五一切種子執受所依異熟所攝阿賴耶識如眼餘五識亦然如
是略說二種所依謂色非色眼是色餘非色眼謂四大種所造眼識所依淨
色無見有對意謂眼識無間過去識一切種子識謂無始時來樂著戲
論熏習為因所生一切種子異熟識彼所緣者謂色有見有對此有三種謂顯色
助伴者謂彼俱有相應諸心所法即作意等五作業者有六種一唯了別自
相二唯了別現在唯一刹那後有三業謂隨意識轉隨善染轉隨發業轉
後能取愛非愛果是第六業餘耳鼻亦爾然有二義一隨根六種謂名眼識乃至
意識隨六根種類異故二隨境六種如名色識乃至法識隨六種類別故
隨根得名謂眼之識乃至意之識隨境得名者謂色之識乃至法之識問何
識依得名耶由具五義故一依眼之識名為眼識二眼所發識三屬眼之識
四助眼之識五如眼之識如是餘識亦爾問以了別色故方得識名何故名眼等

相三唯了別見在唯一剎那後有三業謂隨意種轉隨善染轉隨發業轉
後能取愛果是第六業餘耳鼻亦不然有二義一隨根六種謂名眼識乃至意
意識隨六根種類異故二隨境六種如名色識乃至諸識隨六種類別故
隨根得名謂眼之識乃至意之識隨境得名者謂色之識乃至法之識問何
識依得名耶由具五義故一依眼之識名為眼識二眼所發識三屬眼之識
四助眼之五如眼之識如是餘識亦尔問以了別色故方得識名何故名眼等
識樂聞名色等識耶答以依眼等五種道理非於色等何以故眼闇之識名
眼識依眼處所而識得生故又由有眼識得有所以者何若有眼識即
定生不旨冥者乃至闇中不能見故不由有色眼識定生以旨冥者不
能見故又眼所發識故名眼識由眼變異識亦變異色雖無變識有變
故如迦末羅病損壞眼根於青色等皆見為黃問眼等五識皆是現量
如何於青而為黃解云由眼病故引起意識於青色上便作黃解非彼眼
識緣青為黃現量者得自相故又屬眼之識故名眼識由識種子隨逐於
眼而得生故又助眼之識故名眼識作彼損益故所以者何由根合識有所
領受令根損壞非壞界故又如眼之識故名眼識俱有情故之所攝故色
則不尔決定故眼識既然餘識亦尔問六識同依意皆應名意識如何
第六偏得意名答有二義謂第七識有二根義一染汙通根與六識為所
依心二者生根但與意識為依眼等六識雖通依意而隨不等第六意
識得意識名如眼等識此五如是無相濫也或唯依意
故名意故名意識是第二義謂隨眼等五識通依色心第六意識
唯依於意非色立故第六但名意識通依色心第六意識唯依於意非
色是故第六但名意識唯識第五立或名色識乃至法識隨境立名
顯識義故謂於六境了別名識色等不五識唯了色等諸識通能了
一切法或能了別法獨得法識名如(皆得)釋此力五識立有四種依謂五色根六
七八識隨闕一種必不轉故同境分別染汙根本所依分別故以因證同境根
同取一境故六識為分別根七識為染汙根本第八識根本亦第六意識
俱有依有二種謂七八識第七意識俱有依但有一種謂第八識阿賴
耶之但一種謂第七識此識若無定不轉故又七八定相依如伽他說阿
賴耶為依故有末那藏轉依依心心及意餘轉識得生第七分名末那
恆審思量勝餘識故問此何異第六意識此持業釋如藏識名即意
故彼依主釋如眼識等識異意故又有三義一簡濫百法顯揚唯但名意
約勝為謂第八名心積集義故第七名意思量義故六識名識了別義
故二近依義此七與六為近所依是根故但名意第六對七非所依此第七
復有三所依一因緣謂自種子諸有為法皆託此依離自因緣必不生故即
用故諸有為法名言習氣為因緣依二增上緣依謂內六處諸心心所皆託此依

恒審思量勝餘識故問此何異第六意識此持業釋如藏識名亦即意
故彼依主釋如眼識等識異意故又有三義一簡濫百法顯揚唯但名意
約勝劣謂第八名心積集義故第七名意思量義故六識名識了別義
望一近依義此七與六為近所依是根故但名意第六對七非所依此第七
此有三所依一因緣謂自種子諸有為法皆託此依離自因緣必不生故即
用故諸有為法名言習氣為因緣依二增上緣依謂內六處諸心心所皆託此依
離俱有依必不轉故謂第六此生用彼眼等六種內處為俱有依三等無
間緣依謂前滅意諸心心所皆託此依離開導根必不生起唯心心所具三所依非心所
餘法但說心所為心所依彼非主故阿賴耶者此翻為藏藏有三義一能藏義二所藏
義三執藏義具此三義名阿賴耶謂與雜染互為依故有情執相自內我
故即釋上三義謂雜染者謂顯有漏根本轉依生染離故名雜染謂識等
種能生轉識彼能生種名為能藏所藏雜染為所藏果此即染果於藏雜
染識轉熏成種子能熏轉識名為能藏所熏因種名為所藏此即染種
於果中藏具此能藏所藏二義故名為藏謂與雜染互為緣故諸異生
二乘有學六七識謂我執現前執藏執為自我名為執藏故此三義同攝
大乘故第一云復何緣故名阿賴耶識謂一切有生雜染品法於此攝藏為果
性故又即此識於彼攝藏此識為自我故釋曰第一能藏此即果法於因中藏
謂識中種生現七識染果不離能生因故第二所藏此即種於果中藏謂
所熏種在能熏七現識中成因性故第三我愛所執藏義此即境於能執
中藏攝論九性并所釋能藏云於此能藏者顯能持習氣由非唯習氣
名阿賴耶識要由習氣名能藏此中有三釋今取護法所許一釋彼論住
取種子以為能藏而云能持習氣名能藏者此明種能持果故此持
亦非體持種故名持種故名也由非唯善去動釋能持果故名為
能藏謂要生果種名為能藏非一切時習氣種子名為能藏也然第八識
諸有情皆悉成就而隨義別立種種名或名為心或名阿陀那此云執持
持種子及諸色根令不壞故此有三義執持諸種執受身根執取能生
相續或名所知依能與染淨所知諸法為依止故所應可知故謂三種
自性或名種子識能遍任持世間出世間諸種子故謂能生蘊等
諸法種子所積集義此與心義不同心是集義種是生義此上諸
名通一切位或名根本識或名意識此等諸名通在三五位位者一異
生位二二乘有學位三二乘無學位四菩薩有學位五菩薩無學位賴耶唯在二
乘有學異生位或名阿賴耶此名唯在異生有學不退菩薩有雜染法執
藏義故此即三位或名異熟識能引生死善不善業異熟果故謂無
記果異善惡因故名異熟此名唯除如來餘皆具有問餘七何故不名異
熟答末那非業果故眼等六識雖業所感以間斷故非異熟攝或名無垢識
[illegible]

生位二乘有學位三乘無學位四菩薩有學位五菩薩無學位賴耶唯在二
乘有學異生位或名阿賴耶此名唯在異生有學不退菩薩有雜染法執
藏義故此即三位或名異熟識能引生死善不善業異熟果故謂無
記果異善惡因故名異熟此名唯除如來餘皆具有問餘七何故不名異
熟答末那非業果故眼等六識雖業所感以間斷故非異熟攝或名無垢識
極清淨者諸無漏法所依止故此唯如來地有現量者現量義謂證法自相
種不共名言七餘境謂一切法皆有二相一自相（二共相如）青自相唯眼識得青之共
相即意識得名言分別但詮青之共相不詮自相以青自相離名言故諸名言者
意識詮心心所能顯前境唯分別起又證現量境者（見本）質境第八所變相分
眼等親緣名言根境者第六所變影像根塵境也故雜集第三云何實
有者謂實有相為斷相愚一切實有者為斷事愚捨執著實義者為
斷增益執不待名言根境者謂不分別色受等名言而取自所（取）義不待
此餘根境者謂不分待此所餘義而覺自所覺境非如於瓶等事要
待名言及色香等方起瓶等覺解云何（謂）假實有者謂待名言此餘境
是假有義一切皆是假有云何世俗有但雜染所緣是世俗有云何
勝義有謂清淨所緣者以一切法不離真如彼無我性真實有故
色中青黃赤白是實長短方圓麁細高下等是假聲塵之中有
十一種前三是實餘是假香塵有六前三是實俱生和合變異等是
假味塵有十二若前（句）意不可意等六是假餘是實觸中廿二種四大
實是澀滑輕重等是假因執受等者因謂因由（假）藉之義即因彼賴
耶所執受地等四大所發之聲即有情之聲是也因不執（受）者不因
賴耶執受大種所發之聲即風鈴等聲是也餘如六釋有彼見樹
林俱舍第四有此問答之文第六意識緣一切法者謂緣三世及非
量境也又心所相應義第八有漏位常與遍行（五）相應以是無覆
無記故第七識若無漏位與廿一心所相應謂遍行別境各五及
善十一若有漏位即與十八心所相應謂遍行五別境中取惠以執我故
根本煩惱中取四謂我癡我愛我慢我見隨惑中取八謂惛沈掉舉
不信懈（怠）放逸失念散亂不正知故此八大隨遍一切染心故又第七識
略有三種一補特伽羅我見相應二法我見相應三平等性智相應初通
一切異生相續及二乘有學七地已前一類菩薩有漏心位彼緣阿賴耶識
起補特伽羅我見次通一切異生聲聞獨覺相續一切菩薩法空智果
不現前位彼緣異熟識起法我見後通一切如來相續菩薩見道及修道
中法空智果現在前位彼緣無垢異熟識等起平等性智補特伽
羅我見起位彼法我見亦必現前我執必依法執而起如要迷杌方
謂人等故第六意識遍緣諸法與一切五十一心所應相體通三性四心故前五
等與卅心所相應謂遍行五別境五善十除輕安以五識自性散亂不

BD02737號　百法明門論疏（擬）　　（39–7）

不現前位彼緣異熟識起法我見後通一切如來相續并見道及脩道
中法空智果現在前位彼緣无垢異熟識不起平等性智補特伽
羅我見起位彼法我見亦必現前我執依法執而起如要迷杌方
謂人等故第六意識遍緣諸與一切五十一心所應相體通三性四心故前五
得與廿心所相應謂遍行五別境五善中除輕安以五識自性散亂不
與輕安相應也不定中取貪瞋癡以七三或是自性故隨惑中取大八并无
慚愧以此遍一切染心故與上別有漏位說若无漏位一切皆與廿一法相應即
遍行別境各五善十一末那所緣者瑜伽五十一云由此末那我見慢等
恒與相應若有心位若无心位常以頼耶為境故緣彼藏識執我起
慢有四釋不同一云此末那緣彼心體及相應法不緣相分及種子不緣彼
識體起我見緣彼心所起我所見以心心所主伴勝故以心所不離心故二云末
那不緣第八所謂緣第八見及相分勝劣異故如次執為我及我所三云此識不
緣五境故以第八識能持種子彼體似一亦相續故有似我相似種子即是法
上功能是故如次執我我所以種即是彼法功能非離法外別有實有故
亦名法云護法正義破前三說色等種子非法蘊故而色等種非
法蘊攝何緣種論說種子是實有故此者破前說五種是假瑜伽論說
種子實故有假應如无非因緣故問若諸種子是有者何瑜伽說是世
俗有既云世俗有明知是假有故此通云假應如无非因緣故以是假故如
瓶盆等依世俗言非皆是依他[假]俗中有假實故問尒若何故攝論第
二云非彼種子有別實物於此中住又五十二云非折諸行別有實有名為
種子亦非餘處木解云觀衣法性无如色等現行作用可得名非實物
非謂无法又依唯識為二執通破前三謂此法俱見若分別前後異類
有間斷者可謂先起我見後起我所見而此法俱任運一類恒相續生
何容分執以法為我心所以見為我相為我所以法為我所差別起執
无一心中起斷常見如起我見及我所見不應難言真俗二智不得俱
行迷悟別故亦不應言二執並以執境同故容得俱起亦不得言先起
我執後起我所先起我所後起我執此法无始无別依意一味轉故
已義云應知此意但緣藏識法見分非餘及相應分種子謂彼類耶一類相續
一類故似一相續似常夫計我者依五取蘊執為常一然有漏法有其四
句一似一非常謂眼等五法及以命根二似常非一謂第八心心所及善无記
種三似一似常謂八法四非一非常謂七法相應法及色等相染汙種子不
相應法唯除命根由此前說皆不應理第八心心所常似常非一故差末
相分非一非常故種子似常而非一或非一非常是故唯第八為我恒與諸
法為所依故壞實唯起我見而瑜伽說我所者亦語勢故說我所
言之辞便故或此執彼是我之我故作一見義說二言此第二釋謂此末

相應法唯除命根由此前說皆亦應理第八心同常似常非一故是我
相分非一非常故種子似常而非一或非一非常是故唯第八爲我恒與諸
法爲所依故壞實唯起我見而瑜伽說我所者亦語勢故說我所
言之辭便故或此執彼是我之我故於一見義說二言此第二釋諸此末
那執彼第八類爲我言是我者五蘊假者意識所執之我者第七所
計第八爲我又解是我者顯此第七計八爲我之我者顯七更不計餘唯
計第八以之爲我故於一見義說二言理實末那相應無此分別多數
唯言有我見故第八識種子者謂自識習氣善惡功德名種子故五
根五塵即自識相分之質又種子根身緣而執受與世間重緣而非
執受是現量復次此識緣境無處時無覆易從初執受剎那乃至
命終一味了別而轉故又此識於所緣念念生滅當知剎那相續流轉
非一非常果故生非一因識故非常復次此識於微細所緣境狹小執受
境於色界中庶大執受境於無色界空無邊處識無邊處
量無執受境於無所有處緣微細執受境於非想非非想處緣極微細
執受境第四緣分別中先解四緣後依識配相瑜伽第三云四緣者一因緣
謂種子二等無間緣謂若此識無間諸識決定生此即是彼等無間緣三所緣緣
謂諸心心所法所緣境界四增上緣謂除種子餘所依如眼及助伴法望
眼識所餘識亦然又由種子故立因緣由自性故立等無間緣由所緣境
故立所緣緣由助伴等故立增上緣如經中言諸因諸緣能生識者即所依之
此四義因緣一種亦因亦緣餘非是緣非因又五十一云何因緣謂諸色根根
依及識此二略說能持一切諸法種子及色法種一切心心所法
種子若隨逐識云云何等無間緣謂此諸心心所無間彼諸心心所生說此彼
等無間緣若此六識爲彼六識等無間緣施設此名爲意根亦名意處
亦名意界云何所緣緣謂五識身色等五境如其次第爲所緣若意識以一切
外十二處爲所緣云何增上緣眼等處爲眼等識俱生增上緣若依意處
緣境爲諸識引義爲增上緣若諸心所展轉互爲俱生增上緣若淨不淨
業與後愛非愛果及異熟果爲所作增上緣若因若永斷於苗及彼上增與
上地處爲增上緣又唯識第七云所說種現緣生分別云何應知此緣生相緣
且有四一因緣謂有爲法親辦自果因即是緣持業釋也謂唯有爲因緣體
爲無體常非因緣故此體有二一種子二現行種子者謂本識中善染無記諸界
地等功能差別此能種子中兩重出體初約善惡後對所生謂三性種三界九地
種子者謂善惡子能引次後自類功能及生同時自類現
行方成因緣前法滅時後法即生如稱兩頭低昂時等有因緣用非隔念
者現行者謂七轉識及彼相應相性界地不隨果善極劣無記餘熏習識生自
類種子現行體有二初約三性後對所生謂現行七識及相應法自體分所變
見相生界地三性種可知唯除佛果七識中善已圓滿善不熏識種六極劣無

BD02737 號　百法明門論疏（擬）

（39–9）

地未功能善子此謂種子中兩重出體初約善未後對所生謂三性種三界九地
種未三子未取滿無漏業未功能善子能引次後自類功能及生同時自類現
行方成因緣前法滅時後法即生如秤兩頭低昂時等有因緣用非隔念
者現行者謂七轉識及彼相應相性界地未除果善極劣無記餘熏習識生自
類種未現行體有二初約三分後對所生謂現行七識及相應法自體分所變
見相性界未三亦唯種可知唯除佛果七識亦善已圓滿善不重熏成種六極劣無
記無勝用故此唯望彼是因緣性謂前現行各對自種方成因緣二等無間緣者
謂八現識及彼心所前聚於後自類無間等而開導令彼定生此亦有三出體者
非即識并相此初五法出體謂五法亦唯心心所非諸色法及不相應無為故等
地云等無間緣唯心心所前聚於後自類無間等而開導令彼定生者此前四
義重顯其體一前聚於後此顯於後心所為無間緣二自類無間此遮八識
各望自類無間開導無間等顯無自類心於後亦間隔故三無間非即剎
那無間義說入無心定心心所法應非緣故此間八識異類相望非無間緣三
未而開道未有二義一不謂前聚心未一心未與後聚心未為緣二體未謂前聚於
後心所法各唯一體故說未三四令彼定生此顯彼定緣能生果即阿羅漢聚
後心未非無因緣果不生故由此八識非互為緣者謂異類識非互為緣如
同類種俱時轉故心與心所雖恒俱轉而相應故和合似一不可施設離别殊
異故乃至非依未無間緣以具四義乃相應故三所緣緣謂若有法是帶已
相心或相應所慮所託此有二義以弁體性後就親疏以出體性謂若有
法要具所慮所託二義成所緣緣然有法言自有一說一云依他起性及圓
成實若假若實皆名有法一云二性皆通假實唯取實法以為自性假
法無體不成緣故此護法義也言已相者已謂境體即前法相謂境相或境
體相或相分相不爾真如不成所緣非相分故帶有二義一變相分境名之為
帶二挾帶境相不相離故名之為帶故亦九云緣真如智雖無相分而可
說此帶而如相起不離如故如自證分心或相應是體帶體所託如其次第
顯所緣之相心上現名為所慮是所緣義有體生心名為所託即是緣義
觀所緣論云所緣緣者謂能緣識帶彼相起及有實體令能緣識託彼
而生此中意說若有體法是帶已相心及心所所慮故名所緣義此宗據
所託故名之為緣由此二義亦二何中亦非有體性雖有所緣而無緣義此
宗據嚴有實體故雖有緣義而非所緣論云此體有二一親二疏謂
謂影像未是已體分非相所隔名之為親本質青非已體分相所隔名之
為疏若與能緣體不相離是見分未內所慮託應知彼是親所緣緣
親緣謂若有法與能緣體互不相離是見分等內所慮託見分所取
即是相分未三不取自證分緣見及證自證分能緣自證或無漏心
及相應去有三分八百緣相未三分及緣真如應知是親所緣

謂影像才是己體分非相所隔名之爲親本質青非己體分相所隔名之
爲疎若与能緣體不相離是見分等內所慮託應知彼是親所緣緣此釋
親緣謂若有法与能緣體相不相離是見分等內所慮託見分所取
即是相分等等取自證分緣見分及證自證分緣自證或无漏心
及相應法有三分一分皆緣相分三分及緣真如應知假是親所緣
能緣皆有離內所慮託必生故此本境有无依識諸宗諸心心所皆能
變影无分別智相應心聚雖不變影由證真如故親所緣緣能緣皆
有疎所緣緣有无不定離內所慮託亦得生故如緣過未亦增上緣諸
若有法能於餘法或順或違此亦有二出體二爲用重釋若有法言
正出其體謂法有力及无力爲法簡遮計所執是无體故非增上緣論
云雖前三緣亦是增上而今第四除彼取餘爲顯諸緣差別相故此
釋難云實三緣亦是增上爲顯四分除三說餘此順違用於四處轉生
住成得四事等故此明四用生者諸有爲法未有而有名生住者謂永
轉依風輪以諸有爲情依器世間未成者以宗因喻成立道理得者
能得有爲无爲果未然增上用隨事雖多而勝用者唯廿二應知即
是廿二根如下當說問今從中能種作幾緣答依唯從本八釋生相
云謂各親種是彼因緣此釋因緣各名言能生親種与彼現行
爲因緣性爲緣於緣者釋所緣諸心所緣種不定五七心品定不
緣種弟六心品有時緣種或時不緣弟八心品无時不緣於四分中
唯見分緣非如无漏八皆能緣今本從種對彼能緣所緣緣雖影像稱
是所緣緣非此所論唯說本從中種故若種於彼有能助力或不障等是
增上緣者釋增上緣有其二種一者有力如芽種子生本八從本二
者无力如五根種對本八識故言若有力无力是之增上緣生淨現
行應知之亦此倒釋種子生淨現行具有三緣准染應知現起
分別展轉相望容作三緣准染應現起分別展轉相望容作三緣无因緣
故此以現爲緣生現分別故以現對現容作三緣无因緣故諸有情類自
他展轉作二緣除等无間者此別釋有五一自他八識展
轉爲緣二自八識聚異類爲緣三自八識同類爲緣四同異體展轉爲緣
五同體四分展轉爲緣此五漸略以弁爲緣從麁細理可盡矣弟一自他八識
展轉爲緣謂自他識展轉相望容作所緣緣及增上緣除等无間異身諸
識俱時起故不說因緣先已除故問曰他八識皆有增上義頭可知所緣
如何答弟七定不緣他各緣自識爲本質故六八二識亦定緣他身土互
緣故意識遍緣故眼等五識自有二釋要託自身弟八所變爲本質故
一云得遍用自他弟八所變爲本質故不尔生上界見下界色應无本質弟
八唯變自界自地二自八識聚展轉相望定有增上緣必无等无間緣所緣緣

BD02737號　百法明門論疏（擬）

如何答弟七定不緣他各緣自識為本質故六八二識亦定緣他身土互
緣故意識遍緣故眼等五識自有二釋要託自身弟八所變為本質故
一云得通用自他弟八所變為本質故不尔生上見下界色應无本質弟
八唯變自界自地二自八識展轉相望定有增上緣必无等无間緣所緣〻
義或无或有自八識異類相望定有增上緣於一切法无所遮故无等无
間依護法宗異識相望无等无間所緣不定次後當說聚言意顯通攝
心所論云八於七有七於八无者此釋弟八与七為境五緣八相以為本質攝
相歸本故言緣八弟七緣八見不為境託彼本質變自影故弟六緣彼
弟八相見能遍緣故〻言八於七有餘七於八无所緣義餘七非八所仗質
故謂餘七識非弟八境所仗之質以非類相續住故弟七於六五无一有餘
六於彼一切皆无者此釋弟七對六識於五无識无於意識有餘六對七
无所緣義弟七唯緣弟八故弟六於五无餘五於彼有者釋弟六識非
五所緣五識即是意識所緣五識唯託弟八相故此遮難重釋謂五准託
弟八相分為本質境不緣弟六相分青等以為本質五分別勞意不續
故問異類為緣義分為所同時為前後耶答云隨其所應或有同時
或有前後若唯同時義不盡故自類前後弟六容三餘雖所緣取現
境故者此下弟三自八識同類為緣於中有二初述諸師釋後申陳那
解諸師釋云自類前後弟六容三能生自類前後相緣不續故所餘
七識除所緣〻現境故許五後見緣前相者五七前後亦有二緣此
申陳那解自有三節初明自類為緣通塞後明異類差別此初也
護法菩申陳那意觀所緣論許後念五識緣前念相分為疎所緣〻謂
前念五識相分熏成種子能生後念五識相分由此有體生後念識前
有緣義後念緣義五識帶前念相故成所緣〻故彼頌云或前為後緣
引彼功能故今准此文弟七末那亦緣前相故依此言許五後念見分
緣前念相分者五及弟七前後相望摽如意識有三緣許者三藏之
釋一云陳那許部宗眼等五識緣過去境所以者根境是因五識是果
先因後果是其正後理如種生芽前後因果由部難大乘云此內境界
既彼離識如何俱時能依識緣以同時故如牛兩角是故陳那依此通云
同時前後皆无有失故彼頌云決定相隨故同時亦作緣也即陳那許經
部宗如大乘亦許後念緣前念境一云護法許陳那緣前念義未必用此為自
正宗一云護法許那義將為自宗論前七於八所緣容有能熏成彼
相見種故此即陳那釋異類為緣謂前七識与弟八識為所緣〻前謂前
念或可之七於識於八所緣容有所以者何能熏成彼相見種故此弟三藏〻譯
一云前七種識各能熏成彼相見種由斯弟八緣彼七識相見分種為親所緣能
熏現行相見二分為疎所緣〻雖有現種二相不同體類同故或所緣〻也釋弟

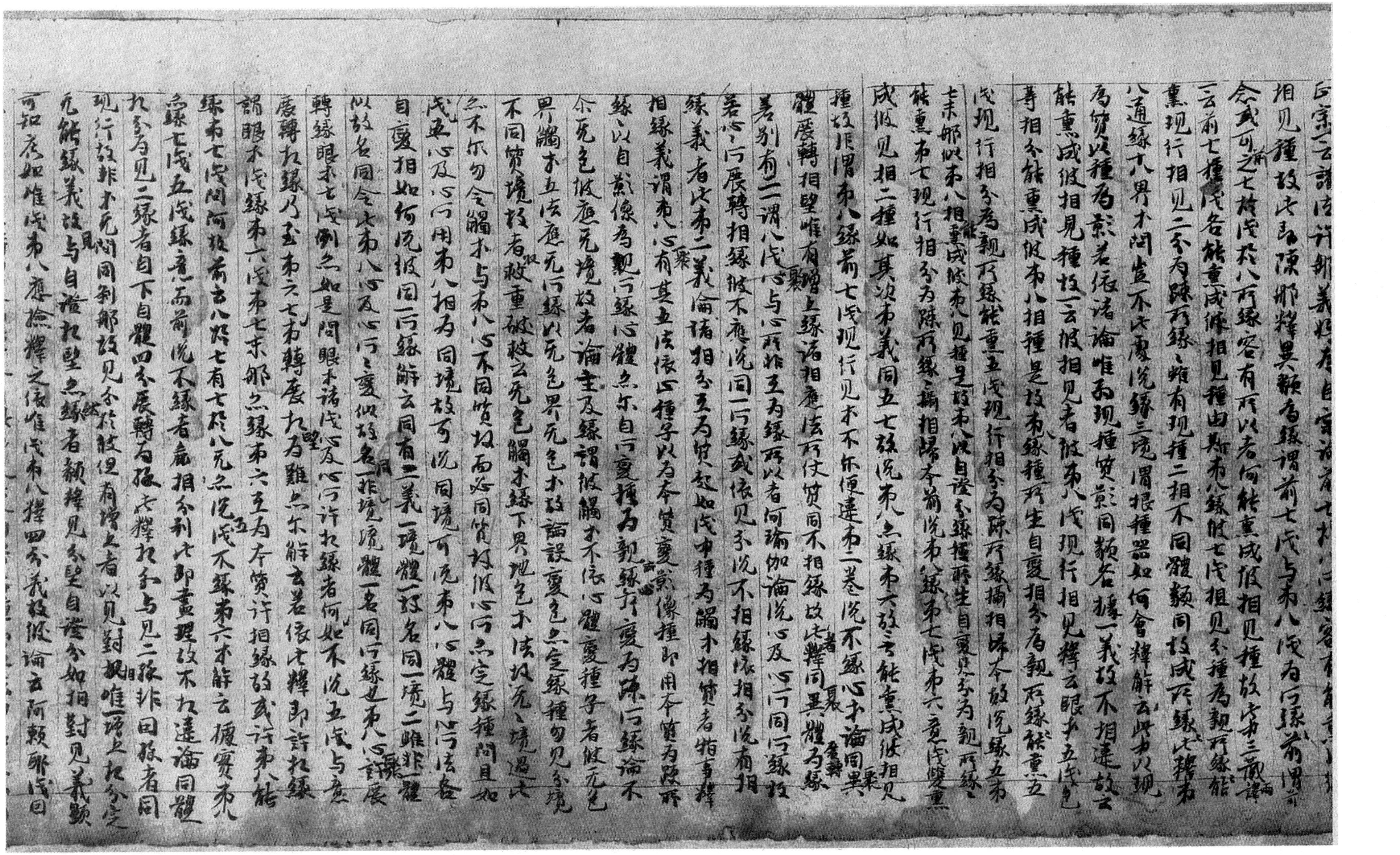

BD02737號　百法明門論疏（擬）

（39–13）

亦緣七識五識緣意心而前說不緣者麁相分別此即盡理故不相違論同體
九分為見二緣者自下自體四分展轉為緣此釋相分與見二緣非因緣者同
現行故非等无間同剎那故見分於相分但有增上者以見對相唯一增上相分定
无能緣義故見與自證相望亦然緣者顯釋見分望自證分如相對見義顯
可知應如唯識第八應撿釋之依唯識第八釋四分義故彼論云阿賴耶識因
緣力故自體生時內變為種及有根身外變為器者種即五法中名相分別
為三種習氣者之為種為所緣境謂諸三界心心所法所變相分名之為相諸
變見分名為分別能遍計度二名句文身以名為首總說為名此三習氣名
為種子第八異熟唯緣此種有根身者謂五根及依名有根身眼等五
根體即是根名為有根如有色等五根色等體雖非根而能有根名為有
根根及有根和合積聚故名為身說有根等意簡非情器世間處謂
賴耶緣有根身阿賴耶識是能執受種及根等是所執受即以行變為自
所緣行相仗之而得起故者釋所緣義即用三境為自所緣能了行相仗
彼起故此中了者謂異熟識於自所緣有了別用見分所攝然有漏識自
體生時皆於所緣能緣相現者自下釋四分義然立四分多少諸教不同謂法
聖教多說一分如說三界唯心金剛藏亦然同彼說從此已後至九百年无
著世親亦開為二分謂相及見見者照了義非如眼根見色名見非慧體推
求名見於相心現照故名見相者表彰義謂諸相分皆有所表且表亦
相由表眼識異實識亦乃至意心識相分能表意識異餘諸識故名為相依此二分有其四句
謂立相不立見等而此二分猶未盡陳那造集量論立三分義於前二分加自證分
自謂自體證即量證自體故名自證分非如見分或量非量故說此分
名為自證至千一百年護法菩薩依厚嚴經造成唯識論立四分義於三分外加
證自證分如是一分乃至四分開合雖異理不乖違今護法菩薩立一二分或三四
分成唯識理問此四分各別體為義別耶若各別者應假非實若是假應有
別體解云俱非非即離故以不即故義說為四而非假有不離故雖立四種
而无別體然有漏識自體生時皆似所緣能緣相現彼相應法應知亦然此者似言
有其兩釋一云依他起性非實我法故說似言非有所似而說似言一云似所
執性能所緣稱名之為似似所緣相說名相分似能緣心說名見分若心心所
无所緣相應不能緣自所緣境或應一一能緣一切自境如餘餘自故此破異說此
有二種量第一比量破不立相分第二比量立見分於二量第一正量部宗立見不
立相清弁菩薩立相不立見安惠菩薩二俱不立今此初量破正量部後量破清弁
菩薩前後二量破安惠宗此即初量也於此量中二宗二喻而无別因即用
彼以為因故隨其所應自心心所緣名為自境非心心所緣名為餘境量云諸心心
所應不能緣自所緣境因云无所緣相故猶如自境此即總量若別
說者應言汝所說緣青之心應不能緣自所緣青无青相故或緣青之
心應緣黃等未无青境相而能緣故猶如青色言故經云一切唯有

BD02737號　百法明門論疏（擬）

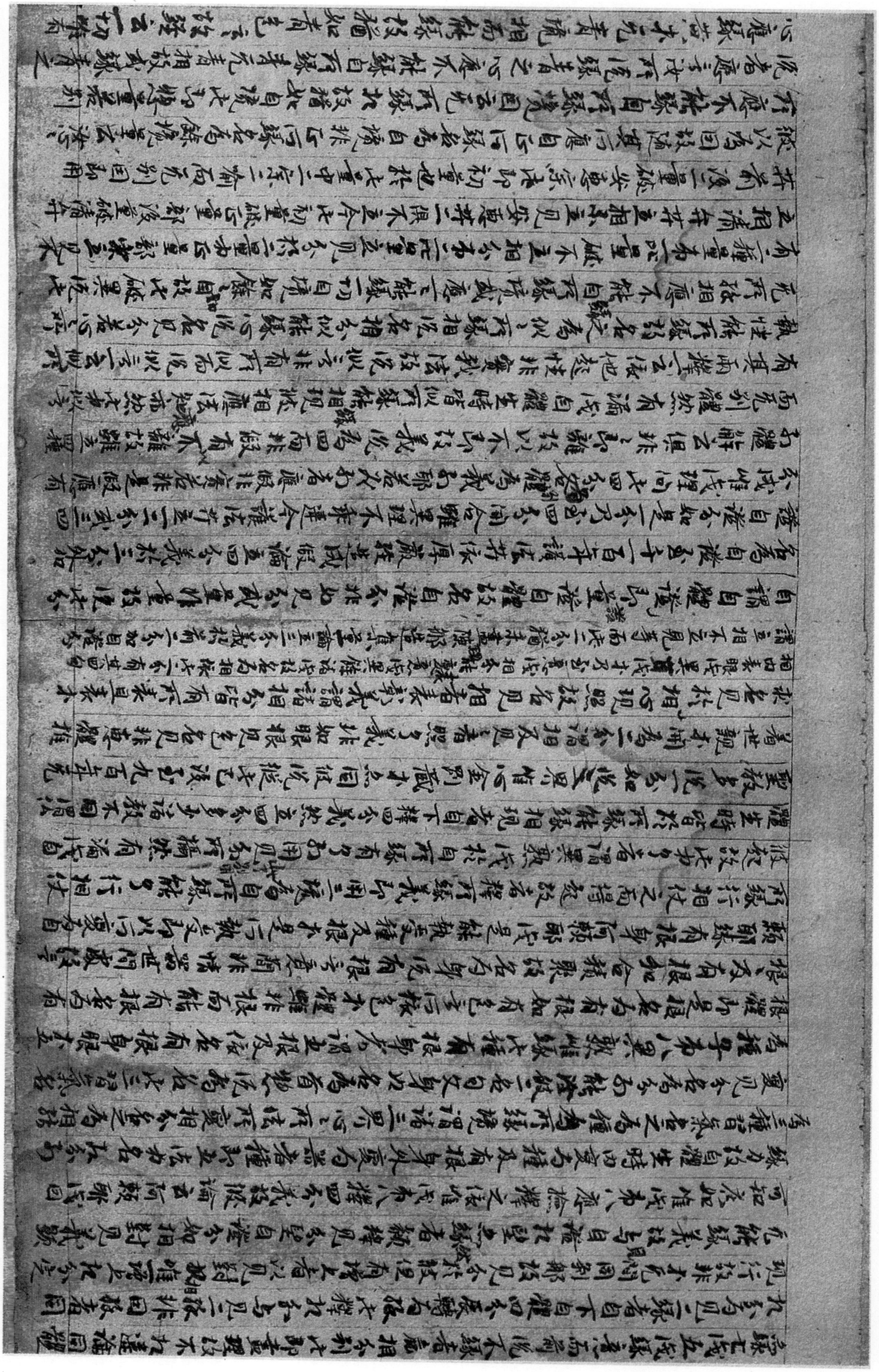

立相清弁菩立相不立見安惠菩二俱不立今此初量破正量部後量破清弁
菩前後二量破安惠宗此即初量也於此量中二宗二喻而無別因即用
彼以為因故隨其所應自正所緣名為自境非正所緣名為餘境量云汝心心
所應不能緣自所緣境因云無所緣故猶如自境此即總量若別
說者應言汝所說緣青之心應不能緣自所緣青無青相故或緣青之
心應緣黃等未無青境相而能緣故猶如青色言故經云一切唯有
覺所覺義故皆無能覺所覺分各自體而轉此引厚嚴經
證二分義初之二句立唯有此遣心外境下之兩句聞前内此為
見相分見為能覺相即所覺唯由内種而得生起不從時方
外緣故生故言各自然而轉論然心心所一一生時以理推徵皆有
三分所量能量量果別故相見必有所依體故此釋也二因成立三分
差別 一所量能量之果別故如其次第相見自證如世量物有
能所量及知量者心亦如是見相二分必有所依故見相外立
自證分如牛兩角必有所依故集量論云似境相所量能取
相自證即能量及果此三體無別此論陳那所造梵云摩訶陳
那伽此云大域龍矣集三量頌中初句相分所量第二句能取相
者是見分相自證分第三句如此釋第二句見為能量自證為
果第四句顯能量及與量果無有別體故理門論云又於
此中無別量果非如小乘外境為所量行相為能量見為
量果又心心所若細分別應有四分加證自證分此若無者誰證
第三心分既同應皆證故者此釋所以有三義一比量道理證
有第四二舉無果證有第四此初量云第三自證定有能證
是心分故猶如見分又自證分不應無果諸能量者必有果故
謂見分為所量自證為能量證自證分為以量果若無第四彼
第三分以何為果不同見與自證是能量故皆有量果證自證分
既是能量以何為果解云即用第三以為量果以知第四緣第
三故問若爾所量及果應無差別解云第三分中自有二義謂
所能緣如次應知所量及果如自證分緣第四時即用第四為境及
果如自證故雖一體無雜亂失不應難言第三亦應見分為果
見分或時非量攝故不應非量以為量果證自證體者必現
量故此四分中前一是外後二是内初唯所緣後三通二謂第二分但
緣第一或量非量或比第三能緣第二第四證自證分唯緣第三
非第二者以無用故第三第四皆現量攝由所證故心心所四分合成
如是四分或攝為三第四攝入自證分故或攝為二後三俱是能
緣性故皆見分攝此言見者是能緣義或攝為一體無別故四分

果如自證故雖一體無親說失不應斷云…
見分或時非量攝故不應非量以為量果證自證體者必現
量故緣四分中前二是外後二是內初唯所緣後三通二謂第二分但
緣第一或量非量或比第三能緣第二第四證自證分唯緣第三
非第二者以無用故第三第四皆現量攝由所證故心〻所四分合成
如是四分或攝為三第四攝入自證分故或攝為二後三俱是能
緣性故皆見分攝此言見者是能緣義或攝為一體無別故四分
相望用不離故說為非即無分體故說為非離同相見二分從分
種分生如何一體解云一見相二分從一種生攝相歸本說為心
若依親光相見是虛〻從實故說一種今護法宗遮心外法或四分
中攝自證分故說一體理實見相各分種生入楞伽云由自心執
著心似外境轉彼所見非有是故說唯心釋云謂由自心分分執
著雖無外境而即由心似外境轉彼〻妄所見遍計所執理非有
故〻無說唯心間未無間強唯心〻所不許異類為開導依何故此
云五識望第六有開導義耶答此約率爾五識引生意識故
言有開導義故瑜伽第三云又一剎那五識生已從此無間必意
識生此即望為論不爾同時故論云一身八識既容俱起如何
異類為開導故〻自類依染契教理三界者顯揚第一云一欲界
謂未離欲地雜染煩惱諸蘊善等二色界謂已離欲地雜染
煩惱諸蘊善等三無色界謂離色欲地雜染煩惱諸蘊善等如
是三界有五種差別一相差別謂欲界中色多種不鮮淨種〻
雜染於色界中少種鮮淨種非雜染無色界中雖無業所生色而
有定所生色無見對性又欲界中色有苦受種應種嗔恚種應
種多隨煩〻相色無色界唯有苦受不種應種嗔不種應種少隨
煩〻種應種二麤重差別者謂欲界麤重而損害色無色界
麤重細而不損害三方處差別欲界是下方色界是上方無
色無方處四受用差別謂欲界受用外門境界上二界受內
門境界五任持差別謂種諸蘊依四食住上二諸界蘊依二食
住俱舍云能持自相故名為界欲所屬界名欲界色所屬界名色
界於彼界中色非有故名無色界所言色者是變礙義或示
現義彼體非色立無色名非彼但用色無為體無色所屬界名無
色界又欲之界名為欲界此界力能任持欲故色無色界亦然経部
師說無色界心相續無別有依謂若有因未離色愛引起心等
與色俱生依色而轉色名界若內於色已得離愛厭背色故所引
心等非色俱生不依色轉名無色也無漏界者伽瑜云謂此界中一
切麤重諸苦永斷是故唯此是勝義樂餘一切皆苦又說有三種樂

現義彼體非色立无色名非彼但用色无為體无色所屬界名无
色界又欲之界名為欲界此界力能任持欲故色无色亦然經鄣
師說无色界心不相續无可有依謂若有因緣離色定引起心不
与色俱生依色而轉色名界若內於色已得離愛說不同色故所引
心不非色俱生亦依色轉名无色也无漏界者伽論云謂此界中一
切麁重諸苦永斷是故唯此是滕義樂餘一切皆苦又說有三種樂
謂貪離欲嗔欲癡離欲此三種樂唯无漏界有又唯此云是无
漏界不思議性常安樂解脫身大牟尼名法釋曰性淨圓明
故名无漏諸漏永盡即是菩非漏隨增即菩界是藏義含
含容功德菩含容无為功德菩含容有為功德或是因義
能生五義世出世間利樂事故无漏界者有二義一无漏義二因
義又心絕故名不思議究竟善故是常法故在二乘名安樂名
解脫身在大牟尼名法身又如來无諸戲是淨无漏界解脫一切
障圓鏡智相應有為无為功德三身四智不皆如理釋眼不界戲
二界二地鼻舌兩識界地俱舍云欲界繫十八色界繫十四除香
味二識无色繫後三釋曰繫謂繫屬即被縛義欲界具足十八
色界除香味境及鼻舌識除香味者段食性故離段食欲方得
生彼除鼻舌識无所緣故若尓觸界於彼應无如香味境段食性
故答彼所有觸非段食性若尓香味亦應然香味離觸於彼應
无答食无可受用觸有依用持根衣等彼離食欲香味无用有
根衣等故觸非无又說住此靜慮等亦无色聞聲輕安俱起有殊
勝觸攝益於身是故此三生彼靜慮攝相隨逐香味境於彼无
用鼻舌根有用謂起言說及莊嚴身又鼻舌根色界定有者
以六根愛依內身生非依境界其男根愛依婬觸生婬觸彼无
男根非有故唯十四无色後三者謂意及法意識界要離色欲於
彼得生无色中无十色界故依緣无故五識亦无問十八界幾有漏
幾无漏頌曰意法意識通所餘唯有漏釋云意及意識道諦
攝者名為无漏餘名有漏法界是道諦无為名无漏餘名
有漏初禪三天梵輔梵衆大梵二禪三天少光无量光極光淨天
三禪三天少淨无量淨遍淨四禪有九天謂无雲福生廣果无相
（即廣果攝）无煩无熱善現善見色究竟問於四靜慮各有幾支頌
曰靜慮初五支尋伺喜樂定二有四支內淨喜樂定三具
五支捨念慧樂定四有四支捨念不受定唯淨无漏四靜慮
中初具五支尋伺喜樂不持与定名異體同二靜慮四者一內
等淨二喜三樂四不持三中五支一行捨二正念三正慧四受樂五
不持四中支一行捨清淨二念清淨三非苦樂受四不持問何故第

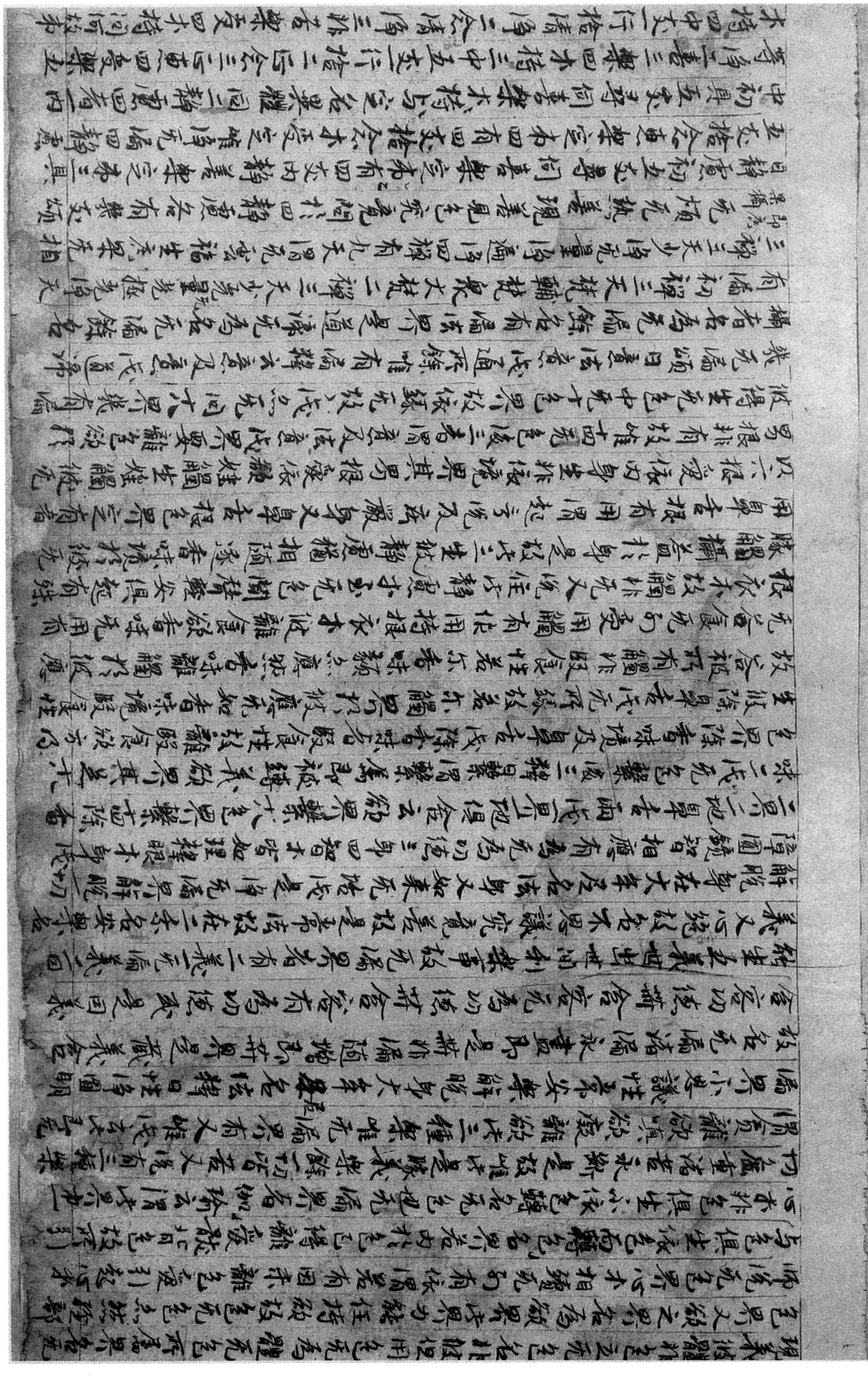

曰靜慮初五支尋伺喜樂定，第三具
五支捨念慧樂定，第四有四支內靜善樂定之
中初具五支尋伺喜樂未持与定名異體同二靜慮四者一內
等淨二喜三樂四未持三中五支一行捨二正念三正慧四受樂五
未持四中支一行捨清淨二念清淨三非苦樂受四未持問何故第
三說增受樂答由初二樂輕安攝故何理為證智是輕安答初
二定中无樂根故非初二定者身受樂已在定中无五識故无无
心受樂正在定之中无五識故无无心受樂以說有喜故喜即喜受
无一心中二受俱行故无樂不可喜樂更互現前故問何法名內淨答遂
離尋伺鼓動相續清淨名為內等淨若有尋伺即不清淨轉如何有支甚
說此即是信根若得此定於可離中有深信生故名內等淨信是淨相
故又初定賊憂二賊苦三賊喜四賊苦樂无色離捨根靜慮中如上支
皆非有初染中无離生喜樂非離煩惱而得生故第二中无內等淨
彼為煩惱所擾濁故三中无正念慧彼為染樂所迷亂故四中无捨念
淨彼為煩惱所染汙故問何故三禪名動四不動耶頌曰第四名不動離
八災患故八者謂尋伺憂喜捨等四授及出入息如密室燈照而无
動問上三靜慮无五識身及无尋伺如何生彼方能見聞觸及起
表業頌曰上三生靜慮起三淨表心皆初靜慮攝唯无覆无記釋
曰生上三地起三身識及發表業皆初定繫生上起下如起化心故能
見聞觸及發表業此四唯无覆无記不起下染已離染故不起下善以下
劣故无色界中於多劫內色相續斷後後生下色從何生此從心生非從色
起謂昔所起色異熟因熏習在心功能今熟是故今色從彼心生彼无色
身心依何轉離身何不轉正量不見故色界无段食身復依何轉竟
不見身離段食轉故又說彼心轉不依色已轉說物名空无邊處等
從緣空求得子名耶不爾云何上三无色如其次第備以加時思无
邊空及无邊識无所有故建立三名立第四名由想味劣謂无明勝想
得非想名有昧劣想故名非想非非想雖加行時觀想為病如箭如癰若
想全无便同癡暗眼未六識通三性者識唯第五頌曰識第三能覆善子
有六種境為性相善不俱非能為二世順益名之為善能為二世違損
名為不善於善不善損益事中不可推名為无記未那有覆无記
者与煩惱相應名有覆不障聖道名无記又前六通四心善与善十一
相應者名善性与貪不同時名不善性色无色界煩惱為定所伏發戒
界俱生不發業者有名覆无記有非染非淨唯善之時名无覆无
記又无記有四種一異熟二工巧三威儀四通果第四識義如重數子
者並如前四緣中解釋六位名義者一切心中定可得故此釋通所謂

BD02737號　百法明門論疏（擬）　（39–18）

者亦不善於善不善於益事亦不可於有無記亦能有覆無記
者与煩惱相應名有覆不障聖道名無記又前六通四心若与善上
相應者名善性与貪亦同時名不善性色無色界煩惱為定所伏及欲
界俱生不發業者名有覆無記有非障非淨非善之時名無覆無
記又無記有四種一異熟二工巧三威儀四通果第四依義加重數分
別者並如前四緣中解釋六位名義者一切心中定可得故此釋遍行謂
八依隨心何起彼定有故名為遍行緣別別境而得生故者此釋別境
謂於所樂決定曾習所觀四別境中起此五法隨別別境而得起故
名別境於前三境如其次第起者勝解及念於所觀起定及惠唯
善心中可得生故此釋善心所性是根本煩惱攝者釋煩惱六唯是煩惱
等流性故此釋隨煩惱於善染等皆不定故釋不定名謂於善染
等五位心所中皆不定故故名不定自下別釋中且初遍行依唯識論觸
謂三和分別變異令心心所觸境為性受想思等所依為業謂具三
義以為觸性一根境識更相隨順故名三和二分別變異三令心心所觸
境為性受想思等所依為業六根境識三三通順能生觸等名為三和
觸依彼生令彼和合故說為彼謂三和體是根境識而今說觸名三和
者有其二義一依三和生觸故名三和從因得名二令三和合故名三和
合故名三和從此果得名具此二義故說為彼彼者彼三和義也三和合位
皆有順生心所切能說名變異者謂根境識三和合位皆有順生心所
切能果未合時故名變異然彼三和有無不定有時有根而無有境識
有時有境而無根識或時有二而無有識無識而無根境名為昔
此等故說三和合即得生用名為變異觸似彼起故名分別者領似義謂
能領根等變異即是根境識上生心所用觸生似彼亦有順生心所切能領
似變異故名分別非能緣用名為分別論和合一切心及心所令同觸境是觸
自性此第三性義謂非唯三和分別變異亦由此力令心心所共相和合同
觸一境是觸自性既似順起心所切能故以受等所依為業者謂觸分別
變異用故遍以受等所依為業等言等取除受以外諸心所法彼亦用觸為依心故
諸心所所依為業觸自性是實非假云云　作意謂能警心為性於所緣境引心
為業五蘊論云謂能令心發語為性集論雜集顯揚第一皆同此說發
動心為體發語發動即是警覺之義瑜伽第三云又論了別事之想
想即此了別所未了相能了別者說名作意又此作意非但引心以為
其性亦復引心所其令其業用瑜伽云自性非皆業說引心又云現在
作意警覺同時相應之心顯揚第一云作意者謂從阿賴耶識種
子所生依心而起与心俱轉相應動心為體又依唯識警發應起種引
現起心趣所緣境此即作意種子警覺未來應起心種引現在心令趣自
境又云現在作意警覺現在應起心種引彼現心趣自所緣此即現在

BD02737號　百法明門論疏（擬）

（39–19）

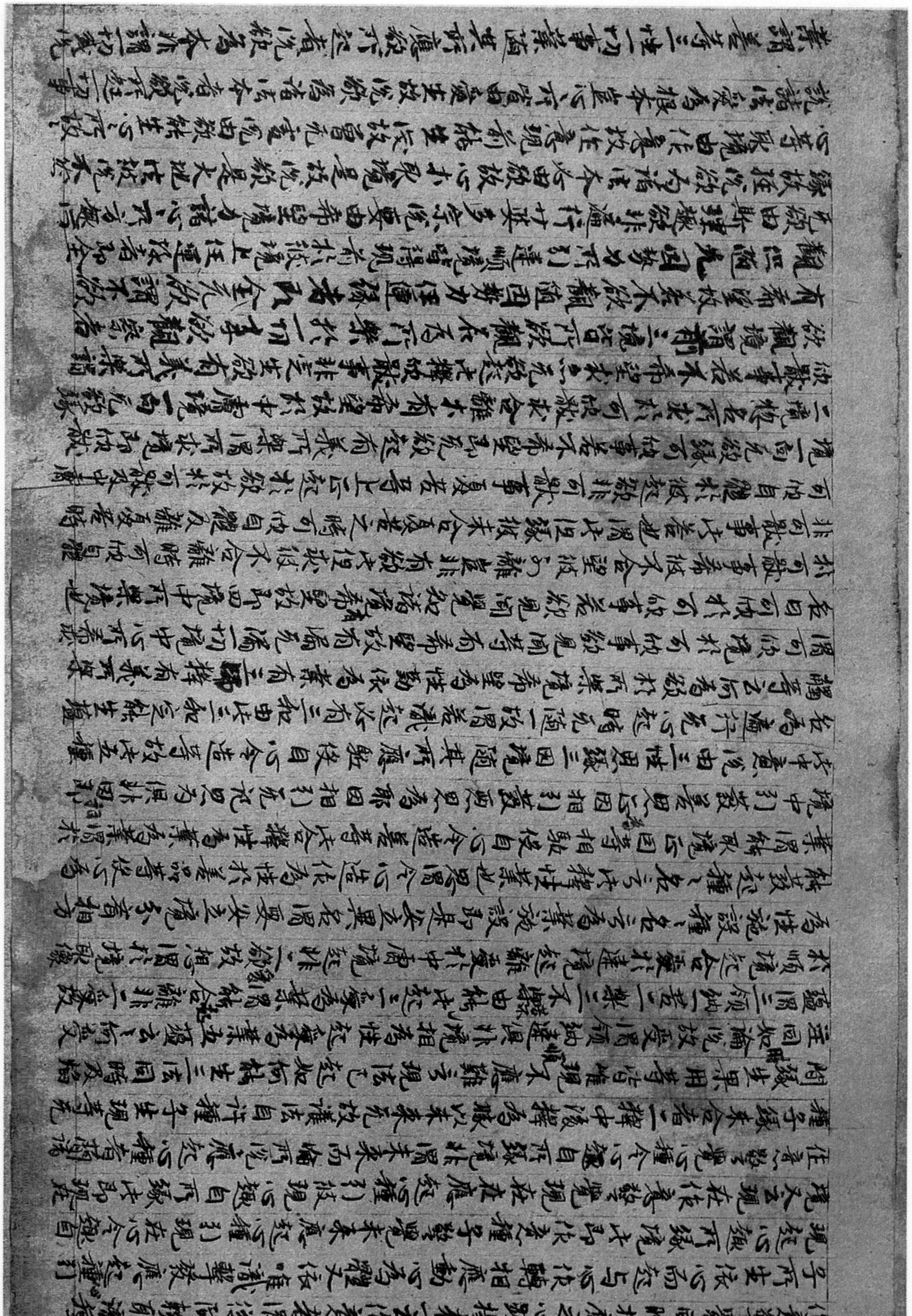

BD02737號　百法明門論疏（擬）

（39–20）

无欲由斯理趣欲非遍行廿其多宗說要由希望境力諸心心所方趣所
緣故經說欲為諸法本必由欲故心心取境是故說欲是大地法故說不然
心等取境由作意故作意現前能生說故曾无處說由欲能生心心所故故
說諸法愛為根本豈心心所皆由愛生故說欲為諸法本者說欲所起一切事
業謂善等三性一切事業隨其所應欲所起者說欲為本非謂一切或說
善事欲能發正勤由彼助成一切善事故論說此勤依為業云何勝解於
決定境印持為性不可引轉為業謂邪正等教理證力於所取境審決
印持此擇教理及證皆有三種一邪教邪理邪證以勝論六句教理證等
二正教正理正證謂內教正理及現證智三非邪非正教理證力謂儒
孔教等由此邪正教理證力於所取境審決印持此事如是非不如是
由此異緣不能引轉故猶豫境勝解全无非審決心上无勝解謂非但
疑相應心无其勝解非審決心上非勝解非印持故由斯勝解非遍行
攝有心起時有時无故云何為念於曾習境令心明記不忘為性定依
為業謂數憶持曾所受境令不忘失合解性業謂從曾習明記為性引
定為業此初且說善念業用故言引定為業於曾未受體類境中全
不起念謂此念境有其二種一曾受體境如已成法二曾受類境如等
受類境如曾受境界名言等於此二境更有念心起若非二境全不起念設
曾所受不能明記念亦不生故念必非遍行所攝云何為定於所觀境令心
專注不散為性智依為業謂定之惠所緣總名為觀觀即是惠而定所
緣名所觀者從定加行立境界名名為所觀非即說定之心名所觀於
彼所緣專注不散為性依定發惠故智依為業謂觀得失俱非境中由
定令心專注不散依斯便有決擇智生依定發惠故心專注言顯所欲
住即便能住非唯一境謂專注言顯隨境多少欲住即住名心專注非唯一
境故名專注不爾見道歷觀諸諦前後差別應无等持此即反解若
唯境名等持者如見道十六心歷諸諦前後所緣應无等持也若不繫心
專注境位便无定故定非遍行也云何為惠於所觀境簡擇為性斷疑為業
謂觀得失俱非境中由惠推求得決定故於非觀境愚昧心中无簡擇故此
惠不行此五所境對四所緣并起多少廣如唯識第五卷說次明善十一
唯善心俱名善心所唯者簡不之義云何為信唯識第六云於實德
能深忍樂欲心淨為性對治不信樂善為業謂實德能三種境中深忍
為因樂欲為果心淨為性言三種境者一信實有德謂於諸法實事理中
深信忍故諸法實事即世俗諦諸法實理即勝義諦二信有德謂於三
寶真淨德中深信樂故三信有能謂於一切世出世善根深信有力能
得能成起希望故即能得无為能成有為皆信有力起希望故云何精
精進即勤也謂於善惡品修斷事中勇悍為性對治懈怠滿善為業滿

BD02737 號　百法明門論疏（擬）

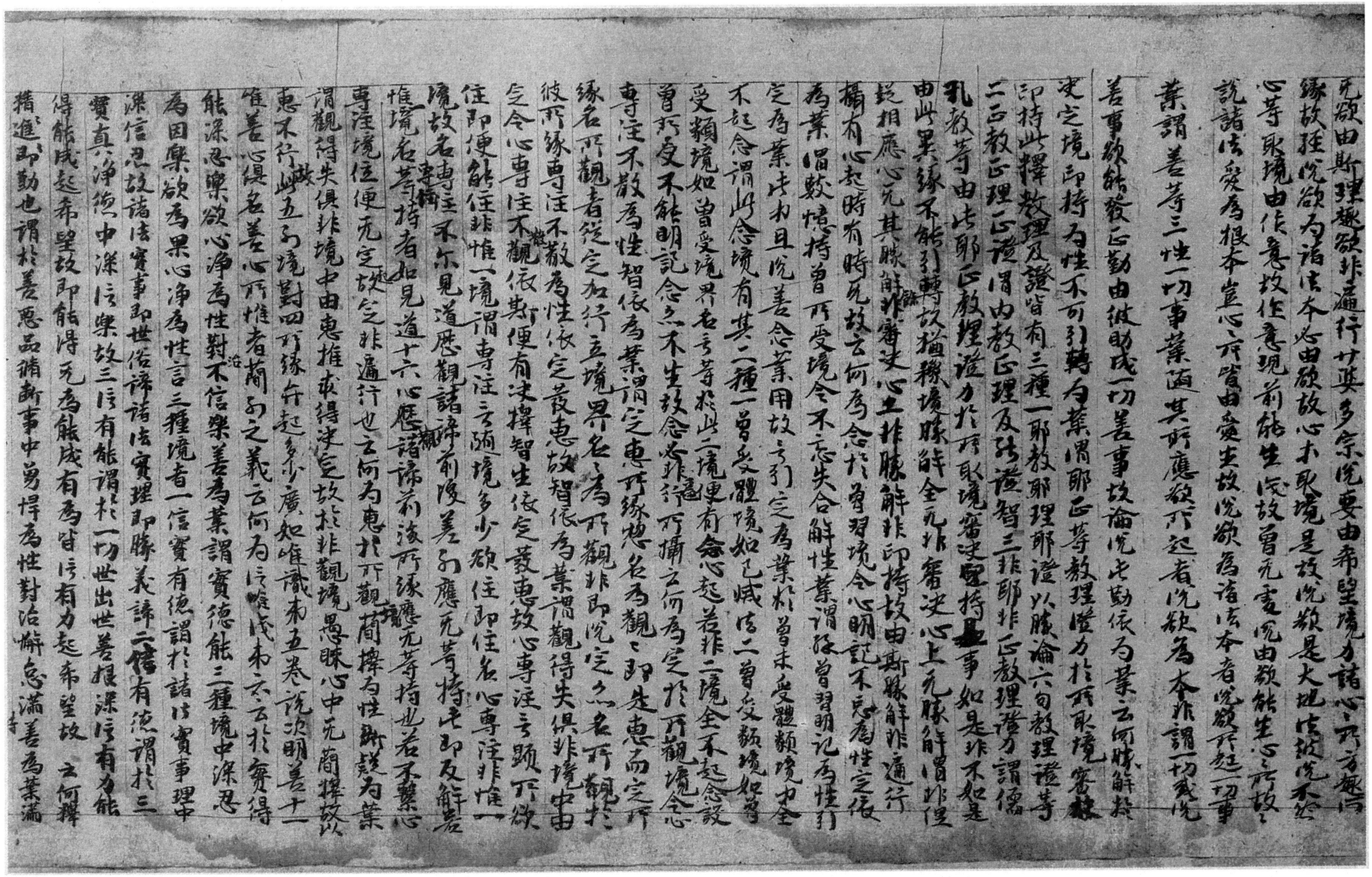

寶真淨德中淨行樂故三行有能謂於一切世出世善根淨行有所能
得能成起希望故即能得無為能成有為皆行有力起希望故　云何精
進即勤也謂於善惡品脩斷事中勇悍為性對治懈怠滿善為業滿
者謂能圓滿隨順行入根本靜慮成善名者謂即於此極善悲持智勇表勝
進自前諸染法悍表精能前淨無記即顯精進唯善性攝勇即勝進念增長
至究竟位即如染法隨有漸進而非究竟悍表精純勇四無記謂異熟
未隨是淨法而是究竟無記即顯精進唯善性攝以純淨故此有五種行
謂被甲加行無下無退無足此中最初成起猛利樂欲名被甲次起堅固
勇悍方便名加行次為證得不自輕懱二無怯懼名無下次能堪忍寒熱
等苦名無退後於下劣不生喜足欣求後後勝品功德名無足此即
經所說有勢有勤有勇堅猛不捨善軛如次應知或初發心長
時無間殷重無餘修差別故或資糧等五道別故二乘究竟道
欣大菩提道故諸佛究竟道樂利樂他故皆如理釋云何為慚依自法力
崇重賢善為性對治無慚止息惡行為業自法力者顯三行依即
是離心說三增上一自增上謂上品人慚於自身不作諸惡二法增上是
中品人為護聖教不造諸惡三世間增上謂下品人護世名利不造諸
惡今護法者以三增上為慚愧依此依自法二力起慚法慚性者謂崇
重賢善為性賢謂賢聖善即善法然法崇重自有兩釋一云崇重謂崇
賢重善即重善一云於賢及善皆具二義謂崇及重謂後釋愧相准愧
可知謂依自法尊貴增上崇重賢善羞恥過惡對治無慚息諸惡
行俱舍云有敬有崇有所忌難有所隨屬說名為慚於罪見怖名
之為愧又愧愛敬等四句分別云　云何為愧依世間力輕拒暴惡為性對
治無愧止息惡行為業世間力者即是世間增上由此為依輕拒暴惡為
性暴謂暴人惡即是惡法准慚釋云謂依世間訶厭增上輕拒暴惡羞
恥過罪此釋性業對治無愧息諸惡業羞恥過惡是二通相此論甚違
文謂護法云崇重賢善為慚為性輕拒暴惡為性別性羞恥過惡是二
通相非二別性而雜集顯揚等云羞恥為慚愧別相者於彼通相假說別相
又自羞名為慚羞他名愧者即斷文也顧自他者其有二義一於三增上
中自法名自世間名他此為勝劣內外以弁自他非自他身異名顧自義
即此中崇拒善惡於己益損名自他故謂崇善於己有益名顧自拒
善惡於己有損名顧他非如諸說自他相續名為自他亦不同順正理師
說現在惡因名自後世惡果名他　云何無貪於有有具無著為性
能對治貪作善為業有謂三有之果有具即是生有之因於此二種無著
為性云何無嗔於苦苦具無恚為性對治嗔恚作善為業苦謂三苦生三
苦緣名為苦具問苦具有具有何差別解云大小共許貪不能緣滅
道二諦說但苦集名為有具嗔即不定若依廿宗嗔亦不能緣滅道諦

善惡於己有損名顧他耶以諸論自他相續名為自他亦不同順正理論
說現在惡因名自後世惡果名他　云何无貪於有有具无着別為性
能對治貪作善為業有謂之三有果有具即是生有之因於此二種无着
為性云何无嗔於苦苦具无恚為性對治嗔恚作善為業謂三苦生三
苦緣名為苦具問苦具有具有何差別解云大小共許貪不能緣滅
道二諦說但苦集名為有具嗔即不定若依廿宗嗔亦不能緣滅道諦
依大乘宗嗔亦能緣苦等四諦緣滅道諦生嗔恚故四諦皆名苦具云何
无癡於諸諦理明解為性對治愚癡作善為業五蘊論云以癡對治以實
正行為性有義无癡即慧為性集論說此報教證智決擇為體生得聞思修
所生慧如次皆是決擇性故讚此舉覺師子釋集論所說報教證智生如其
次亦說報是生得慧任運生故教是聞慧依教生故證即思修慧隨分證故
智即修慧依定生故決擇為體者顯性是慧為顯善品有勝功能如煩惱
見故復別說此釋外難云次別境中說慧性如何善中重說慧也釋為遮此
難故云此雖即慧為顯善品有斷癡勝用故復說无癡其體是慧如煩惱見
有斷善等有勝功德故別說為見此亦如是餘義如下當釋安謂輕安遠離
麁重調暢身心堪任為性對治惛沉轉依為業遠離麁重釋上輕安二字調暢身
心解前安也謂由輕安遠離身心无堪任運性調暢身心堪任為性又解調暢身心
言五根為身意根為心對治惛沉轉依為業者謂能對治所對治障定法惛沈為業
由此能令所依色身得安適故謂此伏除能障定法令所依心轉安適故此釋業
用謂此輕安有漏者能伏无漏者能除障定法者即是惛沈或可障定法
上說餘麁重等令所依身轉安適故不放逸者精進三根於所斷脩防脩為性
對治放逸成滿一切世出世間善事為業即依精進三根假立不放逸謂即前斷
諸惡所脩諸善防惡脩善名不放逸性即是四法於斷脩事皆能防脩名不
放逸非別有體无異相故即雖精進三根更无異相即用四法為性雖信慚
等亦有此能而方彼四勢用微劣非根遍策故非此依此釋難云慚等雖有防
惡脩善之用而方彼勢用微劣所以者何非无貪等三根所攝亦非精進有
遍策用故非此依云何行捨精進三根令心平等正直无功用住為性對治
掉舉靜住為業謂此行蘊所攝捨即依精進及三根上假立為捨以為自性有
其三種一令心平等二正直三无功用住餘文并業若依五蘊云又由此故於已
除遣染污法中无染安住若依顯揚斷發動障為業增長捨為業等又雜
集云由捨與心相應離沉掉等不平等性謂與四法令心遠離掉舉等住寂靜
住名捨此釋性業若依雜集通攝說惛沉以為捨掉平等正直无功用住
初中後位弁捨差別者此論別釋三捨謂隨住何位名初平等中名正直
後位名无功用雜集論云最初證得心平等性由心平等遠離加行自然相
續故次證得心正直性由心正直於諸雜染无怯懼故最後證得无功用住由
不放逸无余雖集余文復令心寂靜而住此對不放逸弁差別相謂由无間

BD02737號　百法明門論疏（擬）　（39–23）

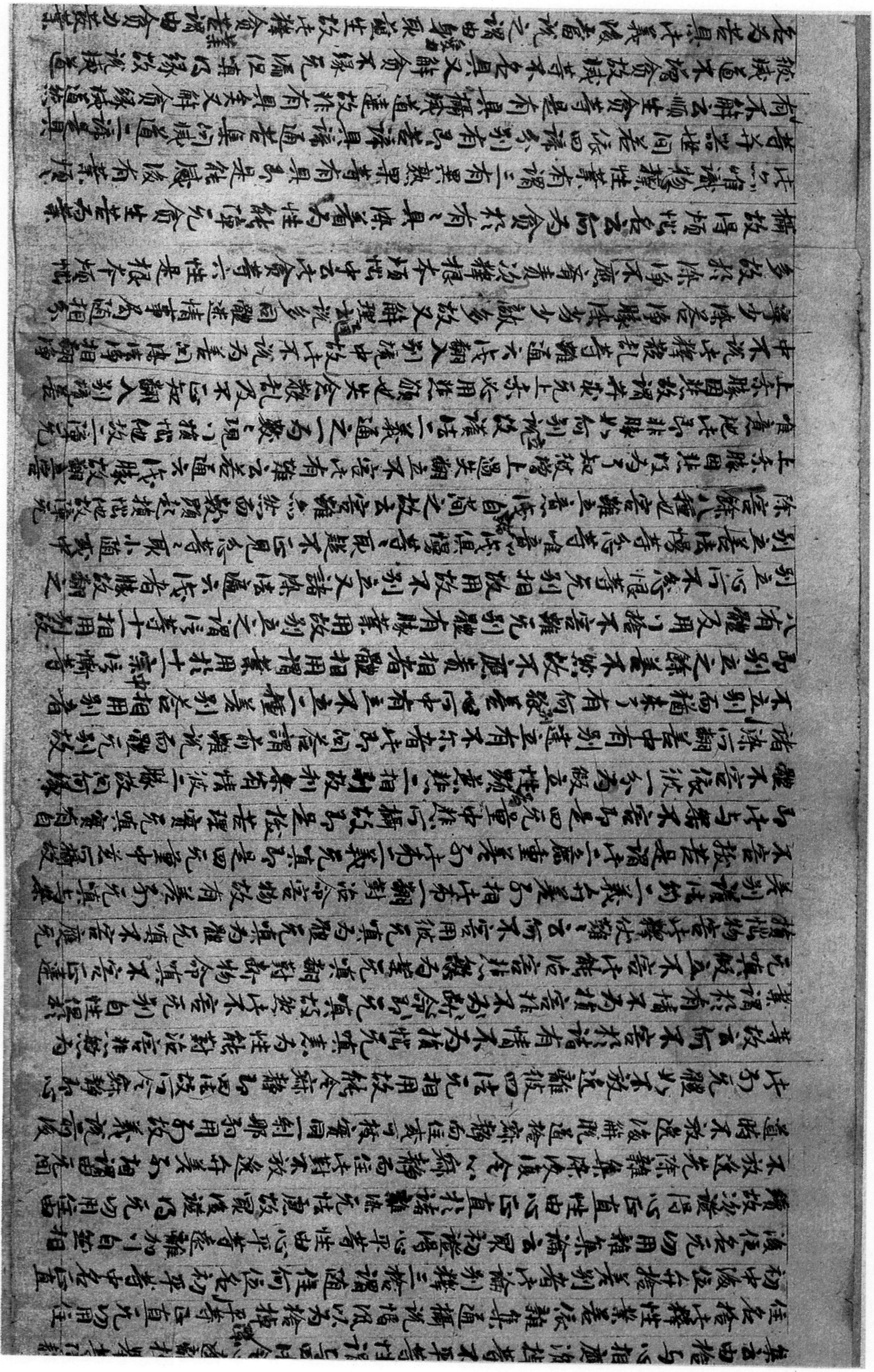

BD02737號　百法明門論疏（擬）

（39–24）

攝故得煩惱名云何為貪於有有具染著為性能障無貪生苦為業
此亦唯識物攝性業有謂三有異熟果等有具即是能感後有業煩惱
等并器世間若依四諦分別有即苦諦具諦通苦集滅道二諦是具
有不解云順生貪等是有具攝滅道違故非有具矣又解貪緣滅道於
彼滅道不增貪故滅等不名具又解貪不緣無漏但瞋以緣故說滅道
名為苦具此義後當說之謂由愛力身取蘊生故此釋貪業謂由貪力發業
因生生取蘊故顯揚第一云何取蘊愛樂覆藏保著為體或是俱生或是
分別能障無貪為業障并資糧為業損害自他為業能取惡道為業
云何為瞋於苦苦具增恚為性能障無瞋不安惡行所依為業苦謂三
苦具不定若依順生唯是苦集若依所緣生瞋恚故苦具名者滅道亦是
苦具所攝瑜伽五十八亦說瞋恚增嫉滅道故彼云謂於滅道起怖畏心起
損害心起恚惱心如是瞋恚迷於滅道謂瞋必令身心熱惱起諸惡
業不善性故云何為癡於諸理事迷闇為性能障無癡一切雜染所依
為業謂由無明起疑邪定貪等煩惱隨煩惱業能生後生雜染法故此遂
難釋業用謂由無明起隨煩惱三雜染疑即疑煩惱邪定即是五見貪求者
舉貪求取瞋恚煩惱者具顯忿等諸隨煩惱業即三業由此能招
後生雜染法即前煩惱及業所感異熟云何為慢恃己於他高
舉為相能障不慢生苦為業謂若有慢於德有德心不謙下由此生
死受苦輪迴轉無窮此釋業用也此慢差別有七九種七慢者五蘊
論云謂慢過慢慢過慢我慢增上慢卑慢邪慢慢謂於劣計己為勝或於等
計己等心高舉為性過慢者謂於等計己勝或於勝計己等慢過慢者謂
於勝計己勝我慢謂於五取蘊隨觀為我或為我所增上慢謂於未
得殊勝所證法中謂我已得卑慢者謂於多分殊勝計己少分下劣邪慢
謂實無德計己有德心高舉為性言九慢者發智論廿云有類謂有
我勝我等我劣我有勝我有等我有劣我無勝我無等我無劣我謂於
三品我德處生一切皆通見修所斷此釋七九慢所依差別依五處生具說
七慢謂於三品生四種慢謂於我處生我慢於德處生增上慢及邪慢如
雜集論於下中二品處生過慢依中上二品處生過慢依上品處生慢過慢
依上品處生劣慢依三品生具四慢於五取蘊執我我所起於我慢是故我
慢依我處生於未得勝計己已得勝德起增上慢於實無德計己有德即
是邪慢是故二慢依德處生餘如俱舍婆沙等云云聖位我慢既無得現行慢類
由斯起亦無失　云何為疑於諸諦理猶豫為性能障不疑善品為業者此釋依
障起疑瑜伽五十八云依於五處而生疑疑他世作用因果四諦三寶唯識第六
於諦猶豫攝諸疑所以者何說他世乃至三寶處所起諸疑皆是諦攝依四
諦門疑他世者名為世疑乃至依四諦門疑三寶者即是寶疑謂猶豫者善不生

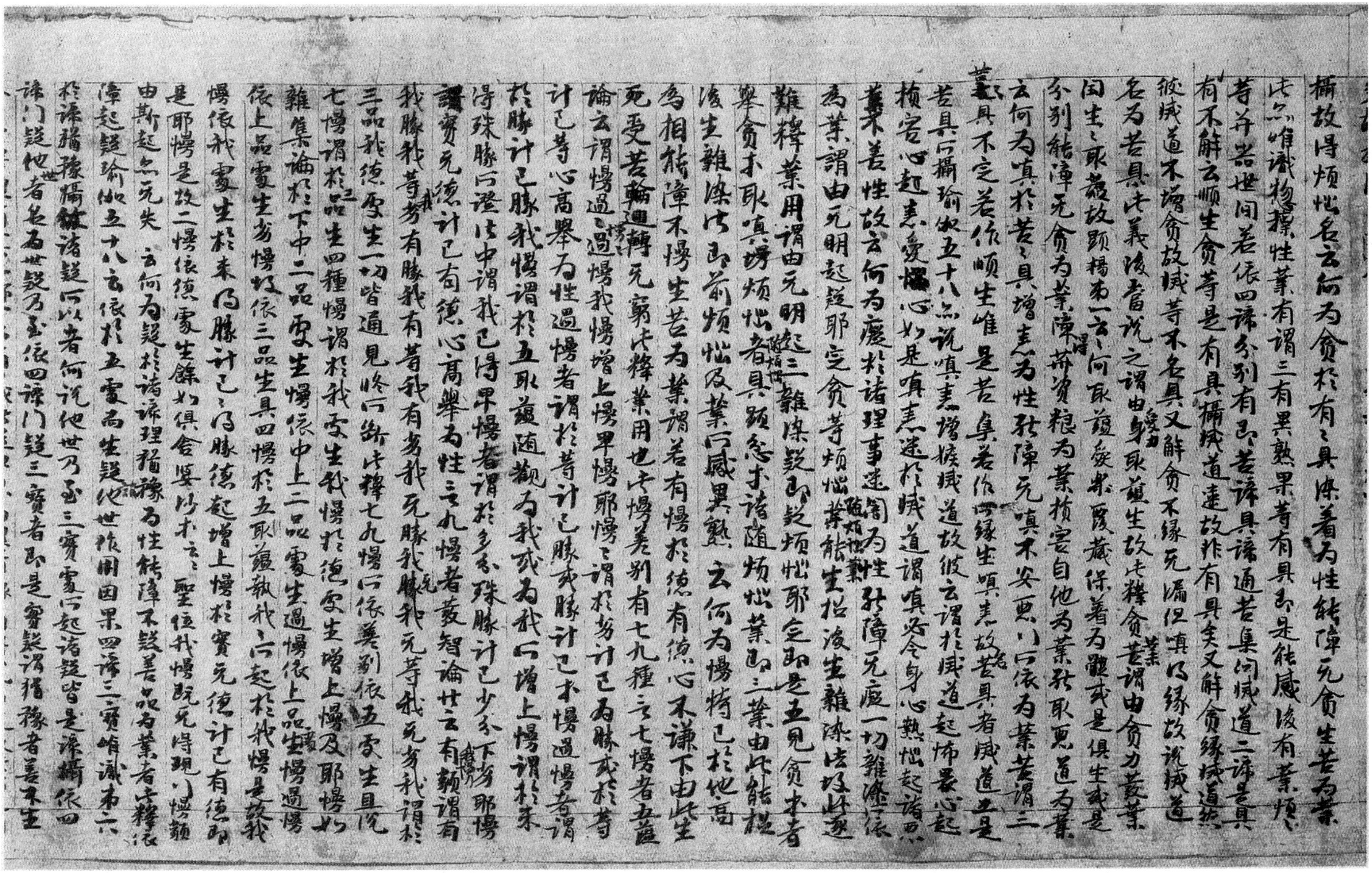

慢依我處生於未得勝計己得勝德起增上慢於實无德計己有德即
是邪慢是故二慢依德處生餘如俱舍婆沙等云 聖位我慢既无得現行慢類
由斯起亦无失 云何為疑於諸諦理猶豫為性能障不疑善品為業者此釋依
障起疑瑜伽五十八云依於五處而生疑他世作用因果四諦三寶唯識第六
於諦猶豫攝諸疑何以者何說他世乃至三寶處所起諸疑皆是諦攝依四
諦門疑他世者名為世疑乃至依四諦門疑三寶者即是實疑謂猶豫者善不生
故自下釋體有其二師一云有義此疑以慧為體猶豫簡擇說為疑故此師已別
境中慧為性已三因成立以慧為性即此初因瑜伽第八云疑者謂由親近不善
丈夫聞非正法故即於此所知事中唯用分別異覺為體既云異覺々者慧之
異名故云猶豫簡擇說為疑故此助末底是疑義故者是第二因末底者此
云慧即是字體是助緣計末底慧以此緣助之即說為疑故知疑者還是末
底體即是慧也彼慧體猶豫不決故說為疑末底般若義无異故是第三因
謂末底般若慧之差別名故知是慧有義此疑別有自體令慧不決非即慧故
此護法云以三因成立別體此即初因合破瑜伽異覺為體令慧不決故云異覺擇實
自非即是慧瑜伽論說六煩惱中見世俗有即慧分故餘是實有別有性故者第二
因謂五十五說六煩惱中但用惡見為世俗有故知彼疑體是實有此是末底執慧
為疑此助若南智度為識為第三因護此引破破云此助末底 汝執以慧為疑此助般
若南汝應以智為識界由助力義便轉實是故此疑非慧為體此亦正義若南
者此云智以此字助義即轉實便能顯識此亦如是此字助故轉實能顯有別疑
體非即是慧云何惡見於諸諦理顛倒推度染慧為性能障善見招苦為業
謂惡見者多受苦故此見相差別有五一薩迦耶見謂於五取蘊執我々所一切
見取所依為業謂於五取蘊計我々所有二義一云薩迦耶此云身此一有二義一者
有義謂遮未來果所計緣无生心名為見即離部師二依經部宗薩迦耶身
義薩迦耶者虛偽義緣虛偽身而起見故經部師緣无生心彼計所以世尊
說虛偽身見者為遮未來果所計我々所見實有身故今大乘宗同經部
計緣虛偽身而起見故名虛偽見而善者薩宗我々所見一向緣有經部
宗緣无生心今此大乘除正體智緣餘心所必有影像所緣境是故名為緣有生
心而无本質真實故名得說名緣无生心一切見取起所依為業者見趣即是
六十二見意趣不同故名見取此之十二見皆用我見為本此見差別有此句六
十五等分別起故此中此句六十五等並如前說二邊執見謂即於彼隨執斷
常障處中行離染為業此分別釋也此見差別諸取中有執前際四遍常
論一分常論及計後際有想十六无想俱非各有八論七斷滅論等分別起
攝者瑜伽八十七云有諸外道計迦耶見以為根本有六十二諸見惡趣謂四遍
常論四一分常論二无因論四有邊无邊論四不死矯亂論如是十八是計前際計
我論者有十六有想八論八无相論八俱非論七斷滅論五現法涅槃論四諸見趣是計
後際具四遍常論者長阿含第十四云第一云或有沙門等入定意三昧憶

常障處中門離染爲業此分釋也此見善分諸取中有執前際四遍常
論一分常論及計後際有想十六無想俱非各有八論七斷滅論等分別起
攝者瑜伽八十七云有諸外道計迦耶見以爲根本有六十二諸見惡趣謂四遍
常論四一分常論二無因論四有邊無邊論四不死矯亂論如是十八是計前際計
我論者有十六有想論八無想論八俱非論七斷滅論五現法涅槃論四諸見見趣是計
後際具四遍常論者長阿含第十四云第一云或有沙門等入定意三昧憶
十二成敗其中衆生不增不減常聚不散我以此知我及世間俱是常住
常住二憶卌三憶八十四捷疾智善能觀察我及世間俱是常住
二十劫等皆說大劫四一分常論者謂劫初成時有諸衆生福命俱
盡從光音天生梵天中便作是念願諸衆生共生此處既生願已有
餘衆生來生中有先生者便作此念我是大梵自然而有無造我者後生
諸天是我所化其後生天復作是念彼是大梵我等諸天是彼所化梵衆天
命行盡已來生世間然漸長大乃至出家入定意三昧自識本生便作是
念彼大梵天者是能造作即天能造彼我等諸天彼所造作故是無
常故當知我及世間半常半無常第二或衆生喜戲懈怠種種
戲咲乃至由失念故即便命終來生人間入定意三昧便作是念我戲
咲故即便無常不戲咲者永住不異由此故知我及世間半常半無
常第三或有衆生由意憤故來生此人間餘如前說第四或有沙
門婆羅門有捷疾相觀察我及世間半有常半無常及計
後際有想十六者謂計有色等四我此沒生有色想二生無色想三生
有色無色有想四生非有色非無色有想次有邊等四一我此終後生終有
邊有想二生無邊有想三生有邊無邊有想四生非有邊非無邊有想次一想
等四謂我此終後生有一想二我此終後生若干想三我此終後生有少想四
我此終後生無量想次苦等四一我此終後生一向有樂有想二生一向有苦有
苦有想三生苦樂想四生非苦非樂有想無想八者有色等四有邊等四准前應
知而無一想等四苦樂等四非有想非無論中有八准上應知問如何無想及俱非
論不立後八解云如婆沙說依想受立有想等四及苦樂等由斯無想及俱
非論皆無後八七斷滅者一有沙門等作如是見我身四大六入從父母生乳哺
長養然是無常必當磨滅二言此我不得斷滅欲界天斷滅無餘三此我非斷
滅色界化生諸界具足斷滅無餘四此非斷滅我無空處斷滅五此非斷滅我無
色識處斷滅六此非斷滅無色不用處斷滅七此非斷滅無色有想無想如是卌
常見攝七是斷見故邊執見者謂後際諸遍常論一分常論及計後諸際有想論
無想論非想非想論斷見所攝邊執見者謂七斷滅論如是邊見皆分別起等取
六十異論中七斷滅等並不可說中常無常等計我論者即十六有想論然前後際二
文不同一依婆沙過去爲前際未來爲後現在不定故彼云若依現在起分別見

文不同一依婆沙過去為前際未來為後現在不定故彼云若依現在起分別見
或名前際或名後際以現在世是未來前過去後故或未來因過去果故瑜伽云依
過現者名前際見若依未來名後際見今邊見中常見所攝前後二論八種常
見後際三論三十二見斷見所攝後際一論七種斷見等言等取四不可記事
中斷常等見四不可記者如俱舍十九云何有問但應捨置謂若有問世為常
無常亦常亦無常非常非無常世為有邊無邊亦有邊亦無邊非有邊非無
邊如來死後有非有亦有亦非有非有非非有命者即身命異身此問但應
捨置三者邪見謂謗因果作用實事及非撥名或邊故雜集
一云謗因者謂無施與愛樂無祠祀無妙行無惡行謗果者謂
無妙行及惡行業所招異熟果謗作用者謂無此世無他世無
父無母無化生有情未誹謗後世往來作用故邪謗從持種子作用
故誹謗相續作用故推實事者謂無世間阿羅漢等及非四見所攝所餘邪執
邪見攝名義究故如增上緣三緣不攝者皆增上緣攝此見差別諸見類中
有執前際二無因論四有邊等不死矯亂及計後際五現涅槃此即對六十二
見以弁相攝此攝前際所攝十見及計後際五見涅槃是如十上五蘊邪見所
攝二無因論者依梵網經有其二種一依三昧執無有因二依捷疾智執無
有因有邊等四者憶上下有邊四方無邊雙觀有邊無邊亦四依捷疾智瑜
伽八十七云若時憶念成劫分位爾時便生三種妄想若有一向憶念上下亦無
間上至第四靜慮憶念如是分量邊際便於此世間住有邊想若有一向傍憶
無際便於世間住無邊想若有俱憶二種俱門便於世間住二俱想若時憶念
壞劫分位爾時便住非有邊非無邊想不死矯亂四者梵網經云諸沙門等依本劫異問異
答於四見中實是不過第一或有沙門等作如是論我不見不知善惡有報無
報有世間有沙門等有博多聞聰明智惠世所尊能以智惠善別諸見設
當問義諸深義者我不能答於彼有愧有畏當以此答以為歸依為洲為
舍為究竟道彼設問者當如是答此事如是此事實此事異此事不異亦
不異此事非異非不異是為初見第二或有沙門等依如是見我不見不知
為有他世為無他世有沙門等以天眼他心智能遠見事雖近他心不見如此
人等能知有他世無他世我不知不見有他世無他世若我說者即為妄語以畏依
為洲為舍為究竟道彼設問者當如是答如前可知第三何者是何者是不善
義如前說第四或有沙門等愚癡頑闇他有問者彼隨他言答此事如
是乃至非異非不異五現涅槃者如經有一沙門作如是見我於現在五欲自在此
是我得現法涅槃第二計初靜慮第三計第二靜慮第四計第三靜慮第
五計第四靜慮問如何此五後際所攝解云待過去故如是十五邪見所攝故瑜伽
五十八云又計前際諸無因論邊無邊論不死矯亂及計後際現法涅槃等是邪
見攝或計自在世主釋梵及餘物類為常恒不易此釋計自在等為常自在

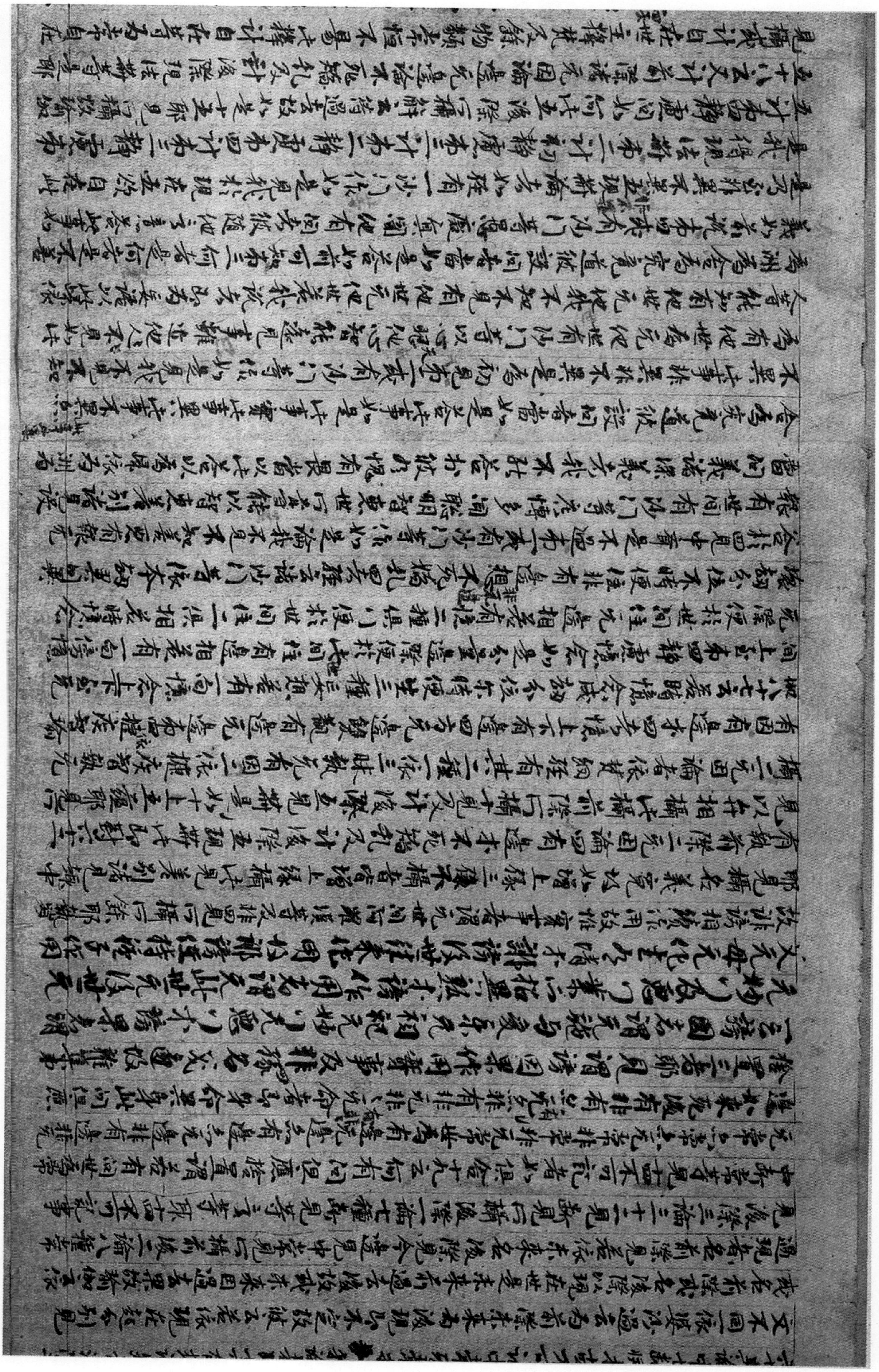

是我得現法涅槃。第二計初靜慮，第三計第二靜慮，第四計第三靜慮，第
五計第四靜慮。問：如何此五後際所攝？解云：待過去故。如是十五邪見所攝。故瑜伽
五十八云：又計前際諸無因論、邊無邊論、不死矯亂，及計後際現法涅槃等，是邪
見攝。或計自在世主釋梵及餘物類常恒不易，此釋計自在等為常。自在
即是大自在天，四名世主，如經所說，護世四王。釋即帝釋，梵謂梵王。及餘
物類者，微塵、時、方等。執此等類為常為恒，無有變易，此計常等。不依我見
故，邪見攝。或計自在等是一切物因者，此執自在天等生諸法因，與前別者，前
執常，此計為因。前是見苦斷，此即見集斷。或有橫計諸邪解脫者，執無想天及
想等為解脫，故此即見滅所斷。或妄執非道者，除戒見已外，執餘法為道者，皆
是邪見攝，此即見道斷。諸如是等，皆邪見攝。四見取，謂於諸見及所依蘊執為
最勝能得清淨，一切鬬諍所依為業。瑜伽五十八云：見取者，於六十二諸見取中一一
切別計為最為上為勝為妙，乃至由此見故能得清淨出離故。五戒禁取，謂於隨
順諸見戒禁及所依蘊，執為最勝能得清淨，無利勤苦所依為業。五蘊論云：
謂於戒禁及彼所依諸蘊，隨觀清淨為解脫為出離，染汙惠為性，而不棄捨。
集論云：勞而無果為業。唯識云：計戒為最勝，能得清淨為性。瑜伽云：異
計為上為勝為妙，乃至由此於戒禁能得清淨解脫出離，是名於戒禁取。然有處
說執為最勝名為見取，執能得淨名戒禁取者，是略說。或隨轉門，此會違文。
理為論見戒二取皆有二用，謂執為最勝能得清淨。所以者何？若依見起名
為見取，若依戒禁起名為戒禁取。不依見戒，即是邪見，不同此宗諸計非
勝為勝，皆是見取，能得清淨，唯戒禁取，而立義未盡，如小乘說。
非勝為勝名為見取，能得清淨名為戒取者，有其二義：一影略互顯，實見戒
皆具二用，計勝得清淨。然五蘊等非勝計勝名見取者，影顯戒取亦有此
用；說能得清淨名為戒禁取者，影略見取亦有此用。二隨轉理門，隨世宗多
婆宗計勝唯是見取，能得清淨是戒禁取，故云。如是總為十煩惱。
六通俱生及分別起，任運思察俱得生故。疑後二見唯分別起，要□或
邪教自審思察方得生故。云云。論云：隨煩惱廿者，唯是煩惱分位差別等
流性故名隨煩惱。所言隨煩惱有二義：一唯是煩惱分位，名隨此釋忿等於
嗔等上分位假立，無別體性，名隨煩惱。二於諸煩惱有別自性，是彼等流名
隨煩惱。如是無慚等或分位或等流，寬狹不同。若是分位必是等流，如忿等自
有等流不是分位，如無慚等。此廿種類別有，謂忿等十各別起故名小隨
煩惱。無慚等二遍不善故名中隨煩惱。掉舉等八遍染心故名大隨煩惱。謂
解：局狹不共餘起，名之為小；遍在不善而不遍染，名中隨煩惱；遍諸不善
及於染心，名之為大。云何為忿？依對現前不饒益境，忿發為性，能障不忿，執
仗為業。對現前者，問：嗔恚依嗔緣現前不現境，故或現前，言簡過未境，謂
忿雖緣剎那過去，而不能緣一期過去。問：忿既緣狀，何此說緣現前境？解云：
遂多為論，緣現在境，不緣□境，即是違緣，非如嗔恚通緣違順。五蘊云：謂遇

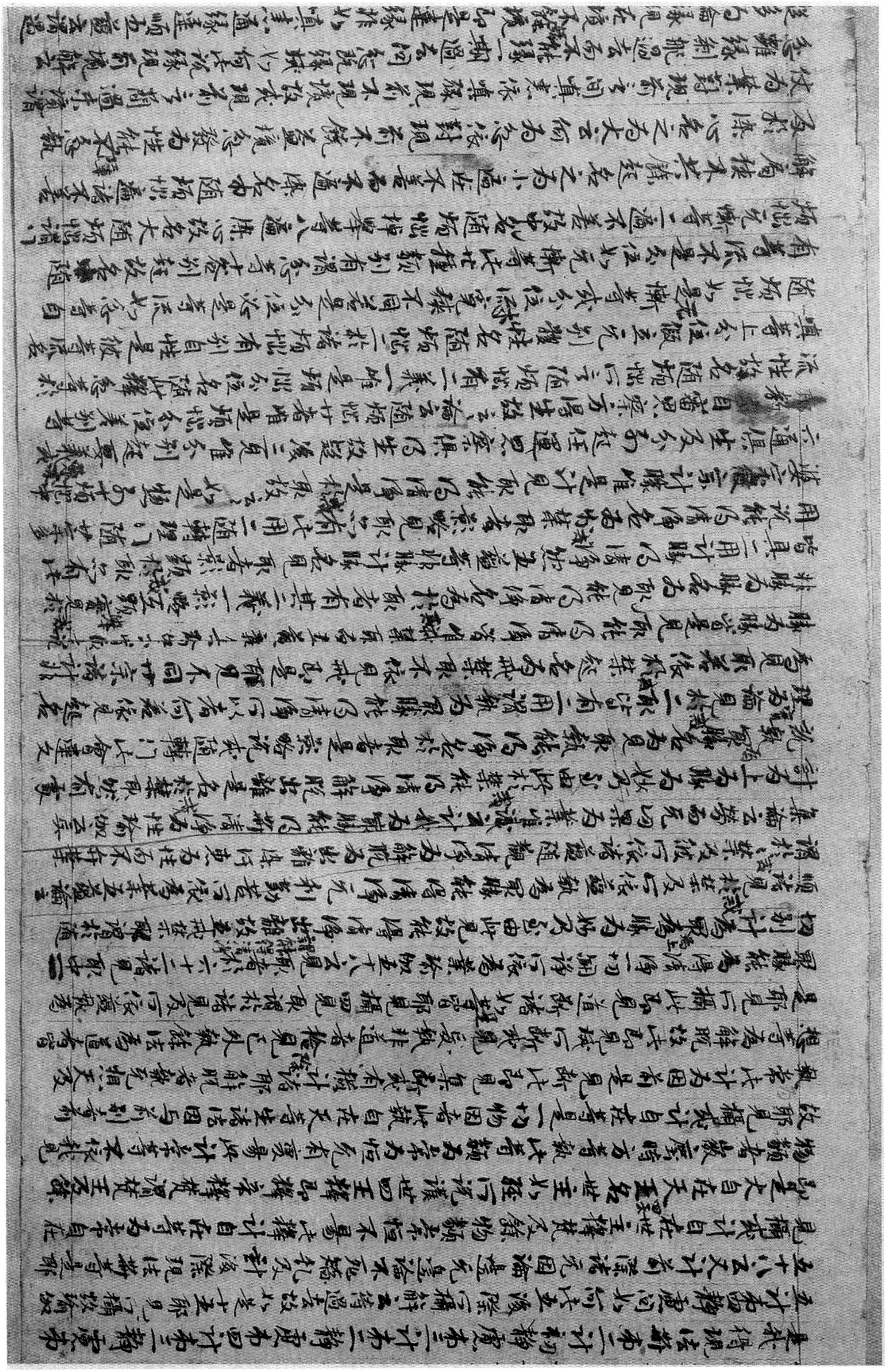

解眉挾不共餘起名之為小遍在不善而不遍染名中隨煩惱遍諸不善
及於染心名之為大云何為忿依對現前不饒益境忿發為性能障不忿執
仗為業對現前言簡過未境謂
忿雖緣剎那過去而不能緣一期過去問忿既緣彼如何此說緣現前境解云
雖多為論緣現在境不饒境即是違緣非如嗔恚通緣違順五塵言謂遇
現前不饒益事心懷憤惱為性而不斥業不忿執仗者此說二種業用一障不忿即
是無嗔一分二是執仗言顯身業少分理實亦發具通三業就麁顯故且說
身業謂懷忿者多發暴惡身表業故此即嗔恚一分為體離嗔無別忿相用故是
假非實問是不現前說善心所說中無相用者不別立之如何此亦說別忿等解
云此據染麁依相用不相違也　云何為恨由忿為先懷惡不捨結怨為性
能障不恨熱惱為業應言能生熱惱為業謂恨與惱不俱起故以為略
故但言熱惱也謂結恨者不能含忍恒熱惱故此亦嗔恚一分為體離
嗔無別恨相用故云何為覆於自作罪恐失利譽隱藏為性
能障不覆悔惱為業謂覆罪者後必悔惱不安隱故此釋別業
悔即更作惱謂熱惱謂覆罪者後必追悔生熱惱故有義此覆癡一分攝論
唯說此癡一分故懼不當苦覆自罪故論即雜集瑜伽論也有義此覆貪
癡一分忽恐失利譽覆自罪故論據麁顯唯說癡分此合前師所說也如說
掉舉是貪分故此引證如集論雜集及五十五說掉舉是貪分攝實據亦是
貪癡分覆忽如是然說掉舉遍諸染心不可執為唯是貪分非釋外難云如
說掉舉是貪分攝如理應知忽是癡分攝所以說然五十八掉舉亦通諸染
心故不可執唯是貪分貪嗔不俱諸論說故云何為惱忿恨為先追觸暴
熱佷戾為性能障不惱蛆螫為業五蘊論云發暴惡言亢蛆為性者
即當此論蛆螫為業何以彼論說業為性彼就能蛆螫有性業各舉一邊異論
說業亦暴麁言為業雜集釋云謂現前蹤切人心故府也謂追往惡觸
現違緣心便佷戾多發囂暴凶鄙麁言蛆螫他故此亦嗔恚一分為性體云
何為嫉殉自名利不耐他榮妬忌為性能障不嫉憂慼為性業顯揚云
能障貪恩為業謂嫉妬者聞見他榮深懷憂慼不安隱故此唯嗔恚一分
為體云何為慳耽著財法不能惠捨秘悋為性能障不慳鄙畜為業謂
慳悋者心多鄙澀畜積財法不能捨故此即貪愛一分為性云何為誑
為誑利譽矯現有德詭詐為性能障不誑邪命為業謂矯誑者心懷異
謀多現不實邪命事故此即貪癡一分為體離二無別誑相用故五十五
說唯是癡分五十八說即見品類即見末流所以諸說異者說癡分者據麁
顯故貪癡分者就實出體謂獲利譽現德求故說即見末流者顯彼以類
非此自性不餘覆廣以諂為性彼說覆是諂品類故由此五十八說品類言者
是彼流類如說覆是諂品類故云何為諂為網他故矯設異儀險曲為性能

為獲利譽矯現有德詭詐為性能障不誑邪命為業謂矯誑者心懷異
謀多現不實邪命事故此即貪癡一分為體離二無別誑相用故五十五
說唯是癡分五十八說邪見品類邪見末流同諸論說異者說癡分者據根
源故貪癡分者就實出體謂獲利譽現德本故說邪見末流者顯彼品類
非此自性不爾覆應以諂為性彼說覆是諂品類故由此五十八說品類言者
是彼流類如說覆是諂品類故云何為諂為罔他故矯設異儀險曲為性能
障不諂教誨為業五蘊云覆自藏過方便所攝心曲為性集論雜集云矯設
方便隱實過惡為體顯揚云詐現恭順心曲為體集論亦說障正教授顯揚云
能障愛敬即當唯識教誨為業為諂曲者為罔冒他曲順時宜矯設方
便為取他意或藏己失不任師友正教誨故此亦貪癡一分為體云何
為害於諸有情心無悲愍損惱為性能障不害逼惱為業謂有害者逼
惱他故云何為憍於自盛事深生染著醉傲為性能障不憍染依為業
盛事者集論云或依少年無病長壽之相或得隨一有漏榮利之事雜
集釋云長壽相者不免夭也由此生壽命憍逸有漏榮利者謂族姓色
力聰叡財富自在等事五蘊云於盛事深著倨傲心持為性謂憍醉者
生長一切雜染法故此亦貪愛一分為體云何無慚不顧自法輕拒賢善為
性能障慚生長惡行為業謂於自法無所顧者輕拒賢善不恥過惡
障慚生長諸惡行故云何無愧不顧世間崇重暴惡為性能障愧生
長惡行為業謂於世間無所顧者崇重暴惡不恥過罪障愧長生諸惡行故
不恥過惡是二通相故諸聖教假說為體不恥過惡為二相者假說通相以
為二相如上已說云何掉舉令心於境不寂靜為性能障行捨奢摩他
為業此下釋大隨也有三師釋今取一釋有義掉舉別有自性遍諸染心如
不信等非說他分體便非實勿不信等亦假有故此攝法正義謂此掉舉
有別自性遍諸染心如不信等非如初師是貪分故無別自性不遍染
心非他說他分亦是假有者須破初論非五九十五說貪分故然體便非實
如不信等雖說他分而實有故而論說為世俗有者如睡眠等隨他相
說故此合違文五十五說世俗有者隨順他貪相增勝故說為俗非世俗
言定是假有如即彼隨他癡相說睡眠等為世俗有而是實故不應難言
睡眠是假善無記性非癡分故掉舉別相謂即躁動令俱生法不寂靜故
俱生法者即心心所若離煩惱無別此相不應別說障奢摩他集論等障
止為業故云云何惛沈令心於境不堪任為性能障輕安毗鉢舍那為業
有義惛沈別有自性雖名癡分而是等流如不信等非即癡攝此合違
文雜集論說名為癡分而是等流如不信等隨他相說名世俗有如睡眠等
是實有性惛沈別相謂即瞢重令俱生法無堪任故若離煩惱無別惛
沈相不應別說障毗鉢舍那故無堪任非此別相與此是癡相有差別者謂
癡於境迷闇為相正障無癡而非瞢重惛沈於境瞢重為相正障輕安

BD02737 號　百法明門論疏（擬）

俱生法者即心心所若離煩惱無有此相不應[illegible]
以為業故云云何惛沉令心於境不堪任為性能障輕安毗鉢舍那為業
有義惛沉別有自性雖名癡分而是等流如不信等非即癡攝此令違
文雜集論說名為癡分而是等流如不信等隨他相即分世俗有如睡眠等
是實有性惛沉別有相謂即瞢重令俱生法無堪任故若離煩惱無別惛
沉相不應別說障毗鉢舍那故無堪任非此別相此是癡相有義者謂
癡於境迷闇為性相正障無癡而非瞢重惛沉於境瞢重為性相正障輕安
而非迷闇云何不信於實德能不忍樂欲心穢為性能障淨信隨依為
業此標也不忍樂欲即是不信非離不信別有不忍及不樂欲謂不信
者多懈怠故不信二相翻信應知然諸染法各有別相唯此不信自相
渾濁復能渾濁餘心心所如極穢物自穢穢他是故說此心穢為性由不信
故於實德能不忍樂欲非別有性此遂雖解先解不忍後釋邪忍此
釋不忍及不樂欲離不信外非別有性名義違故非勝解中邪忍於餘事
邪忍樂欲是此因果非此自性此釋邪忍謂若於餘自在天等邪忍
樂欲即是不信因之與果非即不信所以者何邪忍即是邪勝解性是不
信因邪樂欲者雖是欲故是不信果如善信中染信樂欲云何懈怠
於善惡品修斷事中懶惰為性能障精進增染為業謂懈怠者
滋長染故於諸染事而策勤者亦名懈怠退善法故此釋性業於
無記法而策勤者於諸善品無進退故是欲勝解非別有性此簡無
記先法後喻如於無記忍可樂欲非染非淨無信不信此即喻說如於
無記忍可樂欲即勝解非淨精進非染懈怠亦由非淨故所以無信由
非染故亦無不信云何放逸於染淨品不能防修縱蕩為性障不放
逸增惡損善所依為業謂由懈怠及貪瞋癡不能防修染淨品法總
名放逸非別有性此總用貪等四法為性是假非實雖慢疑等亦有此能
而方彼四勢用微劣障三善根遍策法故此重釋放逸依四假立所以者
何障三善根貪等用遍策法故者即是精進故慢疑等非放逸依准
是失此於前不逸云何失念於諸所緣不能明記為性能障正念散亂所
依為業謂失念者心散亂故有義失念俱一分攝由前二文影略說故
論後說此遍染心故此中三師解初唯念一分攝次癡[illegible]念失故名失念此中三
師用癡及念一分為性二因成立一由二師所引證故二瑜伽說遍染心故不餘如
何論說染污境不遍一切染故　云何散亂於諸所緣令心流蕩為性能
障正定惡慧所依為業五蘊云散亂謂貪瞋癡分心流蕩為性顯揚
云謂於所修善心不喜樂為依止者唯翻善為異謂散亂者發惡慧
故有義散亂別有自體說三分者是彼等流如無慚等非即彼攝此
中先合三分後合俗有謂集論貪瞋癡分者是三等流非即彼體如無慚等
等貪等流非即彼三隨他相說名世俗有此合俗有五十五說世俗有言隨他

BD02737號　百法明門論疏（擬）

云何散亂……

何論說障於境不遍一切障故
障正定惡慧所依為業五蘊云散亂謂貪瞋癡分心流蕩為性顯揚
云謂於所脩善心不喜樂為依止者皆為善為異謂散亂者發惡慧
故有義散亂別有自體說三分者是彼等流如無慚等非即彼攝此
中先合三分後合俗有謂集論貪瞋癡分者是三等流非即彼體如無慚等隨他
貪等流非即彼三隨他相說名世俗有此合俗有五十五說世俗有言隨他
癡說非謂假名世俗有散亂別相謂即躁擾令俱生法皆流蕩故此不正
也謂躁散亂擾亂令彼俱生法皆流蕩故名為散亂若離彼三無別自
體不應別說障三摩地此即通達諸善無別性故由此應知有別自性
間掉舉散亂二用何別彼令易解此令易緣此議法答掉舉易緣心解
轉易故散亂易緣可緣轉易故然此二易有其四句一解非緣先計色常後
計色斷二緣易非解先計色常後計受常三緣解俱易先計色常後計
受斷四俱非易於先後念二俱不易雖一剎那解緣非易而於相續有易
義故攝此難云於一剎那無二易義如何說易解不耶故此答云掉舉散
有異云何不正知於所觀境謬解為性能障正知毀犯為業五蘊云於身
語意現前中不正依住為性解云論意二業現時不能正了三業所依
為性集論雜集但云煩惱相應慧為體有說此非說障立蘊說障而
不說非唯識障非俱說謂不正知者多所毀犯有義不正知偏不攝由前
二文顯略說故論復說此遍染心故三師釋中此通周遍是故為
體謂由二因一由前師所引集論等及五十五二文二五十八說遍染心故隨煩惱
惱名亦攝煩惱是前煩惱等流性故此釋通屬此即本惑名隨煩惱
同類餘染所法但名隨煩惱非煩惱攝故此釋意等不但煩惱隨心非根
本故又釋隨言諸論不同集論云又貪瞋癡名隨煩惱心之所法由此煩惱隨惱
於心令不離染令不解脫令不斷障名隨煩惱如世尊說汝等長夜為
貪瞋癡隨所惱亂心恒染汙又五十八說云何名隨煩惱略由四相差別建
立一通一切不善心起謂無慚無愧二通一切染汙心起謂放逸掉舉惛沈不
信懈怠邪欲邪勝解失念散亂不正知三於各別不善心起謂忿恨惱
覆誑諂憍害慳嫉若一生時無有四善不善無記心起非一切時處謂尋
伺惡作睡眠若有癡惡有尋伺等便生疲勞念失心勞故尋伺亦
名隨煩惱唯廿六謂非煩惱唯染麤故要具三義故唯廿一非本惑開
貪等故二唯染所簡欲勝解及四不定三唯麤顯簡慣發等此解
染法或此分位或此等流皆此所攝此明餘隨義不具故不別建立簡慣
發等忿等分位邪欲勝等是此等流皆此所攝如是廿隨煩惱小十大二中二是
假有忿等十大中放逸妄念不正知定是假有此假有言是物相
說瑜伽四說是實有故忿等如前是假有依嗔立故放逸即依三不
善根及與懈怠四法假立忘念不正知自有二義一依別境念慧為體故

BD02737號　百法明門論疏（擬）

（39–33）

會等故二唯……
染法或是分位或是不染皆是行攝此明餘隨義不具故不可建立爲憤
等忿等分位耶欲勝等是此不染皆是行攝如是廿隨煩惱小十大二中二是
假有即忿等前十大中放逸妄念不正知定是假有此假有三是惣相
說瑜伽四說是實有故忿等如前是假有依嗔立故放逸即依三不
善根及与懈怠四法假立忘念不正知自有二義一依分境念为體故
是假有二以无明為自性故亦是假有无慚等四定是實有瑜伽說一
故〻五十五云无慚无愧不信懈怠是實有故掉舉惛沉散亂三種有
義是假有義是貪(貪是)分及說遍際是假有分有自性即是實有不定
四者唯識第七云悔眠尋伺於善染等皆不定故善謂善十一染謂廿
六等〻亦非遍行於境此中意思沉善定唯染遍行於心別境
於地皆悉決定悔眠亦四非如善亦立不定名心謂八識地謂九地悔眠亦罪
如二位故名不定故唯識云非如觸等定遍心故非如欲等定遍地故悔
謂惡作〻所作事業追悔為性障止為性障止為業依真諦舊俱舍云
後〻焦〻者是追悔義五蘊云云何惡作謂心變悔為性集論等云惡作者謂
依樂不樂作應作不應作是愚癡分心追悔為性顯揚云惡作謂於已
作未作善不善事若染不染悵怏追變為體擾實是悔名惡作者善
等三業不順已情稱之為惡非三性中不善名惡作(添)應唯善性不寂靜
故名為障止為業此即於果假立因名先惡所作業後方追悔故惡作者
即於悔果假立因名因先所作業三惡因後追悔故悔先不作亦作亦惡作如(攝)
追悔〻〻我先不作(不作)如是事業是我惡作眠謂睡眠令不自在昧略為性障觀
為業以彼後名顯此〻攝(攝)故此說言眠謂(謂)睡眠由此令心不得自在
令心昧略以為自性昧謂闇昧略謂昧略顯揚云略攝於心不自在轉
為體謂睡眠位身不自在即令所依身无動依故心極昧劣一門轉
故唯依意根一門轉故非如覺時心心所法依六根門轉故為明利昧簡在
定略別寤時令顯睡眠非无體用此釋令心等有所心所令所依身不得自
在若无體性无此亂故有无心位假立此名者即釋妨難〻云如聖教說
无心睡眠雖无體性而說睡眠此不應爾故此通云有无心位雖立此
名而由似彼心所睡眠假立彼名而无別體如餘蓋纏心相應故者此
即釋上非无體用五蓋謂五蓋一貪欲蓋二嗔恚三惛沉睡眠四掉舉惡作五疑
作五疑蓋纏謂八纏惛沉睡眠掉舉惡作嫉慳无慚无愧睡眠是蓋纏故
攝如蓋纏釋疑云无心睡眠為體故應是蓋攝彼量云此睡眠蓋
是心相應以蓋纏故如餘蓋纏有義彼說理亦不然違法正宗謂第二此所
說亦不應理違比量故然此比量〻〻惣意別即二量別即用四惣二量
者即合破染汙悔眠別四量者染淨二中別破悔

BD02737號 百法明門論疏（擬）

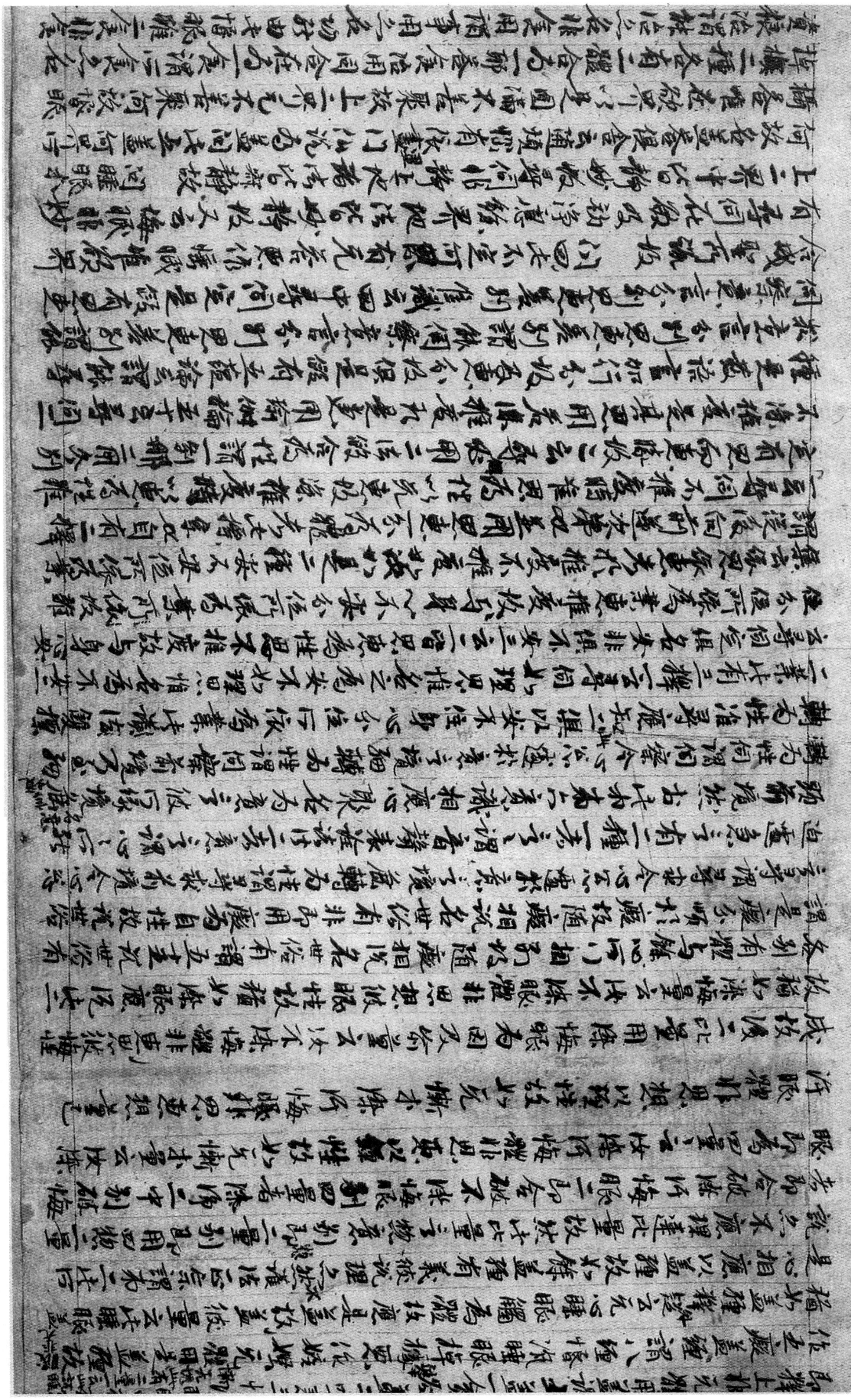

（39–35）

何故名蓋答俱舍云隨境惱有依盡門心說為蓋問此五蓋何界所
攝答唯在欲界以是圓滿不善聚故上二界无不善聚何故惛眠
掉舉二種各有二體合為一蓋答食治用同合在為一食謂二食之名
資糧治謂林治之名非食用謂事用之名功能由此惛眠雖二食非食
同何謂惛眠蓋食謂五種一瞢瞢二不樂三頻申四食不平不性五
心昧劣性何不名為此蓋非食謂光明相如是二種事用之同俱能
令心沉昧掉悔雖二食非食同何不掉悔蓋謂四種法一親里尋二
國土尋三不死尋四隨念昔日種種戲咲歡娛事亦何不名為此蓋
非食謂奢摩他如是二種事用之同俱能令心不寂靜故由此說食治
用同故惛眠掉悔二合為一何故此五得蓋名也　答此五於蘊能為勝
障故謂貪恚蓋能障戒蘊惛眠能障惠蘊掉舉惡作能障定蘊定惠
无故於四諦猶豫故能令解脫不起故此名蓋　又於五蓋亦與是
奢摩他障能是毗鉢舍那障疑是俱障瑜伽七十七云掉舉惡作
是奢摩他障惛沉是毗鉢舍那障貪嗔疑是俱障　問如是六位
諸心所法為觀心體為別自性為是心分位差別設爾何失二俱有過若
離心體有別自性如何聖教說唯有識此難少要多許觀心及心所不各有
有性若亦互違五種教聖花嚴云作三界唯心經說三界心不說心所
如何說言了觀心外有有心所又如何說心遠獨行七本二行法是經彼云
遠行及獨行无身寐於窟調伏難調心我說真梵志解云廿宗六識不
並故言獨行依經部宗无別心所故說獨行若依大乘一類廿說无有
識唯意獨行若依瑜伽法識一一差別而轉无主宰故名曰獨行今依經
部以為難也染淨由心者本三行无垢稱經心雜染故有情雜染心清淨
故有情清淨而不說心所故知觀心无別自性士夫六界者此本四行多界
經四大空識此士夫界行不言心所覺天說云觀四大外无別造色觀心之
外无別心所令依經部覺天為難故論說復云何通此本五行花嚴
舊本本五為難故彼云能取及所取此二唯心覺貪覺及所覺二覺无二所
新本云許心有二現如是似貪或似於信亦无別染善法新舊有殊義
无別故一謂相見似顯非實許心變似相見二現此為難喻次即伽釋心似貪
等言等取嗔等染法等言取斷等善法貪等法等觀心別難无所
自性四教為證此引瑜伽本九說心相應作性相應非自性故言此引瑜伽釋
成經意五十六云何諸法誰相應為何義故相應答他性相應非自性法
又如何說心與心所俱時俱滅而起如日與光此即瑜伽本七文也如日與光故知有
體瑜伽論說彼如何通彼說心心所非互故如彼頌云五種性不成分位差過失因
緣无有故与聖教相違依五十六文頌有四種過失一五種性不成失覺天經部計

BD02737 號　百法明門論疏（擬）

（39–36）

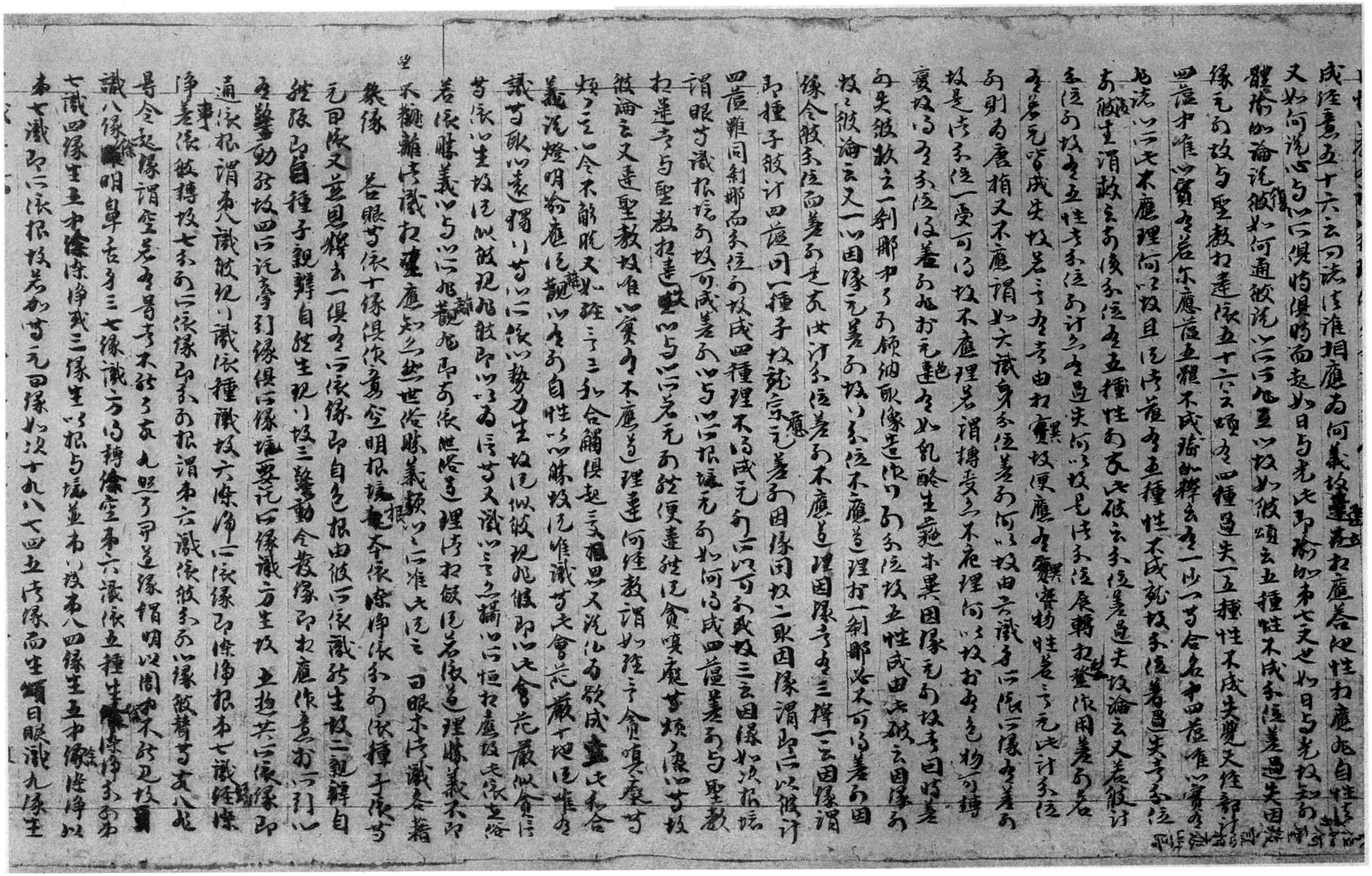

BD02737號　百法明門論疏（擬）

（39–37）

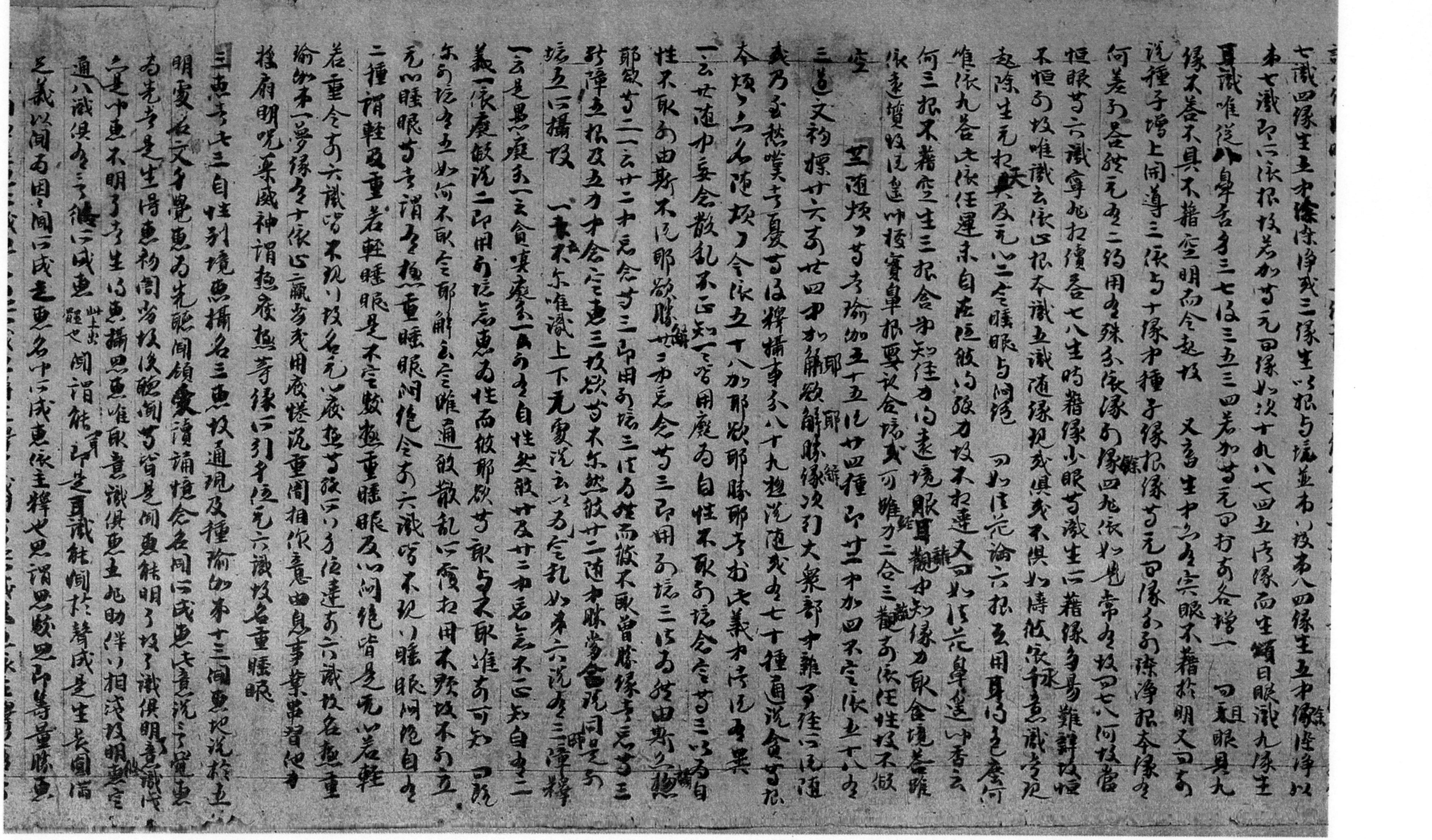

BD02737 號　百法明門論疏（擬）

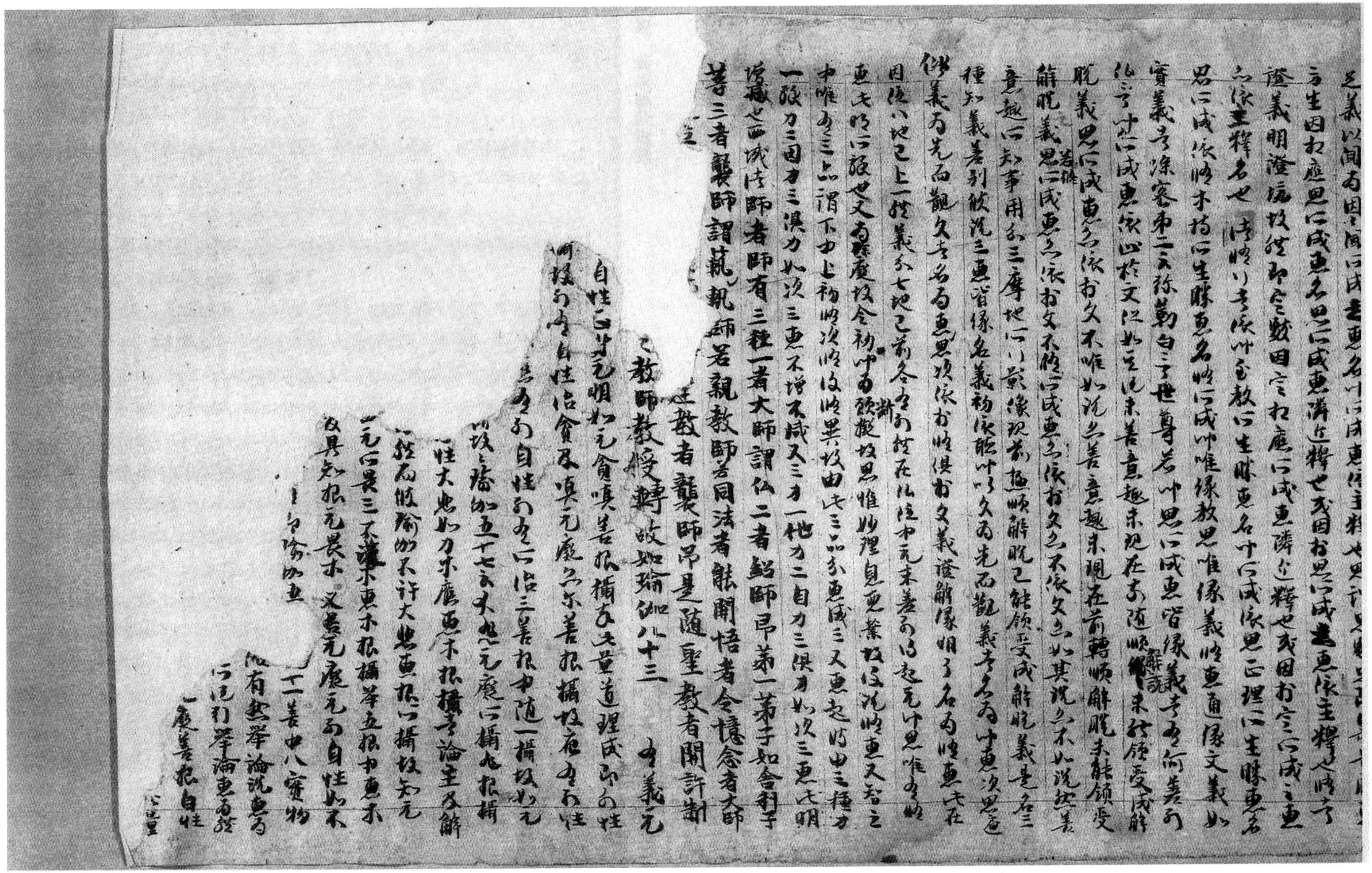

BD02737號　百法明門論疏（擬）　（39–39）

大乘無量壽經

如是我聞。一時薄伽梵在舍衛國祇樹給孤獨園，與大比丘僧千二百五十人、大菩
薩摩訶薩眾俱。同會坐。爾時世尊告曼殊室利童子：曼殊，上方有世界，名無量功德
聚。彼土有佛，號無量智決定王如來、阿羅訶、三藐三佛陀，現為眾生開示說法。曼
殊師利，聽！南閻浮提人，壽命百年，於中殀枉死者眾多。曼殊，如是無量壽如來功德名
稱法要，若有眾生得聞名號，若自書，若使人書，能為經卷，受持讀誦，於舍宅所住之處以
種種花鬘瓔珞塗香末香而為供養，如其命盡，復得延年，滿足百歲。如是曼殊，若有眾
生得聞是無量壽智決定王如來百八名號者，益其長壽。若有眾生大命將盡，憶念是如
來名號，便得增壽。如是曼殊，若有善男子善女人欲求長壽，於是無量壽如來百八名
號，有得聞者，或自書，若使人書，受持讀誦，如是等果報福德具足之陀羅尼曰

南謨薄伽勃底一 阿波唎蜜哆二 阿喻紇硯那三 須毗你悉指陀四 囉佐耶五 怛他羯他耶六 怛姪他七
薩婆桑悉迦囉八 鉢唎輸底九 達摩底十 伽迦那十一 娑謨特伽帝十二 莎婆婆毗秫提十三
摩訶娜耶十四 波唎婆唎莎訶十五

世尊復告曼殊室利：是如來百八名號，若有自書，若使人書，為經卷，受持讀誦，命盡
復滿百年壽，然此身後得往生無量福智世界無量壽淨土。陀羅尼曰

南謨薄伽勃底一 阿波唎蜜哆二 阿喻紇硯那三 須毗你悉指陀四 囉佐耶五 怛他羯他耶六 怛姪他七
薩婆桑悉迦囉八 鉢唎輸底九 達摩底十 伽迦那十一 娑謨特伽帝十二 莎婆婆毗秫提十三
摩訶娜耶十四 波唎婆唎莎訶十五

爾時有九十九俱胝佛一時同聲說是無量壽宗要經陀羅尼曰

南謨薄伽勃底一 阿波唎蜜哆二 阿喻紇硯那三 須毗你悉指陀四 囉佐耶五 怛他羯他耶六 怛姪他七
薩婆桑悉迦囉八 鉢唎輸底九 達摩底十 伽迦那十一 娑謨特伽帝十二 莎婆婆毗秫提十三
摩訶娜耶十四 波唎婆唎莎訶十五

爾時復有一百四俱胝佛一時同聲說是無量壽宗要經陀羅尼曰

BD02738號　無量壽宗要經　（6–1）

摩訶娜耶十四 波唎婆唎莎訶十五

爾時有八十八俱胝佛一時同聲說是無量壽宗要經陀羅尼曰

南謨薄伽勃底一 阿波唎蜜哆二 阿喻紇硯那三 須毗你悉指陀四 囉佐耶五 怛他羯他耶六 怛姪他七
薩婆桑悉迦囉八 鉢唎輸底九 達摩底十 伽迦那十一 娑謨特伽帝十二 莎婆婆毗秫提十三
摩訶娜耶十四 波唎婆唎莎訶十五

爾時復有一百四俱胝佛一時同聲說是無量壽宗要經陀羅尼曰

南謨薄伽勃底一 阿波唎蜜哆二 阿喻紇硯那三 須毗你悉指陀四 囉佐耶五 怛他羯他耶六 怛姪他七
薩婆桑悉迦囉八 鉢唎輸底九 達摩底十 伽迦那十一 娑謨特伽帝十二 莎婆婆毗秫提十三
摩訶娜耶十四 波唎婆唎莎訶十五

爾時復有七十七俱胝佛一時同聲說是無量壽宗要經陀羅尼曰

南謨薄伽勃底一 阿波唎蜜哆二 阿喻紇硯那三 須毗你悉指陀四 囉佐耶五 怛他羯他耶六 怛姪他七
薩婆桑悉迦囉八 鉢唎輸底九 達摩底十 伽迦那十一 娑謨特伽帝十二 莎婆婆毗秫提十三 摩
訶娜耶十四 波唎婆唎莎訶十五

爾時復有六十五俱胝佛一時同聲說是無量壽宗要經陀羅尼曰

南謨薄伽勃底一 阿波唎蜜哆二 阿喻紇硯那三 須毗你悉指陀四 囉佐耶五 怛他羯他耶六 怛姪他七
薩婆桑悉迦囉八 鉢唎輸底九 達摩底十 伽迦那十一 娑謨特伽帝十二 莎婆婆毗秫提十三
摩訶娜耶十四 波唎婆唎莎訶十五

爾時復有五十五俱胝佛一時同聲說是無量壽宗要經陀羅尼曰

南謨薄伽勃底一 阿波唎蜜哆二 阿喻紇硯那三 須毗你悉指陀四 囉佐耶五 怛他羯他耶六 怛姪他七
薩婆桑悉迦囉八 鉢唎輸底九 達摩底十 伽迦那十一 娑謨特伽帝十二 莎婆婆毗秫提十三
摩訶娜耶十四 波唎婆唎莎訶十五

爾時復有四十五俱胝佛一時同聲說是無量壽宗要經陀羅尼曰

南謨薄伽勃底一 阿波唎蜜哆二 阿喻紇硯那三 須毗你悉指陀四 囉佐耶五 怛他羯他耶六 怛姪他七
唵 薩婆桑悉迦囉八 鉢唎輸底九 達摩底十 伽迦那十一 娑謨特伽帝十二 莎婆婆毗秫提十三
摩訶娜耶十四 波唎婆唎莎訶十五

爾時復有三十六俱胝佛一時同聲說是無量壽宗要經陀羅尼曰

南謨薄伽勃底一 阿波唎蜜哆二 阿喻紇硯那三 須毗你悉指陀四 囉佐耶五 怛他羯他耶六 怛姪他七
薩婆桑悉迦囉八 鉢唎輸底九 達摩底十 伽迦那十一 娑謨特伽帝十二 莎婆婆毗秫提十三
摩訶娜耶十四 波唎婆唎莎訶十五

爾時復有二十五俱胝佛一時同聲說是無量壽宗要經陀羅尼曰

南謨薄伽勃底一 阿波唎蜜哆二 阿喻紇硯那三 須毗你悉指陀四 囉佐耶五 怛他羯他耶六 怛姪他七
薩婆桑悉迦囉八 鉢唎輸底九 達摩底十 伽迦那十一

BD02738號　無量壽宗要經　（6–2）

南謨薄伽勃底一 阿波唎蜜多二 阿喻紇硯那三 須毗你悉指陀四 囉佐耶五 怛他羯他耶六 怛姪他唵七
薩婆桑悉迦囉八 波唎輸底九 達磨底十 伽伽那十一 莎訶娑特迦底十二 薩婆婆毗輸底十三
摩訶娜耶十四 波唎婆嚟莎訶十五
尒時復有二十五俱胝佛一時同聲說是無量壽宗要經陁羅尼曰
南謨薄伽勃底一 阿波唎蜜多二 阿喻紇硯那三 須毗你悉指陀四 囉佐耶五 怛他羯他耶六 怛姪他
唵七 薩婆桑悉迦囉八 波唎輸底九 達磨底十 伽伽那十一 莎訶娑特迦底十二 薩婆婆毗輸底十三
摩訶娜耶十四 波唎婆嚟莎訶十五
尒時復有恒河沙俱胝佛一時同聲說是無量壽宗要經陁羅尼曰
南謨薄伽勃底一 阿波唎蜜多二 阿喻紇硯那三 須毗你悉指陀四 囉佐耶五 怛他羯他耶六 怛姪他唵七
薩婆桑悉迦囉八 波唎輸底九 達磨底十 伽伽那十一 莎訶娑特迦底十二 薩婆婆毗輸底十三
摩訶娜耶十四 波唎婆嚟莎訶十五
善男子若有自書寫教人書寫是無量壽宗要經，如其命盡復得長壽而滿百年陁羅尼曰
南謨薄伽勃底一 阿波唎蜜多二 阿喻紇硯那三 須毗你悉指陀四 囉佐耶五 怛他羯他耶六 怛姪他唵七
薩婆桑悉迦囉八 波唎輸底九 達磨底十 伽伽那十一 莎訶娑特迦底十二 薩婆婆毗輸底十三
摩訶娜耶十四 波唎婆嚟莎訶十五
若有自書寫教人書寫是無量壽宗要經受持讀誦，畢竟不墮地獄，於所生得宿命智陁羅尼曰
南謨薄伽勃底一 阿波唎蜜多二 阿喻紇硯那三 須毗你悉指陀四 囉佐耶五 怛他羯他耶六 怛姪他唵七
薩婆桑悉迦囉八 波唎輸底九 達磨底十 伽伽那十一 莎訶娑特迦底十二 薩婆婆毗輸底十三
摩訶娜耶十四 波唎婆嚟莎訶十五
若有自書寫教人書寫是無量壽宗要經受持讀誦，如同書寫八萬四千一切經典陁羅尼曰
南謨薄伽勃底一 阿波唎蜜多二 阿喻紇硯那三 須毗你悉指陀四 囉佐耶五 怛他羯他耶六 怛姪他唵七
薩婆桑悉迦囉八 波唎輸底九 達磨底十 伽伽那十一 莎訶娑特迦底十二 薩婆婆毗輸底十三
摩訶娜耶十四 波唎婆嚟莎訶十五
若有自書寫教人書寫是無量壽宗要經，即是書寫八萬四千部，建立塔廟陁羅尼曰
南謨薄伽勃底一 阿波唎蜜多二 阿喻紇硯那三 須毗你悉指陀四 囉佐耶五 怛他羯他耶六 怛姪他唵七
薩婆桑悉迦囉八 波唎輸底九 達磨底十 伽伽那十一 莎訶娑特迦底十二 薩婆婆毗輸底十三
摩訶娜耶十四 波唎婆嚟莎訶十五
若有自書寫教人書寫是無量壽宗要經，能消五無間等一切重罪陁羅尼曰
南謨薄伽勃底一 阿波唎蜜多二 阿喻紇硯那三 須毗你悉指陀四 囉佐耶五 怛他羯他耶六 怛姪他唵七
薩婆桑悉迦囉八 波唎輸底九 達磨底十 伽伽那十一 莎訶娑特迦底十二 薩婆婆毗輸底十三
摩訶娜耶十四 波唎波唎莎訶十五

BD02738號　無量壽宗要經　（6–3）

薩婆桑悉迦囉八 波唎輸底九 達磨底十 伽伽那十一 莎訶娑特迦底十二 薩婆婆毗輸底十三
摩訶娜耶十四 波唎婆嚟莎訶十五
若有自書寫教人書寫是無量壽宗要經，能消五無間等一切重罪陁羅尼曰
南謨薄伽勃底一 阿波唎蜜多二 阿喻紇硯那三 須毗你悉指陀四 囉佐耶五 怛他羯他耶六 怛姪他唵七
薩婆桑悉迦囉八 波唎輸底九 達磨底十 伽伽那十一 莎訶娑特迦底十二 薩婆婆毗輸底十三
摩訶娜耶十四 波唎波唎莎訶十五
若有自書寫教人書寫是無量壽宗要經受持讀誦，設有重罪猶如須彌，盡能除滅陁羅尼曰
南謨薄伽勃底一 阿波唎蜜多二 阿喻紇硯那三 須毗你悉指陀四 囉佐耶五 怛他羯他耶六 怛姪他唵七
薩婆桑悉迦囉八 波唎輸底九 達磨底十 伽伽那十一 莎訶娑特迦底十二 薩婆婆毗輸底十三
摩訶娜耶十四 波唎婆嚟莎訶十五
若有自書寫教人書寫是無量壽宗要經受持讀誦，若魔、魔之眷屬、夜叉、羅剎不得其
便，終無枉死陁羅尼曰
南謨薄伽勃底一 阿波唎蜜多二 阿喻紇硯那三 須毗你悉指陀四 囉佐耶五 怛他羯他耶六 怛姪他唵七
薩婆桑悉迦囉八 波唎輸底九 達磨底十 伽伽那十一 莎訶娑特迦底十二 薩婆婆毗輸底十三
摩訶娜耶十四 波唎波囉莎訶十五
若有自書寫教人書寫是無量壽宗要經受持讀誦，當命終時有九十九俱胝佛現其
人前，并千佛手執送一切佛剎，莫於此經生疑惑陁羅尼曰
南謨薄伽勃底一 阿波唎蜜多二 阿喻紇硯那三 須毗你悉指陀四 囉佐耶五 怛他羯他耶六 怛姪他唵七
薩婆桑悉迦囉八 波唎輸底九 達磨底十 伽伽那十一 莎訶娑特迦底十二 薩婆婆毗輸底十三
摩訶娜耶十四 波唎婆嚟莎訶十五
若有自書寫教人書寫是無量壽宗要經受持讀誦，常得四天大王隨其衛護陁羅尼曰
南謨薄伽勃底一 阿波唎蜜多二 阿喻紇硯那三 須毗你悉指陀四 囉佐耶五 怛他羯他耶六 怛姪他唵七
薩婆桑悉迦囉八 波唎輸底九 達磨底十 伽伽那十一 莎訶娑特迦底十二 薩婆婆毗輸底十三
摩訶娜耶十四 波唎波莎訶十五
若有自書寫教人書寫是無量壽宗要經受持讀誦，當得往生西方無量樂世界阿彌陁
淨土陁羅尼曰
南謨薄伽勃底一 阿波唎蜜多二 阿喻紇硯那三 須毗你悉指陀四 囉佐耶五 怛他羯他耶六 怛姪他唵七
薩婆桑悉迦囉八 波唎輸底九 達磨底十 伽伽那十一 莎訶娑特迦底十二 薩婆婆毗輸底十三
摩訶娜耶十四 波唎婆嚟莎訶十五
若有方所自書寫使人書寫是無量壽經典之處，則為是塔，寺應恭敬作禮。若是畜生
或為鳥獸得聞是經，如是等類皆當不久得成一切種智陁羅尼曰

BD02738號　無量壽宗要經　（6–4）

若有自書寫教人書寫是無量壽宗要經受持讀誦當得往生西方極樂世界阿彌陀
淨土陀羅尼曰
南謨薄伽勃底一 阿波唎蜜哆二 阿喻紇硯娜三 須毗你悉指陀四 囉佐耶五 怛他羯他耶六 怛姪他唵七
薩婆桑悉迦囉八 波唎輸底九 達摩底十 伽伽娜十一 莎訶莫特伽底十二 薩婆婆毗輸底十三
摩訶娜耶十四 波唎婆唎莎訶十五
若有方所自書寫使人書寫是無量壽經典之處則為是塔當有應恭敬作禮若是畜生
或為鳥獸得聞是經如是等類皆當不久得成一切種智陀羅尼曰
南謨薄伽勃底一 阿波唎蜜哆二 阿喻紇硯娜三 須毗你悉指陀四 囉佐耶五 怛他羯他耶六 怛姪他唵七
薩婆桑悉迦囉八 波唎輸底九 達摩底十 伽伽娜十一 莎訶莫特伽底十二 薩婆婆毗輸底十三
摩訶娜耶十四 波唎婆唎莎訶十五
若有於是無量壽經自書寫若使人書畢竟不受女人之身陀羅尼曰
南謨薄伽勃底一 阿波唎蜜哆二 阿喻紇硯娜三 須毗你悉指陀四 囉佐耶五 怛他羯他耶六 怛姪
他唵七 薩婆桑悉迦囉八 波唎輸底九 達摩底十 伽伽娜十一 莎訶莫特伽底十二 薩婆婆毗輸底十三
摩訶娜耶十四 波唎婆唎莎訶十五
若有能於是經少分能惠施者等於三千大千世界滿中七寶而布施陀羅尼曰
南謨薄伽勃底一 阿波唎蜜哆二 阿喻紇硯娜三 須毗你悉指陀四 囉佐耶五 怛他羯他耶六
怛姪他唵七 薩婆桑悉迦囉八 波唎輸底九 達摩底十 伽伽娜十一 莎訶莫特伽底十二 薩婆
婆毗輸底十三 摩訶娜耶十四 波唎婆唎莎訶十五
若有能供養是經者則是供養一切諸經等無有別異陀羅尼曰
南謨薄伽勃底一 阿波唎蜜哆二 阿喻紇硯娜三 須毗你悉指陀四 囉佐耶五 怛他羯他
耶六 怛姪他唵七 薩婆桑悉迦囉八 波唎輸底九 達摩底十 伽伽娜十一 莎訶莫特伽底十二 薩
婆婆毗輸底十三 摩訶娜耶十四 波唎婆唎莎訶十五
如是毗婆尸佛 尸棄佛 毗舍浮佛 拘留孫佛 拘那含牟尼佛 迦葉佛 釋迦牟尼佛 若有人
以七寶供養如是七佛其福有限書寫受持是無量壽經典所有功德不可限量陀羅尼曰
南謨薄伽勃底一 阿波唎蜜哆二 阿喻紇硯娜三 須毗你悉指陀四 囉佐耶五 怛他羯他耶六 怛姪他唵七
薩婆桑悉迦囉八 波唎輸底九 達摩底十 伽伽娜十一 莎訶莫特伽底十二 薩婆婆毗輸底十三
摩訶娜耶十四 波唎婆唎莎訶十五
若有七寶等於須彌以用布施其福上能知其限量是無量壽經典其福不可知數陀羅尼曰
南謨薄伽勃底一 阿波唎蜜哆二 阿喻紇硯娜三 須毗你悉指陀四 囉佐耶五 怛他羯他耶六 怛姪他唵七
薩婆桑悉迦囉八 波唎輸底九 達摩底十 伽伽娜十一 莎訶莫特伽底十二 薩婆婆毗輸底十三
摩訶娜耶十四 波唎婆唎莎訶十五
如是四大海水可知滴數是無量壽經典所生果報不可數量陀羅尼曰

BD02738號　無量壽宗要經　（6–5）

南謨薄伽勃底一 阿波唎蜜哆二 阿喻紇硯娜三 須毗你悉指陀四 囉佐耶五 怛他羯他耶六 怛姪他唵七
薩婆桑悉迦囉八 波唎輸底九 達摩底十 伽伽娜十一 莎訶莫特伽底十二 薩婆婆毗輸底十三
摩訶娜耶十四 波唎婆唎莎訶十五
若有七寶等於須彌以用布施其福上能知其限量是無量壽經典其福不可知數陀羅尼曰
南謨薄伽勃底一 阿波唎蜜哆二 阿喻紇硯娜三 須毗你悉指陀四 囉佐耶五 怛他羯他耶六 怛姪他唵七
薩婆桑悉迦囉八 波唎輸底九 達摩底十 伽伽娜十一 莎訶莫特伽底十二 薩婆婆毗輸底十三
摩訶娜耶十四 波唎婆唎莎訶十五
如是四大海水可知滴數是無量壽經典所生果報不可數量陀羅尼曰
南謨薄伽勃底一 阿波唎蜜哆二 阿喻紇硯娜三 須毗你悉指陀四 囉佐耶五 怛他羯他耶六 怛姪他
唵七 薩婆桑悉迦囉八 波唎輸底九 達摩底十 伽伽娜十一 莎訶莫特伽底十二 薩婆婆毗輸底十三
摩訶娜耶十四 波唎婆唎莎訶十五
若有人自書寫使人書寫是無量壽經典又能讀誦持供養即如禮敬供養一切十方佛土
如來無有別異陀羅尼曰
南謨薄伽勃底一 阿波唎蜜哆二 阿喻紇硯娜三 須毗你悉指陀四 囉佐耶五 怛他羯他耶六 怛姪他唵七
薩婆桑悉迦囉八 波唎輸底九 達摩底十 伽伽娜十一 莎訶莫特伽底十二 薩婆婆毗輸底十三
摩訶娜耶十四 波唎婆唎莎訶十五
南謨薄伽勃底一 阿波唎蜜哆二 阿喻紇硯娜三 須毗你悉指陀四 囉佐耶五 怛他羯他耶六 怛姪他唵七
薩婆桑悉迦囉八 波唎輸底九 達摩底十 伽伽娜十一 莎訶莫特伽底十二 薩婆婆毗輸底十三
摩訶娜耶十四 波唎婆唎莎訶十五
布施力能成正覺 悟布施力入師子 布施力能聲普聞 慈悲暗漸眾能入
持戒力能成正覺 悟持戒力入師子 持戒力能聲普聞 慈悲暗漸眾能入
忍辱力能成正覺 悟忍辱力入師子 忍辱力能聲普聞 慈悲暗漸眾能入
精進力能成正覺 悟精進力入師子 精進力能聲普聞 慈悲暗漸眾能入
禪定力能成正覺 悟禪定力入師子 禪定力能聲普聞 慈悲暗漸眾能入
智慧力能成正覺 悟智慧力入師子 智慧力能聲普聞 慈悲暗漸眾能入
爾時如來說是經已一切世間天人阿脩羅揵闥婆等聞佛所說皆大歡
喜信受奉行
佛說無量壽宗要經

BD02738號　無量壽宗要經　（6–6）

一切經音義卷第十三

BD02738 號背　勘記　　　　（1–1）

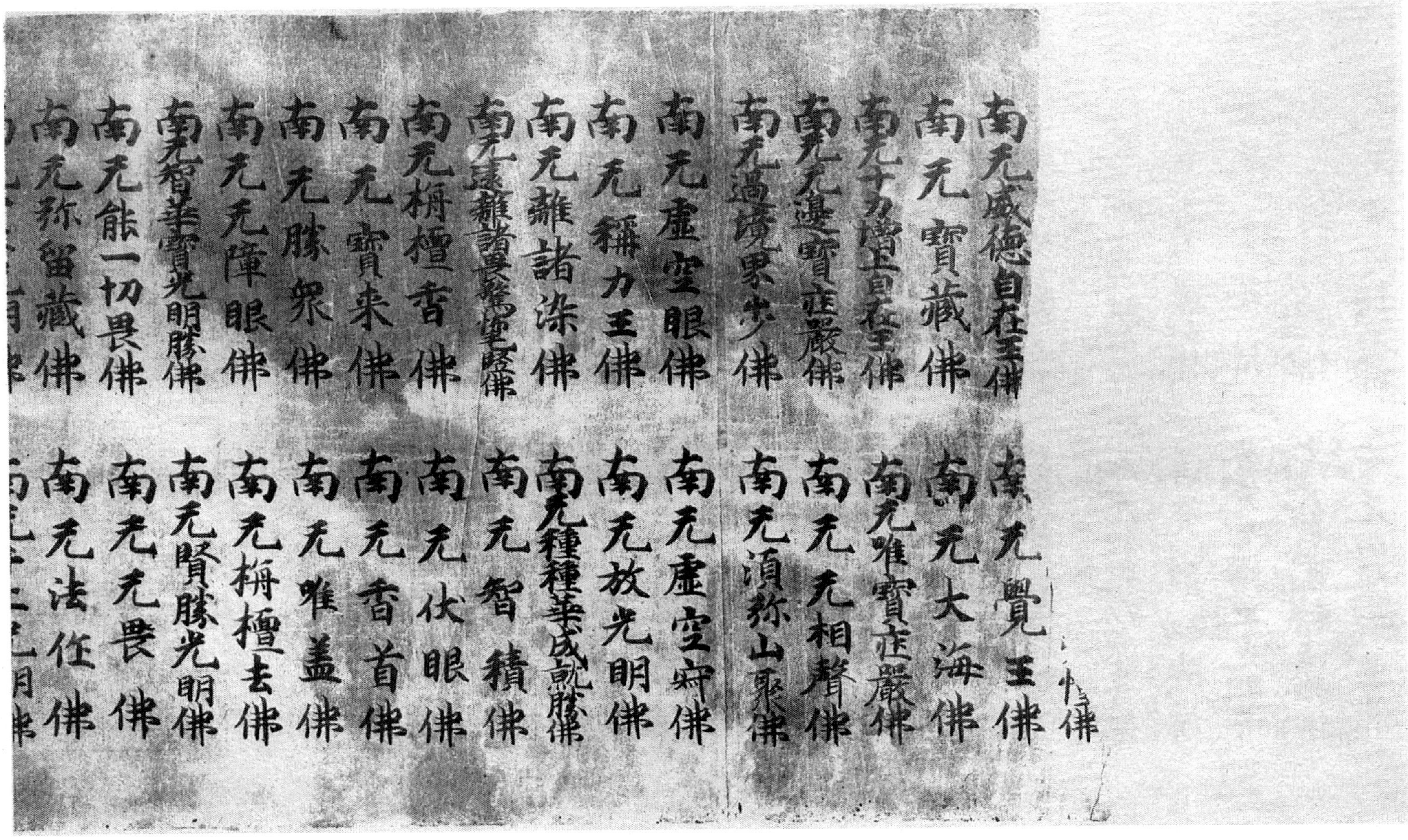

南无威德自在王佛
南无寶藏佛
南无十力增上自在王佛
南无邊寶莊嚴佛
南无過境界步佛
南无虛空眼佛
南无稱力王佛
南无離諸染佛
南无遠離諸畏驚怖佛
南无栴檀香佛
南无寶來佛
南无勝衆佛
南无无障眼佛
南无智華寶光明勝佛
南无能一切畏佛
南无弥留藏佛

南无覺王佛
南无大海佛
南无唯寶莊嚴佛
南无无相聲佛
南无須弥山聚佛
南无虛空寂佛
南无放光明佛
南无種種華成就勝佛
南无智積佛
南无伏眼佛
南无香首佛
南无唯蓋佛
南无栴檀去佛
南无賢勝光明佛
南无无畏佛
南无法住佛

BD02739 號　佛名經（十二卷本　異卷）卷一〇　　　　（25–1）

南无勝光佛　南无唯蓋佛
南无无障眼佛　南无栴檀去佛
南无智華寶光明勝佛　南无賢勝光明佛
南无能一切畏佛　南无无畏佛
南无弥留藏佛　南无法住佛
南无十上光明佛　南无千上光明佛
南无智光明佛　南无寶勝光明佛　一万三百
南无无邊光明佛　南无无礙聲佛
南无羅網光明佛　南无種種寶智佛
南无无邊莊嚴佛　南无優波羅勝佛
南无住智勝佛　南无優波勝能聖佛
南无智稱佛　南无沙羅自在王佛
南无寶娑羅佛　南无大将佛
南无寶鼻佛　南无不空名稱佛
南无勝成就功德佛　南无稱王佛
南无空步佛　南无香光明佛
南无无障礙聲佛　南无稱力王佛
南无須弥增長勝王佛　南无寶勝功德佛
南无波頭摩勝佛　南无寶起佛
南无香光明佛　南无十方稱發起佛
南无普護增上雲聲王佛　南无无邊光明佛
南无无邊智成佛　南无无邊輪奮迅佛

BD02739號　佛名經（十二卷本　異卷）卷一〇　（25–2）

南无香光明佛　南无十方稱發起佛
南无普護增上雲聲王佛　南无无邊光明佛
南无无邊智成佛　南无无邊輪奮迅佛
南无衆上首佛　南无華勝王佛
南无寶像佛　南无不空名稱佛
南无發起无邊精進功德佛　南无發心莊嚴一切衆生佛
南无蓋行佛　南无光明輪威德王佛
南无功德王光明佛　南无一切得到彼岸佛
南无然燈住佛　南无能住光明佛
南无得功德佛　南无波頭摩上勝佛
南无寶住佛　南无无邊頂佛
南无无邊功德王住佛　南无寶聚佛
南无娑羅自在王佛　南无寶光明佛
南无寶積佛　南无㝡上佛
南无脩行无邊功德佛　南无觀聲佛
南无須弥山光明佛　南无无邊境界佛
南无妙去佛　南无寶華成就勝佛
南无无邊奮迅佛　南无發起一切衆生信佛
南无寶蓋起佛　南无勝功德佛
南无不可華佛　南无寶境界光明佛
南无寶勝功德佛　南无發心即轉法輪佛
南无十方稱名佛　南无迦陵迦王佛

BD02739號　佛名經（十二卷本　異卷）卷一〇　（25–3）

南无不可華佛　南无寶境界光明佛
南无寶勝功德佛　南无發心即轉法輪佛
南无十方稱名佛　南无迦陵迦王佛
南无日輪然燈佛　南无功德王住佛
南无智成就勝佛　南无寶上佛
南无无障礙明佛　南无无畏佛
南无智積佛　南无發起无譬喻相佛
南无積光明輪威德佛　南无回意佛
南无那羅延佛　南无无垢離兜佛
南无月積佛　南无清淨意佛
南无安隱佛　南无發起善思惟佛
南无能破諸怨佛　南无優波羅功德佛
南无稱力王佛　南无无邊光明雲香積佛
南无種種色華佛　南无无邊光佛
南无能轉能住佛　南无勝香佛
南无寶勝佛　南无香山佛
南无信一切衆生志智見佛　南无无相聲佛
南无智功德積佛　南无无障聲佛
南无一蓋藏佛　南无不動勢佛
南无迦葉佛　南无觀（見）一切境界佛
南无上首佛　南无成義佛

BD02739號　佛名經（十二卷本　異卷）卷一〇　（25-4）

南无迦葉佛　南无觀（見）一切境界佛
南无上首佛　南无成義佛
南无成勝佛　南无稱佛
南无離一切疑佛　南无智德佛
南无功德乘佛　南无星宿王佛
南无不可量離兜佛　南无栴檀佛
南无羅網光佛　南无梵聲佛
南无不可量寶體勝佛　南无一切法无觀佛
南无發一切衆生不斷絶脩佛　南无无邊奮迅佛
南无見一切法佛　南无見一切法平等佛
南无成就无邊功德佛　南无智高光明佛
南无波頭摩上佛　南无十方上佛
南无華成功德佛　南无堅固衆生佛
南无智光明佛　南无智衆佛
南无離藏佛　南无明王佛
南无不分別脩行佛　南无无邊智稱佛
南无栴檀屋勝佛　南无无比智華成佛
南无善住娑羅王佛　南无勝月光明佛
南无須弥聚佛　南无稱名佛
南无過十方稱佛　南无稱名親佛
南无稱堅固佛　南无離憂惱佛

BD02739號　佛名經（十二卷本　異卷）卷一〇　（25-5）

南无須弥聚佛　南无稱名佛
南无過十方稱佛　南无稱名親佛
南无稱堅固佛　南无離憂惱佛
南无波頭摩勝王功德佛　南无散華離兜佛
南无普放香光明佛　南无波耶陁眼佛
南无放熖佛　南无十方稱名佛
南无光明弥留佛　南无寶光明佛
南无然尸棄佛　南无三界境界勢佛
南无光明輪佛　南无虚空寂境界佛
南无盡境界佛　南无妙寶聲佛
南无普境界佛　南无智稱佛
南无光明輪境界勝王佛　南无善住佛
南无成就佛寶功德佛　南无起智功德佛
南无一切功德佛　南无佛境界清淨佛
南无起智光明威德積聚佛　南无成就波頭摩王佛
南无第一境界法佛　南无半月光明佛
南无香像佛　南无成就波頭摩功德佛
南无栴檀功德佛　南无寶山佛
南无黠慧行佛　南无能住无畏佛
南无无邊功德勝佛　南无光明離兜佛
南无住无邊功德佛　南无成就一切勝功德佛
南无住持炬佛　南无勝敵對佛

BD02739 號　佛名經（十二卷本　異卷）卷一〇　（25–6）

南无黠慧行佛　南无能住无畏佛
南无无邊功德勝佛　南无光明離兜佛
南无住无邊功德佛　南无成就一切勝功德佛
南无住持炬佛　南无勝敵對佛
南无勝王佛　南无星宿王佛
南无无邊山佛　南无虚空輪清淨王佛
南无无邊聲佛　南无无邊光明佛
南无寶弥留佛　南无種種寶佛
南无拘脩摩敷佛　南无上首佛
南无垢離垢發脩行光明佛　南无金色華佛
南无寶窟佛　南无種種華成就佛
南无放光明佛　南无成就華佛
南无華蓋佛　南无不空發脩行佛
南无勝力王佛　南无淨聲王佛
南无无邊上首佛　南无无障眼佛
南无破諸趣佛　南无離疑佛
南无无相聲佛　南无畢竟成就无邊功德佛
南无寶成就勝佛　南无波頭摩得勝功德佛
南无寶妙佛　南无三世无礙發脩行佛
南无无邊照佛　南无寶弥留佛
南无勢燈勝王佛　南无成就智德佛
南无炬然燈佛　南无无上光明佛

BD02739 號　佛名經（十二卷本　異卷）卷一〇　（25–7）

南无无邊照佛
南无寶彌留佛
南无勢燈勝王佛
南无成就智德佛
南无炬然燈佛
南无无上光明佛
南无功德王光明佛
南无弗沙佛
南无梵聲佛
南无功德輪佛
南无十方燈佛
南无佛華成就德佛
南无娑羅自在王佛
南无華鬘佛
南无寶積佛
南无見種種佛
南无樂王佛
南无寂上佛
南无賢勝佛
南无香妙佛
南无香勝雞兜佛
南无栴檀屋佛
南无香雞兜佛
南无无邊精進佛
南无過十光佛
南无佛彼頭摩妙佛
南无无邊境界佛
南无鴦稀波頭摩成就勝王佛
南无寶羅網佛
南无善住王佛
南无寂勝香王佛
南无能與一切樂佛
南无能現一切念佛
南无不空名稱佛
南无寶光明佛
南无普隱無一切眾生樂佛
南无无邊虛空莊嚴勝佛
南无善莊嚴佛
南无虛空雞兜佛
南无普華成就勝佛
南无可樂勝佛
南无无邊境界來佛
南无淨眼佛
南无高山佛

BD02739號　佛名經（十二卷本　異卷）卷一〇　（25–8）

南无虛空雞兜佛
南无普華成就勝佛
南无可樂勝佛
南无无邊境界來佛
南无淨眼佛
南无高山佛
南无不可降伏幢佛
南无可諂佛
南无无邊无際諸山佛
南无月輪莊嚴王佛
南无寂勝彌留佛
南无樂成就德佛
南无清淨諸彌留佛
南无安樂德佛
南无梵德佛
南无无障目佛
南无住无邊功德佛
南无威德王佛
南无梵勝佛
南无善思惟成就諸願佛
南无清淨輪王佛
南无智高佛
南无勇猛仙佛
南无智積佛
南无住方佛
南无能忍佛
南无離諸有佛
南无智護佛
南无妙功德佛
南无隨眾生心現境界佛
南无鏡佛
南无无邊寶佛
南无離一切受境界无異佛
南无无礙寶光明佛
南无无礙照佛
南无念一切佛境界佛
南无能現一切佛像佛
南无无相體佛
南无化聲佛
南无化聲善聲佛
南无寶成就勝功德佛
南无海彌留佛
南无无垢意佛
南无智華成就佛

BD02739號　佛名經（十二卷本　異卷）卷一〇　（25–9）

南无化聲佛
南无寶成就勝功德佛
南无无垢意佛
南无高威德山佛
南无離恨佛
南无成就不可量功德佛
南无求无畏香佛
南无雲妙鼓聲佛
南无无邊勢力步佛
南无勝香須弥佛
南无普見佛
南无月燈佛
南无勢燈佛
南无金剛生佛
南无智力稱佛
南无功德王佛
南无善眼佛
南无寶蓋佛
南无无邊境界不空稱佛
南无種種華佛
南无常獻香佛
南无常求安樂佛

南无化聲善聲佛
南无海弥留佛
南无智華成就佛
南无寂佛
南无斷一切諸道佛
南无成就勝境界佛
南无无障礙音光明佛 一万六百
南无成就勝功德佛
南无須弥山堅佛
南无无邊光佛
南无得无畏佛
南无火燈佛
南无高脩佛
南无智自在王佛
南无无畏上佛
南无波婆娑佛
南无妙莊嚴佛
南无香烏佛
南无不可思議功德王光佛
南无无畏王佛
南无妙藥樹王佛
南无无邊意行佛

BD02739號　佛名經（十二卷本　異卷）卷一〇　（25-10）

南无常獻香佛
南无常求安樂佛
南无无邊境界佛
南无无邊目佛
南无色聲境界佛
南无香上勝佛
南无勝功德佛
南无妙弥留佛
南无婆伽羅佛
南无然難兜佛
南无智山佛
南无功德王光明佛
南无波頭勝成就佛
南无寶蓮華勝佛
南无領勝衆佛
南无華勝佛
南无照波頭摩光明佛
南无无邊步佛
南无阿謨荷見佛
南无无邊功德稱光明佛
南无无邊照佛

南无妙藥樹王佛
南无无邊意行佛
南无无邊光佛
南无无邊虛空[illegible]佛
南无星宿王佛
南无虛空勝佛
南无現諸方佛
南无无障眼佛
南无庭燎佛
南无无垢月威德光佛
南无稱力王佛
南无智見佛
南无寶火佛
南无斷諸疑佛
南无難兜王佛
南无放光明佛
南无方王法難兜佛
南无婆伽羅山佛
南无无障礙吼聲佛
南无世間涅槃光[illegible]脩佛
南无善眼佛

BD02739號　佛名經（十二卷本　異卷）卷一〇　（25-11）

南无无邊照佛　南无善眼佛
南无一蓋藏佛　南无放光明佛
南无過去未來現在發脩行佛　南无无邊華佛
南无无邊淨佛　南无无邊光佛
南无无邊照佛　南无无邊明佛
南无妙明佛　南无无邊境界佛
南无无邊步佛　南无等蓋行佛
南无寶蓋佛　南无星宿王佛
南无善星宿佛　南无光明輪佛
南无光明王佛　南无勝光明功德佛
南无不可量光佛　南无勝佛
南无不可量境界佛　南无无礙聲吼佛
南无大雲光佛　南无闍梨屋山佛
南无佛華光明佛　南无波頭摩勝華王佛
南无星宿上首佛　南无放光明佛
南无三同鄰那堅佛　南无不空見佛
南无頂勝功德佛　南无波頭勝功德佛 一万七百
南无无癡佛　南无能度佛
南无无進步佛　南无離愚境界佛
南无无闇光明佛　南无无邊精進佛
南无娑羅自在王佛　南无寶娑羅佛
南无一蓋佛　南无蓋莊嚴佛

BD02739號　佛名經（十二卷本　異卷）卷一〇　（25–12）

南无无進步佛　南无離愚境界佛
南无无闇光明佛　南无无邊精進佛
南无娑羅自在王佛　南无寶娑羅佛
南无一蓋佛　南无蓋莊嚴佛
南无寶聚佛　南无栴檀聚香佛
南无栴檀屋佛　南无无邊光明佛
南无光輪佛　南无山莊嚴佛
南无无障礙眼佛　南无善明佛
南无寶成佛　南无一切功德勝佛
南无成就佛華功德佛　南无善住意佛
南无无邊方便佛　南无不空功德佛
南无寶勢佛　南无无邊脩行佛
南无莊嚴无邊功德佛　南无虛空輪光佛
南无无相聲佛　南无藥王佛
南无不怯弱佛　南无離諸畏毛竪佛
南无功德王光明佛　南无觀智起華佛
南无虛空寂佛　南无虛空聲佛
南无虛空莊嚴佛　南无大眼佛
南无勝功德佛　南无成佛
南无佛波頭摩德佛　南无成功德佛
南无師子勝佛　南无成就義佛
南无師子護佛　南无善住王佛

BD02739號　佛名經（十二卷本　異卷）卷一〇　（25–13）

南无師子勝佛　南无成就義佛
南无師子護佛　南无善住王佛
南无梵山佛　南无淨目佛
南无不空跡步佛　南无香烏佛
南无香德佛　南无香弥留佛
南无无邊眼佛　南无財屋佛
南无香山佛　南无寶師子佛
南无堅固衆生佛　南无妙勝住王佛
南无无邊境界勝王佛　南无勝精進王佛
南无无疑佛　南无善星宿王佛
南无然燈佛　南无能作光明佛
南无光明山佛　南无光明輪佛
南无妙蓋佛　南无香蓋佛
南无寶蓋佛　南无香去蓋佛
南无栴檀勝佛　南无須弥山積聚佛
南无種種寶光明佛　南无堅固自在王佛
南无淨勝佛　南无淨眼佛
南无不弱佛　南无寶勝佛
南无施羅王佛　南无發脩行轉女根佛
南无發无邊脩行佛　南无宷妙光佛
南无闍梨尼光明山佛　南无因王佛

BD02739號　佛名經（十二卷本　異卷）卷一〇　（25–14）

南无施羅王佛　南无發脩行轉女根佛
南无發无邊脩行佛　南无宷妙光佛
南无闍梨尼光明山佛　南无因王佛
南无梵勝佛　南无稱身佛
南无華山佛　南无轉胎佛
南无轉難佛　南无斷諸念佛
南无發起諸念佛　南无常脩行佛
南无善住佛　南无一藏佛
南无一山佛　南无无邊身佛
南无无邊精進佛　南无光明輪佛
南无无邊功德王光佛　南无降伏一切諸怨佛
南无過一切魔境界佛　南无不可量華佛
南无不可量香佛　南无不可量聲佛
南无光明頂佛　南无光明勝佛
南无不離二佛　南无輪佛
南无不可量佛華光明佛　南无不可量聲佛
南无光明山佛　南无娑羅自在王佛
南无日面佛　南无善目佛
南无虛空佛　南无寶華佛
南无寶成佛　南无月華佛
南无發諸行佛　南无斷諸世間佛
南无无邊樂說佛　南无離諸驚畏佛

BD02739號　佛名經（十二卷本　異卷）卷一〇　（25–15）

南无寶[illegible]佛　南无[illegible]華佛
南无發諸行佛　南无斷諸世間佛
南无无邊樂說佛　南无離諸競畏佛
南无樂說一切境界佛　南无普香光明佛
南无香光佛　南无香弥留佛
南无香勝佛　南无香為佛
南无導師佛　南无勝諸衆生佛
南无斷何叉那佛　南无發善行佛
南无善華佛　南无无邊香佛
南无普散香光明佛　南无普散香佛
南无普散光佛　南无普散波頭摩勝佛
南无寶闍梨屋王佛　南无起王佛
南无普佛國土一蓋佛　南无蓋住王佛
南无妙香佛　南无无邊智境界道
南无不空發佛　南无不空見佛
南无无障目佛　南无不動佛
南无發生菩提心佛　南无无量眼佛
南无有燈佛　南无普照佛
南无光明佛　南无一切佛國土佛
南无不斷慈一切衆生樂說佛　南无能離一切衆生有佛　南无无垢步佛　南无樂脩行勝佛
南无无跡步佛　南无離一切憂佛
南无无畏王佛　南无勝山佛

BD02739號　佛名經（十二卷本　異卷）卷一〇　　（25–16）

南无不斷慈一切衆生樂說佛　南无能離一切衆生有佛　南无无垢步佛　南无樂脩行勝佛
南无无跡步佛　南无離一切憂佛
南无无畏王佛　南无勝山佛
南无香面佛　南无俱憐佛
南无大力勝佛　南无寶憂波羅勝佛
南无拘牟頭成佛　南无高聲眼佛
南无上首佛　南无高華成佛
南无无邊光明佛　南无月出光佛
南无十方稱佛　南无多羅歌王增上佛
南无无邊光明佛　南无最勝香山佛
南无无畏佛　南无成就无畏德佛
南无成就見邊功德佛　南无一切功德莊嚴佛
南无華王佛　南无不可降伏幢佛
南无增上護光佛　南无鷲怖波頭摩勝王佛
南无不異心成就勝佛　南无一切上佛
南无虛空輪清淨王佛　南无无量聲吼佛
南无无相聲吼佛　南无寶起功德佛
南无梵勝佛　南无无障礙香手佛
南无弥留山光明佛　南无波頭摩勝光佛
南无能住稱名佛　南无稱親佛
南无堅固自在王佛　南无現在積聚无畏佛
南无過去如是等无量无邊佛
南无寶功德光明佛　南无普護佛

BD02739號　佛名經（十二卷本　異卷）卷一〇　　（25–17）

南无[illegible]自在王佛　南无[illegible]佛
南无寶功德光明佛　南无普護佛
南无過去如是等无量无邊佛
南无寶光照佛　南无月莊嚴寶光明[illegible]德聲王佛
南无拘蘇摩樹提[illegible]遍佛　南无清淨月輪佛
南无寂静月聲佛　南无阿僧祇住功德精進勝佛
南无善稱名勝佛　南无因陁羅雞兜幢星宿王佛
南无普光明莊嚴勝佛　南无降伏敵對步佛
南无普功德光明莊嚴勝佛　南无无礙藥王樹勝佛
南无波頭摩步佛　南无寶波頭摩善住娑羅王佛
南无師子佛　南无日光佛
南无火光佛　南无无邊光佛
南无波頭摩王佛　南无阿偶多羅佛
南无波頭摩勝佛　南无善華佛
南无寶心佛　南无无礙光佛
南无山幢佛　南无寶幢佛
南无寶焰佛　南无大焰聚佛
南无栴檀香佛　南无善利光佛
南无波頭摩數身佛　南无依心无邊功德佛
南无寶體法聲王佛　南无阿僧精進聚集勝佛
南无智通佛　南无弥留山積佛
南无然燈佛　南无大威德力佛

BD02739號　佛名經（十二卷本　異卷）卷一〇　（25–18）

南无智通佛　南无弥留山積佛
南无然燈佛　南无大威德力佛
南无日月佛　南无栴檀佛
南无須弥劫佛　南无月色佛
南无不染佛　南无降伏龍佛
南无龍天佛　南无金色鏡像佛
南无山聲自在王佛　南无山積佛
南无須弥藏佛　南无供養光佛
南无勝覺佛　南无地山佛
南无瑠璃華佛　南无妙瑠璃金形像佛
南无降伏月佛　南无日聲佛
南无散華莊嚴佛　南无海山智奮迅通佛
南无水光佛　南无大香鏡像佛
南无不動山佛　南无寶集佛
南无勝山佛　南无勇猛山佛
南无多功德住持得通佛　南无日月瑠璃光佛
南无勝瑠璃光佛　南无心開智拘蘇摩勝佛
南无月光佛　南无日光佛
南无散華王拘蘇摩通佛　南无栴檀月光佛
南无破无明闇佛　南无普蓋波娑羅佛
南无星宿佛　南无弗沙佛
南无法慧增長佛　南无師子鵰王山乳佛

BD02739號　佛名經（十二卷本　異卷）卷一〇　（25–19）

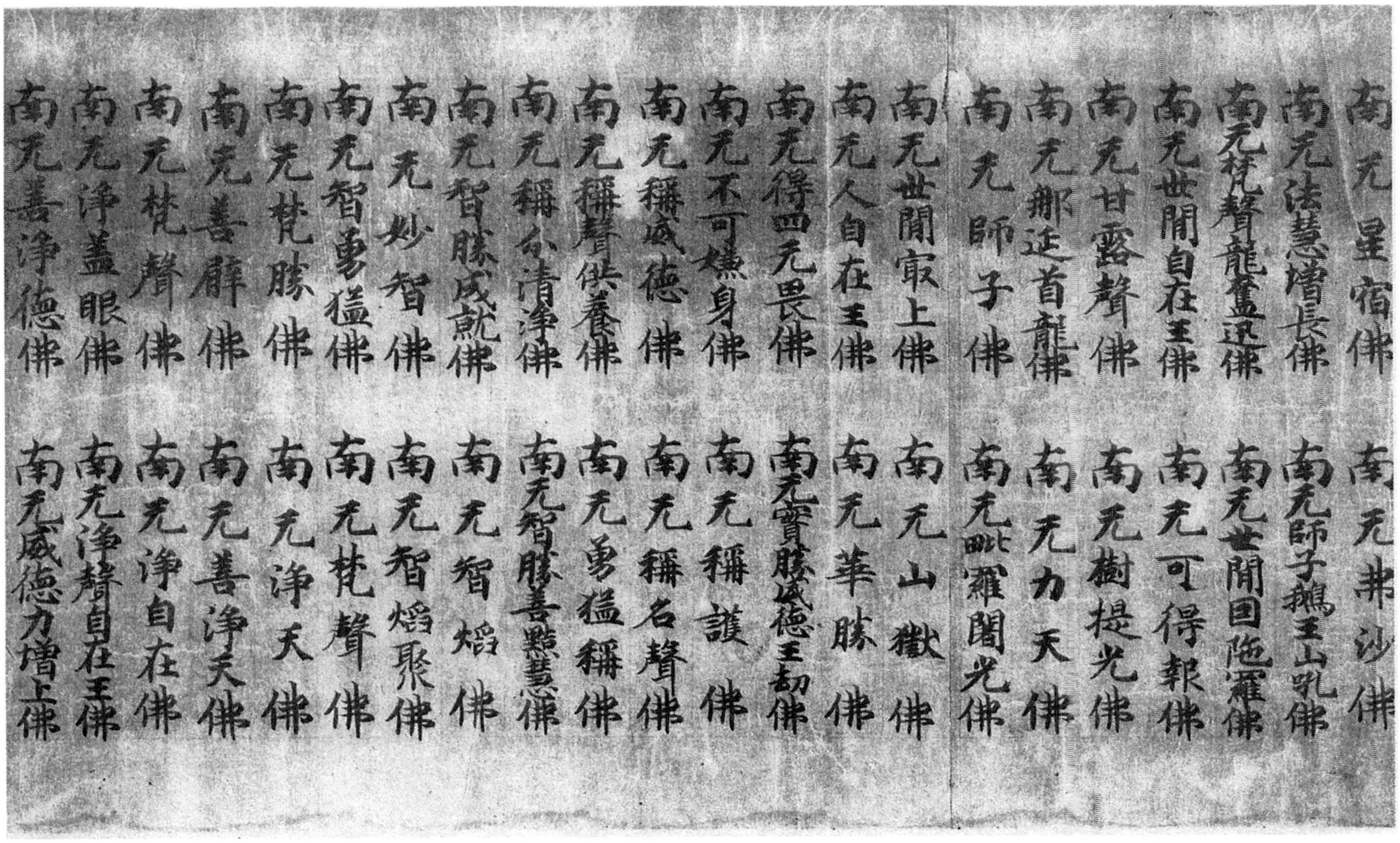
南无星宿佛　南无弗沙佛
南无法慧增長佛　南无師子鵰王山吼佛
南无梵聲龍奮迅佛　南无世間因陁羅佛
南无世間自在王佛　南无可得報佛
南无甘露聲佛　南无樹提光佛
南无那延首龍佛　南无力天佛
南无師子佛　南无毗羅闍光佛
南无世間寂上佛　南无山嶽佛
南无人自在王佛　南无華勝佛
南无得四无畏佛　南无寶勝威德王劫佛
南无不可嫌身佛　南无稱讚佛
南无稱威德佛　南无稱名聲佛
南无稱聲供養佛　南无勇猛稱佛
南无稱分清淨佛　南无智勝善點慧佛
南无智勝成就佛　南无智焰佛
南无妙智佛　南无智焰聚佛
南无智勇猛佛　南无梵聲佛
南无梵勝佛　南无淨天佛
南无善觧佛　南无善淨天佛
南无梵聲佛　南无淨自在佛
南无淨蓋眼佛　南无淨聲自在王佛
南无善淨德佛　南无威德力增上佛

BD02739號　佛名經（十二卷本　異卷）卷一〇　（25–20）

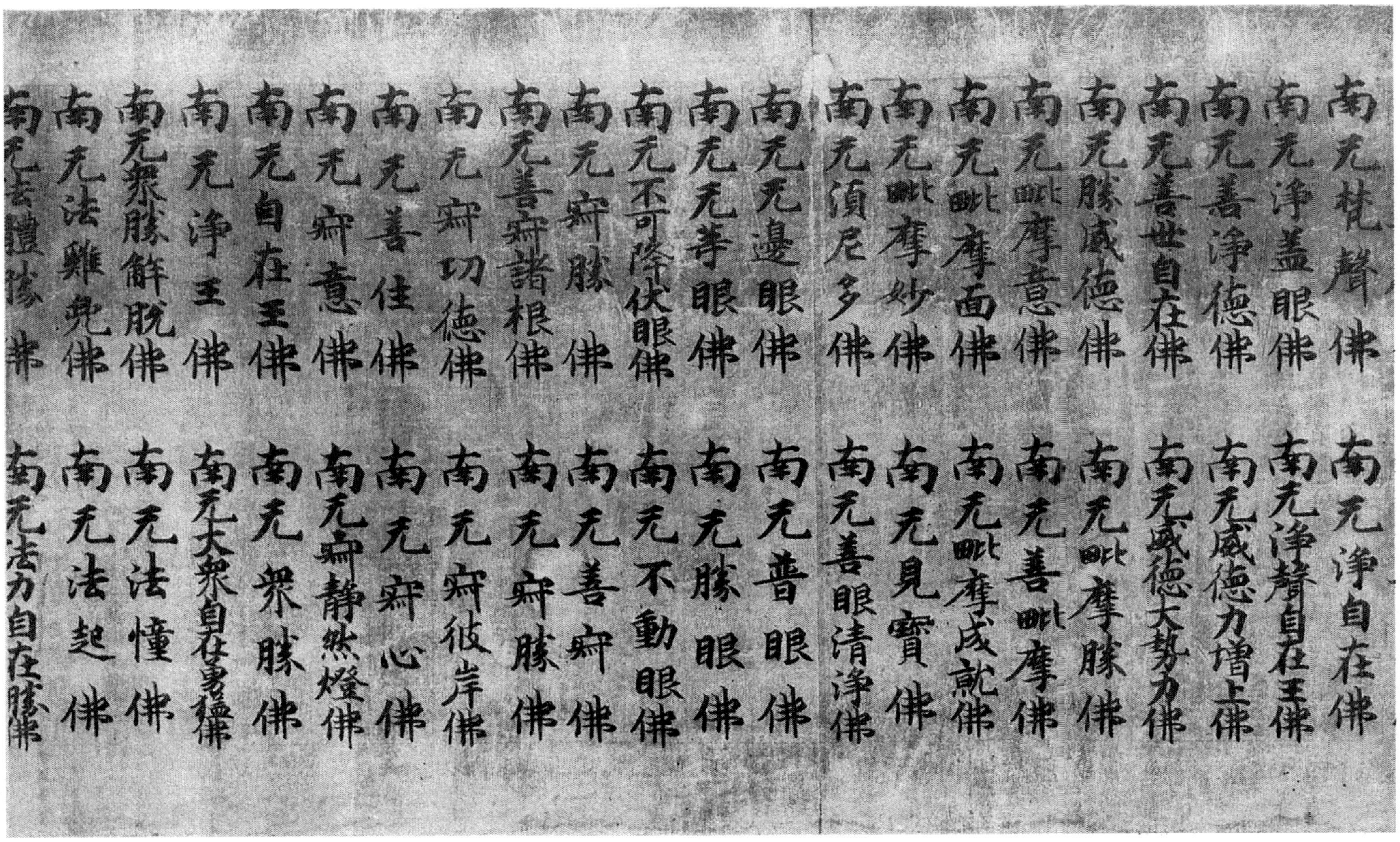
南无梵聲佛　南无淨自在佛
南无淨蓋眼佛　南无淨聲自在王佛
南无善淨德佛　南无威德力增上佛
南无善世自在佛　南无威德大勢力佛
南无勝威德佛　南无毗摩勝佛
南无毗摩意佛　南无善毗摩佛
南无毗摩面佛　南无毗摩成就佛
南无毗摩妙佛　南无見寶佛
南无須尼多佛　南无善眼清淨佛
南无无邊眼佛　南无普眼佛
南无无等眼佛　南无勝眼佛
南无不可降伏眼佛　南无不動眼佛
南无寂勝佛　南无善寂佛
南无善寂諸根佛　南无寂勝佛
南无寂功德佛　南无寂彼岸佛
南无善住佛　南无寂心佛
南无寂意佛　南无衆勝佛
南无自在王佛　南无寂靜然燈佛
南无淨王佛　南无大衆自在勇猛佛
南无衆勝觧脫佛　南无法幢佛
南无法難勝佛　南无法起佛
南无法體勝佛　南无法力自在勝佛

BD02739號　佛名經（十二卷本　異卷）卷一〇　（25–21）

南无淨王佛
南无大衆自在勇猛佛
南无衆勝解脫佛
南无法幢佛
南无法離光佛
南无法起佛
南无法體勝佛
南无法力自在勝佛
南无法勇猛佛
南无樂說莊嚴雲佛
南无寶火佛
南无樂說山佛
南无勝聲佛
南无妙眼佛
南无清淨面月勝藏威德佛
南无成就意佛
南无滿足心佛
南无淨迦羅迦波多威德佛
南无无邊精進佛
南无甘露光佛
南无无比慧佛
南无大威德佛
南无无早德佛
南无月光佛
南无栴檀香佛
南无須弥劫佛
南无山積佛
南无无垢色佛
南无无涂佛
南无龍勝佛
南无金色佛
南无山吼自在王佛
南无金藏佛
南无火光佛
南无大自在佛
南无瑠璃華光佛
南无月勝佛
南无月聲佛
南无散華莊嚴佛
南无大智去照明佛
南无離一切染意佛
南无聚集寶佛
南无德山佛
南无勇猛山佛

BD02739號　佛名經（十二卷本　異卷）卷一〇

（25–22）

南无離一切染意佛
南无聚集寶佛
南无德山佛
南无勇猛山佛
南无梵聲龍奮迅佛
南无世間勝上佛
南无師子奮迅吼佛
南无華勝佛
南无山勝佛
南无成就娑羅自在王佛
南无吼聲佛
南无普光明佛
南无等蓋佛
南无无憂佛
南无智王佛
南无智山佛
南无月光佛
南无普光佛
南无聲德佛
南无无勿成就佛
南无火幢佛
南无智自在佛
南无大自在佛
南无梵聲佛
南无衆自在佛
南无月面佛
南无日面佛
南无聲勝佛
南无梵面佛
南无梵天佛
南无因陁羅雞兜幢佛
南无善思惟月勝成就王佛
南无智光明佛
南无无垢稱王佛
南无樂說莊嚴雲德佛
南无妙聲佛
南无清淨面无垢月勝王佛
南无平等意佛
南无樂說聲佛
南无无垢月佛
南无頗清淨金色[illegible]光明威德王佛
南无寶光明輪王佛
南无智通佛
南无不可數發清淨[illegible]佛

BD02739號　佛名經（十二卷本　異卷）卷一〇

（25–23）

南无樂說聲佛　南无无垢月佛
南无垢清淨金色寶光明威德王佛　南无寶光明輪王佛
南无智通佛　南无不可數發精進奮迅佛
南无山積佛　南无因陁羅雞兜幢王佛
南无善住娑羅王佛　南无波頭摩勝佛
南无善住堅固王佛　南无日月光佛
南无波頭摩光佛　南无波頭摩勝王佛
南无大通佛　南无大通智勝佛
南无无邊智佛　南无多寶佛
南无吼聲降伏一切佛　南无日月无垢光明佛
南无蓮華无垢星宿王華佛　南无雲妙鼓聲王佛
南无住持大聲善寶王莊嚴通佛　南无无垢身佛
南无那伽鉤羅勝佛　南无智照佛
南无現一切功德光明奮迅王佛　南无照光明莊嚴奮迅王佛
南无月明佛　南无光明普照佛
南无寶莊嚴佛　南无散華佛
南无普然燈佛　南无普華佛
南无普光明勝山王佛　南无善住功德摩尼山王佛
南无光明王佛　南无不可降伏幢佛
南无勝功德佛　南无世間自在佛
南无普華佛　南无舌根佛

BD02739號　佛名經（十二卷本　異卷）卷一〇　（25–24）

南无寶莊嚴佛　南无散華佛
南无普然燈佛　南无普華佛
南无普光明勝山王佛　南无善住功德摩尼山王佛
南无光明王佛　南无不可降伏幢佛
南无勝功德佛　南无世間自在佛
南无普華佛　南无舌根佛
南无虛空輪清淨王佛　南无勝光明波頭摩敷身佛
南无須彌山波頭摩勝王佛　南无一切寶摩尼王佛
南无寶光明日月輪智佛　南无威德頻頭聲王佛
南无大導師佛　南无普光明奮迅王光佛
南无善行佛　南无樂說山佛
南无无住佛　南无師子鳥奮迅佛
南无功德王光明佛　南无功德幢佛
南无功德住佛　南无聖天佛
南无寶幢佛
佛名經卷第十

BD02739號　佛名經（十二卷本　異卷）卷一〇　（25–25）

生者豈不菩薩摩訶薩應隨證得一切智智
是則無生法應得無生法善現答言我意不
許無生法中有證得有現觀所以者何諸無
生法不可得故舍利子言為許生法證生法
為許無生法證無生法耶善現答言我意不
許生法證生法亦不許無生法證無生法舍
利子言為許生法證無生法為許無生法證
生法耶善現答言我意不許生法證無生法
亦不許無生法證生法舍利子言若如是者
豈都無得無現觀耶善現答言雖有得有
現觀然不由此二法而證但隨世間言說施設
有得現觀非勝義中有得現觀時舍利子問
善現言為許未生法生為許已生法生耶善
現答言我意不許未生法生亦不許已生
法生時舍利子問善現言為許生生為許不生
生耶善現答言我意不許生生亦不許不生
生時舍利子問善現言仁者於所說無生法
樂辯說無生相耶善現答言我於所說無生
法亦不樂辯說無生相時舍利子問善現言
於無生法起無生言此無生言亦無生不善

BD02740號　大般若波羅蜜多經卷五三九

（2–1）

法生時舍利子問善現言為許生生為許不生
生耶善現答言我意不許生生亦不許不生
生時舍利子問善現言仁者於所說無生法
樂辯說無生相耶善現答言我於所說無生
法亦不樂辯說無生相時舍利子問善現言
於無生法起無生言此無生言亦無生不善
現答言如是如是於無生法起無生言此法
及言俱無生義而隨世俗說無生相時舍利
子讚善現言說法人中仁為第一除佛世尊
無能及者所以者何隨所問詰種種法門皆
能酬答無所滯礙而於法性能無動越善現
報言諸佛弟子於一切法無依著者法尔皆
能隨所問詰一一酬答自在無畏而於法性能
無動越所以者何以一切法無所依故時舍利
子問善現言如是所說甚深法要為由何等
波羅蜜多威力所辯善現答言如是所說甚
深法要皆由般若波羅蜜多威力所辯所以
者何說一切法無所依心要由般若波羅蜜
多達一切法無所依故若菩薩摩訶薩聞說
如是甚深般若波羅蜜多心無疑惑亦不迷
悶當知是菩薩摩訶薩住如是住恒不捨離
謂無所得而為方便常勤救濟一切有情當
知是菩薩摩訶薩成就如是最勝作意所謂
大悲相應作意時舍利子謂善現言若菩薩

BD02740號　大般若波羅蜜多經卷五三九

（2–2）

BD02740 號背　勘記　　　　（1–1）

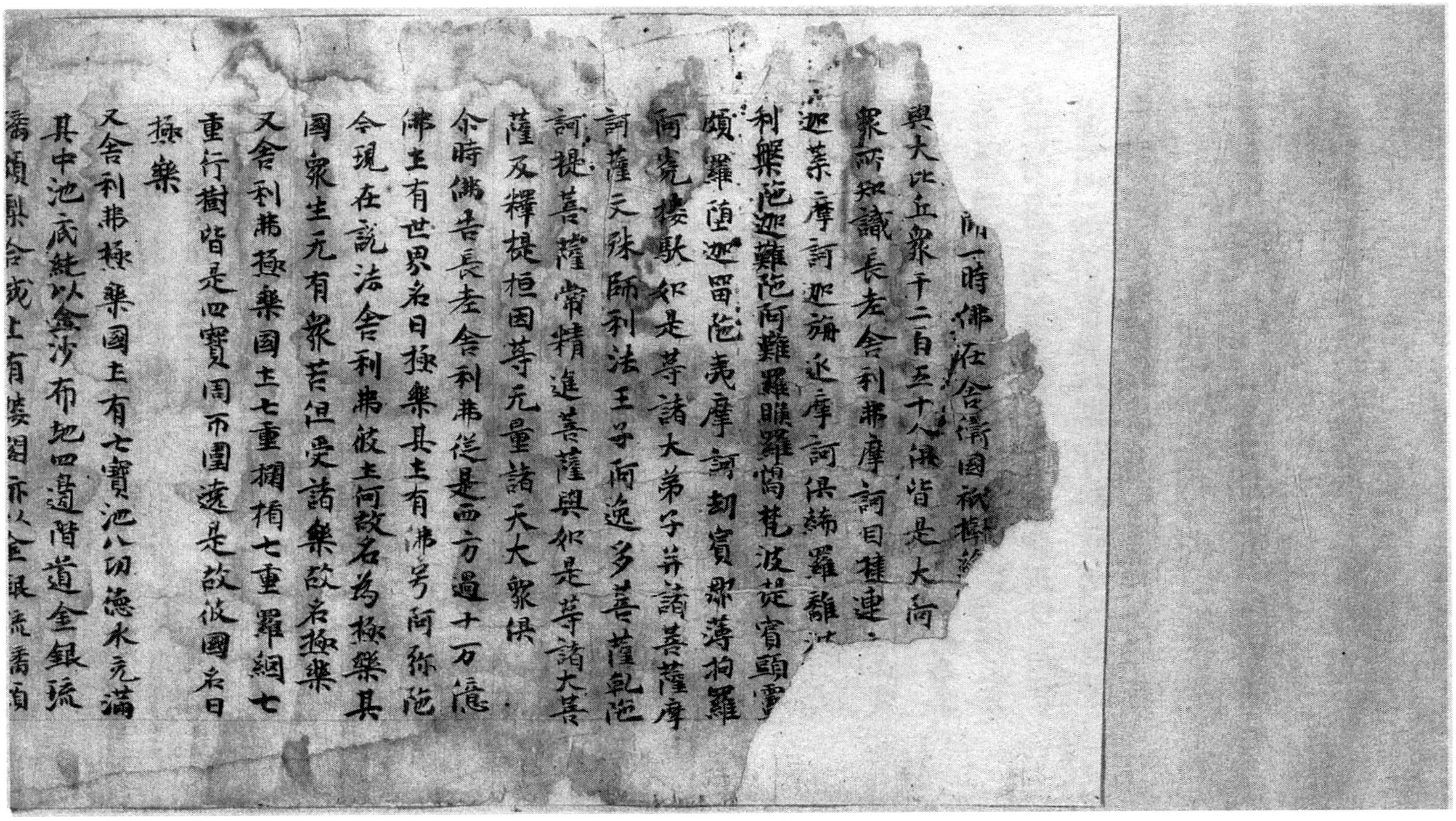

聞一時佛在舍衛國祇樹給
與大比丘衆千二百五十人俱皆是大阿
衆所知識長老舍利弗摩訶目揵連
迦葉摩訶迦旃延摩訶俱絺羅離婆
利槃陀迦難陀阿難羅睺羅憍梵波提賓頭盧
頗羅墮迦留陀夷摩訶劫賓那薄拘羅
阿㝹樓馱如是等諸大弟子并諸菩薩摩
訶薩文殊師利法王子阿逸多菩薩乾陀
訶提菩薩常精進菩薩與如是等諸大菩
薩及釋提桓因等无量諸天大衆俱
尒時佛告長老舍利弗從是西方過十万億
佛土有世界名曰極樂其土有佛号阿弥陀
今現在說法舍利弗彼土何故名為極樂其
國衆生无有衆苦但受諸樂故名極樂
又舍利弗極樂國土七重欄楯七重羅網七
重行樹皆是四寶周帀圍遶是故彼國名曰
極樂
又舍利弗極樂國土有七寶池八功德水充滿
其中池底純以金沙布地四邊階道金銀琉
璃頗梨合成上有樓閣亦以金銀琉璃頗

BD02741 號　阿彌陀經　　　　（6–1）

重行樹皆是四寶周帀圍遶是故彼國名曰
極樂
又舍利弗極樂國土有七寶池八功德水充滿
其中池底純以金沙布地四邊階道金銀琉
璃頗梨合成上有樓閣亦以金銀琉璃頗
梨車𤦲赤珠馬瑙而嚴飾之池中蓮華大
如車輪青色青光黃色黃光赤色赤光
白色白光微妙香潔舍利弗極樂國土成
就如是功德莊嚴
又舍利弗彼佛國土常作天樂黃金為地晝
夜六時而雨曼陀羅華其國衆生常以清旦
各以衣裓盛衆妙華供養他方十万億佛即以
食時還到本國飯食經行舍利弗極樂國
土成就如是功德莊嚴
復次舍利弗彼國常有種種奇妙雜色之鳥
白鵠孔雀鸚鵡舍利迦陵頻伽共命之鳥
是諸衆鳥晝夜六時出和雅音其音演暢五
根五力七菩提分八聖道分如是等法其土
衆生聞是音已皆悉念佛念法念僧舍利弗
汝勿謂此鳥實是罪報所生所以者何彼佛
國土无三惡趣舍利弗其佛國土尚无三惡
道之名何況有實是諸衆鳥皆是阿弥陀
佛欲令法音宣流變化所作舍利弗彼
佛國土微風吹動諸寶行樹及寶羅網
出微妙音譬如百千種樂同時俱作聞是
音者皆自然生念佛念法念僧之心舍利弗其
佛國土成就如是功德莊嚴
舍利弗於汝意云何彼佛何故号阿弥陀舍

BD02741 號　阿彌陀經

（6–2）

出微妙音譬如百千種樂同時俱作聞是
音者皆自然生念佛念法念僧之心舍利弗其
佛國土成就如是功德莊嚴
舍利弗於汝意云何彼佛何故号阿弥陀舍
利弗彼佛光明无量照十方國无所鄣㝵是
故号為阿弥陀
又舍利弗彼佛壽命及其人民无量无邊阿
僧祇劫故名阿弥陀舍利弗阿弥陀佛成佛
已來於今十劫
又舍利弗彼佛有无量无邊聲聞弟子皆
阿羅漢非是筭數之所能知諸菩薩亦如是
舍利弗彼國土成就如是功德莊嚴
又舍利弗極樂國土衆生生者皆是阿鞞跋
致其中多有一生補處其數甚多非是筭數
所能知之但可以无量无邊阿僧祇劫說舍
利弗衆生聞者應當發願願生彼國所以者
何得與如是諸上善人俱會一處舍利弗不
可以少善根福德因緣得生彼國舍利弗若
有善男子善女人聞說阿弥陀佛執持名号
若一日若二日若三日若四日若五日若六日
若七日一心不亂其人臨命終時阿弥陀佛
與諸聖衆現在其前是人終時心不顛倒
即得往生阿弥陀佛極樂國土舍利弗我見是
利故說此言若有衆生聞是說者應當
發願生彼國土
舍利弗如我今者讚歎阿弥陀佛不可思議
功德東方亦有阿閦鞞佛須弥相佛大須弥
佛須弥光佛妙音佛如是等恒河沙數諸

BD02741 號　阿彌陀經

（6–3）

發願生彼國土
舍利弗如我今者讚嘆阿弥陁佛不可思議
功德東方亦有阿閦鞞佛須弥相佛大須弥
佛須弥光佛妙音佛如是等恒河沙數諸
佛各於其國出廣長舌相遍覆三千大千世
界說誠實言汝等衆生當信是稱讚不可思
議功德一切諸佛所護念經
舍利弗南方世界有日月燈佛名聞光佛大焰
肩佛須弥燈佛无量精進佛如是等恒河
沙數諸佛各於其國出廣長舌相遍覆三
大千世界說誠實言汝等衆生當信是稱
讚不可思議功德一切諸佛所護念經
舍利弗西方世界有无量壽佛无量相佛无
量幢佛大光佛大明佛寶相佛淨光佛如是等
恒河沙數諸佛各於其國出廣長舌相遍
覆三千大千世界說誠實言汝等衆生當
信是稱讚不可思議功德一切諸佛所護念經
舍利弗北方世界有焰肩佛最勝音佛難阻
佛日生佛網明佛如是等恒河沙數諸佛各
於其國出廣長舌相遍覆三千大千世界說
誠實言汝等衆生當信是稱讚不可思議
功德一切諸佛所護念經
舍利弗下方世界有師子佛名聞佛名光佛
達摩佛法幢佛持法佛如是等恒河沙
數諸佛各於其國出廣長舌相遍覆三千
大千世界說誠實言汝等衆生當信是
稱讚不可思議功德一切諸佛所護念經
舍利弗上方世界有梵音佛宿王佛香上

BD02741 號　阿彌陀經　（6–4）

達摩佛法幢佛持法佛如是等恒河沙
數諸佛各於其國出廣長舌相遍覆三千
大千世界說誠實言汝等衆生當信是
稱讚不可思議功德一切諸佛所護念經
舍利弗上方世界有梵音佛宿王佛香上佛
香光佛大焰肩佛雜色寶華嚴身佛
娑羅樹王佛寶華德佛見一切義佛如
須弥山佛如是等恒河沙數諸佛各於其國
出廣長舌相遍覆三千大千世界說誠實
言汝等衆生當信是稱讚不可思議功德
一切諸佛所護念經
舍利弗於汝意云何何故名一切諸佛所護
念經舍利弗若有善男子善女人聞是經
受持者及聞諸佛名者是善男子善女人
皆爲一切諸佛共所護念皆得不退轉於阿
耨多羅三藐三菩提是故舍利弗汝等皆
當信受我語及諸佛所說舍利弗若有
人已發願今發願當發願欲生阿弥陁佛
國者是諸人等皆得不退轉於阿耨多羅
三藐三菩提於彼國土若已生若今生若當
生是故舍利弗諸善男子善女人若有信
者應當發願生彼國土
舍利弗如我今者稱讚諸佛不可思議功
德彼諸佛等亦稱說我不可思議功德而
作是言釋迦牟尼佛能爲甚難希有之事
能於娑婆國土五濁惡世劫濁見濁煩惱
濁衆生濁命濁中得阿耨多羅三藐三菩
提爲諸衆生說是一切世間難信之法舍
利弗當知我於五濁惡世行此難事得

BD02741 號　阿彌陀經　（6–5）

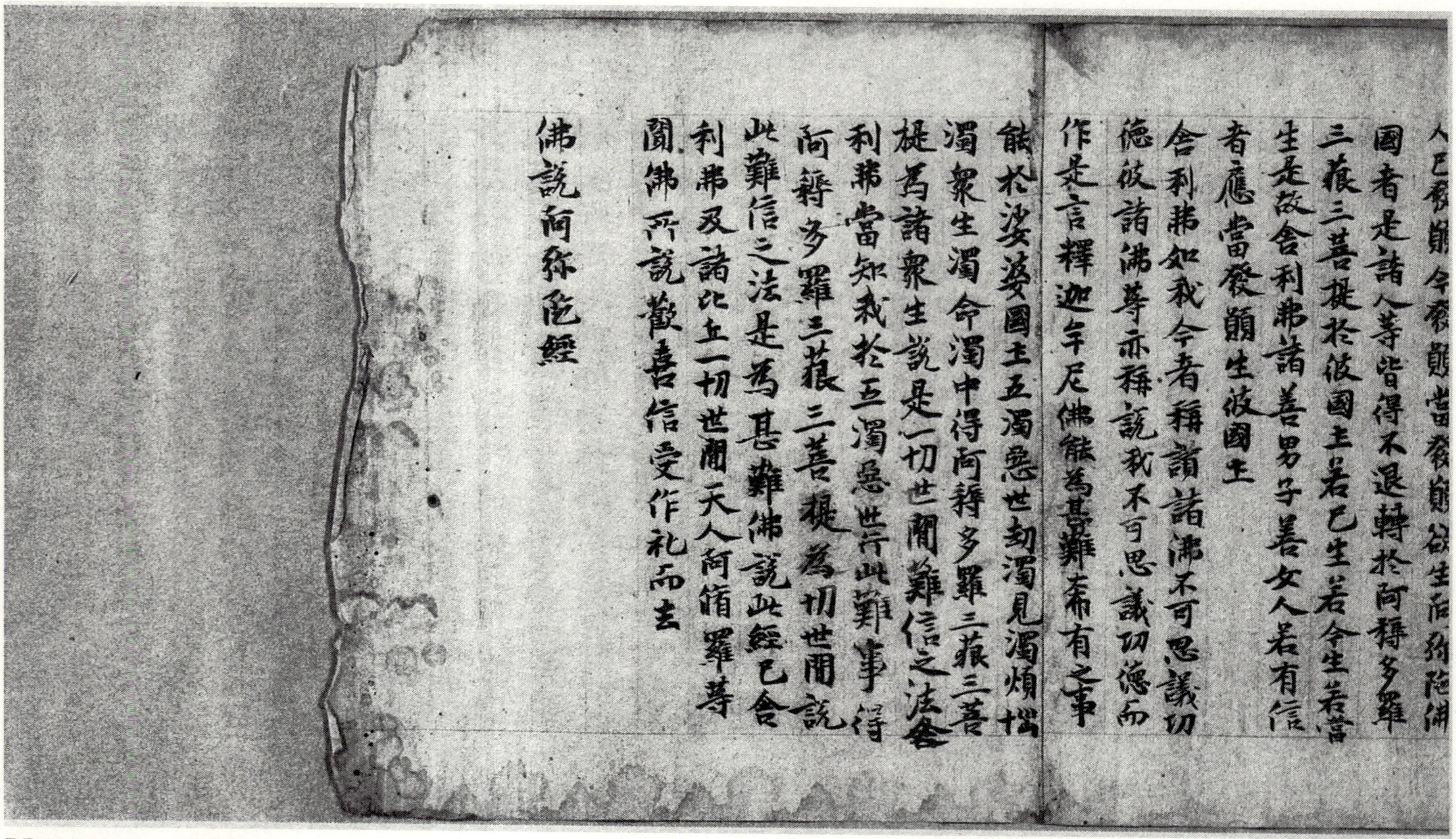
人已發願今發願當發願欲生阿彌陁佛
國者是諸人等皆得不退轉於阿耨多羅
三藐三菩提於彼國土若已生若今生若當
生是故舍利弗諸善男子善女人若有信
者應當發願生彼國土
舍利弗如我今者稱讚諸佛不可思議功
德彼諸佛等亦稱說我不可思議功德而
作是言釋迦牟尼佛能為甚難希有之事
能於娑婆國土五濁惡世劫濁見濁煩惱
濁衆生濁命濁中得阿耨多羅三藐三菩
提為諸衆生說是一切世間難信之法舍
利弗當知我於五濁惡世行此難事得
阿耨多羅三藐三菩提為一切世間說
此難信之法是為甚難佛說此經已舍
利弗及諸比丘一切世間天人阿脩羅等
聞佛所說歡喜信受作礼而去
佛說阿弥陁經

BD02741 號　阿彌陀經

（6–6）

有高下是名阿耨多羅三藐三菩提
以无我无人无衆生无壽者脩一切善法則
三藐三菩提須菩提所言善法
者如來說非善法是名善法
須菩提若三千大千世界中所有諸須弥山
王如是等七寶聚有人持用布施若人以此般
若波羅蜜經乃至四句偈等受持讀誦為
他人說於前福德百分不及一百千万億分
乃至筭數譬喻所不能及
須菩提於意云何汝等勿謂如來作是念我
當度衆生須菩提莫作是念何以故實无有
衆生如來度者若有衆生如來度者如來則
有我人衆生壽者須菩提如來說有我者則
非有我而凡夫之人以為有我須菩提凡夫
者如來說則非凡夫
須菩提於意云何可以卅二相觀如來不須
菩提言如是如是以卅二相觀如來佛言須菩
提若以卅二相觀如來者轉輪聖王則是如
來須菩提白佛言世尊如我解佛所說義不
應以卅二相觀如來尒時世尊而說偈言
若以色見我　以音聲求我　是人行邪道　不能見如來

BD02742 號　金剛般若波羅蜜經

（4–1）

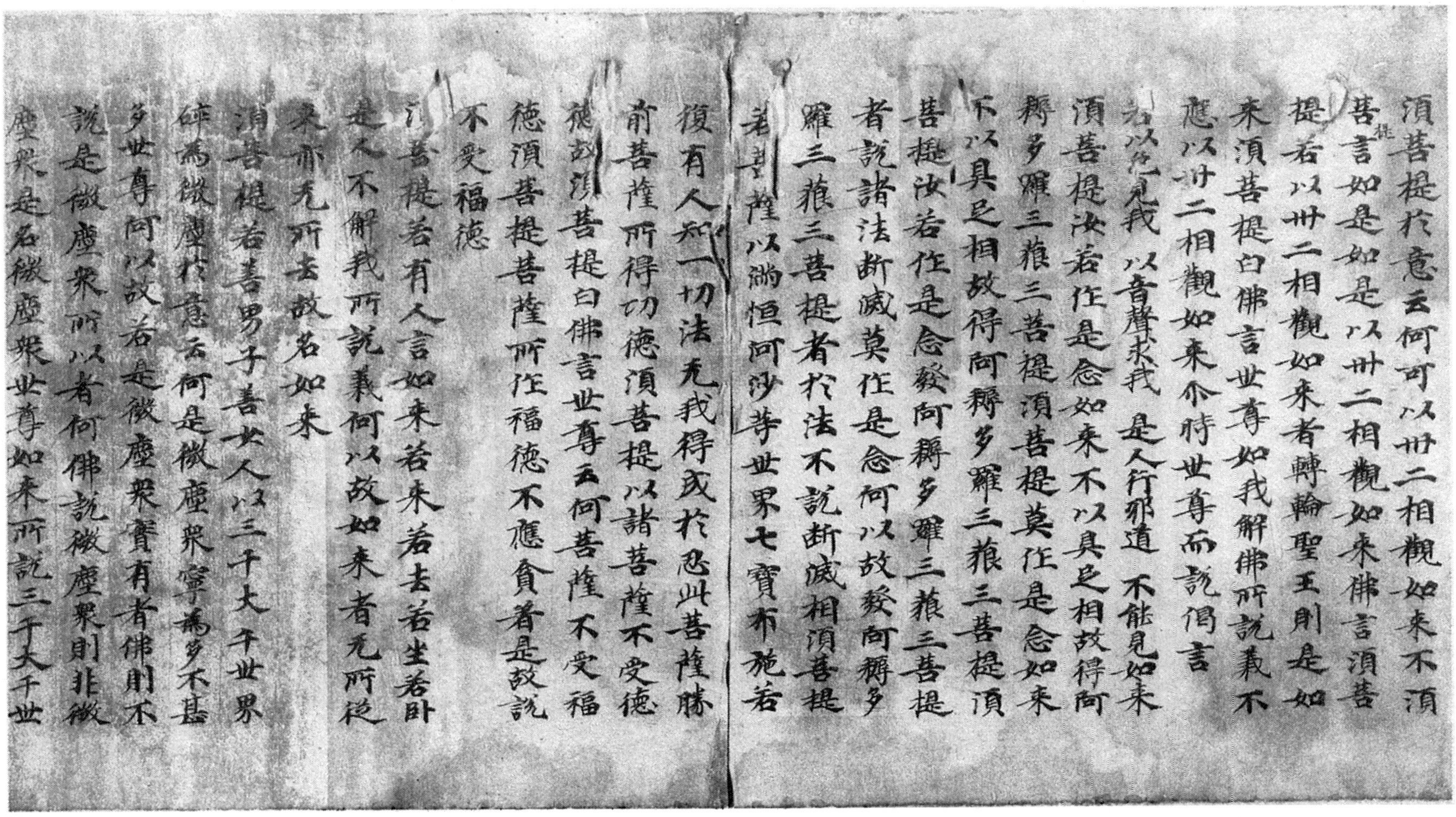
須菩提於意云何可以卅二相觀如來不須
菩提言如是如是以卅二相觀如來佛言須菩
提若以卅二相觀如來者轉輪聖王則是如
來須菩提白佛言世尊如我解佛所說義不
應以卅二相觀如來尒時世尊而說偈言
若以色見我　以音聲求我　是人行邪道　不能見如來
須菩提汝若作是念如來不以具足相故得阿
耨多羅三藐三菩提須菩提莫作是念如來
不以具足相故得阿耨多羅三藐三菩提須
菩提汝若作是念發阿耨多羅三藐三菩提
者說諸法斷滅莫作是念何以故發阿耨多
羅三藐三菩提者於法不說斷滅相須菩提
若菩薩以滿恒河沙等世界七寶布施若
復有人知一切法无我得成於忍此菩薩勝
前菩薩所得功德須菩提以諸菩薩不受福
德故須菩提白佛言世尊云何菩薩不受福
德須菩提菩薩所作福德不應貪著是故說
不受福德
須菩提若有人言如來若來若去若坐若臥
是人不解我所說義何以故如來者无所從
來亦无所去故名如來
須菩提若善男子善女人以三千大千世界
碎為微塵於意云何是微塵眾寧為多不甚
多世尊何以故若是微塵眾實有者佛則不
說是微塵眾所以者何佛說微塵眾則非微
塵眾是名微塵眾世尊如來所說三千大千世

BD02742 號　金剛般若波羅蜜經　（4–2）

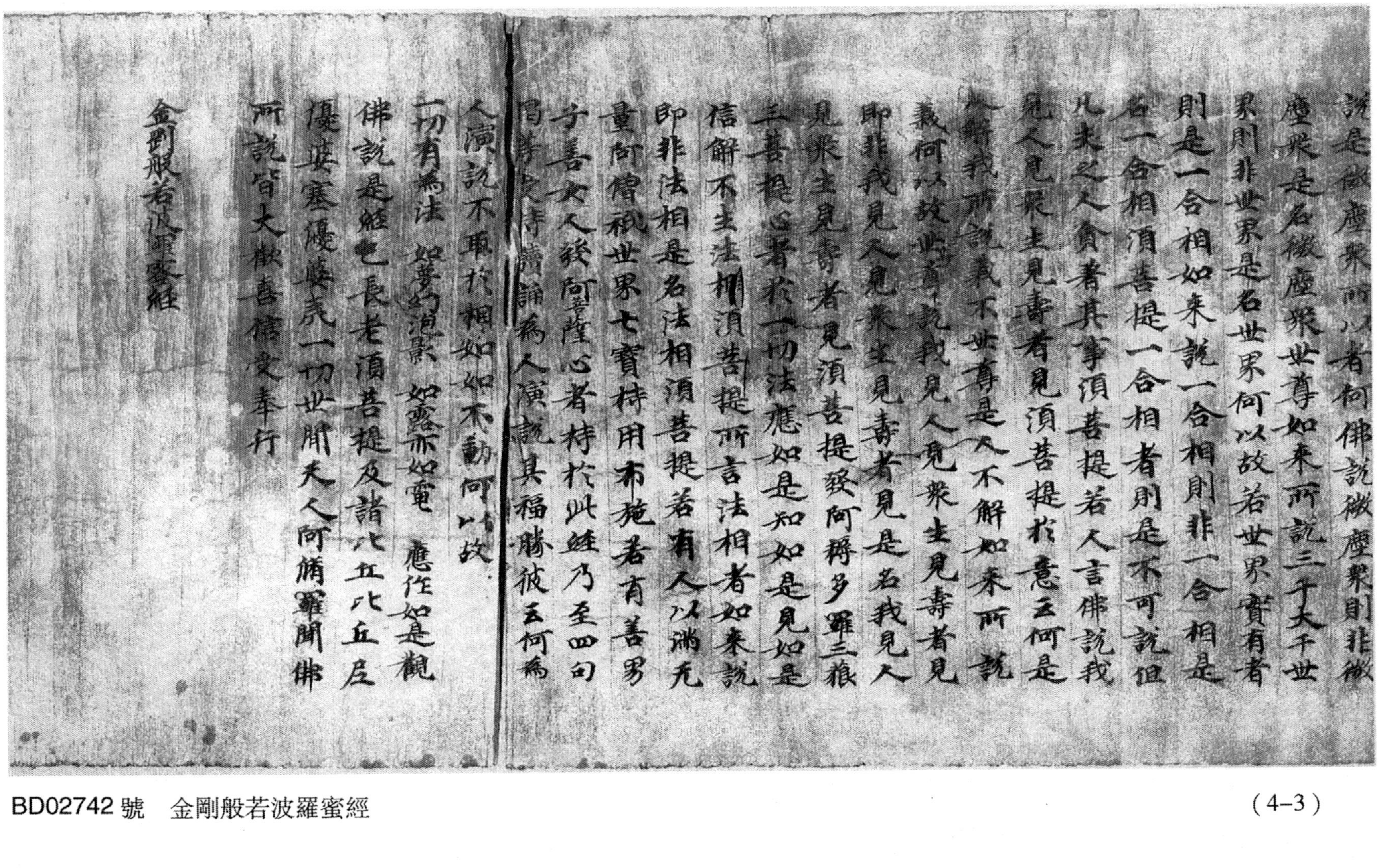
說是微塵眾所以者何佛說微塵眾則非微
塵眾是名微塵眾世尊如來所說三千大千世
界則非世界是名世界何以故若世界實有者
則是一合相如來說一合相則非一合相是
名一合相須菩提一合相者則是不可說但
凡夫之人貪著其事須菩提若人言佛說我
見人見眾生見壽者見須菩提於意云何是
人解我所說義不世尊是人不解如來所說
義何以故世尊說我見人見眾生見壽者見
即非我見人見眾生見壽者見是名我見人
見眾生見壽者見須菩提發阿耨多羅三藐
三菩提心者於一切法應如是知如是見如是
信解不生法相須菩提所言法相者如來說
即非法相是名法相須菩提若有人以滿无
量阿僧祇世界七寶持用布施若有善男
子善女人發菩薩心者持於此經乃至四句
偈等受持讀誦為人演說其福勝彼云何為
人演說不取於相如如不動何以故
一切有為法　如夢幻泡影　如露亦如電　應作如是觀
佛說是經已長老須菩提及諸比丘比丘尼
優婆塞優婆夷一切世間天人阿脩羅聞佛
所說皆大歡喜信受奉行
金剛般若波羅蜜經

BD02742 號　金剛般若波羅蜜經　（4–3）

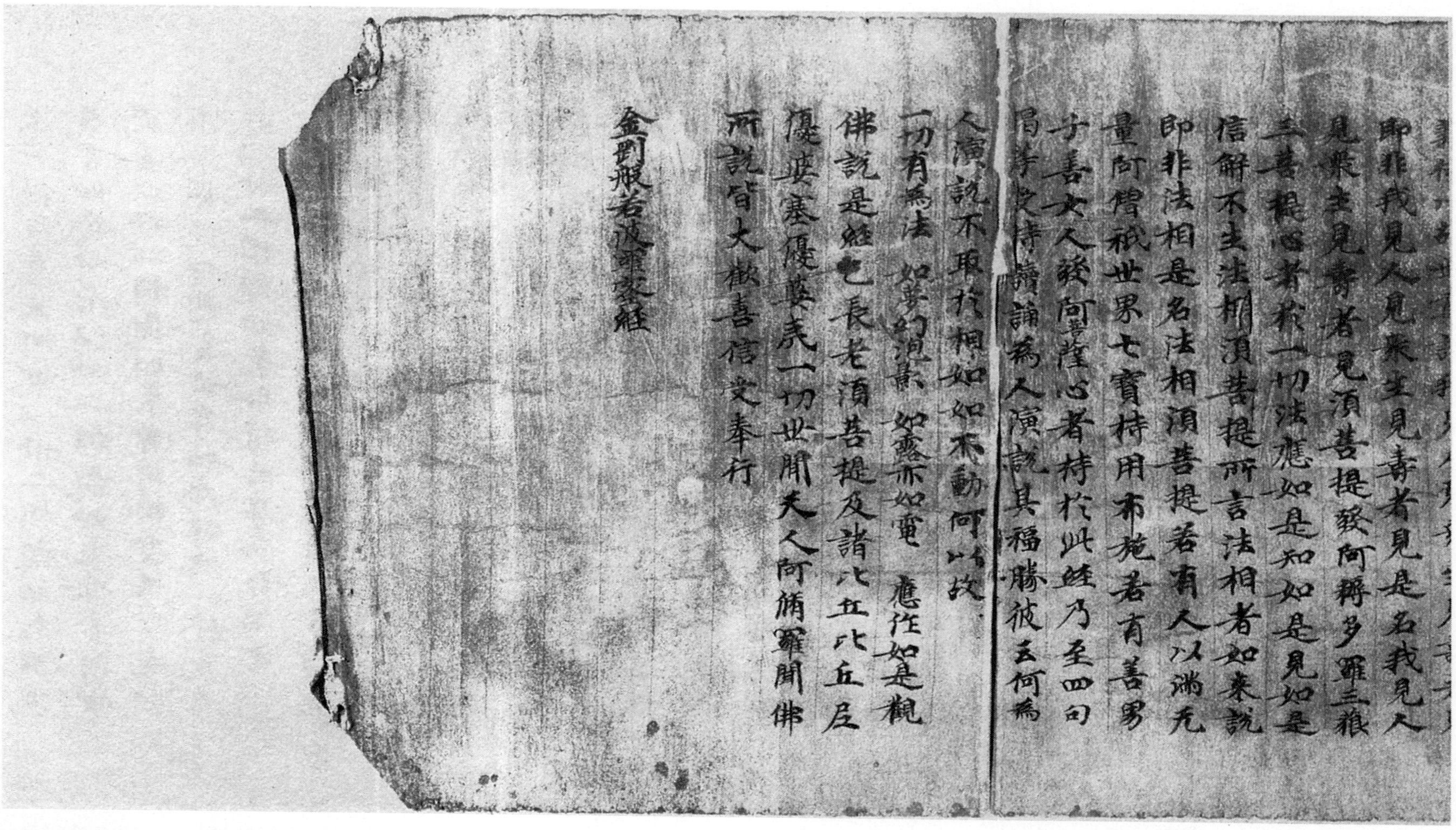

即非我見人見衆生見壽者見是名我見人
見衆生見壽者見須菩提發阿耨多羅三藐
三菩提心者於一切法應如是知如是見如是
信解不生法相須菩提所言法相者如來說
即非法相是名法相須菩提若有人以滿无
量阿僧祇世界七寶持用布施若有善男
子善女人發菩薩心者持於此經乃至四句
偈等受持讀誦爲人演說其福勝彼云何爲
人演說不取於相如如不動何以故
一切有爲法 如夢幻泡影 如露亦如電 應作如是觀
佛說是經已長老須菩提及諸比丘比丘尼
優婆塞優婆夷一切世間天人阿脩羅聞佛
所說皆大歡喜信受奉行
金剛般若波羅蜜經

BD02742號　金剛般若波羅蜜經　（4–4）

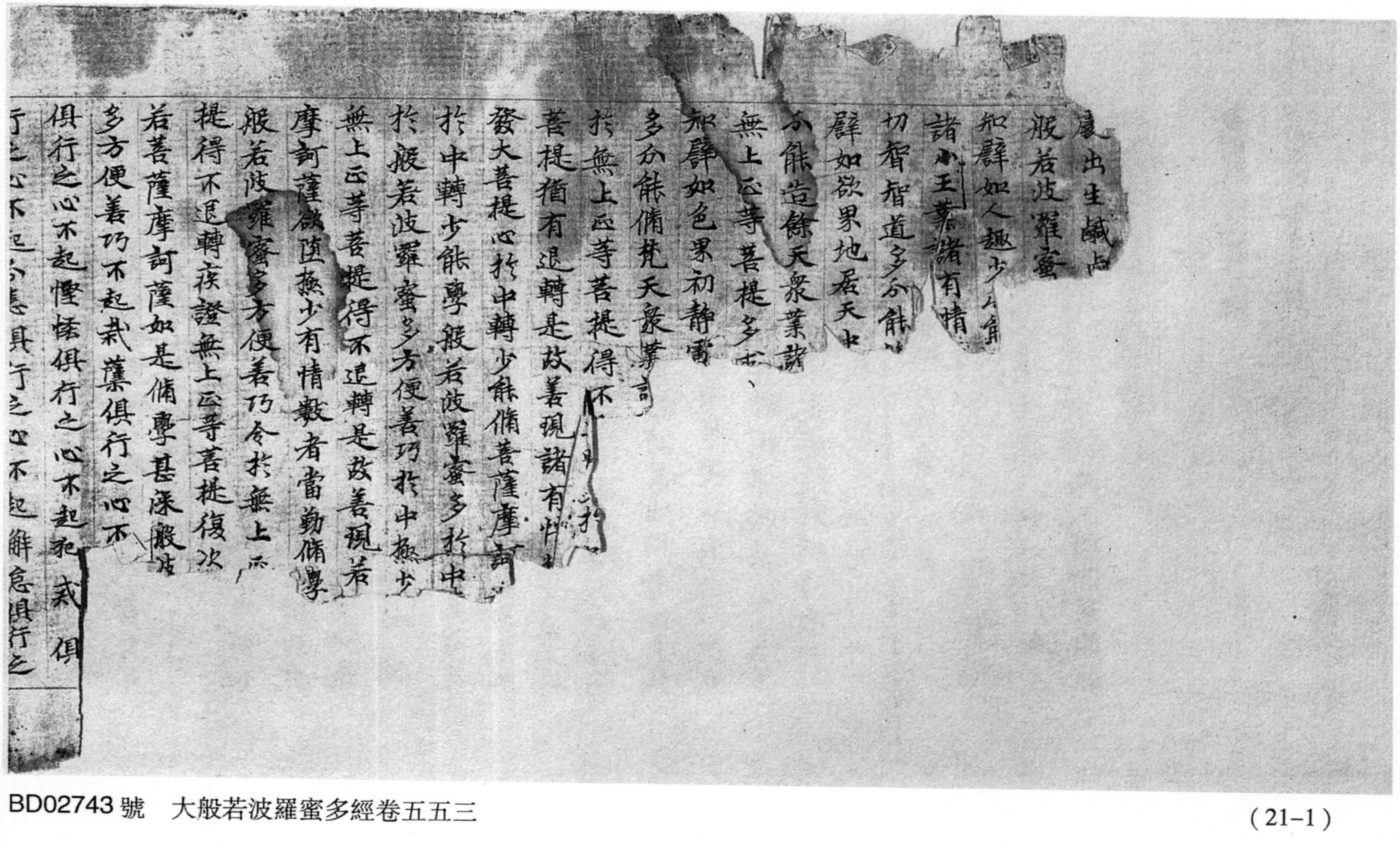

處出生贍部
般若波羅蜜
知譬如人趣少分能
諸小王業諸有情
切智智道少分能
譬如欲界地居天少
分能造餘天衆業諸
無上正等菩提多
梵譬如色界初靜慮
多分能備梵天衆業
於無上正等菩提得不
菩提猶有退轉是故善現諸有情
發大菩提心於中轉少能備菩薩摩訶
於中轉少能學般若波羅蜜多於中
於般若波羅蜜多方便善巧於中愈少
無上正等菩提得不退轉是故善現若
摩訶薩欲隨愈少有情數者當勤脩學
般若波羅蜜多方便善巧令於無上正
提得不退轉疾證無上正等菩提復次
若菩薩摩訶薩如是脩學甚深般若
多方便善巧不起貪欲俱行之心不
俱行之心不起慳悋俱行之心不起犯戒俱
行之心不起忿恚俱行之心不起懈怠俱行之

BD02743號　大般若波羅蜜多經卷五五三　（21–1）

般若波羅蜜多方便善巧令於無上正
提得不退轉疾證無上正等菩提復次
若菩薩摩訶薩如是脩學甚深般若
多方便善巧不起貪欲俱行之心不起
俱行之心不起慳悋俱行之心不起犯戒俱
行之心不起忿恚俱行之心不起懈怠俱行之
心不起散亂俱行之心不起惡慧俱行之心
復次善現若菩薩摩訶薩如是脩學甚深般
若波羅蜜多方便善巧能攝一切波羅蜜多
能集一切波羅蜜多能導一切波羅蜜多所
以者何甚深般若波羅蜜多中含容一切波
羅蜜多故善現當知如為身見普能攝受六
十二見甚深般若波羅蜜多亦復如是含容
一切波羅蜜多若菩薩摩訶薩能正脩學甚
深般若波羅蜜多方便善巧能引一切波羅
蜜多令漸增長善現當知譬如命根能持諸
根甚深般若波羅蜜多亦復如是能持一切
殊勝善法所以者何若菩薩摩訶薩能正脩
學甚深般若波羅蜜多普能攝持一切善法
善現當知如命根滅諸根隨滅甚深般若波
羅蜜多亦復如是若菩薩摩訶薩退失如是
甚深般若波羅蜜多則為退失一切善法若
菩薩摩訶薩能正脩學甚深般若波羅蜜多
普能滅除諸不善法是故善現若菩薩摩訶
薩欲至一切波羅蜜多究竟彼岸應勤脩學
甚深般若波羅蜜多復次善現若菩薩摩訶
薩能勤脩學甚深般若波羅蜜多於諸有情
最上最勝所以者何是菩薩摩訶薩能勤脩

BD02743號　大般若波羅蜜多經卷五五三　（21–2）

普能滅除諸不善法是故善現若菩薩摩訶
薩欲至一切波羅蜜多究竟彼岸應勤脩學
甚深般若波羅蜜多復次善現若菩薩摩訶
薩能勤脩學甚深般若波羅蜜多於諸有情
最上最勝所以者何是菩薩摩訶薩能勤脩
學甚深般若波羅蜜多無上法故復次善現
於意云何於此三千大千世界諸有情類寧
為多不善現對曰贍部洲中諸有情類尚多
無數何況三千大千世界諸有情類寧不為
多佛告善現如是如是如汝所說善現當知
假使三千大千世界諸有情類非前非後皆
得人身得人身已非前非後皆發無上正等
覺心脩諸菩薩摩訶薩行脩行滿已非前非
後皆得無上正等菩提有菩薩摩訶薩盡其
形壽能以上妙衣服飲食房舍臥具病緣醫
藥及諸資財供養恭敬尊重讚歎此諸如來
應正等覺於意云何是菩薩摩訶薩由此因
緣得福多不善現對曰甚多世尊甚多善逝
佛告善現若菩薩摩訶薩能脩如是甚深般
若波羅蜜多經彈指頃所獲功德甚多於前
无量无數所以者何甚深般若波羅蜜多真
大義用能令菩薩摩訶薩衆疾證無上正等
菩提是故善現若菩薩摩訶薩欲證無上正
等菩提欲為一切有情上首欲善饒益一切
有情無救護者為作救護無歸依者為作歸
依無投趣者為作投趣無眼目者為作眼目
無光明者為作光明失正路者示以正路未
涅槃者令得涅槃當學如是甚深般若波羅

BD02743號　大般若波羅蜜多經卷五五三　（21–3）

等菩提欲為一切有情上首欲普饒益一切
有情無救護者為作救護無歸依者為作歸
依無投趣者為作投趣無眼目者為作眼目
無光明者為作光明失正路者示以正路未
涅槃者令得涅槃當學如是甚深般若波羅
蜜多復次善現若菩薩摩訶薩欲行諸佛所
行境界欲居諸佛大仙尊位欲遊戲佛所遊
戲處欲作諸佛大師子吼欲擊諸佛無上法
鼓欲扣諸佛無上法鍾欲吹諸佛無上法蠡
欲昇諸佛無上法座欲演諸佛无上法義欲
決一切有情疑網欲入諸佛甘露法界欲受
諸佛微妙法樂欲證諸佛圓淨功德欲以一
音為三千界一切有情宣說正法普令一切
獲大饒益當學如是甚深般若波羅蜜多復
次善現若菩薩摩訶薩脩學如是甚深般若
波羅蜜多无有一切世出世間功德勝利而
不能得所以者何甚深般若波羅蜜多是一
切種功德善根所依處故善現當知我曾不
見有菩薩摩訶薩勤脩如是甚深般若波羅
蜜多而不能得世出世間功德勝利尒時善
現便白佛言諸菩薩摩訶薩脩學如是甚深
般若波羅蜜多豈亦能得聲聞獨覺功德善
根佛告善現聲聞獨覺功德善根此諸菩薩
摩訶薩衆亦皆能得但於其中無住無著以
勝智無正觀察已超過聲聞及獨覺地趣入
菩薩正性離生故此菩薩摩訶薩衆無有一
切功德善根而不能得復次善現諸菩薩摩
訶薩於一切種聲聞獨覺功德善根皆應脩

BD02743號　大般若波羅蜜多經卷五五三

（21–4）

勝智無正觀察已超過聲聞及獨覺地趣入
菩薩正性離生故此菩薩摩訶薩衆無有一
切功德善根而不能得復次善現諸菩薩摩
訶薩於一切種聲聞獨覺功德善根皆應脩
學雖於其中不求作證而於一切欲善通達
為彼有情宣說開示復次善現若菩薩摩訶
薩如是學時則為隣近一切智智速證無上
正等菩提能盡未來利樂一切復次善現若
菩薩摩訶薩如是學時則為一切世間天人阿
素洛等真淨福田超諸世間沙門梵志聲
聞獨覺福田之上疾能證得一切智智復次
善現若菩薩摩訶薩如是學時隨所生處不
捨如是甚深般若波羅蜜多不離如是甚深
般若波羅蜜多常行如是甚深般若波羅蜜
多復次善現若菩薩摩訶薩能行如是甚深
般若波羅蜜多當知已於一切智智得不退
轉於一切法能正覺知遠離聲聞獨覺等地
親近無上正等菩提復次善現若菩薩摩訶
薩行深般若波羅蜜多時作如是念此是般
若波羅蜜多此是脩時此是脩處我能脩此
甚深般若波羅蜜多我由如是甚深般若波
羅蜜多棄捨如是所應捨法當能引發一切
智智是菩薩摩訶薩非行般若波羅蜜多亦
於般若波羅蜜多不能解了所以者何甚深
般若波羅蜜多不作是念我是般若波羅蜜
多此是脩時此是脩處此是脩者此是般若
波羅蜜多所遠離法此是般若波羅蜜多所
照了法此是般若波羅蜜多所證無上正等

BD02743號　大般若波羅蜜多經卷五五三

（21–5）

波羅蜜多所遠離法此是般若波羅蜜多所
照了法此是般若波羅蜜多所證無上正等
菩提若如是知是行般若波羅蜜多復次善
現若菩薩摩訶薩行深般若波羅蜜多時作
如是念此非般若波羅蜜多此非脩時此非
脩處此非脩者非由般若波羅蜜多遠離一
切所應捨法非由般若波羅蜜多能證無上
正等菩提所以者何以一切法皆住真如无
差別故善現當知若菩薩摩訶薩於一切法
都無分別無所覺了是行般若波羅蜜多
第四分訶偷品第廿六
時天帝釋作是念言若菩薩摩訶薩脩行般
若波羅蜜多尚勝一切有情之類况得无上
正等菩提若諸有情聞說一切智智名字深
生信解尚為獲得人中善利及得世間寂勝
壽命况發無上正等覺心或能聽聞甚深般
若波羅蜜多若諸有情能發無上正等覺心
聽聞般若波羅蜜多甚深經典諸餘有情皆
應顧樂所獲功德世間天人阿素洛等皆不
能及尒時世尊知天帝釋心之世念便告之
言如是如是如汝所念時天帝釋踊躍歡喜
化作天上微妙音花捧散如来及諸菩薩既
散花已作是願言若菩薩乘善男子等求趣
无上正等菩提以我所生善根功德令彼所
願殊勝功德速得圓滿令彼所求無上佛法
速得圓滿令彼所求一切智智相應諸法速
得圓滿令彼所求自然人法速得圓滿令彼

BD02743號　大般若波羅蜜多經卷五五三　（21–6）

速得圓滿令彼所求一切智智相應諸法速
得圓滿令彼所求自然人法速得圓滿令彼
所求无漏聖法速得圓滿令彼一切所欲聞
法皆得如意若求聲聞獨覺乘者亦令所願
疾得滿足作是願已便白佛言若菩薩乘善
男子等已發无上正等覺心我終不生一念
異意令其退轉大菩提心我終不生一念異
意令諸菩薩摩訶薩衆猒離无上正等菩提
退墮聲聞獨覺等地我終不起一念異心令
諸菩薩摩訶薩衆退失大悲相應作意若菩
薩摩訶薩已於无上正等菩提深心樂欲我
願彼心倍復增進速證无上正等菩提願彼
菩薩摩訶薩衆見生死中種種苦已為欲利
樂世間天人阿素洛等發起種種堅固大願
我既自度生死大海亦當精勤度未度者我
既自解生死繫縛亦當精勤解未解者我於
種種生死恐怖既自安隱亦當精勤安未安
者我既自證究竟涅槃亦當精勤令未證者
皆同證得世尊若有情類於初發心菩薩功
德深心隨喜得幾許福於久發心脩諸勝行
菩薩功德深心隨喜得幾許福於不退轉地
菩薩功德深心隨喜得幾許福於一生所繫
菩薩功德深心隨喜得幾許福尒時佛告天
帝釋言憍尸迦妙高山王可知兩數此有情
類隨喜俱心所生福德不可知量憍尸迦四
大洲界可知兩數此有情類隨喜俱心所生
福德不可知量憍尸迦小千世界可知兩數

BD02743號　大般若波羅蜜多經卷五五三　（21–7）

大洲界可知雨數此有情類隨喜俱心所生
福德不可知量憍尸迦小千世界可知雨數
此有情類隨喜俱心所生福德不可知量憍
尸迦中千世界可知雨數此有情類隨喜俱
心所生福德不可知量憍尸迦我此三千大
千世界可知雨數此有情類隨喜俱心所生
福德不可知量憍尸迦假使三千大千世界
合為一海有取一毛指為百分持一分端沾
彼海盡可知滴數此有情類隨喜俱心所生
福德不可知量時天帝釋復白佛言若諸有
情於諸菩薩從初發心乃至證得所求无上
正等菩提无量无邊殊勝功德不生隨喜或
復於彼隨喜俱心所生福德不聞不知不起
憶念不生隨喜當知皆是魔所執持魔所魅
著魔之因黨魔天界沒來生此間所以者何
若菩薩摩訶薩求趣无上正等菩提備諸菩
薩摩訶薩行若有發心於彼功德深生隨喜
若有於彼隨喜功德深心憶念生隨喜者皆
能破壞一切魔軍宮殿眷屬疾證无上正等
菩提能盡未來利樂一切世尊若諸有情深
心敬愛佛法僧寶隨所生處常欲見佛聞法
遇僧於諸菩薩摩訶薩眾功德善根應深隨
喜既隨喜已迴向无上正等菩提而不應生
二不二想若能如是疾證无上正等菩提饒
益有情破魔軍眾尒時佛告天帝釋言如是
如是如汝所說憍尸迦若諸有情於諸菩薩
摩訶薩眾功德善根深心隨喜迴向無上正
等菩提是諸有情速能圓滿諸菩薩行疾證

BD02743號　大般若波羅蜜多經卷五五三

（21–8）

如是如汝所說憍尸迦若諸有情於諸菩薩
摩訶薩眾功德善根深心隨喜迴向無上正
等菩提是諸有情速能圓滿諸菩薩行疾證
无上正等菩提若諸有情於諸菩薩摩訶薩
眾功德善根深心隨喜迴向無上正等菩提
是諸有情具大威力常能奉事一切如來應
正等覺及善知識恒聞般若波羅蜜多甚深
經典善知義趣是諸有情成就如是隨喜迴
向功德善根隨所生處常為一切世間天人阿
素洛等供養恭敬尊重讚歎不見惡色不
聞惡聲不齅惡香不嘗惡味不覺惡觸不思
惡法不值惡趣生天人中恒受種種無染勝樂
常不遠離諸佛世尊從一佛國趣一佛國
親近諸佛種諸善根成熟有情嚴淨佛土何
以故憍尸迦是諸有情能於無量諸菩薩眾
功德善根深心隨喜迴向無上正等菩提由
此因緣善根增進疾證无上正等菩提既得
无上正等菩提能盡未來如實饒益无量无
數无邊有情令住無餘般涅槃界以是故憍
尸迦住菩薩乘善男子等於菩薩眾功德善
根皆應隨喜迴向無上正等菩提於生隨喜
及迴向時不應執著即心離心隨喜迴向不
應執著即心脩行離心脩行若能如是无所
執著隨喜迴向脩諸菩薩摩訶薩行速證无
上正等菩提度諸天人阿素洛等令脫生死
得般涅槃由此因緣諸有情類於諸菩薩功
德善根皆應發生隨喜迴向能令无量无邊
有情種諸善根獲大利樂

BD02743號　大般若波羅蜜多經卷五五三

（21–9）

德善根皆應發生隨喜迴向能令无量无邊
有情種諸善根獲大利樂
介時善現便白佛言心皆如幻云何菩薩摩
訶薩能證无上正等菩提佛告善現於意云
何汝為見有如幻心不善現對曰不也世尊佛
告善現於意云何汝見幻不善現對曰不
也世尊我不見幻亦不見有如幻之心佛告
善現於意云何若汝不見幻不見如幻心若
處無幻無如幻心汝見有是心能得無上正
等菩提不善現對曰不也世尊我都不見有
處无幻無如幻心更有是心能得无上正等
菩提佛告善現於意云何若處離幻離如幻
心汝見有是法能得无上正等菩提不善現
對曰不也世尊我都不見有處離幻離如幻
心更有是法能得无上正等菩提世尊我都
不見即離心法說何等法是有是无以一切
法畢竟離故若一切法畢竟離者不可施設
是有是無若法不可施設有无則不可說能
得无上正等菩提非无所有法能得菩提故
所以者何以一切法皆无所有性不可得无
染无淨畢竟離法无所有故不得无上正等
菩提是故般若波羅蜜多亦畢竟離若法畢
竟離是法不應脩亦不應遣亦復不應有
所引發世尊甚深般若波羅蜜多既畢竟離云
何可說諸菩薩摩訶薩依深般若波羅蜜多
證得无上正等菩提世尊諸佛无上正等菩
提亦畢竟離云何畢竟離法能得畢竟離法

BD02743號　大般若波羅蜜多經卷五五三　（21–10）

所引發世尊甚深般若波羅蜜多既畢竟離云
何可說諸菩薩摩訶薩依深般若波羅蜜多
證得无上正等菩提世尊諸佛无上正等菩
提亦畢竟離云何畢竟離法能得畢竟離法
是故般若波羅蜜多應不可說證得无上正
等菩提佛告善現善哉善哉如是如是如汝
所說甚深般若波羅蜜多既畢竟離諸佛无
上正等菩提亦畢竟離善現當知甚深般若
波羅蜜多畢竟離故得畢竟離諸佛无上正
等菩提善現當知若深般若波羅蜜多非畢
竟離應非般若波羅蜜多以深般若波羅蜜
多畢竟離故得名般若波羅蜜多是故善現
諸菩薩摩訶薩非不依止甚深般若波羅蜜
多證得无上正等菩提善現當知雖非離法
能得離法而得无上正等菩提非不依止甚
深般若波羅蜜多是故菩薩摩訶薩衆欲得
无上正等菩提應勤脩學甚深般若波羅蜜
多具壽善現便白佛言諸菩薩摩訶薩所行
義趣極為甚深佛告善現如是如是諸菩薩
摩訶薩所行義趣極為甚深善現當知諸菩
薩摩訶薩能為難事雖行如是甚深義趣而
於聲聞獨覺地法能不作證尒時善現復白
佛言如我解佛所說義者諸菩薩摩訶薩所
作不難不應說彼能為難事所以者何諸菩
薩摩訶薩所證義趣都不可得能證般若波
羅蜜多亦不可得證法證者證處證時亦不
可得世尊若菩薩摩訶薩聞如是語心不沉
沒亦不憂悔不驚不怖是行般若波羅蜜多

BD02743號　大般若波羅蜜多經卷五五三　（21–11）

薩摩訶薩於所證事者不可得能證般若波
羅蜜多亦不可得證法證者證處證時亦不
可得世尊若菩薩摩訶薩聞如是語心不沉
没亦不憂悔不驚不怖是行般若波羅蜜多
世尊是菩薩摩訶薩如是行時不見衆相不
見我行不見不行不見般若波羅蜜多是我
所行不見無上正等菩提是我所證亦復不
見證處時等世尊是菩薩摩訶薩於如是事
亦復不見是行般若波羅蜜多便近无上正
等菩提世尊是菩薩摩訶薩於如是事亦復
不見是行般若波羅蜜多便遠聲聞獨覺等
地世尊是菩薩摩訶薩於如是事亦不分別
雖行般若波羅蜜多不作是念我行般若波
羅蜜多親近無上正等菩提遠離聲聞獨覺
等地世尊辟如虛空不作是念我去彼事若
遠若近所以者何虛空无動亦无差別无分別故
諸菩薩摩訶薩亦復如是行深般若波羅蜜
多不作是念我遠聲聞獨覺等地我近无上
正等菩提所以者何甚深般若波羅蜜多於
一切法无分別故世尊辟如幻士不作是念
幻質幻師去我為近傍觀衆等去我為遠所
以者何所幻化者无分別故諸菩薩摩訶薩
亦復如是行深般若波羅蜜多不作是念我
遠聲聞獨覺等地我近无上正等菩提所以
者何甚深般若波羅蜜多於一切法无分別
故世尊辟如影像不作是念我因彼現去我
為近鏡水等法去我為遠所以者何所現影
像无分別故諸菩薩摩訶薩亦復如是行深

BD02743 號　大般若波羅蜜多經卷五五三　（21–12）

故世尊辟如影像不作是念我因彼現去我
為近鏡水等法去我為遠所以者何所現影
像无分別故諸菩薩摩訶薩亦復如是行深
般若波羅蜜多不作是念我遠聲聞獨覺等
地我近无上正等菩提所以者何甚深般若
波羅蜜多於一切法无分別故世尊如諸如
來應正等覺於一切法无愛无憎所以者何
如來永斷一切分別愛憎等故諸菩薩摩訶
薩亦復如是行深般若波羅蜜多於一切法
无愛无憎所以者何如諸如來應正等覺所
得般若波羅蜜多永斷一切妄想分別故於
諸法无愛无憎諸菩薩摩訶薩所行般若
波羅蜜多永伏一切妄想分別故於諸法无愛
无憎世尊如諸如來應正等覺所緣變化者不
作是念我遠聲聞獨覺等地我近无上正等
菩提所以者何所變化者无分別故行深般
若波羅蜜多諸菩薩摩訶薩亦復如是不作
是念我遠聲聞獨覺等地我近无上正等菩提
所以者何甚深般若波羅蜜多於一切法无分
別故世尊如諸如來應正等覺欲有所作化
作化者令作彼事然所化者不作是念我能
造作如是事業所以者何諸所化者於所作
業無分別故行深般若波羅蜜多諸菩薩摩
訶薩亦復如是有所為故而勤脩學既脩學
已雖能成辦所作事業而於所作无所分別
所以者何甚深般若波羅蜜多於一切法无分
別故世尊辟如巧匠或彼弟子有所為故造
作機關或男或女或象馬等此諸機關雖有

BD02743 號　大般若波羅蜜多經卷五五三　（21–13）

已雖能成辦所作事業而於所作无所分別
所以者何甚深般若波羅蜜多於一切法无分
別故世尊譬如巧匠或彼弟子有所為故造
作機關或男或女或象馬等此諸機關雖有
所作而於彼事都无分別所以者何機關法
尒無分別故行深般若波羅蜜多諸菩薩摩
訶薩亦復如是有所為故而成立之既成立
已雖能成辦種種事業而於其中都无分別
所以者何甚深般若波羅蜜多法尒於法无
分別故

第四分堅固品第廿七

時舍利子問善現言諸菩薩摩訶薩行深般
若波羅蜜多時為行堅固法為行不堅固法
善現答言諸菩薩摩訶薩行深般若波羅蜜
多時行不堅固法不行堅固法何以故舍利
子甚深般若波羅蜜多及一切法畢竟皆无
堅固性故所以者何諸菩薩摩訶薩行深般
若波羅蜜多時於深般若波羅蜜多及一切
法尚不見有非堅固法可得況見有堅固法
可得時有無量欲界天子色界天子咸作是
念若菩薩乘善男子等能發无上正等覺心
雖行般若波羅蜜多甚深義趣而於實際能
不作證不墮聲聞及獨覺地由此因緣是有
情類甚為希有能為難事應當敬礼所以者
何是菩薩乘善男子等雖行法性而於其中
能不作證尒時善現知諸天子心之所念便
告之言此菩薩乘善男子等不證實際不墮

BD02743號　大般若波羅蜜多經卷五五三　（21–14）

情類甚為希有能為難事應當敬礼所以者
何是菩薩乘善男子等雖行法性而於其中
能不作證尒時善現知諸天子心之所念便
告之言此菩薩乘善男子等不證實際不墮
聲聞及獨覺地非甚希有亦未為難若菩薩
摩訶薩知一切法及諸有情畢竟非有皆不
可得而發无上正等覺心被精進甲擐度无
量无邊有情令入無餘般涅槃界是菩薩摩
訶薩乃甚希有能為難事天子當知若菩薩
摩訶薩雖知有情畢竟非有都不可得而發
无上正等覺心被精進甲為欲調伏諸有情
類如有為欲調伏虛空何以故諸天子虛空
離故當知一切有情亦離虛空空故當知一
切有情亦空虛空不堅實故當知一切有情
亦不堅實虛空无所有故當知一切有情亦
无所有由此因緣是菩薩摩訶薩及甚希有
能為難事天子當知是菩薩摩訶薩被大願
鎧為欲調伏一切有情而諸有情畢竟非有
都不可得如有被鎧與虛空戰天子當知是
菩薩摩訶薩被大願鎧為欲饒益一切有情
而諸有情及大願鎧畢竟非有俱不可得何
以故諸天子有情離故此大願鎧當知亦離
有情空故此大願鎧當知亦空有情不堅實
故此大願鎧當知亦不堅實有情无所有故
此大願鎧當知亦无所有天子當知是菩薩
摩訶薩調伏饒益諸有情事亦不可得何以
故諸天子有情離故此調伏饒益事當知亦
離有情空故此調伏饒益事當知亦空有情

BD02743號　大般若波羅蜜多經卷五五三　（21–15）

此大願鎧當知亦无所有天子當知是菩薩
摩訶薩調伏饒益諸有情事亦不可得何以
故諸天子有情離故此調伏饒益事當知亦
離有情空故此調伏饒益事當知亦空有情
不堅實故此調伏饒益事當知亦不堅實有
情无所有故此調伏饒益事當知亦无所有
天子當知諸菩薩摩訶薩亦無所有何以故
諸天子有情離故諸菩薩摩訶薩當知亦離
有情空故諸菩薩摩訶薩當知亦空有情不
堅實故諸菩薩摩訶薩當知亦不堅實有情
無所有故諸菩薩摩訶薩當知亦无所有天
子當知若菩薩摩訶薩聞如是語心不沉沒
亦不憂悔不驚不怖當知是菩薩摩訶薩行
深般若波羅蜜多何以故諸天子有情離故
當知色蘊亦離有情離故當知受想行識蘊
亦離有情離故當知眼處亦離有情離故當
知耳鼻舌身意處亦離有情離故當知色處
亦離有情離故當知聲香味觸法處亦離有
情離故當知眼界亦離有情離故當知耳鼻
舌身意界亦離有情離故當知色界亦離有
情離故當知聲香味觸法界亦離有情離故
當知眼識界亦離有情離故當知耳鼻舌身
意識界亦離有情離故當知眼觸亦離有情
離故當知耳鼻舌身意觸亦離有情離故當
知眼觸為緣所生諸受亦離有情離故當知
耳鼻舌身意觸為緣所生諸受亦離有情離
故當知地界亦離有情離故當知水火風空
識界亦離有情離故當知因緣亦離有情離

BD02743 號　大般若波羅蜜多經卷五五三

（21–16）

知眼觸為緣所生諸受亦離有情離故當知
耳鼻舌身意觸為緣所生諸受亦離有情離
故當知地界亦離有情離故當知水火風空
識界亦離有情離故當知因緣亦離有情離
故當知等無間緣所緣緣增上緣亦離有情
離故當知無明亦離有情離故當知行識名
色六處觸受愛取有生老死亦離有情離故
當知布施波羅蜜多乃至般若波羅蜜多亦
離有情離故當知內空乃至无性自性空亦
離有情離故當知真如乃至不思議界亦離
有情離故當知苦聖諦乃至道聖諦亦離有
情離故當知四念住乃至八聖道支亦離有
情離故當知四靜慮四无量四无色定亦離
有情離故當知空无相无願解脫門亦離有
情離故當知八解脫乃至十遍處亦離有情
離故當知淨觀地乃至如來地亦離有情離
故當知極喜地乃至法雲地亦離有情離故
當知一切陀羅尼門三摩地門亦離有情離
故當知五眼六神通亦離有情離故當知如來
十力乃至十八佛不共法亦離有情離故當
知大慈大悲大喜大捨亦離有情離故當知
三十二相八十隨好亦離有情離故當知无忘
失法恒住捨性亦離有情離故當知一切
智道相智一切相智亦離有情離故當知預
流果乃至獨覺菩提亦離有情離故當知一
切菩薩摩訶薩行諸佛无上正等菩提亦離
有情離故當知一切智智亦離有情離故當
知一切法亦離天子當知若菩薩摩訶薩聞

BD02743 號　大般若波羅蜜多經卷五五三

（21–17）

切菩薩摩訶薩行諸佛无上正等菩提亦離
有情離故當知一切智智亦離有情離故當
知一切法亦離天子當知若菩薩摩訶薩聞
說一切法无不離時其心不驚不恐不怖不
沉不沒當知是菩薩摩訶薩行深般若波羅
蜜多尒時世尊告善現曰何因緣故諸菩薩
摩訶薩聞說一切法无不離時其心不驚不
恐不怖不沉不沒具壽善現白言世尊以一
切法皆遠離故諸菩薩摩訶薩聞說一切法
無不離時其心不驚不恐不怖不沉不沒所
以者何諸菩薩摩訶薩於一切法若能驚等
若所驚等若驚等處若驚等時若驚等者
由此驚等皆無所得以一切法不可得故世尊
若菩薩摩訶薩聞說是事心不沉沒亦不驚
怖不憂不悔當知是菩薩摩訶薩行深般若
波羅蜜多所以者何是菩薩摩訶薩觀一切
法皆不可得不可施設是能沉等是所沉等
是沉等處是沉等時是沉等者由此沉等以
是因緣諸菩薩摩訶薩聞如是事心不沉沒
亦不驚怖不憂不悔世尊若菩薩摩訶薩能
如是行甚深般若波羅蜜多諸天帝釋大梵
天王世界主等皆共敬礼供養恭敬尊重讚
歎佛告善現若菩薩摩訶薩能如是行甚深
般若波羅蜜多非但恒為諸天帝釋大梵天
王世界主等皆共敬礼供養恭敬尊重讚歎
是菩薩摩訶薩亦為過此極光淨天若遍淨
天若廣果天若淨居天及餘天龍阿素洛等
皆共敬礼供養恭敬尊重讚歎是菩薩摩訶

BD02743號　大般若波羅蜜多經卷五五三　（21–18）

王世界主等皆共敬礼供養恭敬尊重讚歎
是菩薩摩訶薩亦為過此極光淨天若遍淨
天若廣果天若淨居天及餘天龍阿素洛等
皆共敬礼供養恭敬尊重讚歎是菩薩摩訶
薩能如是行甚深般若波羅蜜多亦為十方
无量无數无邊世界一切如來應正等覺及
諸菩薩摩訶薩衆常共護念善現當知是菩
薩摩訶薩能如是行甚深般若波羅蜜多即
令一切功德善根獲得圓滿善現當知若菩
薩摩訶薩能如是行甚深般若波羅蜜多常
為諸佛及諸菩薩并諸天龍阿素洛等守護
憶念當知行佛所應行處亦正備行佛所行
行速證无上正等菩提善現當知是菩薩摩
訶薩已於无上正等菩提得不退轉一切魔
軍及諸外道惡知識等不能留難所以者何
是菩薩摩訶薩其心堅固踰於金剛假使三
千大千世界諸有情類皆變為魔是一一魔
各復化作尒所惡魔此惡魔衆皆有无量无
數神力是諸惡魔盡其神力不能留難是菩
薩摩訶薩令不能行甚深般若波羅蜜多及
於无上正等菩提或有退轉所以者何是菩
薩摩訶薩已得般若波羅蜜多方便善巧知
一切法不可得故復次善現置一三千大千
世界諸有情類皆變為魔假使十方殑伽沙
等諸佛世界一切有情皆變為魔是諸魔衆
各復化作尒所惡魔此諸惡魔皆有无量无
數神力是諸惡魔盡其神力不能留難是菩
薩摩訶薩令不能行甚深般若波羅蜜多及

BD02743號　大般若波羅蜜多經卷五五三　（21–19）

薩摩訶薩已得般若波羅蜜多方便善巧知
一切法不可得故復次善現置一三千大千
世界諸有情類皆變為魔假使十方殑伽沙
等諸佛世界一切有情皆變為魔是諸魔衆
各復化作尔所惡魔此諸惡魔皆有无量无
數神力是諸惡魔盡其神力不能留難是菩
薩摩訶薩令不能行甚深般若波羅蜜多及
於无上正等菩提或有退轉所以者何是菩
薩摩訶薩已得般若波羅蜜多方便善巧知
一切法不可得故善現當知菩薩摩訶薩
成就二法一切惡魔不能留難令不能行甚
深般若波羅蜜多及於无上等菩提或有
退轉何等為二一者不捨一切有情二者觀
察諸法皆空復次善現若菩薩摩訶薩成就
二法一切惡魔不能障礙令不能行甚深般
若波羅蜜多及於无上正等菩提或有退轉
何等為二一者如說悉能作二者常為諸
佛護念善現當知若菩薩摩訶薩能如是行
甚深般若波羅蜜多諸天神等常來礼敬親
近供養請問勸發作如是言善哉大士汝能
如是行深般若波羅蜜多方便善巧疾證无
上正等菩提一切有情无依怙者能作依怙
無歸依者能作歸依無救護者能作救護無
投趣者能作投趣無舍宅者能作舍宅無洲
渚者能作洲渚與闇冥者能作光明與聾
盲者能作耳目何以故善男子若能安住甚深
般若波羅蜜多方便善巧疾證无上正等菩
提一切惡魔不能留難

BD02743號　大般若波羅蜜多經卷五五三　（21–20）

二法一切惡魔不能障礙令不能行甚深般
若波羅蜜多及於无上正等菩提或有退轉
何等為二一者如說悉能作二者常為諸
佛護念善現當知若菩薩摩訶薩能如是行
甚深般若波羅蜜多諸天神等常來礼敬親
近供養請問勸發作如是言善哉大士汝能
如是行深般若波羅蜜多方便善巧疾證无
上正等菩提一切有情无依怙者能作依怙
無歸依者能作歸依無救護者能作救護無
投趣者能作投趣無舍宅者能作舍宅無洲
渚者能作洲渚與闇冥者能作光明與聾
盲者能作耳目何以故善男子若能安住甚深
般若波羅蜜多方便善巧疾證无上正等菩
提一切惡魔不能留難

大般若波羅蜜多經卷第五百五十三

BD02743號　大般若波羅蜜多經卷五五三　（21–21）

於汝意云何是大施主所得功德寧為多不
弥勒白佛言世尊是人功德甚多无量无
邊若是施主但施衆生一切樂具功德无量
何况令得阿羅漢果佛告弥勒我今分明語
汝是人以一切樂具施於四百万億阿僧祇
世界六趣衆生又令得阿羅漢果所得功德
不如是苐五十人聞法華經一偈隨喜功德
百分千分百千万億分不及其一乃至筭數
譬喻所不能知阿逸多如是苐五十人展轉
聞法華經隨喜功德尚无量无邊阿僧祇何
况最初於會中聞而隨喜者其福復勝无量
无邊阿僧祇不可得比又阿逸多若人為是
經故往詣僧坊若坐若立須臾聽受緣是功
德轉身所生得好上妙為馬車乘珎寶輦轝
及乘天宮若復有人於講法處坐更有人來
勸令坐聽若分座令坐是人功德轉身得帝
釋坐處若梵王坐處若轉輪聖王所坐之處
阿逸多若復有人語餘人言有經名法華可
共往聽即受其教乃至須臾聞是人功德
轉身得與陁羅尼菩薩共生一處利根智慧
百千万世終不瘖瘂口氣不臭舌常无病口
亦无病齒不垢黑不黄不踈亦不缺落不差
不曲脣不下垂亦不褰縮不麁澁不瘡緊亦

BD02744號　妙法蓮華經卷六　（7–1）

共往聽即受其教乃至須臾聞是人功德
轉身得與陁羅尼菩薩共生一處利根智慧
百千万世終不瘖瘂口氣不臭舌常无病口
亦无病齒不垢黑不黄不踈亦不缺落不差
不曲脣不下垂亦不褰縮不麁澁不瘡緊亦
不缺壞亦不喎斜不厚不大亦不梨黑无諸
可惡鼻不匾虒亦不曲戾面色不黑亦不狹
長亦不窪曲无有一切不可憙相脣舌牙齒
悉皆嚴好鼻脩高直面貌圓滿眉高而長額
廣平正人相具足世世所生見佛聞法信受
教誨阿逸多汝且觀是勸於一人令往聽法
功德如此何況一心聽說讀誦而於大衆為
人分別如說脩行尒時世尊欲重宣此義
而說偈言
若人於法會　得聞是經典　乃至於一偈　隨喜為他說
如是展轉教　至于第五十　最後人獲福　今當分別之
如有大施主　供給无量衆　具滿八十歲　隨意之所欲
見彼衰老相　髮白而面皺　齒踈形枯竭　念其死不久
我今應當教　令得於道果　即為方便說　涅槃真實法
世皆不牢固　如水沫泡焰　汝等咸應當　疾生猒離心
諸人聞是法　皆得阿羅漢　具足六神通　三明八解脫
最後第五十　聞一偈隨喜　是人福勝彼　不可為譬喻
如是展轉聞　其福尚无量　何況於法會　初聞隨喜者
若有勸一人　將引聽法華　言此經深妙　千万劫難遇
即受教往聽　乃至須臾聞　斯人之福報　今當分別說
世世无口患　齒不踈黄黑　脣不厚褰缺　无有可惡相
舌不乾黑短　鼻高脩且直　額廣而平正　面目悉端嚴

BD02744號　妙法蓮華經卷六　（7–2）

諸人聞是法 皆得阿羅漢 具足六神通 三明八解脫
最後第五十 聞一偈隨喜 是人福勝彼 不可為譬喻
如是展轉聞 其福尚無量 何況於法會 初聞隨喜者
若有勸一人 將引聽法華 言此經深妙 千万劫難遇
即受教往聽 乃至須臾聞 斯人之福報 今當分別說
世世無口患 齒不疏黃黑 脣不厚褰缺 無有可惡相
舌不乾黑短 鼻高脩且直 額廣而平正 面目悉端嚴
為人所憙見 口氣無臭穢 優鉢華之香 常從其口出
若故詣僧坊 欲聽法華經 須臾聞歡喜 今當說其福
後生天人中 得妙象馬車 珎寶之輦轝 及乘天宮殿
若於講法處 勸人坐聽經 是福因緣得 釋梵轉輪座
何況一心聽 解說其義趣 如說而脩行 其福不可限
妙法蓮華經法師功德品第十九
尒時佛告常精進菩薩摩訶薩 若善男子善
女人受持是法華經 若讀若誦若解說若書
寫 是人當得八百眼功德 千二百耳功德 八百
鼻功德 千二百舌功德 八百身功德 千二百
意功德 以是功德莊嚴六根 皆令清淨 是善
男子善女人父母所生清淨肉眼 見於三千
大千世界內外所有山林河海 下至阿鼻
地獄 上至有頂 亦見其中一切衆生 及業因
緣果報生處 悉見悉知 尒時世尊欲重宣此
義而說偈言
若於大衆中 以無所畏心 說是法華經 汝聽其功德
是人得八百 功德殊勝眼 以是莊嚴故 其目甚清淨
父母所生眼 悉見三千界 內外弥樓山 須弥及鐵圍
并諸餘山林 大海江河水 下至阿鼻獄 上至有頂處
其中諸衆生 一切皆悉見 雖未得天眼 肉眼力如是

BD02744 號　妙法蓮華經卷六

（7–3）

義而說偈言
若於大衆中 以無所畏心 說是法華經 汝聽其功德
是人得八百 功德殊勝眼 以是莊嚴故 其目甚清淨
父母所生眼 悉見三千界 內外弥樓山 須弥及鐵圍
并諸餘山林 大海江河水 下至阿鼻獄 上至有頂處
其中諸衆生 一切皆悉見 雖未得天眼 肉眼力如是
復次常精進 若善男子善女人受持此經 若
讀若誦若解說若書寫 得千二百耳功德 以
是清淨耳 聞三千大千世界 下至阿鼻地獄
上至有頂 其中內外種種語言音聲 象聲
馬聲牛聲車聲 啼哭聲愁歎聲 螺聲鼓聲鍾
聲鈴聲 笑聲語聲 男聲女聲 童子聲童女聲
法聲非法聲 苦聲樂聲 凡夫聲聖人聲 喜聲
不喜聲 天聲龍聲夜叉聲乾闥婆聲阿脩羅
聲迦樓羅聲緊那羅聲摩睺羅伽聲 火聲水聲
風聲 地獄聲畜生聲餓鬼聲 比丘聲比丘尼聲
聲聞聲辟支佛聲菩薩聲佛聲 以要言之 三
千大千世界中 一切內外所有諸聲 雖未
得天耳 以父母所生清淨常耳 皆悉聞知 如
是分別種種音聲 而不壞耳根 尒時世尊欲
重宣此義而說偈言
父母所生耳 清淨無濁穢 以此常耳聞 三千世界聲
象馬車牛聲 鍾鈴螺鼓聲 琴瑟箜篌聲 簫笛之音聲
清淨好歌聲 聽之而不著 無數種人聲 聞悉能解了
又聞諸天聲 微妙之歌音 及聞男女聲 童男童女聲
山川嶮谷中 迦陵頻伽聲 命命等諸鳥 悉聞其音聲
地獄衆苦痛 種種楚毒聲 餓鬼飢渴逼 求索飲食聲
諸阿脩羅等

BD02744 號　妙法蓮華經卷六

（7–4）

重宣此義而說偈言
父母所生耳 清淨無濁穢 以此常耳聞 三千世界聲
象馬車牛聲 鍾鈴螺鼓聲 琴瑟箜篌聲 簫笛之音聲
清淨好歌聲 聽之而不著 無數種人聲 聞悉能解了
又聞諸天聲 微妙之歌音 及聞男女聲 童男童女聲
山川險谷中 迦陵頻伽聲 命命等諸鳥 悉聞其音聲
地獄衆苦痛 種種楚毒聲 餓鬼飢渴逼 求索飲食聲
諸阿修羅等 居在大海邊 自共語言時 出于大音聲
如是說法者 安住於此間 遙聞是衆聲 而不壞耳根
十方世界中 禽獸鳴相呼 其說法之人 於此悉聞之
其諸梵天上 光音及遍淨 乃至有頂天 言語之音聲
法師住於此 悉皆得聞之 一切比丘衆 及諸比丘尼
若讀誦經典 若為他人說 法師住於此 悉皆得聞之
復有諸菩薩 讀誦於經法 若為他人說 撰集解其義
如是諸音聲 悉皆得聞之 諸佛大聖尊 教化衆生者
於諸大衆中 演說微妙法 持此法華者 悉皆得聞之
三千大千界 內外諸音聲 下至阿鼻獄 上至有頂天
皆聞其音聲 而不壞耳根 其耳聰利故 悉能分別知
持是法華者 雖未得天耳 但用所生耳 功德已如是
復次常精進 若善男子善女人受持是經若
讀若誦若解說若書寫成就八百鼻功德以
是清淨鼻根聞於三千大千世界上下內外
種種諸香 須曼那華香 闍提華香 末利華
香 瞻蔔華香 波羅羅華香 赤蓮香 青蓮華
香 白蓮華香 華樹香 菓樹香 栴檀香 沈水香 多
摩羅跋香 多伽羅香 及千萬種和香 若末若
丸若塗香 持是經者 於此間住 悉能分別 又

BD02744號 妙法蓮華經卷六 （7–5）

讀若誦若解說若書寫成就八百鼻功德以
是清淨鼻根聞於三千大千世界上下內外
種種諸香 須曼那華香 闍提華香 末利華
香 瞻蔔華香 波羅羅華香 赤蓮香 青蓮華
香 白蓮華香 華樹香 菓樹香 栴檀香 沈水香 多
摩羅跋香 多伽羅香 及千萬種和香 若末若
丸若塗香 持是經者 於此間住 悉能分別 又
復別知衆生之香 象香馬香牛羊等香 男香
女香 童子香 童女香 及草木叢林香 若近若
遠所有諸香 悉皆得聞 分別不錯 持是經者
雖住於此 亦聞天上諸天之香 波利質多羅 拘
鞞陀羅樹香 及曼陀羅華香 摩訶曼陀羅
華香 曼殊沙華香 摩訶曼殊沙華香 栴檀
沈水 種種末香 諸雜華香 如是等天香和合所
出之香 無不聞知 又聞諸天身香 釋提桓因
在勝殿上 五欲娛樂嬉戲時香 若在妙法堂
上 為忉利諸天說法時香 若於諸園遊戲時
香 及餘天等男女身香 皆悉遙聞 如是展轉
乃至梵世 上至有頂諸天身香 亦皆聞之 并
聞諸天所燒之香 及聲聞香 辟支佛香 菩薩
香 諸佛身香 亦皆遙聞 知其所在 雖聞此香
然於鼻根不壞不錯 若欲分別為他人說 憶
念不謬 爾時世尊欲重宣此義而說偈言
是人鼻清淨 於此世界中 若香若臭物 種種悉聞知
須曼那闍提 多摩羅栴檀 沈水及桂香 種種華菓香
及知衆生香 男子女人香 說法者遠住 聞香知所在
大勢轉輪王 小轉輪及子 群臣諸宮人 聞香知所在

BD02744號 妙法蓮華經卷六 （7–6）

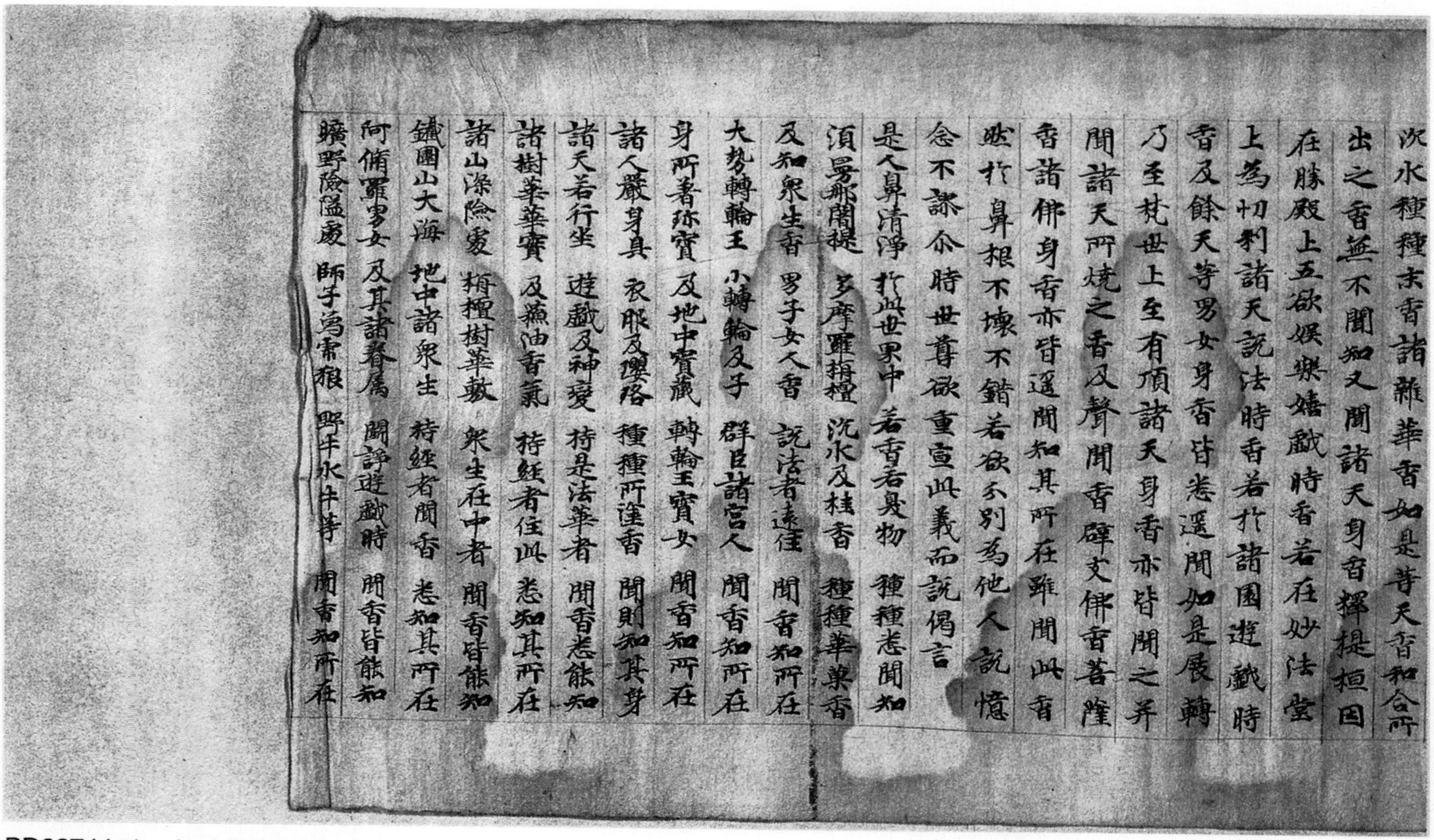

沈水種種末香諸雜華香如是等天香和合所
出之香無不聞知又聞諸天身香釋提桓因
在勝殿上五欲娛樂嬉戲時香若在妙法堂
上為忉利諸天說法時香若於諸園遊戲時
香及餘天等男女身香皆悉遙聞如是展轉
乃至梵世上至有頂諸天身香亦皆聞之并
聞諸天所燒之香及聲聞香辟支佛香菩薩
香諸佛身香亦皆遙聞知其所在雖聞此香
然於鼻根不壞不錯若欲分別為他人說憶
念不謬爾時世尊欲重宣此義而說偈言
是人鼻清淨　於此世界中　若香若臭物　種種悉聞知
須曼那闍提　多摩羅栴檀　沈水及桂香　種種華菓香
及知眾生香　男子女人香　說法者遠住　聞香知所在
大勢轉輪王　小轉輪及子　群臣諸宮人　聞香知所在
身所著珎寶　及地中寶藏　轉輪王寶女　聞香知所在
諸人嚴身具　衣服及瓔珞　種種所塗香　聞則知其身
諸天若行坐　遊戲及神變　持是法華者　聞香悉能知
諸樹華菓實　及蘇油香氣　持經者住此　悉知其所在
諸山深險處　栴檀樹華敷　眾生在中者　聞香皆能知
鐵圍山大海　地中諸眾生　持經者聞香　悉知其所在
阿脩羅男女　及其諸眷屬　鬪諍遊戲時　聞香皆能知
曠野險隘處　師子象虎狼　野牛水牛等　聞香知所在

BD02744 號　妙法蓮華經卷六

（7–7）

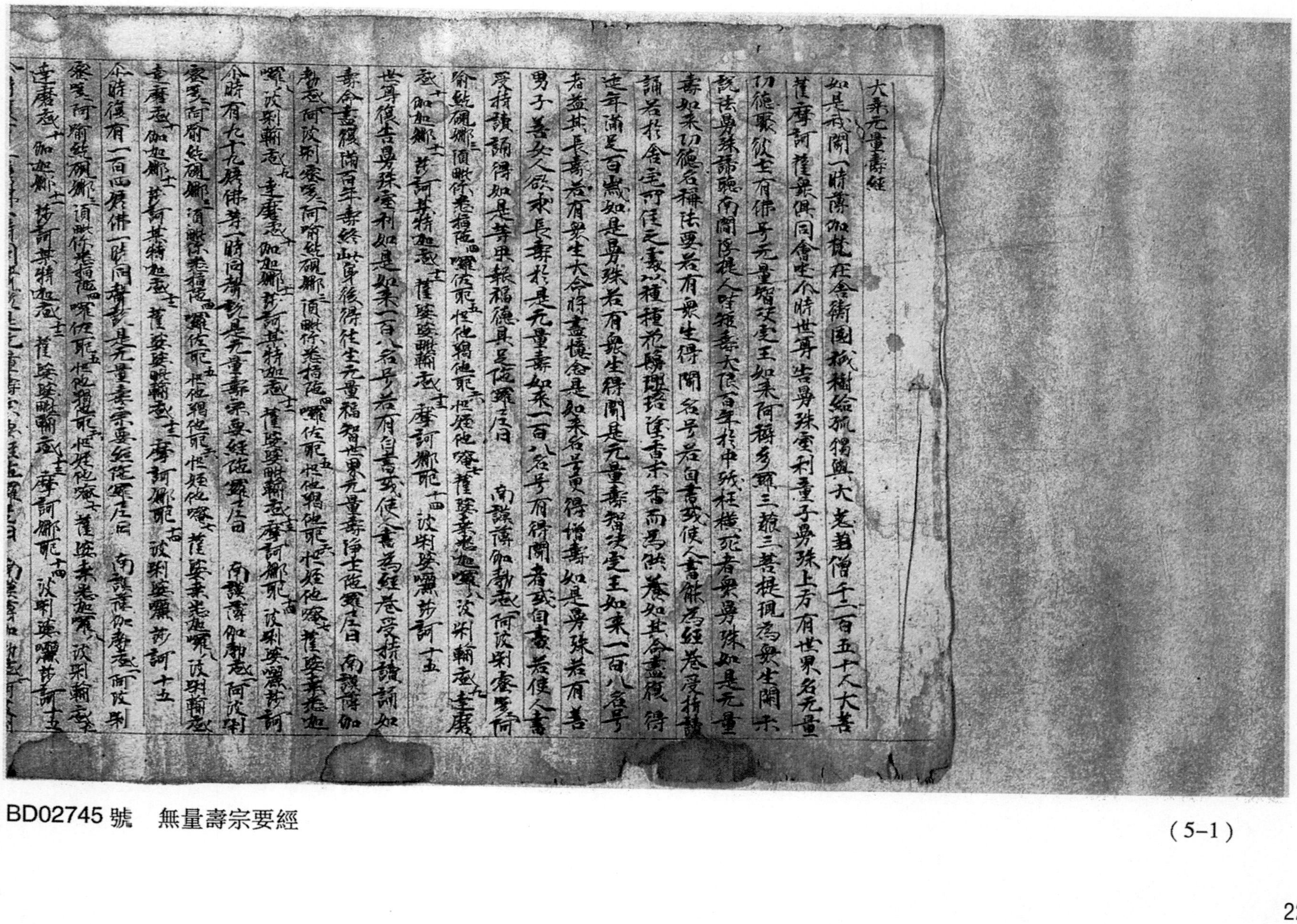

大乘無量壽經
如是我聞一時薄伽梵在舍衛國祇樹給孤獨與大苾芻僧千二百五十人大菩
薩摩訶薩俱爾時世尊告曼殊室利童子上方有世界名無量
功德聚彼土有佛号無量智決定王如來阿羅訶三藐三菩提現為眾生開示
說法曼殊室利聽閻浮提人命短促大限百年於中夭枉者眾曼殊如是無量
壽如來功德名稱法要若有眾生得聞名号若自書或使人書寫為經卷受持讀
誦若於舍宅所住之處以種種花鬘瓔珞塗香末香而為供養如其命盡復得
延年滿足百歲如是曼殊若有眾生得聞是無量壽智決定王如來一百八名号
者益其長壽若有眾生大命將盡憶念是如來名号更得增壽如是曼殊若有善
男子善女人欲求長壽於是無量壽如來一百八名号有得聞者或自書若使人書
[illegible]

BD02745 號　無量壽宗要經

（5–1）

爾時有九十九姟佛一時同聲說是无量壽宗要經陀羅尼曰 南謨薄伽勃底一阿波唎
蜜多二阿喻紇硯娜三須毗你悉指陀四囉佐耶五怛他羯他耶六怛姪他唵七薩婆桑悉迦囉八波唎輸底
達磨底十伽伽娜十一莎訶其特伽底十二薩婆婆毗輸底十三摩訶娜耶十四波唎婆囉莎訶十五
爾時復有一百四姟佛一時同聲說是无量壽宗要經陀羅尼曰 南謨薄伽勃底一阿波唎
蜜多二阿喻紇硯娜三須毗你悉指陀四囉佐耶五怛他羯他耶六怛姪他唵七薩婆桑悉迦囉八波唎輸底九
達磨底十伽伽娜十一莎訶其特伽底十二薩婆婆毗輸底十三摩訶娜耶十四波唎婆囉莎訶十五
爾時復有七姟佛一時同聲說是无量壽宗要經陀羅尼曰 南謨薄伽勃底一阿波唎
蜜多二阿喻紇硯娜三須毗你悉指陀四囉佐耶五怛他羯他耶六怛姪他唵七薩婆桑悉迦囉八波唎
輸底九達磨底十伽伽娜十一莎訶其特伽底十二薩婆婆毗輸底十三摩訶娜耶十四波唎婆囉莎訶十五
爾時復有六十五姟佛一時同聲說是无量壽宗要經陀羅尼曰 南謨薄伽勃底一阿波
唎蜜多二阿喻紇硯娜三須毗你悉指陀四囉佐耶五怛他羯他耶六怛姪他唵七薩婆桑悉迦囉八波
唎輸底九達磨底十伽伽娜十一莎訶其特伽底十二薩婆婆毗輸底十三摩訶娜耶十四波唎婆囉莎訶十五
爾時復有五十五姟佛一時同聲說是无量壽宗要經陀羅尼曰 南謨薄伽勃底一阿波
唎蜜多二阿喻紇硯娜三須毗你悉指陀四囉佐耶五怛他羯他耶六怛姪他唵七薩婆桑悉迦囉八波唎輸
底九達磨底十伽伽娜十一莎訶其特伽底十二薩婆婆毗輸底十三摩訶娜耶十四波唎婆囉莎訶十五
爾時復有四十五姟佛一時同聲說是无量壽宗要經陀羅尼曰 南謨薄伽勃底一阿波唎蜜
多二阿喻紇硯娜三須毗你悉指陀四囉佐耶五怛他羯他耶六怛姪他唵七薩婆桑悉迦囉八波唎輸底九
達磨底十伽伽娜十一莎訶其特伽底十二薩婆婆毗輸底十三摩訶娜耶十四波唎婆囉莎訶十五
爾時復有三十六姟佛一時同聲說是无量壽宗要經陀羅尼曰 南謨薄伽勃底一阿波唎蜜
多二阿喻紇硯娜三須毗你悉指陀四囉佐耶五怛他羯他耶六怛姪他唵七薩婆桑悉迦囉八波唎輸底
達磨底十伽伽娜十一莎訶其特伽底十二薩婆婆毗輸底十三摩訶娜耶十四波唎婆囉莎訶十五
爾時復有二十五姟佛一時同聲說是无量壽宗要經陀羅尼曰 南謨薄伽勃底一阿波唎
蜜多二阿喻紇硯娜三須毗你悉指陀四囉佐耶五怛他羯他耶六怛姪他唵七薩婆桑悉迦囉八波唎輸底
達磨底十伽伽娜十一莎訶其特伽底十二薩婆婆毗輸底十三摩訶娜耶十四波唎婆囉莎訶十五
爾時復有恒河沙姟佛一時同聲說是无量壽宗要經陀羅尼曰 南謨薄伽勃底一阿波唎蜜多
阿喻紇硯娜三須毗你悉指陀四囉佐耶五怛他羯他耶六怛姪他唵七薩婆桑悉迦囉八波唎輸底九
達磨底十伽伽娜十一莎訶其特伽底十二薩婆婆毗輸底十三摩訶娜耶十四波唎婆囉莎訶十五
善男子若有自書寫教人書寫是无量壽宗要經如其命盡復得長壽而滿百年陀羅尼曰
南謨薄伽勃底一阿波唎蜜多二阿喻紇硯娜三須毗你悉指陀四囉佐耶五怛他羯他耶六怛
姪他唵七薩婆桑悉迦囉八波唎輸底九達磨底十伽伽娜十一莎訶其特伽底十二薩婆婆毗輸底十三摩訶
娜耶十四波唎婆囉莎訶十五 若有自書寫教人書寫是无量壽宗要經讀誦受持畢竟不
墮地獄在在所生得宿智陀羅尼曰 南謨薄伽勃底一阿波唎蜜多二阿喻紇硯娜三須毗你悉
指陀四囉佐耶五怛他羯他耶六怛姪他唵七薩婆桑悉迦囉八波唎輸底九達磨底十伽伽娜十一莎訶其特
伽底十二薩婆婆毗輸底十三摩訶娜耶十四波唎婆囉莎訶十五 若有自書寫是无量壽宗要經受持

BD02745號　無量壽宗要經　（5–2）

達磨底十伽伽娜十一莎訶其特伽底十二薩婆婆毗輸底十三摩訶娜耶十四波唎婆囉莎訶十五
善男子若有自書寫教人書寫是无量壽宗要經如其命盡復得長壽而滿百年陀羅尼曰
南謨薄伽勃底一阿波唎蜜多二阿喻紇硯娜三須毗你悉指陀四囉佐耶五怛他羯他耶六怛
姪他唵七薩婆桑悉迦囉八波唎輸底九達磨底十伽伽娜十一莎訶其特伽底十二薩婆婆毗輸底十三摩訶
娜耶十四波唎婆囉莎訶十五 若有自書寫教人書寫是无量壽宗要經讀誦受持畢竟不
墮地獄在在所生得宿智陀羅尼曰 南謨薄伽勃底一阿波唎蜜多二阿喻紇硯娜三須毗你悉
指陀四囉佐耶五怛他羯他耶六怛姪他唵七薩婆桑悉迦囉八波唎輸底九達磨底十伽伽娜十一莎訶其特
伽底十二薩婆婆毗輸底十三摩訶娜耶十四波唎婆囉莎訶十五 若有自書寫是无量壽宗要經受持
讀誦如同書寫八万四千一切經典陀羅尼曰 南謨薄伽勃底一阿波唎蜜多二阿喻紇硯娜三須
毗你悉指陀四囉佐耶五怛他羯他耶六怛姪他唵七薩婆桑悉迦囉八波唎輸底九達磨底十伽伽娜十一莎訶
其特伽底十二薩婆婆毗輸底十三摩訶娜耶十四波唎婆囉莎訶十五 若有自書寫教人書寫是无量壽
宗要經受持讀誦即是書寫八万四千部建立塔廟陀羅尼曰 南謨薄伽勃底一阿波唎蜜
多二阿喻紇硯娜三須毗你悉指陀四囉佐耶五怛他羯他耶六怛姪他唵七薩婆桑悉迦囉八波唎輸底
達磨底十伽伽娜十一莎訶其特伽底十二薩婆婆毗輸底十三摩訶娜耶十四波唎婆囉莎訶十五
若有自書寫教人書寫是无量壽宗要經能消五无間等一切重罪陀羅尼曰 南謨薄伽勃
底一阿波唎蜜多二阿喻紇硯娜三須毗你悉指陀四囉佐耶五怛他羯他耶六怛姪他唵七薩婆桑悉迦囉
波唎輸底九達磨底十伽伽娜十一莎訶其特伽底十二薩婆婆毗輸底十三摩訶娜耶十四波唎婆囉莎訶十五
若有自書寫教人書寫是无量壽宗要經受持讀誦設有重罪猶如須彌盡能除滅陀羅尼曰
南謨薄伽勃底一阿波唎蜜多二阿喻紇硯娜三須毗你悉指陀四囉佐耶五怛他羯他耶六怛姪他唵七薩
婆桑悉迦囉八波唎輸底九達磨底十伽伽娜十一莎訶其特伽底十二薩婆婆毗輸底十三摩訶娜耶十四波唎婆囉
莎訶十五 若有自書寫教人書寫是无量壽宗要經受持讀誦若魔魔之眷屬夜叉羅剎不得其
便終无枉死陀羅尼曰 南謨薄伽勃底一阿波唎蜜多二阿喻紇硯娜三須毗你悉指陀四囉佐耶五怛他羯
他耶六怛姪他唵七薩婆桑悉迦囉八波唎輸底九達磨底十伽伽娜十一莎訶其特伽底十二薩婆婆毗輸底十三
摩訶娜耶十四波唎婆囉莎訶十五 若有自書教人書寫是无量壽宗要經受持讀誦命終之時
有九十九姟佛現其人前來千佛授手能遊一切佛剎莫於此經生疑惑陀羅尼曰 南謨薄
伽勃底一阿波唎蜜多二阿喻紇硯娜三須毗你悉指陀四囉佐耶五怛他羯他耶六怛姪他唵七薩婆桑悉迦囉
波唎輸底九達磨底十伽伽娜十一莎訶其特伽底十二薩婆婆毗輸底十三摩訶娜耶十四波唎婆囉莎訶十五
若有自書寫教人書寫是无量壽宗要經受持讀誦常得四天大王隨其衛護陀羅尼曰
南謨薄伽勃底一阿波唎蜜多二阿喻紇硯娜三須毗你悉指陀四囉佐耶五怛他羯他耶六怛姪他唵七薩婆桑悉迦
囉八波唎輸底九達磨底十伽伽娜十一莎訶其特伽底十二薩婆婆毗輸底十三摩訶娜耶十四波唎婆囉莎訶十五
若有自書寫教人書寫是无量壽宗要經受持讀誦當得往生西方極樂世界阿彌陀淨土
陀羅尼曰 南謨薄伽勃底一阿波唎蜜多二阿喻紇硯娜三須毗你悉指陀四囉佐耶五怛他羯他耶六怛姪
他唵七薩婆桑悉迦囉八波唎輸底九達磨底十伽伽娜十一莎訶其特伽底十二薩婆婆毗輸底十三摩訶娜耶十四波唎
婆囉莎訶十五 若有方所自書寫使人書寫是无量壽經典之處則為是塔皆應恭敬

BD02745號　無量壽宗要經　（5–3）

若有自書寫教人書寫是无量壽宗要經受持讀誦當得四天大王隨其衛護陀羅尼曰
南謨薄伽勃底一 阿波唎蜜多二 阿喻紇硯娜三 須毗你悉指陀四 囉佐耶五 怛他羯他耶六 怛姪他七 薩婆桑悉迦
囉八 波唎輸底九 達磨底十 伽伽娜十一 莎訶某特伽底十二 薩婆婆毗輸底十三 摩訶娜耶十四 波唎婆嚟莎訶十五
若有自書寫教人書寫是无量壽宗要經受持讀誦當得往生西方極樂世界阿彌陀淨土
陀羅尼曰 南謨薄伽勃底一 阿波唎蜜多二 阿喻紇硯娜三 須毗你悉指陀四 囉佐耶五 怛他羯他耶六 怛姪
他七 薩婆桑悉迦囉八 波唎輸底九 達磨底十 伽伽娜十一 莎訶某特伽底十二 薩婆婆毗輸底十三 摩訶娜耶十四
波唎婆嚟莎訶十五 若有方所自書寫使人書寫是无量壽經典之處則為是塔皆應恭敬
作礼若是畜生或為鳥獸得聞是經如是等類皆當不久得成一切種智陀羅尼曰 南謨薄伽
勃底一 阿波唎蜜多二 阿喻紇硯娜三 須毗你悉指陀四 囉佐耶五 怛他羯他耶六 怛姪他七 薩婆桑悉迦囉
波唎輸底九 達磨底十 伽伽娜十一 莎訶某特伽底十二 薩婆婆毗輸底十三 摩訶娜耶十四 波唎婆嚟莎訶十五
若有於是无量壽經自書寫若使人書畢竟不受女人之身陀羅尼曰 南謨薄伽勃底一 阿波
唎蜜多二 阿喻紇硯娜三 須毗你悉指陀四 囉佐耶五 怛他羯他耶六 怛姪他七 薩婆桑悉迦囉八 波唎輸底
達磨底十 伽伽娜十一 莎訶某特伽底十二 薩婆婆毗輸底十三 摩訶娜耶十四 波唎婆嚟莎訶十五
若有能於是經少分能惠施者等於三千大千世界滿中七寶布施陀羅尼曰 南謨薄伽勃底
阿波唎蜜多二 阿喻紇硯娜三 須毗你悉指陀四 囉佐耶五 怛他羯他耶六 怛姪他七 薩婆桑悉迦囉八 波唎
輸底九 達磨底十 伽伽娜十一 莎訶某特伽底十二 薩婆婆毗輸底十三 摩訶娜耶十四 波唎婆嚟莎訶十五
若有能供養是經者則是供養一切諸經等无有異陀羅尼曰 南謨薄伽勃底一 阿波唎蜜
多二 阿喻紇硯娜三 須毗你悉指陀四 囉佐耶五 怛他羯他耶六 怛姪他七 薩婆桑悉迦囉八 波唎輸底
達磨底十 伽伽娜十一 莎訶某特伽底十二 薩婆婆毗輸底十三 摩訶娜耶十四 波唎婆嚟莎訶十五
如是毗婆尸佛式棄佛毗舍浮佛俱留孫佛俱那含牟尼佛迦葉佛釋迦牟尼佛若有
人以七寶供養如是七佛其福有限書寫受持是无量壽經典所有功德不可限量陀羅尼曰
南謨薄伽勃底一 阿波唎蜜多二 阿喻紇硯娜三 須毗你悉指陀四 囉佐耶五 怛他羯他耶六 怛姪他七 薩
婆桑悉迦囉八 波唎輸底九 達磨底十 伽伽娜十一 莎訶某特伽底十二 薩婆婆毗輸底十三 摩訶娜耶十四
波唎婆嚟莎訶十五 若有七寶等於須彌山用布施其福上能知其限量是无量壽經典
其福不可知數陀羅尼曰 南謨薄伽勃底一 阿波唎蜜多二 阿喻紇硯娜三 須毗你悉指陀四 囉佐
耶五 怛他羯他耶六 怛姪他七 薩婆桑悉迦囉八 波唎輸底九 達磨底十 伽伽娜十一 莎訶某特伽底十二 薩婆
婆毗輸底十三 摩訶娜耶十四 波唎婆嚟莎訶十五 如是四大海水可知滴數是无量壽經典所
生果報不可數量壽陀羅尼曰 南謨薄伽勃底一 阿波唎蜜多二 阿喻紇硯娜三 須毗你悉
指陀四 囉佐耶五 怛他羯他耶六 怛姪他七 薩婆桑悉迦囉八 波唎輸底九 達磨底十 伽伽娜十一 莎
訶某特伽底十二 薩婆婆毗輸底十三 摩訶娜耶十四 波唎婆嚟莎訶十五 若有自書使人書寫
是无量壽經典又能讀持供養禮拜如恭敬供養一切十方佛土如來无有異別陀
羅尼曰 南謨薄伽勃底一 阿波唎蜜多二 阿喻紇硯娜三 須毗你悉指陀四 囉佐耶五 怛他羯
他耶六 怛姪他七 薩婆桑悉迦囉八 波唎輸底九 達磨底十 伽伽娜十一 莎訶某特伽底十二 薩

BD02745號　無量壽宗要經

(5-4)

南謨薄伽勃底一 阿波唎蜜多二 阿喻紇硯娜三 須毗你悉指陀四 囉佐耶五 怛他羯他耶六 怛姪他七 薩
婆桑悉迦囉八 波唎輸底九 達磨底十 伽伽娜十一 莎訶某特伽底十二 薩婆婆毗輸底十三 摩訶娜耶十四
波唎婆嚟莎訶十五 若有七寶等於須彌山用布施其福上能知其限量是无量壽經典
其福不可知數陀羅尼曰 南謨薄伽勃底一 阿波唎蜜多二 阿喻紇硯娜三 須毗你悉指陀四 囉佐
耶五 怛他羯他耶六 怛姪他七 薩婆桑悉迦囉八 波唎輸底九 達磨底十 伽伽娜十一 莎訶某特伽底十二 薩婆
婆毗輸底十三 摩訶娜耶十四 波唎婆嚟莎訶十五 如是四大海水可知滴數是无量壽經典所
生果報不可數量壽陀羅尼曰 南謨薄伽勃底一 阿波唎蜜多二 阿喻紇硯娜三 須毗你悉
指陀四 囉佐耶五 怛他羯他耶六 怛姪他七 薩婆桑悉迦囉八 波唎輸底九 達磨底十 伽伽娜十一 莎
訶某特伽底十二 薩婆婆毗輸底十三 摩訶娜耶十四 波唎婆嚟莎訶十五 若有自書使人書寫
是无量壽經典又能讀持供養禮拜如恭敬供養一切十方佛土如來无有異別陀
羅尼曰 南謨薄伽勃底一 阿波唎蜜多二 阿喻紇硯娜三 須毗你悉指陀四 囉佐耶五 怛他羯
他耶六 怛姪他七 薩婆桑悉迦囉八 波唎輸底九 達磨底十 伽伽娜十一 莎訶某特伽底十二 薩
婆婆毗輸底十三 摩訶娜耶十四 波唎婆嚟莎訶十五
布施力能成正覺　悟布施力人師子　布施力能聲普聞　慈悲得衛最能入
持戒力能成正覺　悟持戒力人師子　持戒力能聲普聞　慈悲得衛最能入
忍辱力能成正覺　悟忍辱力人師子　忍辱力能聲普聞　慈悲得衛最能入
精進力能成正覺　悟精進力人師子　精進力能聲普聞　慈悲得衛最能入
禪定力能成正覺　悟禪定力人師子　禪定力能聲普聞　慈悲得衛最能入
智慧力能成正覺　悟智慧力人師子　智慧力能聲普聞　慈悲得衛最能入
爾時如來說是經已一切世間天人阿脩羅揵闥婆等聞佛所說皆大歡
喜信受奉行
佛說无量壽宗要經
呂真

BD02745號　無量壽宗要經

(5-5)

金

BD02745 號背　寺院題名　（1–1）

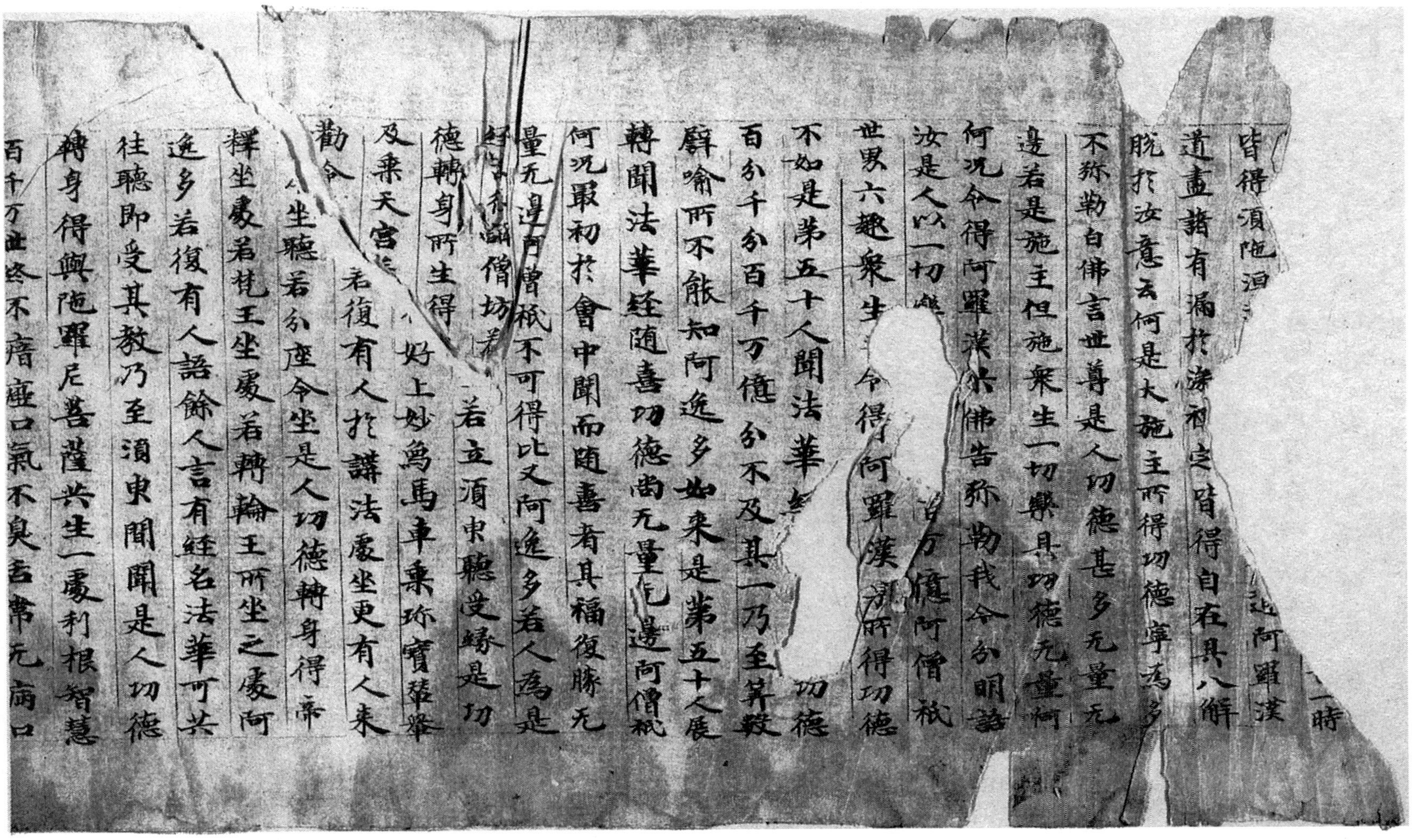
一時
皆得須陁洹……阿羅漢
道盡諸有漏於深禪定皆得自在具八解
脫於汝意云何是大施主所得功德寧為多
不彌勒白佛言世尊是人功德甚多无量无
邊若是施主但施衆生一切樂具功德无量何
況令得阿羅漢果佛告彌勒我今分明語
汝是人以一切樂……方億阿僧祇
世界六趣衆生……令得阿羅漢果所得功德
不如是第五十人聞法華經……功德
百分千分百千万億分不及其一乃至筭數
譬喻所不能知阿逸多如是第五十人展
轉聞法華經隨喜功德尚无量无邊阿僧祇
何況最初於會中聞而隨喜者其福復勝无
量无邊阿僧祇不可得比又阿逸多若人為是
經故往詣僧坊若……若立須臾聽受緣是功
德轉身所生得……好上妙象馬車乘珍寶輦轝
及乘天宮若……若復有人於講法處坐更有人來
勸令坐聽若分座令坐是人功德轉身得帝
釋坐處若梵王坐處若轉輪王所坐之處阿
逸多若復有人語餘人言有經名法華可共
往聽即受其教乃至須臾間聞是人功德
轉身得與陁羅尼菩薩共生一處利根智慧
百千万世終不瘖瘂口氣不臭舌常无病口

BD02746 號　妙法蓮華經卷六　（6–1）

德轉身所生得好上妙象馬車乘珎寶輦轝
及乘天宮。若復有人於講法處坐，更有人來
勸令坐聽，若分座令坐，是人功德轉身得帝
釋坐處，若梵王坐處，若轉輪王所坐之處。阿
逸多，若復有人語餘人言：有經名法華，可共
往聽。即受其教，乃至須臾間聞，是人功德
轉身得與陁羅尼菩薩共生一處，利根智慧，
百千万世終不瘖瘂，口氣不臭，舌常无病，口
亦无病，齒不垢黑，不黃不疎，亦不缺落，不差
不曲，脣不下垂，亦不褰縮，不麁澁，不瘡緊，亦
不缺壞，亦不喎斜，不厚不大，亦不黧黑，无諸
可惡，鼻不匾虒，亦不曲戾，面色不黑，亦不狹
長，亦不窊曲，无有一切不可喜相，脣舌牙齒
悉皆嚴好，鼻脩高直，面皃圓滿，眉高而長，
額廣平正，人相具足，世世所生見佛聞法，信受
教誨。阿逸多，汝且觀是，勸於一人令往聽法，
功德如此，何況一心聽說讀誦，而於大眾為人分
別，如說脩行。尒時世尊欲重宣此義，而
說偈言：

若人於法會　得聞是經典　乃至於一偈　隨喜為他說
如是展轉教　至于第五十　最後人獲福　今當分別之
如有大施主　供給无量眾　具滿八十歲　隨意之所欲
見彼衰老相　髮白而面皺　齒疎形枯竭　念其死不久
我今應當教　令得於道果　即為方便說　涅槃真實法
世皆不牢固　如水沫泡焰　汝等咸應當　疾生猒離心

BD02746號　妙法蓮華經卷六

（6–2）

說偈言：

若人於法會　得聞是經典　乃至於一偈　隨喜為他說
如是展轉教　至于第五十　最後人獲福　今當分別之
如有大施主　供給无量眾　具滿八十歲　隨意之所欲
見彼衰老相　髮白而面皺　齒疎形枯竭　念其死不久
我今應當教　令得於道果　即為方便說　涅槃真實法
世皆不牢固　如水沫泡焰　汝等咸應當　疾生猒離心
諸人聞是法　皆得阿羅漢　[illegible]六神通　三明八解脫
最後第五十　聞一偈隨喜　是人福勝彼　不可為譬喻
如是展轉聞　其福尚无量　何況於法會　初聞隨喜者
若有勸一人　將引聽法華　言此經深妙　千万劫難遇
即受教往聽　乃至須臾聞　斯人之福報　今當分別說
世世无口患　齒不疎黃黑　脣不厚褰缺　无有可惡相
舌不乾黑短　鼻高脩且直　額廣而平正　面目悉端嚴
為人所喜見　口氣无臭穢　優鉢華之香　常從其口出
若故詣僧坊　欲聽法華經　須臾聞歡喜　今當說其福
後生天人中　得妙象馬車　珎寶之輦轝　及乘天宮殿
若於講法處　勸人坐聽經　是福因緣得　[illegible]輪座
何況一心聽　解說其義趣　[illegible]而脩行　其福不[illegible]

妙法蓮華經法師功德品第十九

尒時佛告常精進菩薩摩訶[illegible]：若善男子善
女人受持是法華經，若讀若誦，若解說，若書
寫，是人當得八百眼功德，千二百耳功德，八百
鼻功德，千二百舌功德，八百身功德，千二百意
功德，以是功德莊嚴六根，皆令清淨。是善
男子善女人父母所生清淨肉眼，見於三

BD02746號　妙法蓮華經卷六

（6–3）

尒時佛告常精進菩薩摩訶薩若善男子善
女人受持是法華經若讀若誦若解說若書
寫是人當得八百眼功德千二百耳功德八百
鼻功德千二百舌功德八百身功德千二百意
功德以是功德莊嚴六根皆令清淨是善
男子善女人父母所生清淨肉眼見於三
千大千世界內外所有山林河海下至阿鼻
地獄上至有頂亦見其中一切衆生及業因
緣果報生處悉見悉知尒時世尊欲重宣
此義而說偈言
若於大衆中　以无所畏心　說是法華經　汝聽其功德
是人得八百　功德殊勝眼　以是莊嚴故　其目甚清淨
父母所生眼　悉見三千界　內外弥樓山　須弥及鐵圍
并諸餘山林　大海江河水　下至阿鼻獄　上至有頂處
其中諸衆生　一切皆悉見　雖未得天眼　肉眼力如是
復次常精進若善男子善女人受持此經若
讀若誦若解說若書寫得千二百耳功德以
是清淨耳聞三千大千世界下至阿鼻地獄
上至有頂其中內外種種語言音聲象聲馬
聲牛聲車聲啼哭聲愁歎聲螺聲鼓聲鍾
聲鈴聲咲聲語聲男聲女聲童子聲童女聲
法聲非法聲苦聲樂聲凡夫聲聖人聲喜聲不
喜聲天聲龍聲夜叉聲乾闥婆聲阿脩羅聲
迦樓羅聲緊那羅聲摩睺羅伽聲火聲水聲風
聲地獄聲畜生聲餓鬼聲比丘聲比丘尼聲聲

BD02746 號　妙法蓮華經卷六　（6–4）

聲牛聲車聲啼哭聲愁歎聲螺聲鼓聲鍾
聲鈴聲咲聲語聲男聲女聲童子聲童女聲
法聲非法聲苦聲樂聲凡夫聲聖人聲喜聲不
喜聲天聲龍聲夜叉聲乾闥婆聲阿脩羅聲
迦樓羅聲緊那羅聲摩睺羅伽聲火聲水聲風
聲地獄聲畜生聲餓鬼聲比丘聲比丘尼聲聲
聞聲辟支佛聲菩薩聲佛聲以要言之三千
大千世界中一切內外所有諸聲雖未得天耳以
父母所生清淨常耳皆悉聞知如是分別種種
音聲而不壞耳根尒時世尊欲重宣此義而說
偈言
父母所生耳　清淨无濁穢　以此常耳聞　三千世界聲
象馬車牛聲　鍾鈴螺鼓聲　琴瑟箜篌聲　簫笛之音聲
清淨好歌聲　聽之而不著　无數種人聲　聞悉能解了
又聞諸天聲　微妙之歌音　及聞男女聲　童男童女聲
山川嶮谷中　迦陵頻伽聲　命命等諸鳥　悉聞其音聲
地獄衆苦痛　種種楚毒聲　餓鬼飢渴逼　求索飲食聲
諸阿脩羅等　居在大海邊　自共語言時　出于大音聲
如是說法者　安住於此間　遙聞是衆聲　而不壞耳根
十方世界中　禽獸鳴相呼　其說法之人　於此悉聞之
其諸梵天上　光音及遍淨　乃至有頂天　言語之音聲
法師住於此　悉皆得聞之　一切比丘衆　及諸比丘尼
若讀誦經典　若為他人說　法師住於此　悉皆得聞之
復有諸菩薩　讀誦於經法　若為他人說　撰集解其義
諸音聲　悉皆得聞之　諸佛大聖尊　教化衆生者

BD02746 號　妙法蓮華經卷六　（6–5）

象馬車牛聲　鍾鈴螺鼓聲　琴瑟箜篌聲　簫笛之音聲
清淨好歌聲　聽之而不著　无數種人聲　聞悉能解了
又聞諸天聲　微妙之歌音　及聞男女聲　童男童女聲
山川險谷中　迦陵頻伽聲　命命等諸鳥　悉聞其音聲
地獄衆苦痛　種種楚毒聲　餓鬼飢渴逼　求索飲食聲
諸阿脩羅等　居在大海邊　自共語言時　出于大音聲
如是說法者　安住於此間　遥聞是衆聲　而不壞耳根
十方世界中　禽獸鳴相呼　其說法之人　於此悉聞之
其諸梵天上　光音及遍淨　乃至有頂天　言語之音聲
法師住於此　悉皆得聞之　一切比丘衆　及諸比丘尼
若讀誦經典　若為他人說　法師住於此　悉皆得聞之
復有諸菩薩　讀誦於經法　若為他人說　撰集解其義
如是諸音聲　悉皆得聞之　諸佛大聖尊　教化衆生者
於諸大衆中　演說微妙法　持此法華者　悉皆得聞之
三千大千界　內外諸音聲　下至阿鼻獄　上至有頂天
皆聞其音聲　而不壞耳根　其耳聰利故　悉能分別知
持是法華者　雖未得天耳　但用所生耳　功德已如是
復次常精進若[illegible]受持是經若
讀若誦若解[illegible]功德以
是清淨[illegible]

BD02746 號　妙法蓮華經卷六

（6–6）

[illegible]作是念我得
[illegible]不也世尊何以故實
无有法名阿羅漢世尊若阿羅漢作是念
我得阿羅漢道即為著我人衆生壽者世
尊佛說我得无諍三昧人中最為第一是
第一離欲阿羅漢我不在是念我是離欲
阿羅漢世尊我若作是念我得阿羅漢道
世尊則不說須菩提是樂阿蘭行者以須
菩提實无所行而名須菩提是樂阿蘭
那行
佛告須菩提於意云何如來昔在然燈佛
所於法實无所得須菩提於意云何菩薩
莊嚴佛土不不也世尊何以故莊嚴佛土者
則非莊嚴是名莊嚴是故須菩提諸菩
薩摩訶薩應如是生清淨心不應住色生
心不應住聲香味觸法生心應无所住而
生其心須菩提譬如有人身如須弥山王
於意云何是身為大不須菩提言甚大
世尊何以故佛說非身是名大身

BD02747 號　金剛般若波羅蜜經

（13–1）

莊嚴佛土不不也世尊何以故莊嚴佛土者
則非莊嚴是名莊嚴是故須菩提諸菩
薩摩訶薩應如是生清淨心不應住色生
心不應住聲香味觸法生心應无所住而
生其心須菩提譬如有人身如須弥山王
於意云何是身爲大不須菩提言甚多
世尊何以故佛説非身是名大身
須菩提如恒河中所有沙數如是沙等恒河
於意云何是諸恒河沙寧爲多不須菩提言
甚多世尊但諸恒河尚多无數何况其沙須
菩提我今實言告汝若有善男子善女
人以七寶滿尒所恒河沙數三千大千世界
以用布施得福多不須菩提言甚多世尊
佛告須菩提若善男子善女人於此經中
乃至受持四句偈等爲他人説而此福德
勝前福德復次須菩提隨説是經乃至四
句偈等當知此處一切世間天人阿脩羅
皆應供養如佛塔廟何况有人盡能受
持讀誦須菩提當知是人成就第一最上
希有之法若是經典所在之處則有佛
若尊重弟子
尒時須菩提白佛言世尊當何名此經
我等云何奉持佛告須菩提是經名爲金

BD02747 號　金剛般若波羅蜜經　（13–2）

皆應供養如佛塔廟何况有人盡能受
持讀誦須菩提當知是人成就第一最上
希有之法若是經典所在之處則有佛
若尊重弟子
尒時世尊須菩提白佛言世尊當何名此經
我等云何奉持佛告須菩提是經名爲金
剛般若波羅蜜以是名字汝當奉持所以
者何須菩提佛説般若波羅蜜則非般若
波羅蜜須菩提於意云何如來有所説法不
須菩提白佛言世尊如來无所説須菩提於
意云何三千大千世界所有微塵是爲多
不須菩提言甚多世尊須菩提諸微塵
如來説非微塵是名微塵如來説世界非
世界是名世界須菩提於意云何可以卅二
相見如來不也世尊何以故如來説卅二相見
如來不不也世尊何以故如來説卅二相即
是非相是名卅二相須菩提若有善男子
善女人以恒河沙等身命布施若復有人於
此經中乃至受持四句偈等爲他人説其福
甚多
尒時須菩提聞説是經深解義趣涕淚悲
泣而白佛言希有世尊佛説如是甚深經
典我從昔來所得慧眼未曾得聞如是之

BD02747 號　金剛般若波羅蜜經　（13–3）

甚多
尒時須菩提聞說是經深解義趣涕淚悲
泣而白佛言希有世尊佛說如是甚深經
典我從昔來所得慧眼未曾得聞如是之
經世尊若復有人得聞是經信心清淨則
生實相當知是人成就第一希有功德世尊
是實相者則是非相是故如來說名實
相世尊我今得聞如是經典信解受持不
足為難若當來世後五百歲其有衆生
得聞是經信解受持是人為第一希有何
以故此人无我相人相衆生相壽者相所以者
何我相即是非相人相衆生相壽者相即是
非相何以故離一切諸相則名諸佛
佛告須菩提如是如是若復有人得聞是
經不驚不怖不畏當知是人甚為希有何以
故須菩提如來說第一波羅蜜非第一波羅
蜜是名第一波羅蜜
須菩提忍辱波羅蜜如來說非忍辱波羅
蜜何以故須菩提如我昔為歌利割截身
體我於尒時无我相无人相无衆生相无壽
者相何以故我於往昔節節支解時若有
我相人相衆生相壽者相應生瞋恨須菩提
又念過去於五百世作忍辱仙人於尒所世无

BD02747 號　金剛般若波羅蜜經

（13–4）

須菩提忍辱波羅蜜如來說非忍辱波羅
蜜何以故須菩提如我昔為歌利割截身
體我於尒時无我相无人相无衆生相无壽
者相何以故我於往昔節節支解時若有
我相人相衆生相壽者相應生瞋恨須菩提
又念過去於五百世作忍辱仙人於尒所世无
我相无人相无衆生相无壽者相是故須菩提
菩薩應離一切相發阿耨多羅三藐三菩提
心不應住色生心不應住聲香味觸法生心
應无所住心若心有住則為非住是故佛說
菩薩心不應住色布施須菩提菩薩為利
益一切衆生應如是布施如來說一切諸相
即是非相又說一切衆生則非衆生
須菩提如來是真語者實語者如語者不
誑語者不異語者須菩提如來所得法此
法无實无虛須菩提若菩薩心住於法而
行布施如人入闇則无所見若菩薩心不住
於法而行布施如人有目日光明照見種種
色須菩提當來之世若有善男子善女人
能於此經受持讀誦則為如來以佛智慧
悉知是人悉見是人皆得成就无量无邊
功德
須菩提若有善男子善女人初日分以恒河
沙等身布施中日分復以恒河沙等身布

BD02747 號　金剛般若波羅蜜經

（13–5）

須菩提若有善男子善女人初日分以恒河
沙等身布施中日分復以恒河沙等身布
施後日分亦以恒河沙等身布施无量百
千万億劫以身布施若有人聞此經典信心
不逆其福勝彼何況書寫受持讀誦為
人解說
須菩提以要言之是經有不可思議不可稱
量无邊功德如來為發大乘者說為發最
上乘者說若有人能受持讀誦廣為人說
如來悉知是人悉見是人皆得成就不可量不
可稱无有邊不可思議功德如是人等則為
荷擔如來阿耨多羅三藐三菩提何以故須
菩提若樂小法者著我見人見眾生見壽
者見則於此經不能聽受讀誦為人解說
須菩提在在處處若有此經一切世間天人
阿脩羅所應供養當知此處則為是塔皆
應恭敬作禮圍遶以諸華香而散其處
復次須菩提善男子善女人受持讀誦此
此經若為人輕賤是人先世罪業應墮惡
道以今世人輕賤故先世罪業則為消滅當
得阿耨多羅三藐三菩提須菩提我念過
去无量阿僧祇劫於然燈佛前得值八
百四千万億那由他諸佛悉皆供養承事
无空過者若復有人於後末世能受持讀

BD02747 號　金剛般若波羅蜜經　（13–6）

无空過者若復有人於後末世能受持讀
誦此經所得功德於我所供養諸佛功德百
分不及一千万億分乃至筭數譬喻所不
能及須菩提若善男子善女人於後末
世有受持讀誦此經所得功德我若具說
者或有人聞心則狂亂狐疑不信須菩提
當知是經義不可思議果報亦不可思議
尒時須菩提白佛言世尊善男子善女人
發阿耨多羅三藐三菩提心云何應住云
何降伏其心佛告須菩提善男子善女人發
阿耨多羅三藐三菩提者當生如是心我應
滅度一切眾生滅度一切眾生已而无有一
眾生實滅度者何以故若菩薩有我相人相
眾生相壽者相則非菩薩所以者何須菩
提實无有法發阿耨多羅三藐三菩提者
須菩提於意云何如來於然燈佛所有法
得阿耨多羅三藐三菩提不不也世尊如
我解佛所說義佛言如是如是須菩提實
无有法如來得阿耨多羅三藐三菩提然
燈佛則不與我受記汝於來世當得作佛號
釋迦牟尼以實无有法得阿耨多羅三藐
三菩提是故然燈佛與我受記作是言汝
於來世當得作佛號釋迦牟尼何以故如

BD02747 號　金剛般若波羅蜜經　（13–7）

无有法如来得阿耨多羅三藐三菩提燃
燈佛則不與我受記汝於来世當得作佛号
釋迦牟尼以實无有法得阿耨多羅三藐
三菩提是故燃燈佛與我受記作是言汝
於来世當得作佛号釋迦牟尼何以故如
来者即諸法如義若有人言如来得阿耨
多羅三藐三菩提
須菩提實无有法佛得阿耨多羅三藐三
菩提於是中无實无虛是故如来說一切
法皆是佛法須菩提所言一切法皆即非一
切法是故名一切法
須菩提譬如人身長大須菩提言世尊如来
說人身長大則為非大身是名大身須菩提
菩薩亦如是若作是言我當滅度无量衆
生則不名菩薩何以故須菩提无有法名為
菩薩是故佛說一切法无我无人衆生无壽
者須菩提若菩薩作是言我當莊嚴佛土
是不名菩薩何以故如来說莊嚴佛土者即
非莊是名莊嚴須菩提若菩薩通達无我法
者如来說名真是菩薩
須菩提於意云何如来有肉眼不如是世尊
如来有肉眼須菩提於意云何如来有天眼
不如是世尊如来有天眼須菩提於意云何
如来有慧眼不如是世尊如来有慧眼須
菩提於意云何如来有法眼不如是世尊如

BD02747號　金剛般若波羅蜜經

（13–8）

者如来說名真是菩薩
須菩提於意云何如来有肉眼不如是世尊
如来有肉眼須菩提於意云何如来有天眼
不如是世尊如来有天眼須菩提於意云何
如来有慧眼不如是世尊如来有慧眼須
菩提於意云何如来有法眼不如是世尊如
来有法眼須菩提於意云何如来有佛眼
不如是世尊如来有佛眼須菩提於意云何
如恒河中所有沙佛說是沙不如是世尊如来
說是沙須菩提於意云何如一恒河中所有沙有
如是等恒河是諸恒河所有沙數佛世界如
是寧為多不甚多世尊
佛告須菩提尒所國土中所有衆生若干
種心如来悉知何以故如来說諸心皆為非
心是名為心所以者何須菩提過去心不可得
現在心不可得未来心不可得須菩提於意
云何若有人滿三千大千世界七寶以用布
施是人以是因緣得福多不如是世尊此人以
是因緣得福甚多須菩提若福德有實
如来不說得福德多以福德无故如来
說福德多
須菩提於意云何佛可以具足色身見不
不也世尊如来不應以色身見何故如来說
具足色身即非具足色身是名具足色身

BD02747號　金剛般若波羅蜜經

（13–9）

是因縁得福甚多須菩提若福徳有實
如来不説得福徳多以福徳无故如来
説福徳多
須菩提於意云何佛可以具足色身見不
不也世尊如来不應以色身見何故如来説
具足色身即非具足色身是名具足色身
須菩提於意云何如来可以具足諸相見不
不也世尊如来不應以具足諸相見何以故如
来説諸相具足即非具足是名諸相具足
須菩提汝勿謂如来作是念我當有所説
法莫作是念何以故若人言如来有所説法
即為謗佛不能解我所説故須菩提説法
者無法可説是名説法
須菩提白佛言世尊佛得阿耨多羅三藐
三菩提為无所得耶如是須菩提我於阿
耨多羅三藐三菩提乃至无有少法可得
是名阿耨多羅三藐三菩提復次須菩提
是法平等无有高下是名阿耨多羅三藐三
菩提以无我无人无衆生无壽者脩一切善
法則得阿耨多羅三藐三菩提須菩提所言
善法者如来説非善法是名善法須菩提
若三千大千世界中所有諸須弥山王如是
等七寶聚有人持用布施若以此般若波羅
蜜經乃至四句偈等受持為他人説於前
福徳百分不及一百千万億分乃至筭數譬

BD02747 號　金剛般若波羅蜜經　（13–10）

法則得阿耨多羅三藐三菩提須菩提所言
善法者如来説非善法是名善法須菩提
若三千大千世界中所有諸須弥山王如是
等七寶聚有人持用布施若以此般若波羅
蜜經乃至四句偈等受持為他人説於前
福徳百分不及一百千万億分乃至筭數譬
喻所不能及
須菩提於意云何汝等勿謂如来作是念我
當度衆生須菩提莫作是念何以故實无有
衆生如来度者若有衆生如来度者如来
則有我人衆生壽者須菩提如来説有我
者則非有我而凡夫之人以為有我須菩提
凡夫者如来説則非凡夫須菩提於意云
何可以卅二相觀如来不須菩提言如是如是以
卅二相觀如来佛言須菩提若以卅二相觀如来
者輪聖王則是如来須菩提白佛言世尊如
我解佛所説義不應以卅二相觀如来尒時
世尊而説偈言
若以色見我　以音聲求我　是人行耶道　不能見如来
須菩提汝若作是念如来不以具足相故得
阿耨多羅三藐三菩提須菩提莫作是念
如来不以具足相故得阿耨多羅三藐三菩提
須菩提汝若作是念發阿耨多羅三藐
三菩提者説諸法斷滅莫作是念何以
故發阿耨多羅三藐三菩提者於法不説

BD02747 號　金剛般若波羅蜜經　（13–11）

須菩提汝若作是念如来不以具足相故得
阿耨多羅三藐三菩提須菩提莫作是念
如来不以具相故得阿耨多羅三藐三菩提
須菩提汝若作是念發阿耨多羅三藐
三菩提者說諸法斷滅莫作是念何以
故發阿耨多羅三藐三菩提者於法不說
斷滅相須菩提若菩薩以滿恒河沙等世
界七寶布施若復有人知一切法无我得成
於忍此菩薩勝前菩薩所得功德須菩
提以諸菩薩不受福德故須菩提白佛言
世尊云何菩薩不受福德須菩提菩薩
所作福德不應貪著是故說不受福德
須菩提若有人言如来若来若去若坐若
卧是人不解我所說義何以故如来者无
所從来亦无所去故名如来
須菩提若善男子善女人以三千大千世界
碎為微塵於意云何是微塵衆寧為多
不甚多世尊何以故若是微塵衆實有者
佛則不說是微塵衆所以者何佛說微塵
衆則非微塵衆是名微塵衆世尊如来
所說三千大千世界則非世界是名世界何
以故若世界實有者則是一合相如来說
一合相則非一合相是名一合相須
菩提一合相者則是不可說但凡夫之人貪
著其事須菩提若人言佛說我見人見衆

BD02747號　金剛般若波羅蜜經

(13-12)

一合相則非一合相是名一合相須
菩提一合相者則是不可說但凡夫之人貪
著其事須菩提若人言佛說我見人見衆
生見壽見者須菩提於意云何是人解我
所說義不世尊是人不解如来所說義何
以故世尊說我見人見衆生見壽者見即非
我見衆生見壽者見是名我見人見衆生
見壽者見須菩提發阿耨多羅三藐三菩
提心者於一切法應如是知如是見如是信
解不生法相須菩提所言法相如来說即非
法相是名法相須菩提若有人以滿无量阿
僧祇世界七寶持用布施若有善男子
善女人發菩薩心者持於此經乃至四句偈
等受持讀誦為人演說其福勝彼云何為
演說不取於相如如不動何以故
一切有為法如夢幻泡影如露亦如電應作如是觀
佛說是經已長老須菩提及諸比丘比丘尼
優婆塞優婆夷一切世間天人阿脩羅聞佛
所說皆大歡喜信受奉行
金剛般若波羅蜜經

BD02747號　金剛般若波羅蜜經

(13-13)

則於此經不能聽受讀誦爲人解說須菩提
在在處處若有此經一切世間天人阿脩羅
所應供養當知此處則爲是塔皆應恭敬作
禮圍遶以諸華香而散其處復次須菩提善
男子善女人受持讀誦此經若爲人輕賤是
人先世罪業應墮惡道以今世人輕賤故先
世罪業則爲消滅當得阿耨多羅三藐三菩
提須菩提我念過去无量阿僧祇劫於然燈
佛前得值八百四千萬億那由他諸佛悉皆
供養承事无空過者若復有人於後末世有能
受持讀誦此經所得功德於我所供養諸佛
功德百分不及一千万億分乃至筭數譬喻
所不能及須菩提若善男子善女人於後末
世有受持讀誦此經所得功德我若具說者
或有人聞心則狂亂狐疑不信須菩提當知
是經義不可思議果報亦不可思議
爾時須菩提白佛言世尊善男子善女人發
阿耨多羅三藐三菩提心云何應住云何降
伏其心佛告須菩提善男子善女人發阿耨
多羅三藐三菩提者當生如是心我應滅度
一切衆生滅度一切衆生已而无有一衆生

BD02748號　金剛般若波羅蜜經　（2–1）

佛前得值八百四千萬億那由他諸佛悉皆
供養承事无空過者若復有人於後末世有能
受持讀誦此經所得功德於我所供養諸佛
功德百分不及一千万億分乃至筭數譬喻
所不能及須菩提若善男子善女人於後末
世有受持讀誦此經所得功德我若具說者
或有人聞心則狂亂狐疑不信須菩提當知
是經義不可思議果報亦不可思議
爾時須菩提白佛言世尊善男子善女人發
阿耨多羅三藐三菩提心云何應住云何降
伏其心佛告須菩提善男子善女人發阿耨
多羅三藐三菩提者當生如是心我應滅度
一切衆生滅度一切衆生已而无有一衆生
實滅度者何以故若菩薩有我相人相衆生
相壽者相即非菩薩所以者何須菩提實无
有法發阿耨多羅三藐三菩提者
須菩提於意云何如來於然燈佛所有法得
阿耨多羅三藐三菩提不不也世尊如我解
佛所說義佛於然燈佛所无有法得阿耨多
羅三藐三菩提佛言如是如是須菩提實无

BD02748號　金剛般若波羅蜜經　（2–2）

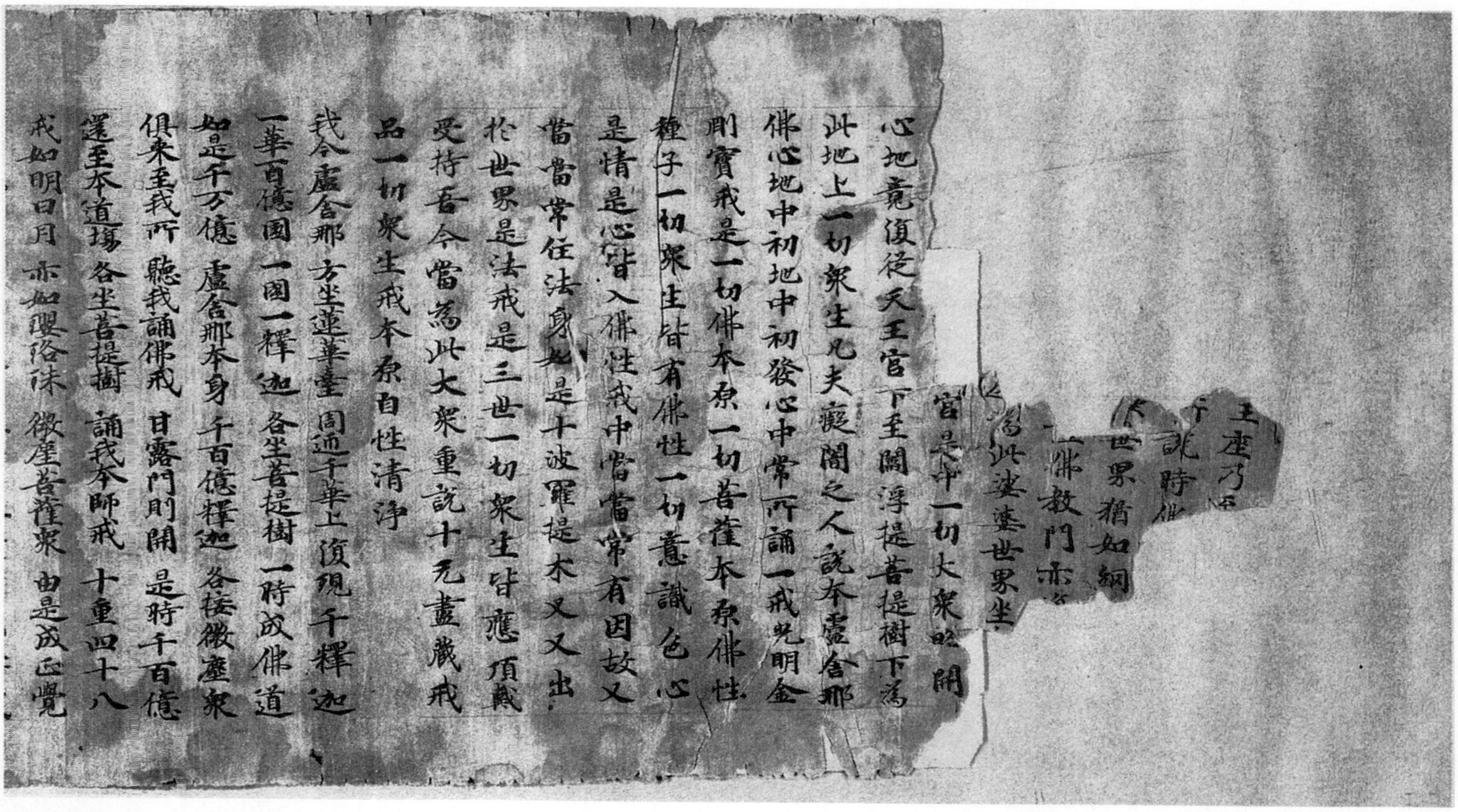

王座乃□
□說時佛
世界猶如網
佛教門亦□
為此娑婆世界坐
宮是中一切大衆略開
心地竟復從天王宮下至閻浮提菩提樹下為
此地上一切衆生凡夫癡闇之人說我本盧舍那
佛心地中初地中初發心中常所誦一戒光明金
剛寶戒是一切佛本原一切菩薩本原佛性
種子一切衆生皆有佛性一切意識色心
是情是心皆入佛性戒中當當常有因故又
當當常住法身如是十波羅提木叉出
於世界是法戒是三世一切衆生皆應頂戴
受持吾今當為此大衆重說十无盡藏戒
品一切衆生戒本原自性清淨
我今盧舍那　方坐蓮華臺　周匝千華上　復現千釋迦
一華百億國　一國一釋迦　各坐菩提樹　一時成佛道
如是千万億　盧舍那本身　千百億釋迦　各接微塵衆
俱來至我所　聽我誦佛戒　甘露門則開　是時千百億
還至本道場　各坐菩提樹　誦我本師戒　十重四十八
戒如明日月　亦如瓔珞珠　微塵菩薩衆　由是成正覺

BD02749 號　梵網經盧舍那佛說菩薩心地戒品第十卷下　（11–1）

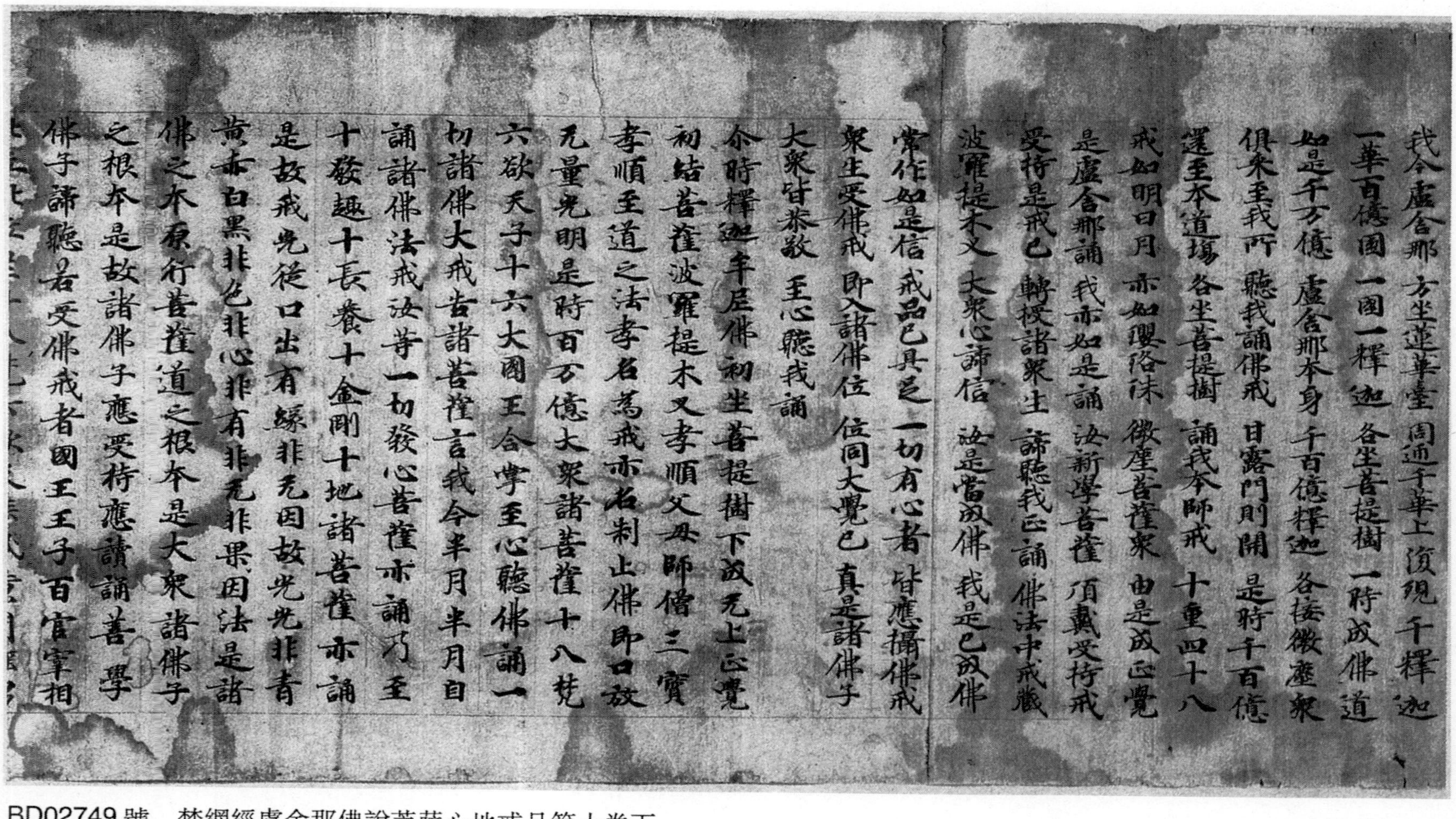

我今盧舍那　方坐蓮華臺　周匝千華上　復現千釋迦
一華百億國　一國一釋迦　各坐菩提樹　一時成佛道
如是千万億　盧舍那本身　千百億釋迦　各接微塵衆
俱來至我所　聽我誦佛戒　甘露門則開　是時千百億
還至本道場　各坐菩提樹　誦我本師戒　十重四十八
戒如明日月　亦如瓔珞珠　微塵菩薩衆　由是成正覺
是盧舍那誦　我亦如是誦　汝新學菩薩　頂戴受持戒
受持是戒已　轉授諸衆生　諦聽我正誦　佛法中戒藏
波羅提木叉　大衆心諦信　汝是當成佛　我是已成佛
常作如是信　戒品已具足　一切有心者　皆應攝佛戒
衆生受佛戒　即入諸佛位　位同大覺已　真是諸佛子
大衆皆恭敬　至心聽我誦
尒時釋迦牟尼佛初坐菩提樹下成无上正覺
初結菩薩波羅提木叉孝順父母師僧三寶
孝順至道之法孝名為戒亦名制止佛即口放
无量光明是時百万億大衆諸菩薩十八梵
六欲天子十六大國王合掌至心聽佛誦一
切諸佛大乘戒告諸菩薩言我今半月半月自
誦諸佛法戒汝等一切發心菩薩亦誦乃至
十發趣十長養十金剛十地諸菩薩亦誦
是故戒光從口出有緣非无因故光光非青
黃赤白黑非色非心非有非无非因果法是諸
佛之本原行菩薩道之根本是大衆諸佛子
之根本是故諸佛子應受持應讀誦善學
佛子諦聽若受佛戒者國王王子百官宰相

BD02749 號　梵網經盧舍那佛說菩薩心地戒品第十卷下　（11–2）

是故戒光從口出有緣非无因故光光非青
黃赤白黑非色非心非有非无非果因法是諸
佛之本原行菩薩道之根本是大衆諸佛子
之根本是故諸佛子應受持應讀誦善學
佛子諦聽若受佛戒者國王王子百官宰相
比丘比丘尼十八梵六欲天庶民黃門婬男
婬女奴婢八部鬼神金剛神畜生乃至變化
人但解法師語盡受得戒皆名第一清淨者
佛告諸佛子言有十重波羅提木叉若受菩
薩戒不誦此戒者非菩薩非佛種子我亦如
是誦一切菩薩已學一切菩薩當學一切菩
薩今學我已略說波羅提木叉相貌應當
學敬心奉持
佛告佛子若自煞教人煞方便讚嘆煞見作
隨喜乃至呪煞煞因煞緣煞法煞業乃至一
切有命者不得故煞是菩薩應起常住慈悲
心孝順心方便救護一切衆生而反自恣快意
煞生者是菩薩波羅夷罪
若佛子自盜教人盜方便盜盜因盜緣盜法
盜業呪盜乃至鬼神有主物劫賊物一切財物
一針一草不得故盜而菩薩應生佛性孝順
心慈悲心常助一切人生福生樂而反更盜
人物者是菩薩波羅夷罪
若佛子自婬教人婬婬因婬緣婬法婬業一切
女人不得故婬乃至畜生女諸天鬼神女及非
道行婬而菩薩應生孝順心救度一切衆生

BD02749 號　梵網經盧舍那佛說菩薩心地戒品第十卷下　（11–3）

盜業呪盜乃至鬼神有主物劫賊物一切財物
一針一草不得故盜而菩薩應生佛性孝順
心慈悲心常助一切人生福生樂而反更盜
人物者是菩薩波羅夷罪
若佛子自婬教人婬婬因婬緣婬法婬業一切
女人不得故婬乃至畜生女諸天鬼神女及非
道行婬而菩薩應生孝順心救度一切衆生
淨法與人而反更起一切人婬不擇畜生乃至
母女姊妹六親行婬无慈悲心者是菩薩波
羅夷罪
若佛子自妄語教人妄語方便妄語妄語因
妄語緣妄語法妄語業乃至不見言見見言
不見身心妄語而菩薩常生正語正見亦生一切
衆生正語正見而反更生一切衆生邪語邪見
邪業者是菩薩波羅夷罪
若佛子自酤酒教人酤酒酤酒因酤酒緣酤酒
法酤酒業一切酒不得酤是酒起罪因緣而
菩薩應生一切衆生明達之慧而反更生衆
生顛倒心者是菩薩波羅夷罪
若佛子口自說出家在家菩薩比丘比丘尼
罪過教人說罪過罪過因罪過緣罪過法罪
過業而菩薩聞外道惡人及二乘惡人說佛法
中非法非律常生悲心教化是惡人輩令生大
乘善信而菩薩反更自說佛法中罪過者是
菩薩波羅夷罪

BD02749 號　梵網經盧舍那佛說菩薩心地戒品第十卷下　（11–4）

罪過教人說罪過罪過因罪過緣罪過法罪
過業而菩薩聞外道惡人及二乘惡人說佛法
中非法非律常生悲心教化是惡人輩令生大
乘善信而菩薩反更自說佛法中罪過者是
菩薩波羅夷罪
若佛子口自讚毀他亦教人自讚毀他因
毀他緣毀他法毀他業而菩薩應代一切衆生
受加毀辱惡事自向己好事與他人若自揚
己德隱他人好事令他人受毀者是菩薩波
羅夷罪
若佛子自慳教人慳慳因慳緣慳法慳業而
菩薩見一切貧窮人來乞者隨前人所須一
切給與而菩薩以惡心瞋心乃至不施一錢一
針一草有求法者而不為說一句一偈一微塵
許法而反更罵辱者是菩薩波羅夷罪
若佛子自瞋教人瞋瞋因瞋緣瞋法瞋業而
菩薩應生一切衆生善根无諍之事常生悲
心孝順心而反更於一切衆生中乃至於非
衆生中以惡口罵辱加以手打及以刀杖意
猶不息前人求悔善言懺謝猶瞋不解者
是菩薩波羅夷罪
若佛子自謗三寶教人謗三寶謗因謗緣
謗法謗業而菩薩見外道及以惡人一言謗
佛音聲如三百鉾刺心況口自謗不生信心
孝順心而反更助惡人邪見人謗者是菩

BD02749號　梵網經盧舍那佛說菩薩心地戒品第十卷下　（11–5）

猶不息前人求悔善言懺謝猶瞋不解者
是菩薩波羅夷罪
若佛子自謗三寶教人謗三寶謗因謗緣
謗法謗業而菩薩見外道及以惡人一言謗
佛音聲如三百鉾刺心況口自謗不生信心
孝順心而反更助惡人邪見人謗者是菩
薩波羅夷罪
善學諸人者是菩薩十波羅提木叉應當
於中不應一一犯如微塵許何況具足犯十
戒若有犯者不得現身發菩提心亦失國王
位亦失轉輪王位亦失比丘比丘尼位亦失十
發趣十長養十金剛十地佛性常住妙果一
切皆失墮三惡道中二劫三劫不聞父母三
寶名字以是不應一一犯汝等一切諸菩薩
已學今學當學是十戒應當學敬心奉持
八万威儀品當廣明
佛告諸菩薩言已說十波羅提木叉竟四十
八輕今當說
若佛子欲受國王位時受轉輪王位時百官
受位時應先受菩薩戒一切鬼神救護王身
百官之身諸佛歡喜既得戒已生孝順心恭
敬心見上座和上阿闍梨大同學同見同行
者應起承迎礼拜問訊而菩薩反生憍心癡
心懱心不起承迎礼拜一一不如法供養以自
賣身國城男女七寶百物而供給之若不

BD02749號　梵網經盧舍那佛說菩薩心地戒品第十卷下　（11–6）

敬心見上座和上阿闍梨大同學同見同行
者應起承迎礼拜問訊而菩薩反生憍心癡
心慢心不起承迎礼拜一一不如法供養以自
賣身國城男女七寶百物而供給之若不
尒者犯輕垢罪
若佛子故飲酒而生酒過失无量若自身手
過酒器與人飲酒者五百世无手何況自飲
不得敎一切人飲及一切衆生飲若故自飲
敎人飲者犯輕垢罪
若佛子故食肉一切肉不得食斷大慈悲性
種子一切衆生見而捨去故一切菩薩不得食
一切衆生肉食肉得无量罪若故食者犯
輕垢罪
若佛子不得食五辛大蒜革葱慈葱蘭葱
興渠是五種一切食中不得食若故食者犯
輕垢罪
若佛子見一切衆生犯八戒五戒十戒毀禁
七逆八難一切犯戒罪應敎懺悔而菩薩不
敎懺悔共住同僧利養而共布薩一衆住說
戒而不舉其罪敎悔過者犯輕垢罪
若佛子見大乘法師大乘同學同見同行者
來入僧坊舍宅城邑若百里千里來者即起
迎來送去礼拜供養日日三時供養日食三
兩金百味飲食牀座醫藥供事法師一切所須
盡給與之常請法師三時說法日日三時礼

BD02749號　梵網經盧舍那佛說菩薩心地戒品第十卷下　（11–7）

若佛子見大乘法師大乘同學同見同行者
來入僧坊舍宅城邑若百里千里來者即起
迎來送去礼拜供養日日三時供養日食三
兩金百味飲食牀座醫藥供事法師一切所須
盡給與之常請法師三時說法日日三時礼
拜不生瞋心患惱之心爲法滅身請法若不
尒者犯輕垢罪
若佛子一切處有講法毗尼經律大宅舍中
有講法處是新學菩薩應持經律卷至法
師所聽受諮問若山林樹下僧地房中一切
說法處悉至聽受若不至彼聽受者犯輕垢
罪
若佛子心背大乘常住經律言非佛說而受
持二乘聲聞外道惡見一切禁戒邪見經律
者犯輕垢罪
若佛子見一切疾病人常應供養如佛无異
八福田中看病福田第一福田若師僧父母
弟子疾病諸根不具百種病苦皆供養令差
而菩薩以瞋恨心不至僧房中城邑曠野
山林道路中見病不救濟者犯輕垢罪
若佛子不得畜一切刀杖弓箭鉾斧鬪戰之
具及惡網羅煞生之器一切不得畜而菩薩
乃至煞父母尚不加報況煞一切衆生若
故畜刀杖者犯輕垢罪
如是十戒應當學敬心奉持下六品中廣明
佛言佛子爲利養惡心故通國使命軍陣合會

BD02749號　梵網經盧舍那佛說菩薩心地戒品第十卷下　（11–8）

若佛子不得畜一切刀杖弓箭鉾斧鬬戰之
具及惡網羅煞生之器一切不得畜而菩薩
乃至煞父母尚不加報况煞一切衆生若
故畜刀杖者犯輕垢罪
如是十戒應當學敬心奉持下六品中廣明
佛言佛子爲利養惡心故通國使命軍陣合會
興師相伐煞无量衆生而菩薩不得入軍陣
中来往况故作國賊若故作者犯輕垢罪
若佛子故販賣良人奴婢六畜市易棺材板
木盛死之具尚不應自作况教人作若故作
者犯輕垢罪
若佛子以惡心故无事謗他良人善人法師
師僧國王貴人言犯七逆十重於父母兄弟六
親中應生孝順心慈悲心而反更加於逆害
墮不如意處者犯輕垢罪
若佛子以惡心故放大火焚燒山林曠野四
月乃至九月放火若燒他人家屋宅城邑僧
房田木及鬼神官物一切有主物不得故燒
若故燒者犯輕垢罪
若佛子自佛弟子及外道人六親一切善知
識應一一教受持大乘經律教解義理使發
菩提心十發趣心十長養心十金剛心於三十
心中一一解其次弟法用而菩薩以惡心瞋
心横教他二乘聲聞經律外道邪見論等犯
輕垢罪

BD02749號　梵網經盧舍那佛說菩薩心地戒品第十卷下　（11–9）

房田木及鬼神官物一切有主物不得故燒
若故燒者犯輕垢罪
若佛子自佛弟子及外道人六親一切善知
識應一一教受持大乘經律教解義理使發
菩提心十發趣心十長養心十金剛心於三十
心中一一解其次弟法用而菩薩以惡心瞋
心横教他二乘聲聞經律外道邪見論等犯
輕垢罪
若佛子應好心先學大乘威儀經律廣開解
義未見後新學菩薩有百里千里来求大乘
經律應如法爲說一切苦行若燒身燒辟燒指
若不燒身辟指供養諸佛非出家菩薩乃至
餓虎狼師子口中一切餓鬼悉應捨身肉手
足而供養之然後一一次第爲說正法使心開
意解而菩薩爲利養故應荅不荅倒說經
律文字无前无後謗三寶說者犯輕垢罪
若佛子自爲飲食錢物利養名譽故親近國
王王子大臣百官恃作形勢乞索打拍牽挽
横取錢物一切求利名爲惡求多求教他人
求都无慈心无孝順心者犯輕垢罪
若佛子學誦戒者日日六時持菩薩戒解其
義理佛性之性而菩薩不解一句一偈戒律因
緣詐言能解者即爲自欺誑亦欺誑他人一
一不解一切法不知而爲他人作師受戒者
犯輕垢罪
若佛子以惡心故見持戒比丘手捉香爐行

BD02749號　梵網經盧舍那佛說菩薩心地戒品第十卷下　（11–10）

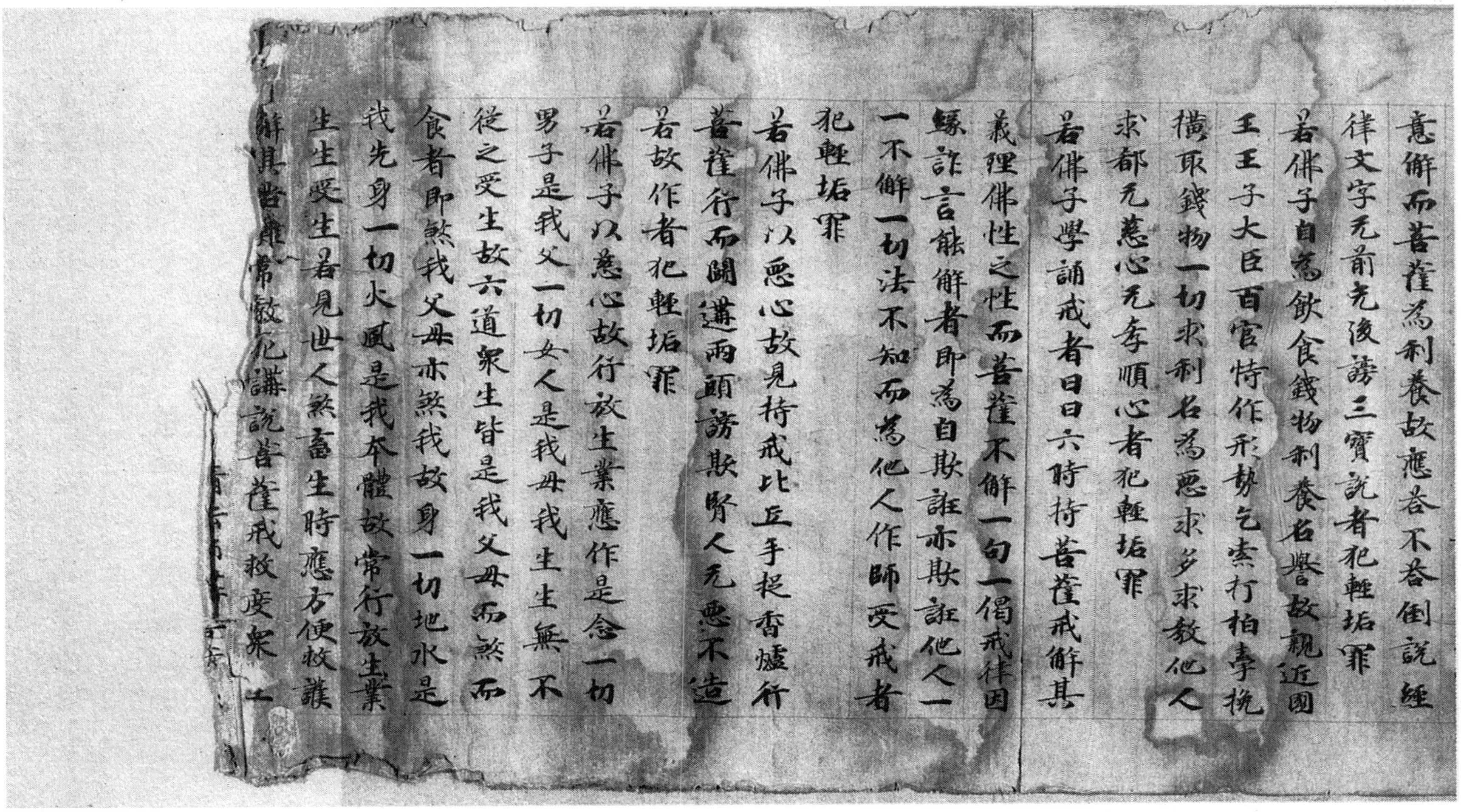
意解而菩薩為利養故應答不答倒說經
律文字无前无後謗三寶說者犯輕垢罪
若佛子自為飲食錢物利養名譽故親近國
王王子大臣百官恃作形勢乞索打拍牽挽
横取錢物一切求利名為惡求多求教他人
求都无慈心无孝順心者犯輕垢罪
若佛子學誦戒者日日六時持菩薩戒解其
義理佛性之性而菩薩不解一句一偈戒律因
緣詐言能解者即為自欺誑亦欺誑他人一
一不解一切法不知而為他人作師受戒者
犯輕垢罪
若佛子以惡心故見持戒比丘手捉香爐行
菩薩行而鬪遘兩頭謗欺賢人无惡不造
若故作者犯輕垢罪
若佛子以慈心故行放生業應作是念一切
男子是我父一切女人是我母我生生無不
從之受生故六道衆生皆是我父母而煞而
食者即煞我父母亦煞我故身一切地水是
我先身一切火風是我本體故常行放生業
生生受生若見世人煞畜生時應方便救護
解其苦難常教化講說菩薩戒救度衆生

BD02749 號　梵網經盧舍那佛說菩薩心地戒品第十卷下　（11–11）

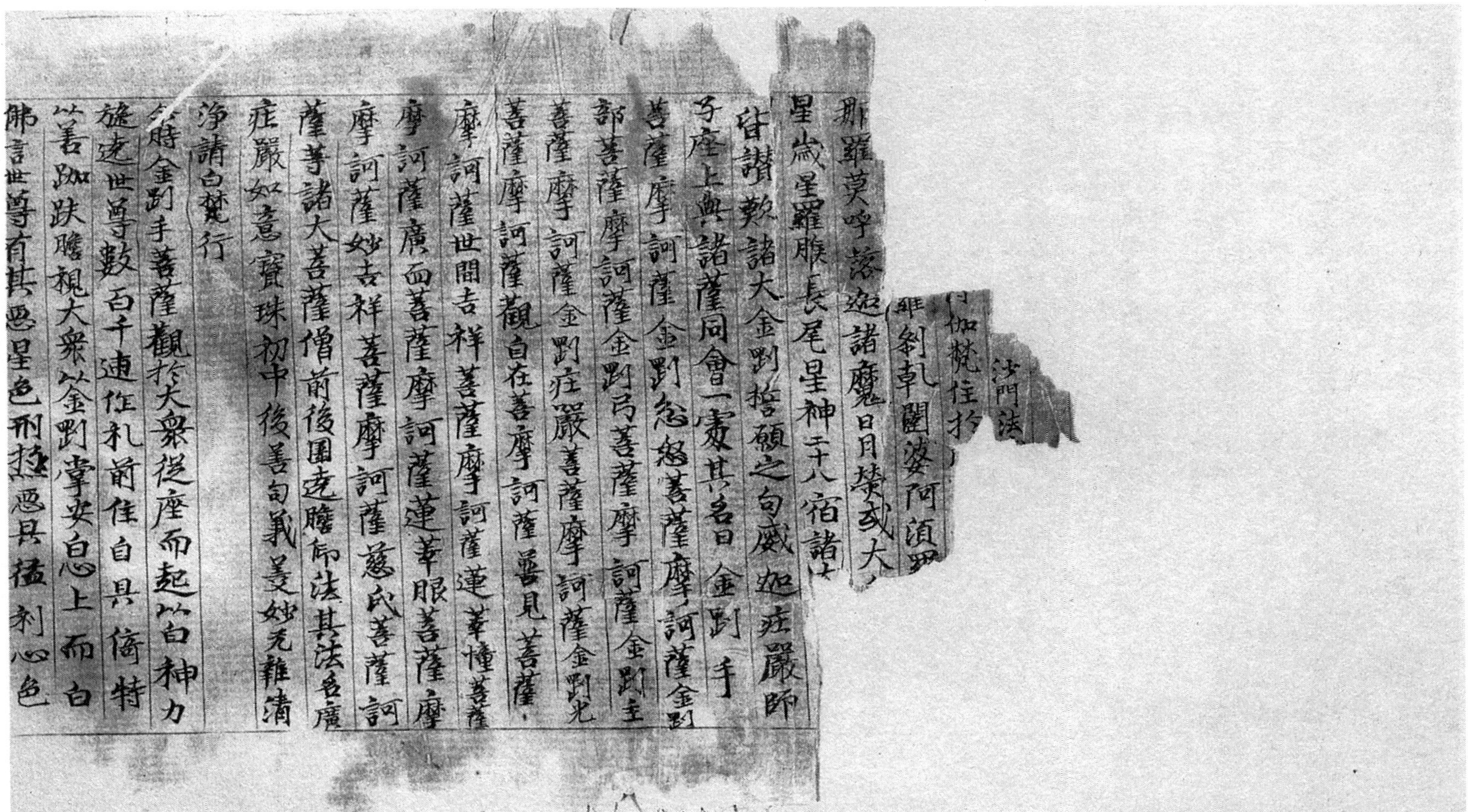
沙門法
伽梵住於
羅剎乾闥婆阿須羅
那羅莫呼落迦諸魔日月熒惑大
星歲星羅睺長尾星神二十八宿諸
皆讚歎諸大金剛持願之句威如莊嚴師
子座上與諸菩薩同會一處其名曰金剛手
菩薩摩訶薩金剛忿怒菩薩摩訶薩金剛
部菩薩摩訶薩金剛弓菩薩摩訶薩金剛主
菩薩摩訶薩金剛莊嚴菩薩摩訶薩金剛光
菩薩摩訶薩觀自在菩薩摩訶薩普見菩薩
摩訶薩世間吉祥菩薩摩訶薩蓮華幢菩薩
摩訶薩廣面菩薩摩訶薩蓮華眼菩薩摩
摩訶薩妙吉祥菩薩摩訶薩慈氏菩薩摩訶
薩等諸大菩薩僧前後圍遶聽佛法其法色廣
莊嚴如意寶珠初中後善句義美妙无雜清
淨諸白梵行
爾時金剛手菩薩觀於大衆從座而起以白神力
旋遶世尊數百千遍作礼前住自具倚特
以善跏趺瞻視大衆以金剛掌安息上而白
佛言世尊有其惡星色刑猛惡具猛剎心色

BD02750 號　諸星母陀羅尼經　（5–1）

薩等諸大菩薩僧前後圍遶聽佛法其法色廣
莊嚴如意寶珠初中後善句義美妙无雜清
淨請白梵行
尒時金剛手菩薩觀於大衆從座而起以白神力
旋遶世尊數百千遍作礼前住白具倚特
以善跏趺瞻視大衆以金剛掌安息上而白
佛言世尊有其惡星色形捺惡具猛刹心色
形忽怒惱乱有情奪其精氣或奪脏物或
奪於命長壽有情令作短壽如是惱乱一切
有情爲是等故唯願世尊開顯法門守護一
切有情之類 世尊告曰善哉善哉汝與大悲
爲利一切諸有情故問於如來甚深密善汝
今諦聽善思念之我當說惡星瞋怒破壞
之法及說供養行施念誦秘密之義
若行供養當供養 若作其惡當供惡
如是諸星形色等 云何而令生觀喜
諸天及與諸非天 緊那羅等及諸龍
諸藥叉等羅刹 人及迦多冨多那
插利威德諸大神 隨怒云何而殄滅
秘密言辞供養法 今當次第而宣說
尒時薄伽如來從自心上而放慈心遊戲光
明入於諸星頂髻之中尋時日月一切星神從
座而起以諸天供即以供養薄伽如來膝輪着
地合掌作礼而白佛言世尊如來應供正
真等覺利益我等唯願世尊宣說法門
令於我等而聚集已守衛防護說法之師
令得吉慶遠離刀杖消滅毒藥作結界
尒時薄伽如來即便爲說供養星法及以密
言陀羅尼曰

BD02750號　諸星母陀羅尼經

（5–2）

真等覺利益我等唯願世尊宣說法門
令於我等而聚集已守衛防護說法之師
令得吉慶遠離刀杖消滅毒藥作結界
尒時薄伽如來即便爲說供養星法及以密
言陀羅尼曰
唵謨呼羅迦耶莎訶 唵尸僧蔽莎訶唵落
落當伽俱麼羅也莎訶唵報鎮也報鎮也莎訶
唵報伽阿悉婆鎮也莎訶唵阿須羅薩多麼㗚
訶唵吠哩悉囊鼓羅耶也莎訶唵阿寠多畢哩
耶莎訶唵藉衣羯多蔽莎訶
金剛手此則是彼九星秘密心咒讀 便戌辨
當作十二指一色吉壇中安供養或凡或銅
金銀等器奉獻供養一一供養當誦一百八遍
金剛手然後誦此諸星母陀羅尼秘密言
辞滿足七遍一切諸星而作守護所有貧窮
患得解脫命時欲盡而得長壽金手若苾
芻苾芻尼烏波索迦烏波斯迦及餘有情之
類若應耳根而不中夭金剛手諸星壇中設
供養已每日而讀誦者彼說法師一切諸星如
彼所願悉令滿足與彼同類貧遺諸事比
得消滅
尒時薄伽如來即便爲說諸星母陀羅尼即
說咒曰
南謨佛陀耶 南謨婆撥囉駄羅耶 南麼鉢麼
達囉耶 南麼薩婆迦囉訶 南麼薩婆阿奢
波羅南迦唓 南謨諸奢多羅唓 南謨壙奢多奢
羅尸喃 怛也沒底沒底 歎室囉歎室囉 鉢朋
鉢朋 波羅婆羅 鉢波羅 鉢婆羅 三婆囉

BD02750號　諸星母陀羅尼經

（5–3）

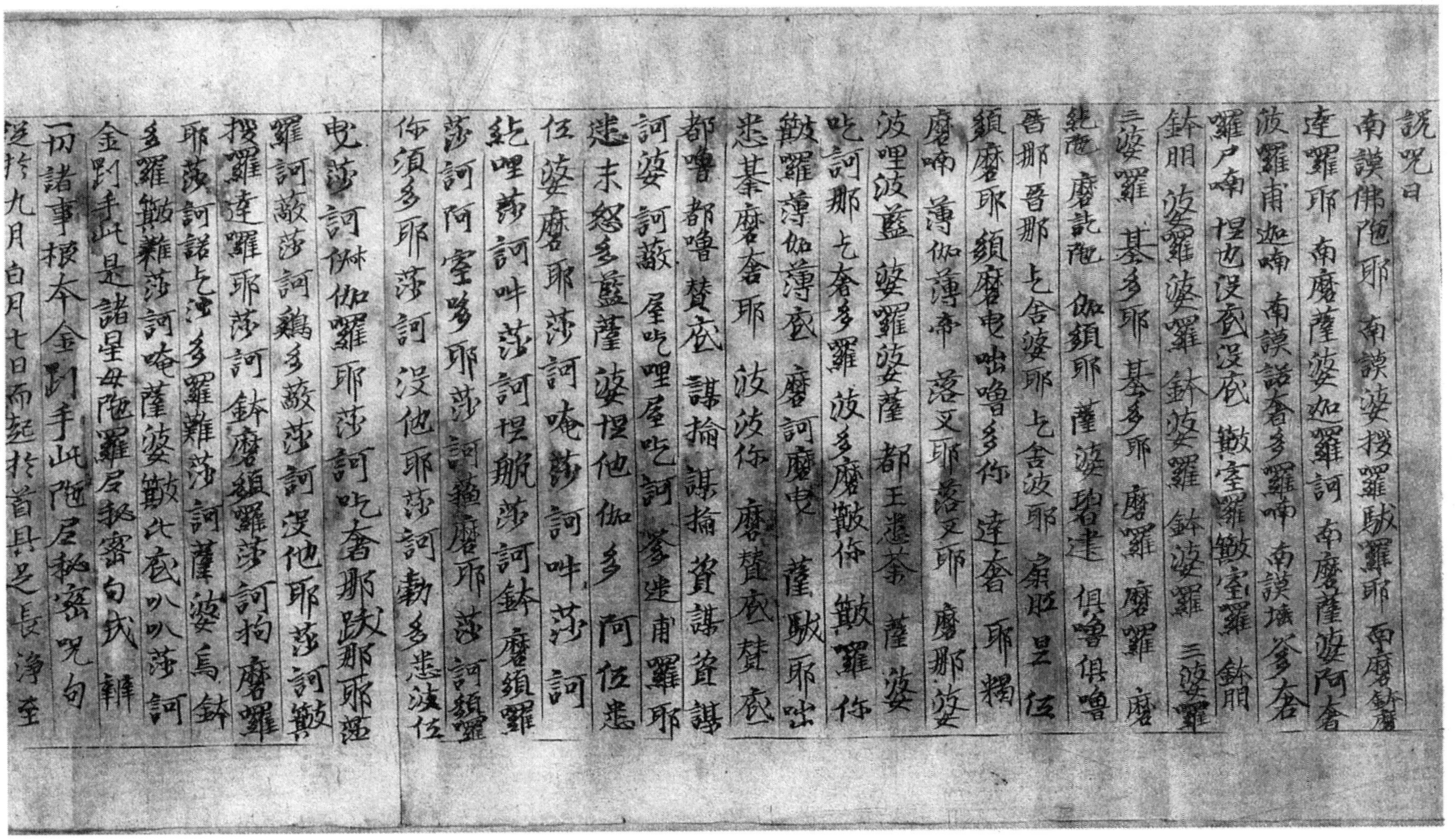

說呪曰
南謨佛陀耶 南謨婆揆羅馱羅耶 南磨鉢磨
達羅耶 南磨薩婆迦羅訶 南磨薩婆阿奢
跛羅甫迦喃 南謨諾奢多羅喃 南謨壞參奢
羅尸喃 怛也他 沒底沒底 勲室羅 勲室羅 鉢朋
鉢朋 跛婆羅 跛婆羅 鉢婆羅 鉢婆羅 三婆羅
三婆羅 基多耶 基多耶 磨羅 磨羅 磨
紇陀 磨訖陀 伽頞耶 薩婆 瑠達 俱嚕 俱嚕
晉那 晉那 乞舍婆耶 乞舍跛耶 扇耶 星 位
頞磨耶 頞磨电 咄嚕多你 達奢 耶 糯
磨喃 薄伽薄帝 落叉耶 落叉耶 磨那婆
跛哩跛藍 婆羅跛婆薩 都王悉荼 薩 婆
吃訶那 乞奢多羅 跛多磨勲你 勲羅 你
勲羅薄伽薄底 磨訶魔电 薩馱耶 咄
悉基磨奢耶 跛跛你 磨賛底 賛底
都嚕 都嚕 賛底 謀揄 謀揄 資謀 資謀
訶婆 訶薮 屋吃哩屋吃訶 參迷甫羅耶
迷末 怒多藍薩 婆怛他伽多 阿位迷
位婆磨耶莎訶 唵莎訶 吽莎訶
紇哩莎訶 吽莎訶 怛舤莎訶 鉢磨頞羅
莎訶 阿室多耶莎訶 蘊磨耶莎訶 頞羅
你須多耶莎訶 沒他耶莎訶 勲多悉波位
电莎訶 𠍚伽羅耶莎訶 吃奢那跋那耶羅
羅訶蔽莎訶 鷄多蔽莎訶 沒他耶莎訶 勲
揆羅達羅耶莎訶 鉢磨頞羅莎訶 拘磨羅
耶莎訶 諾乞沙多羅難莎訶 薩婆烏鉢
多羅勲難莎訶 唵薩婆勲比底 叭叭莎訶
金剛手此是諸星母陀羅尼秘密句我 韓
一切諸事根本金剛手此陀尼秘密呪句
從於九月白月七日而起於首具足長淨至

BD02750 號　諸星母陀羅尼經　（5–4）

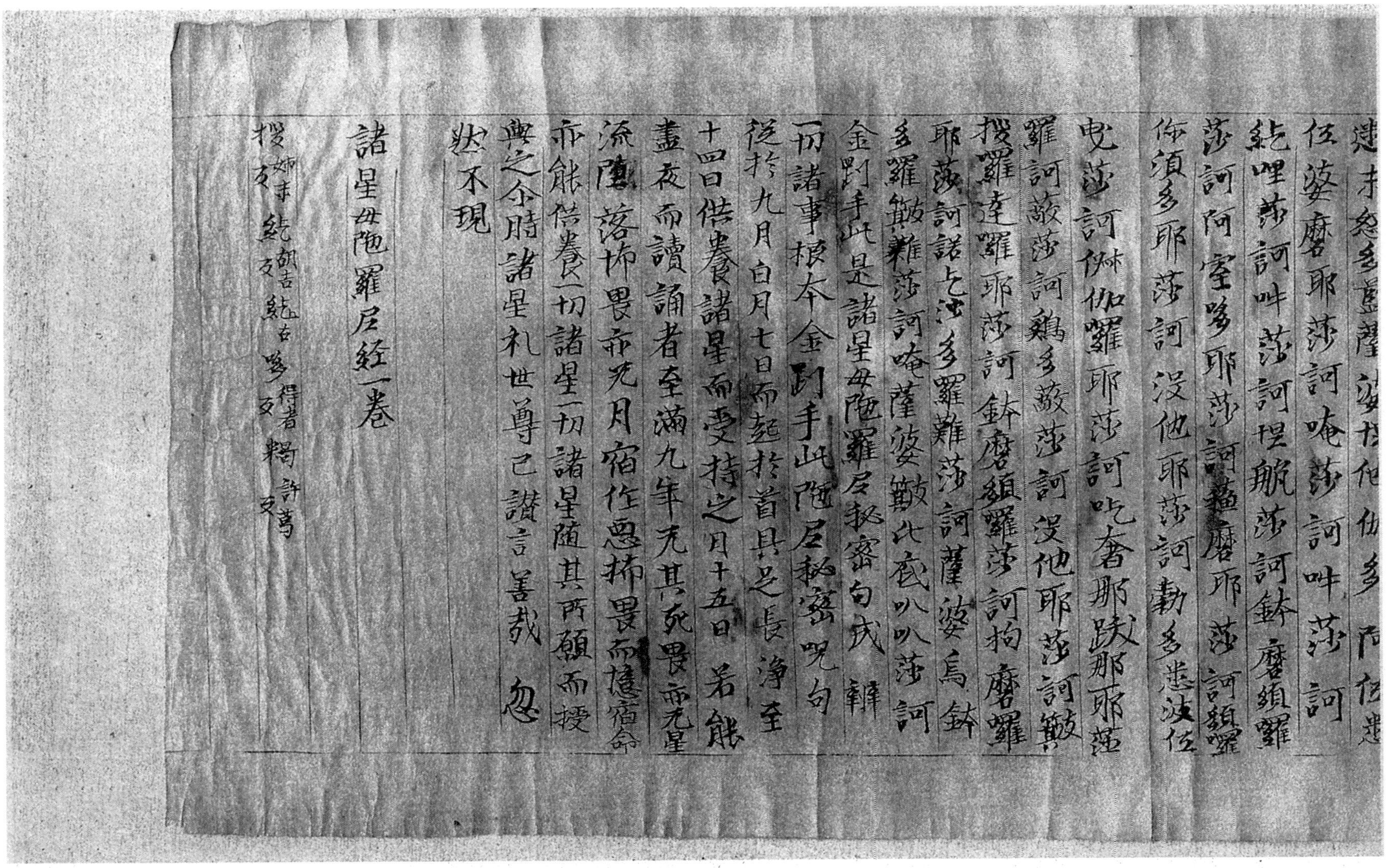

迷末 怒多藍薩 婆怛他伽多 阿位迷
位婆磨耶莎訶 唵莎訶 吽莎訶
紇哩莎訶 吽莎訶 怛舤莎訶 鉢磨頞羅
莎訶 阿室多耶莎訶 蘊磨耶莎訶 頞羅
你須多耶莎訶 沒他耶莎訶 勲多悉波位
电莎訶 𠍚伽羅耶莎訶 吃奢那跋那耶羅
羅訶蔽莎訶 鷄多蔽莎訶 沒他耶莎訶 勲
揆羅達羅耶莎訶 鉢磨頞羅莎訶 拘磨羅
耶莎訶 諾乞沙多羅難莎訶 薩婆烏鉢
多羅勲難莎訶 唵薩婆勲比底 叭叭莎訶
金剛手此是諸星母陀羅尼秘密句我 韓
一切諸事根本金剛手此陀尼秘密呪句
從於九月白月七日而起於首具足長淨至
十四日供養諸星而受持之月十五日 若能
晝夜而讀誦者至滿九年无其死畏亦无星
流墮落怖畏亦无月宿任恩怖畏而獲宿命
亦能供養一切諸星一切諸星隨其所願而授
與之介時諸星礼世尊已讚言善哉 忽
然不現

諸星母陀羅尼經一卷

揆 姉寺反 紇 胡吉反 紇 古 多 得者反 糯 許葛反

BD02750 號　諸星母陀羅尼經　（5–5）

廣為汝說法之供養即時月蓋王子行詣藥
王如來稽首佛足却住一面白佛言世尊諸
供養中法供養勝云何為法供養佛言善
男子法供養者諸佛所說深經一切世間難信
難受微妙難見清淨無染非但分別思惟
之所能得菩薩法藏所攝陀羅尼印印之至
不退轉成就六度善分別義順菩提法眾經
之上入大慈悲離眾魔事及諸邪見順因緣
法無我無人無眾生無壽命空無相無作无
起能令眾生坐於道場而轉法輪諸天龍神
乾闥婆等所共歎譽能令眾生入佛法藏攝
諸賢聖一切智慧說眾菩薩所行之道依於
諸法實相之義明宣無常苦空無我寂滅能
救一切毀禁眾生諸魔外道及貪著者能
使怖畏諸佛賢聖所共稱歎背生死苦示涅
槃樂十方三世諸佛所說若聞如是等經信解
受持讀誦以方便力為諸眾生分別解說顯示
分明守護法故是名法之供養又於諸法如說
脩行隨順十二因緣離諸邪見得無生忍
決定無我無有眾生而於因緣果報无違无
諍離諸

BD02751號　維摩詰所說經卷下

（3–1）

受持讀誦以方便力為諸眾生分別解說顯示
分明守護法故是名法之供養又於諸法如說
脩行隨順十二因緣離諸邪見得無生忍
決定無我無有眾生而於因緣果報无違无
諍離諸我所依於義不依語依於智不依識
依了義經不依不了義經依於法不依人隨
順法相无所入无所歸无明畢竟滅故諸行亦
畢竟滅乃至生畢竟滅故老死亦畢竟滅
作如是觀十二因緣无有盡相不復起見是
名最上法之供養
佛告天帝王子月蓋從藥王佛聞如是法得
柔順忍即解寶衣嚴身之具以供養佛白佛
言世尊如來滅後我當行法供養守護正法
願以威神加哀建立令我得降魔怨脩菩薩
行佛知其深心所念而記之曰汝於末後守
護法城天帝時王子月蓋見法清淨聞佛授
記以信出家脩集善法精進不久得五神通
逮菩薩道得陀羅尼无斷辯才於佛滅後以
其所得神通總持辯才之力滿十小劫藥王
如來所轉法輪隨而分布月蓋比丘以守護
法勤行精進即於此身化百万億人於阿耨
多羅三藐三菩提立不退轉十四那由他人
深發聲聞辟支佛心无量眾生得生天上天
帝時王寶蓋豈異人乎今現得佛號寶焰
如來其王千子即賢劫中千佛是也從迦羅鳩
孫馱為始得佛最後如來號曰樓至月蓋比
丘則我身是如是天帝當知此要以法供養

BD02751號　維摩詰所說經卷下

（3–2）

讃法城天帝時王子月蓋見法清淨聞佛授
記以信出家脩集善法精進不久得五神通
通菩薩道得陁羅尼无斷辯才於佛滅後以
其所得神通總持辯才之力滿十小劫藥王
如來所轉法輪隨而分布月蓋比丘以守護
法勤行精進即於此身化百万億人於阿耨
多羅三藐三菩提立不退轉十四那由他人
深發聲聞辟支佛心无量衆生得生天上天
帝時王寶蓋豈異人乎今現得佛号寶焰
如來其王千子即賢劫中千佛是也從迦羅鳩
孫馱為始得佛家後如來号曰樓至月蓋比
丘則我身是如是天帝當知此要以法供養
於諸供養為上為宗弟一无比是故天帝當
以法之供養供養於佛

囑累品第十四

於是佛告弥勒菩薩言弥勒我今以是无量
億阿僧祇劫所集阿耨多羅三藐三菩提
法付囑於汝如是輩經於佛滅後末世之中汝
等當以神力廣宣流布於閻浮提无令斷絕
所以者何未來世中當有善男子善女人及
天龍鬼神乾闥婆羅刹等發阿耨多羅三
藐三菩提心樂于大法若使不聞如是等經則

BD02751號　維摩詰所說經卷下　（3–3）

南謨薄伽勃底一阿波唎蜜哆二阿喻紇硯娘三須毗你悉指陁四囉佐耶五怛他羯他耶六怛姪他唵七薩
婆桑悉迦囉八波唎輸底九達磨底十伽迦娜十一莎訶其特迦底十二薩婆婆毗輸底十三摩訶娜耶
十四波唎婆囉莎訶十五　介時復有四十五殑伽沙佛時同聲說是无量壽宗要經陁羅尼曰
南謨薄伽勃底一阿波唎蜜哆二阿喻紇硯娘三須毗你悉指陁四囉佐耶五怛他羯他耶六怛姪他唵七
薩婆桑悉迦囉八波唎輸底九達磨底十伽迦娜十一莎訶其特伽底十二薩婆婆毗輸底十三摩訶娜
耶十四波唎婆囉莎訶十五　介時復有五十五殑伽沙佛時同聲說是无量壽宗要經陁羅尼曰
南謨薄伽勃底一阿波唎蜜哆二阿喻紇硯娘三須毗你悉指陁四囉佐耶五怛他羯他耶六怛姪他唵
七薩婆桑悉迦囉八波唎輸底九達磨底十伽迦娜十一莎訶其特迦底十二薩婆婆毗輸底十三摩訶
娜耶十四波唎婆囉莎訶十五　介時復有六十五殑伽沙佛時同聲說是无量壽宗要經陁羅尼曰
南謨薄伽勃底一阿波唎蜜哆二阿喻紇硯娘三須毗你悉指陁四囉佐耶五怛他羯他耶六怛姪他唵七薩婆
桑悉迦囉八波唎輸底九達磨底十伽迦娜十一莎訶其特迦底十二薩婆婆毗輸底十三摩訶娜耶十四
波唎婆囉莎訶十五　介時復有恒河沙俱胝佛時同聲說是无量壽宗要經陁羅尼曰
南謨薄伽勃底一阿波唎蜜哆二阿喻紇硯娘三須毗你悉指陁四囉佐耶五怛他羯他耶六怛姪他唵七薩婆
桑悉迦囉八波唎輸底九達磨底十伽迦娜十一莎訶其特迦底十二薩婆婆毗輸底十三摩訶娜耶十四波
唎婆囉莎訶十五　善男子若有自書寫教人書寫是无量壽宗要經受持讀誦者命盡復得長壽滿百
年陁羅尼曰　南謨薄伽勃底一阿波唎蜜哆二阿喻紇硯娘三須毗你悉指陁四囉佐耶五怛他羯他耶六
怛姪他唵七薩婆桑悉迦囉八波唎輸底九達磨底十伽迦娜十一莎訶其特迦底十二薩婆婆毗輸底十三摩訶
娜耶十四波唎婆囉莎訶十五　若有自書寫教人書寫是无量壽宗要經讀誦受持畢竟不墮地
獄在在所生得宿命智陁羅尼曰　南謨薄伽勃底一阿波唎蜜哆二阿喻紇硯娘三須毗你悉指陁四囉
佐耶五怛他羯他耶六怛姪他唵七薩婆桑悉迦囉八波唎輸底九達磨底十伽迦娜十一莎訶其特迦底十二
薩婆婆毗輸底十三摩訶娜耶十四波唎婆囉莎訶十五　若有自書寫教人書寫是无量壽宗要經
受持讀誦如同書寫八万四千一切經典陁羅尼曰　南謨薄伽勃底一阿波唎蜜哆二阿喻紇硯娘三須毗你
悉指陁四囉佐耶五怛他羯他耶六怛姪他唵七薩婆桑悉迦囉八波唎輸底九達磨底十伽迦娜十一莎訶其特
迦底十二薩婆婆毗輸底十三摩訶娜耶十四波唎婆囉莎訶十五　若有自書寫教人書寫是无量壽宗

BD02752號　無量壽宗要經　（4–1）

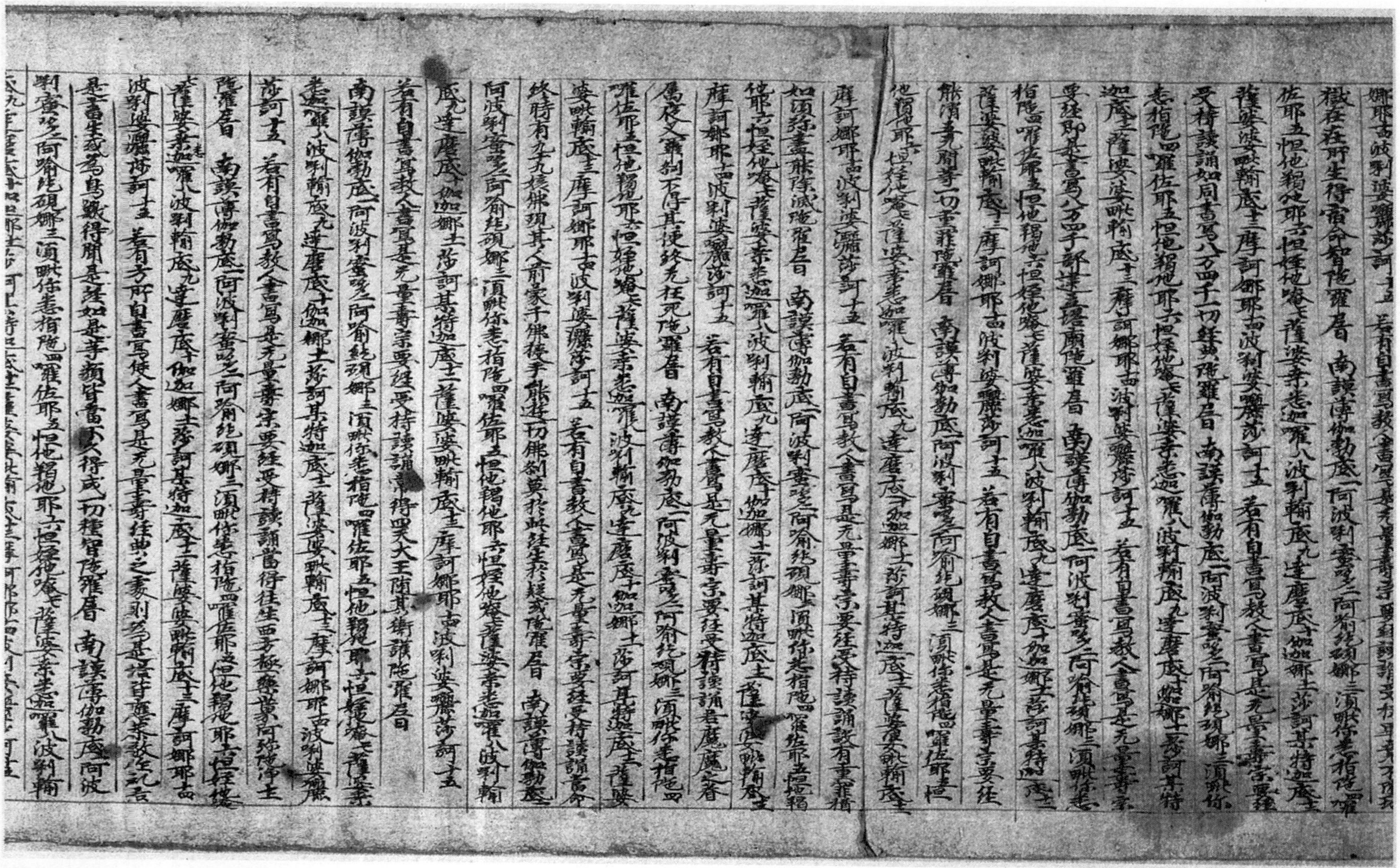

BD02752 號　無量壽宗要經　　（4–2）

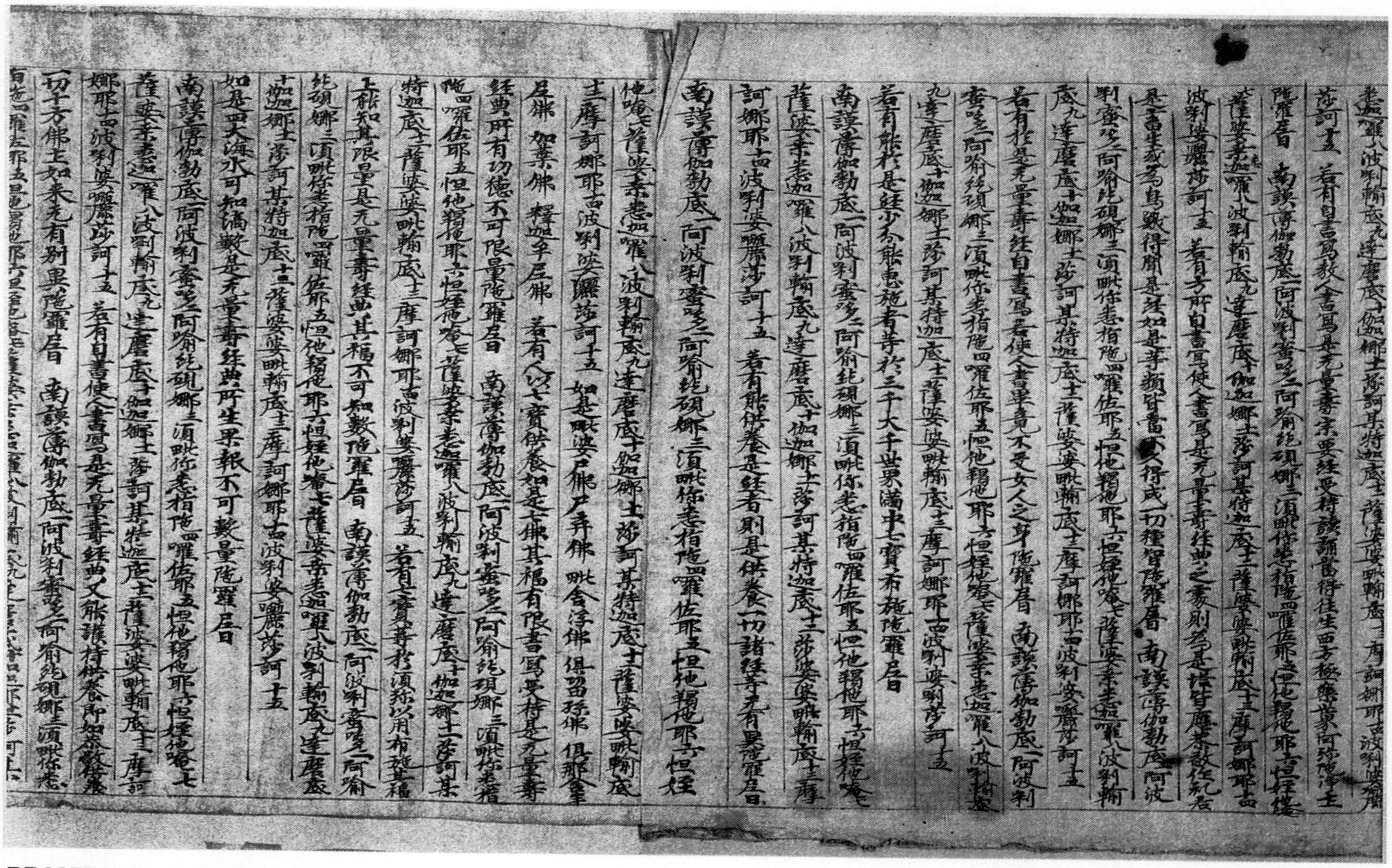

BD02752 號　無量壽宗要經　　（4–3）

尼佛 迦葉佛 釋迦牟尼佛 若有人以七寶供養如是七佛其福有限書寫是无量壽
經典所有功德不可限量陁羅尼曰 南謨薄伽勃底一阿波唎蜜多二阿喻紇硯孃三須毗你悉指
陁四囉佐耶五怛他羯他耶六怛姪他唵七薩婆桑悉迦囉八波唎輸底九達磨底十伽迦孃十一莎訶某
特迦底十二薩婆婆毗輸底十三摩訶娜耶十四波唎婆囉莎訶十五 若有以寶等於須弥以用布施其福
上能知其限量是无量壽經典其福不可知數陁羅尼曰 南謨薄伽勃底一阿波唎蜜多二阿喻
紇硯孃三須毗你悉指陁四囉佐耶五怛他羯他耶六怛姪他唵七薩婆桑悉迦囉八波唎輸底九達磨底
十伽迦孃十一莎訶某特迦底十二薩婆婆毗輸底十三摩訶娜耶十四波唎婆囉莎訶十五
如是四大海水可知滴數是无量壽經典所生果報不可數量陁羅尼曰
南謨薄伽勃底一阿波唎蜜多二阿喻紇硯孃三須毗你悉指陁四囉佐耶五怛他羯他耶六怛姪他唵七
薩婆桑悉迦囉八波唎輸底九達磨底十伽迦孃十一莎訶某特迦底十二薩婆婆毗輸底十三摩訶
娜耶十四波唎婆囉莎訶十五 若有自書使人書寫是无量壽經典又能讚持供養即如恭敬禮
一切十方佛土如來无有別異陁羅尼曰 南謨薄伽勃底一阿波唎蜜多二阿喻紇硯孃三須毗你悉
指陁四囉佐耶五怛他羯他耶六怛姪他唵七薩婆桑悉迦囉八波唎輸底九達磨底十伽迦孃十一莎訶某
特迦底十二薩婆婆毗輸底十三摩訶娜耶十四波唎婆囉莎訶十五
布施力能成正覺 悟布施力人師子 布施力能聲普聞 慈悲階漸最能入
持戒力能成正覺 悟持戒力人師子 持戒力能聲普聞 慈悲階漸最能入
忍辱力能成正覺 悟忍辱力人師子 忍辱力能聲普聞 慈悲階漸最能入
精進力能成正覺 悟精進力人師子 精進力能聲普聞 慈悲階漸最能入
禪定力能成正覺 悟禪定力人師子 禪定力能聲普聞 慈悲階漸最能入
智慧力能成正覺 悟智慧力人師子 智慧力能聲普聞 慈悲階漸最能入
今時如來說是經已一切世間天人阿脩羅揵闥婆等聞佛所說皆大歡喜信受奉行

佛說无量壽宗要經

孟郎子

BD02752 號　無量壽宗要經　（4–4）

摩訶薩
欲若多瞋恚常念恭敬
瞋若多愚癡常念恭敬觀
癡无盡意觀世音菩薩有
多所饒益是故衆生常應
欲求男礼拜供養觀世音菩薩
慧之男設欲求女便生端正有相
德本衆人愛敬无盡意觀世音
力若有衆生恭敬礼拜觀世音菩
捐是故衆生皆應受持觀世
盡意若有人受持六十二億恒河
字復盡形供養飲食衣服卧具
云何是善男子善女人功德多
甚多世尊佛言若復有人受持
名号乃至一時礼拜供養是二人
異於百千万億劫不可窮盡无盡
世音菩薩名号得如是无量无邊福
无盡意菩薩白佛言世尊觀世音菩薩云何
遊此娑婆世界云何而為衆生說法方便之
力其事云何佛告无盡意菩薩善男子若有
國土衆生應以佛身得度者觀世音菩薩即
現佛身而為說法應以辟支佛身得度者即
現辟支佛身而為說法應以聲聞身得度者

BD02753 號　妙法蓮華經卷七　（5–1）

異於[illegible]
世音菩薩名号得如是无量无邊福
无盡意菩薩白佛言世尊觀世音菩薩云何
遊此娑婆世界云何而為衆生說法方便之
力其事云何佛告无盡意菩薩善男子若有
國土衆生應以佛身得度者觀世音菩薩即
現佛身而為說法應以辟支佛身得度者即
現辟支佛身而為說法應以聲聞身得度者
即現聲聞身而為說法應以梵王身得度者
即現梵王身而為說法應以帝釋身得度者
即現帝釋身而為說法應以自在天身得度
者即現自在天身而為說法應以大自在天
身得度者即現大自在天身而為說法應以
天大將軍身得度者即現天大將軍身而為
說法應以毗沙門身得度者即現毗沙門身
而為說法應以小王身得度者即現小王身而
為說法應以長者身得度者即現長者身
而為說法應以居士身得度者即現居士身
而為說法應以宰官身得度者即現宰官身
而為說法應以婆羅門身得度者即現婆羅
門身而為說法應以比丘比丘尼優婆塞優
婆夷身得度者即現比丘比丘尼優婆塞優
婆夷身而為說法應以長者居士宰官婆羅
門婦女身得度者即現婦女身而為說法應
以童男童女身得度者即現童男童女身而
為說法應以天龍夜叉乾闥婆阿脩羅迦樓
羅緊那羅摩睺羅伽人非人等身得度者即

BD02753號　妙法蓮華經卷七

（5–2）

門身而為說法應以比丘比丘尼優婆塞優
婆夷身得度者即現比丘比丘尼優婆塞優
婆夷身而為說法應以長者居士宰官婆羅
門婦女身得度者即現婦女身而為說法應
以童男童女身得度者即現童男童女身而
為說法應以天龍夜叉乾闥婆阿脩羅迦樓
羅緊那羅摩睺羅伽人非人等身得度者即
皆現之而為說法應以執金剛神得度者即
現執金剛神而為說法无盡意是觀世音菩薩
成就如是功德以種種形遊諸國土度脫衆生
是故汝等應當一心供養觀世音菩薩是觀
世音菩薩摩訶薩於怖畏急難之中能施
无畏是故此娑婆世界皆号之為施无畏者
无盡意菩薩白佛言世尊我今當供養觀世
音菩薩即解頸衆寶珠瓔珞價直百千兩金
而以與之作是言仁者受此法施珎寶瓔珞
時觀世音菩薩不肯受之无盡意復白觀世
音菩薩言仁者愍我等故受此瓔珞尒時佛
告觀世音菩薩當愍此无盡意菩薩及諸四衆
天龍夜叉乾闥婆阿脩羅迦樓羅緊那羅摩
睺羅伽人非人等故受是瓔珞即時觀世音
菩薩愍諸四衆及於天龍人非人等受其瓔
珞分作二分一分奉釋迦牟尼佛一分奉多
寶佛塔无盡意觀世音菩薩有如是自在神
力遊於娑婆世界尒時无盡意菩薩以偈問曰
世尊妙相具　我今重問彼　佛子何因緣　名為觀世音

BD02753號　妙法蓮華經卷七

（5–3）

告觀世音菩薩當愍此无盡意菩薩及四衆
天龍夜叉乾闥婆阿脩羅迦樓羅緊那羅摩
睺羅伽人非人等故受是瓔珞即時觀世音
菩薩愍諸四衆及於天龍人非人等受其瓔
珞分作二分一分奉釋迦牟尼佛一分奉多
寶佛塔无盡意觀世音菩薩有如是自在神
力遊於娑婆世界尒時无盡意菩薩以偈問曰
世尊妙相具 我今重問彼 佛子何因緣 名為觀世音
具足妙相尊 偈荅无盡意 汝聽觀音行 善應諸方所
弘誓深如海 歷劫不思議 侍多千億佛 發大清淨願
我為汝略說 聞名及見身 心念不空過 能滅諸有苦
假使興害意 推落大火坑 念彼觀音力 火坑變成池
或漂流巨海 龍魚諸鬼難 念彼觀音力 波浪不能沒
或在須彌峯 為人所推墮 念彼觀音力 如日虛空住
或被惡人逐 墮落金剛山 念彼觀音力 不能損一毛
或值怨賊遶 各執刀加害 念彼觀音力 咸即起慈心
或遭王難苦 臨刑欲壽終 念彼觀音力 刀尋段段壞
或囚禁枷鎖 手足被杻械 念彼觀音力 釋然得解脫
呪咀諸毒藥 所欲害身者 念彼觀音力 還著於本人
或遇惡羅剎 毒龍諸鬼等 念彼觀音力 時悉不敢害
若惡獸圍遶 利牙爪可怖 念彼觀音力 疾走无邊方
蚖蛇及蝮蝎 氣毒煙火然 念彼觀音力 尋聲自迴去
雲雷鼓掣電 降雹澍大雨 念彼觀音力 應時得消散
衆生被困厄 无量苦逼身 觀音妙智力 能救世間苦
具足神通力 廣修智方便 十方諸國土 无剎不現身
種種諸惡趣 地獄鬼畜生 生老病死苦 以漸悉令滅

BD02753號　妙法蓮華經卷七　（5–4）

呪咀諸毒藥 所欲害身者 念彼觀音力 還著於本人
或遇惡羅剎 毒龍諸鬼等 念彼觀音力 時悉不敢害
若惡獸圍遶 利牙爪可怖 念彼觀音力 疾走无邊方
蚖蛇及蝮蝎 氣毒煙火然 念彼觀音力 尋聲自迴去
雲雷鼓掣電 降雹澍大雨 念彼觀音力 應時得消散
衆生被困厄 无量苦逼身 觀音妙智力 能救世間苦
具足神通力 廣修智方便 十方諸國土 无剎不現身
種種諸惡趣 地獄鬼畜生 生老病死苦 以漸悉令滅
真觀清淨觀 廣大智慧觀 悲觀及慈觀 常願常瞻仰
无垢清淨光 慧日破諸闇 能伏災風火 普明照世間
悲體戒雷震 慈意妙大雲 澍甘露法雨 滅除煩惱炎
諍訟經官處 怖畏軍陣中 念彼觀音力 衆怨悉退散
妙音觀世音 梵音海潮音 勝彼世間音 是故須常念
念念勿生疑 觀世音淨聖 於苦惱死厄 能為作依怙
具一切功德 慈眼視衆生 福聚海无量 是故應頂礼
尒時持地菩薩即從座起前白佛言世尊若有
衆生聞是觀世音菩薩品自在之業普門
示現神通力者當知是人功德不少佛說
是普門品時衆中八万四千衆生皆發无
等等阿耨多羅三藐三

BD02753號　妙法蓮華經卷七　（5–5）

及諸比丘比丘尼　諸仰慈悲[illegible]

BD02753 號背　雜寫　　（1–1）

輪聖王以少福故尚得无疾豈況如來无量
福會普勝者哉行矣阿難勿使我等受斯恥
也外道梵志若聞此語當作是念何名為師
自疾不能救而能救諸疾人可密速去勿使
人聞當知阿難諸如來身即是法身非思欲
身佛為世尊過於三界佛身无漏諸漏已盡
佛身无為不墮諸數如此之身當有何疾時
我世尊實懷慚愧得无近佛而謬聽耶即聞
空中聲日阿難如居士言但為佛出五濁惡世
現行斯法度脫衆生行矣阿難取乳勿慚世
尊維摩詰智慧辯才為若此也是故不任詣
彼問疾如是五百大弟子各各向佛說其本
緣稱述維摩詰所言皆日不任詣彼問疾

菩薩品第四

於是佛告弥勒菩薩汝行詣維摩詰問疾弥
勒白佛言世尊我不勘任詣彼問疾所以者
何憶念我昔為兜率天王及其眷屬說不退
轉地之行時維摩詰來謂我言弥勒世尊授
仁者記一生當得阿耨多羅三藐三菩提為
用何生得受記乎過去耶未來耶現在耶若

BD02754 號　維摩詰所說經卷上　　（3–1）

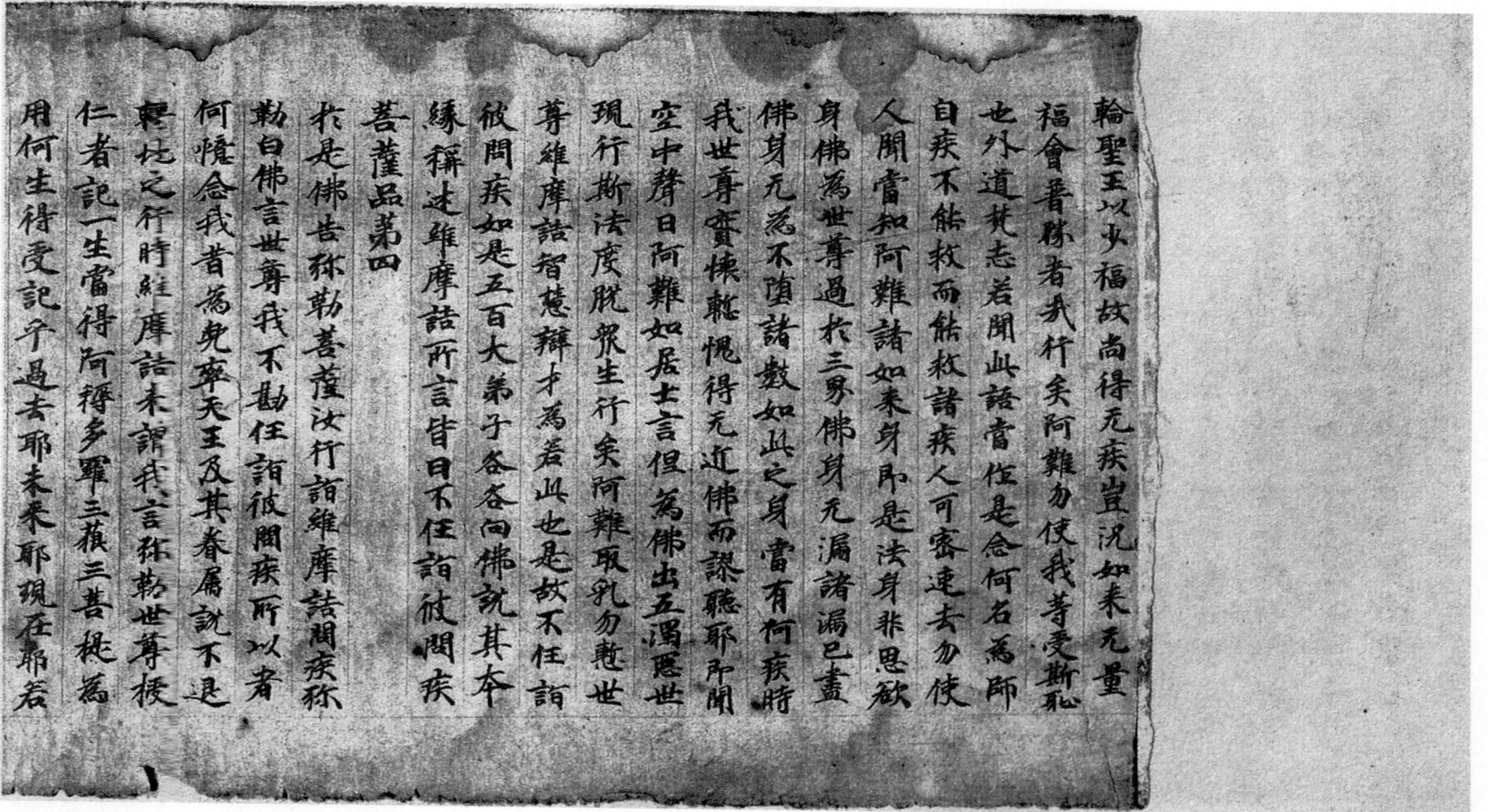

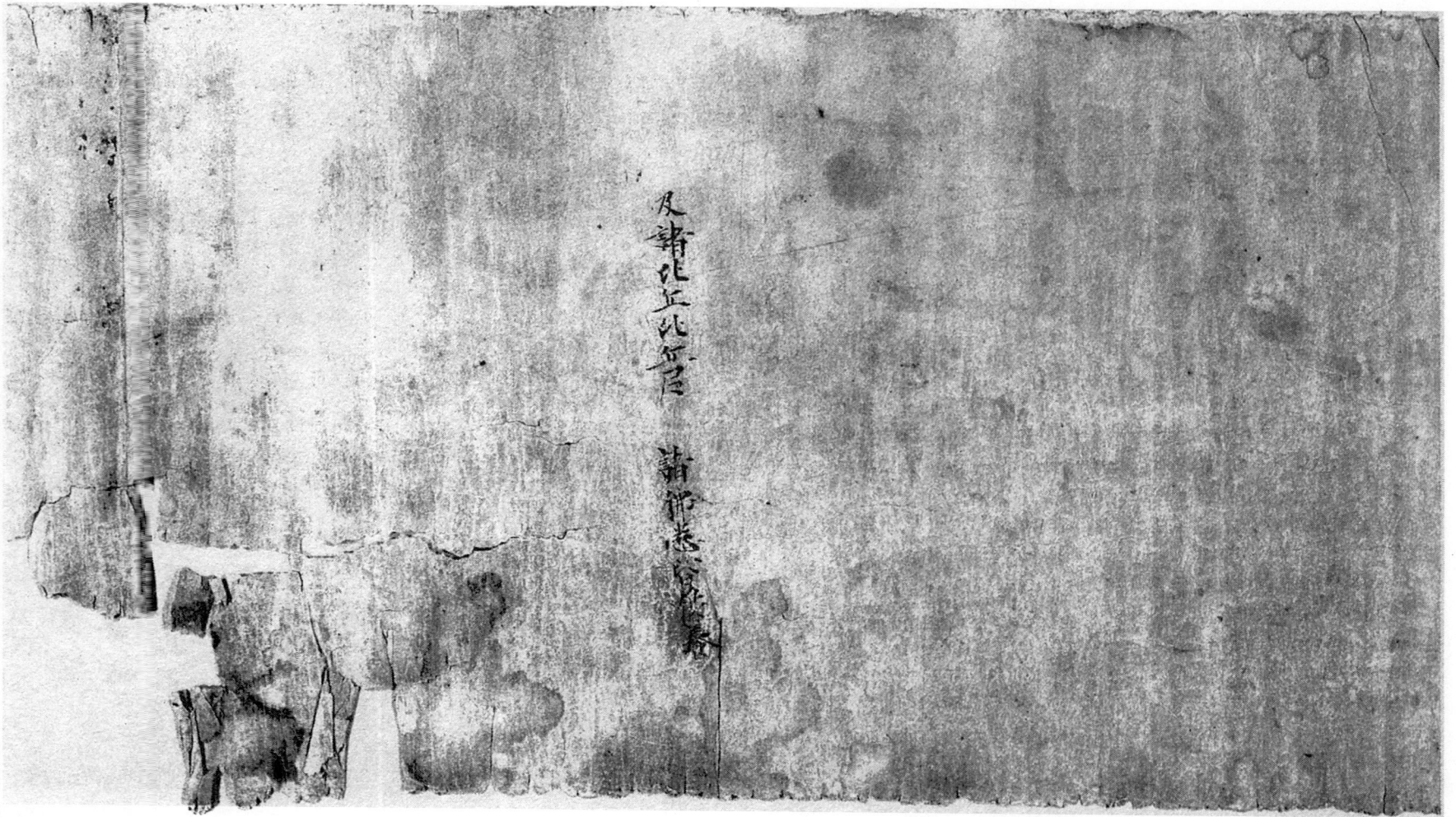

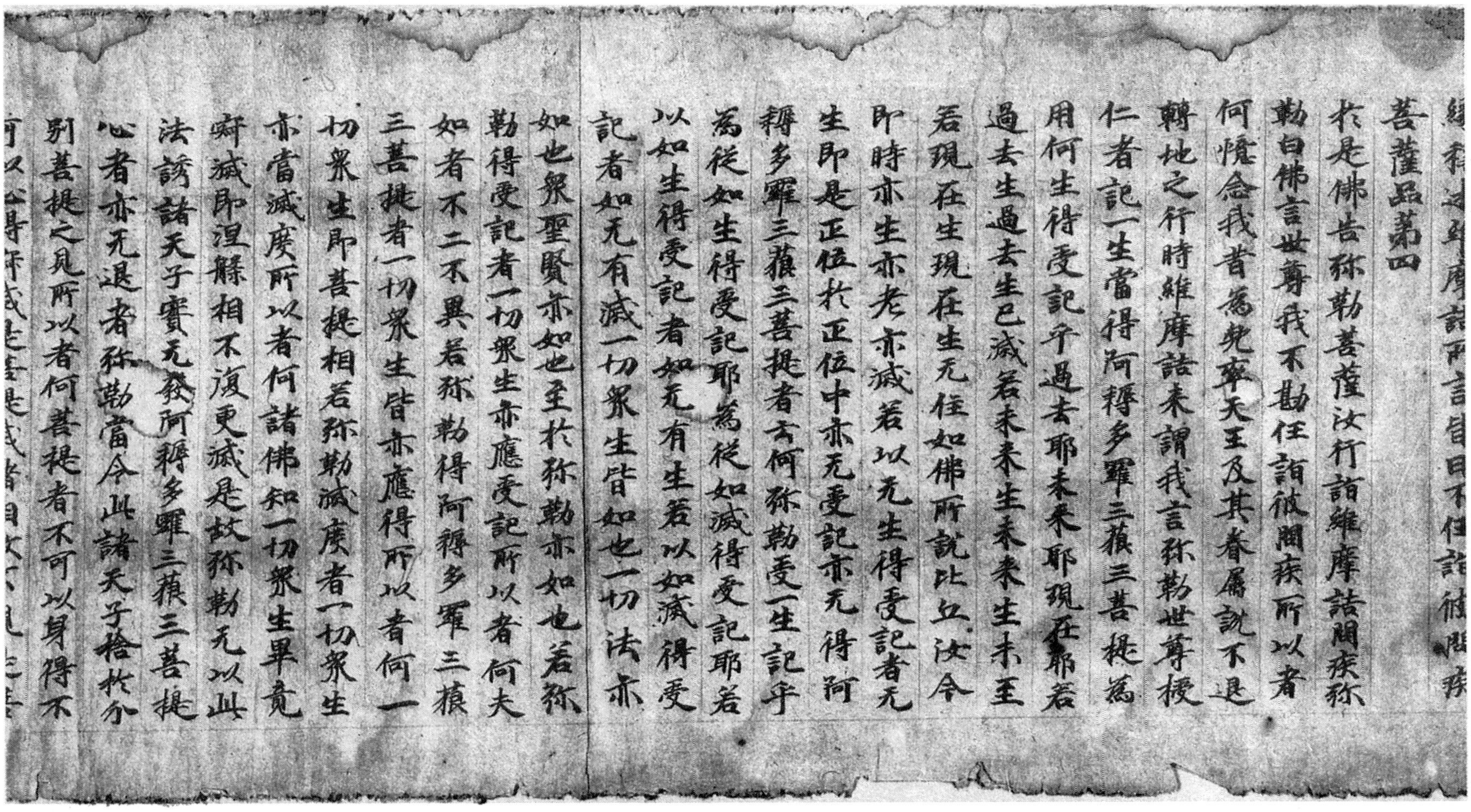

維摩詰所言皆曰不任詣彼問疾
菩薩品第四
於是佛告弥勒菩薩汝行詣維摩詰問疾弥
勒白佛言世尊我不勘任詣彼問疾所以者
何憶念我昔為兜率天王及其眷屬說不退
轉地之行時維摩詰來謂我言弥勒世尊授
仁者記一生當得阿耨多羅三藐三菩提為
用何生得受記乎過去耶未來耶現在耶若
過去生過去生已滅若未來生未來生未至
若現在生現在生无住如佛所說比丘汝今
即時亦生亦老亦滅若以无生得受記者无
生即是正位於正位中亦无受記亦无得阿
耨多羅三藐三菩提者云何弥勒受一生記乎
為從如生得受記耶為從如滅得受記耶若
以如生得受記者如无有生若以如滅得受
記者如无有滅一切衆生皆如也一切法亦
如也衆聖賢亦如也至於弥勒亦如也若弥
勒得受記者一切衆生亦應受記所以者何夫
如者不二不異若弥勒得阿耨多羅三藐
三菩提者一切衆生皆亦應得所以者何一
切衆生即菩提相若弥勒滅度者一切衆生
亦當滅度所以者何諸佛知一切衆生畢竟
寂滅即涅槃相不復更滅是故弥勒无以此
法誘諸天子實无發阿耨多羅三藐三菩提
心者亦无退者弥勒當令此諸天子捨於分
別菩提之見所以者何菩提者不可以身得不
可以心得寂滅是菩提滅諸相故

BD02754號　維摩詰所說經卷上　（3–2）

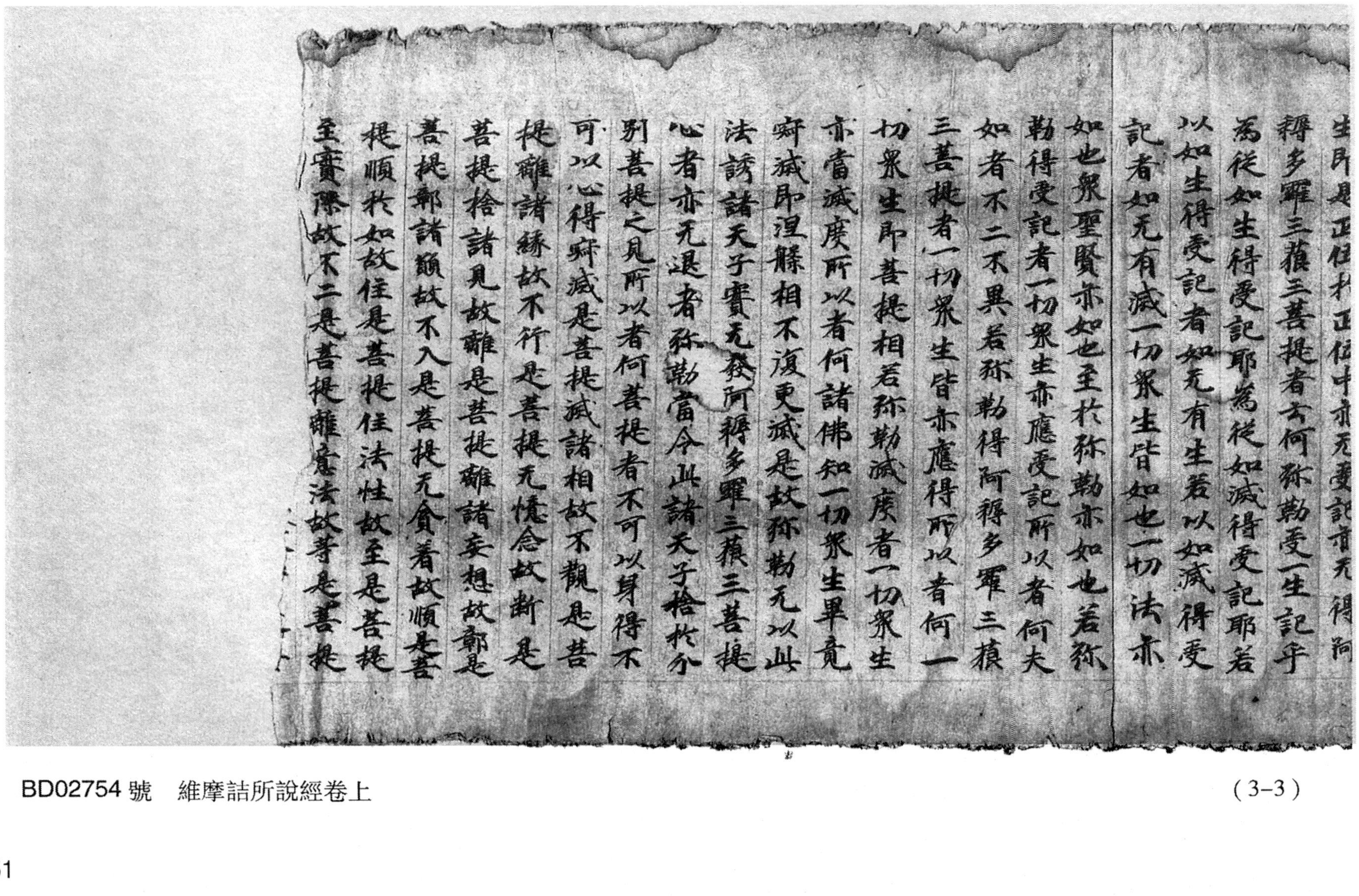

生即是正位於正位中亦无受記亦无得阿
耨多羅三藐三菩提者云何弥勒受一生記乎
為從如生得受記耶為從如滅得受記耶若
以如生得受記者如无有生若以如滅得受
記者如无有滅一切衆生皆如也一切法亦
如也衆聖賢亦如也至於弥勒亦如也若弥
勒得受記者一切衆生亦應受記所以者何夫
如者不二不異若弥勒得阿耨多羅三藐
三菩提者一切衆生皆亦應得所以者何一
切衆生即菩提相若弥勒滅度者一切衆生
亦當滅度所以者何諸佛知一切衆生畢竟
寂滅即涅槃相不復更滅是故弥勒无以此
法誘諸天子實无發阿耨多羅三藐三菩提
心者亦无退者弥勒當令此諸天子捨於分
別菩提之見所以者何菩提者不可以身得不
可以心得寂滅是菩提滅諸相故不觀是菩
提離諸緣故不行是菩提无憶念故斷是
菩提捨諸見故離是菩提離諸妄想故鄣是
菩提鄣諸願故不入是菩提无貪着故順是菩
提順於如故住是菩提住法性故至是菩提
至實際故不二是菩提離意法故等是菩提

BD02754號　維摩詰所說經卷上　（3–3）

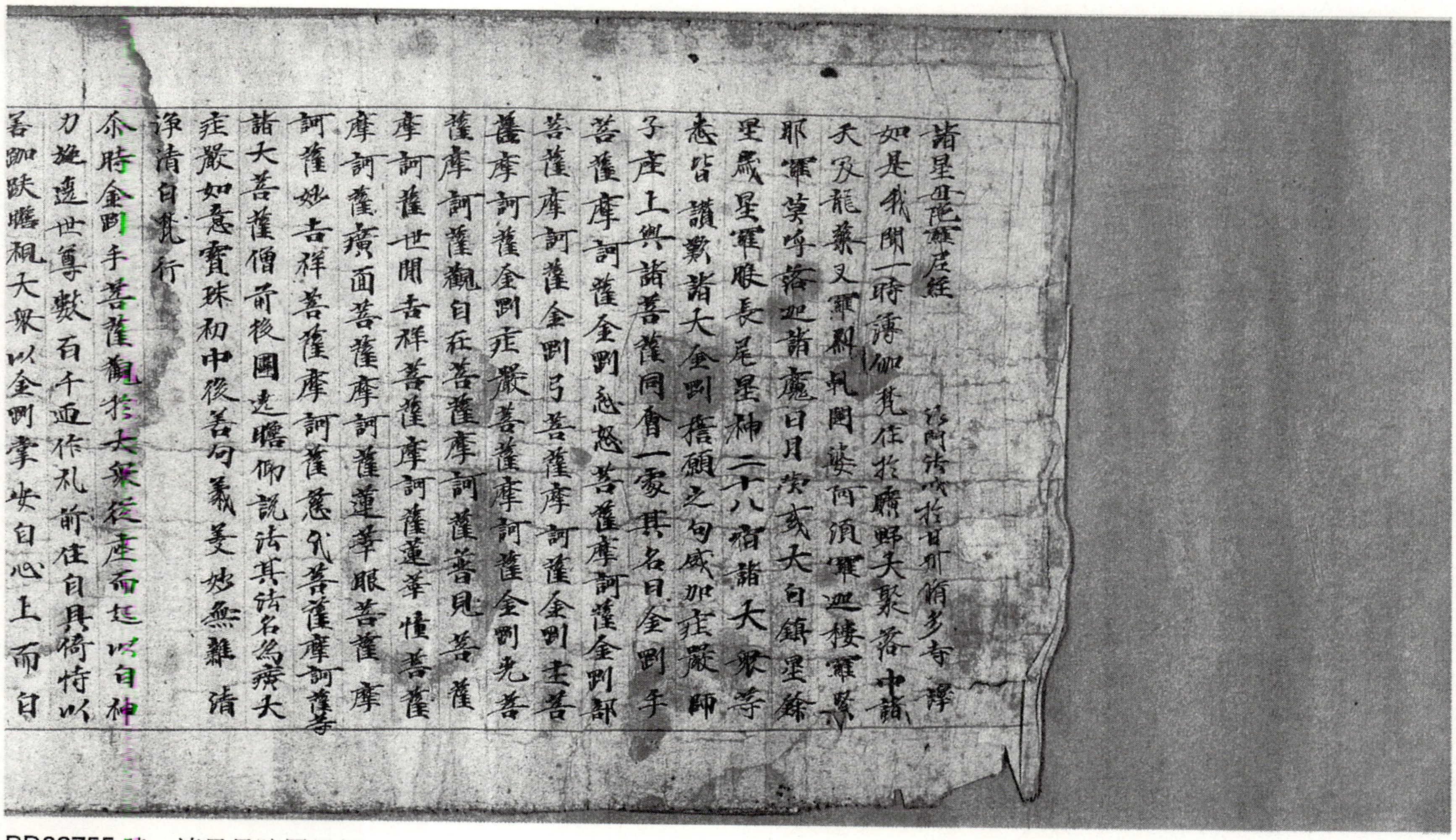

諸星母陀羅尼經　沙門法成於甘州脩多寺譯
如是我聞一時薄伽梵住於蘇野大聚落中諸
天及龍藥叉羅刹乾闥婆阿須羅迦樓羅緊
那羅莫呼洛迦諸魔日月熒惑大白鎮星餘
星歲星羅睺長尾星神二十八宿諸大衆等
悉皆讚歎諸大金剛擔願之句威加莊嚴師
子座上與諸菩薩同會一處其名曰金剛手
菩薩摩訶薩金剛忿怒菩薩摩訶薩金剛部
菩薩摩訶薩金剛弓菩薩摩訶薩金剛圭菩
薩摩訶薩金剛莊嚴菩薩摩訶薩金剛光菩
薩摩訶薩觀自在菩薩摩訶薩普見菩薩
摩訶薩世間吉祥菩薩摩訶薩蓮華憧菩薩
摩訶薩積面菩薩摩訶薩蓮華眼菩薩摩
訶薩妙吉祥菩薩摩訶薩慈氏菩薩摩訶薩等
諸大菩薩僧前後圍遶瞻仰說法其法名為廣大
莊嚴如意寶珠初中後善句義美妙無雜清
淨清白梵行
尒時金剛手菩薩觀於大衆從座而起以自神
力旋遶世尊數百千匝作礼前住自具倚恃以
善跏趺瞻視大衆以金剛掌安自心上而白

BD02755號　諸星母陀羅尼經

（5–1）

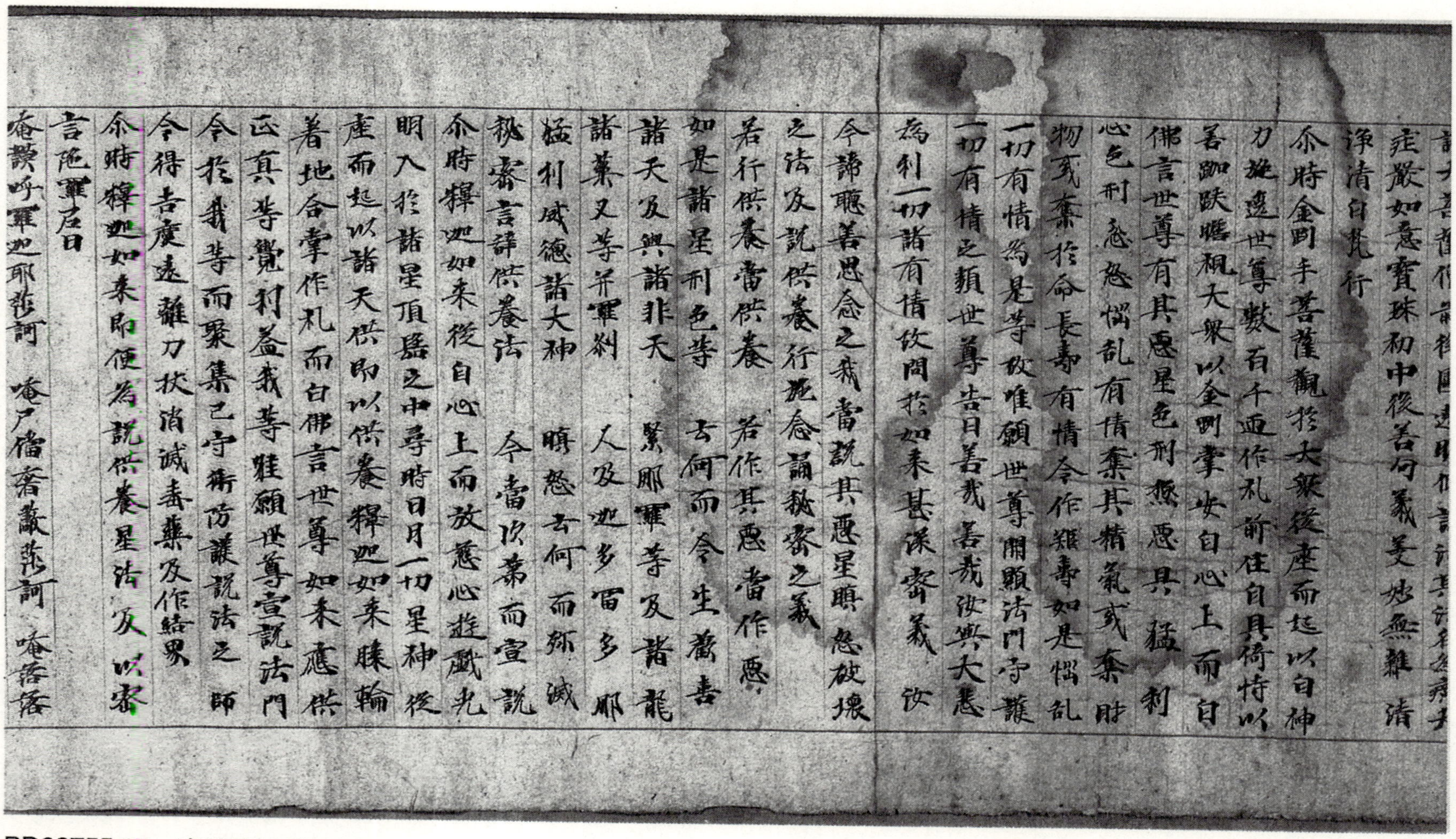

諸大菩薩僧前後圍遶瞻仰說法其法名為廣大
莊嚴如意寶珠初中後善句義美妙無雜清
淨清白梵行
尒時金剛手菩薩觀於大衆從座而起以自神
力旋遶世尊數百千匝作礼前住自具倚恃以
善跏趺瞻視大衆以金剛掌安自心上而白
佛言世尊有其惡星色刑惣惡具猛利
心色刑忿怒惱亂有情棄其精氣或棄財
物或棄於命長壽有情令作難事如是惱亂
一切有情為是等故唯願世尊開顯法門守護
一切有情之類世尊告曰善哉善哉汝與大悲
為利一切諸有情故問於如來甚深密義　汝
今諦聽善思念之我當說其惡星瞋怒破壞
之法及說供養行施念誦秘密之義
若行供養當供養　若作其惡當作惡
如是諸星刑色等　云何而令生歡喜
諸天及與諸非天　緊那羅等及諸龍
諸藥叉等并羅刹　人及迦多富多那
猛利威德諸大神　瞋怒云何而殄滅
秘密言詞供養法　今當次第而宣說
尒時薄迦如來從自心上而放慈心遊戲光
明入於諸星頂髻之中尋時日月一切星神從
座而起以諸天供即以供養薄迦如來膝輪
著地合掌作礼而白佛言世尊如來應供
正真等覺利益我等唯願世尊宣說法門
令於我等而聚集已守衛防護說法之師
令得吉慶遠離刀杖消滅毒藥及作結界
尒時薄迦如來即便為說供養星法及以密
言陀羅尼曰
唵讚呼羅迦耶莎訶　唵尸儞蒼蘇莎訶　唵落落

BD02755號　諸星母陀羅尼經

（5–2）

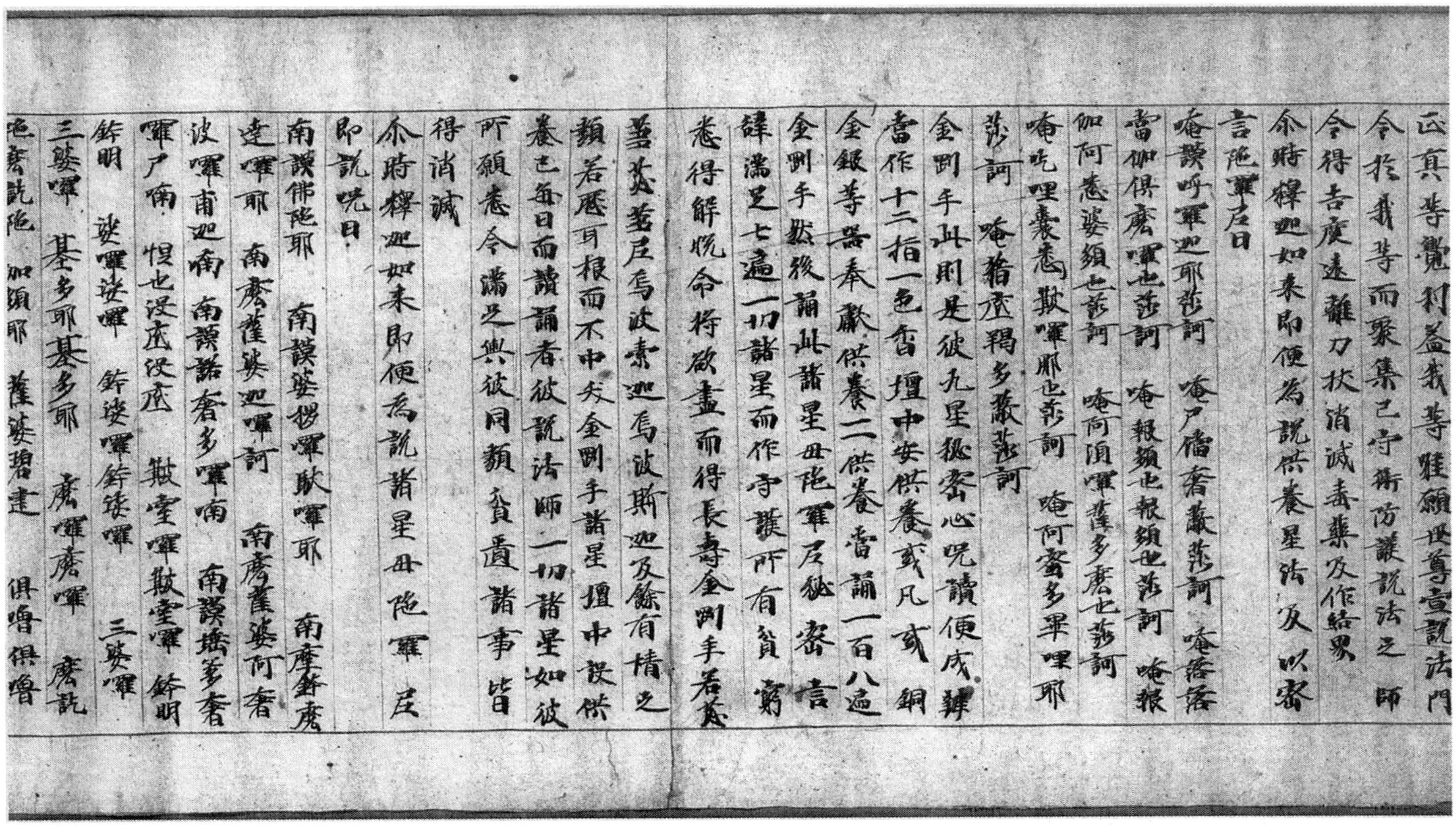

正真等覺利益我等唯願世尊宣說法門
令於我等而聚集已守衛防護說法之師
令得吉慶遠離刀杖消滅毒藥及作結界
尒時釋迦如來即便為說供養星法及以密
言陁羅尼曰
唵讚呼羅迦耶莎訶 唵尸儞奢蘇莎訶 唵落落
當伽俱麼囉也莎訶 唵報頞也報頞也莎訶 唵報
伽阿惹婆頞也莎訶 唵阿頂囉薩多麼也莎訶
唵吒哩囊惹 猷囉耶也莎訶 唵阿密多畢哩耶
莎訶 唵着鹵羯多蘇莎訶
金剛手此則是彼九星秘密心呪讀便成辦
當作十二指一色香壇中安供養或凡或銅
金銀等器奉獻供養二供養當誦一百八遍
金剛手然後誦此諸星母陁羅尼秘密言
肆滿足七遍一切諸星而作守護所有貧窮
悉得解脫命將欲盡而得長壽金剛手若苾
蒭苾蒭尼鄔波索迦鄔波斯迦及餘有情之
類若歷耳根而不中夭金剛手諸星壇中設供
養者每日而讀誦者彼說法師一切諸星如彼
所願悉令滿足與彼同類貧遺諸事皆
得消滅
尒時釋迦如来即便為說諸星母陁羅尼
即說呪曰
南謨佛陁耶 南謨婆誐囉䭾囉耶 南摩鉢麼
達囉耶 南麼薩婆迦囉訶 南麼薩婆阿奢
波囉甫迦喃 南謨諾奢多囉喃 南謨搖蒭奢
囉尸喃 怛也没底没底 皺室囉皺室囉 鉢明
鉢明 婆囉婆囉 鉢婆囉鉢婆囉 三婆囉
三婆囉 基多耶基多耶 麼囉麼囉 麼訖
陁麼訖陁 伽頞耶 薩婆碧建 俱嚕俱嚕

BD02755號 諸星母陀羅尼經 （5–3）

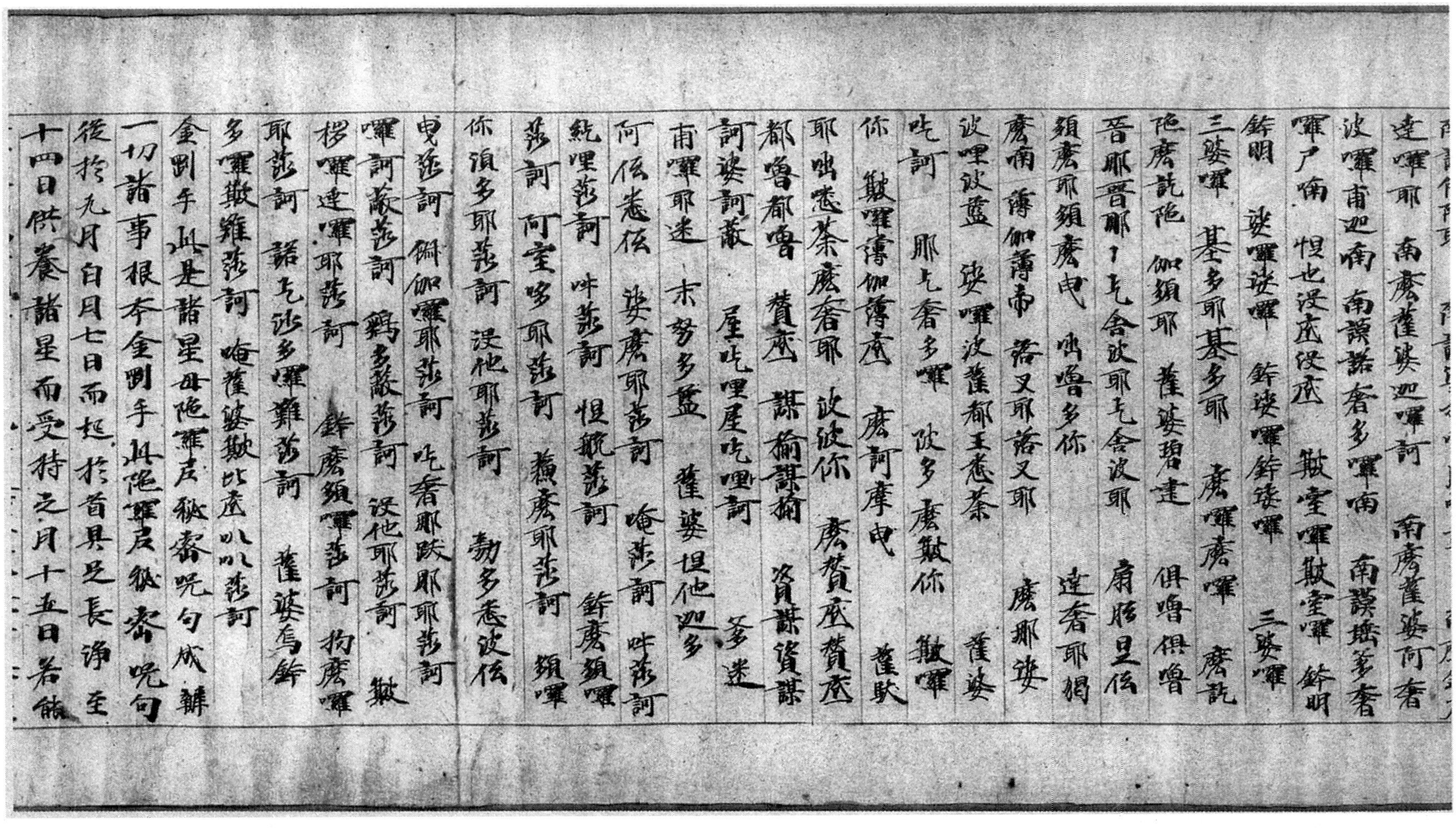

達囉耶 南麼薩婆迦囉訶 南麼薩婆阿奢
波囉甫迦喃 南謨諾奢多囉喃 南謨搖蒭奢
囉尸喃 怛也没底没底 皺室囉皺室囉 鉢明
鉢明 婆囉婆囉 鉢婆囉鉢婆囉 三婆囉
三婆囉 基多耶基多耶 麼囉麼囉 麼訖
陁麼訖陁 伽頞耶 薩婆碧建 俱嚕俱嚕
晉耶晉耶 乞舍波耶乞舍波耶 扇彤旦佉
頞麼耶頞麼曳 吽嚕多你 達奢耶娟
麼喃 薄伽薄帝 落叉耶落叉耶 麼耶婆
波哩波藍 婆囉波薩都王惹荼 薩婆
吒訶 耶乞奢多囉 跛多麼皺你 皺囉
你 皺囉薄伽薄底 麼訶摩曳 薩䭾
耶吽惹荼麼奢耶 波彼你 麼贊底贊底
都嚕都嚕 贊底 謀揄謀揄 資謀資謀
訶婆訶蔽 屋吒哩屋吒哩訶 蒭迷
甫囉耶迷 末努多藍 薩婆怛他迦多
阿佉惹佉 婆麼耶莎訶 唵莎訶 吽莎訶
紇哩莎訶 吽莎訶 怛毗莎訶 鉢麼頞囉
莎訶 阿室哆耶莎訶 藾麼耶莎訶 頞囉
你頂多耶莎訶 没他耶莎訶 勃多惹波佉
曳莎訶 儞伽囉耶莎訶 吒奢耶跢耶耶莎訶
囉訶蔽莎訶 鷄多蔽莎訶 没他耶莎訶 皺
椤囉達囉耶莎訶 鉢麼頞囉莎訶 拘麼囉
耶莎訶 諸乞沙多囉難莎訶 薩婆為鉢
多囉皺雞莎訶 唵薩婆皺比底 叫叫莎訶
金剛手此是諸星母陁羅尼秘密呪句成辦
一切諸事根本金剛手此陁羅尼秘密呪句
從於九月白月七日而起於首具足長淨至
十四日供養諸星而受持之月十五日若能

BD02755號 諸星母陀羅尼經 （5–4）

諸星母陀羅尼經

你　皺囉薄伽薄底　麽訶摩毗　薩馱
耶咄嚧荼麽畬耶　跛彼你　麽贊底贊底
都嚕都嚕　贊底　謀揄謀揄　資謀資謀
訶婆訶蔽　屋吒哩屋吒哩訶　箋迷
甫囉耶迷　末努多盤　薩婆怛他迦多
阿佉惹佉　婆麽耶莎訶　唵莎訶　吽莎訶
紇哩莎訶　吽莎訶　怛瓶莎訶　鉢麽頞囉
莎訶　阿室哆耶莎訶　蘋麽耶莎訶　頞囉
你須多耶莎訶　没他耶莎訶　勃多惹跋佉
曳莎訶　餉伽囉耶莎訶　吒畬耶跌耶耶莎訶
囉訶蔽莎訶　鷄多蔽莎訶　没他耶莎訶　皺
椤囉迮囉耶莎訶　鉢麽頞囉莎訶　枸麽囉
耶莎訶　諾乞沙多囉難莎訶　薩婆烏鉢
多囉皺難莎訶　唵薩婆皺比底叭叭莎訶
金剛手此是諸星母陀羅尼秘密呪句咸辦
一切諸事根本金剛手此陀羅尼秘密呪句
從於九月白月七日而起於首具足長淨至
十四日供養諸星而受持之月十五日若能
晝夜而讀誦者至滿九年無其死畏亦無星
流墮落怖畏亦無月宿作惡怖畏而憶宿命
亦能供養一切諸星一切諸星隨其所願而授
與之尒時諸星礼世尊已讚言善哉忽然
不現
諸星母陀羅尼經一卷
椤婦末友　紇耕吉友　多得者友　桐許萬友

BD02755號　諸星母陀羅尼經

（5–5）

□□得便者心當存念瑠璃光佛若他婦
女產生難者皆當存念是瑠璃光佛兒則易
生身體平正无諸疾痛六情完具聰明智慧
壽命得長不遭枉横善神擁護不為惡鬼所□
其頭也
佛說是語時阿難在右邊佛顧語阿難言汝
信我為文殊師利說往昔東方過十恒河沙世
界有佛名藥師瑠璃光本願功德者不阿難
白佛言唯天中天佛之所言何敢不信邪佛
復語阿難言世間人等雖有眼耳鼻舌身意
人常用是六事以自迷惑信世間魔邪之言
不信至真至誠度世苦切之語如是輩人難
可開化也
阿難白佛言世尊世人多有惡逆下賤之者
若聞佛說是經開其耳目破治人病除人陰
冥使覩光明解人疑結去人重罪千劫万劫无
復憂患皆因佛說是藥師瑠璃光本願功德
悉令安隱得其福也
佛語阿難汝口為言善而汝內心狐疑不信
我言阿難汝莫作是念以自毀敗佛言阿難

BD02756號　灌頂章句拔除過罪生死得度經

（6–1）

若聞佛說是經開人耳目破治人病除人陰
冥使覩光明解人疑結去人重罪千劫万劫无
復憂患皆因佛說是藥師瑠璃光本願功德
悉令安隱得其福也
佛語阿難汝口為言善而汝內心狐疑不信
我言阿難汝莫作是念以自毀敗佛言阿難
我見汝心我知汝意汝知之不阿難即以頭面著
地長跪白佛言審如天中天所說我造次聞
佛說是藥師瑠璃光燄大尊貴智慧巍巍難
可度量我心有小疑耳敢不首伏佛言汝智
慧狹劣少見少聞汝聞我說深妙之法无上
空義應生信敬貴重之心必當得至无上正
真道也
文殊師利問佛言世尊佛說是藥師瑠璃光
如來无量功德如是不審誰肯信此言者佛答
文殊師利言唯有百億諸菩薩摩訶薩當信
是言耳唯有十方三世諸佛當信是言
佛言我說是藥師瑠璃光如來本願功德難
可得聞何況得見亦難得說亦難得書寫亦
難得讀文殊師利若有善男子善女人能信
是經受持讀誦書著竹帛復能為他人解說
中義此皆人先世以發道意今復得聞此微
妙之法開化十方无量衆生當知此人必當得
至无上正真道也
佛告阿難我作佛以來從生死復至生死勤

BD02756號　灌頂章句拔除過罪生死得度經　（6–2）

是經受持讀誦書著竹帛復能為他人解說
中義此皆人先世以發道意今復得聞此微
妙之法開化十方无量衆生當知此人必當得
至无上正真道也
佛告阿難我作佛以來從生死復至生死勤
苦累劫无所不經无所不歷无所不作无所不
為如是不可思議況復藥師瑠璃光佛本願
功德者乎汝所以有疑者亦復如是阿難汝
聞佛所說汝諦信之莫作疑惑佛語至誠无
有虛為亦无二言佛為信者施不為疑者說
阿難汝莫作小疑以毀大乘之業汝却後亦
當發摩訶衍心莫以小道毀汝功德也阿難
言唯天中天我從今日已去无復尒心唯佛
自當知我心耳
佛語阿難此經能照諸天宮殿若三災起時中
有天人發心念此藥師瑠璃光佛本願功德經
者皆得離於彼處之難是經能除水澗不
調是經能除他方逆賊悉令斷滅四方夷狄
各還正治不相嬈惱國土交通人民歡樂是
經能除穀貴飢凍是經能滅惡星變怪是經
能除疫毒之病是經能救三惡道苦地獄餓
鬼畜生等苦若人得聞此經典者无不解脫
厄難者也
尒時衆中有一菩薩名曰救脫從坐而起整
理衣服叉手合掌而白佛言我等今日聞佛

BD02756號　灌頂章句拔除過罪生死得度經　（6–3）

能除疫毒之病是經能救三惡道苦地獄餓
鬼畜生等苦若人得聞此經典者无不解脫
厄難者也
尒時衆中有一菩薩名曰救脫從坐而起整
理衣服叉手合掌而白佛言我等今日聞佛
世尊演說過去東方十恒河沙世界有佛号
藥師瑠璃光一切衆會靡不歡喜救脫菩薩
又白佛言若族姓男女其有危羸著床痛惱
无救護者我今當勸請諸衆僧七日七夜齋
戒一心受持八禁六時行道四十九遍讀是經
典勸然七層之燈亦勸懸五色續命神幡
阿難問救脫菩薩言續命幡燈法則云何救
脫菩薩語阿難言神幡五色四十九尺燈亦復
尒七層之燈一層七燈燈如車輪若遭厄難
閉在牢獄枷鎖著身亦應造立五色神幡然
四十九燈應放雜類衆生至四十九可得過
度危厄之難不為諸橫惡鬼所持
救脫菩薩語阿難言若天王大臣及諸輔相
王子妃主中宮綵女若為病苦所惱亦應造
立五色繒幡然燈繒明救諸生命散雜色華
燒衆名香王當放赦屈厄之人徒鎖解脫王
得其福天下太平雨澤以時人民歡樂惡龍
攝毒无病苦者四方夷狄不生逆害國土通
洞慈心相向无諸怨害四海歌詠稱王之德
乘此福祿在意所生見佛聞法信受教悔

BD02756號　灌頂章句拔除過罪生死得度經

（6–4）

立五色繒幡然燈繒明救諸生命散雜色華
燒衆名香王當放赦屈厄之人徒鎖解脫王
得其福天下太平雨澤以時人民歡樂惡龍
攝毒无病苦者四方夷狄不生逆害國土通
洞慈心相向无諸怨害四海歌詠稱王之德
乘此福祿在意所生見佛聞法信受教悔
從是福報至无上道
阿難又問救脫菩薩言命可續也救脫菩薩
答阿難言我聞世尊說有諸橫勸造幡蓋
令其修福又言阿難昔沙弥救蟻巳脩福蓋
其壽命不更苦患身體安寧福德力强使
之然也阿難因復問救脫菩薩言橫有幾種
世尊說言橫乃无數略而言之大橫有九一者
橫病二者橫有口舌三者橫遭縣官四者身
羸无福又持戒不完橫為鬼神之所得便五者
橫為劫賊所剥六者橫為水火焚漂七者橫為
雜類禽獸所噉八者橫為怨讎符書厭禱邪
神牽引未得其福但受其殃先亡牽引亦若
橫死九者有病不治又不修福湯藥不順
針灸失度不值良醫為病所困於是滅亡又
信世間妖孽之師為作恐動寒熱言語妄發禍
福所犯者多心不自正不能自定卜問覓禍殺
豬狗牛羊種種衆生解奏神明呼諸邪妖魍
魎鬼神請乞福祚欲望長生終不能得愚癡
迷惑信邪倒見死入地獄展轉其中无解脫時

BD02756號　灌頂章句拔除過罪生死得度經

（6–5）

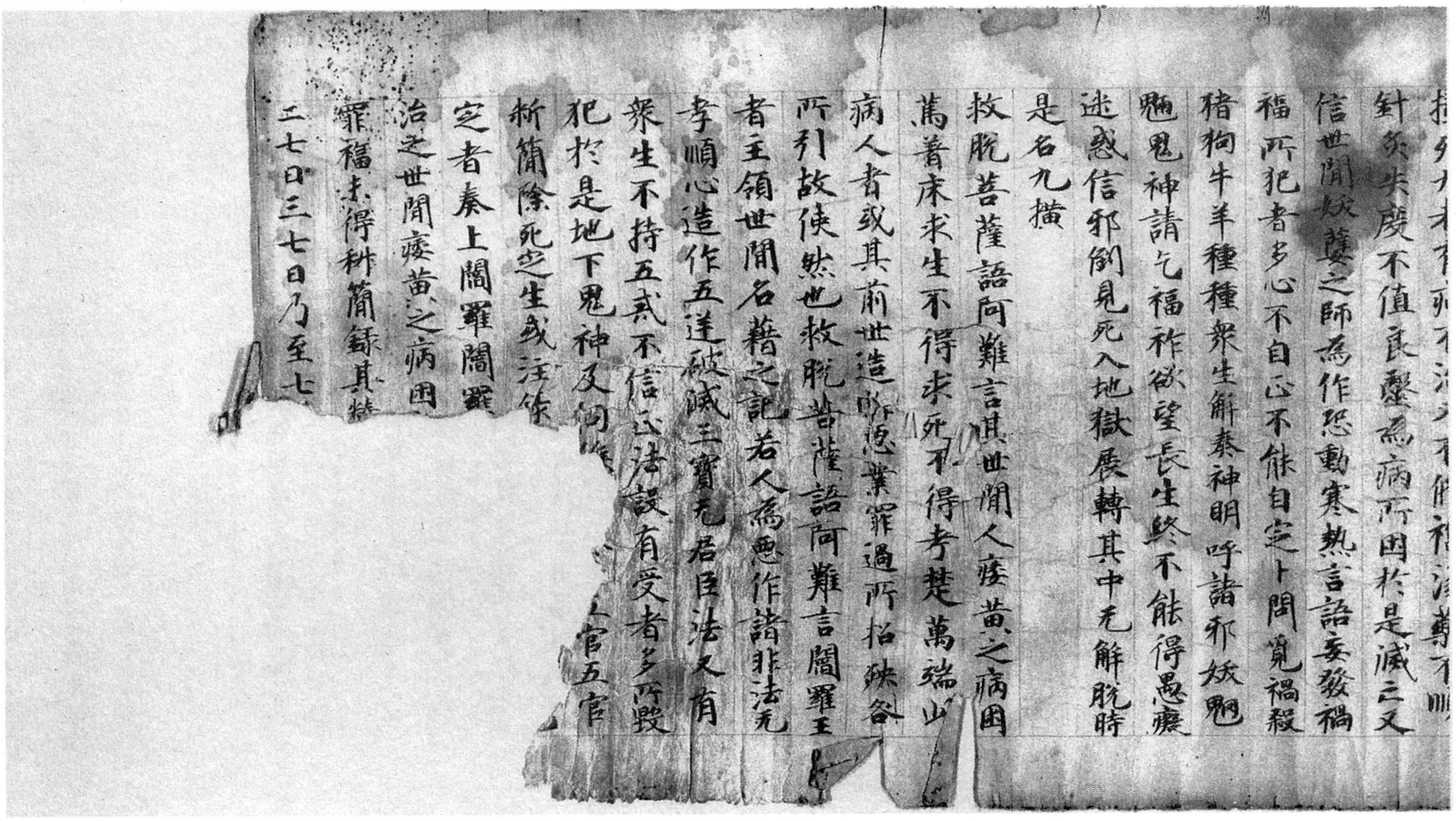

針灸失度不值良醫爲病所因於是滅之又
信世間妖蠱之師爲作恐動寒熱言語妄發禍
福所犯者多心不自心不能自定卜問覓禍殺
猪狗牛羊種種衆生解奏神明呼諸邪妖魍
魎鬼神請乞福祚欲望長生終不能得愚癡
迷惑信邪倒見死入地獄展轉其中无解脫時
是名九橫
救脫菩薩語阿難言其世間人瘻黃之病困
篤著床求生不得求死不得考楚萬端此
病人者或其前世造作惡業罪過所招殃咎
所引故使然也救脫菩薩語阿難言閻羅王
者主領世間名籍之記若人爲惡作諸非法无
孝順心造作五逆破滅三寶无君臣法又有
衆生不持五戒不信正法設有受者多所毀
犯於是地下鬼神及伺……人官五官
祈簡除死定生或注錄
定者奏上閻羅閻羅
治之世間瘻黃之病困
罪福未得料簡錄其精
二七日三七日乃至七

BD02756號　灌頂章句拔除過罪生死得度經　（6–6）

BD02756號背　殘文書（擬）　（1–1）

若波羅蜜多於五波羅蜜多爲最爲勝爲
尊爲高爲妙爲微妙爲上爲无上佛告善現
如是如是如汝所説若隨實義波羅蜜多及一
切法皆无此彼勝劣差別但依世俗言説施
設説有此彼勝劣差別施設布施乃至般若
波羅蜜多爲欲度脱諸有情類世俗住用生
老病死然諸有情生老病死皆非實有但假
施設所以者何有情无故當知諸法亦无所
有甚深般若波羅蜜多達一切法都无所有
能伏有情世俗住用生老病死由此故説般
若波羅蜜多於五波羅蜜多爲最爲勝爲尊
爲高爲妙爲微妙爲上爲无上善現當知如
轉輪王所有女寶於人中女爲最爲勝爲尊
爲高爲妙爲微妙爲上爲无上如是般若波
羅蜜多於前五種波羅蜜多爲最爲勝爲尊
爲高爲妙爲微妙爲上爲无上具壽善現復
白佛言如來何縁但歎讃説甚深般若波羅
蜜多於布施等波羅蜜多爲最爲勝爲尊爲
高爲妙爲微妙爲上爲无上佛告善現由此
般若波羅蜜多普能攝受一切善法和合趣
入一切智智安住不動以无所得爲方便故

BD02757號　大般若波羅蜜多經卷五二四　（6–1）

爲高爲妙爲微妙爲上爲无上具壽善現復
白佛言如來何縁但歎讃説甚深般若波羅
蜜多於布施等波羅蜜多爲最爲勝爲尊爲
高爲妙爲微妙爲上爲无上佛告善現由此
般若波羅蜜多普能攝受一切善法和合趣
入一切智智安住不動以无所得爲方便故
具壽善現復白佛言如是般若波羅蜜多於
諸善法有取捨不佛言不也如是般若波羅
蜜多於一切法无取无捨何以故以一切法
自性皆空都不可取不可捨故
具壽善現復白佛言如是般若波羅蜜多於
何等法无取无捨佛告善現如是般若波羅
蜜多於色乃至一切智智无取无捨具壽善
現復白佛言如是般若波羅蜜多云何於色
廣説乃至一切智智无取无捨佛告善現如
是般若波羅蜜多不思惟色廣説乃至一切
智智是故於色廣説乃至一切智智无取无
捨具壽善現復白佛言云何般若波羅蜜多
不思惟色廣説乃至一切智智佛告善現由
此般若波羅蜜多於色乃至一切智智不思
惟一切相亦不思惟一切所縁是故於色廣
説乃至一切智智皆不思惟具壽善現復白
佛言若菩薩摩訶薩不思惟色廣説乃至一
切智智云何增長所種善根若不增長所種
善根云何圓滿波羅蜜多若不圓滿波羅蜜

BD02757號　大般若波羅蜜多經卷五二四　（6–2）

惟一切相亦不思惟一切所緣是故於色廣
說乃至一切智智皆不思惟具壽善現復白
佛言若菩薩摩訶薩不思惟色廣說乃至一
切智智云何增長所種善根若不增長所種
善根云何圓滿波羅蜜多若不圓滿波羅蜜
多云何證得一切智智佛告善現若菩薩摩
訶薩不思惟色廣說乃至一切智智是菩薩
摩訶薩便能增長所種善根所種善根得增
長故便能圓滿波羅蜜多波羅蜜多得圓滿
故便能證得一切智智所以者何諸菩薩摩
訶薩要於諸色廣說乃至一切智智能不思
惟乃能具足脩諸菩薩摩訶薩行證得无上
正等菩提具壽善現復白佛言何因緣故諸
菩薩摩訶薩要於諸色廣說乃至一切智智
能不思惟方能具足脩諸菩薩摩訶薩行證
得无上正等菩提佛告善現諸菩薩摩訶薩
若思惟色廣說乃至一切智智則有所得有
所得故便著三界若著三界不能具足脩諸
菩薩摩訶薩行證得无上正等菩提若菩薩
摩訶薩不思惟色廣說乃至一切智智便无
所得无所得故不著三界以於三界不生著
故便能具足脩諸菩薩摩訶薩行證得无上
正等菩提是故善現若菩薩摩訶薩欲能具
足脩諸菩薩摩訶薩行疾證无上正等菩提
當勤脩學甚深般若波羅蜜多不應思惟除
著諸法具壽善現復白佛言若菩薩摩訶薩

所得无所得故不著三界以於三界不生著
故便能具足脩諸菩薩摩訶薩行證得无上
正等菩提是故善現若菩薩摩訶薩欲能具
足脩諸菩薩摩訶薩行疾證无上正等菩提
當勤脩學甚深般若波羅蜜多不應思惟除
著諸法具壽善現復白佛言若菩薩摩訶薩
欲勤脩學甚深般若波羅蜜多當於何住佛
告善現若菩薩摩訶薩欲勤脩學甚深般若
波羅蜜多不應住色廣說乃至一切智智具
壽善現復白佛言何因緣故諸菩薩摩訶薩
欲勤脩學甚深般若波羅蜜多不應住色
廣說乃至一切智智佛告善現若菩薩摩訶薩
能勤脩學甚深般若波羅蜜多於一切法无
執著故不應住色廣說乃至一切智智所以
者何是菩薩摩訶薩不見有法可於其中而
起執著及可安住如是善現諸菩薩摩訶薩
以无執著及无安住而為方便能勤脩學甚
深般若波羅蜜多善現當知若菩薩摩訶薩
作如是念若能如是无所執著无所安住精
勤脩學甚深般若波羅蜜多是脩般若波羅
蜜多是行般若波羅蜜多我能如是无所執
著无所安住精勤脩學甚深般若波羅蜜
多是脩般若波羅蜜多是行般若波羅蜜多是
菩薩摩訶薩由如是念取相執著遠離般若
波羅蜜多若遠離般若波羅蜜多則遠離布

著無所安住精勤修學甚深般若波羅蜜
多是修般若波羅蜜多是行般若波羅蜜多是
菩薩摩訶薩由如是念取相執著遠離般若
波羅蜜多若遠離般若波羅蜜多則遠離布
施波羅蜜多廣說乃至一切智智所以者何
甚深般若波羅蜜多於一切法無所執著非
深般若波羅蜜多有執著者及執著性所以
者何甚深般若波羅蜜多都無自性可於諸
法有所執著是故善現諸菩薩摩訶薩行
深般若波羅蜜多於一切法及深般若波羅蜜
多皆無執著善現當知若菩薩摩訶薩行深
般若波羅蜜多時起如是想此是般若波羅
蜜多我行般若波羅蜜多即是遍行諸法實
相是菩薩摩訶薩由起此想便退般若波羅
蜜多若退般若波羅蜜多則退布施波羅蜜
多廣說乃至一切智智所以者何甚深般若
波羅蜜多是一切種白法根本若退般若波
羅蜜多則為退失一切白法善現當知若菩
薩摩訶薩作如是念甚深般若波羅蜜多攝
受布施波羅蜜多廣說乃至一切智智是菩
薩摩訶薩退失般若波羅蜜多若退失般若
波羅蜜多則不能攝受布施波羅蜜多廣說
乃至一切智智所以者何非離般若波羅蜜
多能遍攝受菩提分法及能證得一切智智
善現當知若菩薩摩訶薩作如是念安住般

BD02757 號　大般若波羅蜜多經卷五二四

（6–5）

蜜多若退般若波羅蜜多則退布施波羅蜜
多廣說乃至一切智智所以者何甚深般若
波羅蜜多是一切種白法根本若退般若波
羅蜜多則為退失一切白法善現當知若菩
薩摩訶薩作如是念甚深般若波羅蜜多攝
受布施波羅蜜多廣說乃至一切智智是菩
薩摩訶薩退失般若波羅蜜多若退失般若
波羅蜜多則不能攝受布施波羅蜜多廣說
乃至一切智智所以者何非離般若波羅蜜
多能遍攝受菩提分法及能證得一切智智
善現當知若菩薩摩訶薩作如是念安住般
若波羅蜜多便於無上正等菩提定得受記
是菩薩摩訶薩由作是念退失般若波羅蜜
多若退失般若波羅蜜多便於無上正等菩
提不堪受記所以者何非離般若波羅蜜多
可於無上正等菩提有得受記善現當知若
菩薩摩訶薩作如是念安住般若波羅蜜多
則能引發布施波羅蜜多乃至能引發大慈
大悲大喜大捨是菩薩摩訶薩由如是念則
退失般若波羅蜜多若退失般若波羅蜜多
則不能引發布施波羅蜜多乃至不能引發
大慈大悲大喜大捨所以者何非離般若波

BD02757 號　大般若波羅蜜多經卷五二四

（6–6）

汝者不名福田供養汝者墮三惡道爲與衆
魔共一手作諸勞侶汝與衆魔及諸塵勞等
无有異於一切衆生而有怨心謗諸佛毀於
法不入衆數終不得滅度汝若如是乃可取
食時我世尊聞此茫然不識是何言不知以
何荅便置鉢欲出其舍維摩詰言唯須菩提
取鉢勿懼於意云何如來所作化人若以是
事詰寧有懼不我言不也維摩詰言一切諸
法如幻化想汝今不應有所懼也所以者何
一切言說不離是相至於智者不著文字故
无所懼何以故文字性離无有文字是則解
脫解脫相者則諸法也維摩詰說是法時二
百天子得法眼淨故我不任詣彼問疾
佛告富樓那彌多羅尼子汝行詣維摩詰問
疾富樓那白佛言世尊我不堪任詣彼問疾
所以者何憶念我昔於大林中在一樹下爲
諸新學比丘說法時維摩詰來謂我言唯富
樓那先當入定觀此人心然後說法无以穢
食置於寶器當知是比丘心之所念无以琉

BD02758號　維摩詰所說經卷上　（3–1）

百天子得法眼淨故我不任詣彼問疾
佛告富樓那彌多羅尼子汝行詣維摩詰問
疾富樓那白佛言世尊我不堪任詣彼問疾
所以者何憶念我昔於大林中在一樹下爲
諸新學比丘說法時維摩詰來謂我言唯富
樓那先當入定觀此人心然後說法无以穢
食置於寶器當知是比丘心之所念无以琉
璃同彼水精汝不能知衆生根原无得發起
以小乘法彼自无瘡勿傷之也欲行大道莫
示小徑无以大海内於牛跡无以日光等彼
螢火富樓那此比丘久發大乘心中忘此意
如何以小乘法而教導之我觀小乘智慧微
淺猶如盲人不能分別一切衆生根之利鈍
時維摩詰即入三昧令此比丘自識宿命曾
於五百佛所殖衆德本迴向阿耨多羅三藐
三菩提即時豁然還得本心於是諸比丘稽
首礼維摩詰足時維摩詰因爲說法於阿耨
多羅三藐三菩提不復退轉我念聲聞不觀
人根不應說法是故不任詣彼問疾
佛告摩訶迦旃延汝行詣維摩詰問疾迦旃
延白佛言世尊我不堪任詣彼問疾所以者
何憶念我昔佛爲諸比丘略說法要我即於
後敷演其義謂无常義苦義空義无我義寂
滅義時維摩詰來謂我言唯迦旃延无以生
滅心行說實相法迦旃延諸法畢竟不生不
滅是无常義五受陰通達空无所起是苦義
諸法究竟无所有是空義於我无我而不二

BD02758號　維摩詰所說經卷上　（3–2）

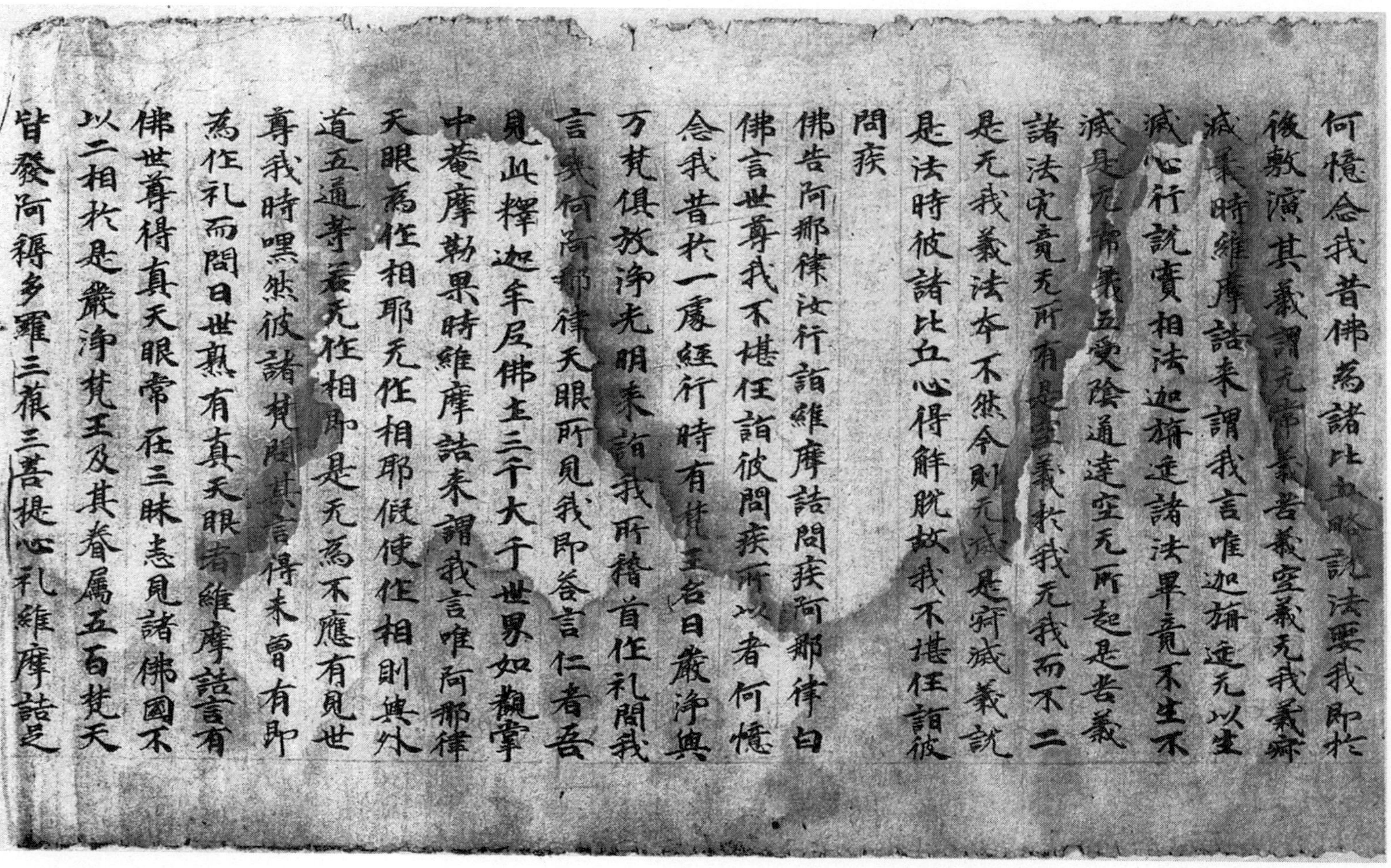

何憶念我昔佛為諸比丘略說法要我即於
後敷演其義謂无常義苦義空義无我義寂
滅義時維摩詰来謂我言唯迦旃延无以生
滅心行說實相法迦旃延諸法畢竟不生不
滅是无常義五受陰通達空无所起是苦義
諸法究竟无所有是空義於我无我而不二
是无我義法本不然今則无滅是寂滅義說
是法時彼諸比丘心得解脫故我不堪任詣彼
問疾
佛告阿那律汝行詣維摩詰問疾阿那律白
佛言世尊我不堪任詣彼問疾所以者何憶
念我昔於一處經行時有梵王名曰嚴淨與
万梵俱放淨光明来詣我所稽首作礼問我
言幾何阿那律天眼所見我即荅言仁者吾
見此釋迦牟尼佛土三千大千世界如觀掌
中菴摩勒果時維摩詰来謂我言唯阿那律
天眼所見為作相耶无作相耶假使作相則與外
道五通等若无作相即是无為不應有見世
尊我時嘿然彼諸梵聞其言得未曾有即
為作礼而問曰世孰有真天眼者維摩詰言有
佛世尊得真天眼常在三昧悉見諸佛國不
以二相於是嚴淨梵王及其眷屬五百梵天
皆發阿耨多羅三藐三菩提心礼維摩詰足

BD02758 號　維摩詰所說經卷上　（3–3）

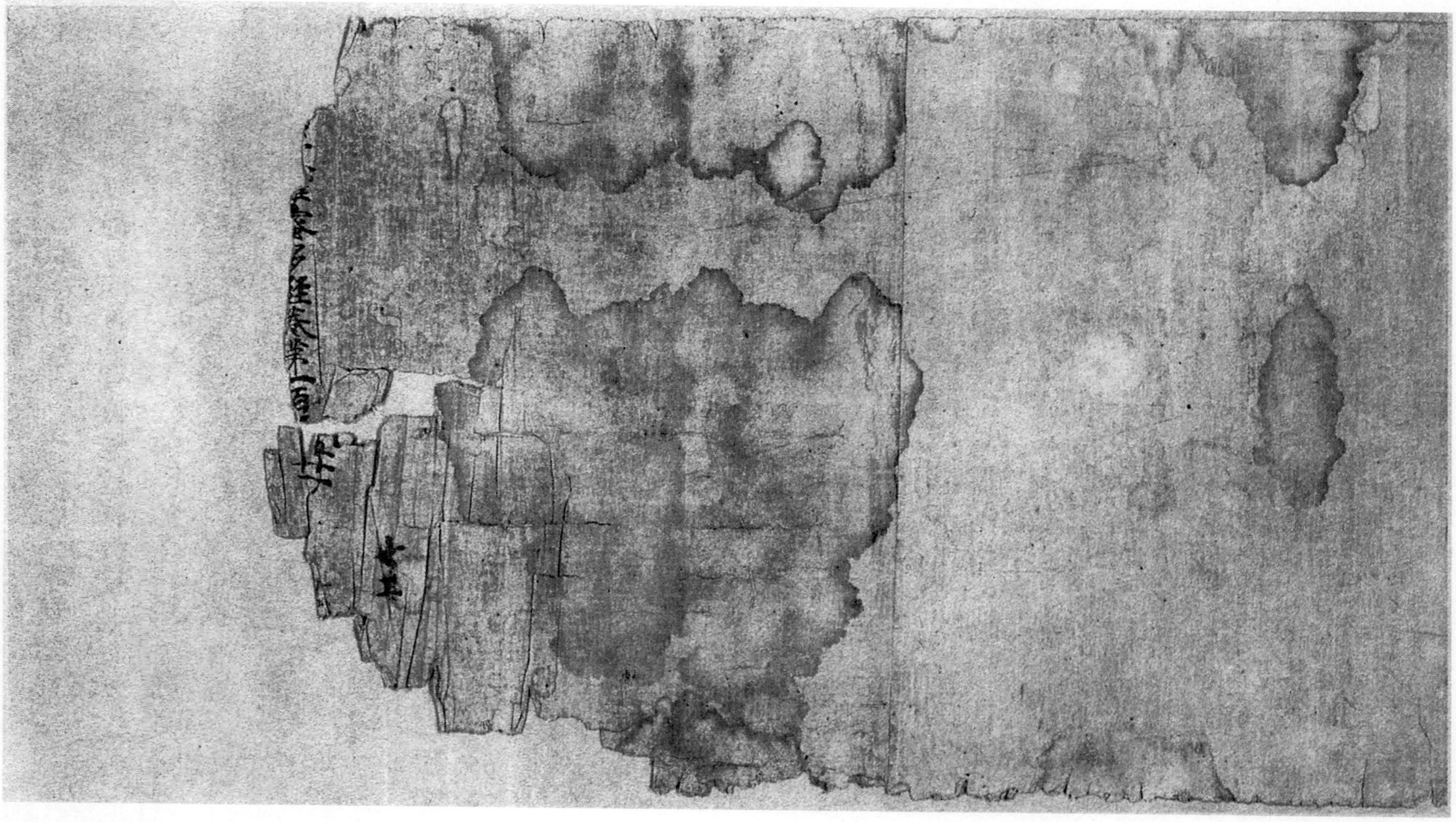

BD02759 號背　大般若波羅蜜多經卷一五一護首　（1–1）

大般若波羅蜜多經卷第一百五十一
初分校量功德品第卅之卌九　三藏法師玄奘奉　詔譯
復次憍尸迦若善男子善女人等為發無上
菩提心者宣說靜慮波羅蜜多作如是言汝
善男子應修靜慮波羅蜜多不應觀苦聖諦
若常若無常不應觀集滅道聖諦若常若無
常何以故苦聖諦苦聖諦自性空集滅道聖
諦集滅道聖諦自性空是苦聖諦自性即非
自性是集滅道聖諦自性亦自性若非自

BD02759號　大般若波羅蜜多經卷一五一　（23–1）

菩提心者宣說靜慮波羅蜜多作如是言汝
善男子應修靜慮波羅蜜多不應觀苦聖諦
若常若無常不應觀集滅道聖諦若常若無
常何以故苦聖諦苦聖諦自性空集滅道聖
諦集滅道聖諦自性空是苦聖諦自性即非
自性是集滅道聖諦自性亦自性若非自
性即是靜慮波羅蜜多於此靜慮波羅蜜多
苦聖諦不可得欲常無常亦不可得集滅道
聖諦皆不可得欲常無常亦不可得所以者
何此中尚無苦聖諦等可得何況有彼常與
無常汝若能修如是靜慮是修靜慮波羅蜜
多復作是言汝善男子應修靜慮波羅蜜多
不應觀苦聖諦若樂若苦不應觀集滅道聖
諦若樂若苦何以故苦聖諦苦聖諦自性空
集滅道聖諦集滅道聖諦自性空是苦聖諦
自性即非自性是集滅道聖諦自性亦非自
性若非自性即是靜慮波羅蜜多於此靜慮
波羅蜜多苦聖諦不可得欲樂與苦亦不可
得集滅道聖諦皆不可得欲樂與苦亦不可
得所以者何此中尚無苦聖諦等可得何況
有欲樂之與苦汝若能修如是靜慮是修靜
慮波羅蜜多復作是言汝善男子應修靜慮
波羅蜜多不應觀苦聖諦若我若無我不應
觀集滅道聖諦若我若無我何以故苦聖諦
苦聖諦自性空集滅道聖諦集滅道聖諦自
性空是苦聖諦自性即非自性是集滅道聖諦

BD02759號　大般若波羅蜜多經卷一五一　（23–2）

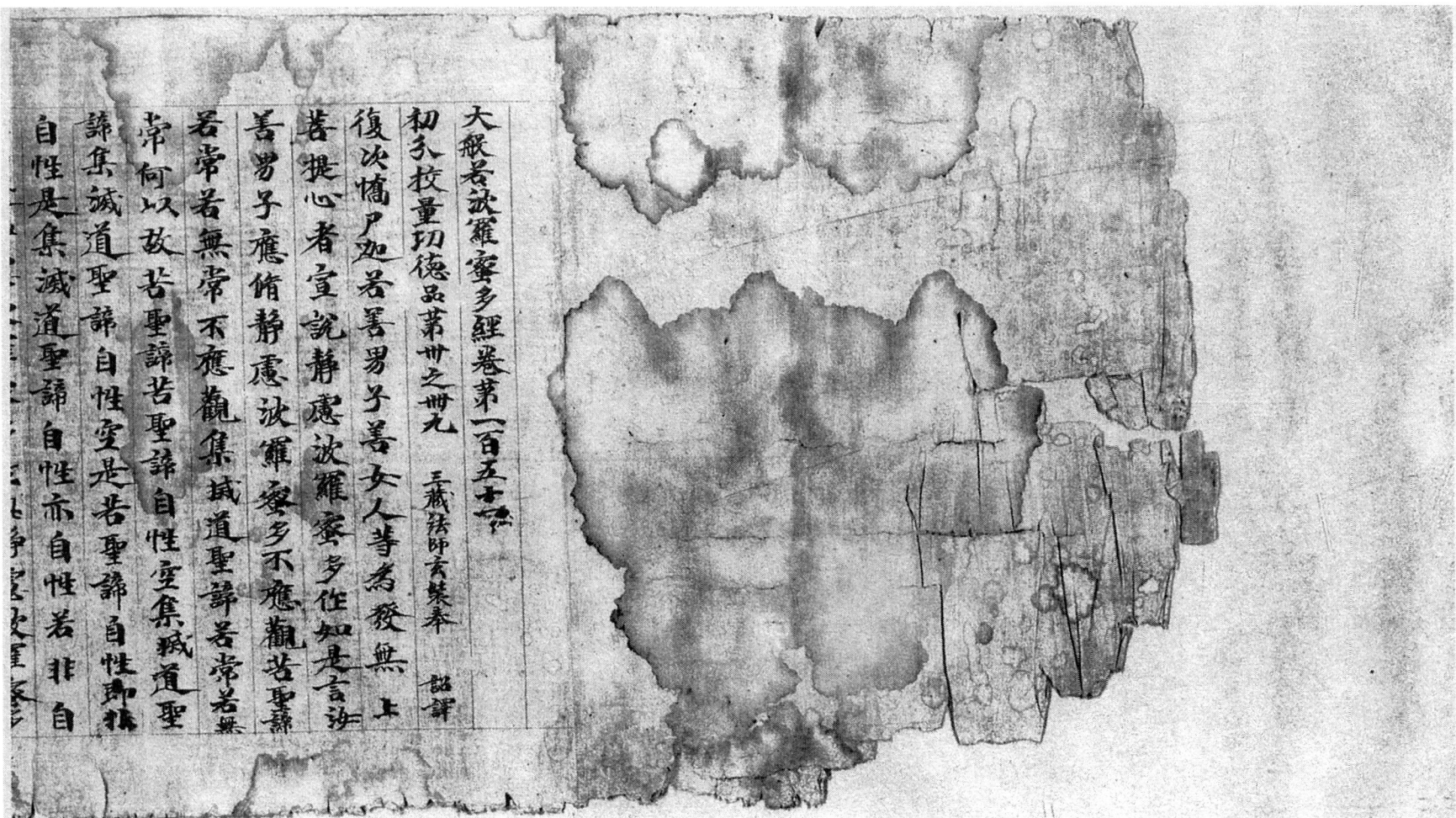

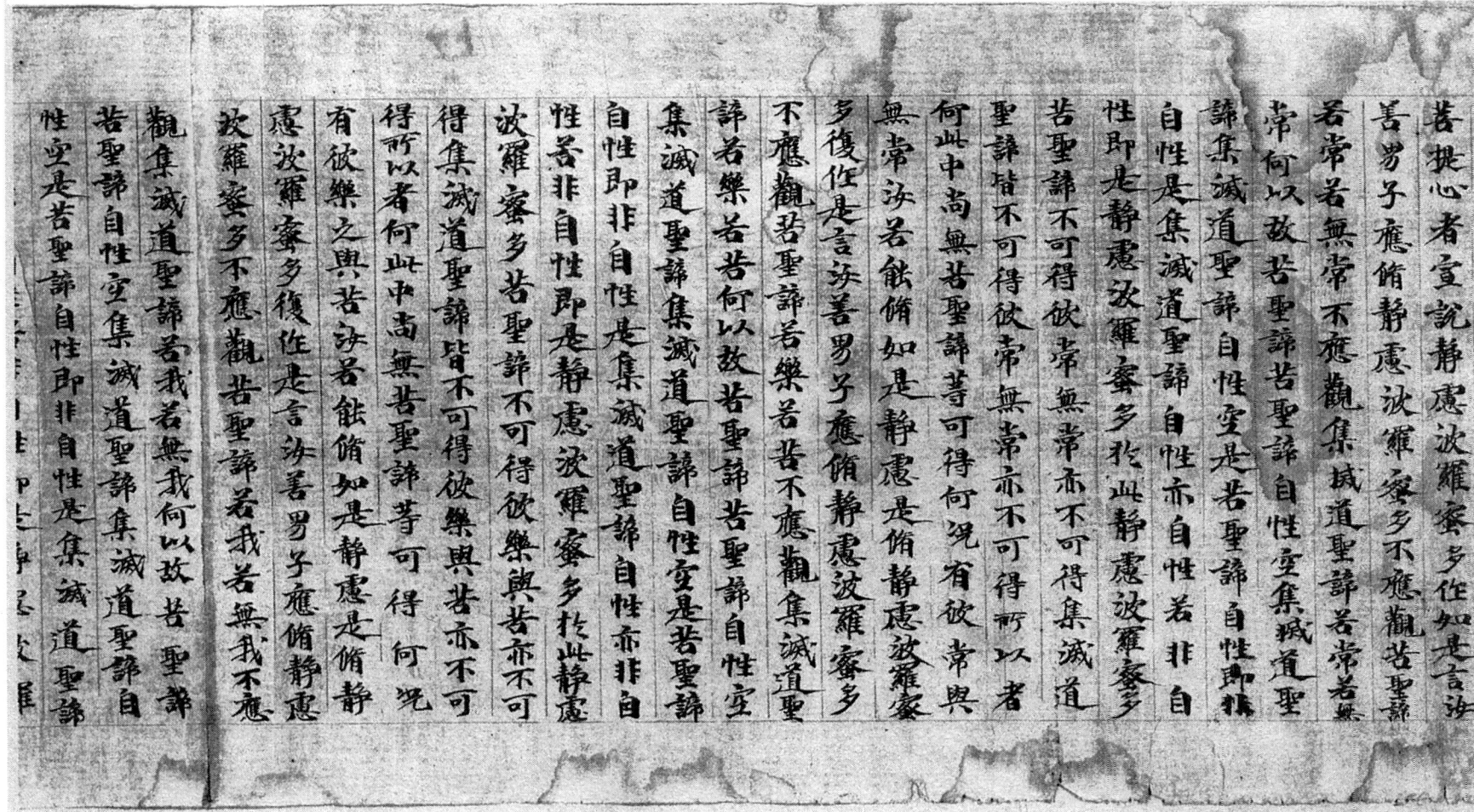

有欲樂之與苦汝若能脩如是靜慮是脩靜
慮波羅蜜多復作是言汝善男子應脩靜慮
波羅蜜多不應觀苦聖諦若我若無我不應
觀集滅道聖諦若我若無我何以故苦聖諦
苦聖諦自性空集滅道聖諦集滅道聖諦自
性空是苦聖諦自性即非自性是集滅道聖諦
自性亦非自性若非自性即是靜慮波羅
蜜多於此靜慮波羅蜜多苦聖諦不可得彼
我無我亦不可得集滅道聖諦皆不可得彼
我無我亦不可得所以者何此中尚無苦聖
諦等可得何况有彼我与無我汝若能脩如
是靜慮是脩靜慮波羅蜜多復作是言汝善
男子應脩靜慮波羅蜜多不應觀苦聖諦若
淨若不淨不應觀集滅道聖諦若淨若不淨
何以故苦聖諦苦聖諦自性空集滅道聖諦
集滅道聖諦自性空是苦聖諦自性即非自
性是集滅道聖諦自性亦非自性若非自性
即是靜慮波羅蜜多於此靜慮波羅蜜多苦
聖諦不可得彼淨不淨亦不可得集滅道聖
諦皆不可得彼淨不淨亦不可得所以者何
此中尚無苦聖諦等可得何况有彼淨與不
淨汝若能脩如是靜慮是脩靜慮波羅蜜多
憍尸迦是善男子善女人等作此等說是爲宣
說真正靜慮波羅蜜多
復次憍尸迦若善男子善女人等爲發無上
菩提心者宣說靜慮波羅蜜多作如是言汝

BD02759號　大般若波羅蜜多經卷一五一

（23–3）

此中尚無苦聖諦等可得何况有彼淨與不
淨汝若能脩如是靜慮是脩靜慮波羅蜜多
憍尸迦是善男子善女人等作此等說是爲宣
說真正靜慮波羅蜜多
復次憍尸迦若善男子善女人等爲發無上
菩提心者宣說靜慮波羅蜜多作如是言汝
善男子應脩靜慮波羅蜜多不應觀四靜慮
若常若無常不應觀四無量四無色定若常
若無常何以故四靜慮四靜慮自性空四無
量四無色定四無量四無色定自性空是四
靜慮自性即非自性是四無量四無色定自
性亦非自性若非自性即是靜慮波羅蜜多
於此靜慮波羅蜜多四靜慮不可得彼常無
常亦不可得四無量四無色定皆不可得彼常
無常亦不可得所以者何此中尚無四靜慮
等可得何况有彼常與無常汝若能脩如
是靜慮是脩靜慮波羅蜜多復作是言汝善
男子應脩靜慮波羅蜜多不應觀四靜慮若
樂若苦不應觀四無量四無色定若樂若苦
何以故四靜慮四靜慮自性空四無量四無色
定四無量四無色定自性空是四靜慮自
性即非自性是四無量四無色定自性亦非
自性若非自性即是靜慮波羅蜜多於此靜
慮波羅蜜多四靜慮不可得彼樂與苦亦不
可得四無量四無色定皆不可得彼樂與苦亦
不可得所以者何此中尚無四靜慮等可得

BD02759號　大般若波羅蜜多經卷一五一

（23–4）

定四無量四無色定自性空是四靜慮自
性即非自性是四無量四無色定自性亦非
自性若非自性即是靜慮波羅蜜多於此靜
慮波羅蜜多四靜慮不可得彼樂與苦亦不
可得四無量四無色定皆不可得彼樂與苦亦
不可得所以者何此中尚無四靜慮等可得
何況有彼樂之與苦汝若能修如是靜慮
是修靜慮波羅蜜多復作是言汝善男子應
修靜慮波羅蜜多不應觀四靜慮若我若無
我不應觀四無量四無色定若我若無我何
以故四靜慮四靜慮自性空四無量四無色
定四無量四無色定自性空是四靜慮自性
即非自性是四無量四無色定自性亦非自
性若非自性即是靜慮波羅蜜多於此靜慮
波羅蜜多四靜慮不可得彼我無我亦不可
得四無量四無色定皆不可得彼我無我亦
不可得所以者何此中尚無四靜慮等可得
何況有彼我与無我汝若能修如是靜慮是
修靜慮波羅蜜多復作是言汝善男子應修
靜慮波羅蜜多不應觀四靜慮若淨若不淨
不應觀四無量四無色定若淨若不淨何以
故四靜慮四靜慮自性空四無量四無色定
四無量四無色定自性空四無量四無色定四
無量四無色定自性空是四靜慮自性即
非自性是四無量四無色定自性亦非自性
若非自性即是靜慮波羅蜜多於此靜慮波

四無量四無色定自性空四無量四無色定四
無量四無色定自性空是四靜慮自性即
非自性是四無量四無色定自性亦非自性
若非自性即是靜慮波羅蜜多於此靜慮波
羅蜜多四靜慮不可得彼淨不淨亦不可得
四無量四無色定皆不可得彼淨不淨亦不可
得所以者何此中尚無四靜慮等可得何
況有彼淨與不淨汝若能修如是靜慮是修
靜慮波羅蜜多憍尸迦是善男子善女人等
作此等說是為宣說真正靜慮波羅蜜多
復次憍尸迦若善男子善女人等為發無上
菩提心者宣說靜慮波羅蜜多作如是言汝
善男子應修靜慮波羅蜜多不應觀八解脫
若常若無常不應觀八勝處九次第定十遍
處若常若無常何以故八解脫八解脫自性
空八勝處九次第定十遍處八勝處九次第
定十遍處自性空是八解脫自性即非自性
是八勝處九次第定十遍處自性亦非自性
若非自性即是靜慮波羅蜜多於此靜慮波
羅蜜多八解脫不可得彼常無常亦不可得
八勝處九次第定十遍處皆不可得彼常無
常亦不可得所以者何此中尚無八解脫等
可得何況有彼常與無常汝若能修如是靜
慮是修靜慮波羅蜜多不應觀八解脫若樂若
苦不應觀八勝處九次第定十遍處若樂若
苦何以故八解脫八解脫自性空八勝處九

可得何况有彼常與無常汝若能脩如是静
慮是脩静慮波羅蜜多不應觀八解脫若樂若
苦不應觀八勝處九次第定十遍處若樂若
苦何以故八解脫八解脫自性空八勝處九
次第定十遍處八勝處九次第定十遍處自
性空是八解脫自性即非自性是八勝處
次第定十遍處自性亦非自性若非自性即
是静慮波羅蜜多於此静慮波羅蜜多八解
脫不可得彼樂與苦亦不可得八勝處九次
第定十遍處皆不可得彼樂與苦亦不可得
所以者何此中尚無八解脫等可得何況有
彼樂之與苦汝若能脩如是静慮是脩静慮
波羅蜜多復作是言汝善男子應脩静慮波
羅蜜多不應觀八解脫若我若無我不應觀
八勝處九次第定十遍處若我若無我何以
故八解脫八解脫自性空八勝處九次第定十
遍處八勝處九次第定十遍處自性空是八
解脫自性即非自性是八勝處九次第定十
遍處自性亦非自性若非自性即是静慮
波羅蜜多於此静慮波羅蜜多八解脫不可
得彼我無我亦不可得八勝處九次第定十
遍處皆不可得彼我無我亦不可得所以者
何此中尚無八解脫等可得何況有彼我與
無我汝若能脩如是静慮是脩静慮波羅蜜
多復作是言汝善男子應脩静慮波羅蜜多

BD02759 號　大般若波羅蜜多經卷一五一　（23–7）

遍處皆不可得彼我無我亦不可得所以者
何此中尚無八解脫等可得何況有彼我與
無我汝若能脩如是静慮是脩静慮波羅蜜
多復作是言汝善男子應脩静慮波羅蜜多
不應觀八解脫若浄若不浄不應觀八勝處
九次第定十遍處若浄若不浄何以故八解
脫八解脫自性空八勝處九次第定十遍處
八勝處九次第定十遍處自性空是八解脫
自性即非自性是八勝處九次第定十遍處
自性亦非自性若非自性即是静慮波羅蜜
多於此静慮波羅蜜多八解脫不可得彼浄
不浄亦不可得八勝處九次第定十遍處皆
不可得彼浄与不浄亦不可得所以者何此
中尚無八解脫等可得何況有彼浄與不浄
汝若能脩如是静慮是脩静慮波羅蜜多憍
尸迦是善男子善女人等作此等説是為宣
説真正静慮波羅蜜多
復次憍尸迦若善男子善女人等為發無上
菩提心者宣説静慮波羅蜜多作如是言汝
善男子應脩静慮波羅蜜多不應觀四念住
若常若無常不應觀四正斷四神足五根五
力七等覺支八聖道支若常若無常何以故
四念住四念住自性空四正斷四神足五根
力七等覺支八聖道支四正斷乃至八聖道
支自性空是四念住自性即非自性是四

BD02759 號　大般若波羅蜜多經卷一五一　（23–8）

若常若無常不應觀
力七等覺支八聖道支若常若無常何以故
四念住四念住自性空四正斷四神足五根五
力七等覺支八聖道支四正斷乃至八聖道
支自性空是四念住自性即非自性是四
正斷乃至八聖道支自性亦非自性若非自
性即是靜慮波羅蜜多於此靜慮波羅蜜多
四念住不可得彼常無常亦不可得四正斷
乃至八聖道支皆不可得彼常無常亦不可
得所以者何此中尚無四念住等可得何況
有彼常與無常汝若能修如是靜慮是修靜
慮波羅蜜多復作是言汝善男子應修靜慮
波羅蜜多不應觀四念住若樂若苦不應觀
四正斷四神足五根五力七等覺支八聖道支
若樂若苦何以故四念住四念住自性空
四正斷四神足五根五力七等覺支八聖道
支四正斷乃至八聖道支自性空是四念住
自性即非自性是四正斷乃至八聖道支自
性亦非自性若非自性即是靜慮波羅蜜多
於此靜慮波羅蜜多四念住不可得彼樂與苦
亦不可得四正斷乃至八聖道支皆不可
得彼樂與苦亦不可得所以者何此中尚無
四念住等可得何況有彼樂之與苦汝若能
修如是靜慮是修靜慮波羅蜜多復作是言
汝善男子應修靜慮波羅蜜多不應觀四念
住若我若無我不應觀四正斷四神足五根

BD02759號　大般若波羅蜜多經卷一五一　（23–9）

四念住等可得何況有彼樂之與苦汝若能
修如是靜慮是修靜慮波羅蜜多復作是言
汝善男子應修靜慮波羅蜜多不應觀四念
住若我若無我不應觀四正斷四神足五根
五力七等覺支八聖道支若我若無我何以
故四念住四念住自性空四正斷四神足五
根五力七等覺支八聖道支四正斷乃至八
聖道支自性空是四念住自性即非自性是
四正斷乃至八聖道支自性亦非自性若非
自性即是靜慮波羅蜜多於此靜慮波羅蜜
多四念住不可得彼我無我亦不可得四正斷
乃至八聖道支皆不可得彼我無我亦不
可得所以者何此中尚無四念住等可得何
況有彼我與無我汝若能修如是靜慮是修
靜慮波羅蜜多復作是言汝善男子應修靜
慮波羅蜜多不應觀四念住若淨若不淨不
應觀四正斷四神足五根五力七等覺支八
聖道支若淨若不淨何以故四念住四念住
自性空四正斷四神足五根五力七等覺支
八聖道支四正斷乃至八聖道支自性空是
四念住自性即非自性是四正斷乃至八聖道
支自性亦非自性若非自性即是靜慮波
羅蜜多於此靜慮波羅蜜多四念住不可得
彼淨不淨亦不可得四正斷乃至八聖道支
皆不可得彼淨不淨亦不可得所以者何此

BD02759號　大般若波羅蜜多經卷一五一　（23–10）

交自性亦非自性若非自性即是靜慮波
羅蜜多於此靜慮波羅蜜多四念住不可得
彼淨不淨亦不可得四正斷乃至八聖道支
皆不可得彼淨不淨亦不可得所以者何此
中尚無四念住等可得何況有彼淨與不淨汝
若能脩如是靜慮是脩靜慮波羅蜜多憍
尸迦是善男子善女人等說是為宣
說真正靜慮波羅蜜多
復次憍尸迦若善男子善女人等為發無上
菩提心者宣說靜慮波羅蜜多作如是言汝
善男子應脩靜慮波羅蜜多不應觀空解
脫門若常若無常不應觀無相無願解脫門若
常若無常何以故空解脫門空解脫門自性
空無相無願解脫門無相無願解脫門自性
空是空解脫門自性即非自性是無相無願
解脫門自性亦非自性若非自性即是靜慮
波羅蜜多於此靜慮波羅蜜多空解脫門
不可得彼常無常亦不可得無相無願解脫門
皆不可得彼常無常亦不可得所以者何此
中尚無空解脫門等可得何況有彼常與無
常汝若能脩如是靜慮是脩靜慮波羅蜜多
復作是言汝善男子應脩靜慮波羅蜜多不
應觀空解脫門若樂若苦不應觀無相無願
解脫門若樂若苦何以故空解脫門空解脫
門自性空無相無願解脫門無相無願解脫
門自性空是空解脫門自性即非自性是無

BD02759號　大般若波羅蜜多經卷一五一

（23-11）

常汝若能脩如是靜慮是脩靜慮波羅蜜多
復作是言汝善男子應脩靜慮波羅蜜多不
應觀空解脫門若樂若苦不應觀無相無願
解脫門若樂若苦何以故空解脫門空解脫
門自性空無相無願解脫門無相無願解脫
門自性空是空解脫門自性即非自性是無
相無願解脫門自性亦非自性若非自性即
是靜慮波羅蜜多於此靜慮波羅蜜多空解
脫門不可得彼樂與苦亦不可得無相無願解
脫門皆不可得彼樂與苦亦不可得所以者
何此中尚無空解脫門等可得何況有彼樂
之與苦汝若能脩如是靜慮是脩靜慮波羅
蜜多復作是言汝善男子應脩靜慮波羅
蜜多不應觀空解脫門若我若無我不應觀無
相無願解脫門若我若無我何以故空解脫
門空解脫門自性空無相無願解脫門無相無
願解脫門自性空是空解脫門自性即非
自性是無相無願解脫門自性亦非自性若
非自性即是靜慮波羅蜜多於此靜慮波羅
蜜多空解脫門不可得彼我無我亦不可得無
相無願解脫門皆不可得彼我無我亦不
可得所以者何此中尚無空解脫門等可得
何況有彼我與無我汝若能脩如是靜慮是
脩靜慮波羅蜜多復作是言汝善男子應脩
靜慮波羅蜜多不應觀空解脫門若淨若不
淨不應觀無相無願解脫門若淨若不淨何
以故空解脫門空解脫門自性空無相無願

BD02759號　大般若波羅蜜多經卷一五一

（23-12）

何况有彼我與無我汝若能脩如是靜慮是
脩靜慮波羅蜜多復作是言汝善男子應脩
靜慮波羅蜜多不應觀空解脫門若淨若不
淨不應觀無相無願解脫門若淨若不淨何
以故空解脫門空解脫門自性空無相無願
解脫門無相無願解脫門自性空是空解脫
門自性即非自性是無相無願解脫門自性
亦非自性若非自性即是靜慮波羅蜜多於
此靜慮波羅蜜多空解脫門不可得彼淨不
淨亦不可得無相無願解脫門皆不可得彼
淨不淨亦不可得所以者何此中尚無空解脫
門等可得何况有彼淨與不淨汝若能脩
如是靜慮是脩靜慮波羅蜜多憍尸迦是善
男子善女人等作等說是為宣說真正靜慮
波羅蜜多

復次憍尸迦若善男子善女人等為發無上菩
提心者宣說靜慮波羅蜜多作如是言汝
善男子應脩靜慮波羅蜜多不應觀五眼若
常若無常不應觀六神通若常若無常何
以故五眼五眼自性空六神通六神通自性空
是五眼自性即非自性是六神通自性亦非
自性若非自性即是靜慮波羅蜜多於此靜
慮波羅蜜多五眼不可得彼常無常亦不可
得六神通不可得彼常無常亦不可得所以
者何此中尚無五眼等可得何况有彼常與

是五眼自性即非自性是六神通自性亦非
自性若非自性即是靜慮波羅蜜多於此靜
慮波羅蜜多五眼不可得彼常無常亦不可
得六神通不可得彼常無常亦不可得所以
者何此中尚無五眼等可得何况有彼常與
無常汝若能脩如是靜慮是脩靜慮波羅蜜
多復作是言汝善男子應脩靜慮波羅蜜多
不應觀五眼若樂若苦不應觀六神通若樂
若苦何以故五眼五眼自性空六神通六神通自
性空是五眼自性即非自性是六神通自性
亦非自性若非自性即是靜慮波羅蜜多於
此靜慮波羅蜜多五眼不可何彼樂與苦亦
不可得六神通不可得彼樂与苦亦不可得所
以者何此中尚無五眼等可得何况有彼樂
之與苦汝若能脩如是靜慮是脩靜慮波
羅蜜多復作是言汝善男子應脩靜慮波羅
蜜多不應觀五眼若我若無我不應觀六神
通若我若無我何以故五眼五眼自性空六神
通六神通自性空是五眼自性即非自性是
六神通自性亦非自性若非自性即是靜
慮波羅蜜多於此靜慮波羅蜜多五眼不可
得彼我無我亦不可得六神通不可得彼我
無我亦不可得所以者何此中尚無五眼等可
得何况有彼我與無我汝若能脩如是靜
慮是脩靜慮波羅蜜多復作是言汝善男
子應脩靜慮波羅蜜多不應觀五眼若淨

無我亦不可得所以者何此中尚無五眼等可
得何況有彼我與無我汝若能脩如是静
慮是脩静慮波羅蜜多復作是言汝善男
子應脩静慮波羅蜜多不應觀五眼若浄
若不浄不應觀六神通若浄若不浄何以故
五眼五眼自性空六神通六神通自性空是
五眼自性即非自性是六神通自性亦非自
性若非自性即是静慮波羅蜜多於此静慮
波羅蜜多五眼不可得彼浄不浄亦不可得
六神通不可得彼浄不浄亦不可得所以者
何此中尚無五眼等可得何況有彼浄與不
浄汝若能脩如是静慮是脩静慮波羅蜜多
憍尸迦是善男子善女人等作此等説是爲宣
説真正静慮波羅蜜多
復次憍尸迦若善男子善女人等爲發無上
菩提心者宣説静慮波羅蜜多作如是言汝
善男子應脩静慮波羅蜜多不應觀佛十力
若常若無常不應觀四無所畏四無礙解大
慈大悲大喜大捨十八佛不共法若常若無
常何以故佛十力佛十力自性空四無所畏四
無礙解大慈大悲大喜大捨十八佛不共
法四無所畏乃至十八佛不共法自性空是
佛十力自性即非自性是四無所畏乃至十
八佛不共法自性亦非自性若非自性即是
静慮波羅蜜多於此静慮波羅蜜多佛十力

無礙解大慈大悲大喜大捨十八佛不共
法四無所畏乃至十八佛不共法自性空是
佛十力自性即非自性是四無所畏乃至十
八佛不共法自性亦非自性若非自性即是
静慮波羅蜜多於此静慮波羅蜜多佛十力
不可得彼常無常亦不可得四無所畏乃至
十八佛不共法皆不可得彼常無常亦不可
得所以者何此中尚無佛十力等可得何況
有彼常與無常汝若能脩如是静慮是脩
静慮波羅蜜多復作是言汝善男子應脩静
慮波羅蜜多不應觀佛十力若樂若苦不應觀
四無所畏四無礙解大慈大悲大喜大捨十八
佛不共法若樂若苦何以故佛十力佛十力
自性空四無所畏四無礙解大慈大悲大喜
大捨十八佛不共法四無所畏乃至十八
佛不共法自性空是佛十力自即非自性
是四無所畏乃至十八佛不共法自性亦非
自性若非自性即是静慮波羅蜜多於此静
慮波羅蜜多佛十力不可得彼樂與苦亦不
可得四無所畏乃至十八佛不共法皆不可得
彼樂與苦亦不可得所以者何此中尚無佛
十力等可得何況有彼樂之與苦汝若能
脩如是静慮是脩静慮波羅蜜多復作是言
汝善男子應脩静慮波羅蜜多不應觀佛十
力若我若無我不應觀四無所畏四無礙解大
慈大非大喜大捨十八佛不共法若我若

彼樂與苦亦不可得所以者何此中尚無佛
十力等可得何況有彼樂之與苦汝若能
脩如是靜慮是脩靜慮波羅蜜多復作是言
汝善男子應脩靜慮波羅蜜多不應觀佛十
力若我若無我不應觀四無所畏四無礙解大
慈大非大喜大捨十八佛不共法若我若
無我何以故佛十力佛十力自性空四無所
畏四無礙解大慈大悲大喜大捨十八佛不
共法四無所畏乃至十八佛不共法自性空
是佛十力自性即非自性是四無所畏乃至
十八佛不共法自性亦非自性若非自性即
是靜慮波羅蜜多於此靜慮波羅蜜多佛十
力不可得彼我無我亦不可得四無所畏乃至
十八佛不共法皆不可得彼我無我亦不
可得所以者何此中尚無佛十力等可得何
況有彼我與無我汝若能脩如是靜慮是
脩靜慮波羅蜜多復作是言汝善男子應脩
靜慮波羅蜜多不應觀佛十力若淨若不淨不
應觀四無所畏四無礙解大慈大悲大喜大
捨十八佛不共法若淨若不淨何以故佛十
力佛十力自性空四無所畏四無礙解大慈
大悲大喜大捨十八佛不共法四無所畏乃
至十八佛不共法自性空是佛十力自性即
非自性是四無所畏乃至十八佛不共法自
性亦非自性若非自性即是靜慮波羅蜜
多於此靜慮波羅蜜多佛十力不可得彼淨不

BD02759號　大般若波羅蜜多經卷一五一　（23-17）

至十八佛不共法自性空是佛十力自性即
非自性是四無所畏乃至十八佛不共法自
性亦非自性若非自性即是靜慮波羅蜜
多於此靜慮波羅蜜多佛十力不可得彼淨不
淨亦不可得四無所畏乃至十八佛不共法
皆不可得彼淨不淨亦不可得所以者何此
中尚無佛十力等可得何況有彼淨与不淨
汝若能脩如是靜慮是脩靜慮波羅蜜多憍
尸迦是善男子善女人等作此等說是為宣
說真正靜慮波羅蜜多
復次憍尸迦若善男子善女人等為發無上
菩提心者宣說靜慮波羅蜜多作如是言汝
善男子應脩靜慮波羅蜜多不應觀無忘失
法若常若無常不應觀恒住捨性若常若無
常何以故無忘失法無忘失法自性空恒住
非自性是恒住捨性自性亦非自性若非自
性即是靜慮波羅蜜多於此靜慮波羅蜜多
無忘失法不可得彼常無常亦不可得恒住
捨性不可得彼常無常亦不可得所以者何
此中尚無無忘失法等可得何況有彼常与
無常汝若能脩如是靜慮是脩靜慮波羅蜜
多復作是言汝善男子應脩靜慮波羅蜜多
性住捨性自性空是無忘失法自性即非靜慮
不應觀無忘失法若樂若苦不應觀恒住捨
性若樂若苦何以故無忘失法無忘失法自性
空恒住捨性恒住捨性自性空是無忘失

BD02759號　大般若波羅蜜多經卷一五一　（23-18）

無所有汝若能脩如是靜慮是脩靜慮波羅蜜
多復作是言汝善男子應脩靜慮波羅蜜多
性住捨性自性空是無忘失法自性即非靜慮
不應觀無忘失法若樂若苦不應觀恒住捨
性若樂若苦何以故無忘失法無忘失法自性
空恒住捨性恒住捨性自性空是無忘失
法自性即非自性是恒住捨性自性亦非自
性若非自性即是靜慮波羅蜜多於此靜慮
波羅蜜多無忘失法不可得彼樂與苦亦不
可得恒住捨性不可得彼樂與苦亦不可得所
以者何此中尚無無忘失法等可得何況有
彼樂之與苦汝若能脩如是靜慮是脩靜慮
波羅蜜多復作是言汝善男子應脩靜慮
波羅蜜多不應觀無忘失法若我若無我不
應觀恒住捨性若我若無我何以故無忘失
法無忘失法自性空恒住捨性恒住捨性自
性空是無忘失法自性即非自性是恒住捨
性自性亦非自性若非自性即是靜慮波羅
蜜多於此靜慮波羅蜜多無忘失法不可得
彼我無我亦不可得恒住捨性不可得彼我
無我亦不可得所以者何此中尚無無忘失法
等可得何況有彼我與無我汝若能脩如
是靜慮是脩靜慮波羅蜜多復作是言汝善
男子應脩靜慮波羅蜜多不應觀無忘失法
若淨若不淨不應觀恒住捨性若淨若不淨
何以故無忘失法無忘失法自性空恒住捨

BD02759號　大般若波羅蜜多經卷一五一

（23–19）

等可得何況有彼我與無我汝若能脩如
是靜慮是脩靜慮波羅蜜多復作是言汝善
男子應脩靜慮波羅蜜多不應觀無忘失法
若淨若不淨不應觀恒住捨性若淨若不淨
何以故無忘失法無忘失法自性空恒住捨
性恒住捨性自性空是無忘失法自性即非
自性是恒住捨性自性亦非自性若非自性
即是靜慮波羅蜜多於此靜慮波羅蜜多無
忘失法不可得彼淨不淨亦不可得恒住捨
性不可得彼淨不淨亦不可得所以者何此
中尚無無忘失法等可得何況有彼淨與不
淨汝若能脩如是靜慮是脩靜慮波羅蜜多
憍尸迦是善男子善女人等作此等說是為
宣說真正靜慮波羅蜜多
復次憍尸迦若善男子善女人等為發無上
菩提心者宣說靜慮波羅蜜多作如是言汝
善男子應脩靜慮波羅蜜多不應觀一切智
若常若無常不應觀道相智一切相智若
常若無常何以故一切智一切智自性空道相智
一切相智道相智一切相智自性空是一切
智自性即非自性是道相智一切相智自
性亦非自性若非自性即是靜慮波羅蜜多
於此靜慮波羅蜜多一切智不可得彼常無
常亦不可得道相智一切相智皆不可得彼
常無常亦不可得所以者何此中尚無一切

BD02759號　大般若波羅蜜多經卷一五一

（23–20）

智自性即非自性是道相智一切相智自
性亦非自性若非自性即是靜慮波羅蜜多
於此靜慮波羅蜜多一切智不可得彼常無
常亦不可得道相智一切相智皆不可得彼
常無常亦不可得所以者何此中尚無一切
智等可得何况有彼常與無常汝若能脩如
是靜慮是脩靜慮波羅蜜多復作是言汝善
男子應脩靜慮波羅蜜多不應觀一切智若
樂若苦不應觀道相智一切相智若樂若苦
何以故一切智一切智自性空道相智一切相
智道相智一切相智自性空是一切智自
性即非自性是道相智一切相智自性亦非
自性若非自性即是靜慮波羅蜜多於此靜
慮波羅蜜多一切智不可得彼樂與苦亦不可
得道相智一切相智皆不可得彼樂與苦亦
不可得所以者何此中尚無一切智等可得
何况有彼樂之與苦汝若能脩如是靜慮
是脩靜慮波羅蜜多復作是言汝善男子應
脩靜慮波羅蜜多不應觀一切智若我若無
我不應觀道相智一切相智若我若無我何
以故一切智一切智自性空道相智一切相智
道相智一切相智自性空是一切智自性
即非自性是道相智一切相智自性亦非自
性若非自性即是靜慮波羅蜜多於此靜慮
波羅蜜多一切智不可得彼我無我亦不可
得道相智一切相智皆不可得彼我無我亦

以故一切智一切智自性空道相智一切相智
道相智一切相智自性空是一切智自性
即非自性是道相智一切相智自性亦非自
性若非自性即是靜慮波羅蜜多於此靜慮
波羅蜜多一切智不可得彼我無我亦不可
得道相智一切相智皆不可得彼我無我亦
不可得所以者何此中尚無一切智等可得
何况有彼我與無我汝若能脩如是靜慮是
脩靜慮波羅蜜多復作是言汝善男子應脩
靜慮波羅蜜多不應觀一切智若淨若不淨
不應觀道相智一切相智若淨若不淨何以
故一切智一切智自性空道相智一切相智
道相智一切相智自性空是一切智自性即
非自性是道相智一切相智自性亦非自性
若非自性即是靜慮波羅蜜多於此靜慮波
羅蜜多一切智不可得彼淨不淨亦不可得
道相智一切相智皆不可得彼淨不淨亦不
可得所以者何此中尚無一切智等可得何况
有彼淨與不淨汝若能脩如是靜慮是脩
靜慮波羅蜜多憍尸迦是善男子善女人等
作此等說是為宣說真正靜慮波羅蜜多

大般若波羅蜜多經卷第一百五十一

何況有彼我與無我汝若能脩如是靜慮是
脩靜慮波羅蜜多復作是言汝善男子應脩
靜慮波羅蜜多不應觀一切智若淨若不淨
不應觀道相智一切相智若淨若不淨何以
故一切智一切智自性空道相智一切相智
道相智一切相智自性空是一切智自性即
非自性是道相智一切相智自性亦非自性
若非自性即是靜慮波羅蜜多於此靜慮波
羅蜜多一切智不可得彼淨不淨亦不可得
道相智一切相智皆不可得彼淨不淨亦不
可得所以者何此中尚無一切智等可得何況
有彼淨與不淨汝若能脩如是靜慮是脩
靜慮波羅蜜多憍尸迦是善男子善女人等
作此等說是為宣說真正靜慮波羅蜜多
大般若波羅蜜多經卷第一百五十一

BD02759 號　大般若波羅蜜多經卷一五一

（23–23）

身不可壞具聲嘶者如蚺麻子盛熟之時置
之日曝出聲振爆大解脫者無如是事如彼
金剛真寶之物無斷破聲假使无量百千之
人盡共射之無能壞者無斷破聲喻真解脫
真解脫者即是如來
是事無有負責猶如長者多有財寶无量億
數勢力自在不負他物大解脫者亦復如是
多有无量法財珍寶勢力自在無所負也無
負者喻真解脫真解脫者即是如來又解

BD02760 號　大般涅槃經（北本）卷五

（18–1）

他所繫拘録策罰受諸苦惱大解脫中無如
是事無有負責猶如長者多有財寶无量億
數勢力自在不負他物大解脫者亦復如是
多有无量法財珍寶勢力自在無所負也無所
負者喻真解脫真解脫者即是如來又解
脫者名无逼切如春涉熱夏日食甜冬日令
觸真解脫中无有如是不適意事无逼切者
喻真解脫真解脫者即是如來又無逼切者
譬如有人飽食魚宍而復飲乳是人則為近
死不久真解脫中无如是事是人若得甘露
良藥所患得除真解脫者亦復如是甘露
藥喻真解脫真解脫者即是如來云何逼切
不逼切也譬如凡夫我慢自高而作是念一
切衆中誰能害我即便捉持虵虎毒蟲當
知是人不盡壽命則為横死真解脫中無如是
事不逼切者如轉輪王所有神珠能伏
九十六種毒蟲若有聞是神珠香者諸
毒消滅真解脫者亦復如是皆悉遠離二十五
有毒消滅者喻真解脫真解脫者即是如
來又不逼切者譬如虛空解脫亦尒彼虛空
者喻真解脫真解脫者即是如來又逼切者
如近乾草然火大近則燒真解脫中
無如是事又不逼切者譬如日月不逼衆生解
脫亦尒於諸衆生无有逼切无有逼切喻真
解脫真解脫者即是如來又解脫者名无動

BD02760 號　大般涅槃經（北本）卷五　（18–2）

者喻真解脫真解脫者即是如來又逼切者
如近乾草然火大近則燒真解脫中
無如是事又不逼切者譬如日月不逼衆生解
脫亦尒於諸衆生无有逼切无有逼切喻真
解脫真解脫者即是如來又解脫者名无動
法猶如怨親真解脫中无如是事又不動者
如轉輪王更无聖王以為親友若有親友
无是處解脫亦尒更无有親若有親者亦无
是處彼王无親喻真解脫真解脫者即是
如來如來者即是法也又无動者譬如素衣易
受染色解脫不尒又無動者如婆師華欲令
有臭及青色者无有是處解脫亦尒欲令有
臭及諸色者亦无是處是故解脫即是如來
又解脫者名為希有譬如水中生於蓮華非
為希有火中生者是乃希有有人見之便生歡
喜真解脫者亦復如是其有見者心生歡喜
彼希有者喻真解脫真解脫者即是如來
其如來者即是法身又希有者譬如嬰兒
其齒未生漸漸長大然後乃生解脫不尒无
有生與不生又解脫者名曰虛寂无有不定
不定者如一闡提究竟不移犯重禁者不成佛
道无有是處何以故是人若於佛正法中心
得淨信尒時即便滅一闡提若復得作優
婆塞者亦得斷滅於一闡提犯重禁者滅此
罪已則得成佛是故若言畢定不移不成佛

BD02760 號　大般涅槃經（北本）卷五　（18–3）

有生與不生又解脫者名曰虛寂无有不定有
不定者如一闡提究竟不移犯重禁者不成佛
道无有是處何以故是人若於佛正法中心
得淨信尒時即便滅一闡提若復得作優
婆塞者亦得斷滅於一闡提犯重禁者滅此
罪已則得成佛是故若言畢定不移不成佛
道无有是處真解脫中都无如是滅盡之事又
虛寂者墮於法界如法界性即真解脫真解
脫者即是如來又一闡提若盡滅者則不得
稱一闡提也何等名爲一闡提耶一闡提者
斷滅一切諸善根本心不攀緣一切善法乃
至不生一念之善真解脫中都无是事无是
事故即真解脫真解脫者即是如來又解脫者
名不可量譬如穀聚其量可知真解脫者
則不如是譬如大海不可度量解脫亦尒不
可度量不可量者即真解脫真解脫者即是
如來又解脫者名无量法如一衆生多有業
報解脫亦尒有无量報无量報者即真解脫
真解脫者即是如來又解脫者名爲廣大譬
如大海无與等者解脫亦尒无能與等无與
等者即真解脫真解脫者即是如來又解脫
者名曰最上譬如虛空最高无比解脫亦尒
最高无比高无比者即真解脫真解脫者即
是如來又解脫者名无能過譬如師子所住
之處一切百獸无能過者解脫亦尒无有能

BD02760號　大般涅槃經（北本）卷五

（18–4）

等者即真解脫真解脫者即是如來又解脫
者名曰最上譬如虛空最高无比解脫亦尒
最高无比高无比者即真解脫真解脫者即
是如來又解脫者名无能過譬如師子所住
之處一切百獸无能過者解脫亦尒无有能
過无能過者即真解脫真解脫者即是如來
又解脫者名爲无上譬如北方諸方中上解脫
亦尒爲无有上无有上者即真解脫真解
脫者即是如來又解脫者名无上上譬如北
方之於東方爲无上上解脫亦尒无有上上
无上上者即真解脫真解脫者即是如來又
解脫者名曰恒法譬如人天身壞命終是名
不恒非不恒也解脫亦尒非是不恒非不恒
者即真解脫真解脫者即是如來又解脫者
名曰堅實如佉陀羅栴檀沉水其性堅實解
脫亦尒其性堅實性堅實者即真解脫
脫者即是如來又解脫者名曰不虛譬如竹
葦其體空疏解脫不尒當知解脫即是如
來又解脫者名不可汙譬如牆壁未被塗治
蚊虻在上往遊戲若已塗治彩畫雕飾虻聞
香即便不住如是不住譬如真解脫真解脫
者即是如來又解脫者名曰无邊譬如聚落
皆有邊表解脫不尒譬如虛空无有邊際解
脫亦尒无有邊際如是解脫即是如來又解脫
者名不可見譬如空中鳥跡難見如是難見

BD02760號　大般涅槃經（北本）卷五

（18–5）

[illegible]
者即是如來又解脫者名曰无邊譬如聚落
皆有邊表解脫不尒譬如虛空无有邊際解
脫之尒无有邊際如是解脫即是如來又解脫
者名不可見譬如空中鳥跡難見如是難見
譬真解脫真解脫者即是如來又解脫者名
曰甚深何以故聲聞緣覺所不能入不能入
者即真解脫真解脫者即是如來又甚深者
諸佛菩薩之所恭敬譬如孝子供養父母功
德甚深功德甚深喻真解脫真解脫者即
是如來又解脫者名不可見譬如有人不見自
頂解脫之尒聲聞緣覺所不能見不能見者
即真解脫真解脫者即是如來又解脫者名
无屋宅譬如虛空无有屋宅解脫之尒言屋
宅者喻廿五有无有屋宅喻真解脫真解脫
者即是如來又解脫者名不可取如阿摩勒
菓人可取持解脫不尒不可取持不可取持
即真解脫真解脫者即是如來又解脫者名
不可執譬如幻物不可執持解脫之尒不可
執持不可執持即真解脫真解脫者即是如
來又解脫者无有身體譬如有人體生瘡癬
及諸癰疽顛狂乾枯真解脫中无如是病无
如是病喻真解脫真解脫者即是如來又解
脫者名為一味如乳一味解脫之尒唯有一味
如是一味即真解脫真解脫者即是如來
又解脫者名曰清淨如水无泥澄靜清淨解

BD02760號　大般涅槃經（北本）卷五　　（18–6）

及諸癰疽顛狂乾枯真解脫中无如是病无
如是病喻真解脫真解脫者即是如來又解
脫者名為一味如乳一味解脫之尒唯有一味
如是一味即真解脫真解脫者即是如來
又解脫者名曰清淨如水无泥澄靜清淨解
脫亦尒澄靜清淨澄靜清淨即真解脫真解
脫者即是如來又解脫者名曰一味如空中
雨一味清淨一味清淨喻真解脫解脫者
即是如來又解脫者名曰除却譬如滿月無
諸雲翳解脫亦尒無諸雲翳无諸雲翳即真
解脫真解脫者即是如來又解脫者名曰寂靜
譬如有人熱病除愈身得寂靜解脫之尒身
得寂靜身得寂靜即真解脫真解脫者即是
如來又解脫者即是平等譬如野田毒蛇鼠
狼俱有煞心解脫不尒无有煞心无煞心者
即真解脫真解脫者即是如來又平等者
譬如父母等心於子解脫之尒其心平等心平
等者即真解脫真解脫者即是如來又解脫
者名无異處譬如有人唯居上妙清淨屋宅
更無異處解脫亦尒無有異處无異處者
即真解脫真解脫者即是如來又解脫者名曰
知足譬如飢人值遇甘饌食之無厭解脫不
尒如食乳糜更無所須更無所須喻真解脫
真解脫者即是如來又解脫者名曰斷絕如
人被縛斷縛得脫解脫之尒斷絕一切疑心
結縛如是斷疑即真解脫真[illegible]

BD02760號　大般涅槃經（北本）卷五　　（18–7）

如是譬如飢人值遇甘饌食之無厭解脫不
尒如食乳糜更無所須更無所須喻真解脫
真解脫者即是如來又解脫者名曰斷絕如
人被縛斷縛得脫解脫之尒斷絕一切疑心
結縛如是斷疑即真解脫真解脫者即是如
來又解脫者名到彼岸譬如大河有此彼岸
解脫不尒雖無此岸而有彼岸有彼岸者即
真解脫真解脫者即是如來又解脫者名曰
嘿然譬如大海其水汎長多諸音聲解脫不
尒如是解脫即是如來又解脫者名曰美妙
譬如衆藥雜呵梨勒其味則苦解脫不尒味
如甘露味如甘露喻真解脫真解脫者即是
如來又解脫者除諸煩惱譬如良醫和合諸
藥善療衆病解脫之尒能除煩惱除煩惱者
即真解脫真解脫者即是如來又解脫者名
曰无迮譬如小舍不容多人解脫不尒多所容
受多所容受即真解脫真解脫者即是如
來又解脫者名滅諸愛不雜婬欲譬如女人
多諸愛欲解脫不尒如是解脫即是如來如
來如是无有貪欲瞋恚愚癡憍慢等結又解
脫者名曰无愛愛有二種一者餓鬼愛二者法
愛真解脫者離餓鬼愛憐愍衆生故有法
愛如是法愛即真解脫真解脫者即是如來
又解脫者離我我所如是解脫即是如來如

BD02760號　大般涅槃經（北本）卷五

（18–8）

來如是无有貪欲瞋恚愚癡憍慢等結又解
脫者名曰无愛愛有二種一者餓鬼愛二者法
愛真解脫者離餓鬼愛憐愍衆生故有法
愛如是法愛即真解脫真解脫者即是如來
又解脫者離我我所如是解脫即是如來如
來者即法也又解脫者即是滅盡離諸有貪
如是解脫即是如來如來者即是法也
又解脫者即是救護能救一切諸怖畏者如
是解脫即是如來如來者即是法也又解脫
者即是歸處若有歸依如是解不求餘依
譬如有人依恃於王不求餘依雖復依王則
有動轉依解脫者无有動轉无動轉者即真
解脫真解脫者即是如來如來者即是法也
又解脫者名為屋宅譬如有人行於曠野則
有嶮難解脫不尒无有嶮難无嶮難者即真
解脫真解脫者即是如來又解脫者是無所
畏如師子王於諸百獸不生怖畏解脫亦尒
於諸魔衆不生怖畏无怖畏者即真解脫真
解脫者即是如來又解脫者无有迮狹譬如
隘路乃至不受二人並行解脫不尒如是解
脫即是如來又有不迮譬如有人畏虎墮井
解脫不尒如是解脫即是如來又有不迮如
大海中捨壞小舩得堅牢舩乘之度海到安
隱處心得快樂解脫之尒心得快樂得快樂
者即真解脫真解脫者即是如來又解脫者
拔諸因緣譬如因乳得酪因酪得蘇因蘇得

BD02760號　大般涅槃經（北本）卷五

（18–9）

解脫不尒如是解脫即是如來又有不近如
大海中捨壞小舩得堅牢舩乘之度海到安
隱處心得快樂解脫之尒心得快樂得快樂
者即真解脫真解脫者即是如來又解脫者
拔諸因緣譬如因乳得酪因酪得蘇因蘇得
醍醐真解脫中都无是因因者即真解
脫真解脫者即是如來又解脫者能伏憍慢
譬如大王慢於小王解脫不尒如是解脫即是
如來如來者即是法也又解脫者伏諸放逸
謂放逸者多有貪欲真解脫者無有是名
無是名者即真解脫真解脫者即是如來又
解脫者能除无明如上妙蘇除諸滓穢乃名
醍醐解脫亦尒除无明滓生於真明如是真
明即真解脫真解脫者即是如來又解脫者
名為寂靜純一无二如空野象獨一无侶解
脫之尒獨一无二獨一无二即真解脫真解
脫者即如來又解脫者名為堅實如竹葦
蓖麻莖幹虛空而子堅實除佛如來其餘人
天皆不堅實真解脫者遠離一切諸有流等
如是解脫即是如來又解脫者名能覺了增
益於我真下脫者之復如是如是解脫即是
如來又解脫者名捨諸有譬如有人食已而
吐解脫之尒捨於諸有捨諸有者即真解脫
真解脫者即是如來又解脫者名曰決定如
婆師華香七葉中無解脫之尒如是解脫即

BD02760號　大般涅槃經（北本）卷五　（18–10）

如是解脫即是如來又解脫者名能覺了增
益於我真下脫者之復如是如是解脫即是
如來又解脫者名捨諸有譬如有人食已而
吐解脫之尒捨於諸有捨諸有者即真解脫
真解脫者即是如來又解脫者名曰決定如
婆師華香七葉中無解脫之尒如是解脫即
是如來又解脫者名曰水大譬如水大於諸
大勝能潤一切草木穀子解脫之尒能潤一
切有生之類如是解脫即是如來又解脫
者名曰為入如有門戶則通入路有金性之
處金則可得解脫之尒如彼門戶脩無我者則
得入中如是解脫即如來又解脫者名曰為
善譬如弟子隨逐於師善奉教勑得名為善
解脫之尒如是解脫即是如來又解脫者名
出世法於一切法最為出過如衆味中蘇乳
最勝解脫之尒如是解脫即是如來又解脫
者名曰不動譬如門閫風不能動真解脫者
之復如是如是解脫即是如來又解脫者名
无濤波如彼大海其水濤波解脫不尒如是
解脫即是如來又解脫者譬如宮殿解脫之
尒當知解脫即是如來又解脫者名曰所用
如閻浮檀金多有所任無有能說是金過惡
解脫亦尒無有過惡無有過惡即真解脫真
解脫者即是如來又解脫者捨嬰兒行譬如
大人捨小兒行解脫亦尒除捨五陰除捨五
陰即真解脫真解脫者即是如來又解脫者

BD02760號　大般涅槃經（北本）卷五　（18–11）

尒當知解脫即是如來又解脫者名曰所用
如閻浮檀金多有所任無有能説是金過惡
解脫亦尒無有過惡無有過惡即真解脫真
解脫者即是如來又解脫者捨嬰兒行辟如
大人捨小兒行解脫亦尒除捨五
陰即真解脫真解脫者即是如來又解脫者
名曰究竟如被繫者從繫得脫洗浴清淨然
後還家解脫亦尒畢竟清淨畢竟清淨即真
解脫真解脫者即是如來又解脫者名无住
樂无作樂者貪欲瞋恚愚癡吐故喻如有人
誤飲蛇毒為除毒故即服吐藥既得吐已毒
即除愈身得安樂解脫亦尒吐於煩惱諸結
縛毒身得安樂名无作樂无住樂者即真解
脫真解脫者即是如來又解脫者名斷四種
毒蛇煩惱斷煩惱者即真解脫真解脫者即
是如來又解脫者名離諸有滅一切苦得一切
樂永斷貪欲瞋恚愚癡拔斷一切煩惱根本
拔根本者即真解脫真解脫者即是如來
又解脫者名斷一切有為之法出生一切無漏
善法斷塞諸道所謂若我无我非我非无
我唯斷取著不斷我見我見者名為佛性佛
性者即真解脫真解脫者即是如來又解脫
者名不空空空空者名无所有无所有者即
是外道尼揵子等所計解脫而是尼揵實无
解脫故名空空真解脫者則不如是故不空

我唯斷取著不斷我見我見者名為佛性佛
性者即真解脫真解脫者即是如來又解脫
者名不空空空空者名无所有无所有者即
是外道尼揵子等所計解脫而是尼揵實无
解脫故名空空真解脫者則不如是故不空
空不空者即真解脫真解脫者即是如來
又解脫者名曰不空如水酒酪蘇蜜等瓶雖无
水酒酪蘇蜜時猶故得名為水等瓶而是瓶
等不可説空及以不空若言空者則不得有
色香味觸若言不空而復无有水酒等實
解脫亦尒不可説色及以非色不可説空及
以不空若言空者則不得有常樂我淨若言
不空誰受是常樂我淨者以是義故不可説
空及以不空空者謂无廿五有及諸煩惱一切
苦一切相一切有為行如瓶无酪則名為空
不空者謂真實善色常樂我淨不動不變
猶如彼瓶色香味觸故名不空是故解脫喻
如彼瓶彼瓶遇緣則有破壞解脫不尒不可
破壞不可破壞即真解脫真解脫者即是如
來又解脫者名曰離愛辟如有人愛心悕望
釋提桓因大梵天王自在天王解脫不尒若
得成於阿耨多羅三藐三菩提已无愛无疑
无愛无疑即真解脫真解脫者即是如來若
言解脫有愛疑者無有是處又解脫者斷諸
有貪斷一切相一切繫縛一切煩惱一切生死
一切因緣一切果報如是解脫即是如來

得成於阿耨多羅三藐三菩提已无愛无疑
无愛无疑即真解脱真解脱者即是如來若
言解脱有愛疑者無有是處又解脱者斷諸
有貪斷一切相一切繫縛一切煩惱一切生死
一切因緣一切果報如是解脱即是如來
如來即是涅槃一切衆生怖畏生死諸煩惱
故故受三歸譬如羣鹿怖畏獵師既得免
離若得一跳則喻一歸如是三跳則喻三歸以
三跳故得受安樂衆生亦尒怖畏四魔惡獵
師故受三歸依三歸依故則得安樂受安樂
者即真解脱真解脱者即是如來如來者即
是涅槃涅槃者即是无盡无盡者即是佛性
佛性者即是決定決定者即是阿耨多羅三
藐三菩提迦葉菩薩白佛言世尊若涅槃佛
性決定如來是一義者云何說言有三歸依
佛告迦葉菩薩善男子一切衆生怖畏生死故
求三歸以三歸故則知佛性決定涅槃 善
男子有法名一義異有法名義俱異名一義
異者佛常法常比丘僧常涅槃虛空皆是
常是名名一義異名義俱異者佛名為覺法
名不覺僧名和合涅槃名解脱虛空名非善
亦名无礙是為名義俱異善男子三歸依者
亦復如是名義俱異云何為一是故我告摩
訶波闍波提橋曇弥莫供養我當供養僧
若供養僧則得具足供養三歸摩訶波闍波

BD02760號　大般涅槃經（北本）卷五　（18–14）

名不覺僧名和合涅槃名解脱虛空名非善
亦名无礙是為名義俱異善男子三歸依者
亦復如是名義俱異云何為一是故我告摩
訶波闍波提橋曇弥莫供養我當供養僧
若供養僧則得具足供養三歸摩訶波闍波
提即荅我言衆僧之中无佛无法云何說言
供養衆僧則得具足供養三歸我復告言汝
隨我語則供養佛為解脱故即供養法衆僧
受者則供養僧善男子是故三歸不得為一
善男子如來或時說一為三說三為一如是之
義諸佛境界非是聲聞緣覺所知迦葉復言
如佛所說畢竟安樂名涅槃者是義云何夫
涅槃者捨身捨智若捨身智誰當受樂佛言
善男子譬如有人食已心悶出外欲吐既得
吐已而復迴還同伴問之汝今所患竟為差
不而復來還荅曰已差身得安隱如來亦尒
畢竟遠離廿五有永得涅槃安樂之處不可
動轉无有盡滅斷一切受名无受樂如是无
受名為常樂若言如來有受樂者无有是處
是故畢竟樂者即是涅槃涅槃者即真解脱
真解脱者即是如來
迦葉復言不生不滅是解脱耶如是如是善
男子不生不滅即是解脱如是解脱即是如
來迦葉復言若不生不滅是解脱者虛空之
性亦无生滅應是如來如如來性即是解脱

BD02760號　大般涅槃經（北本）卷五　（18–15）

真解脫者即是如来
迦葉復言不生不滅是解脫耶如是如是善
男子不生不滅即是解脫如是解脫即是如
来迦葉復言若不生不滅是解脫者虛空之
性亦无生滅應是如来如来性即是解脫
佛告迦葉善男子是事不然世尊何故不然
善男子如迦蘭伽鳥及命命鳥其聲清妙寧
可同於烏鵲音不不也世尊烏鵲之聲比命
命等百千万倍不可爲比迦葉復言迦蘭伽
等其聲微妙身亦不同如来云何比之烏鵲
无異亭歷比須弥山佛與虛空亦復如是迦
蘭伽聲可喻佛聲不可以喻烏鵲之音尒時
佛讚迦葉菩薩言善哉善哉汝今善解甚
深難解如来有時以因緣故引彼虛空以喻解
脫如是解脫即是如来真解脫者一切人天
無能爲匹而此虛空實非其喻爲化衆生故
以虛空非喻爲喻當知解脫即是如来如来
之性即是解脫解脫如来无二无別善男子
非喻者如无比之物不可引喻有因緣故可
得引喻如經中說面貌端政猶月盛滿白象
鮮潔猶如雪山滿月不得即同於面雪山不
得即是白象善男子不可以喻喻真解脫爲
化衆生故作喻耳以諸譬喻知諸法性皆亦
如是迦葉復言云何如来作二種說佛言善男
子譬如有人執持刀劍以瞋恚心欲害如来如

鮮潔猶如雪山滿月不得即同於面雪山不
得即是白象善男子不可以喻喻真解脫爲
化衆生故作喻耳以諸譬喻知諸法性皆亦
如是迦葉復言云何如来作二種說佛言善男
子譬如有人執持刀劍以瞋恚心欲害如来如
来和悅无恚恨色是人當得壞如来身成逆
罪不不也世尊何以故如来身界不可壞故
所以者何以無身聚唯有法性法性之性理
不可壞是人云何能壞佛身直以惡心故
成无間以是因緣引諸譬喻得知實法尒時佛
讚迦葉菩薩善哉善哉善男子我所欲說汝
今已說又善男子譬如惡人欲害其母住於
野田在穀積下母爲送食其人見已尋生害
心便前磨刀母時知已逃入積中其人持刀
遶積遍斫斫已歡喜生已歡想其母尋後從
穀積出還至家中於意云何是人成就无間
罪不不也世尊不可定說何以故若說有罪
母身應壞身若不壞云何言有若說无罪生
已歡想心懷歡喜云何言无是人雖不具足
逆罪而亦是逆以是因緣引諸譬喻得知實
法佛讚迦葉善哉善哉善男子以是因緣我
說種種方便譬喻以喻解脫雖以無量阿僧
祇劫喻而實不可以喻爲比或有因緣亦可喻
說或有因緣不可喻說是故解脫成就如是
无量功德趣涅槃者涅槃如来亦有如是无

心便前磨刀母時知已逃入藪中其人持刀
遂藪遍斫斫已歡喜生已煞想具母壽終從
轂藪出還至家中於意云何是人成就无間
罪不不也世尊不可定說何以故若說有罪
母身應壞身若不壞云何言有若說无罪生
已煞想心懷歡喜云何言无是人雖不具足
逆罪而亦是逆以是因緣引諸譬喻得知實
法佛讚迦葉善哉善哉善男子以是因緣我
說種種方便譬喻以喻解脫雖以無量阿僧
祇劫喻而實不可以喻爲比或有因緣亦可喻
說或有因緣不可喻說是故解脫成就如是
无量功德趣涅槃涅槃如來亦有如是无
量功德以如是等无量功德成就滿故名大
涅槃迦葉菩薩白佛言世尊我今始知如來
至處爲无有盡處若无盡當知壽命亦應
无盡佛言善哉善哉善男子汝今善能護持
正法若有善男子善女人欲斷煩惱諸結縛
者當知如是護持正法

大般涅槃經卷第五

BD02760 號　大般涅槃經（北本）卷五　（18–18）

言世尊於後五百歲濁惡世中其有受持
是經典者我當守護除其衰患令得安隱使
无伺求得其便者若魔若魔子若魔女若魔
民若爲魔所著者若夜叉若羅刹若鳩槃茶
若毗舍闍若吉蔗若富單那若韋陀羅等諸
惱人者皆不得便是人若行若立讀誦此經
我爾時乘六牙白象王與大菩薩衆俱詣其
所而自現身供養守護安慰其心亦爲供養
法華經故是人若坐思惟此經爾時我復乘
白象王現其人前其人若於法華經有所忘
失一句一偈我當教之與共讀誦還令通利
爾時受持讀誦法華經者得見我身甚大歡
喜轉復精進以見我故即得三昧及陀羅尼
名爲旋陀羅尼百千万億旋陀羅尼法音方
便陀羅尼得如是等陀羅尼世尊若後世後
五百歲濁惡世中比丘比丘尼優婆塞優婆
夷求索者受持者讀誦者書寫者欲脩習是
法華經於三七日中應一心精進滿三七日

BD02761 號　妙法蓮華經卷七　（5–1）

名為旋陀羅尼百千万億旋陀羅尼法音方
便陀羅尼得如是等陀羅尼世尊若後世後
五百歲濁惡世中比丘比丘尼優婆塞優婆
夷求索者受持者讀誦者書寫者欲脩習是
法華經於三七日中應一心精進滿三七日
已我當乘六牙白象與无量菩薩而自圍繞
以一切衆生所憙見身現其人前而為說法
示教利喜亦復與其陀羅尼呪得是陀羅尼
故无有非人能破壞者亦不為女人之所惑亂
我身亦自常護是人唯願世尊聽我說此
陀羅尼即於佛前而說呪曰
阿檀地 途賣反 一 檀陀婆地 二 檀陀婆帝 三 檀陀
鳩舍隸 四 檀陀脩陀隸 五 脩陀隸 六 脩陀羅
婆底 七 佛馱波羶禰 八 薩婆陀羅尼阿婆多
尼 九 薩婆婆沙阿婆多尼 十 脩阿婆多尼 十一
僧伽婆履叉尼 十二 僧伽涅伽陀尼 十三 阿僧祇 十四
僧伽波伽地 十五 帝隸阿惰僧伽兜略 盧遮反
波羅帝 十六 薩婆僧伽三摩地伽蘭地 十七 薩婆
達磨脩波利剎帝 十八 薩婆薩埵樓馱憍舍
略阿㝹伽地 十九 辛阿毗吉利地帝 二十
世尊若有菩薩得聞是陀羅尼者當知普賢
神通之力若法華經行閻浮提有受持者應
作此念皆是普賢威神之力若有受持讀誦
正憶念解其義趣如說脩行當知是人行普
賢行於无量无邊諸佛所深種善根為諸如
來手摩其頭若但書寫是人命終當生忉利

BD02761號　妙法蓮華經卷七

（5–2）

略阿㝹伽地 十九 辛阿毗吉利地帝 二十
世尊若有菩薩得聞是陀羅尼者當知普賢
神通之力若法華經行閻浮提有受持者應
作此念皆是普賢威神之力若有受持讀誦
正憶念解其義趣如說脩行當知是人行普
賢行於无量无邊諸佛所深種善根為諸如
來手摩其頭若但書寫是人命終當生忉利
天上是時八万四千天女作衆伎樂而來迎
之其人即著七寶冠於婇女中娛樂快樂何
況受持讀誦正憶念解其義趣如說脩行若
有人受持讀誦解其義趣是人命終為千佛
授手令不恐怖不墮惡趣即往兜率天上彌
勒菩薩所彌勒菩薩有三十二相大菩薩衆
所共圍繞有百千万億天女眷屬而於中生
有如是等功德利益是故智者應當一心自
書若使人書受持讀誦正憶念如說脩行世
尊我今以神通力守護是經於如來滅後閻
浮提內廣令流布使不斷絕介時釋迦牟尼
佛讚言善哉善哉普賢汝能護助是經令多
所衆生安樂利益汝已成就不可思議功德
深大慈悲從久遠來發阿耨多羅三藐三菩
提意而能作是神通之願守護是經我當以
神通力守護能受持普賢菩薩名者普賢若
有受持讀誦正憶念脩習書寫是法華經者
當知是人則見釋迦牟尼佛如從佛口聞此
經典當知是人供養釋迦牟尼佛當知是人

BD02761號　妙法蓮華經卷七

（5–3）

佛讚言善哉善哉普賢汝能護助是經令多
所衆生安樂利益汝已成就不可思議功德
深大慈悲從久遠來發阿耨多羅三藐三菩
提意而能作是神通之願守護是經我當以
神通力守護能受持普賢菩薩名者普賢若
有受持讀誦正憶念脩習書寫是法華經者
當知是人則見釋迦牟尼佛如從佛口聞此
經典當知是人供養釋迦牟尼佛當知是人
佛讚善哉當知是人為釋迦牟尼佛手摩其
頭當知是人為釋迦牟尼佛衣之所覆如是
之人不復貪著世樂不好外道經書手筆亦
復不憙親近其人及諸惡者若屠兒若畜豬
羊雞狗若獵師若衒賣女色是人心意質直
有正憶念有福德力是人不為三毒所惱亦
不為嫉妬我慢邪慢增上慢所惱是人少欲
知足能脩普賢之行普賢若如來滅後後五
百歲若有人見受持讀誦法華經者應作是
念此人不久當詣道場破諸魔衆得阿耨多
羅三藐三菩提轉法輪擊法鼓吹法螺雨法
雨當坐天人大衆中師子法座上普賢若於
後世受持讀誦是經典者是人不復貪著
衣服臥具飲食資生之物所願不虛亦於現世
得其福報若有人輕毀之言汝狂人耳空作
是行終無所獲如是罪報當世世無眼若有
供養讚歎之者當於今世得現果報若復見
受持是經者出其過惡若實若不實此人現

BD02761號　妙法蓮華經卷七　（5-4）

有正憶念有福德力是人不為三毒所惱亦
不為嫉妬我慢邪慢增上慢所惱是人少欲
知足能脩普賢之行普賢若如來滅後後五
百歲若有人見受持讀誦法華經者應作是
念此人不久當詣道場破諸魔衆得阿耨多
羅三藐三菩提轉法輪擊法鼓吹法螺雨法
雨當坐天人大衆中師子法座上普賢若於
後世受持讀誦是經典者是人不復貪著
衣服臥具飲食資生之物所願不虛亦於現世
得其福報若有人輕毀之言汝狂人耳空作
是行終無所獲如是罪報當世世無眼若有
供養讚歎之者當於今世得現果報若復見
受持是經者出其過惡若實若不實此人現
世得白癩病若有輕笑之者當世世牙齒踈
缺醜脣平鼻手腳繚戾眼目角睞身體臭穢
惡瘡膿血水腹短氣諸惡重病是故普賢若
見受持是經典者當起遠迎當如敬佛說是普
賢勸發品時恒河沙等無量無邊菩薩得百
千億旋陁羅尼三千大千世界微塵等諸菩
薩具普賢道佛說是經時普賢等諸菩薩舍
利弗等諸聲聞及諸天龍人非人等一切大會

BD02761號　妙法蓮華經卷七　（5-5）

實无所得
須菩提於意云何菩薩荘嚴佛土不不也世
尊何以故荘嚴佛土者則非荘嚴是名荘嚴
是故須菩提諸菩薩摩訶薩應如是生清
淨心不應住色生心不應住聲香味觸法生
心應无所住而生其心須菩提譬如有人身
如須弥山王於意云何是身為大不須菩提
言甚大世尊何以故佛說非身是名大身
須菩提如恒河中所有沙數如是沙等恒河
於意云何是諸恒河沙寧為多不須菩提言
甚多世尊但諸恒河尚多无數何況其沙須
菩提我今實言告汝若有善男子善女人
以七寶滿尒所恒河沙數三千大千世界以用
布施得福多不須菩提言甚多世尊佛告須
菩提若善男子善女人於此經中乃至受持
四句偈等為他人說而此福德勝前福德
復次須菩提隨說是經乃至四句偈等當知
此處一切世間天人阿脩羅皆應供養如佛塔
廟何況有人盡能受持讀誦須菩提當知
是人成就最上第一希有之法若是經典所
在之處則為有佛若尊重弟子

BD02762 號　金剛般若波羅蜜經

（10–1）

四句偈等為他人說而此福德勝前福德
復次須菩提隨說是經乃至四句偈等當知
此處一切世間天人阿脩羅皆應供養如佛塔
廟何況有人盡能受持讀誦須菩提當知
是人成就最上第一希有之法若是經典所
在之處則為有佛若尊重弟子
尒時須菩提白佛言世尊當何名此經我等
云何奉持佛告須菩提是經名為金剛般若
波羅蜜以是名字汝當奉持所以者何須菩
提佛說般若波羅蜜則非般若波羅蜜須菩
提於意云何如來有所說法不須菩提白佛
言世尊如來无所說須菩提於意云何三千
大千世界所有微塵是為多不須菩提言甚
多世尊須菩提諸微塵如來說非微塵是名
微塵如來說世界非世界是名世界須菩提
於意云何可以三十二相見如來不不也世
尊不可以三十二相得見如來何以故如來
說三十二相即是非相是名三十二相
須菩提若有善男子善女人以恒河沙等身
命布施若復有人於此經中乃至受持四句
偈等為他人說其福甚多
尒時須菩提聞說是經深解義趣涕淚悲
泣而白佛言希有世尊佛說如是甚深經典
我從昔來所得慧眼未曾得聞如是之經世
尊若復有人得聞是經信心清淨則生實相當知
是人成就第一希有功德世尊是實相者

BD02762 號　金剛般若波羅蜜經

（10–2）

尒時須菩提聞說是經深解義趣涕淚悲
泣而白佛言希有世尊佛說如是甚深經典
我從昔來所得慧眼未曾得聞如是之經世
尊若復有人得聞是經信心清淨則生實相當知
是人成就第一希有功德世尊是實相者
則是非相是故如來說名實相世尊我今得
聞如是經典信解受持不足為難若當來世
後五百歲其有衆生得聞是經信解受持是
人則為第一希有何以故此人无我相人相衆
生相壽者相所以者何我相即是非相人相
衆生相壽者相即是非相何以故離一切諸
相則名諸佛
佛告須菩提如是如是若復有人得聞是經
不驚不怖不畏當知是人甚為希有何以故須
菩提如來說第一波羅蜜非第一波羅蜜
是名第一波羅蜜
須菩提忍辱波羅蜜如來說非忍辱波羅蜜
何以故須菩提如我昔為歌利王割截身體
我於尒時无我相无人相无衆生相无壽者
相何以故我於往昔節節支解時若有我相
人相衆生相壽者相應生瞋恨須菩提又念
過去於五百世作忍辱仙人於尒所世无我
相无人相无衆生相无壽者相是故須菩提
菩薩應離一切相發阿耨多羅三藐三菩提
心不應住色生心不應住聲香味觸法生心
應生无所住心若心有住則為非住是故佛
說菩薩心不應住色布施須菩提菩薩為

BD02762號　金剛般若波羅蜜經　（10–3）

過去於五百世作忍辱仙人於尒所世无我
相无人相无衆生相无壽者相是故須菩提
菩薩應離一切相發阿耨多羅三藐三菩提
心不應住色生心不應住聲香味觸法生心
應生无所住心若心有住則為非住是故佛
說菩薩心不應住色布施須菩提菩薩為
利益一切衆生應如是布施如來說一切諸
相即是非相又說一切衆生則非衆生
須菩提如來是真語者實語者如語者不
誑語者不異語者須菩提如來所得法此
法无實无虛
須菩提若菩薩心住於法而行布施如人入
闇則无所見若菩薩心不住法而行布施如人
有目日光明照見種種色
須菩提當來之世若有善男子善女人能於此
經受持讀誦則為如來以佛智慧悉知是人
悉見是人皆得成就无量无邊功德
須菩提若有善男子善女人初日分以恒河
沙等身布施中日分復以恒河沙等身布施
後日分亦以恒河沙等身布施如是无量百
千万億劫以身布施若復有人聞此經典信
心不逆其福勝彼何況書寫受持讀誦為人
解說
須菩提以要言之是經有不可思議不可稱
量无邊功德如來為發大乘者說為發最上
乘者說若有人能受持讀誦廣為人說如來
悉知是人悉見是人皆得成就不可量不可

BD02762號　金剛般若波羅蜜經　（10–4）

須菩提以要言之是經有不可思議不可稱
量无邊功德如來為發大乘者說為發冣上
乘者說若有人能受持讀誦廣為人說如來
悉知是人悉見是人皆得成就不可量不可
稱无有邊不可思議功德如是人等則為荷
擔如來阿耨多羅三藐三菩提何以故須菩
提若樂小法者著我見人見眾生見壽者見
則於此經不能聽受讀誦為人解說須菩提
在在處處若有此經一切世間天人阿脩羅
所應供養當知此處則為是塔皆應恭敬
作禮圍遶以諸華香而散其處
復次須菩提善男子善女人受持讀誦此經
若為人輕賤是人先世罪業應墮惡道以今
世人輕賤故先世罪業則為消滅當得阿耨
多羅三藐三菩提須菩提我念過去无量阿
僧祇劫於然燈佛前得值八百四千万億那
由他諸佛悉皆供養承事无空過者若復有
人於後末世能受持讀誦此經所得功德於
我所供養諸佛功德百分不及一千万億分
乃至筭數譬喻所不能及須菩提若善男子
善女人於後末世有受持讀誦此經所得功
德我若具說者或有人聞心則狂亂狐疑不
信須菩提當知是經義不可思議果報亦
不可思議
尒時須菩提白佛言世尊善男子善女人發
阿耨多羅三藐三菩提心云何應住云何降

BD02762號　金剛般若波羅蜜經

（10–5）

信須菩提當知是經義不可思議果報亦
不可思議
尒時須菩提白佛言世尊善男子善女人發
阿耨多羅三藐三菩提心云何應住云何降
伏其心佛告須菩提善男子善女人發阿耨
多羅三藐三菩提者當生如是心我應滅度
一切眾生滅度一切眾生已而无有一眾生
實滅度者何以故若菩薩有我相人相眾生
相壽者相則非菩薩所以者何須菩提實无
有法發阿耨多羅三藐三菩提者
須菩提於意云何如來於然燈佛所有法得
阿耨多羅三藐三菩提不不也世尊如我解
佛所說義佛於然燈佛所无有法得阿耨多
羅三藐三菩提佛言如是如是須菩提實无
有法如來得阿耨多羅三藐三菩提須菩提
若有法如來得阿耨多羅三藐三菩提者然
燈佛則不與我受記汝於來世當得作佛號
釋迦牟尼以實无有法得阿耨多羅三藐三
菩提是故然燈佛與我受記作是言汝於來世
當得作佛號釋迦牟尼何以故如來者即諸
法如義若有人言如來得阿耨多羅三藐
三菩提須菩提實无有法佛得阿耨多羅三
藐三菩提須菩提如來所得阿耨多羅三藐三
菩提於是中无實无虛是故如來說一切法
皆是佛法須菩提所言一切法者即非一切
法是故名一切法

BD02762號　金剛般若波羅蜜經

（10–6）

藐三菩提須菩提如來所得阿耨多羅三藐三
菩提於是中无實无虛是故如來說一切法
皆是佛法須菩提所言一切法者即非一切
法是故名一切法
須菩提譬如人身長大須菩提言世尊如來
說人身長大則為非大身是名大身
須菩提菩薩亦如是若作是言我當滅度无
量眾生則不名菩薩何以故須菩提實无有
法名為菩薩是故佛說一切法无我无人无
眾生无壽者須菩提若菩薩作是言我當
莊嚴佛土是不名菩薩何以故如來說莊嚴
佛土者即非莊嚴是名莊嚴須菩提若菩薩
通達无我法者如來說名真是菩薩
須菩提於意云何如來有肉眼不如是世尊
如來有肉眼須菩提於意云何如來有天眼
不如是世尊如來有天眼須菩提於意云何
如來有慧眼不如是世尊如來有慧眼須菩
提於意云何如來有法眼不如是世尊如來
有法眼須菩提於意云何如來有佛眼不如
是世尊如來有佛眼須菩提於意云何恒
河中所有沙佛說是沙不如是世尊如來說是
沙須菩提於意云何如一恒河中所有沙有
如是等恒河是諸恒河所有沙數佛世界如
是寧為多不甚多世尊佛告須菩提尒所國
土中所有眾生若干種心如來悉知何以故如
來說諸心皆為非心是名為心所以者何須

BD02762 號　金剛般若波羅蜜經　（10–7）

沙須菩提於意云何如一恒河中所有沙有
如是等恒河是諸恒河所有沙數佛世界如
是寧為多不甚多世尊佛告須菩提尒所國
土中所有眾生若干種心如來悉知何以故如
來說諸心皆為非心是名為心所以者何須
菩提過去心不可得現在心不可得未來
心不可得須菩提於意云何若有人滿三千
大千世界七寶以用布施是人以是因緣得
福多不如是世尊此人以是因緣得福甚多
須菩提若福德有實如來不說得福德多
以福德无故如來說得福德多
須菩提於意云何佛可以具足色身見不不
也世尊如來不應以具足色身見何以故如來
說具足色身即非具足色身是名具足色
身須菩提於意云何如來可以具足諸相見
不不也世尊如來不應以具足諸相見何以故
如來說諸相具足即非具足是名諸相具足
須菩提汝勿謂如來作是念我當有所說法
莫作是念何以故若人言如來有所說法即
為謗佛不能解我所說故須菩提說法者
无法可說是名說法
須菩提白佛言世尊佛得阿耨多羅三藐
三菩提為无所得耶如是如是須菩提我於
阿耨多羅三藐三菩提乃至无有少法可得是
名阿耨多羅三藐三菩提復次須菩提是法
平等无有高下是名阿耨多羅三藐三菩提

BD02762 號　金剛般若波羅蜜經　（10–8）

須菩提白佛言世尊佛得阿耨多羅三藐
三菩提為无所得耶如是如是須菩提我於
阿耨多羅三藐三菩提乃至无有少法可得是
名阿耨多羅三藐三菩提復次須菩提是法
平等无有高下是名阿耨多羅三藐三菩提
以无我无人无衆生无壽者脩一切善法則得
阿耨多羅三藐三菩提須菩提所言善法
者如來說非善法是名善法
須菩提若三千大千世界中所有諸須弥山
王如是等七寶聚有人持用布施若人以此
般若波羅蜜經乃至四句偈等受持讀誦為
他人說於前福德百分不及一百千万億分
乃至筭數譬喻所不能及
須菩提於意云何汝等勿謂如來作是念我
當度衆生須菩提莫作是念何以故實无有
衆生如來度者若有衆生如來度者如來則
有我人衆生壽者須菩提如來說有我者則
非有我而凡夫之人以為有我須菩提凡夫
者如來說則非凡夫
須菩提於意云何可以卅二相觀如來不須
菩提言如是如是以卅二相觀如來佛言須
菩提若以卅二相觀如來者轉輪聖王則是如
來須菩提白佛言世尊如我解佛所說義
不應以卅二相觀如來尒時世尊而說偈言
若以色見我以音聲求我是人行耶道不能見如來
須菩提汝若作是念如來不以具足相故得

BD02762號　金剛般若波羅蜜經

（10–9）

須菩提於意云何汝等勿謂如來作是念我
當度衆生須菩提莫作是念何以故實无有
衆生如來度者若有衆生如來度者如來則
有我人衆生壽者須菩提如來說有我者則
非有我而凡夫之人以為有我須菩提凡夫
者如來說則非凡夫
須菩提於意云何可以卅二相觀如來不須
菩提言如是如是以卅二相觀如來佛言須
菩提若以卅二相觀如來者轉輪聖王則是如
來須菩提白佛言世尊如我解佛所說義
不應以卅二相觀如來尒時世尊而說偈言
若以色見我以音聲求我是人行耶道不能見如來
須菩提汝若作是念如來不以具足相故得
阿耨多羅三藐三菩提須菩提莫作是念如
來不以具足相故得阿耨多羅三藐三菩提
須菩提汝若作是念發阿耨多羅三藐三菩
提者說諸法斷滅莫作是念何以故發阿耨
多羅三藐三菩提者於法不說斷滅相須菩
提若菩薩以滿恒河沙等世界七寶布施若
復有人知一切法无我得成於忍此菩薩勝
前菩薩所得功德須菩提以諸菩薩不受福

BD02762號　金剛般若波羅蜜經

（10–10）

BD02763 號 A 背　金剛般若波羅蜜經護首　　（1–1）

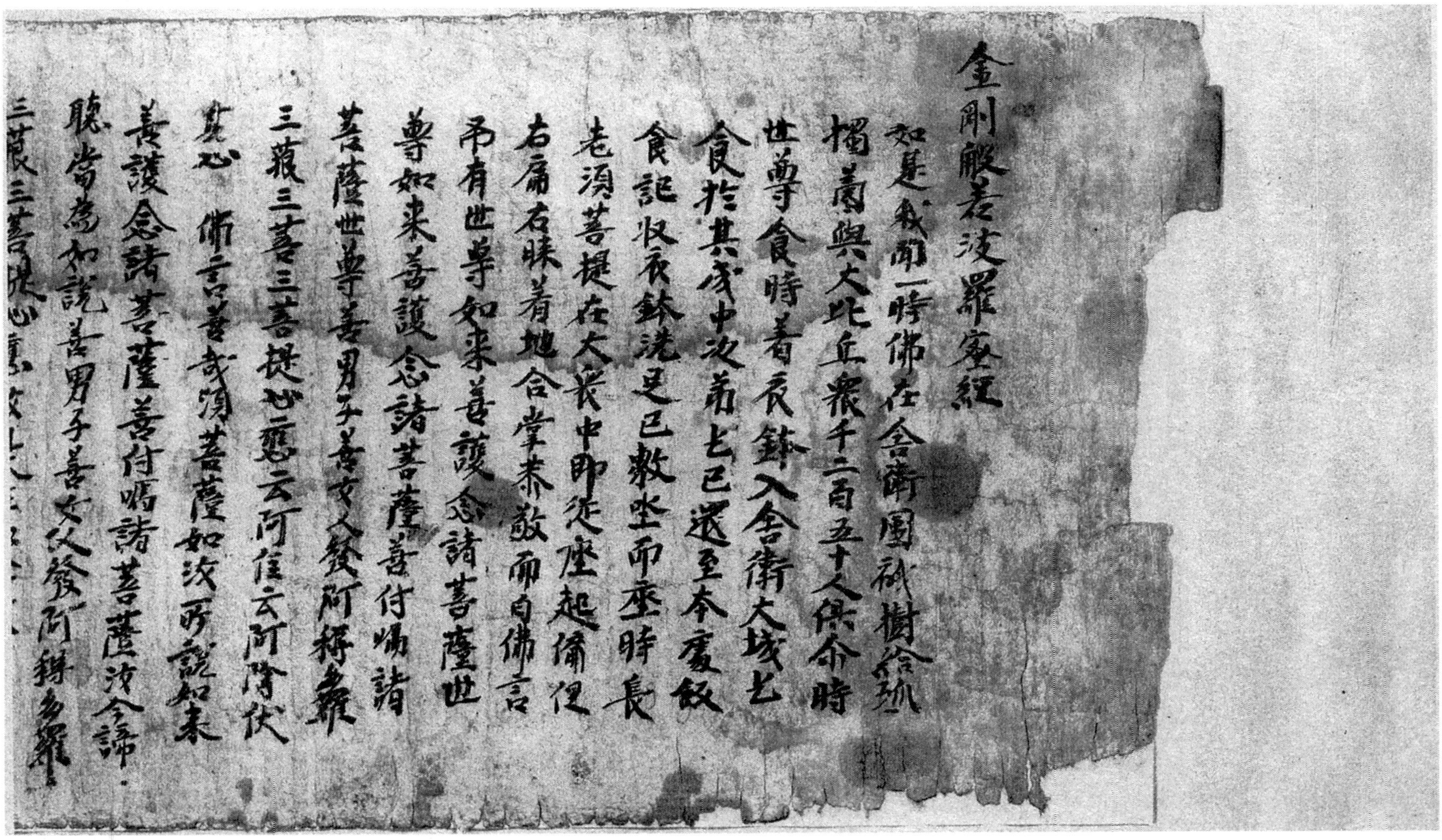
金剛般若波羅蜜經
如是我聞一時佛在舍衛國祇樹給孤
獨薗與大比丘衆千二百五十人俱尒時
世尊食時著衣持鉢入舍衛大城乞
食於其城中次第乞已還至本處飯
食訖收衣鉢洗足已敷座而坐時長
老須菩提在大衆中即從座起偏袒
右肩右膝着地合掌恭敬而白佛言
希有世尊如来善護念諸菩薩世
尊如来善護念諸菩薩善付囑諸
菩薩世尊善男子善女人發阿耨多羅
三藐三菩提心應云何住云何降伏
其心　佛言善哉須菩提如汝所說如来
善護念諸菩薩善付囑諸菩薩汝今諦
聽當為汝說善男子善女人發阿耨多羅
三藐三菩提心

BD02763 號 A　金剛般若波羅蜜經　　（2–1）

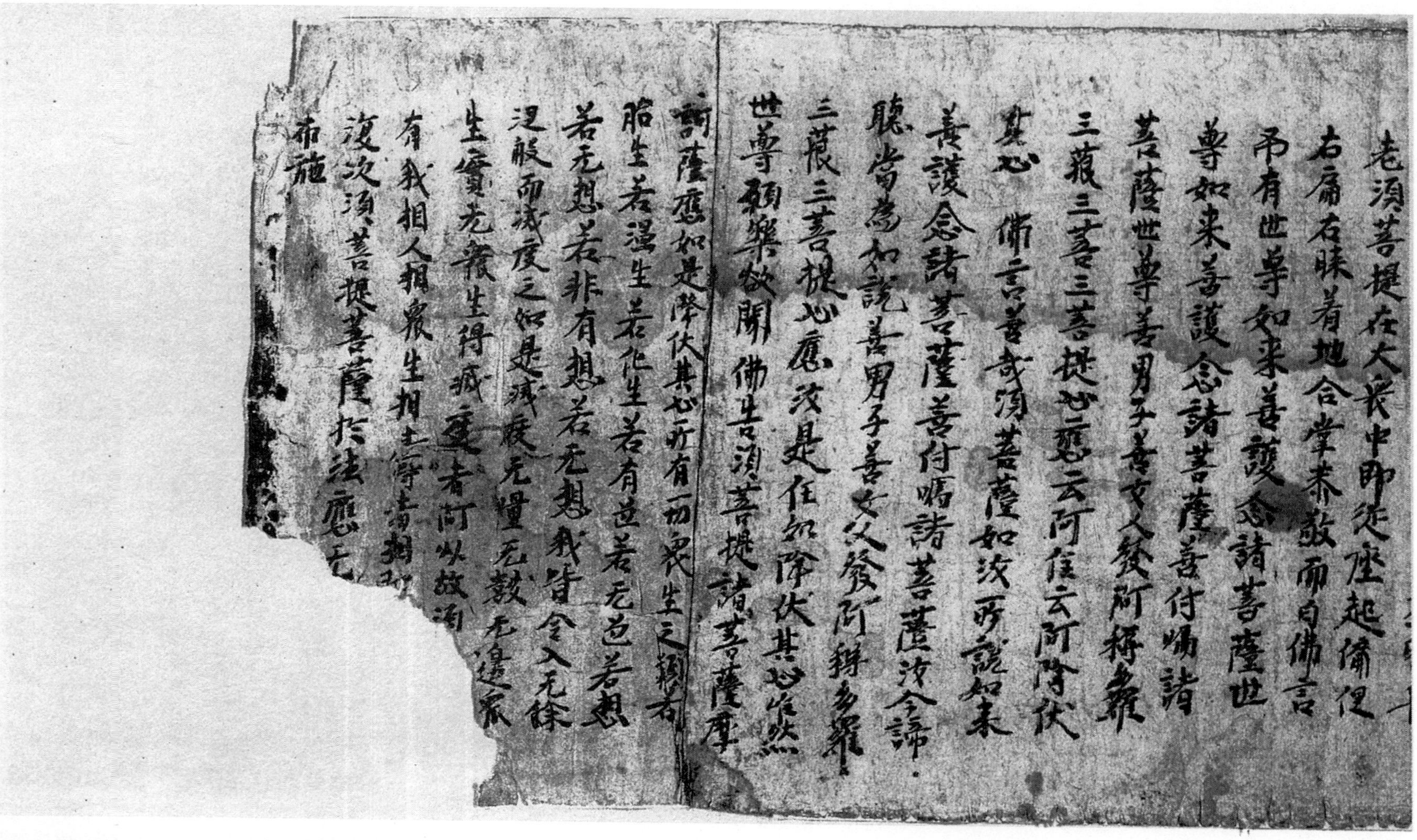

老須菩提在大衆中即從座起偏袒
右肩右膝着地合掌恭敬而白佛言
希有世尊如來善護念諸菩薩世
尊如來善護念諸菩薩善付囑諸
菩薩世尊善男子善女人發阿耨多羅
三藐三菩提心應云何住云何降伏
其心 佛言善哉須菩提如汝所說如來
善護念諸菩薩善付囑諸菩薩汝今諦
聽當為汝說善男子善女人發阿耨多羅
三藐三菩提心應如是住如是降伏其心唯然
世尊願樂欲聞 佛告須菩提諸菩薩摩
訶薩應如是降伏其心所有一切衆生之類若
胎生若濕生若化生若有色若无色若想
若无想若非有想若无想我皆令入无餘
涅槃而滅度之如是滅度无量无數无邊衆
生實无衆生得滅度者何以故須
有我相人相衆生相壽者相
復次須菩提菩薩於法應无
布施

BD02763 號 A　金剛般若波羅蜜經

（2–2）

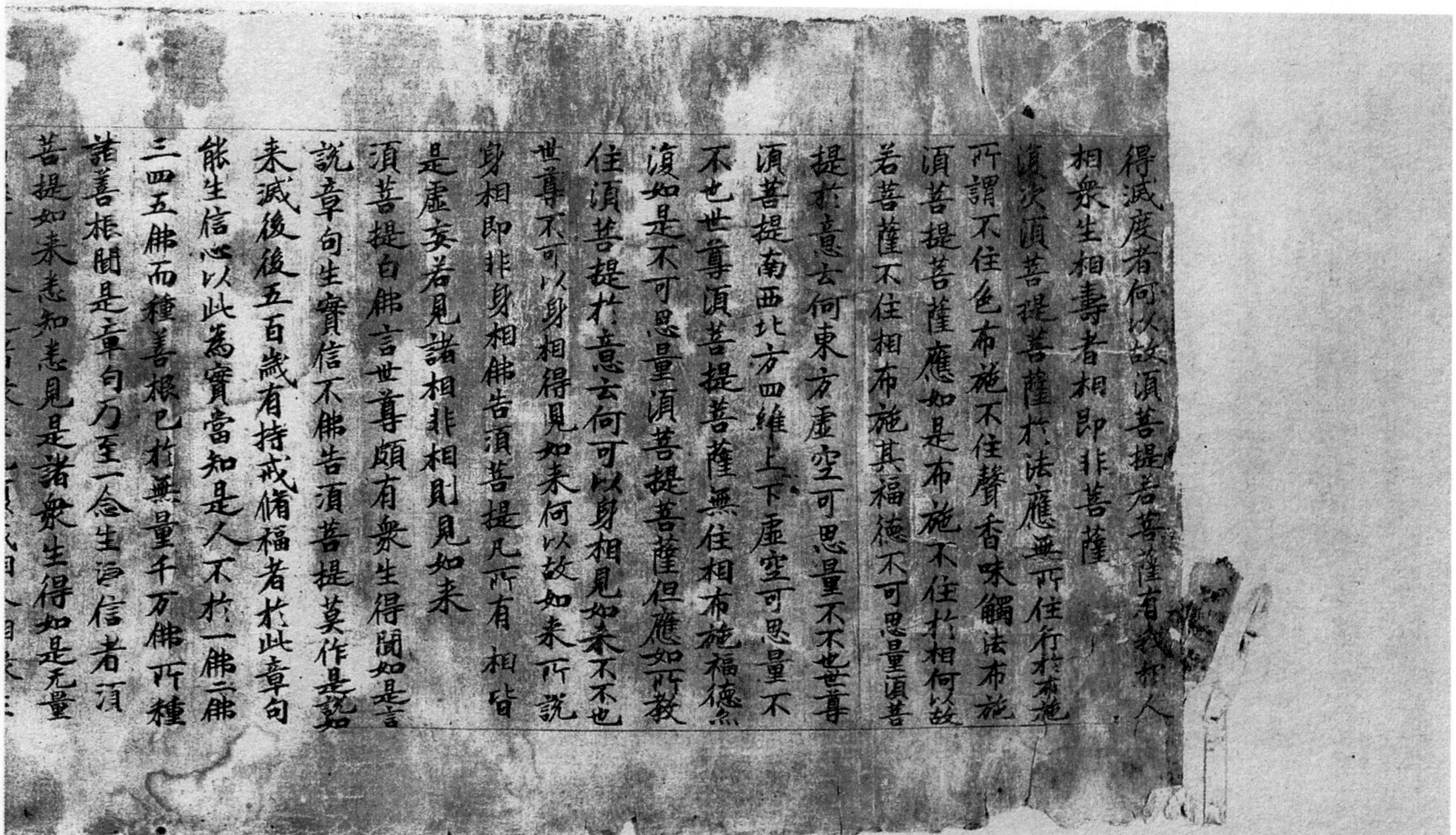

得滅度者何以故須菩提若菩薩有我相人
相衆生相壽者相即非菩薩
復次須菩提菩薩於法應無所住行於布施
所謂不住色布施不住聲香味觸法布施
須菩提菩薩應如是布施不住於相何以故
若菩薩不住相布施其福德不可思量須菩
提於意云何東方虛空可思量不不也世尊
須菩提南西北方四維上下虛空可思量不
不也世尊須菩提菩薩無住相布施福德
復如是不可思量須菩提菩薩但應如所教
住須菩提於意云何可以身相見如來不不也
世尊不可以身相得見如來何以故如來所說
身相即非身相佛告須菩提凡所有相皆
是虛妄若見諸相非相則見如來
須菩提白佛言世尊頗有衆生得聞如是言
說章句生實信不佛告須菩提莫作是說如
來滅後後五百歲有持戒脩福者於此章句
能生信心以此為實當知是人不於一佛二佛
三四五佛而種善根已於無量千万佛所種
諸善根聞是章句乃至一念生淨信者須
菩提如來悉知悉見是諸衆生得如是无量

BD02763 號 B　金剛般若波羅蜜經

（15–1）

說章句生實信不佛告須菩提莫作是說
来滅後後五百歲有持戒脩福者於此章句
能生信心以此為實當知是人不於一佛二佛
三四五佛而種善根已於無量千万佛所種
諸善根聞是章句乃至一念生淨信者須
菩提如来悉知悉見是諸衆生得如是无量
福德何以故是諸衆生无復我相人相衆生
相壽者相无法相亦无非法相何以故是諸
衆生若心取相則為著我人衆生壽者若取
法相即著我人衆生壽者何以故若取非法
相即著我人衆生壽者是故不應取法不應
取非法以是義故如来常說汝等比丘知我
說法如筏喻者法尚應捨何况非法
須菩提於意云何如来得阿耨多羅三藐三
菩提耶如来有所說法耶須菩提言如我
解佛所說義无有定法名阿耨多羅三藐三
菩提亦无有定法如来可說何以故如来所
說法皆不可取不可說非法非非法所以者何
一切賢聖皆以无為法而有差別
須菩提於意云何若人滿三千大千世界七
寶以用布施是人所得福德寧為多不須菩
提言甚多世尊何以故是福德即非福德性
是故如来說福德多若復有人於此經中受
持乃至四句偈等為他人說其福勝彼何以
故須菩提一切諸佛及諸佛阿耨多羅三藐
三菩提法皆從此經出須菩提所謂佛法者

BD02763 號 B　金剛般若波羅蜜經　(15–2)

是故如来說福德多若復有人於此經中受
持乃至四句偈等為他人說其福勝彼何以
故須菩提一切諸佛及諸佛阿耨多羅三藐
三菩提法皆從此經出須菩提所謂佛法者
即非佛法
須菩提於意云何須陁洹能作是念我得須
陁洹果不須菩提言不也世尊何以故須陁
洹名為入流而无所入不入色聲香味觸法
是名須陁洹須菩提於意云何斯陁含能作
是念我得斯陁含果不須菩提言不也世尊
何以故斯陁含名一往来而實无往来是名斯
陁含須菩提於意云何阿那含能作是念我
得阿那含果不須菩提言不也世尊何以故
阿那含名為不来而實无来是故名阿那
含須菩提於意云何阿羅漢能作是念我得
阿羅漢道不須菩提言不也世尊何以故實
無有法名阿羅漢世尊若阿羅漢作是念我
得阿羅漢道即為著我人衆生壽者世尊佛
說我得无諍三昧人中最為第一是第一離
欲阿羅漢我不作是念我是離欲阿羅漢世
尊我若作是念我得阿羅漢道世尊則不說
須菩提是樂阿蘭那行者以須菩提實无所
行而名須菩提是樂阿蘭那行
佛告須菩提於意云何如来昔在然燈佛所於法
有所得不世尊如来在然燈佛所於法實无所得
須菩提於意云何菩薩莊嚴佛土不不也世

BD02763 號 B　金剛般若波羅蜜經　(15–3)

須菩提是樂阿蘭那行者以須菩提實无所
行而名須菩提是樂阿蘭那行
佛告須菩提於意云何如來昔在然燈佛所於法
有所得不世尊如來在然燈佛所於法實无所得
須菩提於意云何菩薩莊嚴佛土不不也世
尊何以故莊嚴佛土者則非莊嚴是名莊嚴
是故須菩提諸菩薩摩訶薩應如是生清
淨心不應住色生心不應住聲香味觸法生
心應无所住而生其心
須菩提譬如有人身如須弥山王於意云何
是身為大不須菩提言甚大世尊何以故佛
說非身是名大身
須菩提如恒河中所有沙數如是沙等恒河
於意云何是諸恒河沙寧為多不須菩提
言甚多世尊但諸恒河尚多无數何況其沙
須菩提我今實言告汝若有善男子善女人
以七寶滿尒所恒河沙數三千大千世界以用
布施得福多不須菩提言甚多世尊佛告
須菩提若善男子善女人於此經中乃至受持
四句偈等為他人說而此福德勝前福德
復次須菩提隨說是經乃至四句偈等當知
此處一切世間天人阿修羅皆應供養如佛塔
廟何況有人盡能受持讀誦須菩提當知
是人成就最上第一希有之法若是經典所
在之處則為有佛若尊重弟子尒時須菩提
白佛言世尊當何名此經我等云何奉持佛告

BD02763 號 B　金剛般若波羅蜜經

（15–4）

復次須菩提隨說是經
此處一切世間天人阿修羅皆應供養如佛塔
廟何況有人盡能受持讀誦須菩提當知
是人成就最上第一希有之法若是經典所
在之處則為有佛若尊重弟子尒時須菩提
白佛言世尊當何名此經我等云何奉持佛告
須菩提是經名為金剛般若波羅蜜以是名
字汝當奉持所以者何須菩提佛說般若
波羅蜜則非般若波羅蜜須菩提於意云何
如來有所說法不須菩提白佛言世尊如來
无所說須菩提於意云何三千大千世界所
有微塵是為多不須菩提言甚多世尊須
菩提諸微塵如來說非微塵是名微塵如來
說世界非世界是名世界須菩提於意云何可
以卅二相見如來不不也世尊何以故如來說
卅二相即是非相是名卅二相
須菩提若有善男子善女人以恒河沙等身
命布施若復有人於此經中乃至受持四句
偈等為他人說其福甚多尒時須菩提聞
說是經深解義趣涕淚悲泣而白佛言希有
世尊佛說如是甚深經典我從昔來所得慧
眼未曾得聞如是之經世尊若復有人得聞
是經信心清淨則生實相當知是人成就第一
希有功德世尊是實相者則是非相是故如
來說名實相世尊我今得聞如是經典信解
受持不足為難若當來世後五百歲其有眾

BD02763 號 3　金剛般若波羅蜜經

（15–5）

說是經深解義趣涕淚悲泣而白佛言希有
世尊佛說如是甚深經典我從昔來所得慧
眼未曾得聞如是之經世尊若復有人得聞
是經信心清淨則生實相當知是人成就第一
希有功德世尊是實相者則是非相是故如
來說名實相世尊我今得聞如是經典信解
受持不足為難若當來世後五百歲其有衆
生得聞是經信解受持是人則為第一希有
何以故此人无我相人相衆生相壽者相所以
者何我相即是非相人相衆生相壽者相即
是非相何以故離一切諸相則名諸佛佛告
須菩提如是如是若復有人得聞是經不驚
不怖不畏當知是人甚為希有何以故須
菩提如來說第一波羅蜜非第一波羅蜜是
名第一波羅蜜
須菩提忍辱波羅蜜如來說非忍辱波羅蜜
何以故須菩提如我昔為歌利王割截身體
我於尒時无我相无人相无衆生相无壽者
相何以故我於往昔節節支解時若有我相
人相衆生相壽者相應生瞋恨須菩提又念
過去於五百世作忍辱仙人於尒所世無我
相无人相无衆生相无壽者相是故須菩提
菩薩應離一切相發阿耨多羅三藐三菩
提心不應住色生心不應住聲香味觸法生
心應生无所住心若心有住則為非住是故佛
說菩薩心不應住色布施

BD02763 號 B　金剛般若波羅蜜經　（15–6）

相何以故我於往昔節節支解時若有我相
人相衆生相壽者相應生瞋恨須菩提又念
過去於五百世作忍辱仙人於尒所世無我
相无人相无衆生相无壽者相是故須菩提
菩薩應離一切相發阿耨多羅三藐三菩
提心不應住色生心不應住聲香味觸法生
心應生无所住心若心有住則為非住是故佛
說菩薩心不應住色布施
須菩提菩薩為利益一切衆生應如是布施
如來說一切諸相即是非相又說一切衆生
則非衆生
須菩提如來是真語者實語者如語者不
誑語者不異語者須菩提如來所得法此法无
實无虛須菩提若菩薩心住於法而行布施如
人入闇則无所見若菩薩心不住法而行布施
如人有目日光明照見種種色
須菩提當來之世若有善男子善女人能於
此經受持讀誦則為如來以佛智慧悉知是
人悉見是人皆得成就无量无邊功德須菩
提若有善男子善女人初日分以恒河沙等
身布施中日分復以恒河沙等身布施後日
分亦以恒河沙等身布施如是无量百千萬
億劫以身布施若復有人聞此經典信心不逆
其福勝彼何況書寫受持讀誦為人解說
須菩提以要言之是經有不可思議不可稱
量无邊功德如來為發大乘者說為發最

BD02763 號 B　金剛般若波羅蜜經　（15–7）

身布施中日分復以恒河沙等身布施後日
分亦以恒河沙等身布施如是无量百千萬
億劫以身布施若復有人聞此經典信心不逆
其福勝彼何况書寫受持讀誦為人解說
須菩提以要言之是經有不可思議不可稱
量无邊功德如来為發大乘者說為發最
上乘者說若有人能受持讀誦廣為人說如
来悉知是人悉見是人皆成就不可量不可稱
无有邊不可思議功德如是人等則為荷擔
如来阿耨多羅三藐三菩提何以故須菩提
若樂小法者著我見人見衆生見壽者見則
於此經不能聽受讀誦為人解說須菩提
在在處處若有此經一切世間天人阿脩羅所
應供養當知此處則為是塔皆應恭敬作禮
圍遶以諸香華而散其處復次須菩提善
男子善女人受持讀誦此經若為人輕賤是
人先世罪業應墮惡道以今世人輕賤故先世
罪業則為消滅當得阿耨多羅三藐三菩提
須菩提我念過去无量阿僧祇劫於然燈佛
前得值八百四千万億那由他諸佛悉皆供
養承事无空過者若復有人於後末世能受
持讀誦此經所得功德於我所供養諸佛功
德百分不及一千万億分乃至筭數譬喻所
不能及須菩提若善男子善女人於後末世
有受持讀誦此經所得功德我若具說者或
有人聞心則狂亂狐疑不信須菩提當知是

BD02763 號 B　金剛般若波羅蜜經

（15–8）

持讀誦此經所得功德於我所供養諸佛功
德百分不及一千万億分乃至筭數譬喻所
不能及須菩提若善男子善女人於後末世
有受持讀誦此經所得功德我若具說者或
有人聞心則狂亂狐疑不信須菩提當知是
經義不可思議果報亦不可思議
尒時須菩提白佛言世尊善男子善女人發
阿耨多羅三藐三菩提心云何應住云何降
伏其心佛告須菩提善男子善女人發阿耨
多羅三藐三菩提心者當生如是心我應滅
度一切衆生滅度一切衆生已而无有一衆生
實滅度者何以故若菩薩有我相人相衆
生相壽者相則非菩薩所以者何須菩提實
无有法發阿耨多羅三藐三菩提心者
須菩提於意云何如来於然燈佛所有法得
阿耨多羅三藐三菩提不不也世尊如我解
佛所說義佛於然燈佛所无有法得阿耨多
羅三藐三菩提佛言如是如是須菩提實无
有法如来得阿耨多羅三藐三菩提須菩提
若有法如来得阿耨多羅三藐三菩提然燈
佛則不與我授記汝於来世當得作佛号釋
迦牟尼以實无有法得阿耨多羅三藐三菩
提是故然燈佛與我授記作是言汝於来世
當得作佛号釋迦牟尼何以故如来者即諸
法義若有人言如来得阿耨多羅三藐三
菩提須菩提實无有法佛得阿耨多羅三

BD02763 號 B　金剛般若波羅蜜經

（15–9）

迦牟尼以實无有法得阿耨多羅三藐三菩
提是故然燈佛與我授記作是言汝於來世
當得作佛号釋迦牟尼何以故如來者即諸
法如義若有人言如來得阿耨多羅三藐三
菩提須菩提實无有法佛得阿耨多羅三
藐三菩提須菩提如來所得阿耨多羅三藐
三菩提於是中无實无虛是故如來說一切法
皆是佛法須菩提所言一切法即非一切法是
故名一切法須菩提譬如人身長大須菩提
言世尊如來說人身長大則為非大身是名
大身須菩提菩薩亦如是若作是言我當滅
度无量衆生則不名菩薩何以故須菩提无有
法名為菩薩是故佛說一切法无我无人无衆
生无壽者須菩提若菩薩作是言我當莊嚴
佛土是不名菩薩何以故如來說莊嚴佛土
者即非莊嚴是名莊嚴須菩提若菩薩通
達无我法者如來說名真是菩薩
須菩提於意云何如來有肉眼不如是世尊
如來有肉眼須菩提於意云何如來有天眼不
如是世尊如來有天眼須菩提於意云何
如來有慧眼不如是世尊如來有慧眼須菩
提於意云何如來有法眼不如是世尊如來
有法眼須菩提於意云何如來有佛眼不如
是世尊如來有佛眼須菩提於意云何恒河
中所有沙佛說是沙不如是世尊如來說是
沙須菩提於意云何如一恒河中所有沙有

BD02763 號 B　金剛般若波羅蜜經　（15–10）

提於意云何如來有法眼不如是世尊如來
有法眼須菩提於意云何如來有佛眼不如
是世尊如來有佛眼須菩提於意云何恒河
中所有沙佛說是沙不如是世尊如來說是
沙須菩提於意云何如一恒河中所有沙有
如是等恒河是諸恒河所有沙數佛世界如
是寧為多不甚多世尊佛告須菩提尒所國
土中所有衆生若干種心如來悉知何以故如
來說諸心皆為非心是名為心所以者何須
菩提過去心不可得未來心不可得現在心
不可得
須菩提於意云何若有人滿三千大千世界
七寶以用布施是人以是因緣得福多不如是
世尊此人以是因緣得福甚多須菩提若福
德有實如來不說得福德多以福德无故
如來說福德多
須菩提於意云何佛可以具足色身見不不
也世尊如來不應以色身見何以故如來說
具足色身即非具足色身是名具足色身須
菩提於意云何如來可以具足諸相見不不也世
尊如來不應以具足諸相見何以故如來說
諸相具足即非具足是名諸相具足
須菩提汝勿謂如來作是念我當有所說法
莫作是念何以故若人言如來有所說法即
為謗佛不能解我所說故須菩提說法者无
法可說是名說法須菩提白佛言世尊佛得

BD02763 號 B　金剛般若波羅蜜經　（15–11）

諸相具足即非具足是名諸相具足
須菩提汝勿謂如来作是念我當有所說法
莫作是念何以故若人言如来有所說法即
爲謗佛不能解我所說故須菩提說法者无
法可說是名說法須菩提白佛言世尊佛得
阿耨多羅三藐三菩提爲所得耶如是如是
須菩提我於阿耨多羅三藐三菩提乃至
无有少法可得是名阿耨多羅三藐三菩提
復次須菩提是法平等无有高下是名阿耨
多羅三藐三菩提以无我无人无衆生无壽者
者脩一切善法則得阿耨多羅三藐三菩提
須菩提所言善法者如来說非善法是名善
法須菩提若三千大千世界中所有諸須弥
山王如是等七寶聚有人持用布施若人以此
般若波羅蜜多乃至四句偈等受持爲他人
說於前福德百分不及一百千万億分乃
至筭數譬喻所不能及
須菩提於意云何汝等勿謂如来作是念我
當度衆生須菩提莫作是念何以故實无有
衆生如来度者若有衆生如来度者如来則
有我人衆生壽者須菩提如来說有我者則
非有我而凡夫之人以爲有我須菩提凡夫者
如来說則非凡夫
須菩提於意云何可以卅二相觀如来不須
菩提言如是如是以卅二相觀如来佛言須
菩提若以卅二相觀如来者轉輪聖王則是

如来說則非凡夫
須菩提於意云何可以卅二相觀如来不須
菩提言如是如是以卅二相觀如来佛言須
菩提若以卅二相觀如来者轉輪聖王則是
如来須菩提白佛言世尊如我解佛所說義
不應以卅二相觀如来尒時世尊而說偈言
若以色見我　以音聲求我　是人行耶道　不能見来
須菩提汝若作是念如来不以具足相故得阿
耨多羅三藐三菩提須菩提莫作是念如
来不以具足相得阿耨多羅三藐三菩提須
菩提汝若作是念發阿耨多羅三藐三菩提
者說諸法断滅莫作是念何以故發阿耨多
羅三藐三菩提者於法不說断滅相
須菩提若菩薩以滿恒河沙等世界七寶布
施若復有人知一切法无我得成於忍此菩
薩勝前菩薩所得功德須菩提以諸菩薩不
受福德故須菩提白佛言世尊云何菩薩不
受福德須菩提菩薩所作福德不應貪著
是故說不受福德
須菩提若有人言如来若来若去若坐若卧
是人不解我所說義何以故如来者无所從
来亦无所去故名如来
須菩提若善男子善女人以三千大千世界碎
爲微塵於意云何是微塵衆寧爲多不甚
多世尊何以故若是微塵衆實有者佛則

是人不解我所說義何以故如来者无所從
来亦无所去故名如来
湏菩提若善男子善女人以三千大千世界碎
為微塵於意云何是微塵衆寧為多不甚
多世尊何以故若是微塵衆實有者佛則
不說是微塵衆所以者何佛說微塵衆則非
微塵衆是名微塵衆世尊如来所說三千大千
世界則非世界是名世界何以故若世界有實
則是一合相如来說一合相則非一合相是名
一合相湏菩提一合相者則是不可說但凡夫
之人貪著其事湏菩提若人言佛說我見
人見衆生見壽者見湏菩提於意云何是人
解我所說義不世尊是人不解如来所說義
何以故世尊說我見人見衆生見壽者見即
非我見人見衆生見壽者見是名我見人見衆
生見壽者見湏菩提發阿耨多羅三藐三菩
提心者於一切法應如是知如是見如是信解
不生法相湏菩提所言法相者如来說即
非法相是名法相
湏菩提若有人以滿无量阿僧祇世界七寶
持用布施若有善男子善女人發菩薩心者
持於此經乃至四句偈等受持讀誦為人演
說其福勝彼云何為人演說不取於相如如
不動何以故
一切有為法　如夢幻泡影　如露亦如電　應作如是觀
佛說是經已長老湏菩提及諸比丘比丘尼

BD02763號B　金剛般若波羅蜜經　（15–14）

持用布施若有善男子善女人發菩薩心者
持於此經乃至四句偈等受持讀誦為人演
說其福勝彼云何為人演說不取於相如如
不動何以故
一切有為法　如夢幻泡影　如露亦如電　應作如是觀
佛說是經已長老湏菩提及諸比丘比丘尼
優婆塞優婆夷一切世間天人阿脩羅聞佛
所說皆大歡喜信受奉行
金剛般若波羅蜜多經

BD02763號B　金剛般若波羅蜜經　（15–15）

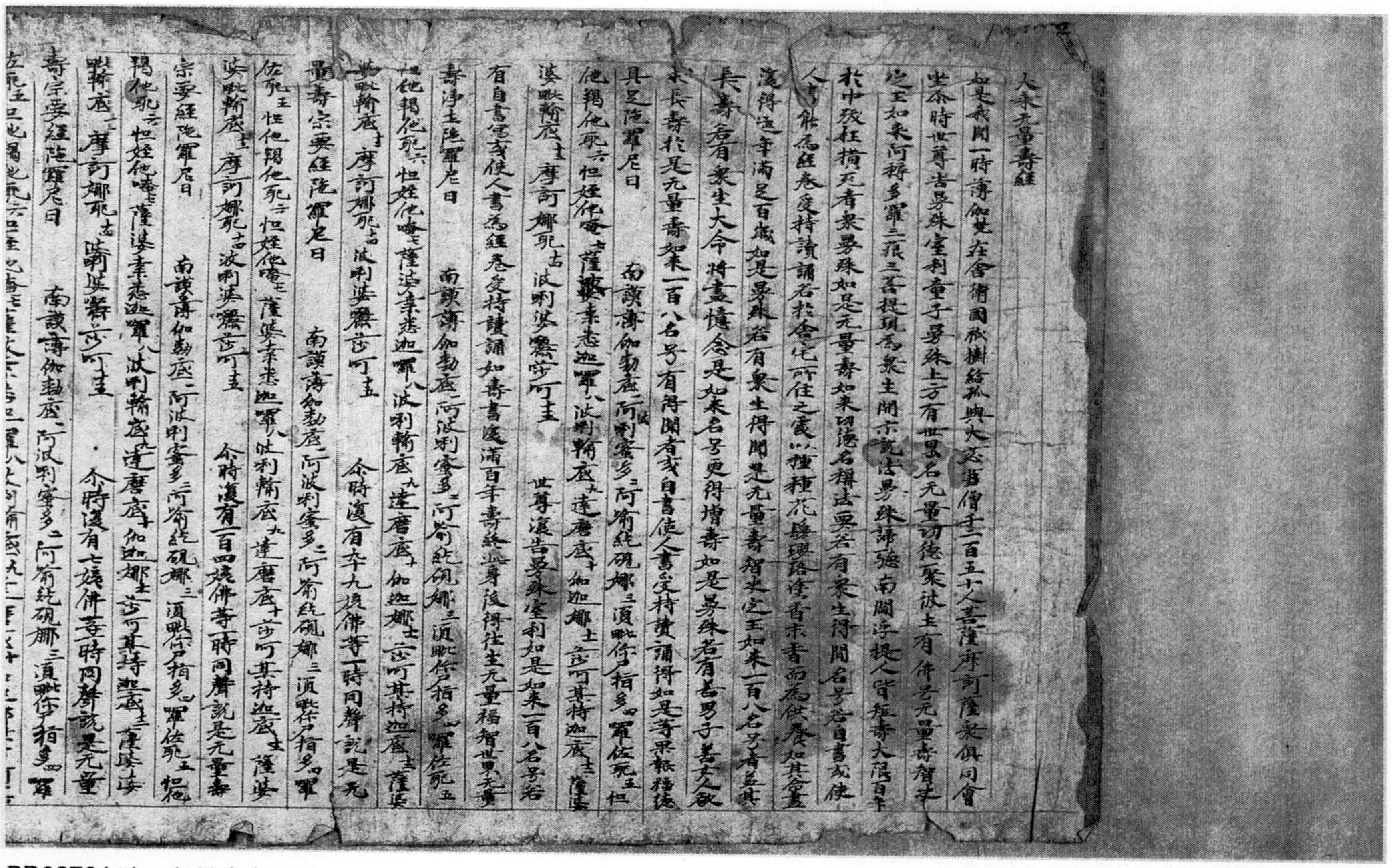
大乘無量壽經
如是我聞一時薄伽梵在舍衛國祇樹給孤獨與大苾芻僧千二百五十人菩薩摩訶薩衆俱同會
坐爾時世尊告曼殊室利童子曼殊上方有世界名无量功德聚彼土有佛号无量壽智決
定王如來阿羅訶三藐三菩提現爲衆生開示說法曼殊諦聽南閻浮提人皆短壽大限百年
於中夭枉横死者衆曼殊如是无量壽如來功德名稱法要若有衆生得聞名号若自書或使
人書能爲經卷受持讀誦若於舍宅所住之處以種種花鬘瓔珞塗香末香而爲供養如其命盡
復得延年滿足百歲如是曼殊若有衆生得聞是无量壽智決定王如來一百八名号者益其
長壽若有衆生大命將盡憶念是如來名号更得增壽如是曼殊若有善男子善女人欲
求長壽於是无量壽如來一百八名号有得聞者或自書使人書受持讀誦得如是等果報福德
具足陁羅尼曰

BD02764 號　無量壽宗要經　（5–1）

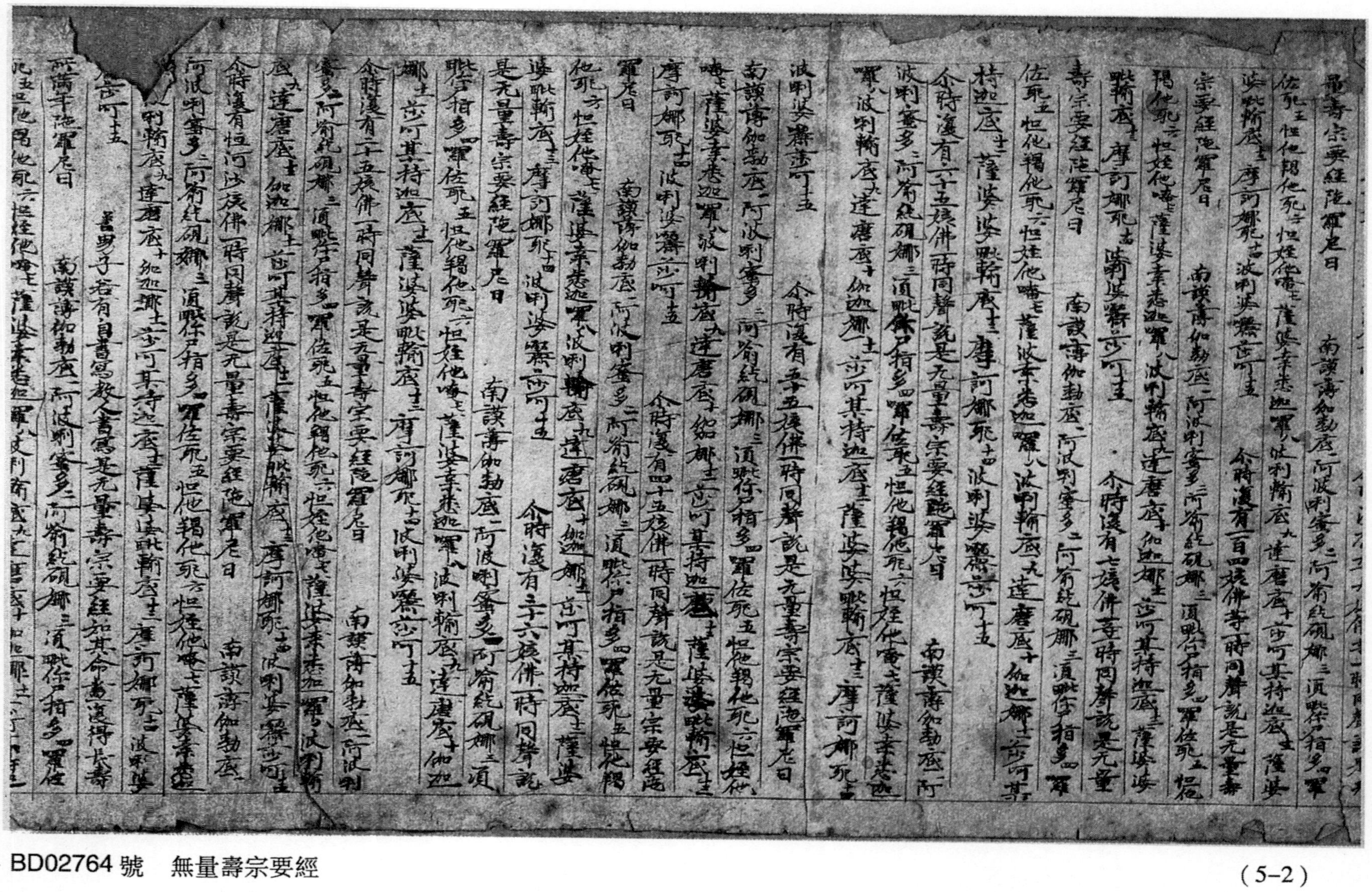

BD02764 號　無量壽宗要經　（5–2）

□□阿喻紇硯娜三 須毗你失指多四 囉佐耶五 怛他羯他耶六 怛姪他唵七 薩婆桑悉迦囉八 波唎輸
底九 達磨底十 伽迦娜十一 莎訶其持迦底十二 薩婆毗輸底十三 摩訶娜耶十四 波唎婆羅莎訶十五
尒時復有恒河沙殑佛一時同聲說是无量壽宗要經陀羅尼曰 南謨薄伽勃底一
阿波唎蜜多二 阿喻紇硯娜三 須毗你失指多四 囉佐耶五 怛他羯他耶六 怛姪他唵七 薩婆桑悉迦
囉八 波唎輸底九 達磨底十 伽迦娜十一 莎訶其持迦底十二 薩婆毗輸底十三 摩訶娜耶十四 波唎婆
羅莎訶十五 善男子若有自書寫教人書寫是无量壽宗要經如其命盡復得長壽
滿百年陀羅尼曰 南謨薄伽勃底一 阿波唎蜜多二 阿喻紇硯娜三 須毗你失指多四 囉佐
耶五 怛他羯他耶六 怛姪他唵七 薩婆桑悉迦囉八 波唎輸底九 達磨底十 伽迦娜十一 莎訶其持迦
底十二 薩婆毗輸底十三 摩訶娜耶十四 波唎婆羅莎訶十五 若有自書寫教人書寫是无量
壽宗要經讀誦受持畢竟不墮地獄在在所生得宿命智陀羅尼曰 南謨薄伽勃底一 阿波
唎蜜多二 阿喻紇硯娜三 須毗你失指多四 囉佐耶五 怛他羯他耶六 怛姪他唵七 薩婆桑悉迦囉八 波
唎輸底九 達磨底十 伽迦娜十一 莎訶其持迦底十二 薩婆毗輸底十三 摩訶娜耶十四 波唎婆羅莎訶十五
若有自書寫教人書寫是无量壽宗要經受持讀誦如同書寫八万四千一切經典陀羅尼曰 南謨薄伽勃
底一 阿波唎蜜多二 阿喻紇硯娜三 須毗你失指多四 囉佐耶五 怛他羯他耶六 怛姪他唵七 薩婆桑悉迦
囉八 波唎輸底九 達磨底十 伽迦娜十一 莎訶其持迦底十二 薩婆毗輸底十三 摩訶娜耶十四 波唎婆羅
莎訶十五 若有自書寫教人書寫是无量壽宗要經受持讀誦即是書寫八万四千部建立塔廟陀羅尼曰
南謨薄伽勃底一 阿波唎蜜多二 阿喻紇硯娜三 須毗你失指多四 囉佐耶五 怛他羯他耶六 怛姪他唵七 薩婆
桑悉迦囉八 波唎輸底九 達磨底十 伽迦娜十一 莎訶其持迦底十二 薩婆毗輸底十三 摩訶娜耶十四 波唎婆羅
莎訶十五 若有自書寫教人書寫是无量壽宗要經能消五无間等一切重罪陀羅尼曰
南謨薄伽勃底一 阿波唎蜜多二 阿喻紇硯娜三 須毗你失指多四 囉佐耶五 怛他羯他耶六 怛姪他唵七 薩婆
桑悉迦囉八 波唎輸底九 達磨底十 伽迦娜十一 莎訶其持迦底十二 薩婆毗輸底十三 摩訶娜耶十四 波唎婆羅莎
訶十五 若有自書寫教人書寫是无量壽宗要經受持讀誦設有重罪猶如須彌盡能除滅陀羅尼曰
南謨薄伽勃底一 阿波唎蜜多二 阿喻紇硯娜三 須毗你失指多四 囉佐耶五 怛他羯他耶六 怛姪他唵七 薩
婆桑悉迦囉八 波唎輸底九 達磨底十 伽迦娜十一 莎訶其持迦娜十二 薩婆毗輸底十三 摩訶娜
耶十四 波唎婆羅莎訶十五 若有自書寫教人書寫是无量壽宗要經受持讀誦若魔魔之眷屬夜
叉羅剎不得其便終无枉死陀羅尼曰 南謨薄伽勃底一 阿波唎蜜多二 阿喻紇硯娜三 須毗你失
指多四 囉佐耶五 怛他羯他耶六 怛姪他唵七 薩婆桑悉迦囉八 波唎輸底九 達磨底十 伽迦娜十一 莎訶其
持迦底十二 薩婆毗輸底十三 摩訶娜耶十四 波唎婆羅莎訶十五 若有自書寫教人書寫是无量壽宗
要經受持讀誦當命終時有九十九億佛現其人前來千佛授手能遊一切佛剎莫於此經生疑惑陀羅尼曰
南謨薄伽勃底一 阿波唎蜜多二 阿喻紇硯娜三 須毗你失指多四 囉佐耶五 怛他羯他耶六 怛姪他唵七 薩婆桑悉
迦囉八 波唎輸底九 達磨底十 伽迦娜十一 莎訶其持迦底十二 薩婆毗輸底十三 摩訶娜耶十四 波唎婆羅莎

BD02764號　無量壽宗要經　（5-3）

婆桑悉迦囉八 波唎輸底九 達磨底十 伽迦娜十一 莎訶其持迦娜十二 薩婆毗輸底十三 摩訶娜
耶十四 波唎婆羅莎訶十五 若有自書寫教人書寫是无量壽宗要經受持讀誦若魔魔之眷屬夜
叉羅剎不得其便終无枉死陀羅尼曰 南謨薄伽勃底一 阿波唎蜜多二 阿喻紇硯娜三 須毗你失
指多四 囉佐耶五 怛他羯他耶六 怛姪他唵七 薩婆桑悉迦囉八 波唎輸底九 達磨底十 伽迦娜十一 莎訶其
持迦底十二 薩婆毗輸底十三 摩訶娜耶十四 波唎婆羅莎訶十五 若有自書寫教人書寫是无量壽宗
要經受持讀誦當命終時有九十九億佛現其人前來千佛授手能遊一切佛剎莫於此經生疑惑陀羅尼曰
南謨薄伽勃底一 阿波唎蜜多二 阿喻紇硯娜三 須毗你失指多四 囉佐耶五 怛他羯他耶六 怛姪他唵七 薩婆桑悉
迦囉八 波唎輸底九 達磨底十 伽迦娜十一 莎訶其持迦底十二 薩婆毗輸底十三 摩訶娜耶十四 波唎婆羅莎
訶十五 若有自書寫教人書寫是无量壽宗要經受持讀誦常得四天大王隨其衛護陀羅尼曰
南謨薄伽勃底一 阿波唎蜜多二 阿喻紇硯娜三 須毗你失指多四 囉佐耶五 怛他羯他耶六 怛姪他唵七 薩婆
桑悉迦囉八 波唎輸底九 達磨底十 伽迦娜十一 莎訶其持迦底十二 薩婆毗輸底十三 摩訶娜耶十四 波唎婆
羅莎訶十五 若有自書寫教人書寫是无量壽宗要經受持讀誦當往生西方極樂世界阿彌陀淨土陀羅尼曰
南謨薄伽勃底一 阿波唎蜜多 阿喻紇硯娜三 須毗你失指多四 囉佐耶五 怛他羯他耶六 怛姪他唵七
薩婆桑悉迦囉八 波唎輸底九 達磨底十 伽迦娜十一 莎訶其持迦底十二 薩婆毗輸底十三 摩訶
娜耶十四 波唎婆羅莎訶十五 若有方所自書寫教人書寫是无量壽經典之處則為是塔皆應
恭敬作禮若畜是生或為鳥獸得聞是經如是等類皆當不久得成一切智陀羅尼曰
南謨薄伽勃底一 阿波唎蜜多二 阿喻紇硯娜三 須毗你失指多四 囉佐耶五 怛他羯他耶六 怛姪他唵七
薩婆桑悉迦囉八 波唎輸底九 達磨底十 伽迦娜十一 莎訶其持迦底十二 薩婆毗輸底十三 摩訶
娜耶十四 波唎婆羅莎訶十五 若有於是无量壽經自書使人書畢竟不受女人之身陀羅尼曰
南謨薄伽勃底一 阿波唎蜜多二 阿喻紇硯娜三 須毗你失指多四 囉佐耶五 怛他羯他耶六 怛姪他唵七
薩婆桑悉迦囉八 波唎輸底九 達磨底十 伽迦娜十一 莎訶其持迦底十二 薩婆毗輸底十三 摩訶娜
耶十四 波唎婆羅莎訶十五 若有能於是經少分能惠施者等於三千大千世界滿中七寶布施陀
羅尼曰 南謨薄伽勃底一 阿波唎蜜多二 阿喻紇硯娜三 須毗你失指多四 囉佐耶五 怛他羯他耶六 怛姪他
唵七 薩婆桑悉迦囉八 波唎輸底九 達磨底十 伽迦娜十一 莎訶其持迦底十二 薩婆毗輸底十三 摩訶娜耶十四
波唎婆羅莎訶十五 若有能供養是經者則供養一切諸經等无有異陀羅尼曰
南謨薄伽勃底一 阿波唎蜜多二 阿喻紇硯娜三 須毗你失指多四 囉佐耶五 怛他羯他耶六 怛姪他唵七 薩婆
桑悉迦囉八 波唎輸底九 達磨底十 伽迦娜十一 莎訶其持迦底十二 薩婆毗輸底十三 摩訶娜耶十四 波唎
婆羅莎訶十五 如是毗婆尸佛 尸棄佛 毗舍浮佛 俱留孫佛 俱那含牟尼佛 迦葉佛 釋迦牟尼佛
若有人以七寶供養如是七佛其福有限書寫受持是无量壽經典所有功德不可數量陀羅尼曰
南謨薄伽勃底一 阿波唎蜜多二 阿喻紇硯娜三 須毗你失指多四 囉佐耶五 怛他羯他耶六 怛姪他唵七 薩婆桑
悉迦囉八 波唎輸底九 達磨底十 伽迦娜十一 莎訶其持迦底十二 薩婆毗輸底十三 摩訶娜耶十四 波唎婆

BD02764號　無量壽宗要經　（5-4）

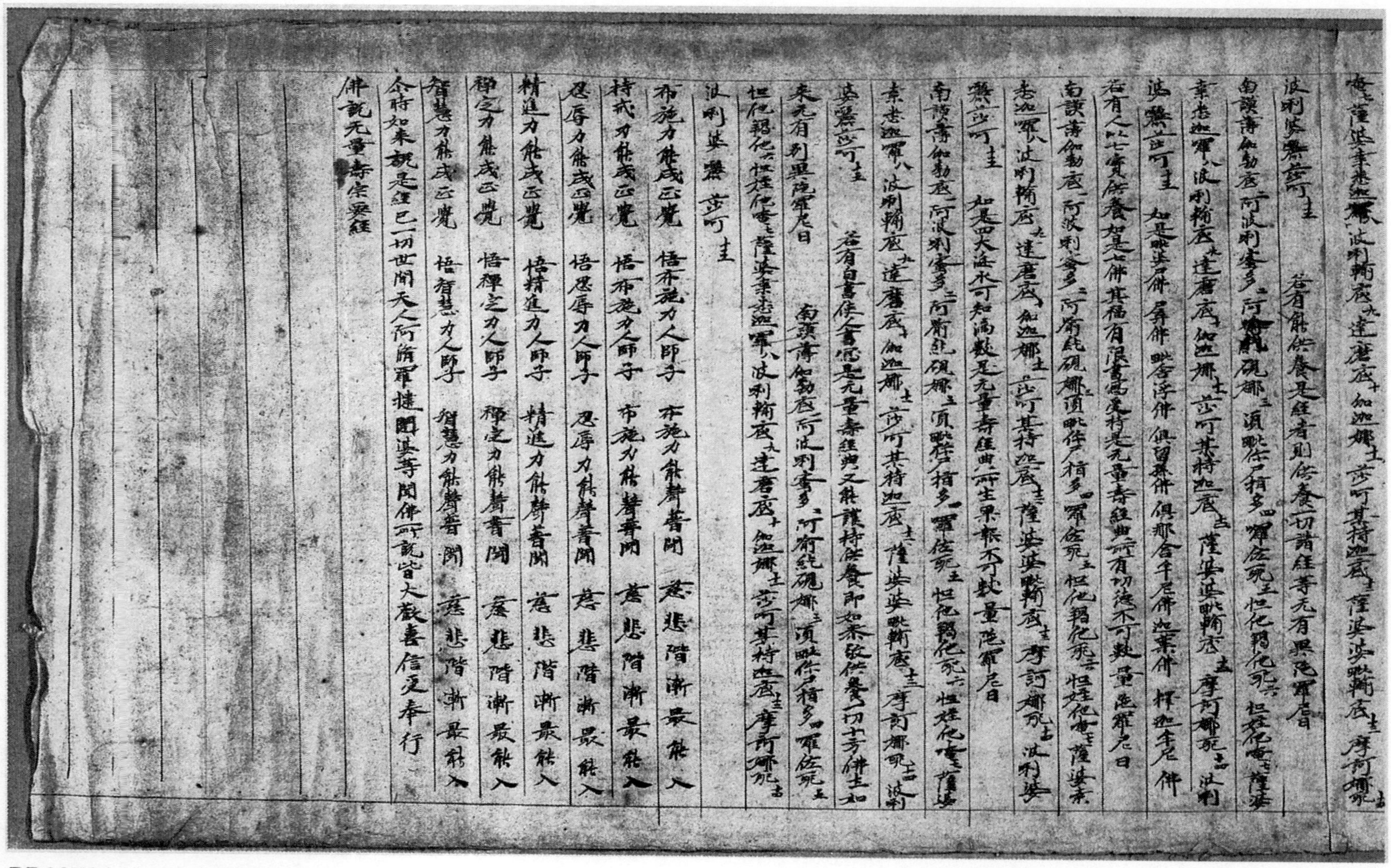

他七薩婆桑悉迦羅八波唎輸底九達磨底十伽迦娜十一莎訶其持迦底十二薩婆娑毗輸底十三摩訶娜耶十四
波唎婆羅莎訶　若有能供養是經者則供養一切諸經等无有異陀羅尼曰
南謨薄伽勃底一阿波唎蜜多二阿喻紇硯娜三須毗你失指多四囉佐耶五怛他羯他耶六怛姪他唵七薩婆
桑悉迦羅八波唎輸底九達磨底十伽迦娜十一莎訶其持迦底十二薩婆娑毗輸底十三摩訶娜耶十四波唎
婆羅十五莎訶十六　如是毗婆尸佛　尸棄佛　毗舍浮佛　俱留孫佛　俱那含牟尼佛　迦葉佛　釋迦牟尼佛
若有人以七寶供養如是七佛其福有限書寫受持是无量壽經典所有功德不可數量陀羅尼曰
南謨薄伽勃底一阿波唎蜜多二阿喻紇硯娜三須毗你失指多四囉佐耶五怛他羯他耶六怛姪他唵七薩婆桑
悉迦羅八波唎輸底九達磨底十伽迦娜十一莎訶其持迦底十二薩婆娑毗輸底十三摩訶娜耶十四波唎婆
羅十五莎訶十六　如是四大海水可知滴數是无量壽經典所生果報不可數量陀羅尼曰
南謨薄伽勃底一阿波唎蜜多二阿喻紇硯娜三須毗你失指多四囉佐耶五怛他羯他耶六怛姪他唵七薩婆
桑悉迦羅八波唎輸底九達磨底十伽迦娜十一莎訶其持迦底十二薩婆娑毗輸底十三摩訶娜耶十四波唎
婆羅十五莎訶十六　若有自書使人書寫是无量壽經典之能護持供養即如恭敬供養一切十方佛土如
來无有別異陀羅尼曰　南謨薄伽勃底一阿波唎蜜多二阿喻紇硯娜三須毗你失指多四囉佐耶五
怛他羯他耶六怛姪他唵七薩婆桑悉迦羅八波唎輸底九達磨底十伽迦娜十一莎訶其持迦底十二摩訶娜耶十三
波唎婆羅　莎訶
布施力能成正覺　悟布施力人師子　布施力能聲普聞　慈悲階漸最能入
持戒力能成正覺　悟布施力人師子　布施力能聲普聞　慈悲階漸最能入
忍辱力能成正覺　悟忍辱力人師子　忍辱力能聲普聞　慈悲階漸最能入
精進力能成正覺　悟精進力人師子　精進力能聲普聞　慈悲階漸最能入
禪定力能成正覺　悟禪定力人師子　禪定力能聲普聞　慈悲階漸最能入
智慧力能成正覺　悟智慧力人師子　智慧力能聲普聞　慈悲階漸最能入
爾時如來說是經已一切世間天人阿脩羅揵闥婆等聞佛所說皆大歡喜信受奉行
佛說无量壽宗要經

BD02764號　無量壽宗要經

（5–5）

共諍……提
尼嫌罵者……
取僧繩床若木……自敷教人敷捨
舉不教人舉者波逸提
於僧房中取僧臥具自敷若教人敷在中若坐若臥
入舉者波逸提
後來於中間敷臥具以惱……念言彼
……驅非餘……波逸提
出若教人牽出
床若坐若臥波逸提　二十
若教人晚者波逸提
及餘莊飾具指授覆苫齊三
若比丘尼……食除餘時波逸提
若比丘尼施一食處无病比丘尼應一食若過受者波逸提
若比丘尼別衆食除餘時波逸提餘時者病時作衣時施
衣時道行時船上時大會時沙門施食時此是時
若比丘尼至檀越家慇懃請與餅麨食比丘尼欲須者二三
鉢應受持至寺內分與餘比丘尼食若比丘尼无病過三
……比丘尼受食者波逸提

BD02765號　四分比丘尼戒本

（10–1）

若比丘尼[illegible]食除餘時波逸提
若比丘尼施一食處无病比丘尼應一食若過受者波逸提
若比丘尼別衆食除餘時波逸提餘時者病時作衣時施
衣時道行時船上時大會時沙門施食時此是時
若比丘尼至檀越家慇勤請與餅麨食比丘尼欲須者二三
鉢應受持至寺內分與餘比丘尼食若比丘尼无病過三
鉢受持至寺中不分與餘比丘尼食者波逸提
若比丘尼非時食者波逸提
若比丘尼殘宿食而食者波逸提
若比丘尼不受食若藥著口中除水及楊枝波逸提
若比丘尼先受請已若前食若後食行詣餘家不屬餘比
丘尼除餘時波逸提時者病時作衣時施衣時此是時
若比丘尼食家中有寶强安坐者波逸提
若比丘尼食家中有寶在屏處坐者波逸提 三十
若比丘尼獨與男子露地一處共坐者波逸提
若比丘尼語比丘尼如是言大姊共汝至聚落當與汝食彼比
丘尼竟不教與是比丘尼食如是言大姊去我與汝一處共
坐共語不樂我獨語樂以是因緣非餘方便遣去波逸
提
若比丘尼請四月與藥无病比丘尼應受若過受除常請更
請分請盡形請波逸提
若比丘尼往觀軍陣除時因緣波逸提
若比丘尼有因緣至軍中若二宿三宿過者波逸提
若比丘尼軍中住若二宿三宿或觀陣闘戰若觀遊軍象馬
力勢者波逸提
若比丘尼飲酒者波逸提
若比丘尼水中戲者波逸提
若比丘尼以指相擊攊者波逸提
若比丘尼不受諫者波逸提 四十

BD02765號 四分比丘尼戒本 （10–2）

力勢者波逸提
若比丘尼飲酒者波逸提
若比丘尼水中戲者波逸提
若比丘尼以指相擊攊者波逸提
若比丘尼不受諫者波逸提 四十
若比丘尼恐怖他比丘尼者波逸提
若比丘尼半月洗浴无病比丘尼應受若過受除餘時波逸
提餘時者熱時病時作時風時雨時遠行來時此是時
若比丘尼无病為炙身故露地然火若教人然除餘時波逸提
若比丘尼藏他比丘尼若鉢若衣若坐具針筒自藏教人藏下
至戲笑波逸提
若比丘尼淨施比丘尼式叉摩那沙彌沙彌尼衣後不問主取
著者波逸提
若比丘尼得新衣當作三種壞色青黑木蘭若比丘尼得
新衣不作三種壞色青黑木蘭新衣持波逸提
若比丘尼故斷畜生命者波逸提
若比丘尼知水有虫飲用者波逸提
若比丘尼故惱他比丘尼乃至少時不樂波逸提
若比丘尼知比丘尼有惡麤罪覆藏者波逸提 五十
若比丘尼知諍事如法懺悔已後更發舉者波逸提
若比丘尼知是賊伴共期一道行乃至一聚落波逸提
若比丘尼作如是語我知佛所說法行婬欲非是障道法彼
比丘尼諫此比丘尼言大姊莫作是語莫謗世尊謗世尊
者不善世尊不作是語世尊无數方便說婬欲是障道法犯婬
欲者是障道法彼比丘尼諫此比丘尼時堅持不捨彼比丘尼乃
至三諫令捨是事乃至三諫時捨者善不捨者波逸提
若比丘尼知如是語人未作法如是邪見而不捨若畜同一
羯磨同一止宿波逸提
若比丘尼知沙彌尼作如是言我知佛所說法行婬欲非障道法彼比

BD02765號 四分比丘尼戒本 （10–3）

者不善世尊不作是語世尊无數方便說婬欲是障道法犯婬
欲者是障道法彼比丘尼諫此比丘尼時堅持不捨彼比丘尼乃
至三諫令捨是事乃至三諫時捨者善不捨者波逸提
若比丘尼知如是語人未作法如是邪見而不捨若畜同一
羯磨同一止宿波逸提
若比丘尼知沙弥尼作如是言我知佛所說法行婬欲非障道法彼比
丘尼諫此沙弥尼言汝莫作是語莫謗世尊誹謗世尊者不
善世尊不作是語沙弥尼世尊无數方便說婬欲是障道法
犯婬欲者是障道法彼比丘尼諫此沙弥尼時堅持不捨
彼比丘尼應乃至三呵諫捨此事故乃至三諫時若捨者
善不捨者彼比丘尼應語是沙弥尼言汝自今已去非佛弟
子不得隨餘比丘尼行如諸沙弥尼得與比丘尼二三宿汝今无是
事汝去滅去不須此中住若比丘尼知如是被擯沙弥尼若
畜共同止宿者波逸提
若比丘尼如法諫時作如是語我今不學是戒乃至問有
智慧持律者當難問彼逸提若爲求解應難問
若比丘尼說戒時如是語大姊用是雜碎戒爲說是戒時
令人惱愧懷疑輕訶戒故波逸提
若比丘尼說戒時作如是語大姊我今始知是戒半月半月
說戒經中來餘比丘尼知是比丘尼若二若三說戒中坐何況多彼
比丘尼无知无解若犯罪應如法治更重增无知罪大姊汝无
利得不善汝說戒時不用心念不一心兩耳聽法彼无知故波
逸提
若比丘尼共同羯磨已後作如是說諸比丘尼隨親厚以衆
僧物與者波逸提
若比丘尼僧斷事時不與欲而起去者波逸提　六十
若比丘尼與欲竟後更呵者波逸提
若比丘尼比丘尼共鬪諍後聽此語已欲向彼說者波逸提
若比丘尼瞋恚故不喜打比丘尼者波逸提

BD02765號　四分比丘尼戒本

(10–4)

逸提
若比丘尼共同羯磨已後作如是說諸比丘尼隨親厚以衆
僧物與者波逸提
若比丘尼僧斷事時不與欲而起去者波逸提　六十
若比丘尼與欲竟後更呵者波逸提
若比丘尼比丘尼共鬪諍後聽此語已欲向彼說者波逸提
若比丘尼瞋恚故不喜打比丘尼者波逸提
若比丘尼瞋恚不喜以手搏比丘尼者波逸提
若比丘尼瞋恚故不喜以无根僧伽婆尸沙謗者波逸提
若比丘尼刹利水澆頭王王未出未藏寶若入過宮門閾者波
逸提
若比丘尼寶及寶莊飾具自捉教人捉除僧伽藍中若寄
宿處波逸提若僧伽藍中若寄宿處若寶若以寶莊飾
具自捉教人捉若識者當取如是因緣非餘
若比丘尼非時入聚落又不屬比丘尼波逸提
若比丘尼作繩床若木床足應高如來八指除入梐孔上若
截竟過者波逸提
若比丘尼持兜羅綿貯作繩床木床若臥具坐褥波逸提　七十
若比丘尼噉蒜者波逸提
若比丘尼剃三處毛者波逸提
若比丘尼以水作淨應齊兩指各一節若過者波逸提
若比丘尼以胡膠作男根者波逸提
若比丘尼共相拍者波逸提
若比丘尼无病時供給水以扇扇者波逸提
若比丘尼乞生穀者波逸提
若比丘尼在生草上大小便者波逸提
若比丘尼夜便大小便器中晝不看牆外弃者波逸提
若比丘尼往觀看伎樂者波逸提　八十
若比丘尼入村內與男子在屏處共立語者波逸提
[illegible]

BD02765號　四分比丘尼戒本

(10–5)

若比丘尼无病時供給水以扇扇者波逸提
若比丘尼乍生穀者波逸提
若比丘尼在生草上大小便者波逸提
若比丘尼夜便大小便器中晝不看牆外弃者波逸提
若比丘尼往觀看伎樂者波逸提　八十
若比丘尼入村内與男子在屏處共立語者波逸提
若比丘尼與男子共入屏障處者波逸提
若比丘尼與男子入屏處者波逸提
若比丘尼入村内巷陌中遣伴遠去在屏處與男子耳語者
波逸提
若比丘尼入白衣家内坐不語主人捨去者波逸提
若比丘尼入白衣家内不語主人輒自敷坐宿者波逸提
若比丘尼與男子共入闇室中者波逸提
若比丘尼不審諦受師語便向人説者波逸提
若比丘尼有小因緣事便呪咀墮三惡道不生佛法中若我
有如是事墮三惡道不生佛法中若汝有如是事亦墮
三惡道不生佛法中波逸提　九十
若比丘尼共鬪諍不善憶持諍事搥胸啼哭者波逸提
若比丘尼无病二人共牀卧波逸提
若比丘尼共同一褥同一被卧除餘時波逸提
若比丘尼知先住後至後至先住為惱故在前誦經問義教
授者波逸提
若比丘尼同活比丘尼病不瞻視者波逸提
若比丘尼安居初聽餘比丘尼在房中安牀後瞋恚駈出者
波逸提
若比丘尼春夏冬一切時人間遊行除餘因緣者波逸提
若比丘尼夏安居訖不去者波逸提
若比丘尼邊界有疑恐怖處人間遊行者波逸提
若比丘尼親近居士居士兒共住作不隨順行餘比丘尼諫此
比丘尼言妹汝莫親近居士居士兒共住作不隨順行大姉可

BD02765號　四分比丘尼戒本　（10–6）

若比丘尼同活比丘尼病不瞻視者波逸提
若比丘尼安居初聽餘比丘尼在房中安牀後瞋恚駈出者
波逸提
若比丘尼春夏冬一切時人間遊行除餘因緣者波逸提
若比丘尼夏安居訖不去者波逸提
若比丘尼邊界有疑恐怖處人間遊行者波逸提
若比丘尼親近居士居士兒共住作不隨順行餘比丘尼諫此
比丘尼言妹汝莫親近居士居士兒共住作不隨順行大姉可
别住若别住於佛法中有増益安樂住彼比丘尼諫此比
丘尼時堅持不捨彼比丘尼應三諫捨此事故乃至三諫
捨此事善不捨者波逸提　一百
若比丘尼往觀王宫文飾畫堂園林浴池者波逸提
若比丘尼露身形在河水泉水渠水池水中浴者波逸提
若比丘尼作浴衣應量作應量作者長佛六磔手廣二磔
手半若過者波逸提
若比丘尼縫僧伽梨過五日除求僧伽梨出迦絺那衣
六難事起者波逸提
若比丘尼過五日不看僧伽梨波逸提
若比丘尼與衆僧衣作留難者波逸提
若比丘尼不問主便著他衣者波逸提
若比丘尼持沙門衣施與外道白衣者波逸提
若比丘尼作如是意衆僧如法分衣遮令不分恐弟子不得
者波逸提
若比丘尼作如是意令衆僧今不得出迦絺那衣後當出
欲令五事久得放捨者波逸提　一百一十
若比丘尼作如是意遮比丘尼僧不出迦絺那衣欲令久得
五事放捨者波逸提
若比丘尼餘比丘尼語言為我滅此諍事而不作方便令
滅者波逸提

BD02765號　四分比丘尼戒本　（10–7）

若比丘尼作如是意令衆僧令不得出迦絺那衣後當出
欲令五事久得放捨者波逸提 一百一十
若比丘尼作如是意遮比丘尼僧不出迦絺那衣欲令久得
五事放捨者波逸提
若比丘尼餘比丘尼語言爲我滅此諍事而不作方便令
滅者波逸提
若比丘尼自手持食與白衣入外道食者波逸提
若比丘尼爲白衣作使者波逸提
若比丘尼自手紡績者波逸提
若比丘尼入白衣舍內在小林大林上若坐若臥波逸提
若比丘尼至白衣舍語主人敷座止宿明日不辭主人而去
波逸提
若比丘尼誦習世俗呪術者波逸提
若比丘尼教人誦習呪術者波逸提
若比丘尼知女人姙娠度與受具足戒者波逸提 一百廿
若比丘尼知婦女乳兒與受具足戒波逸提
若比丘尼知年不滿廿與受具足戒波逸提
若比丘尼年十八童女不與二歲學戒年滿二十便與受具
足戒者波逸提
若比丘尼年十八童女二歲學戒不與六法滿二十便與受
具足戒者波逸提
若比丘尼年十八童女與二歲學戒與六法滿二十衆不聽
不聽便與受具戒者波逸提
若比丘尼度曾嫁女年十歲與二歲學戒年滿十二聽
與受具足戒若減十二與受具足戒者波逸提
若比丘尼度他小年曾嫁婦女與受二歲學戒年滿十
二不白衆僧便與受具足戒者波逸提
若比丘尼知如是人與受具足戒者波逸提
若比丘尼多度弟子不教二歲學戒不以二法攝取波逸提

不聽便與受具戒者波逸提
若比丘尼度曾嫁女年十歲與二歲學戒年滿十二聽
與受具足戒若減十二與受具足戒者波逸提
若比丘尼度他小年曾嫁婦女與受二歲學戒年滿十
二不白衆僧便與受具足戒者波逸提
若比丘尼知如是人與受具足戒者波逸提
若比丘尼多度弟子不教二歲學戒不以二法攝取波逸提
若比丘尼不二歲隨和尚尼者波逸提 一百三十
若比丘尼僧不聽而授人具足戒者波逸提
若比丘尼年未滿十二歲授人具足戒者波逸提
若比丘尼年滿十二歲衆僧不聽便授人具足戒者波逸提
若比丘尼僧不聽授人具足戒便言衆僧有愛有恚有怖有
癡欲聽者便聽不欲聽者便不聽波逸提
若比丘尼父母夫主不聽與受具足戒者波逸提
若比丘尼知女人與童男男子相敬愛愁憂瞋恚女人度令
出家受具足戒者波逸提
若比丘尼語式叉摩那言汝妹捨是學是當與汝受具足戒
若不方便與受具足戒波逸提
若比丘尼語式叉摩那言持衣來我當與汝受具足戒而
不方便與受具足戒波逸提
若比丘尼不滿一歲授人具足戒者波逸提
若比丘尼與人授具足戒已經宿方往比丘僧中與受具足
戒者波逸提 一百四十
若比丘尼不病不往受教授者波逸提
若比丘尼半月應往比丘僧中求教授若不求者波逸提
若比丘尼僧夏安居竟應往大比丘僧中說三事自恣見聞疑
……者波逸提

若比丘尼年滿十二歲衆僧不聽便授人具足戒者波逸提
若比丘尼僧不聽授人具足戒便言衆僧有愛有恚有怖有
癡欲聽者便聽不欲聽者便不聽波逸提
若比丘尼父母夫主不聽與受具足戒者波逸提
若比丘尼知女人與童男男子相敬愛愁憂瞋恚女人度令
出家受具足戒者波逸提
若比丘尼語式叉摩那言汝捨是學是當與汝受具足戒
若不方便與受具足戒波逸提
若比丘尼語式叉摩那言持衣來我當與汝受具足戒而
不方便與受具足戒波逸提
若比丘尼不滿一歲授人具足戒者波逸提
若比丘尼與人授具足戒已經宿方往比丘僧中與受具足
戒者波逸提　一百四十
若比丘尼不病不往受教授者波逸提
若比丘尼半月應往比丘僧中求教授若不求者波逸提
[illegible]丘尼僧夏安居竟應往大比丘僧中說三事自恣見聞疑
[illegible]者波逸提

BD02765 號　四分比丘尼戒本　　(10–10)

BD02765 號背　雜寫　　(1–1)

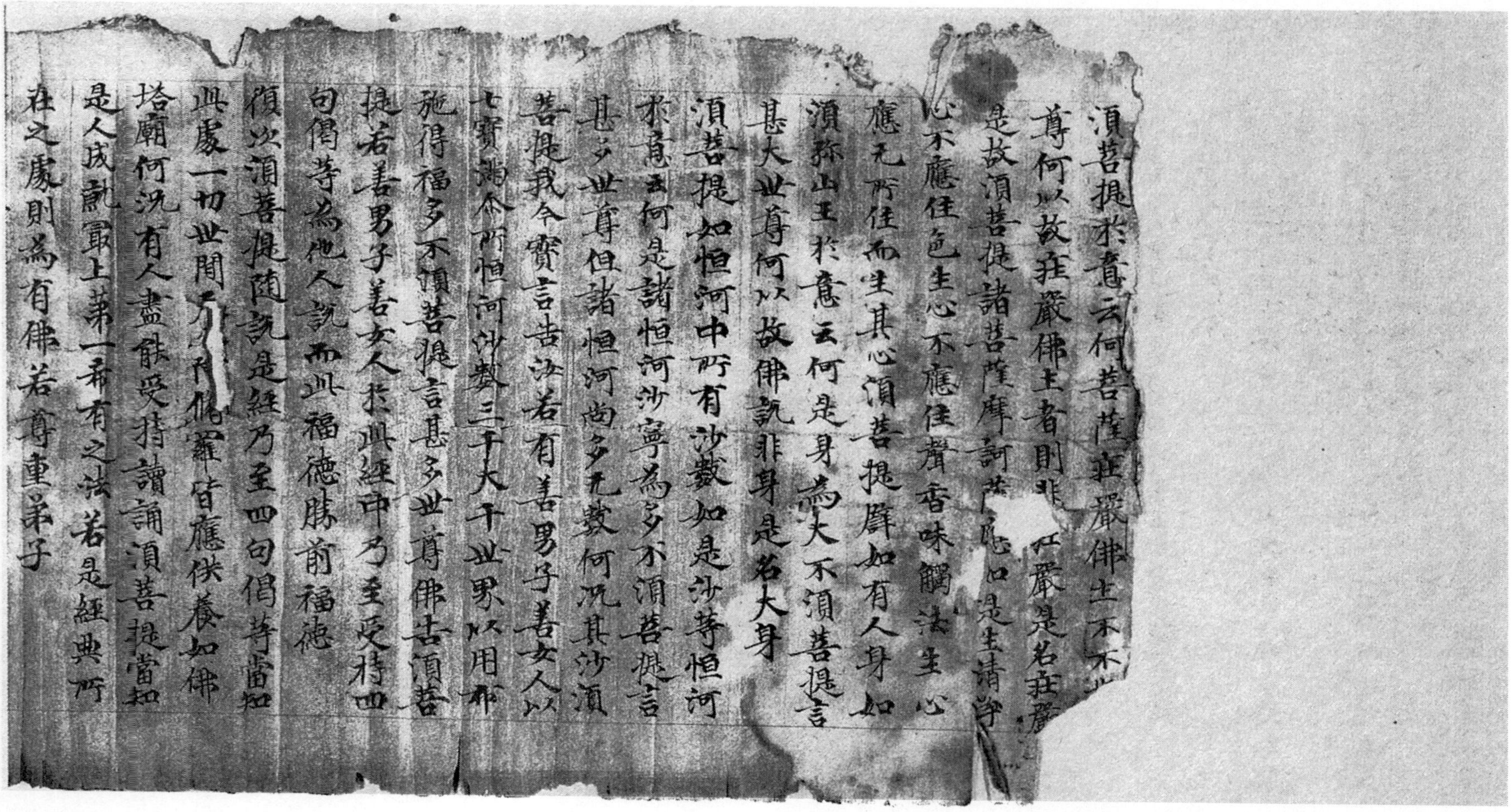

須菩提於意云何菩薩莊嚴佛土不不
尊何以故莊嚴佛土者則非莊嚴是名莊嚴
是故須菩提諸菩薩摩訶薩應如是生清淨
心不應住色生心不應住聲香味觸法生心
應无所住而生其心須菩提譬如有人身如
須彌山王於意云何是身為大不須菩提言
甚大世尊何以故佛說非身是名大身
須菩提如恒河中所有沙數如是沙等恒河
於意云何是諸恒河沙寧為多不須菩提言
甚多世尊但諸恒河尚多无數何況其沙須
菩提我今實言告汝若有善男子善女人以
七寶滿尒所恒河沙數三千大千世界以用布
施得福多不須菩提言甚多世尊佛告須菩
提若善男子善女人於此經中乃至受持四
句偈等為他人說而此福德勝前福德
復次須菩提隨說是經乃至四句偈等當知
此處一切世間天人阿修羅皆應供養如佛
塔廟何況有人盡能受持讀誦須菩提當知
是人成就最上第一希有之法若是經典所
在之處則為有佛若尊重弟子

BD02766 號　金剛般若波羅蜜經　（2–1）

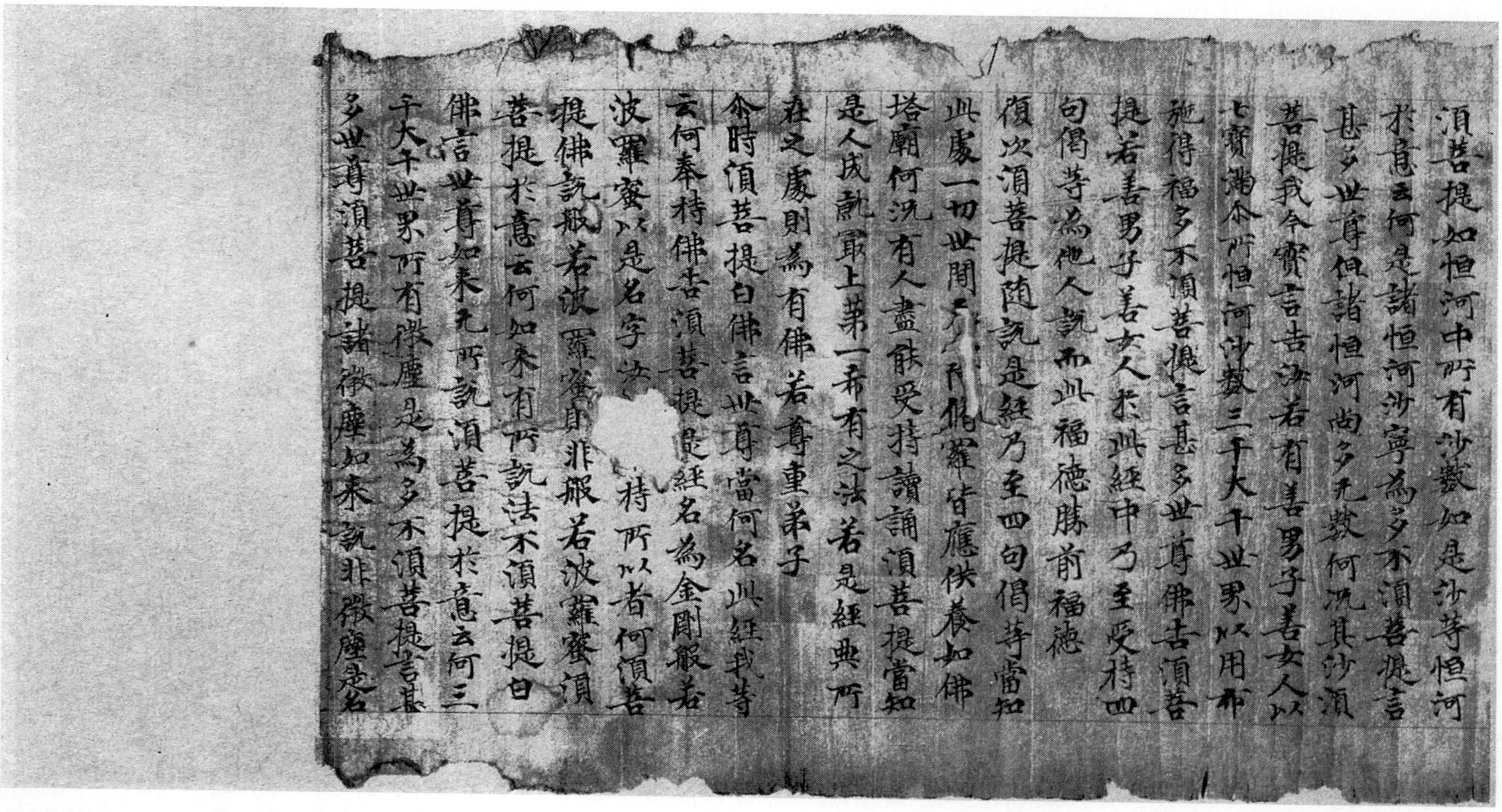

須菩提如恒河中所有沙數如是沙等恒河
於意云何是諸恒河沙寧為多不須菩提言
甚多世尊但諸恒河尚多无數何況其沙須
菩提我今實言告汝若有善男子善女人以
七寶滿尒所恒河沙數三千大千世界以用布
施得福多不須菩提言甚多世尊佛告須菩
提若善男子善女人於此經中乃至受持四
句偈等為他人說而此福德勝前福德
復次須菩提隨說是經乃至四句偈等當知
此處一切世間天人阿修羅皆應供養如佛
塔廟何況有人盡能受持讀誦須菩提當知
是人成就最上第一希有之法若是經典所
在之處則為有佛若尊重弟子
尒時須菩提白佛言世尊當何名此經我等
云何奉持佛告須菩提是經名為金剛般若
波羅蜜以是名字汝□持所以者何須菩
提佛說般若波羅蜜則非般若波羅蜜須
菩提於意云何如來有所說法不須菩提白
佛言世尊如來无所說須菩提於意云何三
千大千世界所有微塵是為多不須菩提言甚
多世尊須菩提諸微塵如來說非微塵是名

BD02766 號　金剛般若波羅蜜經　（2–2）

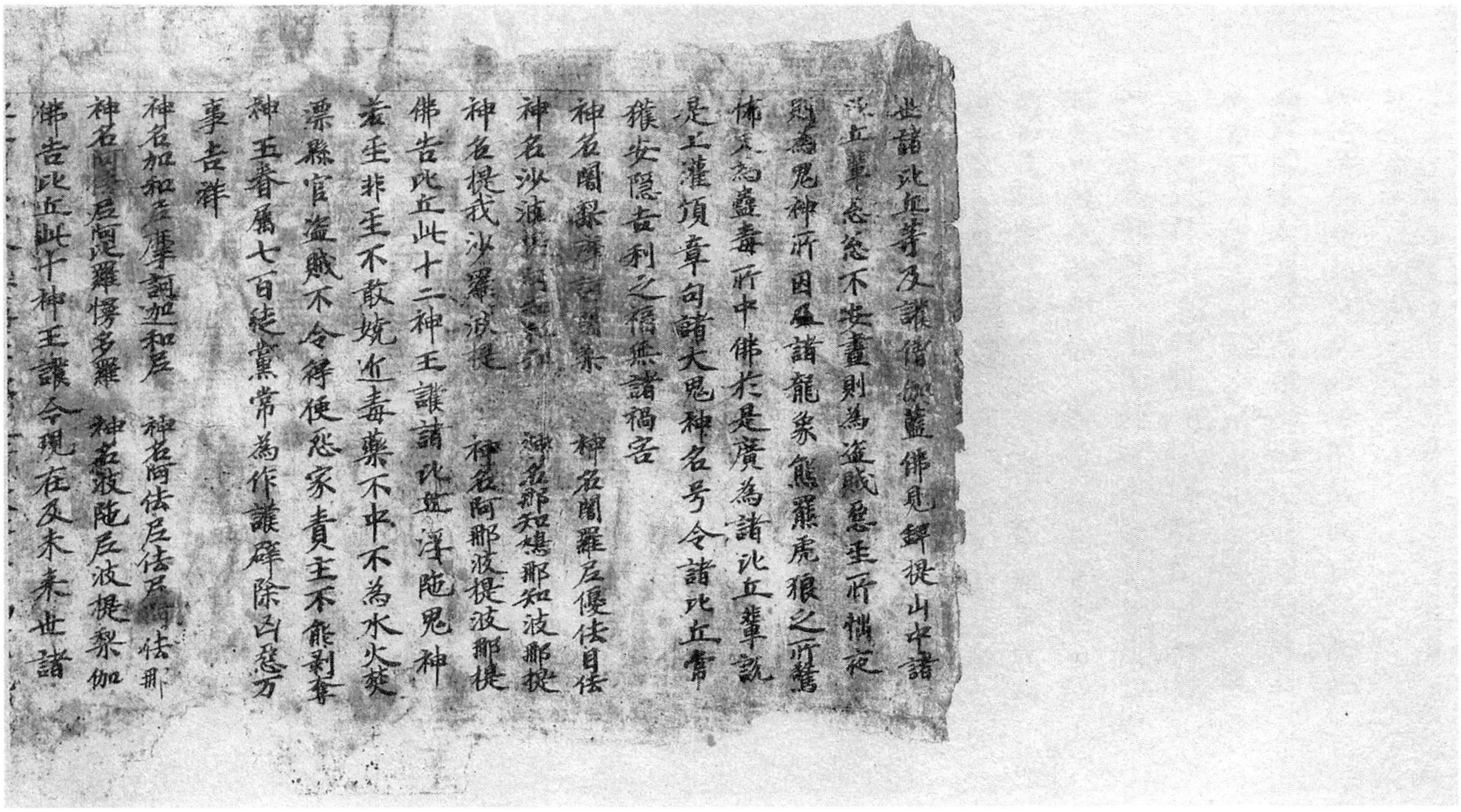
世諸比丘等及諸僧伽藍佛見鞞提山中諸
比丘輩恐怖不安晝則為盜賊惡王所惱夜
則為鬼神所因及諸龍象熊羆虎狼之所驚
怖及為蠱毒所中佛於是廣為諸比丘輩說
是灌頂章句諸大鬼神名号令諸比丘常
獲安隱吉利之福無諸禍害
神名闍梨[illegible] 神名闍羅尼優佉目佉
神名沙波[illegible] 神名那知[illegible]耶知波耶提
神名提我沙羅波提 神名阿耶波提波耶提
佛告比丘此十二神王護諸比丘淨除鬼神
妄王非王不敢嬈近毒藥不中不為水火焚
漂縣官盜賊不令得便惡家責主不能剥奪
神王眷属七百徒黨常為作護辟除凶惡万
事吉祥
神名加和尼摩訶加和尼 神名阿佉尼佉尼阿佉那
神名阿[illegible]尼尼迦羅憍多羅 神名波陀尼波提梨伽
佛告比丘此十神王護令現在及未來世諸

BD02767號1　灌頂七萬二千神王護比丘咒經（兑廢稿）　（3–1）

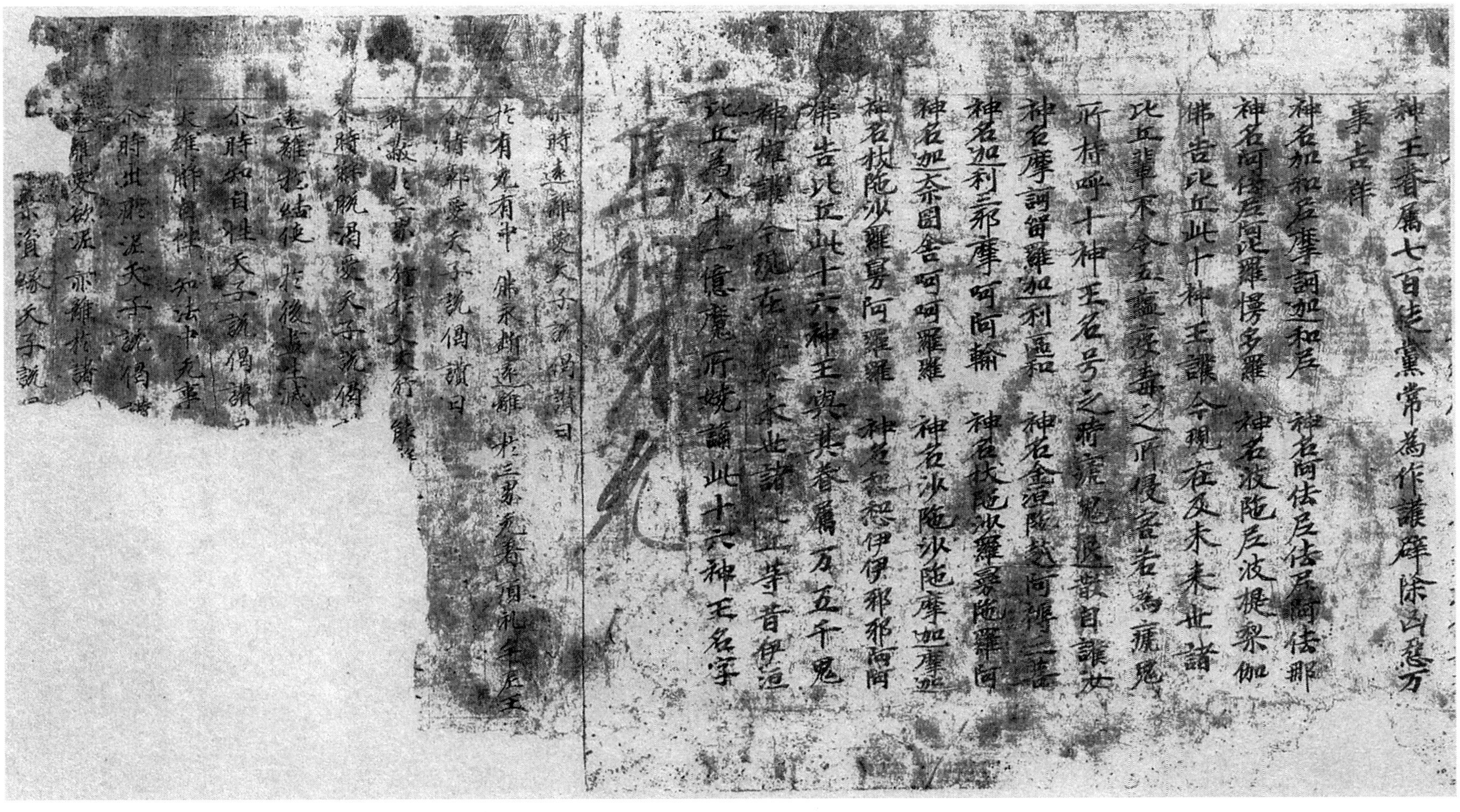
神王眷属七百徒黨常為作護辟除凶惡万
事吉祥
神名加和尼摩訶加和尼 神名阿佉尼佉尼阿佉那
神名阿佉尼迦羅憍多羅 神名波陀尼波提梨伽
佛告比丘此十神王護令現在及未來世諸
比丘輩不令五瘟疫毒之所侵害若為病鬼
所持呼十神王名号之時病鬼退散自護安
神名摩訶留羅加利吒[illegible] 神名金迦陀[illegible]阿那[illegible]
神名迦利那摩呵阿輸 神名扶陀沙羅婆陀羅阿
神名迦奈國舍呵呵羅羅 神名沙陀沙陀摩伽摩迦
神名拔陀沙羅[illegible]阿羅羅 神名[illegible]想伊伊耶耶兩阿
佛告比丘此十六神王與其眷属万五千鬼
神擁護今現在及未來世諸比丘等普伊洹
比丘為八十億魔所嬈誦此十六神王名字
爾時遠離愛天子說偈讃曰
於有見有中 我永斷遠離 於三界免者 頂禮今在王
爾時[illegible]天子說偈讃曰
[illegible]
爾時解脫渴愛天子說偈[illegible]
遠離於結使 於後無生滅
爾時知自性天子說偈讃曰
大雄解自性 知法中充事
爾時出離泥天子說偈讃曰
[illegible]欲泥 亦離於諸[illegible]
爾時[illegible]緣天子說[illegible]

BD02767號1　灌頂七萬二千神王護比丘咒經（兑廢稿）　（3–2）

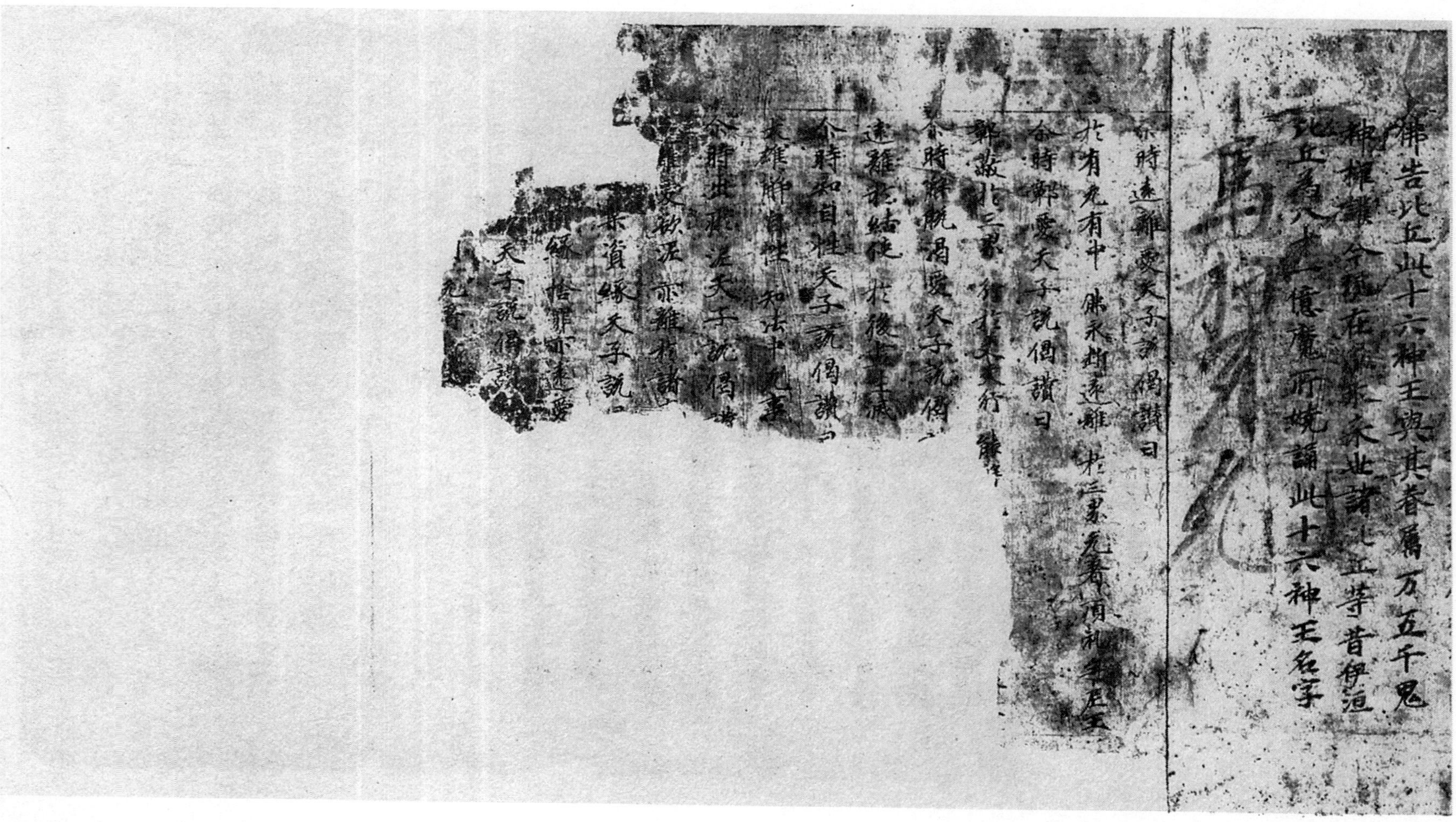

佛告比丘此十六神王與其眷屬万五千鬼
神權[illegible]令[illegible]在[illegible]未世諸比丘等普伊洹
比丘為八十億魔所嬈誦此十六神王名字

尒時遠離愛天子說偈讚曰
於有无有中　佛永斷遠離　於三界无著　須礼牟尼尊
尒時離愛天子說偈讚曰
離薮於三界[illegible]

BD02767 號 2　大寶積經（兌廢稿）卷七一

（3–3）

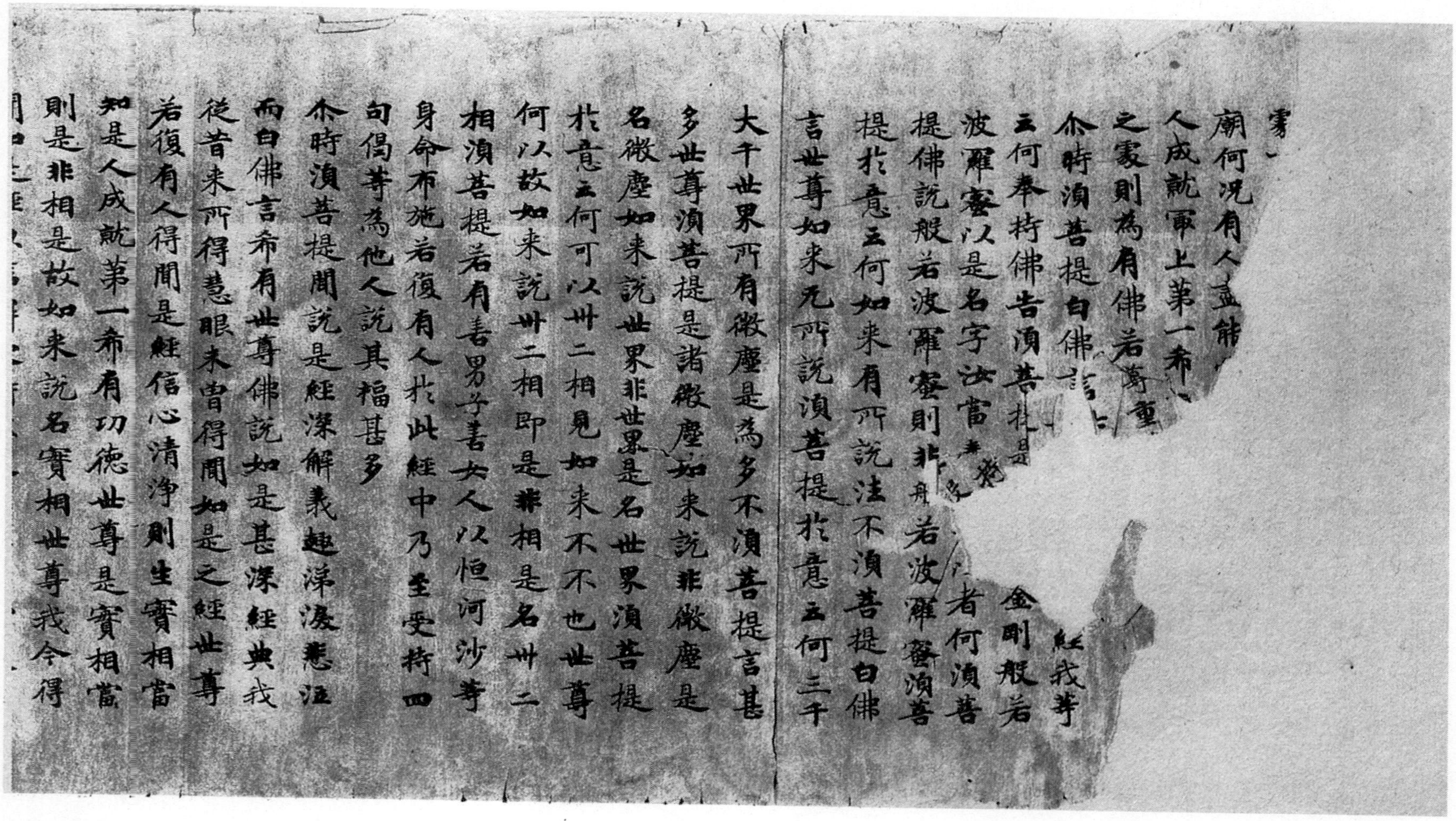

[illegible]
廟何況有人盡能[illegible]
人成就最上第一希[illegible]
之處則為有佛若尊重[illegible]
尒時須菩提白佛言[illegible]經我等
云何奉持佛告須菩提是[illegible]金剛般若
波羅蜜以是名字汝當奉[illegible]者何須菩
提佛說般若波羅蜜則非般若波羅蜜須菩
提於意云何如来有所說法不須菩提白佛
言世尊如来无所說須菩提於意云何三千
大千世界所有微塵是為多不須菩提言甚
多世尊須菩提諸微塵如来說非微塵是
名微塵如来說世界非世界是名世界須菩提
於意云何可以卅二相見如来不不也世尊
何以故如来說卅二相即是非相是名卅二
相須菩提若有善男子善女人以恒河沙等
身命布施若復有人於此經中乃至受持四
句偈等為他人說其福甚多
尒時須菩提聞說是經深解義趣涕淚悲泣
而白佛言希有世尊佛說如是甚深經典我
從昔來所得慧眼未曾得聞如是之經世尊
若復有人得聞是經信心清淨則生實相當
知是人成就第一希有功德世尊是實相者
則是非相是故如来說名實相世尊我今得

BD02768 號　金剛般若波羅蜜經

（10–1）

句偈等為他人說其福甚多
尒時須菩提聞說是經深解義趣涕淚悲泣
而白佛言希有世尊佛說如是甚深經典我
從昔来所得慧眼未曾得聞如是之經世尊
若復有人得聞是經信心清淨則生實相當
知是人成就第一希有功德世尊是實相當
則是非相是故如来說名實相世尊我今得
聞如是經典信解受持不足為難若當来世
後五百歲其有衆生得聞是經信解受持是
人則為第一希有何以故此人无我相人相
衆生相壽者相所以者何我相即是非相人
相衆生相壽者相即是非相何以故離一切
諸相則名諸佛
佛告須菩提如是如是若復有人得聞是經
不驚不怖不畏當知是人甚為希有何以故
須菩提如来說第一波羅蜜非第一波羅蜜
是名第一波羅蜜須菩提忍辱波羅蜜如来
說非忍辱波羅蜜何以故須菩提如我昔為
歌利王割截身體我於尒時无我相无人相
无衆生相无壽者相何以故我於往昔節節
支解時若有我相人相衆生相壽者相應生
瞋恨須菩提又念過去於五百世作忍辱仙
人於尒所世无我相无人相无衆生相无壽
者相是故須菩提菩薩應離一切相發阿耨
多羅三藐三菩提心不應住色生心不應住
聲香味觸法生心應生无所住心若心有住
則為非住是故佛說菩薩心不應住色布施

瞋恨須菩提又念過去於五百世作忍辱仙
人於尒所世无我相无人相无衆生相无壽
者相是故須菩提菩薩應離一切相發阿耨
多羅三藐三菩提心不應住色生心不應住
聲香味觸法生心應生无所住心若心有住
則為非住是故佛說菩薩心不應住色布施
須菩提菩薩為利益一切衆生應如是布施
如来說一切諸相即是非相又說一切衆生
則非衆生須菩提如来是真語者實語者如
語者不誑語者不異語者須菩提如来所得
法此法无實无虛須菩提若菩薩心住於法而
行布施如人入闇則无所見若菩薩心不住法
而行布施如人有目日光明照見種種色須菩
提當来之世若有善男子善女人能於此經
受持讀誦則為如来以佛智慧悉知是人悉
見是人皆得成就无量无邊功德
須菩提若有善男子善女人初日分以恒河
沙等身布施中日分復以恒河沙等身布施
後日分亦以恒河沙等身布施如是无量百
千万億劫以身布施若復有人聞此經典信
心不逆其福勝彼何況書寫受持讀誦為人
解說須菩提以要言之是經有不可思議不
可稱量无邊功德如来為發大乘者說為發
最上乘者說若有人能受持讀誦廣為人說
如来悉知是人悉見是人皆悉成就不可量
不可稱无有邊不可思議功德如是人等則
為荷擔如来阿耨多羅三藐三菩提何以故

佛說須菩提以要言之是經有不可思議不
可稱量无邊功德如來為發大乘者說為發
最上乘者說若有人能受持讀誦廣為人說
如來悉知是人悉見是人皆悉成就不可量
不可稱无有邊不可思議功德如是人等則
為荷擔如來阿耨多羅三藐三菩提何以故
須菩提若樂小法者著我見人見衆生見壽
者見則於此經不能聽受讀誦為人解說須菩
提在在處處若有此經一切世間天人阿脩羅
所應供養當知此處則為是塔皆應恭敬作
礼圍遶以諸香華而散其處
復次須菩提善男子善女人受持讀誦此經
若為人輕賤是人先世罪業應墮惡道以今
世人輕賤故先世罪業則為消滅當得阿耨
多羅三藐三菩提須菩提我念過去无量阿
僧祇劫於然燈佛前得值八百四千万億那
由他諸佛悉皆供養承事无空過者若復有
人於後末世能受持讀誦此經所得功德於
我所供養諸佛功德百分不及一千万億分
乃至筭數譬喻所不能及須菩提若善男子善
女人於後末世有受持讀誦此經所得功德
我若具說者或有人聞心則狂亂狐疑不信
須菩提當知是經義不可思議果報亦不可思議
尒時須菩提白佛言世尊善男子善女人發阿
耨多羅三藐三菩提心云何應住云何降伏
其心佛告須菩提善男子善女人發阿耨多
羅三藐三菩提者當生如是心我應滅度一

BD02768號　金剛般若波羅蜜經

（10–4）

女人於後末世有受持讀誦此經所得功德
我若具說者或有人聞心則狂亂狐疑不信
須菩提當知是經義不可思議果報亦不可思議
尒時須菩提白佛言世尊善男子善女人發阿
耨多羅三藐三菩提心云何應住云何降伏
其心佛告須菩提善男子善女人發阿耨多
羅三藐三菩提者當生如是心我應滅度一
切衆生滅度一切衆生已而无有一衆生實
滅度者何以故若菩薩有我相人相衆生相
壽者相則非菩薩所以者何須菩提實无有
法發阿耨多羅三藐三菩提心者須菩提於
意云何如來於然燈佛所有法得阿耨多羅
三藐三菩提不不也世尊如我解佛所說義
佛於然燈佛所无有法得阿耨多羅三藐三
菩提佛言如是如是須菩提實无有法如來
得阿耨多羅三藐三菩提須菩提若有法如
來得阿耨多羅三藐三菩提者然燈佛則不與
我受記汝於來世當得作佛号釋迦牟尼以
實无有法得阿耨多羅三藐三菩提是故然
燈佛與我受記作是言汝於來世當得作佛
号釋迦牟尼何以故如來者即諸法如義若
有人言如來得阿耨多羅三藐三菩提須菩
提實无有法佛得阿耨多羅三藐三菩提須
菩提如來所得阿耨多羅三藐三菩提於是
中无實无虛是故如來說一切法皆是佛法
須菩提所言一切法者即非一切法是故名
一切法須菩提譬如人身長大須菩提言世

BD02768號　金剛般若波羅蜜經

（10–5）

提實无有法佛得阿耨多羅三藐三菩提須
菩提如来所得阿耨多羅三藐三菩提於是
中无實无虛是故如来說一切法皆是佛法
須菩提所言一切法者即非一切法是故名
一切法須菩提譬如人身長大須菩提言世
尊如来說人身長大則為非大身是名大身
須菩提菩薩亦如是若作是言我當滅度无
量衆生則不名菩薩何以故須菩提无有法
名為菩薩是故佛說一切法无我无人无衆
生无壽者須菩提若菩薩作是言我當莊嚴
佛土是不名菩薩何以故如来說莊嚴佛土
者即非莊嚴是名莊嚴須菩提若菩薩通達
无我法者如来說名真是菩薩
須菩提於意云何如来有肉眼不如是世尊
如来有肉眼須菩提於意云何如来有天眼
不如是世尊如来有天眼須菩提於意云何
如来有慧眼不如是世尊如来有慧眼須菩
提於意云何如来有法眼不如是世尊如来
有法眼須菩提於意云何如来有佛眼不如
是世尊如来有佛眼
須菩提於意云何恒河中所有沙佛說是沙
不如是世尊如来說是沙須菩提於意云何
如一恒河中所有沙有如是等恒河是諸恒
河所有沙數佛世界如是寧為多不甚多世
尊佛告須菩提尒所國土中所有衆生若干
種心如来悉知何以故如来說諸心皆為非
心是名為心所以者何須菩提過去心不可

BD02768號　金剛般若波羅蜜經　（10–6）

須菩提於意云何恒河中所有沙佛說是沙
不如是世尊如来說是沙須菩提於意云何
如一恒河中所有沙有如是等恒河是諸恒
河所有沙數佛世界如是寧為多不甚多世
尊佛告須菩提尒所國土中所有衆生若干
種心如来悉知何以故如来說諸心皆為非
心是名為心所以者何須菩提過去心不可
得未来心不可得現在心不可得
須菩提於意云何若有人滿三千大千世界
七寶以用布施是人以是因緣得福多不如
是世尊此人以是因緣得福甚多須菩提若
福德有實如来不說得福德多以福德无故
如来說得福德多須菩提於意云何佛可以
具足色身見不不也世尊如来不應以色身
見何以故如来說具足色身即非具足色身
是名具足色身須菩提於意云何如来可以
具足諸相見不不也世尊如来不應以具足
諸相見何以故如来說諸相具足即非具足
是名諸相具足須菩提汝勿謂如来作是念
我當有所說法莫作是念何以故若人言如来
有所說法即為謗佛不能解我所說故須菩
提說法者无法可說是名說法
須菩提白佛言世尊佛得阿耨多羅三藐三
菩提為无所得耶如是如是須菩提我於阿耨
多羅三藐三菩提乃至无有少法可得是名
阿耨多羅三藐三菩提復次須菩提是法平
等无有高下是名阿耨多羅三藐三菩提

BD02768號　金剛般若波羅蜜經　（10–7）

提說法者无法可說是名說法
須菩提白佛言世尊佛得阿耨多羅三藐三
菩提為无所得耶如是如是須菩提我於阿耨
多羅三藐三菩提乃至无有少法可得是名
阿耨多羅三藐三菩提復次須菩提是法平
等无有高下是名阿耨多羅三藐三菩提
以无我无人无衆生无壽者脩一切善法則
得阿耨多羅三藐三菩提須菩提所言善法
者如来說非善法是名善法須菩提若三千
大千世界中所有諸須弥山王如是等七寶
聚有人持用布施若人以此般若波羅蜜經乃
至四句偈等受持為他人說於前福德百分
不及一百千万億分乃至筭數譬喻所不能及
須菩提於意云何汝等勿謂如来作是念我
當度衆生須菩提莫作是念何以故實无有
衆生如来度者若有衆生如来度者如来則
有我人衆生壽者須菩提如来說有我者則
非有我而凡夫之人以為有我須菩提凡夫
者如来說則非凡夫須菩提於意云何可以
卅二相觀如来不須菩提言如是如是以卅
二相觀如来佛言須菩提若以卅二相觀如
来者轉輪聖王則是如来須菩提白佛言世
尊如我解佛所說義不應以卅二相觀如来
介時世尊而說偈言
若以色見我　以音聲求我　是人行邪道　不能見如来
須菩提汝若作是念如来不以具足相故得

BD02768號　金剛般若波羅蜜經　（10–8）

来者轉輪聖王則是如来須菩提白佛言世
尊如我解佛所說義不應以卅二相觀如来
介時世尊而說偈言
若以色見我　以音聲求我　是人行邪道　不能見如来
須菩提汝若作是念如来不以具足相故得
阿耨多羅三藐三菩提須菩提莫作是念如
来不以具足相故得阿耨多羅三藐三菩提
須菩提汝若作是念發阿耨多羅三藐三菩
提者說諸法斷滅相莫作是念何以故發阿
耨多羅三藐三菩提者於法不說斷滅相
須菩提若菩薩以滿恒河沙等世界七寶布施
若復有人知一切法无我得成於忍此菩薩
勝前菩薩所得功德須菩提以諸菩薩不能
福德故須菩提白佛言世尊云何菩薩不受
福德須菩提菩薩所作福德不應貪者是故
說不受福德須菩提若有人言如来若来若
去若坐若卧是人不解我所說義何以故如
来者无所從来亦无所去故名如来
須菩提若善男子善女人以三千大千世界
碎為微塵於意云何是微塵衆寧為多不甚
多世尊何以故若是微塵衆實有者佛則不
說是微塵衆所以者何佛說微塵衆則非微
塵衆是名微塵衆世尊如来所說三千大千
世界則非世界是名世界何以故若世界實
有則是一合相如来說一合相則非一合相
是名一合相須菩提一合相者則是不可說

BD02768號　金剛般若波羅蜜經　（10–9）

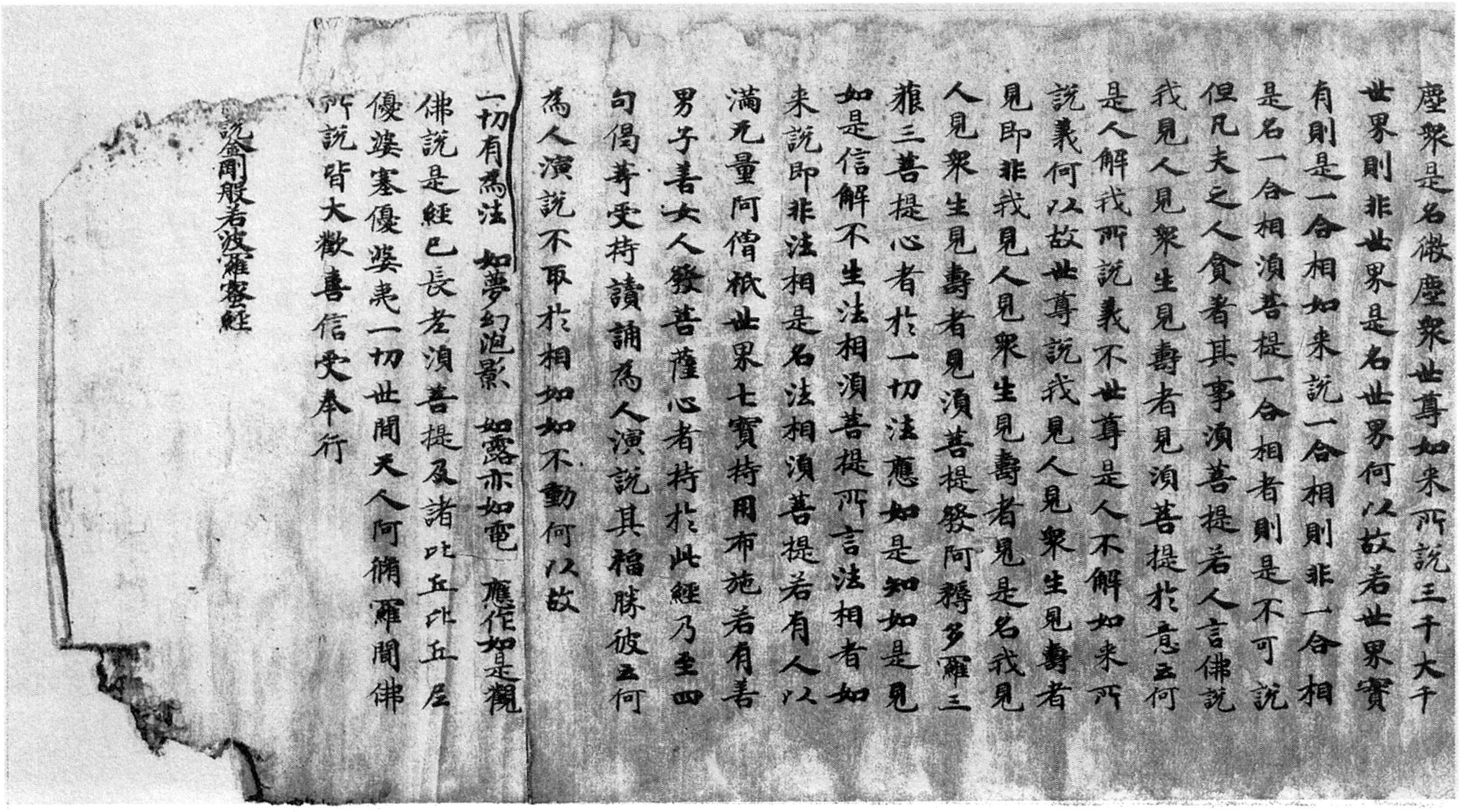

塵衆是名微塵衆世尊如来所說三千大千
世界則非世界是名世界何以故若世界實
有則是一合相如来說一合相則非一合相
是名一合相須菩提一合相者則是不可說
但凡夫之人貪著其事須菩提若人言佛說
我見人見衆生見壽者見須菩提於意云何
是人解我所說義不世尊是人不解如来所
說義何以故世尊說我見人見衆生見壽者
見即非我見人見衆生見壽者見是名我見
人見衆生見壽者見須菩提發阿耨多羅三
藐三菩提心者於一切法應如是知如是見
如是信解不生法相須菩提所言法相者如
来說即非法相是名法相須菩提若有人以
滿无量阿僧祇世界七寶持用布施若有善
男子善女人發菩薩心者持於此經乃至四
句偈等受持讀誦為人演說其福勝彼云何
為人演說不取於相如如不動何以故
一切有為法　如夢幻泡影　如露亦如電　應作如是觀
佛說是經已長老須菩提及諸比丘比丘尼
優婆塞優婆夷一切世間天人阿脩羅聞佛
所說皆大歡喜信受奉行
金剛般若波羅蜜經

BD02768 號　金剛般若波羅蜜經　（10–10）

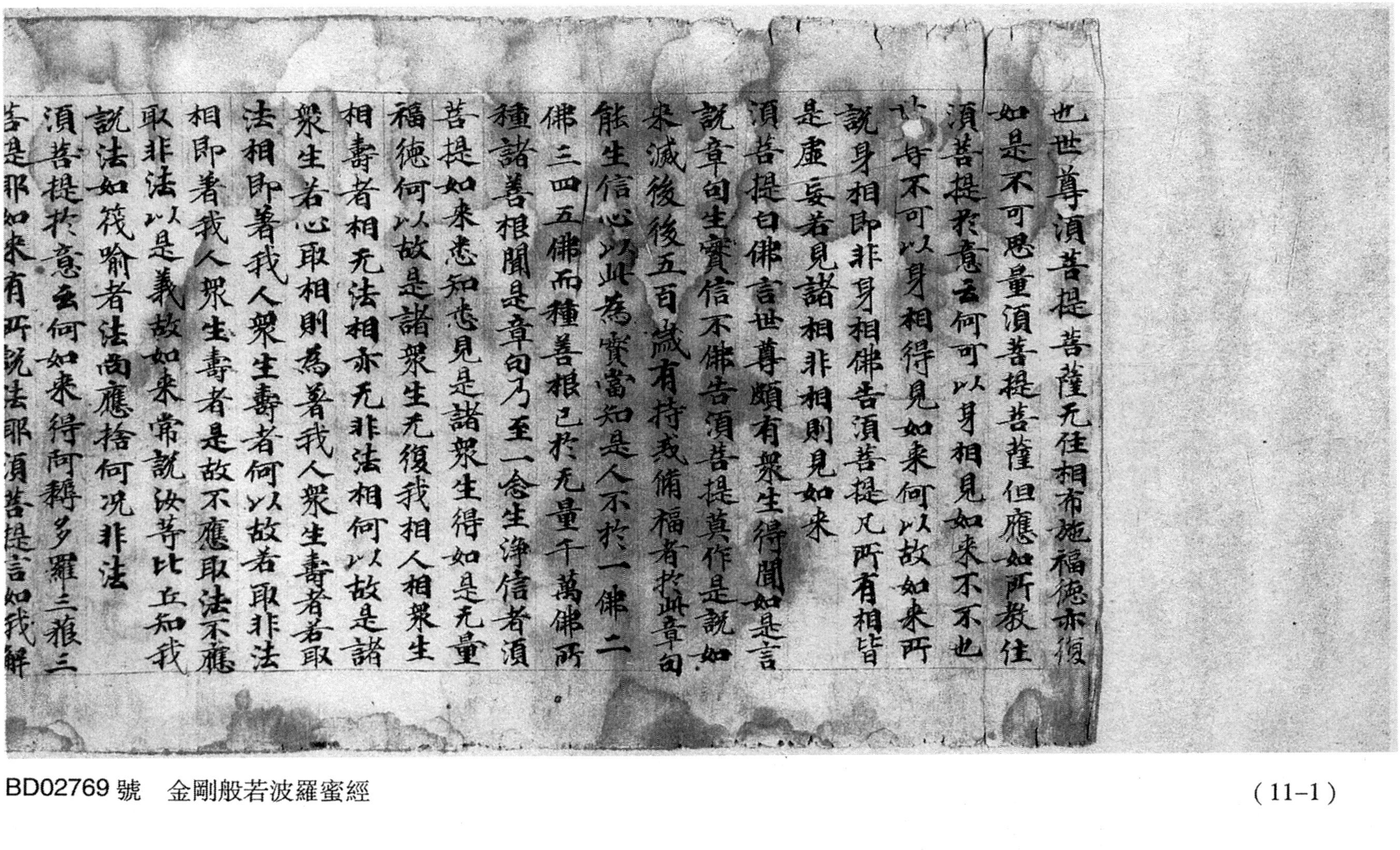

也世尊須菩提菩薩无住相布施福德亦復
如是不可思量須菩提菩薩但應如所教住
須菩提於意云何可以身相見如来不不也
世尊不可以身相得見如来何以故如来所
說身相即非身相佛告須菩提凡所有相皆
是虛妄若見諸相非相則見如来
須菩提白佛言世尊頗有衆生得聞如是言
說章句生實信不佛告須菩提莫作是說如
来滅後後五百歲有持戒脩福者於此章句
能生信心以此為實當知是人不於一佛二
佛三四五佛而種善根已於无量千萬佛所
種諸善根聞是章句乃至一念生淨信者須
菩提如来悉知悉見是諸衆生得如是无量
福德何以故是諸衆生无復我相人相衆生
相壽者相无法相亦无非法相何以故是諸
衆生若心取相則為著我人衆生壽者若取
法相即著我人衆生壽者何以故若取非法
相即著我人衆生壽者是故不應取法不應
取非法以是義故如来常說汝等比丘知我
說法如筏喻者法尚應捨何況非法
須菩提於意云何如来得阿耨多羅三藐三
菩提耶如来有所說法耶須菩提言如我解

BD02769 號　金剛般若波羅蜜經　（11–1）

衆生若心取相則為著我人衆生壽者若取
法相即著我人衆生壽者何以故若取非法
相即著我人衆生壽者是故不應取法不應
取非法以是義故如来常說汝等比丘知我
說法如筏喻者法尚應捨何况非法
須菩提於意云何如来得阿耨多羅三藐三
菩提耶如来有所說法耶須菩提言如我解
佛所說義无有定法名阿耨多羅三藐三菩
提亦无有定法如来可說何以故如来所說
法皆不可取不可說非法非非法所以者何
一切賢聖皆以无為法而有差別
須菩提於意云何若人滿三千大千世界七
寶以用布施是人所得福德寧為多不須菩
提言甚多世尊何以故是福德即非福德性
是故如来說福德多若復有人於此經中受
持乃至四句偈等為他人說其福勝彼何以
故須菩提一切諸佛及諸佛阿耨多羅三藐
三菩提法皆從此經出須菩提所謂佛法者
即非佛法
須菩提於意云何須陁洹能作是念我得須
陁洹果不須菩提言不也世尊何以故須陁
洹名為入流而无所入不入色聲香味觸法
是名須陁洹須菩提於意云何斯陁含能作
是念我得斯陁含果不須菩提言不也世尊
何以故斯陁含名一往来而實无往来是名
斯陁含須菩提於意云何阿那含能作是念
我得阿那含果不須菩提言不也世尊何以

BD02769號　金剛般若波羅蜜經　（11-2）

是名須陁洹須菩提於意云何斯陁含能作
是念我得斯陁含果不須菩提言不也世尊
何以故斯陁含名一往来而實无往来是名
斯陁含須菩提於意云何阿那含能作是念
我得阿那含果不須菩提言不也世尊何以
故阿那含名為不来而實无来是故名阿那
含須菩提於意云何阿羅漢能作是念我得
阿羅漢道不須菩提言不也世尊何以故實
无有法名阿羅漢世尊若阿羅漢作是念我
得阿羅漢道即為著我人衆生壽者世尊佛
說我得无諍三昧人中最為第一是第一離
欲阿羅漢我不作是念我是離欲阿羅漢世
尊我若作是念我得阿羅漢道世尊則不說
須菩提是樂阿蘭那行者以須菩提實无所
行而名須菩提是樂阿蘭那行
佛告須菩提於意云何如来昔在然燈佛所
於法有所得不世尊如来在然燈佛所於法
實无所得須菩提於意云何菩薩莊嚴佛土
不不也世尊何以故莊嚴佛土者則非莊嚴
是名莊嚴是故須菩提諸菩薩摩訶薩應如
是生清淨心不應住色生心不應住聲香味
觸法生心應无所住而生其心須菩提譬如
有人身如須弥山王於意云何是身為大不
須菩提言甚大世尊何以故佛說非身是名
大身須菩提如恒河中所有沙數如是沙等
恒河於意云何是諸恒河沙寧為多不須菩
提言甚多世尊但諸恒河尚多无數何况其

BD02769號　金剛般若波羅蜜經　（11-3）

須菩提言甚大世尊何以故佛說非身是名
大身須菩提如恒河中所有沙數如是沙等
恒河於意云何是諸恒河沙寧為多不須菩
提言甚多世尊但諸恒河尚多无數何況其
沙須菩提我今實言告汝若有善男子善女
人以七寶滿尒所恒河沙數三千大千世界
以用布施得福多不須菩提言甚多世尊佛
告須菩提若善男子善女人於此經中乃至
受持四句偈等為他人說而此福德勝前福
德復次須菩提隨說是經乃至四句偈等當
知此處一切世間天人阿脩羅皆應供養如
佛塔廟何況有人盡能受持讀誦須菩提當
知是人成就最上第一希有之法若是經典
所在之處則為有佛若尊重弟子
尒時須菩提白佛言世尊當何名此經我等
云何奉持佛告須菩提是經名為金剛般若
波羅蜜以是名字汝當奉持所以者何須菩
提佛說般若波羅蜜則非般若波羅蜜須菩
提於意云何如來有所說法不須菩提白佛
言世尊如來无所說須菩提於意云何三千
大千世界所有微塵是為多不須菩提言甚
多世尊須菩提諸微塵如來說非微塵是名
微塵如來說世界非世界是名世界須菩提
於意云何可以三十二相見如來不不也世
尊不可以三十二相得見如來何以故如來說
三十二相即是非相是名三十二相須菩提
若有善男子善女人以恒河沙等身命布施

BD02769 號　金剛般若波羅蜜經　（11–4）

微塵如來說世界非世界是名世界須菩提
於意云何可以三十二相見如來不不也世
尊不可以三十二相得見如來何以故如來說
三十二相即是非相是名三十二相須菩提
若有善男子善女人以恒河沙等身命布施
若復有人於此經中乃至受持四句偈等為
他人說其福甚多
尒時須菩提聞說是經深解義趣涕淚悲泣
而白佛言希有世尊佛說如是甚深經典我
從昔來所得慧眼未曾得聞如是之經世尊
若復有人得聞是經信心清淨則生實相當
知是人成就第一希有功德世尊是實相者
則是非相是故如來說名實相世尊我今得
聞如是經典信解受持不足為難若當來世
後五百歲其有眾生得聞是經信解受持是
人則為第一希有何以故此人无我相人相
眾生相壽者相所以者何我相即是非相人
相眾生相壽者相即是非相何以故離一切
諸相則名諸佛
佛告須菩提如是如是若復有人得聞是經
不驚不怖不畏當知是人甚為希有何以故
須菩提如來說第一波羅蜜非第一波羅蜜
是名第一波羅蜜
須菩提忍辱波羅蜜如來說非忍辱波羅蜜
何以故須菩提如我昔為歌利王割截身體
我於尒時无我相无人相无眾生相无壽者
相何以故我於往昔節節支解時若有我相

BD02769 號　金剛般若波羅蜜經　（11–5）

是名第一波羅蜜
須菩提忍辱波羅蜜如來說非忍辱波羅蜜
何以故須菩提如我昔為歌利王割截身體
我於尒時无我相无人相无眾生相无壽者
相何以故我於往昔節節支解時若有我相
人相眾生相壽者相應生瞋恨須菩提又念
過去於五百世作忍辱仙人於尒所世无我
相无人相无眾生相无壽者相是故須菩提
菩薩應離一切相發阿耨多羅三藐三菩提
心不應住色生心不應住聲香味觸法生心
應生无所住心若心有住則為非住是故佛
說菩薩心不應住色布施須菩提菩薩為利
益一切眾生應如是布施如來說一切諸相
即是非相又說一切眾生則非眾生須菩提
如來是真語者實語者如語者不誑語者不
異語者須菩提如來所得法此法无實无虛
須菩提若菩薩心住於法而行布施如人入
闇則无所見若菩薩心不住法而行布施如
人有目日光明照見種種色須菩提當來之
世若有善男子善女人能於此經受持讀誦
則為如來以佛智慧悉知是人悉見是人皆
得成就无量无邊功德
須菩提若有善男子善女人初日分以恒河
沙等身布施中日分復以恒河沙等身布施
後日分亦以恒河沙等身布施如是无量百
千萬億劫以身布施若復有人聞此經典信
心不逆其福勝彼何况書寫受持讀誦為人

BD02769號　金剛般若波羅蜜經

（11–6）

得成就无量无邊功德
須菩提若有善男子善女人初日分以恒河
沙等身布施中日分復以恒河沙等身布施
後日分亦以恒河沙等身布施如是无量百
千萬億劫以身布施若復有人聞此經典信
心不逆其福勝彼何况書寫受持讀誦為人
解說須菩提以要言之是經有不可思議不
可稱量无邊功德如來為發大乘者說為發
最上乘者說若有人能受持讀誦廣為人說
如來悉知是人悉見是人皆得成就不可量
不可稱无有邊不可思議功德如是人等則
為荷擔如來阿耨多羅三藐三菩提何以故
須菩提若樂小法者著我見人見眾生見壽
者見則於此經不能聽受讀誦為人解說須
菩提在在處處若有此經一切世間天人阿
如是等恒河是諸恒河所有沙數佛世界如
是寧為多不甚多世尊佛告須菩提尒所國
土中所有眾生若干種心如來悉知何以故
如來說諸心皆為非心是名為心所以者何
須菩提過去心不可得現在心不可得未來
心不可得須菩提於意云何若有人滿三千
大千世界七寶以用布施是人以是因緣得
福多不如是世尊此人以是因緣得福甚多
須菩提若福德有實如來不說得福德多以
福德无故如來說得福德多
須菩提於意云何佛可以具足色身見不不
也世尊如來不應以具足色身見何以故如來

BD02769號　金剛般若波羅蜜經

（11–7）

大千世界七寶以用布施是人以是因緣得
福多不如是世尊此人以是因緣得福甚多
須菩提若福德有實如來不說得福德多以
福德无故如來說得福德多
須菩提於意云何佛可以具足色身見不不
也世尊如來不應以具足色身見何以故如來
說具足色身即非具足色身是名具足色身須
菩提於意云何如來可以具足諸相見不不
也世尊如來不應以具足諸相見何以故如
來說諸具足即非具足是名諸相具足須
菩提汝勿謂如來作是念我當有所說法莫
作是念何以故若人言如來有所說法即為
謗佛不能解我所說故須菩提說法者无法
可說是名說法須菩提白佛言世尊佛得阿
耨多羅三藐三菩提為无所得耶如是如是
須菩提我於阿耨多羅三藐三菩提乃至无
有少法可得是名阿耨多羅三藐三菩提復
次須菩提是法平等无有高下是名阿耨多
羅三藐三菩提以无我无人无衆生无壽者
脩一切善法則得阿耨多羅三藐三菩提須
菩提所言善法者如來說非善法是名善法
須菩提若三千大千世界中所有諸須弥山
王如是等七寶聚有人持用布施若人以此
般若波羅蜜經乃至四句偈等受持讀誦
為他人說於前福德百分不及一百千萬億
分乃至筭數譬喻所不能及

BD02769號　金剛般若波羅蜜經　（11–8）

王如是等七寶聚有人持用布施若人以此
般若波羅蜜經乃至四句偈等受持讀誦
為他人說於前福德百分不及一百千萬億
分乃至筭數譬喻所不能及
須菩提於意云何汝等勿謂如來作是念我
當度衆生須菩提莫作是念何以故實无有
衆生如來度者若有衆生如來度者如來則
有我人衆生壽者須菩提如來說有我者則
非有我而凡夫之人以為有我須菩提凡夫
者如來說則非凡夫須菩提於意云何可以
三十二相觀如來不須菩提言如是如是以
三十二相觀如來佛言須菩提若以三十二
相觀如來者轉輪聖王則是如來須菩提白
佛言世尊如我解佛所說義不應以三十二
相觀如來尒時世尊而說偈言
若以色見我　以音聲求我　是人行邪道　不能見如來
須菩提汝若作是念如來不以具足相故得
阿耨多羅三藐三菩提須菩提莫作是念如
來不以具足相故得阿耨多羅三藐三菩提
須菩提汝若作是念發阿耨多羅三藐三菩
提者說諸法斷滅相莫作是念何以故發阿
耨多羅三藐三菩提者於法不說斷滅相須
菩提若菩薩以滿恒河沙等世界七寶布施
若復有人知一切法无我得成於忍此菩薩
勝前菩薩所得功德須菩提以諸菩薩不受
福德故須菩提白佛言世尊云何菩薩不受
福德須菩提菩薩所作福德不應貪著是故

BD02769號　金剛般若波羅蜜經　（11–9）

耨多羅三藐三菩提者於法不說斷滅相須
菩提若菩薩以滿恒河沙等世界七寶布施
若復有人知一切法无我得成於忍此菩薩
勝前菩薩所得功德須菩提以諸菩薩不受
福德故須菩提白佛言世尊云何菩薩不受
福德須菩提菩薩所作福德不應貪着是故
說不受福德須菩提若有人言如來若來若
去若坐若卧是人不解我所說義何以故如
來者无所從來亦无所去故名如來
須菩提若善男子善女人以三千大千世界
碎為微塵於意云何是微塵衆寧為多不甚
多世尊何以故若是微塵衆實有者佛則不
說是微塵衆所以者何佛說微塵衆則非
微塵衆是名微塵衆世尊如來所說三千大
千世界則非世界是名世界何以故若世界實
有者則是一合相如來說一合相則非一合
相是名一合相須菩提一合相者則是不可
說但凡夫之人貪着其事須菩提若人言佛
說我見人見衆生見壽者見須菩提於意云
何是人解我所說義不世尊是人不解如來
所說義何以故世尊說我見人見衆生見壽
者見即非我見人見衆生見壽者見是名我
見人見衆生見壽者見須菩提發阿耨多羅
三藐三菩提心者於一切法應如是知如是
見如是信解不生法相須菩提所言法相者
如來說即非法相是名法相須菩提若有人
以滿无量阿僧祇世界七寶持用布施若有

BD02769 號　金剛般若波羅蜜經

（11–10）

千世界則非世界是名世界何以故若世界實
有者則是一合相如來說一合相則非一合
相是名一合相須菩提一合相者則是不可
說但凡夫之人貪着其事須菩提若人言佛
說我見人見衆生見壽者見須菩提於意云
何是人解我所說義不世尊是人不解如來
所說義何以故世尊說我見人見衆生見壽
者見即非我見人見衆生見壽者見是名我
見人見衆生見壽者見須菩提發阿耨多羅
三藐三菩提心者於一切法應如是知如是
見如是信解不生法相須菩提所言法相者
如來說即非法相是名法相須菩提若有人
以滿无量阿僧祇世界七寶持用布施若有
善男子善女人發菩薩心者持於此經乃至
四句偈等受持讀誦為人演說其福勝彼云
何為人演說不取於相如如不動何以故
一切有為法　如夢幻泡影　如露亦如電　應作如是觀
佛說是經已長老須菩提及諸比丘比丘尼
優婆塞優婆夷一切世間天人阿脩羅聞佛
所說皆大歡喜信受奉行

金剛般若波羅蜜經

BD02769 號　金剛般若波羅蜜經

（11–11）

佛塔廟何況有人盡
知是人成就最上……一希
所在之處則為有佛若……
尒時須菩提白佛言世尊
云何奉持佛告須菩提……般若
波羅蜜以是名字汝……以者何須菩
提佛說般若波羅蜜……波羅蜜
提於意云何如來有所說法不須菩提白佛
言世尊如來无所說須菩提於意云何三千
大千世界所有微塵是為多不須……甚
多世尊須菩提諸微塵如來說非々……是名
微塵如來說世界非世界是名世界須菩提
於意云何可以三十二相見如來不不也世
尊何以故如來說三十二相即是非相是名
三十二相須菩提若有善男子善女人以恒
河沙等身命布施若復有人於此經中乃至
受持四句偈等為他人說其福甚多
尒時須菩提聞說是經深解義趣涕淚悲泣
而白佛言希有世尊佛說如是甚深經典我

BD02770號　金剛般若波羅蜜經

（11–1）

尊何以故如來說三十二相即是非相是名
三十二相須菩提若有善男子善女人以恒
河沙等身命布施若復有人於此經中乃至
受持四句偈等為他人說其福甚多
尒時須菩提聞說是經深解義趣涕淚悲泣
而白佛言希有世尊佛說如是甚深經典我
從昔來所得慧眼未曾得聞如是之經世尊
若復有人得聞是經信心清淨則生實相當
知是人成就第一希有功德世尊是實相者
則是非相是故如來說名實相世尊我今得
聞如是經典信解受持不足為難若當來
世後五百歲其有衆生得聞是經信解受持
人則為第一希有何以故此人无我相人相
衆生相壽者相所以者何我相即是非相人
相衆生相壽者相即是非相何以故離一切
諸相則名諸佛
佛告須菩提如是如是若復有人得聞是經
不驚不怖不畏當知是人甚為希有何以故
須菩提如來說第一波羅蜜非第一波羅蜜
是名第一波羅蜜
須菩提忍辱波羅蜜如來說非忍辱波羅蜜
何以故須菩提如我昔為歌利王割截身體
我於尒時无我相无人相无衆生相无壽者
相何以故我於往昔節節支解時若有我相
人相衆生相壽者相應生瞋恨須菩提又念
過去於五百世作忍辱仙人於尒所世无我相

BD02770號　金剛般若波羅蜜經

（11–2）

何以故須菩提如我昔為歌利王割截身體
我於尒時无我相无人相无衆生相无壽者
相何以故我於往昔節節支解時若有我相
人相衆生相壽者相應生瞋恨須菩提又念
過去於五百世作忍辱仙人於尒所世无我相
无人相无衆生相无壽者相是故須菩提
菩薩應離一切相發阿耨多羅三藐三菩提
心不應住色生心不應住聲香味觸法生心
應生无所住心若心有住則為非住是故佛
說菩薩心不應住色布施須菩提菩薩為利益
一切衆生應如是布施如來說一切諸相即
是非相又說一切衆生則非衆生須菩提
如來是真語者實語者如語者不誑語者不
異語者須菩提如來所得法此法无實无虛
須菩提若菩薩心住於法而行布施如人入
闇則无所見若菩薩心不住法而行布施如
人有目日光明照見種種色須菩提當來之
世若有善男子善女人能於此經受持讀
誦則為如來以佛智慧悉知是人悉見是人皆
得成就无量无邊功德
須菩提若有善男子善女人初日分以恒河
沙等身布施中日分復以恒河沙等身布施
後日分亦以恒河沙等身布施如是无量百
千萬億劫以身布施若復有人聞此經典信
心不逆其福勝彼何況書寫受持讀誦為人
解說須菩提以要言之是經有不可思議不

BD02770號　金剛般若波羅蜜經

（11-3）

須菩提若有善男子善女人初日分以恒河
沙等身布施中日分復以恒河沙等身布施
後日分亦以恒河沙等身布施如是无量百
千萬億劫以身布施若復有人聞此經典信
心不逆其福勝彼何況書寫受持讀誦為人
解說須菩提以要言之是經有不可思議不
可稱量无邊功德如來為發大乘者說為發
最上乘者說若有人能受持讀誦廣為人說
如來悉知是人悉見是人皆得成就不可量
不可稱无有邊不可思議功德如是人等則
為荷擔如來阿耨多羅三藐三菩提何以故
須菩提若樂小法者著我見人見衆生見壽
者見則於此經不能聽受讀誦為人解說須
菩提在在處處若有此經一切世間天人阿脩
羅所應供養當知此處則為是塔皆應恭敬
作礼圍繞以諸華香而散其處
復次須菩提善男子善女人受持讀誦此經若
為人輕賤是人先世罪業應墮惡道以今世
人輕賤故先世罪業則為消滅當得阿耨多
羅三藐三菩提須菩提我念過去无量阿僧
祇劫於然燈佛前得值八百四千萬億那由
他諸佛悉皆供養承事无空過者若復有
人於後末世能受持讀誦此經所得功德於
我所供養諸佛功德百分不及一千萬億分
乃至筭數譬喻所不能及須菩提若善男子
善女人於後末世有受持讀誦此經所得功

BD02770號　金剛般若波羅蜜經

（11-4）

羅三藐三菩提須菩提我念過去无量阿僧
祇劫於然燈佛前得值八百四千萬億那由
他諸佛悉皆供養承事无空過者若復有
人於後末世能受持讀誦此經所得功德於
我所供養諸佛功德百分不及一千萬億分
乃至算數譬喻所不能及須菩提若善男子
善女人於後末世有受持讀誦此經所得功
德我若具說者或有人聞心則狂亂狐疑不
信須菩提當知是經義不可思議果報亦不
可思議
尒時須菩提白佛言世尊善男子善女人發
阿耨多羅三藐三菩提心云何應住云何降
伏其心佛告須菩提善男子善女人發阿耨
多羅三藐三菩提者當生如是心我應滅度
一切衆生滅度一切衆生已而无有一衆生
實滅度者何以故若菩薩有我相人相衆生
相壽者相則非菩薩所以者何須菩提實无
有法發阿耨多羅三藐三菩提者須菩提於
意云何如來於然燈佛所有法得阿耨多羅
三藐三菩提不不也世尊如我解佛所說義
佛於然燈佛所无有法得阿耨多羅三藐三
菩提佛言如是如是須菩提實无有法如來
得阿耨多羅三藐三菩提須菩提若有法如
來得阿耨多羅三藐三菩提者然燈佛則不
與我受記汝於來世當得作佛號釋迦牟尼
以實无有法得阿耨多羅三藐三菩提是故
然燈佛與我受記作是言汝於來世當得作

BD02770 號　金剛般若波羅蜜經　（11–5）

菩提佛言如是如是須菩提實无有法如來
得阿耨多羅三藐三菩提須菩提若有法如
來得阿耨多羅三藐三菩提者然燈佛則不
與我受記汝於來世當得作佛號釋迦牟尼
以實无有法得阿耨多羅三藐三菩提是故
然燈佛與我受記作是言汝於來世當得作
佛號釋迦牟尼何以故如來者即諸法如義
若有人言如來得阿耨多羅三藐三菩提須
菩提實无有法佛得阿耨多羅三藐三菩提
須菩提如來所得阿耨多羅三藐三菩提於
是中无實无虛是故如來說一切法皆是佛
法須菩提所言一切法者即非一切法是故
名一切法須菩提譬如人身長大須菩提言
世尊如來說人身長大則為非大身是名大
身須菩提菩薩亦如是若作是言我當滅度
无量衆生則不名菩薩何以故須菩提實无
有法名為菩薩是故佛說一切法无我无人
无衆生无壽者須菩提若菩薩作是言我當
莊嚴佛土是不名菩薩何以故如來說莊嚴
佛土者即非莊嚴是名莊嚴須菩提若菩薩
通達无我法者如來說名真是菩薩
須菩提於意云何如來有肉眼不如是世尊
如來有肉眼須菩提於意云何如來有天眼
不如是世尊如來有天眼須菩提於意云何
如來有慧眼不如是世尊如來有慧眼須菩
提於意云何如來有法眼不如是世尊如來
有法眼須菩提於意云何如來有佛眼不

BD02770 號　金剛般若波羅蜜經　（11–6）

須菩提於意云何如來有肉眼不如是世尊
如來有肉眼須菩提於意云何如來有天眼
不如是世尊如來有天眼須菩提於意云何
如來有慧眼不如是世尊如來有慧眼須菩
提於意云何如來有法眼不如是世尊如來
有法眼須菩提於意云何如來有佛眼不如
是世尊如來有佛眼須菩提於意云何恒河
中所有沙佛說是沙不如是世尊如來說是
沙須菩提於意云何如一恒河中所有沙有
如是等恒河是諸恒河所有沙數佛世界如
是寧為多不甚多世尊佛告須菩提尒所國
土中所有衆生若干種心如來悉知何以故
如來說諸心皆為非心是名為心所以者何
須菩提過去心不可得現在心不可得未來
心不可得須菩提於意云何若有人滿三千
大千世界七寶以用布施是人以是因緣得
福多不如是世尊此人以是因緣得福甚多
須菩提若福德有實如來不說得福德多
以福德无故如來說得福德多
須菩提於意云何佛可以具足色身見不不
也世尊如來不應以具足色身見何以故如來說具
足色身即非具足色身是名具足色身須菩
提於意云何如來可以具足諸相見不不也
世尊如來不應以具足諸相見何以故如來
說諸相具足即非具足是名諸相具足須菩
提汝勿謂如來作是念我當有所說法莫作
是念何以故若人言如來有所說法即為

BD02770號　金剛般若波羅蜜經

(11–7)

提於意云何如來可以具足諸相見不不也
世尊如來不應以具足諸相見何以故如來
說諸相具足即非具足是名諸相具足須菩
提汝勿謂如來作是念我當有所說法莫作
是念何以故若人言如來有所說法即為
謗佛不能解我所說故須菩提說法者无
法可說是名說法須菩提白佛言世尊佛得
阿耨多羅三藐三菩提為无所得耶如是如是
須菩提我於阿耨多羅三藐三菩提乃至无
有少法可得是名阿耨多羅三藐三菩提復
次須菩提是法平等无有高下是名阿耨多
羅三藐三菩提以无我无人无衆生无壽者
脩一切善法則得阿耨多羅三藐三菩提須
菩提所言善法者如來說非善法是名善法
須菩提若三千大千世界中所有諸須弥山
王如是等七寶聚有人持用布施若人以此
般若波羅蜜經乃至四句偈等受持讀誦為他人
說於前福德百分不及一百千萬億分乃至
筭數譬喻所不能及
須菩提於意云何汝等勿謂如來作是念我
當度衆生須菩提莫作是念何以故實无
有衆生如來度者若有衆生如來度者如來
則有我人衆生壽者須菩提如來說有我者
則非有我而凡夫之人以為有我須菩提凡夫
者如來說則非凡夫須菩提於意云何可以
三十二相觀如來不須菩提言如是如是以

BD02770號　金剛般若波羅蜜經

(11–8)

當度衆生須菩提莫作是念何以故實无
有衆生如來度者若有衆生如來度者如來
則有我人衆生壽者須菩提如來說有我者
則非有我而凡夫之人以爲有我須菩提凡夫
者如來說則非凡夫須菩提於意云何可以
三十二相觀如來不須菩提言如是如是以
三十二相觀如來佛言須菩提若以三十二相
觀如來者轉輪聖王則是如來須菩提白佛
言世尊如我解佛所說義不應以三十二相
觀如來尒時世尊而說偈言
若以色見我　以音聲求我　是人行邪道　不能見如來
須菩提汝若作是念如來不以具足相故得
阿耨多羅三藐三菩提須菩提莫作是念如
來不以具足相故得阿耨多羅三藐三菩提
須菩提汝若作是念發阿耨多羅三藐三菩
提者說諸法斷滅相莫作是念何以故發阿
耨多羅三藐三菩提者於法不說斷滅相
須菩提若菩薩以滿恒河沙等世界七寶布
施若復有人知一切法无我得成於忍此菩
薩勝前菩薩所得功德須菩提以諸菩薩
不受福德故須菩提白佛言世尊云何菩薩
不受福德須菩提菩薩所作福德不應貪著是
故說不受福德須菩提若有人言如來若來
若去若坐若卧是人不解我所說義何以故如
來者无所從來亦无所去故名如來
須菩提若善男子善女人以三千大千世界

BD02770 號　金剛般若波羅蜜經　（11–9）

不受福德須菩提菩薩所作福德不應貪著是
故說不受福德須菩提若有人言如來若來
若去若坐若卧是人不解我所說義何以故如
來者无所從來亦无所去故名如來
須菩提若善男子善女人以三千大千世界
碎爲微塵於意云何是微塵衆寧爲多不甚
多世尊何以故若是微塵衆實有者佛則不
說是微塵衆所以者何佛說微塵衆則非微
塵衆是名微塵衆世尊如來所說三千大千
世界則非世界是名世界何以故若世界實
有者則是一合相如來說一合相則非一合
相是名一合相須菩提一合相者則是不可
說但凡夫之人貪著其事須菩提若人言佛
說我見人見衆生見壽者見須菩提於意云
何是人解我所說義不世尊是人不解如來
所說義何以故世尊說我見人見衆生見壽
者見即非我見人見衆生見壽者見是名我
見人見衆生見壽者見須菩提發阿耨多羅
三藐三菩提心者於一切法應如是知如是見
如是信解不生法相須菩提所言法相者
如來說即非法相是名法相須菩提若有
人以滿无量阿僧祇世界七寶持用布施若
有善男子善女人發菩薩心者持於此經乃
至四句偈等受持讀誦爲人演說其福勝彼
云何爲人演說不取於相如如不動何以故
一切有爲法　如夢幻泡影　如露亦如電　應作如是觀

BD02770 號　金剛般若波羅蜜經　（11–10）

相是名一合相須菩提一合相者
說但凡夫之人貪著其事須菩提若人言佛
說我見人見衆生見壽者見須菩提於意云
何是人解我所說義不世尊是人不解如來
所說義何以故世尊說我見人見衆生見壽
者見即非我見人見衆生見壽者見是名我
見人見衆生見壽者見須菩提發阿耨多羅
三藐三菩提心者於一切法應如是知如是見
如是信解不生法相須菩提所言法相者
如來說即非法相是名法相須菩提若有
人以滿无量阿僧祇世界七寶持用布施若
有善男子善女人發菩薩心者持於此經乃
至四句偈等受持讀誦為人演說其福勝彼
云何為人演說不取於相如如不動何以故
一切有為法　如夢幻泡影　如露亦如電　應作如是觀
佛說是經已長老須菩提及諸比丘比丘尼
優婆塞優婆夷一切世間天人阿脩羅聞佛
所說皆大歡喜信受奉行

金剛般若波羅蜜經

BD02770 號　金剛般若波羅蜜經

（11–11）

身得度者即現天大將軍身而為說法應以毗
沙門身得度者即現毗沙門身而為說法應以
小王身得度者即現小王身而為說法應以
長者身得度者即現長者身而為說法應
居士身得度者即現居士身而為說法應
以宰官身得度者即現宰官身而為說法
應以婆羅門身得度者即現婆羅門身而為
說法應以比丘比丘尼優婆塞優婆夷身得度者
即現比丘比丘尼優婆塞優婆夷身而為說法
以長者居士宰官婆羅門婦女身得度者
即現婦女身而為說法應以童男童女身得
度者即現童男童女身而為說法應以天
龍夜叉乾闥婆阿脩羅迦樓羅緊那羅摩睺羅
伽人非人等身得度者即皆現之而為說法應以
執金剛神得度者即現執金剛神而為說法
无盡意是觀世音菩薩成就如是功德以種種
形遊諸國土度脫衆生是故汝等應當一心供
養觀世音菩薩是觀世音菩薩摩訶薩於
怖畏急難之中能施无畏是故此娑婆世界
皆號之為施无畏者
尒時无盡意菩薩白佛言世尊我今當供養
觀世音菩薩即解頸衆寶珠瓔珞價直百千

BD02771 號　妙法蓮華經卷七

（6–1）

无盡意是觀世音菩薩成就如是功德以種種
形遊諸国土度脱衆生是故汝等應當一心供
養觀世音菩薩是觀世音菩薩摩訶薩於
怖畏急難之中能施无畏是故此娑婆世界
皆号之為施无畏者
尒時无盡意菩薩白佛言世尊我今當供養
觀世音菩薩即解頸衆寶珠瓔珞價直百千
兩金而以與之作是言仁者受此法施珎寶瓔
珞時觀世音菩薩不肯受之无盡意復白觀
世音菩薩言仁者愍我等故受此瓔珞尒時佛
告觀世音菩薩當愍此无盡意菩薩及四衆天
龍夜叉乾闥婆阿脩羅迦樓羅緊那羅摩睺
羅伽人非人等故受是瓔珞即時觀世音菩薩
愍諸四衆及於天龍人非人等受其瓔珞分作
二分一分奉釋迦牟尼佛一分奉多寶佛塔无
盡意觀世音菩薩有如是自在神力遊於娑
婆世界
尒時无盡意菩薩以偈問曰
世尊妙相具　我今重問彼　佛子何因緣　名為觀世音
具足妙相尊　偈荅无盡意　汝聽觀音行　善應諸方所
弘誓深如海　歷劫不思議　侍多千億佛　發大清淨願
我為汝略說　聞名及見身　心念不空過　能滅諸有苦
假使興害意　推落大火坑　念彼觀音力　火坑變成池
或漂流巨海　龍魚諸鬼難　念彼觀音力　波浪不能沒
或在須弥峯　為人所推墮　念彼觀音力　如日虛空住
或被惡人逐　墮落金剛山　念彼觀音力　不能損一毛

BD02771號　妙法蓮華經卷七　（6–2）

弘誓深如海　歷劫不思議　侍多千億佛　發大清淨願
我為汝略說　聞名及見身　心念不空過　能滅諸有苦
假使興害意　推落大火坑　念彼觀音力　火坑變成池
或漂流巨海　龍魚諸鬼難　念彼觀音力　波浪不能沒
或在須弥峯　為人所推墮　念彼觀音力　如日虛空住
或被惡人逐　墮落金剛山　念彼觀音力　不能損一毛
或值怨賊遶　各執刀加害　念彼觀音力　咸即起慈心
或遭王難苦　臨刑欲壽終　念彼觀音力　刀尋段段壞
或囚禁枷鎖　手足被杻械　念彼觀音力　釋然得解脫
呪咀諸毒藥　所欲害身者　念彼觀音力　還著於本人
或遇惡羅剎　毒龍諸鬼等　念彼觀音力　時悉不敢害
若惡獸圍遶　利牙爪可怖　念彼觀音力　疾走无邊方
蚖虵及蝮蠍　氣毒煙火然　念彼觀音力　尋聲自迴去
雲雷鼓掣電　降雹澍大雨　念彼觀音力　應時得消散
衆生被困厄　无量苦逼身　觀音妙智力　能救世間苦
具足神通力　廣脩智方便　十方諸國土　无剎不現身
種種諸惡趣　地獄鬼畜生　生老病死苦　以漸悉令滅
真觀清淨觀　廣大智慧觀　悲觀及慈觀　常願常瞻仰
无垢清淨光　慧日破諸闇　能伏災風火　普明照世間
悲體戒雷震　慈意妙大雲　澍甘露法雨　滅除煩惱焰
諍訟經官處　怖畏軍陣中　念彼觀音力　衆怨悉退散
妙音觀世音　梵音海潮音　勝彼世間音　是故須常念
念念勿生疑　觀世音淨聖　於苦惱死厄　能為作依怙
具一切功德　慈眼視衆生　福聚海无量　是故應頂禮
尒時持地菩薩即從座起前白佛言世尊若有
衆生聞是觀世音菩薩品自在之業普門示

BD02771號　妙法蓮華經卷七　（6–3）

[illegible]
悲體戒雷震 慈意妙大雲 澍甘露法雨 滅除煩惱焰
諍訟經官處 怖畏軍陣中 念彼觀音力 衆怨悉退散
妙音觀世音 梵音海潮音 勝彼世間音 是故須常念
念念勿生疑 觀世音淨聖 於苦惱死厄 能為作依怙
具一切功德 慈眼視衆生 福聚海无量 是故應頂禮
尒時持地菩薩即從座起前白佛言世尊若有
衆生聞是觀世音菩薩品自在之業普門示
現神通力者當知是人功德不少佛說是普
門品時衆中八万四千衆生皆發无等等阿
耨多羅三藐三菩提心
妙法蓮華經陁羅尼品第廿六
尒時藥王菩薩即從座起偏袒右肩合掌向
佛而白佛言世尊若善男子善女人有能受
持法華經者若讀誦通利若書寫經卷得幾
所福佛告藥王若有善男子善女人供養八
百万億那由他恒河沙等諸佛於汝意云何
其所得福寧為多不甚多世尊佛言若善
男子善女人能於是經乃至受持一四句偈讀
誦解義如說脩行功德甚多尒時藥王菩薩
白佛言世尊我今當與說法者陁羅尼呪以
守護之即說呪曰
安尒一 曼尒二 摩祢三 摩祢四 旨隷五 遮梨第六
賖咩羊鳴音七 賖履冈雌反 多瑋八 羶輸千反帝九 目帝十 目
多履十一 娑履十二 阿瑋娑履十三 桑履十四 娑履十五 叉裔十六
阿叉裔十七 阿耆膩十八 羶帝十九 賖履二十 陁羅尼二十一 阿盧伽

BD02771 號　妙法蓮華經卷七

（6–4）

其所得福寧為多不甚多世尊佛言若善
男子善女人能於是經乃至受持一四句偈讀
誦解義如說脩行功德甚多尒時藥王菩薩
白佛言世尊我今當與說法者陁羅尼呪以
守護之即說呪曰
安尒一 曼尒二 摩祢三 摩祢四 旨隷五 遮梨第六
賖咩羊鳴音七 賖履冈雌反 多瑋八 羶輸千反帝九 目帝十 目
多履十一 娑履十二 阿瑋娑履十三 桑履十四 娑履十五 叉裔十六
阿叉裔十七 阿耆膩十八 羶帝十九 賖履二十 陁羅尼二十一 阿盧伽
婆娑蘇奈反 簸蔗毗叉膩二十二 祢毗剃二十三 阿便哆都餓反 邏
祢履剃二十四 阿亶哆波隷輸地二十五 漚究隷二十六 牟
究隷二十七 阿羅隷二十八 波羅隷二十九 首迦差初几反 阿三磨
三履三十 佛䭾毗吉利袠帝三十一 達磨波利差猜離反 帝
三十二 僧伽涅瞿沙祢三十三 婆舍婆舍輸地三十五 曼哆邏三十六
曼哆邏叉夜多三十七 郵樓哆三十八 郵樓哆憍舍略三十九 惡叉邏
四十 惡叉冶多冶四十一 阿婆盧四十二 阿摩若荏蔗反 那多夜四十三
世尊是陁羅尼神呪六十二億恒沙等諸佛所
說若有侵毀此法師者則為侵毀是諸佛已
時釋迦牟尼佛讚藥王菩薩言善哉善哉藥
王汝愍念擁護此法師故說是陁羅尼於諸
衆生多所饒益尒時勇施菩薩白佛言世尊我
亦為擁護讀誦受持法華經者說陁羅尼若
此法師得是陁羅尼若夜叉若羅剎若富單那
若吉蔗若鳩槃茶若餓鬼等伺求其短无能得便
即於佛前而說呪曰
痤隷一 摩訶痤隷二 郁枳三 目枳四 阿隷五 阿

BD02771 號　妙法蓮華經卷七

（6–5）

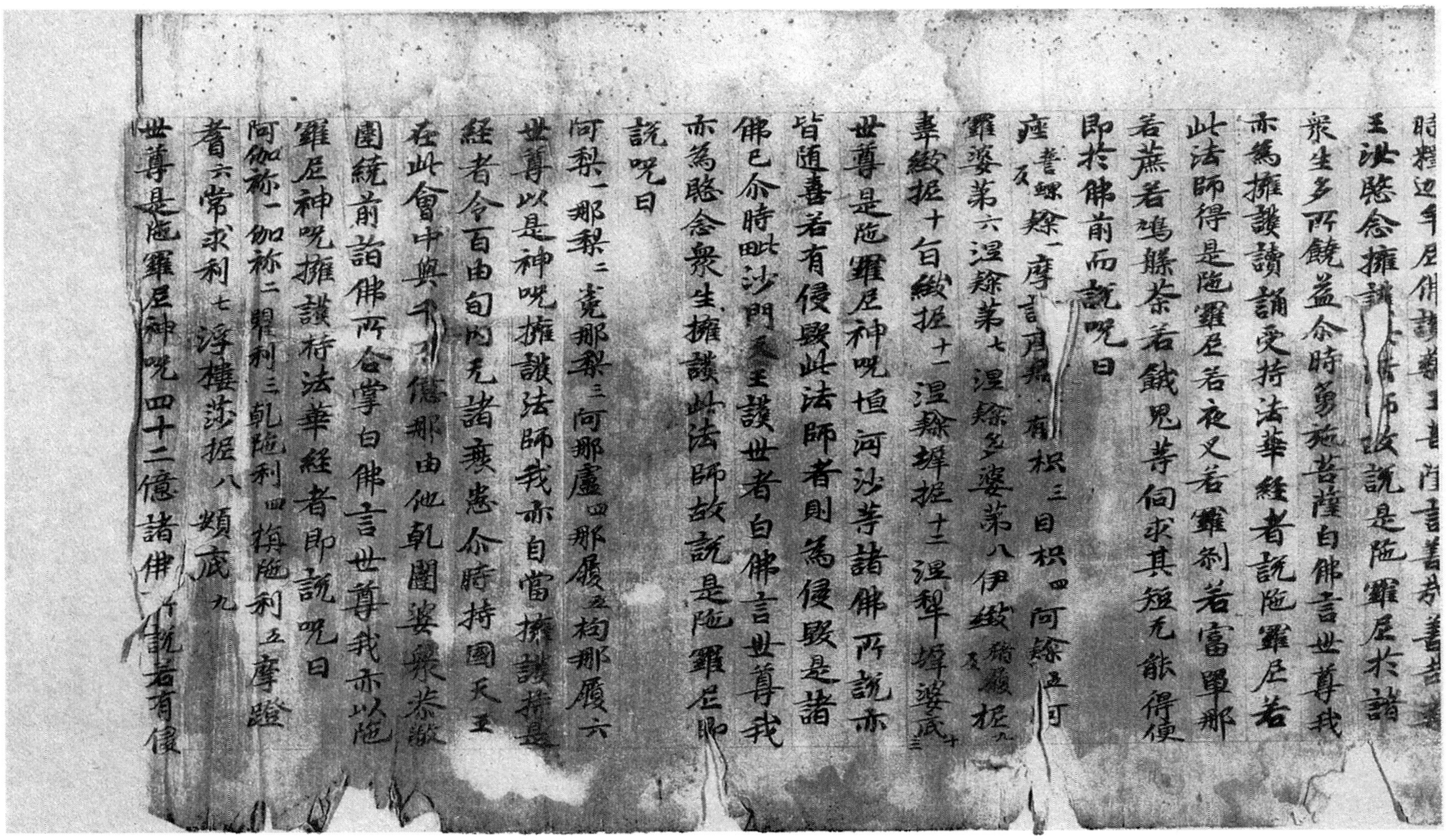
時釋迦牟尼佛讚藥王菩薩言善哉善哉藥
王汝愍念擁護此法師故說是陀羅尼於諸
衆生多所饒益尒時勇施菩薩白佛言世尊我
亦為擁護讀誦受持法華經者說陀羅尼若
此法師得是陀羅尼若夜叉若羅剎若富單那
若吉蔗若鳩槃荼若餓鬼等伺求其短无能得便
即於佛前而說呪曰
痤隸一 摩訶痤隸二 郁枳三 目枳四 阿隸五 阿
羅婆第六 涅隸第七 涅隸多婆第八 伊緻柅九
韋緻柅十 旨緻柅十一 涅隸墀柅十二 涅犁墀婆底十三
世尊是陀羅尼神呪恒河沙等諸佛所說亦
皆隨喜若有侵毀此法師者則為侵毀是諸
佛已尒時毗沙門天王護世者白佛言世尊我
亦為愍念衆生擁護此法師故說是陀羅尼即
說呪曰
阿梨一 那梨二 㝹那梨三 阿那盧四 那履五 拘那履六
世尊以是神呪擁護法師我亦自當擁護持是
經者令百由旬內无諸衰患尒時持國天王
在此會中與千萬億那由他乾闥婆衆恭敬
圍繞前詣佛所合掌白佛言世尊我亦以陀
羅尼神呪擁護持法華經者即說呪曰
阿伽祢一 伽祢二 瞿利三 乾陀利四 栴陀利五 摩蹬
耆六 常求利七 浮樓莎柅八 頞底九
世尊是陀羅尼神呪四十二億諸佛所說若有侵

BD02771號　妙法蓮華經卷七　（6–6）

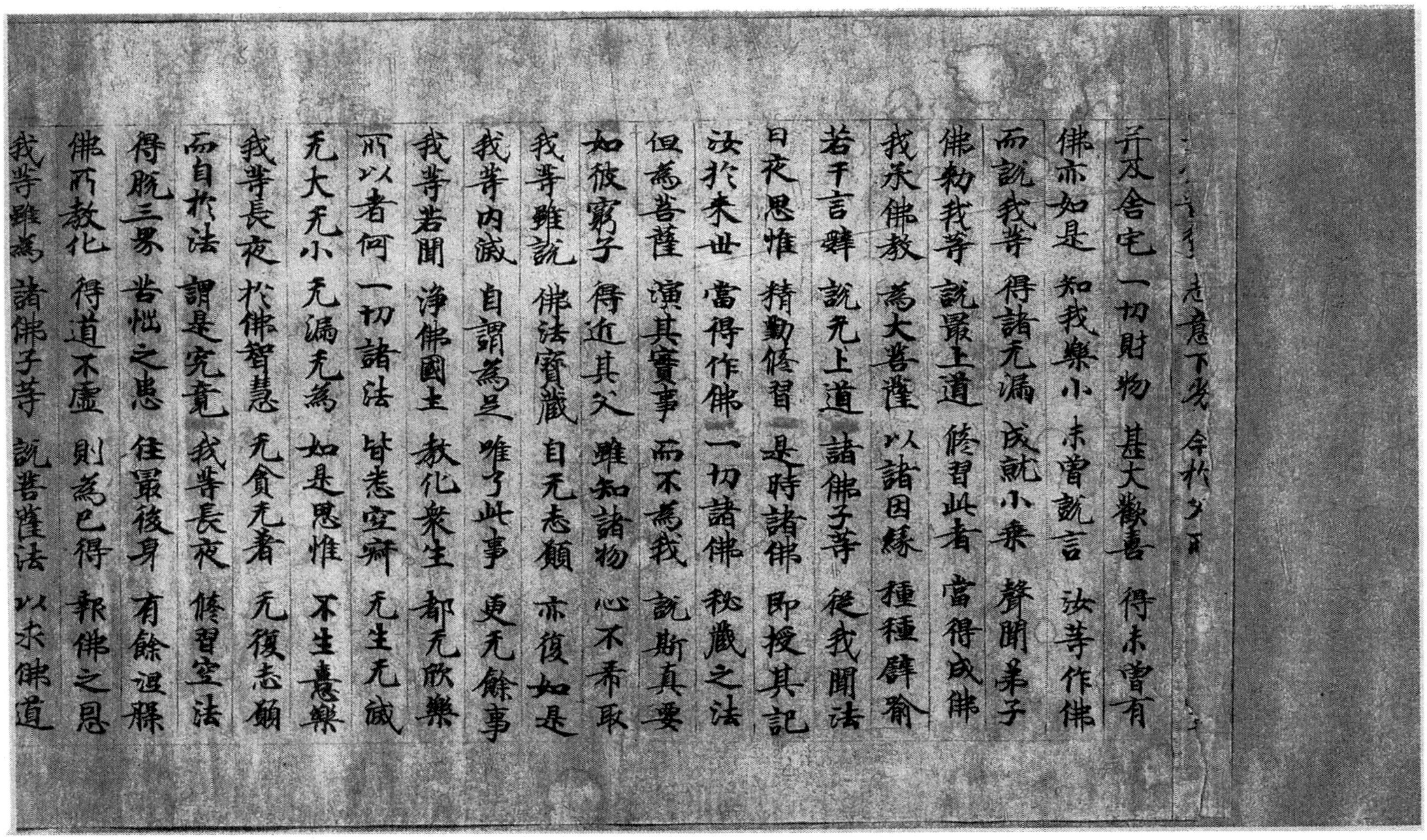
意下劣 今於父
并及舍宅 一切財物 甚大歡喜 得未曾有
佛亦如是 知我樂小 未曾說言 汝等作佛
而說我等 得諸无漏 成就小乘 聲聞弟子
佛勑我等 說最上道 修習此者 當得成佛
我承佛教 為大菩薩 以諸因緣 種種譬喻
若干言辭 說无上道 諸佛子等 從我聞法
日夜思惟 精勤修習 是時諸佛 即授其記
汝於來世 當得作佛 一切諸佛 秘藏之法
但為菩薩 演其實事 而不為我 說斯真要
如彼窮子 得近其父 雖知諸物 心不希取
我等雖說 佛法寶藏 自无志願 亦復如是
我等內滅 自謂為足 唯了此事 更无餘事
我等若聞 淨佛國土 教化衆生 都无欣樂
所以者何 一切諸法 皆悉空寂 无生无滅
无大无小 无漏无為 如是思惟 不生喜樂
我等長夜 於佛智慧 无貪无著 无復志願
而自於法 謂是究竟 我等長夜 修習空法
得脫三界 苦惱之患 住最後身 有餘涅槃
佛所教化 得道不虛 則為已得 報佛之恩
我等雖為 諸佛子等 說菩薩法 以求佛道

BD02772號　妙法蓮華經卷二　（3–1）

所以者何 一切諸法 皆悉空寂 无生无滅
无大无小 无漏无為 如是思惟 不生喜樂
我等長夜 於佛智慧 无貪无著 无復志願
而自於法 謂是究竟 我等長夜 修習空法
得脫三界 苦惱之患 住最後身 有餘涅槃
佛所教化 得道不虛 則為已得 報佛之恩
我等雖為 諸佛子等 說菩薩法 以求佛道
而於是法 永无願樂 導師見捨 觀我心故
初不勸進 說有實利 如富長者 知子志劣
以方便力 柔伏其心 然後乃付 一切財物
佛亦如是 現希有事 知樂小者 以方便力
調伏其心 乃教大智 我等今日 得未曾有
非先所望 而今自得 如彼窮子 得无量寶
世尊我今 得道得果 於无漏法 得清淨眼
我等長夜 持佛淨戒 始於今日 得其果報
法王法中 久脩梵行 今得无漏 无上大果
我等今者 真是聲聞 以佛道聲 令一切聞
我等今者 真阿羅漢 於諸世間 天人魔梵
普於其中 應受供養 世尊大恩 以希有事
憐愍教化 利益我等 无量億劫 誰能報者
手足供給 頭頂礼敬 一切供養 皆不能報
若以頂戴 兩肩荷負 於恒沙劫 盡心恭敬
又以美饍 无量寶衣 及諸臥具 種種湯藥
牛頭栴檀 及諸珎寶 以起塔廟 寶衣布地
如斯等事 以用供養 於恒沙劫 亦不能報

BD02772號 妙法蓮華經卷二 （3–2）

法王法中 久脩梵行 今得无漏 无上大果
我等今者 真是聲聞 以佛道聲 令一切聞
我等今者 真阿羅漢 於諸世間 天人魔梵
普於其中 應受供養 世尊大恩 以希有事
憐愍教化 利益我等 无量億劫 誰能報者
手足供給 頭頂礼敬 一切供養 皆不能報
若以頂戴 兩肩荷負 於恒沙劫 盡心恭敬
又以美饍 无量寶衣 及諸臥具 種種湯藥
牛頭栴檀 及諸珎寶 以起塔廟 寶衣布地
如斯等事 以用供養 於恒沙劫 亦不能報
諸佛希有 无量无邊 不可思議 大神通力
无漏无為 諸法之王 能為下劣 忍于斯事
取相凡夫 隨宜而說 諸佛於法 得最自在
知諸衆生 種種欲樂 及其志力 隨所堪任
以无量喻 而為說法 隨諸衆生 宿世善根
又知成熟 未成熟者 種種籌量 分別知已
於一乘道 隨宜說三

妙法蓮華經卷第二

BD02772號 妙法蓮華經卷二 （3–3）

覺三惡〃无有是處以是義故成阿耨多羅三藐三菩
提得大涅槃是故諸佛菩薩常以此法教化眾生意亦
令是故号佛為无上師冥以昔未得道今已得之以所得
道為眾生說從本已來未脩　　　已脩竟以已所脩為
眾生說自破无明復為眾生破壞无明自得淨目復為
眾生破除盲冥令得淨眼自知二諦復為眾生演說二
諦既自解脫復為眾生〃解脫法自度无邊生死大
河復令眾生皆悉得度自得无畏復教眾生令无怖畏
自既涅槃復為眾生演大涅槃是故号佛為无上師天
者名晝天上晝長夜短是故名天又復天者名无愁惱常
受快樂是故名天又復天者名為燈明能破黑闇而為大
明是故名天亦以能破惡業黑闇得於善業而生天上是
故名天又復天者名吉以吉祥故得名為天又復天者名曰
日有光明故名日為天以是義故名為天也人者名曰能
多恩義又復人者身口柔軟又復人者名有憍慢又復人者
能破憍慢善男子諸佛雖為一切眾生无上大師然經中
說為天人師何以故善男子諸眾生中唯天與人能發阿

BD02773號　大般涅槃經（北本）卷一八　（8–1）

故名天又復天者名吉以吉祥故得名為天又復天者名曰
日有光明故名日為天以是義故名為天也人者名曰能
多恩義又復人者身口柔軟又復人者名有憍慢又復人者
能破憍慢善男子諸佛雖為一切眾生无上大師然經中
說為天人師何以故善男子諸眾生中唯天與人能發阿
耨多羅三藐三菩提心能修十善業道能得須陁洹果
斯陁含果阿那含果阿羅漢果辟支佛道得阿耨多羅
三藐三菩提是故号佛為天人師云何為佛〃者名覺既
自覺悟復能覺他善男子譬如有人覺知有賊〃无
能為菩薩摩訶薩能覺一切无量煩惱既覺了已令
諸煩惱无所能為是故名覺佛以是覺故不生不老不病
不死〃故名佛婆伽婆者婆伽名破婆名煩惱能破煩
惱故名婆伽婆又能成就諸善法故又能善解諸法
義故有大功德无能勝故有大名聞遍十方故又能種種
大惠施故又於无量阿僧祇劫吐女根故善男子若男
若女能如是念佛者若行若住若坐若卧若晝若夜
若明若闇常得不離見佛世尊善男子何故名為如來
應正遍知乃至婆伽婆而有如是无量功德大名稱耶
善男子菩薩摩訶薩於昔无量阿僧祇劫恭敬父母
和上諸師上坐長老於无量劫常為眾生而行布施
堅持禁戒修集忍辱勤行精進禪定智慧大慈大
悲大喜大捨是故今得三十二相八十種好金剛之身又復
菩薩於昔无量阿僧祇劫修集信念進定慧根於諸師

BD02773號　大般涅槃經（北本）卷一八　（8–2）

和上諸師上坐長老於无量劫常為衆生而行布施
堅持禁戒脩集忍辱懃行精進禪定智慧大慈大
悲大喜大捨是故今得三十二相八十種好金剛之身又復
菩薩於昔无量阿僧祇劫脩集信念進定慧根於諸師
長恭敬供養常為法利不為貪利菩薩若持十二部
經若讀若誦常為衆生令得解脫安隱快樂終不自
為何以故菩薩常脩出世間心及出家心无為之心无諍
訟心无垢穢心无繫縛心无取著心无覆蓋心无无記心
无生死心无疑網心无貪欲心无瞋恚心无愚癡心无
憍慢心无穢濁心无煩惱心无苦心无量心廣大心虛空
心无心无无心調心不護心无覆藏心无世間心常定心常
脩心常解脫心无報心无願心善願心无語心柔濡心不
住心自在心无漏心第一義心不退心无常定心正直心无諂
曲心純善心无多少心无斷心无凡夫心无聲聞心无緣覺
心善知心界知心生界知心住界知心自在界知心是故今得十
力四无所畏大悲三念處常樂我淨是故得稱如來乃
至婆伽婆是名菩薩摩訶薩念佛云何菩薩摩訶薩
念法善男子菩薩摩訶薩思惟諸佛所可說法微妙最
上因是法故能令衆生得現在果唯此正法无有時節
法眼所見非肉眼見然不可以譬喻為比不生不出不住
不滅不始不終无為无數无舍宅者為作舍宅无歸作歸
无明作明未到彼岸令到彼岸為无香處作无导香

上因是法故能令衆生得現在果唯此正法无有時節
法眼所見非肉眼見然不可以譬喻為比不生不出不住
不滅不始不終无為无數无舍宅者為作舍宅无歸作歸
无明作明未到彼岸令到彼岸為无香處作无导香
不可見見不動不轉不長不短永斷諸樂而安隱樂畢
竟微妙非色斷色而亦是色乃至非識斷識而亦是
識非業斷業非結斷結非物斷物而亦是物非界斷界
而亦是界非有斷有而亦是有非入斷入而亦是入非因斷
因而亦是因非果斷果而亦是果非虛非實斷一切實而
亦是實非生非滅永斷生滅而亦是滅非相非非相斷一
切相而亦是相非教非不教而亦是師非怖非安斷一切怖
而亦是安非忍非不忍永斷不忍而亦是忍非止非不止
斷一切止而亦是止一切法頂悉能永斷一切煩惱清淨无相
永脫諸相无量衆生畢竟住處能滅一切生死熾火乃是
諸佛所遊居處常不變易是名菩薩念法云何念僧諸
佛聖僧如法而住受正直法隨順脩行不可覩見不可捉
持不可破壞无能嬈害不可思議一切衆生良祐福田雖
為福田无所受取清淨无穢无漏无為廣普无邊其
心調柔平等无二无有嬈濁常不變易是名念僧云何
念戒菩薩思惟有戒不破不漏不壞不雜雖无形色
而可護持雖无觸對善脩方便可得具足无有過咎
諸佛菩薩之所讚嘆是大方等大涅槃因善男子譬
如大地船舫瓔珞大姓大海灰汁舍宅刀劍橋梁良

念戒菩薩思惟有戒不破不漏不壞不雜雖无形色
而可護持雖无觸對善修方便可得具足无有過咎
諸佛菩薩之所讚嘆是大方等大涅槃因善男子譬
如大地舩舫瓔珞大姓大海灰汁舍宅刀劒橋梁良
醫妙藥阿伽陁藥如意寶珠脚足眼目父母蔭涼
无能劫盜不可燒害火不能焚水不能漂大山梯隥諸
佛菩薩妙寶勝幢若住是戒得須陁洹果我亦有
分然我不須何以故若我得是須陁洹果不能廣度一切
衆生若住是戒得阿耨多羅三藐三菩提我亦有分是我
所欲何以故若得阿耨多羅三藐三菩提當為衆生
廣說妙法而作救護是名菩薩摩訶薩念戒云何念施
菩薩摩訶薩深觀此施乃是阿耨多羅三藐三菩提
因諸佛菩薩親近修集如是布施我亦如是親近修集
若不惠施不能莊嚴四部之衆施雖不能畢竟斷結
而能除破現在煩惱以施因緣故常為十方无量无
邊恒沙世界衆生之所稱嘆菩薩摩訶薩施衆生
食則施其命以是果報得佛之時常不變易以施樂
故成佛之時則得安樂菩薩施時如法求財不掠彼施
是故成佛得清淨涅槃菩薩施時令諸衆生不求而
得是故成佛得自在我以施因緣令他得力是故成佛
獲得十力以施因緣令他得語是故成佛得四无㝵諸佛
菩薩修行是施為涅槃因我亦如是修集施時為涅
槃因廣說如雜華中云何念天有四天王處乃至非相非

BD02773號　大般涅槃經（北本）卷一八　（8–5）

是故成佛得清淨涅槃菩薩施時令諸衆生不求而
得是故成佛得自在我以施因緣令他得力是故成佛
獲得十力以施因緣令他得語是故成佛得四无㝵諸佛
菩薩修行是施為涅槃因我亦如是修集施時為涅
槃因廣說如雜華中云何念天有四天王處乃至非相非
非想處若有信心得四天王處我亦有分若戒多聞布
施智慧得四天王處乃至得非想非非想處我亦
有分然非我欲何以故四天王處乃至非想非非想處皆
是无常以无常故生老病死以是義故非我所欲譬如
幻化誑於愚夫智慧之人所不惑著如幻化者即是四天王
處乃至非想非非想處愚者即是一切凡夫我則不同
凡夫愚人昔聞有第一義天謂諸佛菩薩常不變易
以常住故不生不老不病不死我為衆生精勤求於第
一義天何以故第一義天能令衆生除斷煩惱猶如意
樹若我有信乃至有慧則能得是第一義天當為
衆生廣分別說第一義天是名菩薩摩訶薩念天
善男子是名菩薩非世間也是為世間不知見覺而
是菩薩所知見覺善男子若我弟子謂受持讀誦
書寫演說十二部經及以受持讀誦書寫敷演解說
大涅槃經等无差別者是義不然何以故善男子大
涅槃者即是一切諸佛世尊甚深祕藏以是諸佛甚
深祕藏是則為勝善男子以是義故大涅槃經甚
奇甚特不可思議迦葉菩薩白佛言世尊我亦知是

BD02773號　大般涅槃經（北本）卷一八　（8–6）

[illegible]
諸為須說十二部經及以受持讀誦書寫敷演解說
大涅槃經尊无差別者是義不然何以故善男子大
涅槃者即是一切諸佛世尊甚深秘藏以是諸佛甚
深之藏是則為勝善男子以是義故大涅槃經甚
奇甚特不可思議迦葉菩薩白佛言世尊我亦知是
大般涅槃經甚奇甚特不可思議佛法衆僧不可思議
菩薩菩提大般涅槃亦不可思議世尊以何義故復
言不可思議善男子菩薩摩訶薩无有教者而
能自發菩提之心既發心已懃脩精進正使大火焚燒身
首終不求救捨念法心何以故菩薩摩訶薩常自思惟我
於无量阿僧祇劫或在地獄餓鬼畜生人中天上為諸
結火之所燒燃初不曾得一決定法決定法者即是阿
耨多羅三藐三菩提若我為於阿耨多羅三藐三菩
提不惜身心与命我為阿耨多羅三藐三菩提
正使碎身猶如微塵終不放捨懃精進也何以故懃
[illegible]阿耨多羅三藐三菩提因善男子如是菩
[illegible]耨多羅三藐三菩提乃能如是不惜身命況
是故菩薩不可思議菩薩摩訶薩所見生死
[illegible]非是聲聞緣覺所及雖知生死无量過
衆生於中受苦不生猒離是故復名不可思議菩
薩為衆生故雖在地獄受諸苦惱如三禪樂是

BD02773 號　大般涅槃經（北本）卷一八

（8–7）

能自發菩提之心既發心已懃脩精進正使大火焚燒身
首終不求救捨念法心何以故菩薩摩訶薩常自思惟我
於无量阿僧祇劫或在地獄餓鬼畜生人中天上為諸
結火之所燒燃初不曾得一決定法決定法者即是阿
耨多羅三藐三菩提若我為於阿耨多羅三藐三菩
提不惜身心与命我為阿耨多羅三藐三菩提
正使碎身猶如微塵終不放捨懃精進也何以故懃
[illegible]阿耨多羅三藐三菩提因善男子如是菩
[illegible]耨多羅三藐三菩提乃能如是不惜身命況
是故菩薩不可思議菩薩摩訶薩所見生死
[illegible]非是聲聞緣覺所及雖知生死无量過
衆生於中受苦不生猒離是故復名不可思議菩
薩為衆生故雖在地獄受諸苦惱如三禪樂是
不可思議

BD02773 號　大般涅槃經（北本）卷一八

（8–8）

文殊師利問疾品第五
尒時佛告文殊師利汝行
殊師利白佛言世尊彼上人
達實相善說法要辯才无滯
菩薩法式悉知諸佛秘藏无
魔遊戲神通其慧方便皆已
佛聖旨詣彼問疾於是衆中諸
釋梵四天王咸作是念今二大士文殊師利
維摩詰共談必說妙法即時八千菩薩五百
聲聞百千天人皆欲隨從於是文殊師利與
諸菩薩大弟子衆及諸天人恭敬圍繞入毗
耶離大城尒時長者維摩詰心念今文殊師
利與大衆俱來即以神力空其室內除去所
有及諸侍者唯置一牀以疾而卧文殊師利
既入其舍見其室空无諸所有獨寢一牀時
維摩詰言善来文殊師利不来相而来不見
相而見文殊師利言如是居士若来已更不
来若去已更不去所以者何来者无所從来
去者无所至所可見者更不可見且置是事
居士是疾寧可忍不療治有損不至增乎世
尊慇勤致問无量居士是疾何所因起其生

BD02774號　維摩詰所說經卷中　（29–1）

既入其舍見其室空无諸所有獨寢一牀時
維摩詰言善来文殊師利不来相而来不見
相而見文殊師利言如是居士若来已更不
来若去已更不去所以者何来者无所從来
去者无所至所可見者更不可見且置是事
居士是疾寧可忍不療治有損不至增乎世
尊慇勤致問无量居士是疾何所因起其生
久如當云何滅維摩詰言從癡有愛則我病
生以一切衆生病是故我病若一切衆生得
不病者則我病滅所以者何菩薩為衆生故
入生死有生死則有病若衆生得離病者則
菩薩无復病譬如長者唯有一子其子得病
父母亦病若子病愈父母亦愈菩薩如是於
諸衆生愛之若子衆生病則菩薩病衆生病
愈菩薩亦愈又言是病何所因起菩薩疾者
以大悲起文殊師利言居士此室何以空无
侍者維摩詰言諸佛國土亦復皆空又問以
何為空荅曰以空空又問空何用空荅曰以
无分別空故空又問空可分別耶荅曰分別
亦空又問空當於何求荅曰當於六十二見
中求又問六十二見當於何求荅曰當於諸
佛解脫中求又問諸佛解脫當於何求荅曰
當於一切衆生心行中求又仁所問何无侍
者一切衆魔及諸外道皆吾侍也所以者何
衆魔者樂生死菩薩於生死而不捨外道者
樂諸見菩薩於諸見而不動文殊師利言居

BD02774號　維摩詰所說經卷中　（29–2）

中求又問六十二見當於何求荅曰當於諸
佛解脫中求又問諸佛解脫當於何求荅曰
當於一切衆生心行中求又仁所問何无侍
者一切衆魔及諸外道皆吾侍也所以者何
衆魔者樂生死菩薩於生死而不捨外道者
樂諸見菩薩於諸見而不動文殊師利言居
士所疾為何等相維摩詰言我病无形不可
見又問此病身合耶心合耶荅曰非身合身
相離故亦非心合心如幻故又問地大水大
火大風大於此四大何大之病荅曰是病非
地大亦不離地大水火風大亦復如是而衆
生病從四大起以其有病是故我病尒時文
殊師利問維摩詰言菩薩應云何慰喻有疾
菩薩維摩詰言說身无常不說猒離於身說
身有苦不說樂於涅槃說身无我而說教道
衆生說身空寂不說畢竟寂滅說悔先罪而
不說入於過去以己之疾愍於彼疾當識宿
世无數劫苦當念饒益一切衆生憶所脩福
念於淨命勿生憂惱常起精進當作醫王療
治衆病菩薩應如是慰喻有疾菩薩令其歡
喜文殊師利言居士有疾菩薩云何調伏其
心維摩詰言有疾菩薩應作是念今我此病
皆從前世妄想顛倒諸煩惱生无有實法誰
受病者所以者何四大合故假名為身四大
无主身亦无我又此病起皆由著我是故於
我不應生著既知病本即除我想及衆生想

BD02774 號　維摩詰所說經卷中

(29–3)

心維摩詰言有疾菩薩應作是念今我此病
皆從前世妄想顛倒諸煩惱生无有實法誰
受病者所以者何四大合故假名為身四大
无主身亦无我又此病起皆由著我是故於
我不應生著既知病本即除我想及衆生想
當起法想應作是念但以衆法合成此身起
唯法起滅唯法滅又此法者各不相知起時
不言我起滅時不言我滅彼有疾菩薩為滅
法想當作是念此法想者亦是顛倒顛倒者
是即大患我應離之云何為離離我我所云
何離我我所謂離二法云何離二法謂不念
內外諸法行於平等云何平等謂我等涅槃
等所以者何我及涅槃此二皆空以何為空
但以名字故空如此二法无決定性得是平
等无有餘病唯有空病空病亦空是有疾菩
薩以无所受而受諸受未具佛法亦不滅受
而取證也設身有苦念惡趣衆生起大悲心
我既調伏亦當調伏一切衆生但除其病而
不除法為斷病本而教導之何謂病本謂有
攀緣從有攀緣則為病本何所攀緣謂之三
界云何斷攀緣以无所得若无所得則无攀
緣何謂无所得謂二見何謂二見謂內見外
見是无所得文殊師利是為有疾菩薩調伏
其心為斷老病死苦是菩薩菩提若不如是
己所脩治為无慧利譬如勝怨乃可為勇如
是兼除老病死者菩薩之謂也彼有疾菩薩
應復作是念如我此病非真非有衆生病亦

BD02774 號　維摩詰所說經卷中

(29–4)

見是无所得文殊師利是為有疾菩薩調伏
其心為斷老病死苦是菩薩菩提若不如是
已所脩治為无慧利譬如勝怨乃可為勇如
是兼除老病死者菩薩之謂也彼有疾菩薩
應復作是念如我此病非真非有衆生病亦
非真非有作是觀時於諸衆生若起愛見大
悲即應捨離所以者何菩薩斷除客塵煩惱
而起大悲愛見悲者則於生死有疲厭心若
能離此无有疲厭在在所生不為愛見之所
覆也所生无縛能為衆生說法解縛如佛所
說若自有縛能解彼縛无有是處若自无縛
能解彼縛斯有是處是故菩薩不應起縛何
謂縛何謂解貪著禪味是菩薩縛以方便生
是菩薩解又无方便慧縛有方便慧解无慧
方便縛有慧方便解何謂无方便慧縛謂菩
薩以愛見心莊嚴佛土成就衆生於空无相
无作法中而自調伏是名无方便慧縛何謂
有方便慧解謂不以愛見莊嚴佛土成就衆
生於空无相无作法中以自調伏而不疲厭
是名有方便慧解何謂无慧方便縛謂菩薩
住貪欲瞋恚邪見等諸煩惱而植衆德本是
名无慧方便縛何謂有慧方便解謂離諸貪
欲瞋恚邪見等諸煩惱而植衆德本迴向阿
耨多羅三藐三菩提是名有慧方便解文殊
師利彼有疾菩薩應如是觀諸法又復觀身
无常苦空非我是名為慧雖身有疾常在生

欲瞋恚邪見等諸煩惱而植衆德本迴向阿
耨多羅三藐三菩提是名有慧方便解文殊
師利彼有疾菩薩應如是觀諸法又復觀身
无常苦空非我是名為慧雖身有疾常在生
死饒益一切而不猒惓是名方便又復觀身
身不離病病不離身是病是身非新非故是
名為慧設身有疾而不永滅是名方便文殊
師利有疾菩薩應如是調伏其心不住其中
亦復不住不調伏心所以者何若住不調伏
心是愚人法若住調伏心是聲聞法是故菩
薩不當住於調伏不調伏心離此二法是菩
薩行在於生死不為汙行住於涅槃不永滅
度是菩薩行非凡夫行非賢聖行是菩薩行
非垢行非淨行是菩薩行雖過魔行而現降
衆魔是菩薩行求一切智无非時求是菩薩
行雖觀諸法不生而不入正位是菩薩行雖
觀十二緣起而入諸邪見是菩薩行雖攝一
切衆生而不愛著是菩薩行雖樂遠離而不
依身心盡是菩薩行雖行三界而不壞法性
是菩薩行雖行於空而植衆德本是菩薩行
雖行无相而度衆生是菩薩行雖行无作而
現受身是菩薩行雖行无起而起一切善行
是菩薩行雖行六波羅蜜而遍知衆生心心
數法是菩薩行雖行六通而不盡漏是菩薩
行雖行四无量心而不貪著生於梵世是菩
薩行雖行禪定解脫三昧而不隨禪生是菩

現受身是菩薩行雖行无起而起一切善行
是菩薩行雖行六波羅蜜而遍知衆生心心
數法是菩薩行雖行六通而不盡漏是菩薩
行雖行四无量心而不貪著生於梵世是菩
薩行雖行禪定解脫三昧而不隨禪生是菩
薩行雖行四念處而不永離身受心法是菩
薩行雖行四正勤而不捨身心精進是菩薩
行雖行四如意足而得自在神通是菩薩行
雖行五根而分別衆生諸根利鈍是菩薩行
雖行五力而樂求佛十力是菩薩行雖行七
覺分而分別佛之智慧是菩薩行雖行八正
道而樂行无量佛道是菩薩行雖行止觀助
道之法而不畢竟墮於寂滅是菩薩行雖行
諸法不生不滅而以相好莊嚴其身是菩薩
行雖現聲聞辟支佛威儀而不捨佛法是菩
薩行雖隨諸法究竟淨相而隨所應為現其
身是菩薩行雖觀諸佛國土永寂如空而現
種種清淨佛土是菩薩行雖得佛道轉于法
輪入於涅槃而不捨於菩薩之道是菩薩行
說是語時文殊師利所將大衆其中八千天
子皆發阿耨多羅三藐三菩提心

不可思議品第六

尒時舍利弗見此室中无有牀坐作是念斯
諸菩薩大弟子衆當於何坐長者維摩詰知
其意語舍利弗言云何仁者為法來耶求牀
坐耶舍利弗言我為法來非為牀坐維摩詰
言唯舍利弗夫求法者不貪軀命何況牀坐

尒時舍利弗見此室中无有牀坐作是念斯
諸菩薩大弟子衆當於何坐長者維摩詰知
其意語舍利弗言云何仁者為法來耶求牀
坐耶舍利弗言我為法來非為牀坐維摩詰
言唯舍利弗夫求法者不貪軀命何況牀坐
夫求法者非有色受想行識之求非有界入
之求非有欲色无色之求唯舍利弗夫求法
者不著佛求不著法求不著衆求夫求法者
无見苦求无斷集求无造盡證脩道之求所
以者何法无戲論若言我當見苦斷集滅證
脩道是則戲論非求法也唯舍利弗法名寂
滅若行生滅是求生滅非求法也法名无染
若染於法乃至涅槃是則染著非求法也法
无行處若行於法是則行處非求法也法无
取捨若取捨法是則取捨非求法也法无處
所若著處所是則著處非求法也法名无相
若隨相識是則求相非求法也法不可住若
住於法是則住法非求法也法不可見聞覺
知若行見聞覺知是則見聞覺知非求法也
法名无為若行有為是求有為非求法也是
故舍利弗若求法者於一切法應无所求說
是語時五百天子於諸法中得法眼淨
尒時長者維摩詰問文殊師利仁者遊於无
量千万億阿僧祇國何等佛土有好上妙功
德成就師子之坐文殊師利言居士東方度
卅六恒河沙國有世界名須彌相其佛號須

命晧長者維摩詰問文殊師利仁者遊於无
量千万億阿僧祇國何等佛土有好上妙功
德成就師子之坐文殊師利言居士東方度
卅六恒河沙國有世界名須弥相其佛号須
弥燈王今現在彼佛身長八万四千由旬其
師子座高八万四千由旬嚴飾第一於是長
者維摩詰現神通力即時彼佛遣三万二千
師子座高廣嚴淨来入維摩詰室諸菩薩大
弟子釋梵四天王等昔所未見其室廣博悉
苞容三万二千師子座无所妨礙於毗耶離
城及閻浮提四天下亦不迫迮悉見如故尒
時維摩詰語文殊師利就師子座與諸菩薩
上人俱坐當自立身如彼座像其得神通菩
薩即自變形為四万二千由旬坐師子座諸
新發意菩薩及大弟子皆不能昇尒時維摩
詰語舍利弗就師子座舍利弗言居士此座
高廣吾不能昇維摩詰言唯舍利弗為須弥
燈王如来作礼乃可得坐於是新發意菩薩
及大弟子即為須弥燈王如来作礼便得坐
師子座舍利弗言居士未曾有也如是小室
乃容受此高廣之座於毗耶離城无所妨礙
又於閻浮提聚落城邑及四天下諸天龍王
鬼神宮殿亦不迫迮維摩詰言唯舍利弗諸
佛菩薩有解脫名不可思議若菩薩住是解
脫者以須弥之高廣內芥子中无所增減須
弥山王本相如故而四天王忉利諸天不覺

BD02774 號　維摩詰所說經卷中　（29–9）

又於閻浮提聚落城邑及四天下諸天龍王
鬼神宮殿亦不迫迮維摩詰言唯舍利弗諸
佛菩薩有解脫名不可思議若菩薩住是解
脫者以須弥之高廣內芥子中无所增減須
弥山王本相如故而四天王忉利諸天不覺
不知己之所入唯應度者乃見須弥入芥子
中是名不可思議解脫法門又以四大海水
入一毛孔不嬈魚鼈黿鼉水性之屬而彼大
海本相如故諸龍鬼神阿脩羅等不覺不知
己之所入於此衆生亦无所嬈又舍利弗住
不可思議解脫菩薩斷取三千大千世界如
陶家輪著右掌中擲過恒沙世界之外其中
衆生不覺不知己之所往又復還置本處都
不使人有往来想而此世界本相如故又舍
利弗或有衆生樂久住世而可度者菩薩即
演七日以為一劫令彼衆生謂之一劫或有
衆生不樂久住而可度者菩薩即促一劫以
為七日令彼衆生謂之七日又舍利弗住不
可思議解脫菩薩以一切佛土嚴飾之事集
在一國示於衆生又菩薩以一佛土衆生置
之右掌飛到十方遍示一切而不動本處又
舍利弗十方衆生供養諸佛之具菩薩於一
毛孔皆令得見又十方國土所有日月星宿
於一毛孔普使見之又舍利弗十方世界所
有諸風菩薩悉能吸著口中而身无損外諸
樹木亦不摧折又十方世界劫盡燒時以一

BD02774 號　維摩詰所說經卷中　（29–10）

舍利弗十方衆生供養諸佛之具菩薩於一
毛孔皆令得見又十方國土所有日月星宿
於一毛孔普使見之又舍利弗十方世界所
有諸風菩薩悉能吸著口中而身无損外諸
樹木亦不摧折又十方世界劫盡燒時以一
切火内於腹中火事如故而不為害又於下
方過恒河沙等諸佛世界取一佛土舉著上
方過恒河沙无數世界如持鍼鋒舉一棗葉
而无所嬈又舍利弗住不可思議解脱菩薩
能以神通現作佛身或現辟支佛身或現聲
聞身或現帝釋身或現梵王身或現世主身
或現轉輪王身又十方世界世有衆聲上中
下者皆能變之令作佛聲演出无常苦空无
我之音及十方諸佛所說種種之法皆於其
中普令得聞舍利弗我今略說菩薩不可思
議解脱之力若廣說者窮劫不盡是時大迦
葉聞說菩薩不可思議解脱法門歎未曾有
謂舍利弗譬如有人於盲者前現衆色像非
彼所見一切聲聞聞是不可思議解脱法門
不能解了為若此也智者聞是其誰不發阿
耨多羅三藐三菩提心我等何為永絶其根
於此大乘已如敗種一切聲聞聞是不可思
議解脱法門皆應號泣聲震三千大千世界
一切菩薩應大欣慶頂受此法若有菩薩信
解不可思議解脱門者一切魔衆无如之何
大迦葉說是語時三万二千天子皆發阿耨

於此大乘已如敗種一切聲聞聞是不可思
議解脱法門皆應號泣聲震三千大千世界
一切菩薩應大欣慶頂受此法若有菩薩信
解不可思議解脱門者一切魔衆无如之何
大迦葉說是語時三万二千天子皆發阿耨
多羅三藐三菩提心
尒時維摩詰語大迦葉仁者十方无量阿僧
祇世界中作魔王者多是住不可思議解脱
菩薩以方便力教化衆生現作魔王又迦葉
十方无量菩薩或有人從乞手足耳鼻頭目
髓腦血肉皮骨聚落城邑妻子奴婢象馬車
乘金銀瑠璃車璖馬瑙珊瑚虎珀真珠珂貝
衣服飲食如此乞者多是住不可思議解脱
菩薩以方便力而往試之令其堅固所以者
何住不可思議解脱菩薩有威德力故行逼
迫示諸衆生如是難事凡夫下劣无有力勢
不能如是逼迫菩薩譬如龍象蹴蹋非驢所
堪是名住不可思議解脱菩薩智慧方便之
門

觀衆生品第七

尒時文殊師利問維摩詰言菩薩云何觀於
衆生維摩詰言譬如幻師見所幻人菩薩觀
衆生為若此如智者見水中月如鏡中見其
面像如熱時炎如呼聲響如空中雲如水聚
沫如水上泡如芭蕉堅如電久住如第五大
如第六陰如第七情如十三入如十九界菩

[illegible]
眾生為若此如智者見水中月如鏡中見其
面像如熱時炎如呼聲響如空中雲如水聚
沫如水上泡如芭蕉堅如電久住如第五大
如第六陰如第七情如十三入如十九界菩
薩觀眾生為若此如无色界色如焦穀牙如
須陁洹身見如阿那含入胎如阿羅漢三毒
如得忍菩薩貪恚毀禁如佛煩惱習如盲者
見色如入滅定出入息如空中鳥跡如石女
兒如化人煩惱如夢所見已寤如滅度者受
身如无烟之火菩薩觀眾生為若此文殊師
利言若菩薩作是觀者云何行慈維摩詰言
菩薩作是觀已自念我當為眾生說如斯法
是即真實慈也行寂滅慈无所生故行不熱
慈无煩惱故行等之慈等三世故行无諍慈
无所起故行不二慈內外不合故行不壞慈
畢竟盡故行堅固慈心无毀故行清淨慈諸
法性淨故行无邊慈如虛空故行阿羅漢慈
破結賊故行菩薩慈安眾生故行如來慈得
如相故行佛之慈覺眾生故行自然慈无因
得故行菩提慈等一味故行无比慈斷諸愛
故行大悲慈導以大乘故行无猒慈觀空无
我故行法施慈无遺惜故行持戒慈化毀禁
故行忍辱慈護彼我故行精進慈荷負眾生
故行禪定慈不受味故行智慧慈无不知時
故行方便慈一切示現故行无隱慈直心清
淨故行深心慈无雜行故行无誑慈不虛假

[illegible]
故行大悲慈導以大乘故行无猒慈觀空无
我故行法施慈无遺惜故行持戒慈化毀禁
故行忍辱慈護彼我故行精進慈荷負眾生
故行禪定慈不受味故行智慧慈无不知時
故行方便慈一切示現故行无隱慈直心清
淨故行深心慈无雜行故行无誑慈不虛假
故行安樂慈令得佛樂故菩薩之慈為若此也
文殊師利又問何謂為悲荅曰菩薩所作功
德皆與一切眾生共之何謂為喜荅曰有所
饒益歡喜无悔何謂為捨荅曰所作福祐无
所希望文殊師利又問生死有畏菩薩當何
所依維摩詰言菩薩於生死畏中當依如來
功德之力文殊師利又問菩薩欲依如來功
德之力當於何住荅曰菩薩欲依如來功德
力者當住度脫一切眾生又問欲度眾生當
何所除荅曰欲度眾生除其煩惱又問欲除
煩惱當何所行荅曰當行正念又問云何行
於正念荅曰當行不生不滅又問何法不生
何法不滅荅曰不善不生善法不滅又問善
不善孰為本荅曰身為本又問身孰為本荅
曰欲貪為本又問欲貪孰為本荅曰虛妄分
別為本又問虛妄分別孰為本荅曰顛倒想
為本又問顛倒想孰為本荅曰无住為本又
問无住孰為本荅曰无住則无本文殊師利
從无住本立一切法
時維摩詰室有一天女見諸大人聞所說法

別為本又問虛妄分別孰為本荅曰顛倒想
為本又問顛倒想孰為本荅曰无住為本又
問无住孰為本荅曰无住則无本文殊師利
從无住本立一切法
時維摩詰室有一天女見諸大人聞所說法
便現其身即以天華散諸菩薩大弟子上華
至諸菩薩即皆墮落至大弟子便著不墮一
切弟子神力去華不能令去尒時天問舍利
弗何故去華荅曰此華不如法是以去之天
曰勿謂此華為不如法所以者何是華无所
分別仁者自生分別想耳若於佛法出家有
所分別為不如法若无所分別是則如法觀
諸菩薩華不著者已斷一切分別想故譬如
人畏時非人得其便如是弟子畏生死故色
聲香味觸得其便已離畏者一切五欲无能
為也結習未盡華著身耳結習盡者華不著
也舍利弗言天止此室其已久如荅曰我止
此室如耆年解脫舍利弗言止此久耶天曰
耆年解脫亦何如久舍利弗嘿然不荅天曰
如何耆舊大智而嘿荅曰解脫者无所言說
故吾於是不知所云天曰言說文字皆解脫
相所以者何解脫者不內不外不在兩間文
字亦不內不外不在兩間是故舍利弗无離
文字說解脫也所以者何一切諸法是解脫
相舍利弗言不復以離婬怒癡為解脫乎天
曰佛為增上慢人說離婬怒癡為解脫耳若

BD02774號　維摩詰所說經卷中

（29–15）

字亦不內不外不在兩間是故舍利弗无離
文字說解脫也所以者何一切諸法是解脫
相舍利弗言不復以離婬怒癡為解脫乎天
曰佛為增上慢人說離婬怒癡為解脫耳若
无增上慢者佛說婬怒癡性即是解脫舍利
弗言善哉善哉天女汝何所得以何為證辯
乃如是天曰我无得无證故辯如是所以者何
若有得有證者則於佛法為增上慢舍利弗
問天汝於三乘為何志求天曰以聲聞法化
眾生故我為聲聞以因緣法化眾生故我為
辟支佛以大悲化眾生故我為大乘舍利弗
如人入瞻蔔林唯嗅瞻蔔不嗅餘香如是若
入此室但聞佛功德之香不樂聞聲聞辟支
佛功德香也舍利弗其有釋梵四天王諸天
龍鬼神等入此室者聞斯上人講說正法皆
樂佛功德之香發心而出舍利弗吾止此室
十有二年初不聞說聲聞辟支佛法但聞菩
薩大慈大悲不可思議諸佛之法舍利弗此
室常現八未曾有難得之法何等為八此室
常以金色光照晝夜无異不以日月所照為
明是為一未曾有難得之法此室入者不為
諸垢之所惱也是為二未曾有難得之法此
室常有釋梵四天王他方菩薩來會不絕是
為三未曾有難得之法此室常說六波羅蜜
不退轉法是為四未曾有難得之法此室常
作天人第一之樂絃出无量法化之聲是為

BD02774號　維摩詰所說經卷中

（29–16）

諸妖之所惱也是為二未曾有難得之法此
室常有釋梵四天王他方菩薩來會不絕是
為三未曾有難得之法此室常說六波羅蜜
不退轉法是為四未曾有難得之法此室常
作天人第一之樂弦出无量法化之聲是為
五未曾有難得之法此室有四大藏眾寶積
滿周窮濟之求得无盡是為六未曾有難得
之法此室釋迦牟尼佛阿弥陀佛阿閦佛寶
德寶炎寶月寶嚴難勝師子響一切利成如
是等十方无量諸佛是上人念時即皆為來
廣說諸佛祕要法藏說已還去是為七未曾
有難得之法此室一切諸天嚴飾宮殿諸佛
淨土皆於中現是為八未曾有難得之法舍
利弗此室常現八未曾有難得之法誰有見
斯不思議事而復樂於聲聞法乎
舍利弗言汝何以不轉女身天曰我從十二
年來求女人相了不可得當何所轉譬如幻
師化作幻女若有人問何以不轉女身是人
為正問不舍利弗言不也幻无定相當何所
轉天曰一切諸法亦復如是无有定相云何
乃問不轉女身即時天女以神通力變舍利
弗令如天女天自化身如舍利弗而問言何
以不轉女身舍利弗以天女像而荅言我今
不知何轉而變為女身天曰舍利弗若能轉
此女身則一切女人亦當能轉如舍利弗非
女而現女身一切女人亦復如是雖現女身
而非女也是故佛說一切諸法非男非女即

BD02774號　維摩詰所說經卷中　（29–17）

以不轉女身舍利弗以天女像而荅言我今
不知何轉而變為女身天曰舍利弗若能轉
此女身則一切女人亦當能轉如舍利弗非
女而現女身一切女人亦復如是雖現女身
而非女也是故佛說一切諸法非男非女即
時天女還攝神力舍利弗身還復如故天問
舍利弗女身色相今何所在舍利弗言女身
色相无在无不在天曰一切諸法亦復如是
无在无不在夫无在无不在者佛所說也
舍利弗問天汝於此沒當生何所天曰佛化
所生吾如彼生曰佛化所生非沒生也天曰
眾生猶然无沒生也舍利弗問天汝久如當
得阿耨多羅三藐三菩提天曰如舍利弗還
為凡夫我乃當成阿耨多羅三藐三菩提舍
利弗言我作凡夫无有是處天曰我得阿耨
多羅三藐三菩提亦无是處所以者何菩提
无住處是故无有得者舍利弗言今諸佛得
阿耨多羅三藐三菩提已得當得如恒河沙
皆謂何乎天曰皆以世俗文字數故說有三
世非謂菩提有去來今天曰舍利弗汝得阿
羅漢道耶曰无所得故而得天曰諸佛菩薩
亦復如是无所得故而得尒時維摩詰語舍
利弗是天女曾已供養九十二億佛已能遊
戲菩薩神通所願具足得无生忍住不退轉
以本願故隨意能現教化眾生
佛道品第八

BD02774號　維摩詰所說經卷中　（29–18）

亦復如是无所得故而得尒時維摩詰語舍
利弗是天女曾已供養九十二億佛已能遊
戲菩薩神通所願具足得无生忍住不退轉
以本願故隨意能現教化衆生

佛道品第八

尒時文殊師利問維摩詰言菩薩云何通達
佛道維摩詰言若菩薩行於非道是為通達
佛道又問云何菩薩行於非道荅曰若菩薩
行五无間而无惱恚至于地獄无諸罪垢至
于畜生无有无明憍慢等過至于餓鬼而具
足功德行色无色界道不以為勝示行貪欲
離諸染著示行瞋恚於諸衆生无有恚礙示
行愚癡而以智慧調伏其心示行慳貪而捨
內外所有不惜身命示行毀禁而安住淨戒
乃至小罪猶懷大懼示行瞋恚而常慈忍示
行懈怠而勤脩功德示行亂意而常念定示
行愚癡而通達世間出世間慧示行諂偽而
善方便隨諸經義示行憍慢而於衆生猶如
橋梁示行諸煩惱而心常清淨示入於魔而
順佛智慧不隨他教示入聲聞而為衆生說
未聞法示入辟支佛而成就大悲教化衆生
示入貧窮而有寶手功德无盡示入形殘而
具諸相好以自莊嚴示入下賤而生佛種姓
中具諸功德示入羸劣醜陋而得那羅延身
一切衆生之所樂見示入老病而永斷病根
超越死畏示有資生而恒觀无常實无所貪

示入貧窮而有寶手功德无盡示入形殘而
具諸相好以自莊嚴示入下賤而生佛種姓
中具諸功德示入羸劣醜陋而得那羅延身
一切衆生之所樂見示入老病而永斷病根
超越死畏示有資生而恒觀无常實无所貪
示有妻妾婇女而常遠離五欲淤泥現於訥
鈍而成就辯才揔持无失示入邪際而以正
際渡諸衆生現遍入諸道而斷其因緣現於
涅槃而不斷生死文殊師利菩薩能如是行
於非道是為通達佛道
於是維摩詰問文殊師利何等為如來種文
殊師利言有身為種无明有愛為種貪恚癡
為種四顛倒為種五蓋為種六入為種七識
處為種八邪法為種九惱處為種十不善道
為種以要言之六十二見及一切煩惱皆是
佛種曰何謂也荅曰若見无為入正位者不
能復發阿耨多羅三藐三菩提心譬如高原
陸地不生蓮華卑濕淤泥乃生此華如是見
无為法入正位者終不復能生於佛法煩惱
泥中乃有衆生起佛法耳又如殖種於空終
不得生糞壤之地乃能滋茂如是入无為正
位者不生佛法起於我見如須弥山猶能發
于阿耨多羅三藐三菩提心生佛法矣是故
當知一切煩惱為如來種譬如不下巨海不
能得无價寶珠如是不入煩惱大海則不能
得一切智寶
尒時大迦葉歎言善哉善哉文殊師利快說

位者不生佛法起於我見如須弥山猶能發
于阿耨多羅三藐三菩提心生佛法矣是故
當知一切煩惱為如來種譬如不下巨海不
能得无價寶珠如是不入煩惱大海則不能
得一切智寶
尒時大迦葉歎言善哉善哉文殊師利快說
此語誠如所言塵勞之儔為如來種我等今
者不復堪任發阿耨多羅三藐三菩提心乃
至五无間罪猶能發意生於佛法而今我等
永不能發譬如根敗之士其於五欲不能復
利如是聲聞諸結斷者於佛法中无所復益
永不志願是故文殊師利凡夫於佛法有反
復而聲聞无也所以者何凡夫聞佛法能起
无上道心不斷三寶正使聲聞終身聞佛法
力无畏等永不能發无上道意
尒時會中有菩薩名普現色身問維摩詰言
居士父母妻子親戚眷屬吏民知識悉為是
誰奴婢僮僕象馬車乘皆何所在於是維摩
詰以偈荅曰
智度菩薩母　方便以為父　一切衆導師　无不由是生
法喜以為妻　慈悲心為女　善心誠實男　畢竟空寂舍
弟子衆塵勞　隨意之所轉　道品善知識　由是成正覺
諸度法等侶　四攝為伎女　歌詠誦法言　以此為音樂
總持之園苑　无漏法林樹　覺意淨妙華　解脫智慧果
八解之浴池　定水湛然滿　布以七淨華　浴此无垢人
象馬五通馳　大乘以為車　調御以一心　遊於八正路
相具以嚴容　衆好飾其姿　慚愧之上服　深心為華鬘

諸度法等侶　四攝為伎女　歌詠誦法言　以此為音樂
總持之園苑　无漏法林樹　覺意淨妙華　解脫智慧果
八解之浴池　定水湛然滿　布以七淨華　浴此无垢人
象馬五通馳　大乘以為車　調御以一心　遊於八正路
相具以嚴容　衆好飾其姿　慚愧之上服　深心為華鬘
富有七財寶　教授以滋息　如所說脩行　迴向為大利
四禪為牀坐　從於淨命生　多聞增智慧　以為自覺音
甘露法之食　解脫味為漿　淨心以澡浴　戒品為塗香
摧滅煩惱賊　勇健无能踰　降伏四種魔　勝幡建道場
雖知无起滅　示彼故有生　悉現諸國土　如日无不見
供養於十方　无量億如來　諸佛及己身　无有分別想
雖知諸佛國　及與衆生空　而常脩淨土　教化於羣生
諸有衆生類　形聲及威儀　无畏力菩薩　一時能盡現
覺知衆魔事　而示隨其行　以善方便智　隨意皆能現
或示老病死　成就諸羣生　了知如幻化　通達无有礙
或現劫盡燒　天地皆洞然　衆人有常想　照令知无常
无數億衆生　俱來請菩薩　一時到其舍　化令向佛道
經書禁呪術　工巧諸伎藝　盡現行此事　饒益諸羣生
世間衆道法　悉於中出家　因以解人惑　而不墮邪見
或作日月天　梵王世界主　或時作地水　或復作風火
劫中有疾疫　現作諸藥草　若有服之者　除病消衆毒
劫中有飢饉　現身作飲食　先救彼飢渴　却以法語人
劫中有刀兵　為之起慈悲　化彼諸衆生　令住无諍地
若有大戰陣　立之以等力　菩薩現威勢　降伏使和安
一切國土中　諸有地獄處　輙往到于彼　勉濟其苦惱
一切國土中　畜生相食噉　皆現生於彼　為之作利益

劫中有飢饉　現身作飲食　先救彼飢渴　却以法語人
劫中有刀兵　為之起慈悲　化彼諸衆生　令住无諍地
若有大戰陣　立之以等力　菩薩現威勢　降伏使和安
一切國土中　諸有地獄處　輙往到于彼　免濟其苦惱
一切國土中　畜生相食噉　皆現生於彼　為之作利益
示受於五欲　亦復現行禪　令魔心憒亂　不能得其便
火中生蓮華　是可謂希有　在欲而行禪　希有亦如是
或現作婬女　引諸好色者　先以欲鉤牽　後令入佛智
或為邑中主　或作商人導　國師及大臣　以祐利衆生
諸有貧窮者　現作无盡藏　因以勸導之　令發菩提心
我心憍慢者　為現大力士　消伏諸貢高　令住佛上道
其有恐懼衆　居前而慰安　先施以无畏　後令發道心
或現離婬欲　為五通仙人　開導諸群生　令住戒忍慈
見須供事者　現為作僮僕　既悅可其意　乃發以道心
隨彼之所須　得入於佛道　以善方便力　皆能給足之
如是道无量　所行无有崖　智慧无邊際　度脫无數衆
假令一切佛　於无數億劫　讚歎其功德　猶尚不能盡
誰聞如是法　不發菩提心　除彼不肖人　癡冥无智者

入不二法門品第九

尒時維摩詰謂衆菩薩言諸仁者云何菩薩
入不二法門各隨所樂說之會中有菩薩名
法自在說言諸仁者生滅為二法本不生今
則无滅得此无生法忍是為入不二法門
德守菩薩曰我我所為二因有我故便有我
所若无有我則无我所是為入不二法門
不眴菩薩曰受不受為二若法不受則不可

BD02774號　維摩詰所說經卷中　（29–23）

法自在說言諸仁者生滅為二法本不生今
則无滅得此无生法忍是為入不二法門
德守菩薩曰我我所為二因有我故便有我
所若无有我則无我所是為入不二法門
不眴菩薩曰受不受為二若法不受則不可
得以不可得故无取无捨无作无行是為入
不二法門
德頂菩薩曰垢淨為二見垢實性則无淨相
順於滅相是為入不二法門
善宿菩薩曰是動是念為二不動則无念无
念即无分別通達此者是為入不二法門
善眼菩薩曰一相无相為二若知一相即是
无相亦不取无相入於平等是為入不二法
門
妙臂菩薩曰菩薩心聲聞心為二觀心相空
如幻化者无菩薩心无聲聞心是為入不二
法門
弗沙菩薩曰善不善為二若不起善不善入
无相際而通達者是為入不二法門
師子菩薩曰罪福為二若達罪性則與福无
異以金剛慧決了此相无縛无解者是為入
不二法門
師子意菩薩曰有漏无漏為二若得諸法等
則不起漏不漏想不著於相亦不住无相是
為入不二法門
淨解菩薩曰有為无為為二若離一切數則

BD02774號　維摩詰所說經卷中　（29–24）

不二法門
師子意菩薩曰有漏无漏為二若得諸法等
則不起漏不漏想不著於相亦不住无相是
為入不二法門
淨解菩薩曰有為无為為二若離一切數則
心如虛空以清淨慧无所礙者是為入不二
法門
那羅延菩薩曰世間出世間為二世間性空
即是出世間於其中不入不出不溢不散是
為入不二法門
善意菩薩曰生死涅槃為二若見生死性則
无生死无縛无解不然不滅如是解者是為
入不二法門
現見菩薩曰盡不盡為二法若究竟盡若不
盡皆是无盡相无盡相即是空空則无有盡
不盡相如是入者是為入不二法門
普守菩薩曰我无我為二我尚不可得非我
何可得見我實性者不復起二是為入不二
法門
雷天菩薩曰明无明為二无明實性即是明
明亦不可取離一切數於其中平等无二者
是為入不二法門
喜見菩薩曰色色空為二色即是空非色滅
空色性自空如是受想行識識空為二識即
是空非識滅空識性自空於其中而通達者
是為入不二法門
明相菩薩曰四種異空種異為二四種性即

BD02774號　維摩詰所說經卷中　（29-25）

喜見菩薩曰色色空為二色即是空非色滅
空色性自空如是受想行識識空為二識即
是空非識滅空識性自空於其中而通達者
是為入不二法門
明相菩薩曰四種異空種異為二四種性即
是空種性如前際後際空故中際亦空若能
如是知諸種性者是為入不二法門
妙意菩薩曰眼色為二若知明性於色不貪
不恚不癡是名寂滅如是耳聲鼻香舌味身
觸意法為二若知意性於法不貪不恚不癡
是名寂滅安住其中是為入不二法門
无盡意菩薩曰布施迴向一切智為二布施
性即是迴向一切智性如是持戒忍辱精進
禪定智慧迴向一切智為二智慧性即是迴
向一切智性於其中入一相者是為入不二
法門
深慧菩薩曰是空是无相是无作為二空即
无相无相即无作若空无相无作則无心意
識於一解脫門即是三解脫門者是為入不
二法門
寂根菩薩曰佛法衆為二佛即是法法即是
衆是三寶皆无為相與虛空等一切法亦尒
能隨此行者是為入不二法門
心无礙菩薩曰身身滅為二身即是身滅所
以者何見身實相者不起見身及見滅身身
與滅身无二无分別於其中不驚不懼者是

BD02774號　維摩詰所說經卷中　（29-26）

衆是三寶皆无爲相與虚空等一切法亦尒
能隨此行者是爲入不二法門
心无礙菩薩曰身身滅爲二身即是身滅所
以者何見身實相者不起見身及見滅身身
與滅身无二无分別於其中不驚不懼者是
爲入不二法門
上善菩薩曰身口意善爲二是三業皆无作
相身无作相即口无作相口无作相即意无
作相是三業无作相即一切法无作相能如
是隨无作慧者是爲入不二法門
福田菩薩曰福行罪行不動行爲二三行實
性即是空空則无福行无罪行无不動行於
此三行而不起者是爲入不二法門
華嚴菩薩曰從我起二爲二見我實相者不
起二法若不住二法則无有識无所識者是
爲入不二法門
德藏菩薩曰有所得相爲二若无所得則无
取捨无取捨者是爲入不二法門
月上菩薩曰闇與明爲二无闇无明則无有
二所以者何如入滅受想定无闇无明一切
法相亦復如是於其中平等入者是爲入不
二法門
寶印手菩薩曰樂涅槃不樂世間爲二若不
樂涅槃不厭世間則无有二所以者何若有
縛則有解若本无縛其誰求解无縛无解則
无樂厭是爲入不二法門

寶印手菩薩曰樂涅槃不樂世間爲二若不
樂涅槃不厭世間則无有二所以者何若有
縛則有解若本无縛其誰求解无縛无解則
无樂厭是爲入不二法門
珠頂王菩薩曰正道邪道爲二住正道者則
不分別是邪是正離此二者是爲入不二法
門
樂實菩薩曰實不實爲二實見者尚不見實
何況非實所以者何非肉眼所見慧眼乃能
見而此慧眼无見无不見是爲入不二法門
如是諸菩薩各各說已問文殊師利何等是
菩薩入不二法門文殊師利曰如我意者於
一切法无言无說无示无識離諸問荅是爲
入不二法門
於是文殊師利問維摩詰我等各自說已仁
者當說何等是菩薩入不二法門時維摩詰
嘿然无言文殊師利歎曰善哉善哉乃至无
有文字語言是真入不二法門說是入不二
法門時於此衆中五千菩薩皆入不二
得无生法忍

維摩詰經卷中

何況非寶所以者何非肉眼所見慧眼乃能
見而此慧眼无見无不見是為入不二法門
如是諸菩薩各各說已問文殊師利何等是
菩薩入不二法門文殊師利曰如我意者於
一切法无言无說无示无識離諸問答是為
入不二法門
於是文殊師利問維摩詰我等各自說已仁
者當說何等是菩薩入不二法門時維摩詰
嘿然无言文殊師利歎曰善哉善哉乃至无
有文字語言是真入不二法門說是入不二
法門時於此衆中五千菩薩皆入不二
得无生法忍
維摩詰經卷中

BD02774號　維摩詰所說經卷中　（29–29）

作是語竟便
時无計出外
辦急即却頭之擕至廚中加諸美藥作食
与王王得食之覺美倍常即問廚監由來食
肉未有斯美此是何肉廚監惶怖叩頭白王前
若王原罪乃敢實說王答之言但實說之不
問汝罪廚監白王晚日有緣不及買肉得死
小兒以辦甚要不得憶大王乃甞覺之王言
此肉甚美異常自今以後如是求索廚監白
王前者偶值自死小兒更求叵得其作食者
長懼王法王又語言汝但密取莫令有覺遂
處由我廚監受教夜恒密捕得便殺之日日供
王於時城中人民之類各各行哭云亡小兒
展轉相問何由乃令諸臣衆議當設微伺即
於街巷處處安人見王廚監捉他小兒伺捕
得之縛將詣王具以前後所亡事白王王聞
是語默然不荅再三重白今捕得賊罪釁彰
露事當逆使云何默然王乃荅言是我所教

BD02775號　賢愚經卷一一　（8–1）

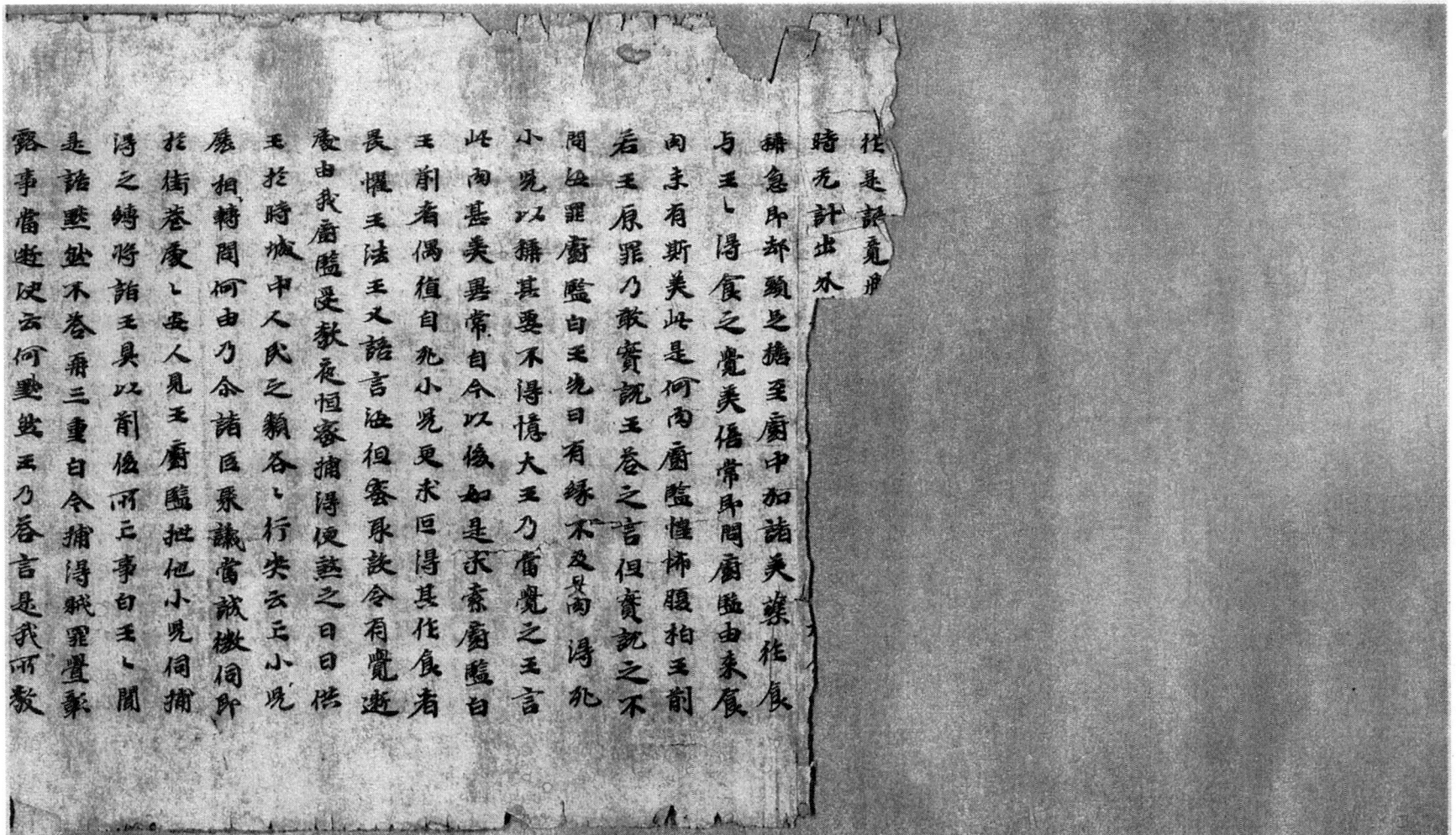

[illegible]

屢相轉聞何由乃令諸臣聚議當誠微伺即
於街巷處處安人見王廚臨捉他小兒伺捕
得之縛將詣王具以前後所亡事白王王聞
是語默然不答再三重白今捕得賊罪釁彰
露事當監決云何默然王乃答言是我所敎
諸臣懷恨各自嚴去於外共議王便是賊食
我等子噉人之王云何共活當共除之去此
禍害一切同心咸共者謀城外園中有好池
水其王日日至彼洗浴諸臣備兵安伏園中
王出浴洗已到池中伏兵一時圍遶四合即
圍其王當取煞之王見兵集驚怖問言汝等
何故而圍遶我諸臣答言夫為王者養民為
國方驅廚子煞人為食衆民呼嗟告情無處
不枉苦酷故欲煞王王語諸臣我實無過自今
已後更不復為唯見恕放當自改厲諸臣語
曰終不相放正使今日天雨黑雪令汝頭上
生黑毒蛇猶不相放不須多云時王駁足聞
臣語已自知無免得脫無路即語諸臣雖當
煞我小緩須臾聽我小住諸臣緩置王即自
誓我身由來所脩善行為民正治供養仙人
合國衆德迴今今日我得變成飛行羅剎其
言已訖尋時而成即飛虛空告諸臣曰汝等
合力欲殯煞我賴我大幸能復自拔自今已
後汝等息好所愛妻子我次當食語訖飛去
止山林間飛行捕人持以為食人民之類悉
怖藏避如是之後煞噉多人諸羅剎輩附為
眷從徒衆漸多所害轉廣後諸羅剎白駁足
王我等奉事為王眷從願為我曹作一會食

[illegible]

止山林間飛行捕人持以為食人民之類悉
怖藏避如是之後煞噉多人諸羅剎輩附為
眷從徒衆漸多所害轉廣後諸羅剎白駁足
王我等奉事為王眷從願為我曹作一會食
時駁足王即許之言當取諸王合滿五百與
汝曹輩以為客會許之已訖一一往取閉著
深山已得四百九十九王殘少一王其數便足
諸王等言我曹窮急當何所歸若當捕得須
陁素彌有大方便能濟我等作是計已白羅
剎王王欲作會旋令有異純取諸王不用凡
細須陁素彌有高名德若能得來王會乃好羅
剎王言此有何難即時飛騰往欲取之值須
陁素彌將諸婇女晨欲出城至園洗浴道見
婆羅門從其乞丐王語婆羅門待我洗還當
相布施王即到園入池中洗時羅剎王飛空
來取擔出中須陁素彌愁憂悲泣時駁足
王而問之曰聞汝名德殊勝第一大丈夫志
當往窮達云何持愁啼如小兒須陁彌白素
羅剎王我不愛身貪惜壽命但念生來未曾
妄語朝出宮行見一道士當車駕前從我乞
丐我許洗還當相布施與出值大王擔我至此
念今忘諸遠失誠信是以啟愁非惜身也願
見哀憐假我七日施彼道士當歸就死駁足
聞是而語之言汝今得去寧當來還而就死
耶即復言故使不還我自能得尋即令去
王還到國道士猶在歡喜供養施婆羅門時
婆羅門見王不久欲還就死懷其戀國而有
愁憂即為其王而說偈言

劫燒終訖　乾坤洞然　須彌巨海　[illegible]

聞是布施之言願今得去寧當來還而就死
那即復言（日）故使不還我自能得尋即令去
王還到國道士猶在歡喜供養施婆羅門時
婆羅門見王不久欲還就死懷其憂國而有
愁憂即為其王而說偈言
劫燒終訖　乾坤洞燃　須彌巨海　都為灰揚
天龍人鬼　於中彫喪　二儀尚殞　國有何常
生老病死　輪轉無際　事與願違　憂悲為害
欲深福重　創疣無外　三界都苦　國有何賴
有本自無　因緣成諸　盛者必衰　實者必虛
眾生蠢蠢　都緣幻居　三界都空　國土亦如
識神無形　假乘四虵　無眼寶養　以為樂車
形無常主　神無常家　形神常離　豈有國耶
時須陀素彌聞說此偈思惟義理歡喜無量
即立太子自代為王與諸臣別當還赴信諸
臣同聲白於王言願王但住勿憂駁足之臣等
思計設備防慮鐵鐵為舍王但在中駁足之輩
雖何所能耶王告諸臣并諸人民夫人生世
誠信為本虛忘苟存情所不許寧慇信死不
忘語生復為種種說誠信之利廣復分別虛
忘之罪諸臣悲咽一更無言王起出城一切
皆逐號慕道路斷絶復蘇王曉喻跣涉道而
去時駁足王自思惟言須陀素彌今日應來
坐於山頂遙候望之見其隨道逐來起已既
到見之顏色怡悅歡喜踴躍之踰於舊羅剎
王問使能來到人生於世靡不惜壽汝今當
死歡喜倍常還到本國獲何善利須陀素彌
答言大王寬恩假我七日布施得遂誠信又
聞妙法心用開解常如今日志願畢足雖當

坐於山頂遙候望之見其隨道逐來起已既
到見之顏色怡悅歡喜踴躍之踰於舊羅剎
王問使能來到人生於世靡不惜壽汝今當
死歡喜倍常還到本國獲何善利須陀素彌
答言大王寬恩假我七日布施得遂誠信又
聞妙法心用開解常如今日志願畢足雖當
就死情欣猶生駁足之王言汝聞何法誠為吾
說須陀素彌為說本偈復更方便廣為說
法殺別熟罪及其惡報便說慈心不殺之福
駁足之歡喜敬戴為秘承用其教無復害心即
放諸王各還本國須陀素彌即統兵眾還將
駁足安置本國割仙人指十二年滿自是以
後更不噉人遂還霸王治民如舊如是大王欲知
爾時須陀素彌王者今我身是駁足王者今
鴦崛摩羅是爾時諸人十二年中為駁足王
所食噉者今此諸人為鴦崛摩羅所殺者是
此諸人等世世常為鴦崛摩羅之所殺害我
之世世除之以善我念過世為凡夫時化令
不殺況我今日成為如來眾德善備諸惡永
息豈復不能降化之耶王復白佛今此諸人
宿有何緣乃常世世為甚所煞甚佛告王曰
善心聽之乃往過去久遠劫中此閻浮提有
一大國名波羅㮈時國王名波羅摩達王有
二子各有雄才端政殊妙王甚愛念於時小
者心自念言設我父崩兄當纏治我既年少
無墮國位生於一世已不作王處世何為不
如幽靜以求仙道作是念已往白父王貪慕
深山求於仙道願見聽放得遂所志如是懇
懃志不可奪父便聽之即放入山去逕數年

一大國名波羅㮈時國王名波羅摩達王有
二子各有雄才號政殊妙王甚愛念於時小
者心自念言設我父崩兄當紹治我既年少
无紹國位生於一世已不作王處世何為不
如幽靜以求仙道作是念已往白父王貪慕
深山求於仙道願見聽放得遂所志如是懇
懃志不可奪父便聽之即放入山去逕數年
父王崩忘其兄紹位統領人民治不久遇
疾命終未有子嗣更无紹繼諸臣集議靡知
所歸有一臣言王有小子剃髮大王入山學
仙當還請迎以續王位諸臣盡曰宜用此事
即相率合入山請喚到以情狀具白其意唯
願垂愍拯拔我國仙人答言此事可畏我此
靜樂永无憂患世人凶惡好相斬戮若我為
王僅見侵害今甚樂此不能去也諸臣重白
王崩嗣絕更无紹繼唯有大仙是王之種國
土人民不得无主唯願垂愍願意臨覆如是
致誠懇懃求請甚意不忍遂与還國仙人少小
不習欲事既來治國漸近女色婬事既深奔
逸放蕩晨夜耽嬉不能自制遂勅國中一切
諸女欲出行時要先從我令乃後聽法從夫
及諸國中殊政女人入其意者皆恣陵辱時
一女人於道陌上多人眾中裸形立屎又悲
號咷來者呵之女何无羞乃至若是女即答言
女於女中有何為恥汝等立屎敗之无羞我
淵不羞有何為恥諸人答言是語何謂女復
言曰唯王一人是男子耳一國女人皆被其
辱汝等若男當令尒耶於是諸人更相慚愧
便共謀議如此女言實是其理除持女言轉

一女人於道陌上多人眾中裸形立屎又悲
號咷來者呵之女何无羞乃至若是女即答言
女於女中有何為恥汝等立屎敗之无羞我
淵不羞有何為恥諸人答言是語何謂女復
言曰唯王一人是男子耳一國女人皆被其
辱汝等若男當令尒耶於是諸人更相慚愧
便共謀議如此女言實是其理除持女言轉
共相語同心合謀欲共害王城外園中有清
涼池王恒前後至池洗浴諸臣民輩安伏園
中伺王出浣伏兵悉出圍遶逼取欲煞於王
王乃驚曰欲作何等諸臣白言王違正治婬
嬈過度穢亂常俗汙辱諸家臣等觀見不能
堪忍故欲除王更求賢能王聞遂懼語諸臣
言我實不是負累汝等從心改厲更不敢尒
願見寬放与民更始諸臣復言正使今日天
雨黑雪頂生毒虵終不相放何須多云王聞
是已自知必死瞋恚感憤語諸臣言我本在
山无豫世事強來見逼以我為王未有大失
同心害我我今單弱无力自救誓當來世當
常煞汝盡當得道猶不相置作是誓猶故
煞之如是大王欲知尒時仙人如者今鴦掘
摩羅是尒時臣民同心煞王者今此諸人為
鴦掘摩羅所煞者是從彼已來常為所煞乃
至今日猶害此等時王長跪復白佛言指鬘
比丘煞此多人今已得道當受報不佛告
大王行必有報今此比丘在於房中地獄之
火從毛孔出極患苦痛酸切叵言于時如來
欲令衆會知作惡行必有罪報一[illegible]

懃之如是大王欲知尒時仙人今者今鴦掘
摩羅是尒時臣民同心懃王者今此諸人為
鴦掘摩羅所懃者是從彼已來常為所懃乃
至今日猶害此等時王長跪復白佛言指鬘
比丘懃此多人今已得道當應受報不佛告
大王行必有報今此比丘在於房中地獄之
大從毛孔出極患苦痛酸切叵言于時如來
欲令衆會知作惡行必有罪報一嚮從座
持戶排往昔指鬘房剥戶孔中比丘即往舉
欲為之排入戶內尋時驅焰比丘驚愕還來
白佛佛告比丘行報如是王及衆會莫不信
伏尒時阿難長跪白佛鴦掘摩羅宿有何
身力雄健力士之力徒跗輕疾之及飛鳥復
得值佛越度生死唯願垂愛為衆會說佛告
阿難汝等善聽乃往過去迦葉佛時有一比
丘為僧執事將僧人畜往來澤中道逢兩
屢鍜無憂糠朱囊物悉被搶還時彼比丘患
欲自過力步行逐之方從意心懷急遽即立
誓言願我後生力敵千人身輕行速走疾飛
鳥將來有佛号釋迦牟尼使我得見求脫生
死如是阿難尒時執事比丘者今鴦掘摩羅
是由彼世時出家持戒因營僧事顧之故
自從已來世世端政強力輕疾馬如其願復
遭見我得度生死尒時阿難
獄一切會者聞佛所說回
歸有得須陁

BD02775號　賢愚經卷一一　（8–8）

大乘無量壽經

如是我聞一時薄伽梵在舍衛國祇樹給孤獨園與大苾芻僧千二百五十人大菩薩摩訶薩衆俱同會
坐尒時世尊告曼殊室利童子曼殊上方有世界名無量功德聚彼土有佛号名無量壽智決定王
如來阿耨多羅三藐三菩提現為衆生開示說法曼殊諦聽南閻浮提人皆短壽大限百年於中
殀枉横死者衆曼殊如來無量壽如來功德名稱法要若有衆生得聞名号若自書或使人書
能為經卷受持讀誦若有舍宅所住之處以種種花鬘瓔珞塗香末香而為供養如其命
盡復得延年滿足百歲如是曼殊若有衆生得聞是無量壽智決定王如來百八名号者益其
壽若有衆生大命將盡憶念是如來名号更得增壽如是曼殊若有善男子善女人欲求長壽
於是無量壽如來百八名号有得聞者或自書若使人書受持讀誦得如是等果報福德具足陀羅
尼　南謨薄伽勃底一　阿波唎蜜哆二　阿喻紇硯娜三　須毗你悉指陀四　囉佐耶五　怛他羯他耶六　怛姪他
唵七　薩婆桑悉迦囉八　鉢唎輸底九　達磨底十　伽迦娜十一　莎訶某特迦底十二　莎婆婆毗輸底十三　摩訶娜耶十四
波唎婆曬莎訶十五　世尊復告曼殊利如是如來一百八名号若有自書或使人書能為經卷受持讀誦
如壽命盡復滿百年壽終此身後得往生无量福智世界无量壽淨土陀羅尼
南謨薄伽勃底一　阿波唎蜜哆二　阿喻紇硯娜三　須毗你斯指陀四　囉佐耶五　怛他羯他耶六　怛姪他唵七　薩婆桑
悉迦囉八　波唎輸底九　達磨底十　伽迦娜十一　莎訶某特迦底十二　莎婆婆毗輸底十三　摩訶娜耶十四　波唎婆曬莎訶十五
尒時有九十九俱胝佛一時同聲說是無量壽宗要經陀羅尼　南謨薄伽勃底一　阿波唎蜜
阿喻紇硯娜三　須毗你悉指陀四　囉佐耶五　怛他羯他耶六　怛姪他唵七　薩婆桑悉迦囉八　波唎輸
達磨底十　伽迦娜十一　莎訶某特迦底十二　莎婆婆毗輸底十三　摩訶娜耶十四　波唎婆曬莎訶
尒時復有一百四俱胝佛一時同聲說是無量壽宗要經陀羅尼　南謨薄伽勃底一　阿波唎蜜
哆二　阿喻紇硯娜三　須毗你悉指陀四　囉佐耶五　怛他羯他耶六　怛姪他唵七　薩婆桑悉迦囉八　波唎輸
達磨底十　伽迦娜十一　莎訶某特迦底十二　莎婆婆毗輸底十三　摩訶娜耶十四　波唎婆曬莎訶十五
尒時復有七俱胝佛一時同聲說是無量壽宗要經陀羅尼　南謨薄伽勃底一　阿波唎蜜哆二　阿喻紇
硯娜三　須毗你悉指陀四　囉佐耶五　怛他羯他耶六　怛姪他唵七　薩婆桑悉迦囉八　波唎輸底九　達磨底十　伽迦
娜十一　莎訶某特迦底十二　莎婆婆毗輸底十三　摩訶娜耶十四　波唎婆曬莎訶十五　尒時復有六十五俱

BD02776號　無量壽宗要經　（5–1）

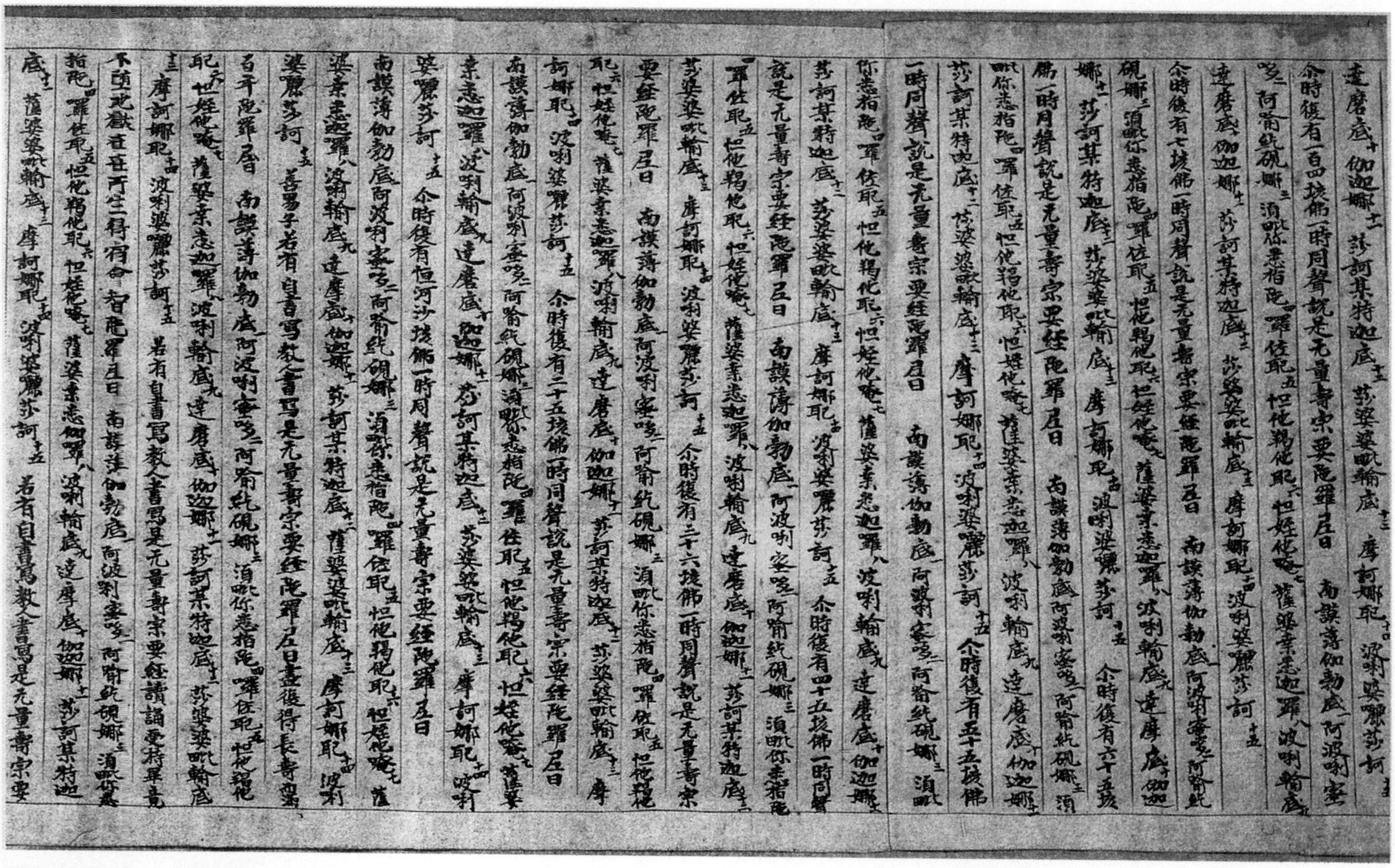

BD02776 號　無量壽宗要經　　（5–2）

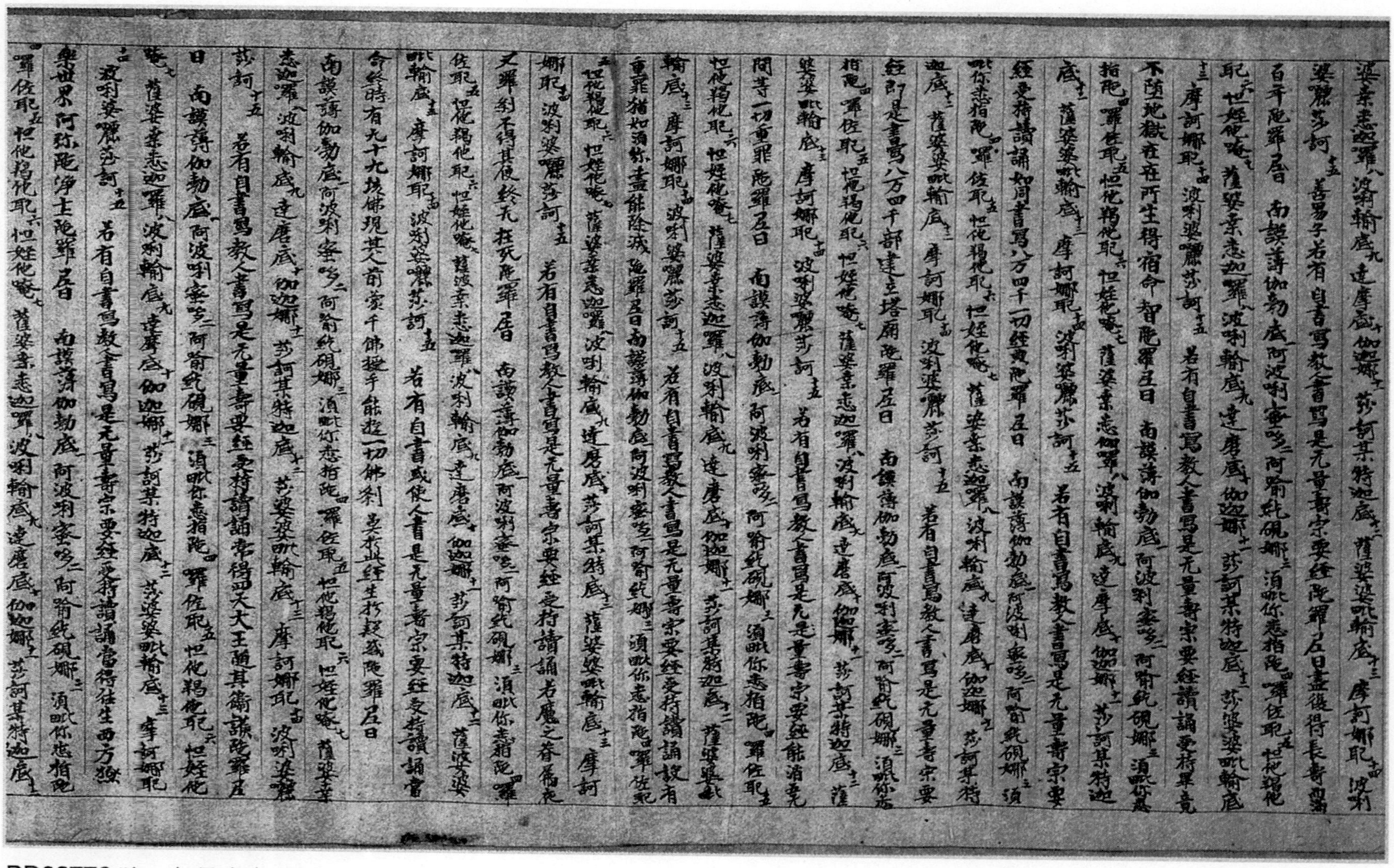

BD02776 號　無量壽宗要經　　（5–3）

莎訶十五　若有自書寫教人書寫是无量壽要經受持讀誦當得四天大王隨其衛護陁羅尼
日　南謨薄伽勃底一阿波唎蜜哆二阿喻紇硯娜三　須毗你悉指陁四　囉佐耶五　怛他羯他耶六　怛姪他
唵七　薩婆桑悉迦囉八波唎輸底九　達磨底十伽迦娜十一　莎訶莫特迦底十二　莎婆婆毗輸底十三　摩訶娜耶
十四　波唎婆囉莎訶十五　若有自書寫教人書寫是无量壽宗要經受持讀誦當得往生西方極
樂世界阿弥陁淨土陁羅尼曰　南謨薄伽勃底一阿波唎蜜哆二阿喻紇硯娜三　須毗你悉指陁
四囉佐耶五　怛他羯他耶六　怛姪他唵七　薩婆桑悉迦囉八波唎輸底九　達磨底十伽迦娜十一　莎訶莫特迦底十二
莎婆婆毗輸底十三　摩訶娜耶十四　波唎婆囉莎訶十五　若有方所自書寫教人書寫是无量壽經典之處
則為是塔皆應恭敬作礼若是畜生或為鳥獸得聞是經如是等類皆悉當不久得成无上一切種
智陁羅尼曰　南謨薄伽勃底一阿波唎蜜哆二阿喻紇硯娜三　須毗你悉指陁四　囉佐耶五　怛他羯
他耶六　怛姪他唵七　薩婆桑悉迦囉八波唎輸底九　達磨底十伽迦娜十一　莎訶莫特迦底十二　莎婆婆毗輸
底十三　摩訶娜耶十四　波唎婆囉莎訶十五　若有於是无量壽經自書寫若使人書畢不受女人之
身陁羅尼曰　南謨薄伽勃底一阿波唎蜜哆二阿喻紇硯娜三　須毗你悉指陁四囉佐耶五　怛他羯他耶六
怛姪他唵七　薩婆桑悉迦囉八波唎輸底九　達磨底十伽迦娜十一　莎訶莫特迦底十二　薩婆婆輸底十三　摩訶
娜耶十四　波唎婆囉莎訶　若有能於是經少分能惠施者等三千大千世界滿中七寶布施陁
羅尼曰　南謨薄伽勃底一阿波唎蜜哆二阿喻紇硯娜三　須毗你悉指陁四囉佐耶五　哆他羯他耶六　怛姪
他唵七　薩婆桑悉迦囉八波唎輸底九　達磨底十伽迦娜十一　莎訶莫特迦底十二　薩婆婆毗輸底十三　摩訶娜
耶十四　波唎婆囉莎訶十五　若能供養是經者則是供養一切諸經等无有異陁羅尼曰
南謨薄伽勃底一阿波唎蜜哆二阿喻紇硯娜三　須毗你悉指陁四囉佐耶五　怛他羯他耶六　怛姪他唵七　薩
婆桑悉迦囉八波唎輸底九　達磨底十伽迦娜十一　莎訶莫特迦底十二　莎婆婆毗輸底十三　摩訶娜耶十四　波唎婆囉
莎訶十五　如是毗婆尸佛尸弃佛毗舍浮佛俱留孫佛俱那含牟尼佛迦葉佛釋迦牟尼佛
若有人以七寶供養如是七佛其福有限書寫受持是无量壽經典所生功德不可限量陁羅尼曰
南謨薄伽勃底一阿波唎蜜哆二阿喻紇硯娜三　須毗你悉指陁四囉佐耶五　怛他羯他耶六　怛姪他唵七　薩婆桑悉
迦囉八波唎輸底九　達磨底十伽迦娜十一　莎訶莫特迦底十二　莎婆婆毗輸底十三　摩訶娜耶十四　波唎婆囉莎訶十五
若七寶等於須弥山以用布施其福上能知其限量是无量壽經典其福不可知數陁羅尼曰
南謨薄伽勃底一阿波唎蜜哆二阿喻紇硯娜三　須毗你悉指陁四囉佐耶五　怛他羯他耶六　怛姪他唵七　薩婆桑悉迦
囉八波唎輸底九　達磨底十伽迦娜十一　莎訶莫特迦底十二　薩婆婆毗輸底十三　摩訶娜耶十四　波唎婆囉
莎訶　如是四大海水可知滴數是无量壽經典所生果報不可數量陁羅尼曰
南謨薄伽勃底一阿波唎蜜哆二阿喻紇硯娜三　須毗你悉指陁四囉佐耶五　怛他羯他耶六　怛姪他唵七
薩婆桑悉迦囉八波唎輸底九　達磨底十伽迦娜十一　莎訶莫特迦底十二　薩婆婆毗輸底十三　摩訶娜
耶十四　波唎婆囉莎訶　若有自書或使人書是无量壽經典又能讃持供養即如恭敬供養
一切十方佛土如來无有別異陁羅尼曰　南謨薄伽勃底一阿波唎蜜哆二阿喻紇硯娜三　須毗
你悉指陁四囉佐耶五　怛他羯他耶六　怛姪他唵七　薩婆桑悉迦囉八波唎輸底九　達磨底十伽迦娜十一　莎

BD02776號　無量壽宗要經　（5–4）

囉八波唎輸底九　達磨底十伽迦娜十一　莎訶莫特迦底十二　薩婆婆毗輸底十三　摩訶娜耶十四　波唎婆囉
莎訶　如是四大海水可知滴數是无量壽經典所生果報不可數量陁羅尼曰
南謨薄伽勃底一阿波唎蜜哆二阿喻紇硯娜三　須毗你悉指陁四囉佐耶五　怛他羯他耶六　怛姪他唵七
薩婆桑悉迦囉八波唎輸底九　達磨底十伽迦娜十一　莎訶莫特迦底十二　薩婆婆毗輸底十三　摩訶娜
耶十四　波唎婆囉莎訶　若有自書或使人書是无量壽經典又能讃持供養即如恭敬供養
一切十方佛土如來无有別異陁羅尼曰　南謨薄伽勃底一阿波唎蜜哆二阿喻紇硯娜三　須毗
你悉指陁四囉佐耶五　怛他羯他耶六　怛姪他唵七　薩婆桑悉迦囉八波唎輸底九　達磨底十伽迦娜十一　莎
訶莫特迦底十二　莎婆婆毗輸底十三　摩訶娜耶十四　波唎婆囉莎訶
布施力能成正覺　悟布施力人師子　布施力能聲善聞　慈悲附漸最能入
持戒力能成正覺　悟持戒力人師子　持戒力能聲善聞　慈悲附漸最能入
忍辱力能成正覺　悟忍辱力人師子　忍辱力能聲善聞　慈悲附漸最能入
精進力能成正覺　悟精進力人師子　精進力能聲善聞　慈悲附漸最能入
禪定力能成正覺　悟禪定力人師子　禪定力能聲善聞　慈悲附漸最能入
智惠力能成正覺　悟智惠力人師子　智惠力能聲善聞　慈悲附漸最能入
尒時如來說是經已一切世間天人阿脩羅乾闥婆等聞佛所說皆大歡喜信受奉行
佛說无量壽經

BD02776號　無量壽宗要經　（5–5）

為
說伽他曰
轉輪王 捨此
珎寶皆充滿 時以供
我於往昔无量劫 為求清淨真
所愛之物皆悉捨 乃至身命心无悋
又於過去難思劫 有正遍知名寶髻
於彼如來涅槃後 有王出世名善生
為轉輪王化四洲 盡大海際咸歸伏
有城名曰妙音聲 時彼輪王於此住
夜夢聞說佛福智 見有法師名寶髻
處座端嚴如日輪 演說金光微妙典
尒時彼王從夢覺 生大歡喜充遍身
至天曉已出王宮 往詣苾芻僧伽處
恭敬供養聖眾已 即便問彼諸大眾
頗有法師名寶積 功德成就化眾生
尒時寶積大法師 在一室中而住心
正念誦斯微妙典 端然不動身心樂
時有苾芻引導王 至彼寶積所居處
見在室中端身坐 光明妙相遍其身
白王此即是寶積 能持甚深佛行處
所謂微妙金光明 諸經中王最第一
時王即便禮寶積 恭敬合掌而致請
唯願滿月面端嚴 為說金光微妙法

BD02777號　金光明最勝王經卷九

(21–1)

時有苾芻引導王 至彼寶積所居處
見在室中端身坐 光明妙相遍其身
白王此即是寶積 能持甚深佛行處
所謂微妙金光明 諸經中王最第一
時王即便禮寶積 恭敬合掌而致請
唯願滿月面端嚴 為說金光微妙法
寶積法師受王請 許為說此金光明
周遍三千世界中 諸天大眾咸歡喜
王於廣博清淨處 奇妙珎寶而嚴飾
上妙香水灑遊塵 種種雜花皆散布
即於勝處敷高座 懸繒幡蓋以莊嚴
種種抹香及塗香 香氣芬馥皆周遍
天龍脩羅緊那羅 莫呼洛伽及藥叉
諸天悉雨曼陀花 咸來供養彼高座
復有千万億諸天 樂聞正法俱來集
法師初從本座起 咸悉供養以天花
是時寶積大法師 淨洗浴已著鮮服
詣彼大眾法座所 合掌虔心而敬禮
天主天眾及天女 悉皆共散曼陀花
百千天樂難思議 住在空中出妙響
尒時寶積大法師 即昇高座跏趺坐
念彼十方諸剎土 百千万億大慈尊
遍及一切苦眾生 皆起平等慈悲念
為彼請主善生故 演說微妙金光明
王既得聞如是法 合掌一心唱隨喜
聞法希有淚交流 身心大喜皆充遍
于時國主善生王 為欲供養此經故

BD02777號　金光明最勝王經卷九

(21–2)

念彼十方諸剎主　百千万億大慈尊
遍及一切若衆生　皆起平等慈悲念
為彼請王善生故　演說微妙金光明
王既得聞如是法　合掌一心唱隨喜
聞法希有淚交流　身心大喜皆充遍
于時國王善生王　為欲供養此經故
手持如意末尼寶　發願咸為諸衆生
今可於斯贍部洲　普雨七寶瓔珞具
所有匱乏資財者　皆得隨心受安樂
即便遍雨於七寶　悉皆充足四洲中
瓔珞嚴身隨所須　衣服飲食皆无乏
尒時國王善生王　見此四洲雨珎寶
咸持供養寶髻佛　所有遺教苾芻僧
應知過去善生王　即我釋迦牟尼是
為於昔時捨大地　及諸珎寶滿四洲
昔時寶積大法師　為彼善生說妙法
曰彼開演經王故　東方現成不動佛
以我曾聽此經王　合掌一言稱隨喜
及施七寶諸功德　獲此最勝金剛身
金光百福相莊嚴　所有見者皆歡喜
一切有情无不愛　俱胝天衆亦同然
過去曾經九十九　俱胝億劫作輪王
亦於小國為人王　復經无量百千劫
於无量劫為帝釋　亦復曾為大梵王
供養十力大慈尊　彼之數量難窮盡
我昔聞經隨喜善　所有福聚量難知
由斯福故證菩提　獲得法身真妙智

BD02777號　金光明最勝王經卷九　（21–3）

過去曾經九十九　俱胝億劫作輪王
亦於小國為人王　復經无量百千劫
於无量劫為帝釋　亦復曾為大梵王
供養十力大慈尊　彼之數量難窮盡
我昔聞經隨喜善　所有福聚量難知
由斯福故證菩提　獲得法身真妙智
尒時大衆聞是說已歎未曾有皆願奉
持金光明經流通不絕
金光明最勝王經諸天藥叉護持品第廿二
尒時世尊告大吉祥天女曰若有淨信善男
子善女人欲於過去未來現在諸佛以不可
思議廣大微妙供養之具而為奉獻及
了三世諸佛甚深行處是人應當決定至心
隨是經王所在之處城邑聚落或山澤中
衆生敷演流布其聽法者應除亂想攝耳
用心世尊即為彼天及諸大衆說伽他曰
若欲於諸佛　不思議供養　復了諸如來　甚深境界者
若見演說此　最勝金光明　應親詣彼方　至其所住處
此經難思議　能生諸功德　无邊大苦海　解脫諸有情
我觀此經王　初中後皆善　甚深不可測　譬喻无能比
假使恒河沙　大地塵海水　虛空諸山石　无能喻少分
欲入深法界　應先聽是經　法性之制底　甚深善安住
於斯制底內　見我牟尼尊　悅意妙音聲　演說斯經典
由此俱胝劫　數量難思議　生在人天中　常受勝妙樂
若聽是經者　應作如是心　我得不思議　无邊功德蘊
假使大火聚　滿百踰繕那　為聽此經王　直過无辭苦

BD02777號　金光明最勝王經卷九　（21–4）

欲入深法界 應先聽是經 法性之制底 甚深善安住
於斯制底內 見我牟尼尊 悅意妙音聲 演說斯經典
由此俱胝劫 數量難思議 生在人天中 常受勝妙樂
若聽是經者 應作如是心 我得不思議 无邊功德蘊
假使大火聚 滿百踰繕那 為聽此經王 直過无辭苦
既至彼住處 得聞如是經 能滅於罪業 及除諸惡夢
惡星諸變怪 蠱道邪魅等 得聞是經時 諸惡皆捨離
應嚴勝高座 淨妙若蓮花 法師處其上 猶如大龍坐
於斯安坐已 說此甚深經 書寫及誦持 并為解其義
法師捨此座 往詣餘方所 於此高座中 神通非一相
或見法師像 猶在高座上 或時見世尊 及以諸菩薩
或作普賢像 或如妙吉祥 或見慈氏尊 身處於高座
或見希奇相 及以諸天像 暫得覩容儀 忽然還不現
或就諸吉祥 所作皆隨意 功德悉圓滿 世尊如是說
最勝有名稱 能滅諸煩惱 他國賊皆除 戰時常得勝
惡夢悉皆无 及消諸毒害 所作三業罪 經力能除滅
於此贍部洲 名稱咸充滿 所有諸怨結 悉皆相捨離
設有怨敵至 聞名便退散 不假動兵戈 兩陣生歡喜
梵王帝釋主 護世四天王 及金剛藥叉 正了知大將
无熱池龍王 及以娑揭羅 緊那羅樂神 蘇羅金翅主
大辯才天女 并大吉祥天 斯等上首天 各領諸天眾
常供養諸佛 法寶不思議 恒生歡喜心 於經起恭敬
斯等諸天眾 皆悉共思惟 遍觀修福者 共作如是說
應觀此有情 咸是大福德 善根精進力 當來生我天
為聽甚深經 敬心來至此 供養法制底 尊重正法故
憐愍於眾生 而作大饒益 於此深經典 能為法寶器
入此法門者 能入於法性 於此金光明 至心應聽受

BD02777號　金光明最勝王經卷九　（21–5）

常供養諸佛 法寶不思議 恒生歡喜心 於經起恭敬
斯等諸天眾 皆悉共思惟 遍觀修福者 共作如是說
應觀此有情 咸是大福德 善根精進力 當來生我天
為聽甚深經 敬心來至此 供養法制底 尊重正法故
憐愍於眾生 而作大饒益 於此深經典 能為法寶器
入此法門者 能入於法性 於此金光明 至心應聽受
是人曾供養 无量百千佛 由彼諸善根 得聞此經典
如是諸天主 天女大辯才 并彼吉祥天 及以四王眾
无數藥叉眾 勇猛有神通 各於其四方 常來相擁護
日月天帝釋 風水火諸神 吠率怒大肩 閻羅辯才等
一切諸護世 勇猛具威神 擁護持經者 晝夜常不離
大力藥叉王 那羅延自在 正了知為首 二十八藥叉
餘藥叉百千 神通有大力 恒於恐怖處 常來護此人
金剛藥叉王 并五百眷屬 諸大菩薩眾 常來護此人
寶王藥叉王 及以滿賢王 曠野金毗羅 賓度羅黃色
此等藥叉王 各五百眷屬 見聽此經者 皆來共擁護
彩軍乾闥婆 華王常戰勝 珠頸及青頸 并勃里沙王
大最勝大黑 蘇跋拏雞舍 半之迦羊足 及以大婆伽
小渠并護法 及以獼猴王 針毛及日友 寶髻皆來護
大渠諸拘羅 旃檀欲中勝 舍羅及雪山 及以娑多山
皆有大神通 雄猛具大力 見持此經者 皆來相擁護
阿那婆答多 及以娑揭羅 目真警羅葉 難陀小難陀
於百千龍中 神通具威德 共護持經人 晝夜常不離
婆稚羅睺羅 毗摩質多羅 母首者跋羅 大肩及歡喜
及餘蘇羅王 并无數天眾 大力有勇健 皆來護是人
訶利底母神 五百藥叉眾 於彼人睡覺 常來相擁護
旃荼旃荼利 藥叉旃稚女 昆帝拘吒齒 吸眾生精氣

BD02777號　金光明最勝王經卷九　（21–6）

於百千龍中 神通具威德 共護持經人 晝夜常不離
婆稚羅睺羅 毗摩質多羅 母旨苦歐羅 大肩及歡喜
及餘蘇羅王 并无數天衆 大力有勇健 皆来護是人
訶利底母神 五百藥叉衆 於彼人睡覺 常来相擁護
旃荼旃荼利 藥叉旃稚女 昆常拘吒齒 吸衆生精氣
如是諸神衆 大力有神通 常護持經者 晝夜恒不離
上首辯才天 无量諸天女 吉祥天爲首 并餘諸眷屬
此大地神女 果實園林神 樹神江河神 制底諸神等
如是諸天神 心生大歡喜 彼皆来擁護 讀誦此經人
見有持經者 增壽命色力 威光及福德 妙相以莊嚴
星宿現灾變 困厄當此人 夢見惡徵祥 皆悉令除滅
此大地神女 堅固有威勢 由此經力故 法味常充足
地肥若流下 過百踰繕那 地神令味上 滋潤於大地
此地厚六十 八億踰繕那 乃至金剛際 地味皆令上
由聽此經王 獲大功德蘊 能使諸天衆 悉蒙其利益
復令諸天衆 威力有光明 歡喜常安樂 捨離於衰相
於此南洲内 林果苗稼神 由此經威力 心常得歡喜
苗實皆成就 處處有妙花 菓實並滋繁 充滿於大地
所有諸果樹 及以衆園林 悉皆生妙花 香氣常芬馥
衆草諸樹木 咸出微妙花 及生甘美果 隨處皆充遍
於此贍部洲 无量諸龍女 心生大歡喜 皆共入池中
種植鉢頭摩 及以分陁利 青白二蓮花 池中皆遍滿
由此經威力 虚空淨无翳 雲霧皆除遣 冥闇悉光明
日出放千光 无垢燄清淨 由此經王力 流暉遶四天
此經威德力 資助於天子 皆用贍部金 而作於宮殿
日天子初出 見此洲歡喜 常以大光明 周遍皆照耀
於斯大地内 所有蓮花池 日光照及時 无不盡開發

由此經威力 虚空淨无翳 雲霧皆除遣 冥闇悉光明
日出放千光 无垢燄清淨 由此經王力 流暉遶四天
此經威德力 資助於天子 皆用贍部金 而作於宮殿
日天子初出 見此洲歡喜 常以大光明 周遍皆照耀
於斯大地内 所有蓮花池 日光照及時 无不盡開發
於此贍部洲 田疇諸果藥 悉皆令善熟 充滿於大地
由此經威力 日月所照處 星辰不失度 風雨皆順時
遍此贍部洲 國土咸豊樂 隨有此經處 殊勝倍餘方
若此金光明 經典流布處 有能講誦者 悉得如上福
尒時大吉祥天女及諸天等聞佛所說皆大
歡喜於此經王及受持者一心擁護令无憂
惱常得安樂

金光明最勝王經授記品第廿三

尒時如来於大衆中廣說法已欲爲妙幢菩
薩及其二子銀幢銀光授阿耨多羅三藐三
菩提記時有十千天子最勝光明而爲上首
俱從三十三天来至佛所頂礼佛足却坐一
面聽佛說法尒時佛告妙幢菩薩言汝於来
世過无量无數百千万億那庾多劫已於金
光明世界當成阿耨多羅三藐三菩提号金
寶山王如来應正遍知明行足善逝世間解
无上士調御丈夫天人師佛世尊出現於世
時此如来般涅槃後所有教法亦皆滅盡時
彼長子名曰銀幢即於此界次補佛處世界
尒時轉名淨幢當得作佛名曰金幢光如来
應正遍知明行足善逝世間解无上士調御丈
夫天人師佛世尊時此如来般涅槃後所有

時此如來般涅槃後所有教法亦皆滅盡時
彼長子名曰銀幢即於此界次補佛處世界
尒時轉名淨幢當得作佛名曰金幢光如來
應正遍知明行足善逝世間解无上士調御丈
夫天人師佛世尊時此如來般涅槃後所有
教法亦皆滅盡次子銀光即補佛處還於此
界當得作佛号曰金光明如來應正遍知明
行足善逝世間解无上士調御丈夫天人師
佛世尊是時十千天子聞三大士得授記已
復聞如是最勝王經心生歡喜清淨无垢猶
如虛空尒時如來知是十千天子善根成熟
即便與授大菩提記汝等天子於當來世過
无量无數百千万億那庾多劫於最勝因陁
羅高幢世界得成阿耨多羅三藐三菩提同
一種姓又同一名号曰面目清淨優鉢羅香
山十号具足如是次第十千諸佛出現於世
尒時菩提樹神白佛言世尊是十千天子從
三十三天為聽法故來詣佛所云何如來便
與授記當得成佛世尊我未曾聞是諸天子
具足修習六波羅蜜多難行苦行捨於手足
頭目髓腦眷屬妻子象馬車乘奴婢僕使宮
殿園林金銀琉璃硨磲碼碯珊瑚虎珀璧玉
珂貝飲食衣服卧具醫藥如餘无量百千菩
薩以諸供具供養過去无數百千万億那庾
多佛如是菩薩各經无量无邊劫數然後方
得受菩提記世尊是諸天子以何因緣修何
勝行種何善根從彼天來蹔時聞法便得授

BD02777 號　金光明最勝王經卷九　（21–9）

殿園林金銀琉璃硨磲碼碯珊瑚虎珀璧玉
珂貝飲食衣服卧具醫藥如餘无量百千菩
薩以諸供具供養過去无數百千万億那庾
多佛如是菩薩各經无量无邊劫數然後方
得受菩提記世尊是諸天子以何因緣修何
勝行種何善根從彼天來蹔時聞法便得授
記唯願世尊為我解說斷除疑網佛告地神
善女天如汝所說皆從勝妙善根因緣勤苦
修已方得授記此諸天子於妙天宮捨五欲
樂故來聽是金光明經既聞法已於是經中
心生慇重如淨瑠璃无諸瑕穢復得聞此三
大菩薩授記之事亦由過去久修正行誓願
因緣是故我今皆與授記於未來世當成阿
耨多羅三藐三菩提時彼樹神聞佛說已歡
喜信受

金光明最勝王經除病品第廿四

佛告菩提樹神善女天諦聽諦聽善思念之
是十千天子本願因緣今為汝說善女天過
去无量不可思議阿僧企耶劫尒時有佛出
現於世名曰寶髻如來應正遍知明行足善
逝世間解无上士調御丈夫天人師佛世尊
善女天時彼世尊般涅槃後正法滅已於像法
中有王名曰天自在光常以正法化於人民
猶如父母是王國中有一長者名曰持水善
解醫明妙通八術衆生病苦四大不調咸
能救療善女天尒時持水長者唯有一子名
曰流水顔容端正人所樂觀受性聰敏妙閑

BD02777 號　金光明最勝王經卷九　（21–10）

中有王名曰天自在光常以正法化於人民
猶如父母是王國中有一長者名曰持水善
解醫明妙通八術衆生病苦四大不調咸
能救療善女天尒時持水長者唯有一子名
曰流水顏容端正人所樂觀受性聰敏妙閑
諸論書畫筭印无不通達時王國內有无量
百千諸衆生類皆遇疫疾衆苦所逼乃至无
有歡樂之心善女天尒時長者子流水見是
无量百千衆生受諸病苦起大悲心作如是
念无量衆生為諸極苦之所逼迫我父長者
雖善醫方妙通八術能療衆病四大增損
然已衰邁老耄虛羸要假扶策方能進步
不復能往城邑聚落救諸病苦今有无量百
千衆生皆遇重病无能救者我今當至大醫
父所諮問治病醫方秘法若得解已當往城
邑聚落之所救諸衆生種種疾病令於長夜得
受安樂時長者子作是念已即詣父所稽首禮
足合掌恭敬却住一面即以伽他請其父曰
慈父當哀愍　我欲救衆生　今請諸醫方　幸願為我說
云何身衰壞　諸大有增損　復在何時中　能生諸疾病
云何噉飲食　得受於安樂　能使內身中　火勢不衰損
衆生有四病　風黃熱痰癊　及以惣集病　云何而療治
何時風病起　何時熱病發　何時動痰癊　何時惣集生
時彼長者聞子請已復以伽他而答之曰
我今依古仙　所有療病法　次第為汝說　善聽救衆生
三月是春時　三月名為夏　三月名秋分　三月謂冬時
此據一年中　三三而別說　二二為一節　便成歲六時

衆生有四病　風黃熱痰癊　及以惣集病　云何而療治
何時風病起　何時熱病發　何時動痰癊　何時惣集生
時彼長者聞子請已復以伽他而答之曰
我今依古仙　所有療病法　次第為汝說　善聽救衆生
三月是春時　三月名為夏　三月名秋分　三月謂冬時
此據一年中　三三而別說　二二為一節　便成歲六時
初二是花時　三四名熱際　五六名雨際　七八謂秋時
九十是寒時　後二名氷雪　既知如是別　授藥勿令差
當隨此時中　調息於飲食　入腹令消散　衆病則不生
節氣若變改　四大有推移　此時无藥資　必生於病苦
醫人解四時　復知其六節　明閑身七界　食藥使无差
謂味界血肉　膏骨及髓腦　病入此中時　知其可療不
病有四種別　謂風熱痰癊　及以惣集病　應知發動時
春中痰癊動　夏內風病生　秋時黃熱增　冬節三俱起
春食澀熱辛　夏膩熱醎醋　秋時冷甜膩　冬酸澀膩甜
於此四時中　服藥及飲食　若依如是味　衆病无由生
食後病由癊　食消時由熱　消後起由風　准時須識病
既識病源已　隨病而設藥　假令患狀殊　先須療其本
風病服油膩　患熱利為良　癊病應變吐　惣集須三藥
風熱癊俱有　是名為惣集　雖知病起時　應觀其本性
如是觀知已　順時而授藥　飲食藥无差　斯名善醫者
復應知八術　惣攝諸醫方　於此若明閑　可療衆生病
謂針刺傷破　身疾并鬼神　惡毒及孩童　延年增氣力
先觀彼形色　語言及性行　然後問其夢　知風熱癊殊
乾瘦少頭髮　其心无定住　多語夢飛行　斯人是風性
少年生白髮　多汗及多瞋　聰明夢見火　斯人是熱性
心定身平整　慮審頭津膩　夢見水白物　是癊性應知

謂針刺傷破　身疾并鬼神　惡毒及痃重　延年增氣力
先觀彼形色　語言及性行　然後問其夢　知風熱癊殊
乾瘦少頭髮　其心无定住　多語夢飛行　斯人是風性
少年生白髮　多汗及多瞋　聰明夢見火　斯人是熱性
心定身平整　慮審頭津膩　夢見水白物　是癊性應知
揔集性俱有　或二或具三　隨有一偏增　應知是其性
既知本性已　准病而授藥　驗其无死相　方名可救人
諸根倒取境　尊醫人起慢　親友生瞋恚　是死相應知
左眼白色變　舌黑鼻梁皺　耳輪與舊殊　下脣垂向下
訶梨勒一種　具足有六味　能除一切病　无忌藥中王
又三果三辛　諸藥中易得　沙糖蜜蘇乳　此能療衆病
自餘諸藥物　隨病可增加　先起慈愍心　莫規於財利
我已爲汝說　療疾中要事　以此救衆生　當獲无邊果
善女天，尒時長者子流水親問其父八術之要
四大增損時節不同餌藥方法，既善了知，自
忖堪能救療衆病，即便遍至城邑聚落所
在之處，隨有百千万億病苦衆生，皆至其所
善言慰喻，作如是語：我是醫人，我是醫人，善
知方藥，今爲汝等療治衆病，悉令除愈。善女
天，尒時衆人聞長者子善言慰喻，許爲治病，
時有无量百千衆生遇極重病，聞是語已，身
心踊躍，得未曾有。以此因緣所有病苦悉得
蠲除，氣力充實，平復如本。善女天，尒時復有
无量百千衆生病苦深重難療治者，即共往
詣長者子所，重請醫療。時長者子即以妙
藥令服，皆蒙除差。善女天，是長者子於此

BD02777號　金光明最勝王經卷九　（21-13）

心踊躍，得未曾有。以此因緣所有病苦悉得
蠲除，氣力充實，平復如本。善女天，尒時復有
无量百千衆生病苦深重難療治者，即共往
詣長者子所，重請醫療。時長者子即以妙
藥令服，皆蒙除差。善女天，是長者子於此
國內百千万億衆生病苦悉得除差。

金光明最勝王經長者子流水品第廿五

尒時佛告菩提樹神：善女天，尒時長者子流
水於往昔時在天自在光王國內療諸衆生
所有病苦，令得平復，受安隱樂。時諸衆生以
病除故，多修福業，廣行惠施，以自歡娛，即共
往詣長者子所，咸生尊敬，作如是言：善哉善
哉，大長者子，善能滋長福德之事，增益我等
安隱壽命。仁今實是大力醫王，慈悲菩薩，妙
閑醫藥，善療衆生无量病苦。如是稱歎周遍
城邑。善女天，時長者子妻名水肩藏，有其二
子：一名水滿，二名水藏。是時流水將其二子漸
次遊行城邑聚落，過空澤中深險之處，見諸
禽獸豺狼狐玃鵰鷲之屬食血肉者，皆悉奔
飛一向而去。時長者子作如是念：此諸禽
獸何因緣故一向飛走？我當隨後暫往觀之。
即便隨去，見有大池名曰野生，其水將盡。於
此池中多有衆魚。流水見已，生大悲心。時有
樹神示現半身，作如是語：善哉善哉，善男子，
汝有實義名流水者，可愍此魚，應與其水。有
二因緣名爲流水：一能流水，二能水汝今應
當隨名而作。是時流水問樹神言：此魚頭數爲

BD02777號　金光明最勝王經卷九　（21-14）

樹神亦現半身作如是語善哉善哉善男子
汝有實義名流水者可愍此魚應與其水有
二因緣名為流水一能流水二能水与汝今應
當隨名而作是時流水問樹神言此魚頭數為
有幾何樹神答曰數滿十千善女天時長
者子聞是數已倍益悲心時此大池為日所
暴餘水无幾是十千魚將入死門旋身婉
轉見是長者心有所希隨逐瞻視目未曾捨
時長者子見是事已馳趣四方欲覓於水竟
不能得復望一邊見有大樹即便昇上折取
枝葉為作蔭涼復更推求是池中水從何處
來尋覓不已見一大河名曰水生時此河邊
有諸漁人為取魚故於河上流懸險之處決
棄其水不令下過於所決處卒難修補便作
是念此崖深峻設百千人時經三月亦未能
斷況我一身而堪濟辦時長者子速還本城
至大王所頭面礼足却住一面合掌恭敬作
如是言我為大王國土人民治種種病悉令
安隱漸次遊行至其空澤見有一池名曰野
生其水欲涸有十千魚為日所暴將死不久
唯願大王慈悲愍念與二十大象暫往負水
濟彼魚命如我與諸病人壽命尒時大王即
勑大臣速疾與此醫王大象時彼大臣奉王
勑已白長者子善哉大士仁今自可至象廐
中隨意選取二十大象利益眾生令得安樂
是時流水及其二子將二十大象又從酒家

BD02777號　金光明最勝王經卷九　（21–15）

濟彼魚命如我與諸病人壽命尒時大王即
勑大臣速疾與此醫王大象時彼大臣奉王
勑已白長者子善哉大士仁今自可至象廐
中隨意選取二十大象利益眾生令得安樂
是時流水及其二子將二十大象又從酒家
多借皮囊往決水處以囊盛水象負至池
瀉置池中水即弥滿還復如故善女天時長
者子於池四邊周旋而視時彼眾魚亦復隨逐
循岸而行時長者子復作是念眾魚何故隨
我而行必為飢火之所惱逼復欲從我求索
於食我今當與尒時長者子流水告其子言
汝取一象最大力者速至家中啓父長者家
中所有可食之物乃至父母食噉之分及以
妻子奴婢之分悉皆收取即可持來尒時
二子受父教已乘最大象速往家中至祖父
所說如上事收取家中可食之物置於象上
疾還父所至彼池邊是時流水見其子來身
心喜躍遂取餅食遍散池中魚得食已悉皆
飽足便作是念我今施食令魚得命願於來
世當施法食充濟无邊復更思惟我先曾於
空閑林處見一苾芻讀大乘經說十二緣生
甚深法要又經中說若有眾生臨命終時得
聞寶髻如來名者即生天上我今當為是十
千魚演說甚深十二緣起亦當稱說寶髻佛
名然贍部洲有二種人一者深信大乘二者
不信毀呰亦當為彼增長信心時長者子作
如是念我入池中可為眾魚說深妙法作是

BD02777號　金光明最勝王經卷九　（21–16）

聞寶髻如來名者即生天上我今當爲是十
千魚演說甚深十二緣起亦當稱說寶髻佛
名然贍部洲有二種人一者深信大乘二者
不信毀呰亦當爲彼增長信心時長者子作
如是念我入池中可爲衆魚說深妙法作是
念已即便入水唱言南謨過去寶髻如來應
正遍知明行足善逝世間解无上士調御丈
夫天人師佛世尊此佛往昔修菩薩行時作
是誓願於十方界所有衆生臨命終時聞我
名者命終之後得生三十三天尒時流水復
爲池魚演說如是甚深妙法此有故彼有此
生故彼生所謂无明緣行行緣識識緣名色
名色緣六處六處緣觸觸緣受受緣愛愛緣
取取緣有有緣生生緣老死憂悲苦惱此滅
故彼滅所謂无明滅則行滅行滅則識滅識
滅則名色滅名色滅則六處滅六處滅則觸滅
觸滅則受滅受滅則愛滅愛滅則取滅取滅
則有滅有滅則生滅生滅則老死滅老死滅
則憂悲苦惱滅如是純極苦蘊悉皆除
滅說是法已復爲宣說十二緣起相應陁羅
尼曰
怛姪他　毗折你毗析你　毗析　析　你
僧塞枳你　僧塞枳你　僧塞枳你
毗尒你　毗尒你　毗尒你莎訶
怛姪他　鞞𤘽你鞞𤘽你　鞞𤘽你
𣪊雉你　𣪊雉你　𣪊雉你
颯鉢哩設你　颯鉢哩設你　颯鉢哩你莎訶

怛姪他　毗析你毗析你　毗析　你
僧塞枳你　僧塞枳你　僧塞枳你
毗尒你　毗尒你　毗尒你莎訶
怛姪他　鞞𤘽你鞞𤘽你　鞞𤘽你
𣪊雉你　𣪊雉你　𣪊雉你
颯鉢哩設你　颯鉢哩設你　颯鉢哩你莎訶
怛姪他　薜達你薜達你　薜達你
室里瑟你　室里瑟你　室里瑟你你
鄔波地你　鄔波地你　鄔波地你莎訶
怛姪他　婆毗你婆毗你　婆毗你
闍底你　闍底你　闍底你
闍摩你　闍摩你你　闍摩你你莎訶
尒時世尊爲諸大衆說長者子昔緣之時
諸人天衆歎未曾有時四大天王各於其
處異口同音作如是說
善哉釋迦尊　說妙法明呪　生福除衆惡　十二支相應
我等亦說呪　擁護如是法　若有生違逆　不善隨順者
頭破作七分　猶如蘭香梢　我等於佛前　共說其呪曰
怛姪他　呬里　謎一　揭㖶　健　陁　哩
旃荼　里　地　𤘽　驗伐𤘽石呬伐𤘽
補攞布𤘽矩矩末底　崎囉末底達地目契
宴嚕婆　毋嚕婆　具荼毋嚕　健　提
杜嚕杜嚕毗𤘽　翳泥悉泥沓 徙洽 下同 娓
達沓娓鄔悉怛哩　烏率吒羅伐底
頞剌婆伐底　鉢杜摩伐底
俱蘇摩伐底　莎訶
佛告善女天尒時長者子流水及其二子

杜嚕杜嚕毗灑　瞖泥悉泥沓徒洽下同娓
達沓娓鄔悉怛哩　烏率吒羅伐底
頞剌婆伐底　鈐杜摩伐底
俱蘇摩伐底　莎訶
佛告善女天尒時長者子流水及其二子
為彼池魚施水施食并說法已俱共還家是長
者子流水復於後時因有聚會設衆伎樂醉
酒而卧時十千魚同時命過生三十三天起如
是念我等以何善業因緣生此天中便相謂
日我等先於贍部洲內墮傍生中共受魚
身長者子流水施我等水及以餅食復為我
等說甚深法十二緣起及陁羅尼復稱寶髻
如來名号以是因緣能令我等得生此天是故
我今咸應詣彼長者子所報恩供養尒時
十千天子即於天沒至贍部洲大醫王所時
長者子在高樓上安隱而睡時十千天子
共以十千真珠瓔珞置其頭邊復以十千置
其足處復以十千置於右脅復以十千置左脅
邊雨曼陁羅花摩訶曼陁羅花積至于膝光
明普照種種天樂出妙音聲令贍部洲有睡
眠者皆悉覺悟長者子流水亦從睡寤是時
十千天子為供養已即於空中飛騰而去於天
自在光王國內處處皆雨天妙蓮花是諸天子
復至本處空澤池中雨衆天花便於此沒還
天宮殿隨意自在受五欲樂天自在光王至
天曉已問諸大臣昨夜何緣忽現如是希
有瑞相放大光明大臣答言大王當知有諸天

BD02777號　金光明最勝王經卷九　（21–19）

十千天子為供養已即於空中飛騰而去於天
自在光王國內處處皆雨天妙蓮花是諸天子
復至本處空澤池中雨衆天花便於此沒還
天宮殿隨意自在受五欲樂天自在光王至
天曉已問諸大臣昨夜何緣忽現如是希
有瑞相放大光明大臣答言大王當知有諸天
衆於長者子流水家中雨四十千真珠瓔珞
及天曼陁羅花積至于膝王告臣曰詣長者
家喚取其子大臣受勅即至其家奉宣王命
喚長者子時長者子即至王所王曰何緣昨
夜亦現如是希有瑞相長者子言如我思忖
定應是彼池內衆魚如經所說命終之後得
生三十三天彼來報恩故現如是希奇之相
王曰何以得知流水答曰王可遣使并我二子
往彼池所驗其虛實彼十千魚為死為活王
聞是語即便遣使及子向彼池邊見其池
中多有曼陁羅花積成大聚諸魚並死見已
馳還為王廣說王聞是已心生歡喜歎未曾
有尒時佛告菩提樹神善女天汝今當知昔
時長者子流水者即我身是持水長者即
妙幢是彼之二子長子水滿即銀幢是次子水
藏即銀光是彼天自在光王者即汝菩提樹
神是十千魚者即十千天子是因我往昔以
水濟魚與食令飽為說甚深十二緣起并此
相應陁羅尼呪又為稱彼寶髻佛名因此善
根得生天上今來我所歡喜聽法我皆當為
授於阿耨多羅三藐三菩提記說其名号善

BD02777號　金光明最勝王經卷九　（21–20）

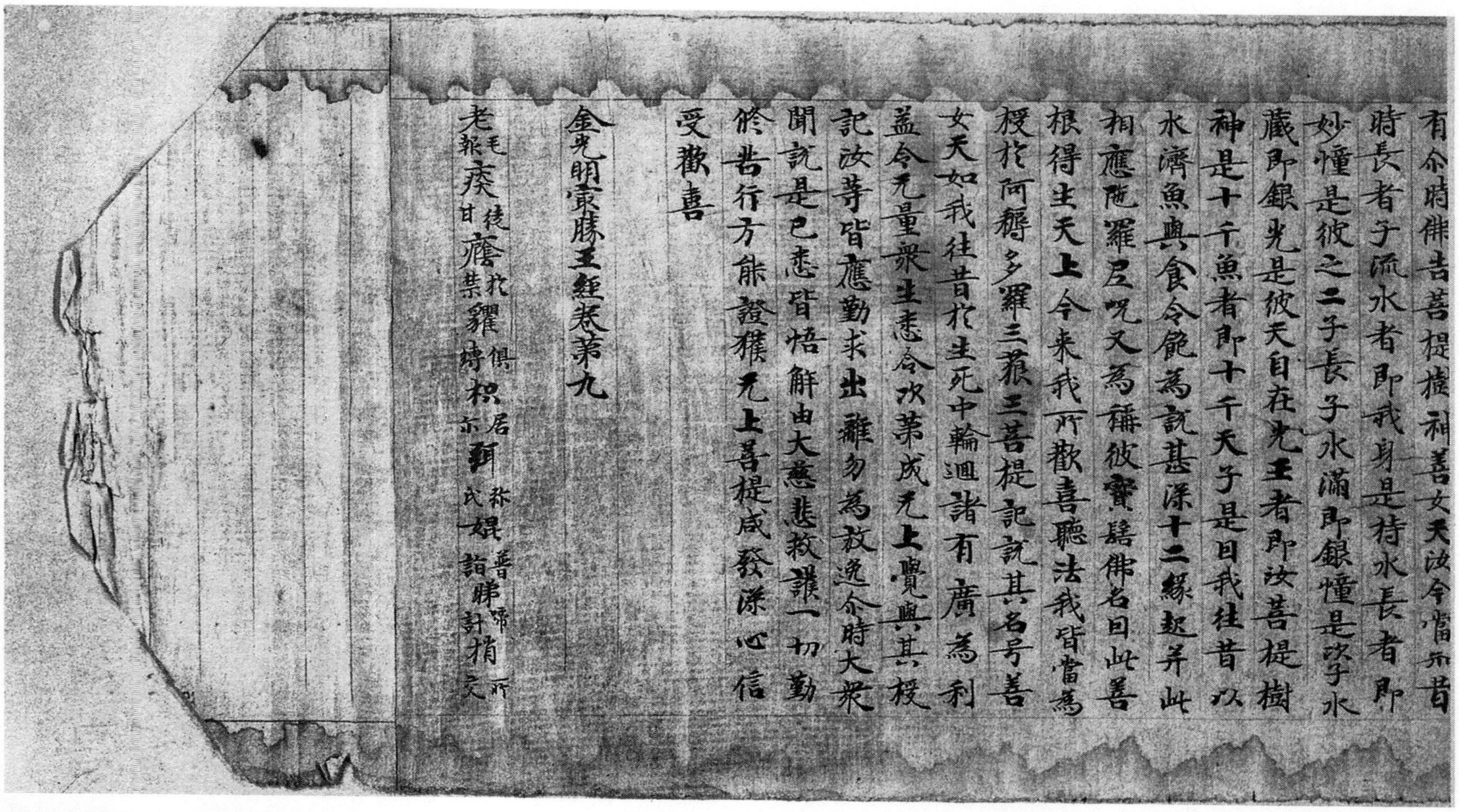

有尒時佛告菩提樹神善女天汝今當知昔
時長者子流水者即我身是持水長者即
妙幢是彼之二子長子水滿即銀幢是次子水
藏即銀光是彼天自在光王者即汝菩提樹
神是十千魚者即十千天子是因我往昔以
水濟魚與食令飽為說甚深十二緣起并此
相應陁羅尼呪又為稱彼寶髻佛名因此善
根得生天上今來我所歡喜聽法我皆當為
授於阿耨多羅三藐三菩提記說其名号善
女天如我往昔於生死中輪迴諸有廣為利
益令无量衆生悉令次第成无上覺與其授
記汝等皆應勤求出離勿為放逸尒時大衆
聞說是已悉皆悟解由大慈悲救護一切勤
修苦行方能證獲无上菩提咸發深心信
受歡喜

金光明最勝王經卷第九

BD02777號　金光明最勝王經卷九　（21–21）

BD02778號　無量壽宗要經　（5–1）

阿喻紇硯娜三 須毗你悉指陀四 囉佐耶五 怛他羯他耶六 怛姪他七 薩婆桑悉迦囉八 波唎輸底九 達
磨底十 伽迦那十一 莎訶某特迦底十二 薩婆婆毗輸底十三 摩訶娜耶十四 波唎婆唎莎訶十五
爾時復有二十五俱胝佛一時同聲說是无量壽宗要經陀羅尼曰 南謨薄伽勃底一 阿波唎蜜
哆二 阿喻紇硯娜三 須毗你悉指陀四 囉佐耶五 怛他羯他耶六 怛姪他七 薩婆桑悉迦囉八 波唎輸底九
達磨底十 伽迦那十一 莎訶某特迦底十二 薩婆婆毗輸底十三 摩訶娜耶十四 波唎婆唎莎訶十五
爾時復有十殑伽河沙俱胝佛一時同聲說是无量壽宗要經陀羅尼曰 南謨薄伽勃底一 阿波唎蜜哆二
阿喻紇硯娜三 須毗你悉指陀四 囉佐耶五 怛他羯他耶六 怛姪他七 薩婆桑悉迦囉八 波唎輸底九
達磨底十 伽迦那十一 莎訶某特迦底十二 薩婆婆毗輸底十三 摩訶娜耶十四 波唎婆唎莎訶十五
若有自書寫教人書寫是无量壽宗要經陀羅尼曰 南謨薄伽勃底一 阿波唎
蜜哆二 阿喻紇硯娜三 須毗你悉指陀四 囉佐耶五 怛他羯他耶六 怛姪他七 薩婆桑悉迦囉八 波
唎輸底九 達磨底十 伽迦那十一 莎訶某特迦底十二 薩婆婆毗輸底十三 摩訶娜耶十四 波唎婆唎莎訶十五
若有自書寫教人書寫是无量壽宗要經受持讀誦畢竟不墮地獄在在所生得宿命
智陀羅尼曰 南謨薄伽勃底一 阿波唎蜜哆二 阿喻紇硯娜三 須毗你悉指陀四 囉佐耶五
怛他羯他耶六 怛姪他七 薩婆桑悉迦囉八 波唎輸底九 達磨底十 伽迦那十一 莎訶某特迦底
十二 薩婆婆毗輸底十三 摩訶娜耶十四 波唎婆唎莎訶十五 若有自書寫教人書寫是无
量壽要宗經受持讀誦如同書寫八万四千一切經典陀羅尼曰 南謨薄伽勃底一 阿波唎蜜
哆二 阿喻紇硯娜三 須毗你悉指陀四 囉佐耶五 怛他羯他耶六 怛姪他七 薩婆桑悉迦囉八
波唎輸底九 達磨底十 伽迦那十一 莎訶某特迦底十二 薩婆婆毗輸底十三 摩訶娜耶十四 波唎婆唎莎訶十五
若有自書寫教人書寫是无量壽宗要經即是書寫八万四千部建立塔廟陀羅尼曰
南謨薄伽勃底一 阿波唎蜜哆二 阿喻紇硯娜三 須毗你悉指陀四 囉佐耶五 怛他羯他耶六 怛姪
他七 薩婆桑悉迦囉八 波唎輸底九 達磨底十 伽迦那十一 莎訶某特迦底十二 薩婆婆毗輸底
十三 摩訶娜耶十四 波唎婆唎莎訶十五 若有自書寫教人書寫是无量壽宗要經能
消五无間等一切重罪陀羅尼曰 南謨薄伽勃底一 阿波唎蜜哆二 阿喻紇硯娜三 須毗你悉指陀
四 囉佐耶五 怛他羯他耶六 怛姪他七 薩婆桑悉迦囉八 波唎輸底九 達磨底十 伽迦那十一 莎訶
某特迦底十二 薩婆婆毗輸底十三 摩訶娜耶十四 波唎婆唎莎訶十五 若有自書寫教人
書寫是无量壽宗要經受持讀誦說有重罪猶如須彌盡能除滅陀羅尼曰 南謨薄伽勃底一
阿波唎蜜哆二 阿喻紇硯娜三 須毗你悉指陀四 囉佐耶五 怛他羯他耶六 怛姪他七 薩婆桑悉迦囉
八 波唎輸底九 達磨底十 伽迦那十一 莎訶某特迦底十二 薩婆婆毗輸底十三 摩訶娜耶十四 波唎
莎訶十五 若有自書寫教人書寫是无量壽宗要經受持讀誦若魔魔之眷屬夜叉
羅剎不得其便終无枉死陀羅尼曰 南謨薄伽勃底一 阿波唎蜜哆二 阿喻紇硯娜三 須毗你悉
指陀四 囉佐耶五 怛他羯他耶六 怛姪他七 薩婆桑悉迦囉八 波唎輸底九 達磨底十 伽迦那

BD02778號　無量壽宗要經　（5–2）

訶某特迦底十二 薩婆婆毗輸底十三 摩訶娜耶十四 波唎婆唎莎訶十五 若有自書寫教人
書寫是无量壽宗要經受持讀誦說有重罪猶如須彌盡能除滅陀羅尼曰 南謨薄伽勃底一
阿波唎蜜哆二 阿喻紇硯娜三 須毗你悉指陀四 囉佐耶五 怛他羯他耶六 怛姪他七 薩婆桑悉迦囉
八 波唎輸底九 達磨底十 伽迦那十一 莎訶某特迦底十二 薩婆婆毗輸底十三 摩訶娜耶十四 波唎
莎訶十五 若有自書寫教人書寫是无量壽宗要經受持讀誦若魔魔之眷屬夜叉
羅剎不得其便終无枉死陀羅尼曰 南謨薄伽勃底一 阿波唎蜜哆二 阿喻紇硯娜三 須毗你悉
指陀四 囉佐耶五 怛他羯他耶六 怛姪他七 薩婆桑悉迦囉八 波唎輸底九 達磨底十 伽迦那
十一 莎訶某特迦底十二 薩婆婆毗輸底十三 摩訶娜耶十四 波唎婆唎莎訶十五 若有自書寫教人書
寫是无量壽宗要經受持讀誦當命終時有九十九佛現其人前千佛授手接往一切佛刹
莫於此經生於疑惑陀羅尼曰 南謨薄伽勃底一 阿波唎蜜哆二 阿喻紇硯娜三 須毗你悉指陀四 囉
佐耶五 怛他羯他耶六 怛姪他七 薩婆桑悉迦囉八 波唎輸底九 達磨底十 伽迦那十一 莎訶某特迦底
十二 薩婆婆毗輸底十三 摩訶娜耶十四 波唎婆唎莎訶十五 若有自書寫教人書寫是无量壽宗
要經受持讀誦常得四天大王隨其衛護陀羅尼曰 南謨薄伽勃底一 阿波唎蜜哆二 阿喻紇硯
娜三 須毗你悉指陀四 囉佐耶五 怛他羯他耶六 怛姪他七 薩婆桑悉迦囉八 波唎輸底九 達磨
底十 伽迦那十一 莎訶某特迦底十二 薩婆婆毗輸底十三 摩訶娜耶十四 波唎婆唎莎訶十五
若有自書寫教人書寫是无量壽宗要經受持讀誦當得往生西方極樂世界阿彌陀淨土陀
羅尼曰 南謨薄伽勃底一 阿波唎蜜哆二 阿喻紇硯娜三 須毗你悉指陀四 囉佐耶五 怛他羯
他耶六 怛姪他七 薩婆桑悉迦囉八 波唎輸底九 達磨底十 伽迦那十一 莎訶某特迦底十二 薩婆婆毗輸底
十三 摩訶娜耶十四 波唎婆唎莎訶十五 若有方所自書寫使人書寫是无量壽經之處則為
是塔廟應恭敬作禮若是畜生或為鳥獸得聞是經如是等類不久皆成一切種智陀羅
尼曰 南謨薄伽勃底一 阿波唎蜜哆二 阿喻紇硯娜三 須毗你悉指陀四 囉佐耶五 怛他羯他
耶六 怛姪他七 薩婆桑悉迦囉八 波唎輸底九 達磨底十 伽迦那十一 莎訶某特迦底十二 薩婆婆
毗輸底十三 摩訶娜耶十四 波唎婆唎莎訶十五 若有於是无量壽經自書寫使人書寫
畢竟不受女人之身陀羅尼曰 南謨薄伽勃底一 阿波唎蜜哆二 阿喻紇硯娜三 須毗你悉指陀四
囉佐耶五 怛他羯他耶六 怛姪他七 薩婆桑悉迦囉八 波唎輸底九 達磨底十 伽迦那十一 莎訶某特迦
底十二 薩婆婆毗輸底十三 摩訶娜耶十四 波唎婆唎莎訶十五 若有能於是經少分能惠施者尊
於三千大千世界滿中七寶布施陀羅尼曰 南謨薄伽勃底一 阿波唎蜜哆二 阿喻紇硯娜三 須毗你悉
指陀四 囉佐耶五 怛他羯他耶六 怛姪他七 薩婆桑悉迦囉八 波唎輸底九 達磨底十 伽迦那十一 莎訶
某特迦底十二 薩婆婆毗輸底十三 摩訶娜耶十四 波唎婆唎莎訶十五 若有能供養是經者則
是供養一切諸經等无有異陀羅尼曰 南謨薄伽勃底一 阿波唎蜜哆二 阿喻紇硯娜三 須毗你
悉指陀四 囉佐耶五 怛他羯他耶六 怛姪他七 薩婆桑悉迦囉八 波唎輸底九 達磨底十 伽迦

BD02778號　無量壽宗要經　（5–3）

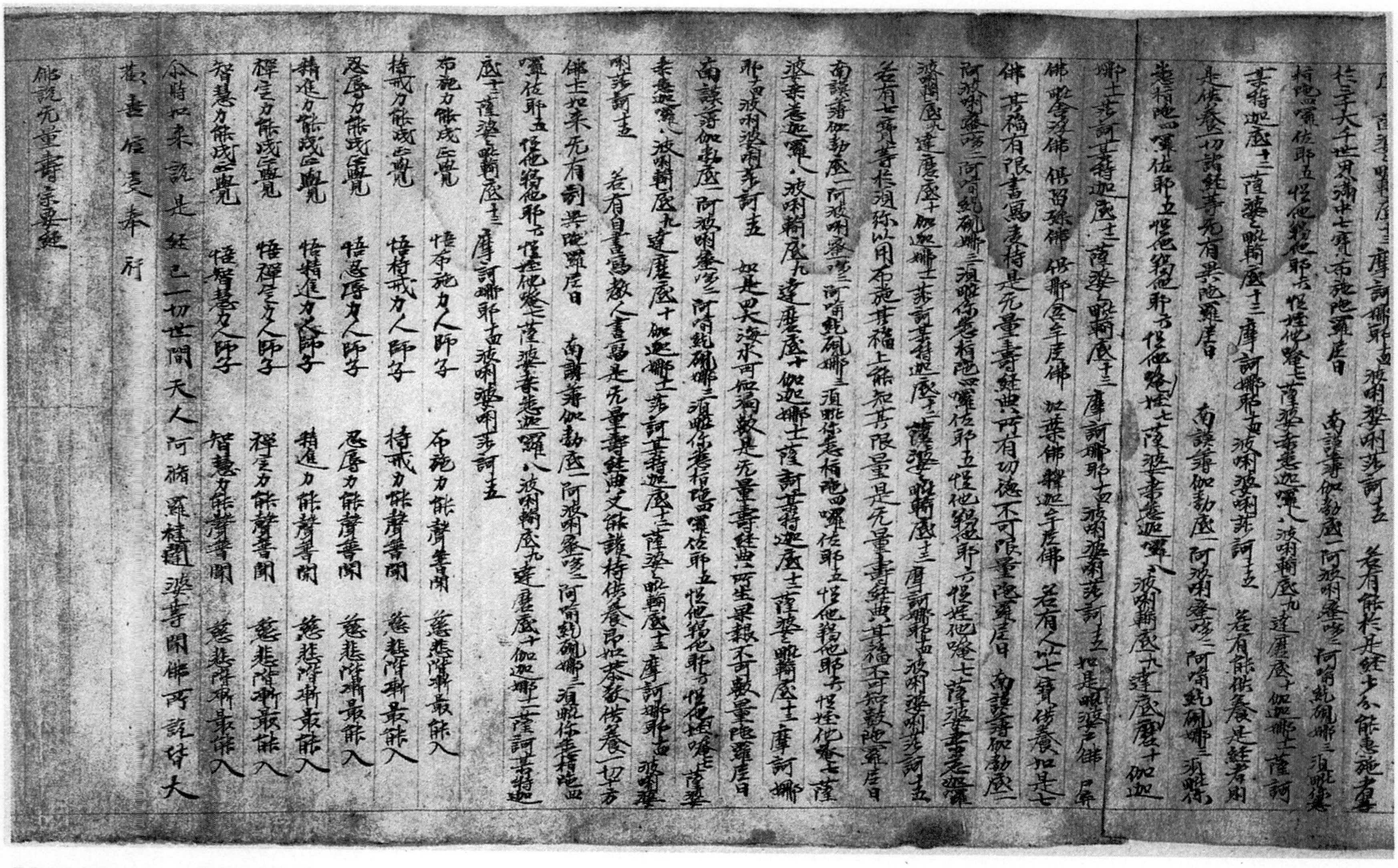

布施力能成正覺　悟布施力人師子　布施力能聲普聞　慈悲隨斯最能入
持戒力能成正覺　悟持戒力人師子　持戒力能聲普聞　慈悲隨斯最能入
忍辱力能成正覺　悟忍辱力人師子　忍辱力能聲普聞　慈悲隨斯最能入
精進力能成正覺　悟精進力人師子　精進力能聲普聞　慈悲隨斯最能入
禪定力能成正覺　悟禪定力人師子　禪定力能聲普聞　慈悲隨斯最能入
智慧力能成正覺　悟智慧力人師子　智慧力能聲普聞　慈悲隨斯最能入
爾時如來說是經已一切世間天人阿脩羅乾闥婆等聞佛所說皆大
歡喜信受奉行
佛說無量壽宗要經

BD02778號　無量壽宗要經　（5–4）

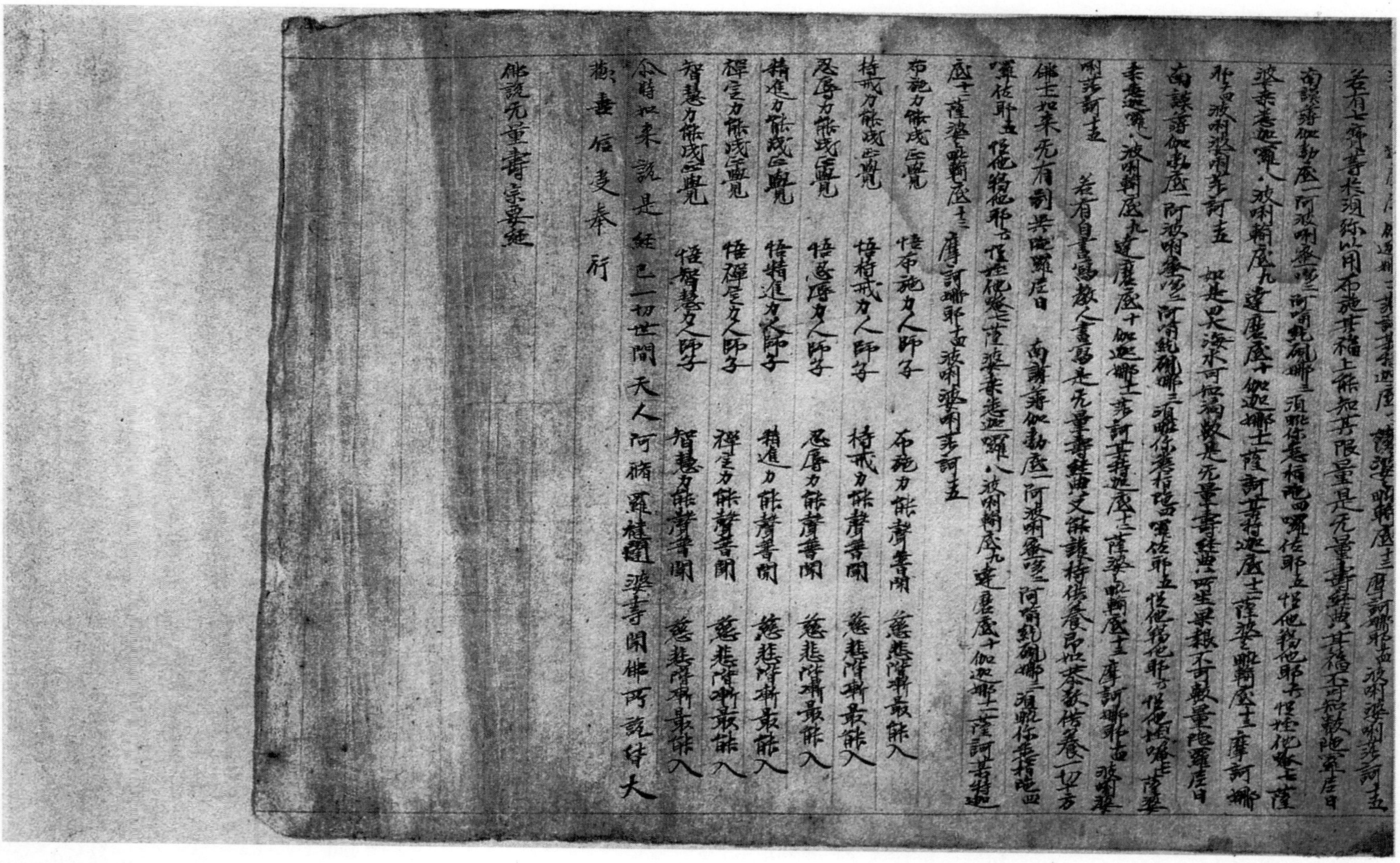

布施力能成正覺　悟布施力人師子　布施力能聲普聞　慈悲隨斯最能入
持戒力能成正覺　悟持戒力人師子　持戒力能聲普聞　慈悲隨斯最能入
忍辱力能成正覺　悟忍辱力人師子　忍辱力能聲普聞　慈悲隨斯最能入
精進力能成正覺　悟精進力人師子　精進力能聲普聞　慈悲隨斯最能入
禪定力能成正覺　悟禪定力人師子　禪定力能聲普聞　慈悲隨斯最能入
智慧力能成正覺　悟智慧力人師子　智慧力能聲普聞　慈悲隨斯最能入
爾時如來說是經已一切世間天人阿脩羅乾闥婆等聞佛所說皆大
歡喜信受奉行
佛說無量壽宗要經

BD02778號　無量壽宗要經　（5–5）

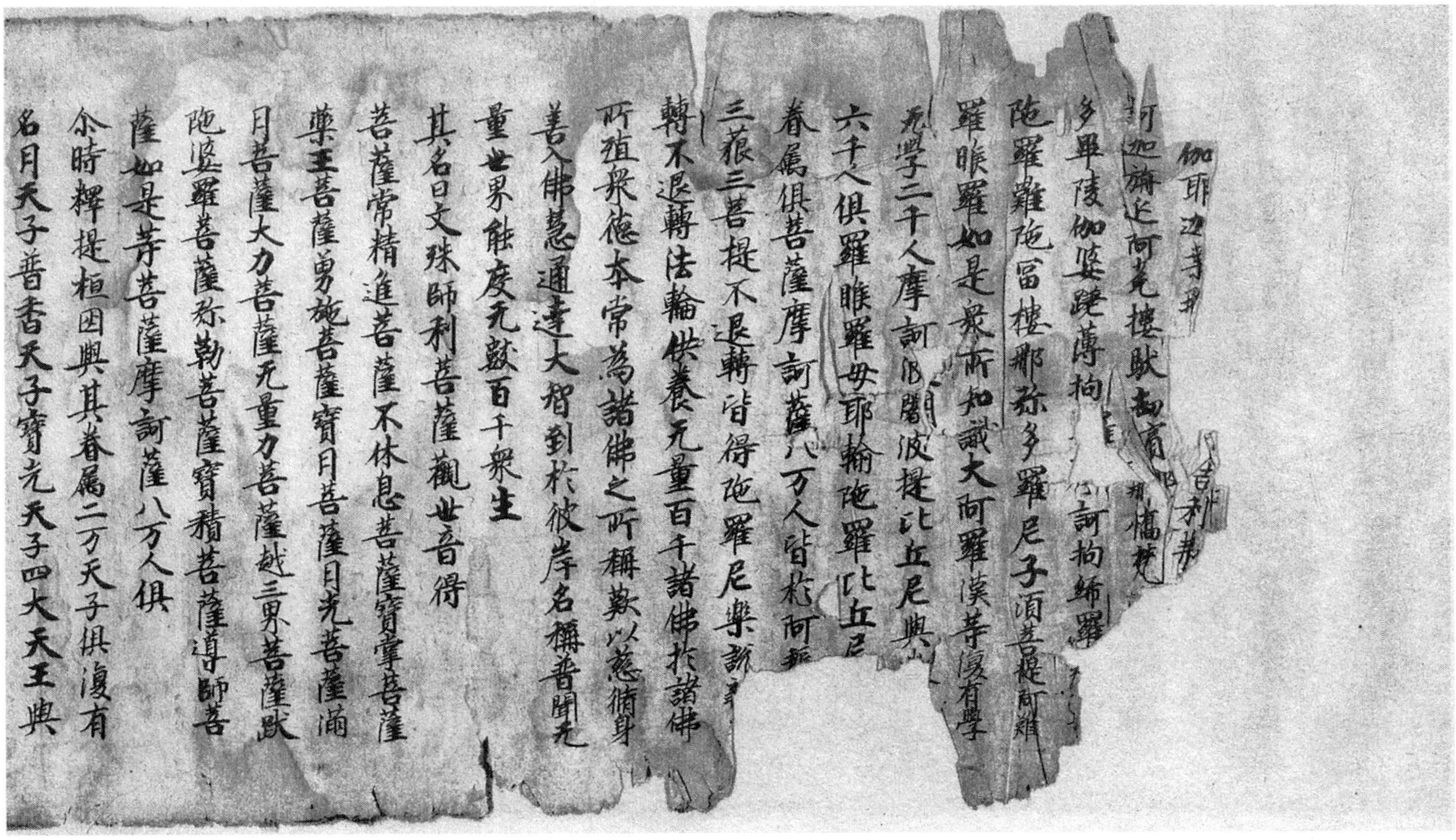
伽耶迦葉
訶迦旃延阿㝹樓馱劫賓那
多畢陵伽婆蹉薄拘訶拘絺羅
陁羅難陁富樓那弥多羅尼子須菩提阿難
羅睺羅如是衆所知識大阿羅漢等復有學
无學二千人摩訶波闍波提比丘尼與
六千人俱羅睺羅母耶輸陁羅比丘尼
眷屬俱菩薩摩訶薩八万人皆於阿耨
三藐三菩提不退轉皆得陁羅尼樂說辯
轉不退轉法輪供養无量百千諸佛於諸佛
所殖衆德本常為諸佛之所稱歎以慈脩身
善入佛慧通達大智到於彼岸名稱普聞无
量世界能度无數百千衆生
其名曰文殊師利菩薩觀世音得
菩薩常精進菩薩不休息菩薩寶掌菩薩
藥王菩薩勇施菩薩寶月菩薩月光菩薩滿
月菩薩大力菩薩无量力菩薩越三界菩薩跋
陁婆羅菩薩弥勒菩薩寶積菩薩導師菩
薩如是等菩薩摩訶薩八万人俱
尒時釋提桓因與其眷屬二万天子俱復有
名月天子普香天子寶光天子四大天王與

BD02779 號　妙法蓮華經卷一　（7–1）

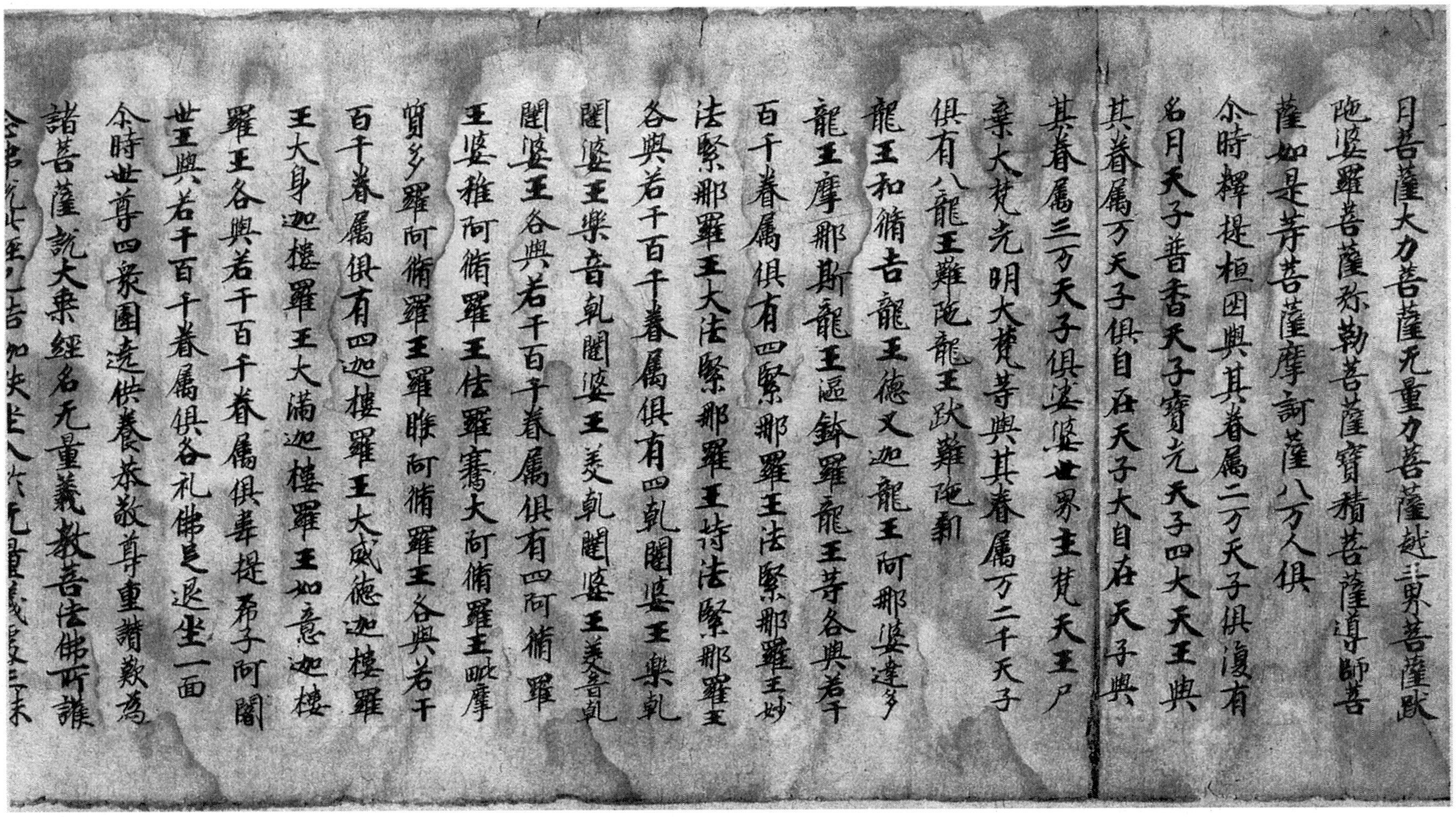
月菩薩大力菩薩无量力菩薩越三界菩薩跋
陁婆羅菩薩弥勒菩薩寶積菩薩導師菩
薩如是等菩薩摩訶薩八万人俱
尒時釋提桓因與其眷屬二万天子俱復有
名月天子普香天子寶光天子四大天王與
其眷屬万天子俱自在天子大自在天子與
其眷屬三万天子俱娑婆世界主梵天王尸
棄大梵光明大梵等與其眷屬万二千天子
俱有八龍王難陁龍王跋難陁龍
龍王和脩吉龍王德叉迦龍王阿那婆達多
龍王摩那斯龍王優鉢羅龍王等各與若干
百千眷屬俱有四緊那羅王法緊那羅王妙
法緊那羅王大法緊那羅王持法緊那羅王
各與若干百千眷屬俱有四乾闥婆王樂乾
闥婆王樂音乾闥婆王美乾闥婆王美音乾
闥婆王各與若千百千眷屬俱有四阿脩羅
王婆稚阿脩羅王佉羅騫馱阿脩羅王毗摩
質多羅阿脩羅王羅睺阿脩羅王各與若干
百千眷屬俱有四迦樓羅王大威德迦樓羅
王大身迦樓羅王大滿迦樓羅王如意迦樓
羅王各與若干百千眷屬俱韋提希子阿闍
世王與若干百千眷屬俱各礼佛足退坐一面
尒時世尊四衆圍遶供養恭敬尊重讚歎為
諸菩薩說大乘經名无量義教菩薩法佛所護
念佛說此經已結加趺坐入於无量義處三昧

BD02779 號　妙法蓮華經卷一　（7–2）

羅王各與若干百千眷屬俱韋提希子阿闍
世王與若干百千眷屬俱各礼佛足退坐一面
尒時世尊四衆圍遶供養恭敬尊重讚歎爲
諸菩薩說大乘經名无量義教菩薩法佛所護
念佛說此經已結加趺坐入於无量義處三昧
身心不動是時天雨曼陁羅華摩訶曼陁羅
華曼殊沙華摩訶曼殊沙華而散佛上及諸大
衆普佛世界六種振動尒時會中比丘比丘尼優
婆塞優婆夷天龍夜叉乾闥婆阿脩羅迦樓羅
緊那羅摩睺羅伽人非人等及諸小王轉輪聖王
是諸大衆得未曾有歡喜合掌一心觀佛
尒時佛放眉間白毫相光照于東方萬八千世
界靡不周遍下至阿鼻地獄上至阿迦膩吒天
於此世界盡見彼土六趣衆生又見彼土現
在諸佛及聞諸佛所說經法并見彼諸比
丘比丘尼優婆塞優婆夷諸脩行得道者復
見諸菩薩摩訶薩種種因緣種種信解種種
相貌行菩薩道復見諸佛般涅槃者復見諸
佛般涅槃後以佛舍利起七寶塔
尒時弥勒菩薩作是念今者世尊現神變相
以何因緣而有此瑞今佛世尊入于三昧是
不可思議現希有事當以問誰誰能荅者復
作此念是文殊師利法王之子已曾親近供
養過去无量諸佛必應見此希有之相我今
當問尒時比丘比丘尼優婆塞優婆夷及諸

BD02779號　妙法蓮華經卷一　（7–3）

以何因緣而有此瑞今佛世尊入于三昧是
不可思議現希有事當以問誰誰能荅者復
作此念是文殊師利法王之子已曾親近供
養過去无量諸佛必應見此希有之相我今
當問尒時比丘比丘尼優婆塞優婆夷及諸
天龍鬼神等咸作此念是佛光明神通之相
今當問誰尒時弥勒菩薩欲自決疑又觀四
衆比丘比丘尼優婆塞優婆夷及諸天龍鬼
神等衆會之心而問文殊師利言以何因緣
而有此瑞神通之相放大光明照于東方
八千土悉見彼佛國界莊嚴於是弥勒菩
欲重宣此義以偈問曰
文殊師利　導師何故　眉間白毫　大光普照
雨曼陁羅　曼殊沙華　栴檀香風　悅可衆心
以是因緣　地皆嚴淨　而此世界　六種震動
時四部衆　咸皆歡喜　身意快然　得未曾有
眉間光明　照于東方　萬八千土　皆如金色
從阿鼻獄　上至有頂　諸世界中　六道衆生
生死所趣　善惡業緣　受報好醜　於此悉見
又覩諸佛　聖主師子　演說經典　微妙第一
其聲清淨　出柔軟音　教諸菩薩　无數億萬
梵音深妙　令人樂聞　各於世界　講說正法
種種因緣　以无量喻　照明佛法　開悟衆生
若人遭苦　厭老病死　爲說涅槃　盡諸苦際
若人有福　曾供養佛　志求勝法　爲說緣覺

BD02779號　妙法蓮華經卷一　（7–4）

又覩諸佛 聖主師子 演説經典 微妙第一
其聲清淨 出柔軟音 教諸菩薩 无數億萬
梵音深妙 令人樂聞 各於世界 講説正法
種種因緣 以无量喻 照明佛法 開悟衆生
若人遭苦 猒老病死 爲説涅槃 盡諸苦際
若人有福 曾供養佛 志求勝法 爲説緣覺
若有佛子 修種種行 求无上慧 爲説淨道
文殊師利 我住於此 見聞若斯 及千億事
如是衆多 今當略説
我見彼土 恒沙菩薩 種種因緣 而求佛道
或有行施 金銀珊瑚 真珠摩尼 車𤦲馬瑙
金剛諸珎 奴婢車乘 寶飾輦轝 歡喜布施
迴向佛道 願得是乘 三界第一 諸佛所歎
或有菩薩 駟馬寶車 欄楯華蓋 軒飾布施
復見菩薩 身肉手足 及妻子施 求无上道
又見菩薩 頭目身體 欣樂施與 求佛智慧
文殊師利 我見諸王 往詣佛所 問无上道
便捨樂土 宮殿臣妾 剃除鬚髮 而被法服
或見菩薩 而作比丘 獨處閑靜 樂誦經典
又見菩薩 勇猛精進 入於深山 思惟佛道
又見菩薩 常處空閑 深修禪定 得五神通
又見菩薩 安禪合掌 以千萬偈 讚諸法王
復見菩薩 智深志固 能問諸佛 聞悉受持
又見佛子 定慧具足 以无量喻 爲衆講法
欣樂説法 化諸菩薩 破魔兵衆 而擊法鼓

BD02779號　妙法蓮華經卷一　（7–5）

便捨樂土 宮殿臣妾 剃除鬚髮 而被法服
或見菩薩 而作比丘 獨處閑靜 樂誦經典
又見菩薩 勇猛精進 入於深山 思惟佛道
又見菩薩 常處空閑 深修禪定 得五神通
又見菩薩 安禪合掌 以千萬偈 讚諸法王
復見菩薩 智深志固 能問諸佛 聞悉受持
又見佛子 定慧具足 以无量喻 爲衆講法
欣樂説法 化諸菩薩 破魔兵衆 而擊法鼓
又見菩薩 寂然宴默 天龍恭敬 不以爲喜
又見菩薩 處林放光 濟地獄苦 令入佛道
又見佛子 未嘗睡眠 經行林中 懃求佛道
又見具戒 威儀无缺 淨如寶珠 以求佛道
又見佛子 住忍辱力 增上慢人 惡罵捶打
皆悉能忍 以求佛道
又見菩薩 離諸戲咲 及癡眷屬 親近智者
一心除亂 攝念山林 億千萬歲 以求佛道
或見菩薩 餚饍飲食 百種湯藥 施佛及僧
名衣上服 價直千萬 或无價衣 施佛及僧
千萬億種 栴檀寶舍 衆妙卧具 施佛及僧
清淨園林 華菓茂盛 流泉浴池 施佛及僧
如是等施 種種微妙 歡喜无猒 求无上道
或有菩薩 説寂滅法 種種教詔 无數衆生
或見菩薩 觀諸法性 无有二相 猶如虚空
又見佛子 心无所著 以此妙慧 求无上道
文殊師利 又有菩薩 佛滅度後 供養舍利
又見佛子 造諸塔廟 无數恒沙 嚴飾國界

BD02779號　妙法蓮華經卷一　（7–6）

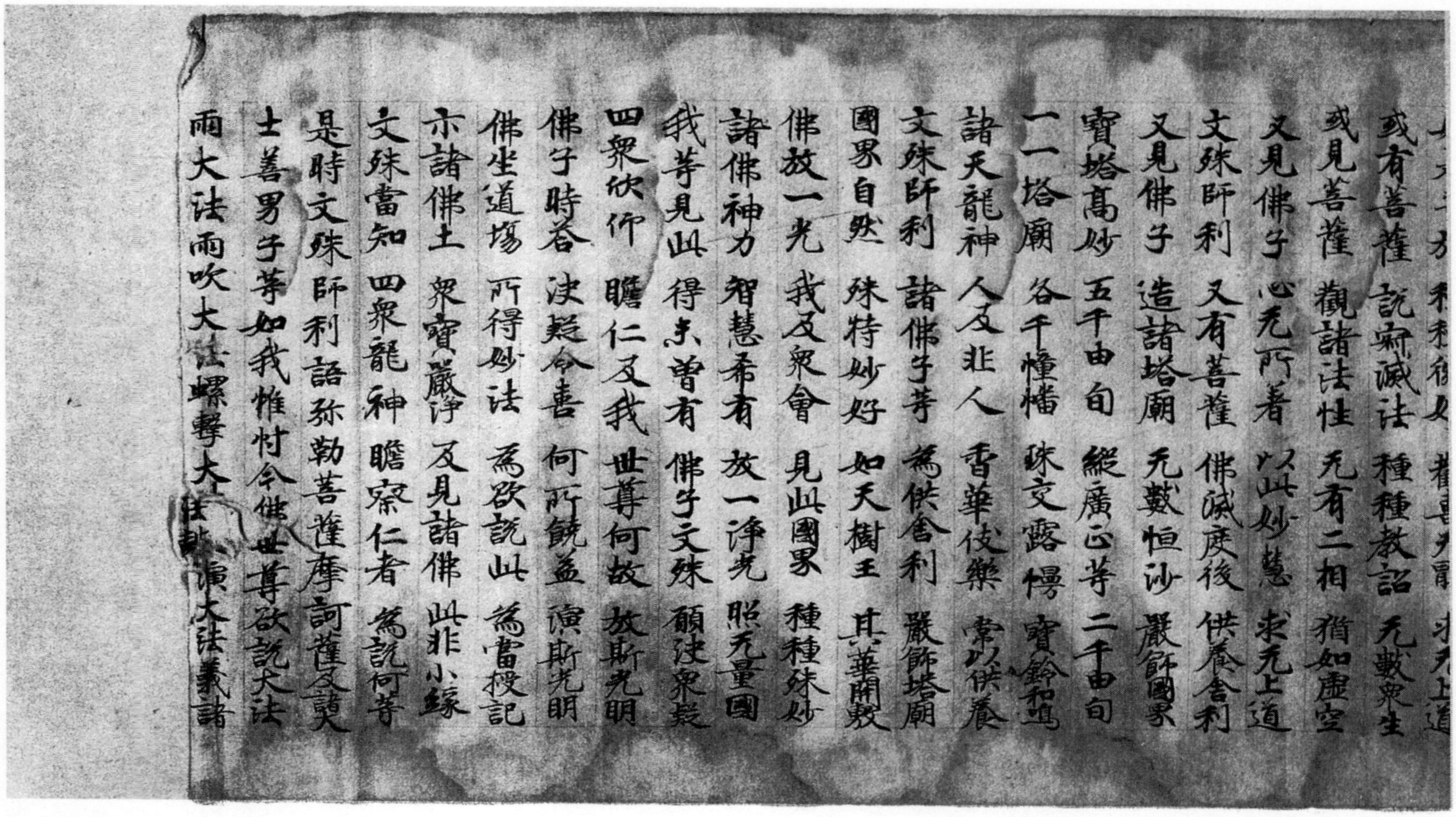

□□□施 種種微妙 歡喜无厭 求无上道
或有菩薩 說寂滅法 種種教詔 无數衆生
或見菩薩 觀諸法性 无有二相 猶如虛空
又見佛子 心无所著 以此妙慧 求无上道
文殊師利 又有菩薩 佛滅度後 供養舍利
又見佛子 造諸塔廟 无數恒沙 嚴飾國界
寶塔高妙 五千由旬 縱廣正等 二千由旬
一一塔廟 各千幢幡 珠交露幔 寶鈴和鳴
諸天龍神 人及非人 香華伎樂 常以供養
文殊師利 諸佛子等 爲供舍利 嚴飾塔廟
國界自然 殊特妙好 如天樹王 其華開敷
佛放一光 我及衆會 見此國界 種種殊妙
諸佛神力 智慧希有 放一淨光 照无量國
我等見此 得未曾有 佛子文殊 願決衆疑
四衆欣仰 瞻仁及我 世尊何故 放斯光明
佛子時答 決疑令喜 何所饒益 演斯光明
佛坐道場 所得妙法 爲欲說此 爲當授記
示諸佛土 衆寶嚴淨 及見諸佛 此非小緣
文殊當知 四衆龍神 瞻察仁者 爲說何等
是時文殊師利語弥勒菩薩摩訶薩及諸大
士善男子等如我惟忖今佛世尊欲說大法
雨大法雨吹大法螺擊大法鼓演大法義諸

BD02779號　妙法蓮華經卷一　　（7–7）

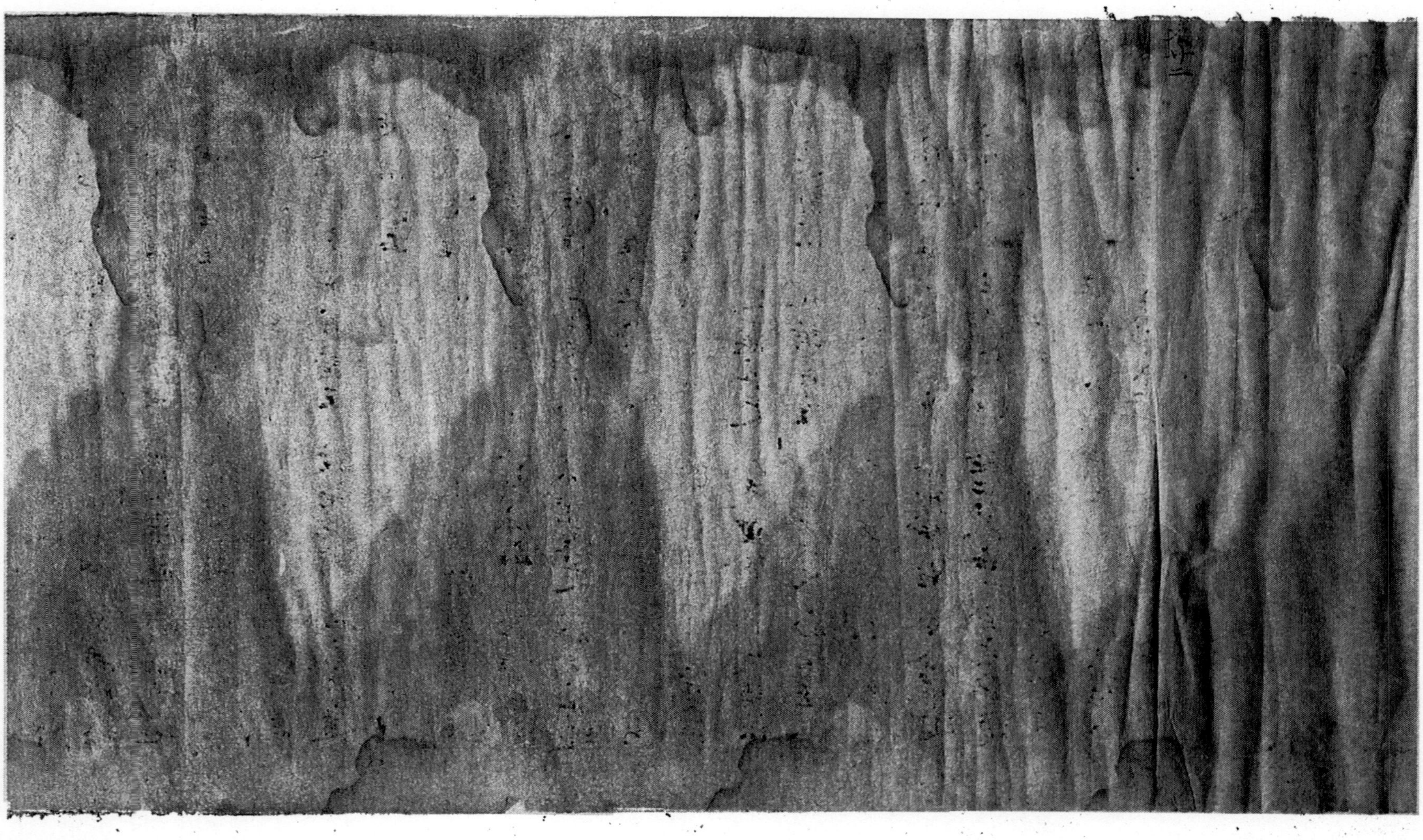

BD02779號背　雜寫　　（1–1）

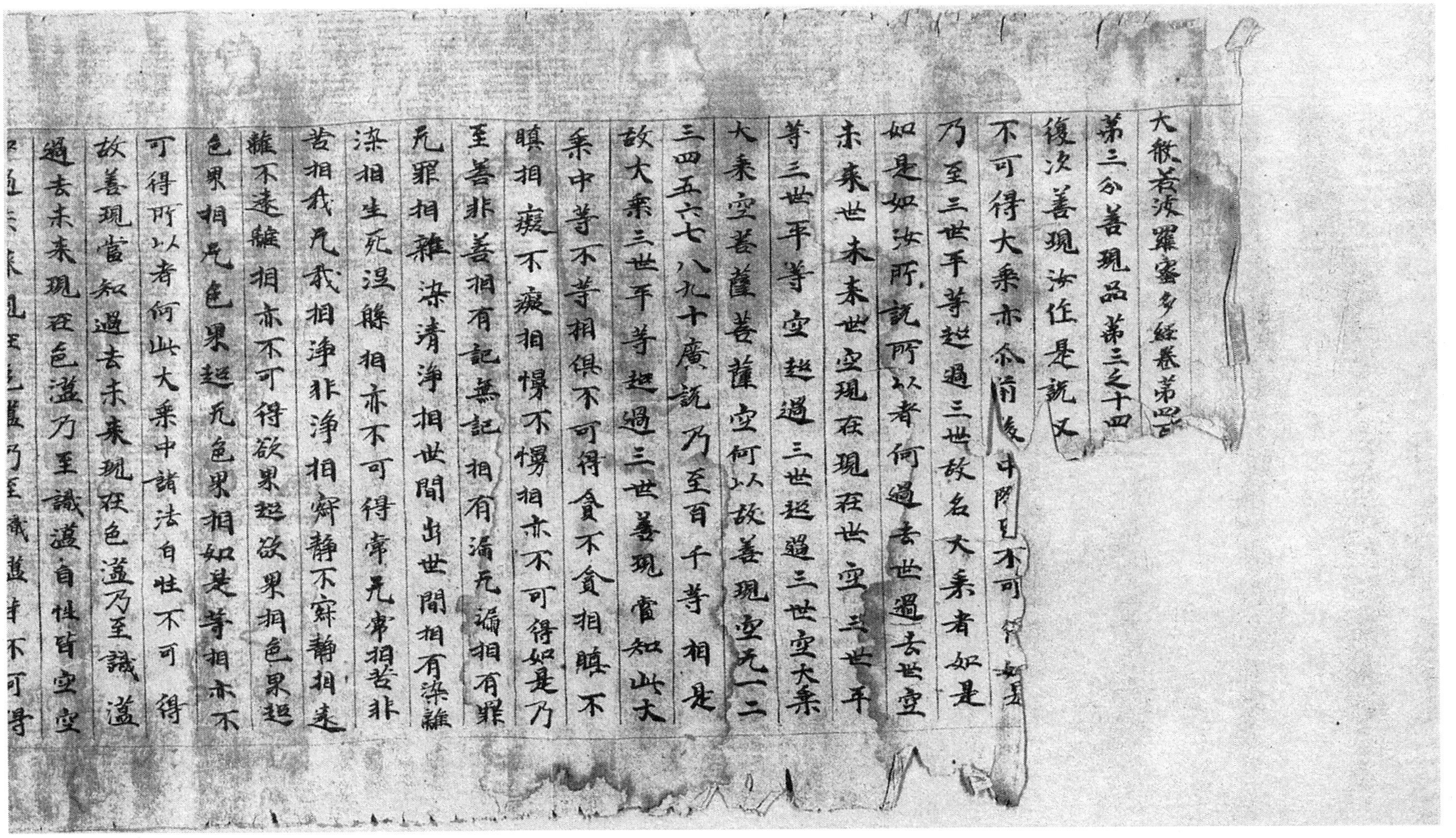

大般若波羅蜜多經卷第四百
第三分善現品第三之十四
復次善現汝住是說又
不可得大乘亦尒前後中際皆不可得如是
乃至三世平等超過三世故名大乘者如是
如是如汝所說所以者何過去世過去世空
未來世未來世空現在世現在世空三世平
等三世平等空超過三世超過三世空大乘
大乘空菩薩菩薩空何以故善現空无一二
三四五六七八九十廣說乃至百千等相是
故大乘三世平等超過三世善現當知此大
乘中等不等相俱不可得貪不貪相瞋不
瞋相癡不癡相慢不慢相亦不可得如是乃
至善非善相有記無記相有漏无漏相有罪
无罪相雜染清淨相世間出世間相有染離
染相生死涅槃相亦不可得常无常相苦非
苦相我无我相淨非淨相寂靜不寂靜相遠
離不遠離相亦不可得欲界超欲界相色界超
色界相无色界超无色界相如是等相亦不
可得所以者何此大乘中諸法自性不可得
故善現當知過去未來現在色蘊乃至識蘊
過去未來現在色蘊乃至識蘊自性皆空空
中過未來現在色蘊乃至識蘊皆不可得

BD02780號　大般若波羅蜜多經卷四九五　（2–1）

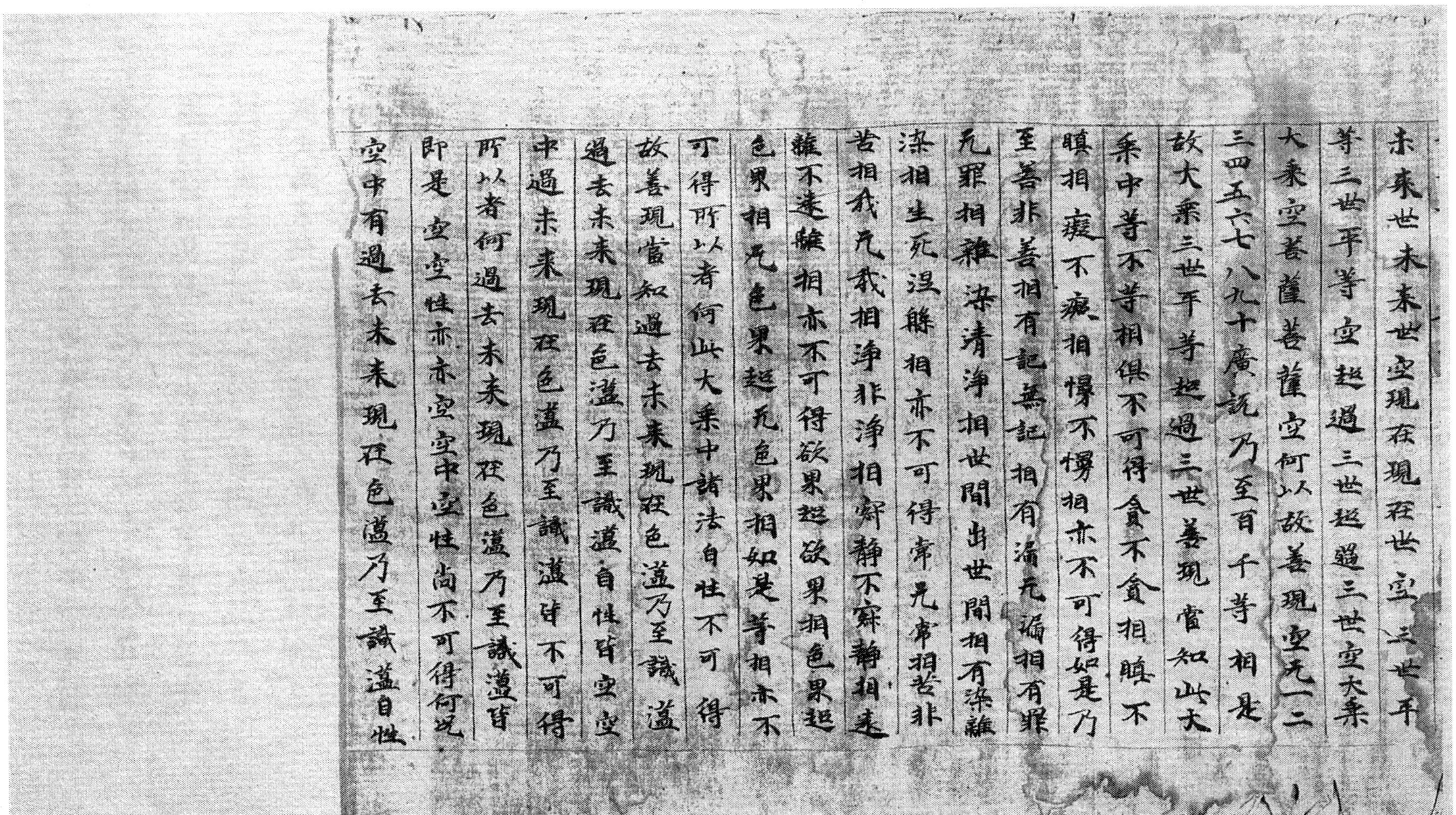

未來世未來世空現在世現在世空三世平
等三世平等空超過三世超過三世空大乘
大乘空菩薩菩薩空何以故善現空无一二
三四五六七八九十廣說乃至百千等相是
故大乘三世平等超過三世善現當知此大
乘中等不等相俱不可得貪不貪相瞋不
瞋相癡不癡相慢不慢相亦不可得如是乃
至善非善相有記無記相有漏无漏相有罪
无罪相雜染清淨相世間出世間相有染離
染相生死涅槃相亦不可得常无常相苦非
苦相我无我相淨非淨相寂靜不寂靜相遠
離不遠離相亦不可得欲界超欲界相色界超
色界相无色界超无色界相如是等相亦不
可得所以者何此大乘中諸法自性不可得
故善現當知過去未來現在色蘊乃至識蘊
過去未來現在色蘊乃至識蘊自性皆空空
中過未來現在色蘊乃至識蘊皆不可得
所以者何過去未來現在色蘊乃至識蘊皆
即是空空性亦亦空空中空性尚不可得何況
空中有過去未來現在色蘊乃至識蘊自性

BD02780號　大般若波羅蜜多經卷四九五　（2–2）

法女…
真實平等悉知…令善
悉發露不敢覆藏未作之罪更不復作已作
之罪今皆懺悔所作業障應墮惡道地獄傍
生餓鬼之中阿蘇羅衆及八難處願我此生
所有業障皆得消滅所有惡報未來不受亦
如過去諸大菩薩脩菩提行所有業障悉已
懺悔我之業障今亦懺悔皆悉發露不敢覆
藏已作之罪願得除滅未來之惡更不敢造
亦如未來諸大菩薩脩菩提行所有業障悉
已懺悔我之業障今亦懺悔皆悉發露不敢
覆藏已作之罪願得除滅未來之惡更不敢
造亦如現在十方世界諸大菩薩修菩提行
所有業障悉已懺悔我之業障今亦懺悔皆
悉發露不敢覆藏已作之罪願得除滅未來
之惡更不敢造
善男子以是因緣若有造罪一剎那中不得
覆藏何况一日一夜乃至多時若有犯罪欲
求清淨心懷慚恥信於未來必有惡報生大
恐怖應如是懺如人被火燒頭燒衣救令速

BD02781號　金光明最勝王經卷三

（4–1）

之惡更不敢造
善男子以是因緣若有造罪一剎那中不得
覆藏何况一日一夜乃至多時若有犯罪欲
求清淨心懷慚恥信於未來必有惡報生大
恐怖應如是懺如人被火燒頭燒衣救令速
滅火若未滅心不得安若人犯罪亦復如是
即應懺悔令速除滅若有願生富樂之家多
饒財寶復欲發意修習大乘亦應懺悔滅除
業障欲生豪貴婆羅門種剎帝利家及轉輪
王七寶具足亦應懺悔滅除業障
善男子若有欲生四大王衆三十三天夜摩
天覩史多天樂變化天他化自在天亦應懺
悔滅除業障若欲生梵衆梵輔大梵天少光
无量光極光淨天少淨无量淨遍淨天无雲
福生廣果无煩无熱善現天善見色究竟天
亦應懺悔滅除業障若欲求預流果一來果
不還果阿羅漢果亦應懺悔滅除業障若欲
願求三明六通聲聞獨覺自在菩提至究竟
地求一切智智淨智不思議智不動智三藐
三菩提正遍智者亦應懺悔滅除業障何以
故善男子一切諸法從因緣生如來所說異相
生異相滅因緣異故如是過去諸法皆已
滅盡所有業障无復遺餘是諸行法未得現
生而今得生未來業障更不復起何以故善
男子一切法空如來所說无有我人衆生壽

BD02781號　金光明最勝王經卷三

（4–2）

生異相滅因緣異故如是過去諸法皆已
滅盡所有業障无復遺餘是諸行法未得現
生而今得生未來業障更不復起何以故善
男子一切法空如來所說无有我人衆生壽
者亦无生滅亦无行法善男子一切諸法皆
依於本亦不可說何以故過一切相故若有
善男子善女人如是入於微妙真理生信敬
心是名无衆生而有於本以是義故說於懺
悔滅除業障
善男子若人成就四法能除業障永得清淨
云何爲四一者不起邪心正念成就二者於
甚深理不生誹謗三者於初行菩薩起一切
智心四者於諸衆生起慈无量是謂爲四尒
時世尊而說頌言
專心護三乘　不誹謗深法　作一切智想　慈心淨業障
善男子有四業障難可滅除云何爲四一者
於菩薩律儀犯極重惡二者於大乘經心生
誹謗三者於自善根不能增長四者貪著三
有无出離心復有四種對治業障云何爲四
一者於十方世界一切如來至心親近說一
切罪二者爲一切衆生勸請諸佛說深妙法
三者隨喜一切衆生所有功德四者所有一
切功德善根悉皆迴向阿耨多羅三藐三菩
提尒時天帝釋白佛言世尊世間所有男子

BD02781號　金光明最勝王經卷三　（4–3）

甚深理不生誹謗三者於初行菩薩起一切
智心四者於諸衆生起慈无量是謂爲四尒
時世尊而說頌言
專心護三乘　不誹謗深法　作一切智想　慈心淨業障
善男子有四業障難可滅除云何爲四一者
於菩薩律儀犯極重惡二者於大乘經心生
誹謗三者於自善根不能增長四者貪著三
有无出離心復有四種對治業障云何爲四
一者於十方世界一切如來至心親近說一
切罪二者爲一切衆生勸請諸佛說深妙法
三者隨喜一切衆生所有功德四者所有一
切功德善根悉皆迴向阿耨多羅三藐三菩
提尒時天帝釋白佛言世尊世間所有男子
女人於大乘行有能行者有不行者云何能
得隨喜一切衆生功德善根佛言善男子若
有衆生雖於大乘未能修習然於晝夜六時
偏袒右肩右膝著地合掌恭敬一心專念作
隨喜時得福无量應作是言十方世界一切
衆生現在修行施戒心慧我今皆悉深生隨

BD02781號　金光明最勝王經卷三　（4–4）

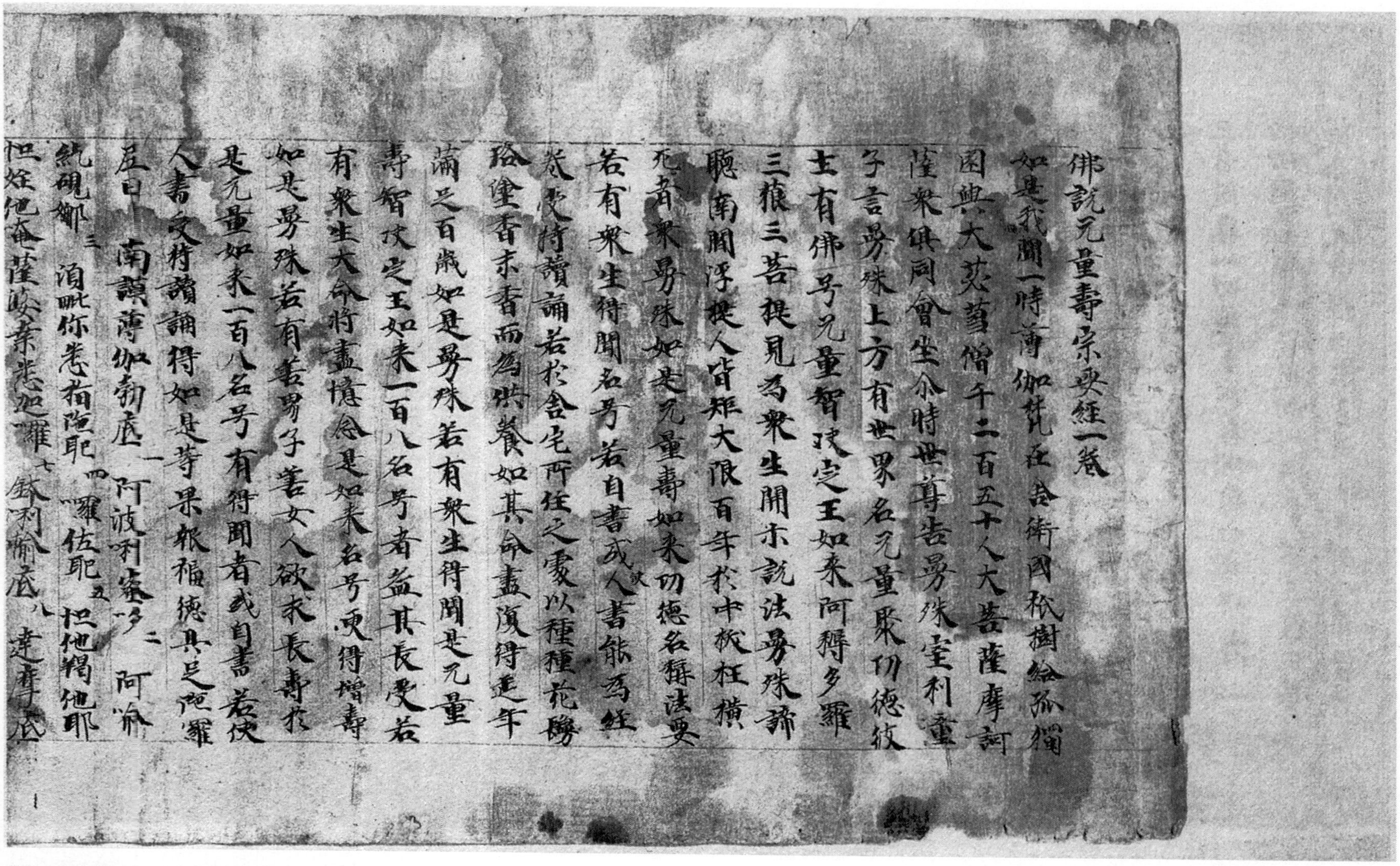

佛說无量壽宗要經一卷
如是我聞一時薄伽梵在舍衛國祇樹給孤獨
園與大苾芻僧千二百五十人大菩薩摩訶
薩衆俱同會坐尒時世尊告曼殊室利童
子言曼殊上方有世界名无量功德聚彼
土有佛号无量智決定王如來阿耨多羅
三藐三菩提見為衆生開示說法曼殊諦
聽南閻浮提人皆短命大限百年於中夭枉橫
死者衆曼殊如是无量壽如來功德名稱法要
若有衆生得聞名号若自書或人教書能為經
卷受持讀誦若於舍宅所住之處以種種花鬘
瓔珞塗香末香而為供養如其命盡復得延年
滿足百歲如是曼殊若有衆生得聞是无量
壽智決定王如來一百八名号者益其長受若
有衆生大命將盡憶念是如來名号更得增壽
如是曼殊若有善男子善女人欲求長壽於
是无量如來一百八名号有得聞者或自書若使
人書受持讀誦得如是等果報福德具足陁羅
尼曰 南謨薄伽勃底 一 阿波唎蜜哆 二 阿喻
紇硯那 三 須毗你悉指陁耶 四 囉佐耶 五 怛他羯他耶
怛姪他唵薩婆桑悉迦囉 七 鉢唎輸底 八 達摩底

BD02782號　無量壽宗要經（兌廢稿）　（3–1）

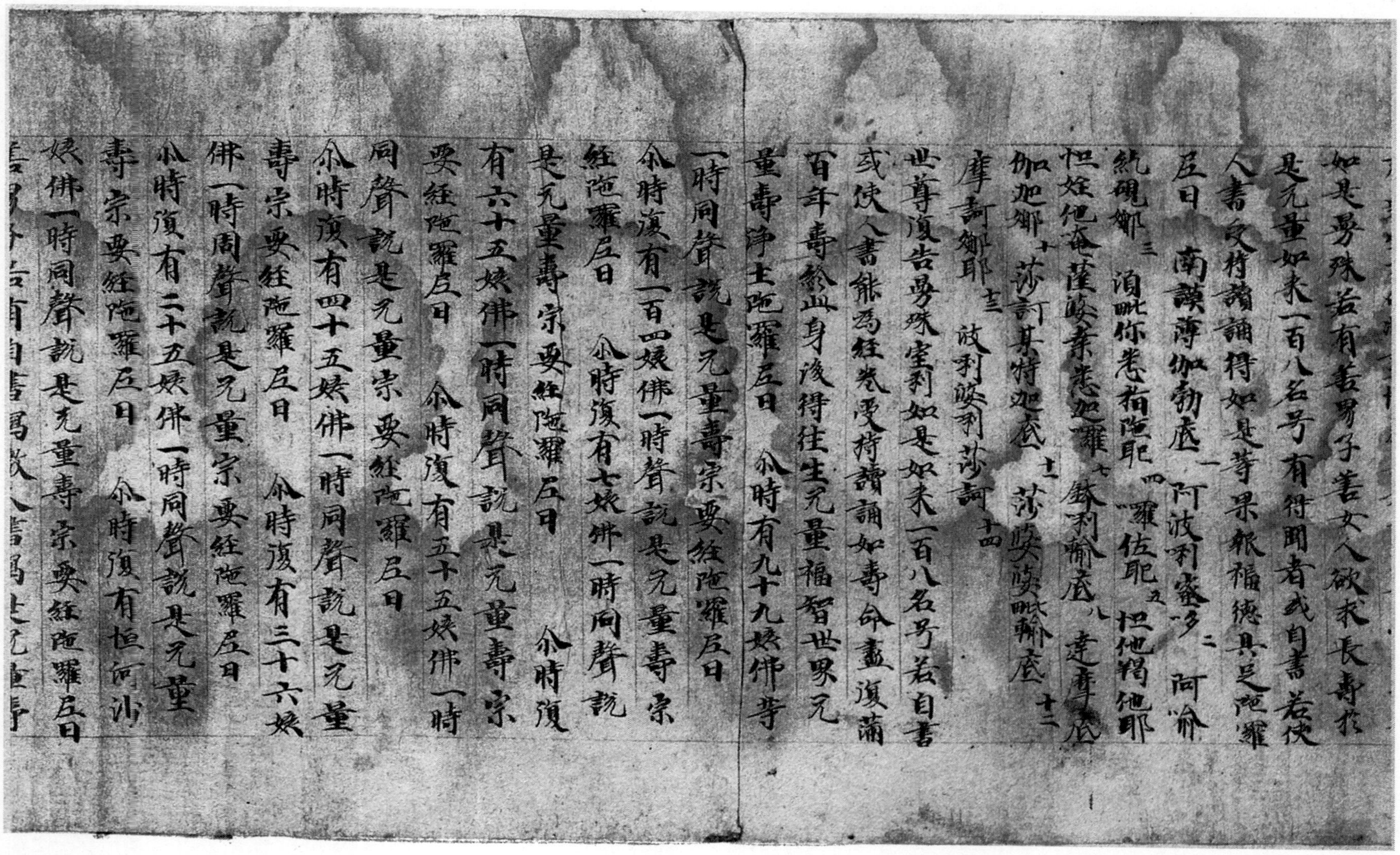

如是曼殊若有善男子善女人欲求長壽於
是无量如來一百八名号有得聞者或自書若使
人書受持讀誦得如是等果報福德具足陁羅
尼曰 南謨薄伽勃底 一 阿波唎蜜哆 二 阿喻
紇硯那 三 須毗你悉指陁耶 四 囉佐耶 五 怛他羯他耶
怛姪他唵薩婆桑悉迦囉 七 鉢唎輸底 八 達摩底
伽迦那 十 莎訶其特迦底 十一 莎婆婆毗輸底 十二
摩訶那耶 十三 波唎婆唎莎訶 十四
世尊復告曼殊室利如是如來一百八名号若自書
或使人書能為經卷受持讀誦如壽命盡復滿
百年壽命終身後得往生无量福智世界无
量壽淨土陁羅尼曰 尒時有九十九姟佛等
一時同聲說是无量壽宗要經陁羅尼曰
尒時復有一百四姟佛一時同聲說是无量壽宗
經陁羅尼曰 尒時復有七姟佛一時同聲說
是无量壽宗要經陁羅尼曰 尒時復
有六十五姟佛一時同聲說是无量壽宗
要經陁羅尼曰 尒時復有五十五姟佛一時
同聲說是无量宗要經陁羅尼曰
尒時復有四十五姟佛一時同聲說是无量
壽宗要經陁羅尼曰 尒時復有三十六姟
佛一時同聲說是无量宗要經陁羅尼曰
尒時復有二十五姟佛一時同聲說是无量
壽宗要經陁羅尼曰 尒時復有恒河沙
姟佛一時同聲說是无量壽宗要經陁羅尼曰
[illegible]

BD02782號　無量壽宗要經（兌廢稿）　（3–2）

一時同聲說是无量壽宗要經陁羅尼曰
尒時復有一百四姟佛一時聲說是无量壽宗
經陁羅尼曰　尒時復有七姟佛一時同聲說
是无量壽宗要經陁羅尼曰　尒時復
有六十五姟佛一時同聲說是无量壽宗
要經陁羅尼曰　尒時復有五十五姟佛一時
同聲說是无量宗要經陁羅尼曰
尒時復有四十五姟佛一時同聲說是无量
壽宗要經陁羅尼曰　尒時復有三十六姟
佛一時同聲說是无量宗要經陁羅尼曰
尒時復有二十五姟佛一時同聲說是无量
壽宗要經陁羅尼曰　尒時復有恒河沙
姟佛一時同聲說是无量壽宗要經陁羅尼曰
善男子若有自書寫教人書寫是无量壽
宗要經如其命盡復得長壽而滿百年陁
羅尼曰　若有自書寫教人書寫是无

BD02782 號　無量壽宗要經（兌廢稿）　（3–3）

西馳走雖遭大苦不以為患舍利弗佛見此
已便作是念我為衆生之父應拔其苦難與
无量无邊佛智慧樂令其遊戲舍利弗如來
復作是念若我但以神力及智慧力捨於方
便為諸衆生讚如來知見力无所畏者衆生
不能以是得度所以者何是諸衆生未免生
老病死憂悲苦惱而為三界火宅所燒何由
能解佛之智慧舍利弗如彼長者雖復身手
有力而不用之但以慇懃方便免濟諸子火宅
之難然後各與珍寶大車如來亦復如是雖
有力无所畏而不用之但以智慧方便於三
界火宅拔濟衆生為說三乘聲聞辟支佛
佛乘而作是言汝等莫得樂住三界火宅勿
貪麁弊色聲香味觸也若貪著生愛則為所
燒汝等速出三界得三乘聲聞辟支佛佛乘
我今為汝保任此事終不虛也汝等但當勤脩
精進如來以是方便誘進衆生復作是言汝
等當知此三乘法皆是聖所稱歎自在无繫
无所依求乘是三乘以无漏根力覺道禪定
解脫三昧等而自娛樂便得无量安隱快樂

BD02783 號　妙法蓮華經卷二　（2–1）

有力而不用之但以慇勤方便免濟諸子火宅
之難然後各與珎寶大車如來亦復如是雖
有力无所畏而不用之但以智慧方便於三
界火宅扶濟衆生為說三乘聲聞辟支佛
佛乘而作是言汝等莫得樂住三界火宅勿
貪麁弊色聲香味觸也若貪著生愛則為所
燒汝等速出三界得三乘聲聞辟支佛佛乘
我今為汝保任此事終不虛也汝等但當勤脩
精進如來以是方便誘進衆生復作是言汝
等當知此三乘法皆是聖所稱歎自在无繫
无所依求乘是三乘以无漏根力覺道禪定
解脫三昧等而自娛樂便得无量安隱快樂
舍利弗若有衆生內有智性從佛世尊聞法
信受慇勤精進欲速出三界自求涅槃是名
聲聞乘如彼諸子為求羊車出於火宅若有
衆生從佛世尊聞法信受慇勤精進求自
然慧樂獨善寂深知諸法因緣是名辟支佛
乘如彼諸子為求鹿車出於火宅若有衆生

BD02783 號　妙法蓮華經卷二

（2–2）

三菩提心皆願生於妙喜佛土釋迦牟尼佛即
記之日當生彼國時妙喜世界於此國土所應
饒益其事訖已還復本處舉衆皆見
佛告舍利弗汝見此妙喜世界及无動佛
不唯然已見世尊願使一切衆生得清淨土
如無動佛獲神通力如維摩詰世尊我等快
得善利得見是人親近供養其諸衆生若今
現在若佛滅後聞此經者亦得善利況復聞
已信解受持讀誦解說如法修行若有手得
是經典者便為已得法寶之藏若有讀誦解
釋其義如說脩行則為諸佛之所護念其有
供養如是人者當知則為供養於佛其有書
持此經卷者當知其室則有如來若聞是經
能隨喜者斯人則為取一切智若能信解此
經乃至一四句偈為他說者當知此人即是
受阿耨多羅三藐三菩提記
法供養品第十三
尒時釋提桓因於大衆中白佛言世尊我雖
從佛及文殊師利聞百千經未曾聞此不可
思議自在神通決定實相經典如我解佛所
說義趣若有衆生聞是經法信解受持讀誦
之者必得是法不疑何況如說脩行斯人則為

BD02784 號　維摩詰所說經卷下

（3–1）

法供養品第十三
尒時釋提桓因於大衆中白佛言世尊我雖
從佛及文殊師利聞百千經未曾聞此不可
思議自在神通決定實相經典如我解佛所
說義趣若有衆生聞是經法信解受持讀誦
之者必得是法不疑何況如說脩行斯人則為
閉衆惡趣開諸善門常為諸佛之所護
念降伏外學摧滅魔怨脩治菩提安處道場
履踐如來所行之跡世尊若有受持讀誦如說
脩行者我當與諸眷屬供養給事所在聚落
城邑山林曠野有是經處我亦與諸眷屬聽
受法故共到其所其未信者當令生信其已
信者當為作護佛言善哉善哉天帝如汝所
說吾助尒喜此經廣說過去未來現在諸
佛不可思議阿耨多羅三藐三菩提是故天帝
若善男子善女人受持讀誦供養是經者則
為供養去來今佛天帝正使三千大千世界
如來滿中譬如甘蔗竹葦稻麻叢林若有善
男子善女人或一劫或減一劫恭敬尊重讚
歎供養奉諸所安至諸佛滅後以一一全身
舍利起七寶塔縱廣一四天下高至梵天表
剎莊嚴以一切華香瓔珞幢幡伎樂微妙第
一若一劫若減一劫而供養之於天帝意云
何其人植福寧為多不釋提桓因言多矣世
尊彼之福德若以百千億劫說不能盡佛告
天帝當知是善男子善女人聞是不可思議
解脫經典信解受持讀誦脩行福多於彼所
以者何諸佛菩提皆從是生菩提之相不可

BD02784號　維摩詰所說經卷下　（3–2）

何其人植福寧為多不釋提桓因言多矣世
尊彼之福德若以百千億劫說不能盡佛告
天帝當知是善男子善女人聞是不可思議
解脫經典信解受持讀誦脩行福多於彼所
以者何諸佛菩提皆從是生菩提之相不可
限量以是因緣福不可量
佛告天帝過去無量阿僧祇劫時世有佛号
曰藥王如來應供正遍知明行足善逝世間解
無上士調御丈夫天人師佛世尊世界曰
大莊嚴劫曰莊嚴佛壽二十小劫其聲聞僧
三十六億那由他菩薩僧有十二億天帝是
時有轉輪聖王名曰寶蓋七寶具足主四天
下王有千子端正勇健能伏怨敵尒時寶蓋
與其眷屬供養藥王如來施諸所安至滿五
劫過五劫已告其千子汝等亦當如我以深心
供養於佛於是千子受父王命供養藥王
如來復滿五劫一切施安其王一子名曰月
蓋獨坐思惟寧有供養殊過此者以佛神力
空中有天曰善男子法之供養勝諸供養即
問何謂法之供養天曰汝可往問藥王如來當

BD02784號　維摩詰所說經卷下　（3–3）

……力……界……佛　南无光明輪佛
……无虛空得境界佛　南无盡境界佛
南无妙寶聲佛　南无普境界佛
南无智稱佛　南无光明輪境界勝王佛
南无善住佛　南无成就佛寶功德佛
南无超智功德佛　南无一切功德佛
南无佛境界清淨佛
南无▢▢智光明成德積聚佛
南无成就波頭摩王佛
南无第一境界法佛
南无半月光明佛　南无香像佛
南无成就波頭摩功德佛
南无旃檀功佛　南无寶山佛
南无黠慧行佛　南无能作无畏佛
南无无邊功德勝佛
南无光明難兜佛　南无作无邊功德佛
南无成就一切勝功德佛
南无住持炬佛　南无勝敵對佛
南无勝王佛　南无星宿王佛
南无邊山佛　南无虛空輪清淨王佛

BD02785號　佛名經（十六卷本）卷一五　（10-1）

南无成就一切勝功德佛
南无住持炬佛　南无勝敵對佛
南无勝王佛　南无星宿王佛
南无邊山佛　南无虛空輪清淨王佛
南无无邊聲佛　南无无邊光明佛
南无寶弥留佛　南无種種寶佛
南无拘脩摩敖佛　南无上首佛
南无无垢離垢發脩行光明佛
南无金色華佛　南无寶富佛
南无種種華成就佛　南无放光明佛
南无成就華佛　南无華蓋佛
南无不空發脩行佛　南无勝力王佛
南无淨聲王佛　南无无邊上王佛
南无无偉眼佛　南无破諸趣佛
南无離疑佛　南无无相聲佛
南无畢竟成就无邊功德佛
南无寶成勝佛
南无波頭摩得勝功德佛
南无寶妙佛　南无三世无礙發脩行佛
南无无邊照佛　南无寶弥留佛
南无然燈勝王佛　南无无上光明佛
南无炬然燈佛　南无成就智德佛
南无功德王光明佛
南无弗沙佛　南无梵聲佛
從此以上一万一千五百佛十二部經一切賢聖
南无功德輪佛　南无十方燈佛

BD02785號　佛名經（十六卷本）卷一五　（10-2）

南无炬炎燈佛　南无成就智德佛
南无切德王光明佛
南无弗沙佛　南无梵聲佛
從此以上一万一千五百佛十二部經一切賢聖
南无切德輪佛　南无十方燈佛
南无佛華成就德佛　南无娑羅自在王佛
南无華齒佛　南无寶積佛
南无見種種佛　南无雜王佛
南无冣上佛　南无賢勝佛
南无香妙佛　南无香勝雞兜佛
南无旃檀屋佛　南无香雞兜佛
南无无邊精進佛　南无過十光佛
南无佛波頭摩妙佛　南无无邊境界佛
南无驚怖波頭摩成就勝王佛
南无寶羅網佛　南无善住王佛
南无冣勝香王佛　南无能与一切樂佛
南无能現一切念佛　南无不空名稱佛
南无寶光明佛
南无安隱與一切眾生樂佛
南无无邊虛空莊嚴勝佛
南无善莊嚴佛　南无虛空雞兜佛
南无无邊境界乘佛　南无淨眼佛
南无高佛　南无不可降伏幢佛
南无可詣佛　南无无邊无際諸山佛
南无月輪莊嚴王佛　南无冣勝弥留佛

BD02785號　佛名經（十六卷本）卷一五　（10–3）

南无无邊境界乘佛　南无淨眼佛
南无高佛　南无不可降伏幢佛
南无可詣佛　南无无邊无際諸山佛
南无月輪莊嚴王佛　南无冣勝弥留佛
南无樂成就德佛　南无清淨諸弥留佛
南无安樂德佛　南无梵德佛
南无无导目佛　南无作无邊功德佛
南无善思惟成就願佛
南无清淨輪王佛
南无智高佛　南无勇猛仙佛
南无智積佛　南无作方佛
南无能忍佛　南无離諸有佛
南无智護佛　南无妙功德佛
南无隨眾生心現境界佛
南无鏡佛　南无无邊寶佛
南无離一切受境界无畏佛
南无无导寶光明佛　南无无导照佛
南无念一切佛境界佛
南无能現一切佛像佛
南无无相體佛　南无亿聲佛
南无亿聲善聲佛　南无寶成就勝功德佛
南无海弥留佛　南无无垢意佛
南无智華成就佛　南无高威德山佛
南无鄣佛　南无離根佛
南无斷一切諸道佛

BD02785號　佛名經（十六卷本）卷一五　（10–4）

南无海弥留佛
南无无垢意佛
南无智華成就佛
南无高威德山佛
南无寶佛
南无離恨佛
南无斷一切諸道佛
南无成就不可量功德佛
南无樂成就勝境界佛
南无求无畏香佛
南无无障畏香光明佛
南无雲妙鼓聲佛
南无須弥山堅佛
南无勝香須弥佛
南无无邊光佛
南无普見佛
南无得无畏佛
南无月燈佛
南无火燈佛
南无勢燈佛
南无高脩佛
南无金剛生佛
南无智自在王佛
南无智力稱佛
南无无畏上佛
南无功德王佛
南无波婆婆佛
南无善眼佛
南无妙莊嚴佛
南无寶蓋佛
從此以上一万一千六百佛十二部經一切賢聖
南无香鳥佛
南无无邊境界不空稱佛
南无不可思議功德王光明佛
南无種種華佛
南无无畏王佛
南无常歡香佛
南无妙藥樹王佛
南无常求安樂佛
南无无邊意行佛
南无无邊境界佛
南无无邊光佛
南无无邊目佛

南无種種華佛
南无无畏王佛
南无常歡香佛
南无妙藥樹王佛
南无常求安樂佛
南无无邊意行佛
南无无邊境界佛
南无无邊光佛
南无无邊目佛
南无无邊虛空境界佛
南无聲色境界佛
南无香上勝佛
南无虛空勝佛
南无勝功德佛
南无現諸方佛
南无妙弥留佛
南无无障眼佛
南无沙伽羅佛
南无庭燎佛
南无然難兜佛
南无无垢月威德光佛
南无智山佛
南无稱力王佛
南无功德王光明佛
南无智見佛
南无波頭勝成就佛
南无寶火佛
南无寶蓮華勝佛
南无斷諸疑佛
南无願勝衆佛
南无難兜王佛
南无華勝佛
南无放光明佛
南无照波頭摩光明佛
南无方王法難兜佛
南无无邊步佛
南无娑伽羅山佛
南无阿荷見佛
南无无障吼聲佛
南无无邊功德稱光明佛
南无世間涅槃无著別脩行佛
南无无邊趾佛
南无善眼佛
南无一蓋藏佛
南无放光明佛
南无過去未來現在發脩行佛

南[illegible]
南无世間涅槃无著別脩行佛
南无无邊照佛　南无善眼佛
南无一蓋藏佛　南无放光明佛
南无過去未來現在發脩行佛
南无无邊華佛　南无无邊淨佛
南无无邊光佛　南无无邊照佛
南无无邊明佛　南无妙明佛
南无无邊境界佛　南无无邊步佛
南无善蓋行佛　南无寶蓋佛
南无星宿王佛　南无蓋星宿佛
南无光明輪佛　南无光明王佛
南无勝光明功德佛　南无不可量光佛
南无勝佛　南无不可量界步佛
南无无导聲吼佛　南无大雲光佛
南无闍梨尼山佛　南无佛華光明佛
南无波頭摩勝華山王佛
南无星宿上首佛　南无放光明佛
南无三周單那堅佛
南无不空見佛　南无頂勝功德佛
南无波頭頂勝功德佛　南无无藥佛
南无能度佛　南无无迷步佛
南无離愚境界佛　南无无閡光明佛
南无无邊精進佛　南无婆羅自在王佛
南无寶婆羅佛　南无一蓋佛
南无蓋莊嚴佛　南无寶聚佛

BD02785 號　佛名經（十六卷本）卷一五　（10–7）

南无離愚境界佛　南无无閡光明佛
南无无邊精進佛　南无婆羅自在王佛
南无寶婆羅佛　南无一蓋佛
南无蓋莊嚴佛　南无寶聚佛
南无旃聚香佛　南无旃檀屋佛
南无无邊光明佛　南无光輪佛
南无山莊嚴佛　南无无障导眼佛
南无善眼佛　南无寶成佛
從此以上一万一千七百佛十二部經一切賢聖
南无一切功德勝佛　南无成就佛華功德佛
南无善住意佛　南无无邊方便佛
南无不空功德佛　南无寶勢佛
南无无邊脩行佛　南无嚴无邊功德佛
南无虛空輪光佛　南无无相聲佛
南无藥王佛　南无不怯弱佛
南无離諸畏毛竪佛　南无功德王光明佛
南无觀智延華佛　南无虛空家佛
南无虛空聲佛　南无虛空莊嚴佛
南无大眼佛　南无勝功德佛
南无成佛　南无佛波頭摩德佛
南无成功德佛　南无師子勝佛
南无成就義佛　南无師子護佛
南无善住王佛　南无梵山佛
南无淨目佛　南无不空跡步佛
南无香烏佛　南无香德佛

BD02785 號　佛名經（十六卷本）卷一五　（10–8）

南无善住王佛　南无梵山佛
南无淨目佛　南无不空跡步佛
南无香鳥佛　南无香德佛
南无香弥留佛　南无无邊眼佛
南无財屋佛　南无香山佛
南无寶師子佛　南无堅固衆生佛
南无妙勝住王佛　南无无邊境界勝王佛
南无勝精進王佛　南无无疑佛
南无善星宿王佛　南无然燈佛
南无能作光明佛　南无光明山佛
南无光明輪佛　南无妙蓋佛
南无香蓋佛　南无寶蓋佛
南无香去蓋佛　南无旃檀勝佛
南无須弥山積聚佛　南无種種寶光明佛
南无堅固自在王佛　南无淨勝佛
南无淨眼佛　南无不弱佛
南无寶勝佛　南无施羅王佛
南无發脩行轉女根佛　南无无邊脩行佛
南无最妙光佛　南无閻梨居光明山佛
南无因王佛　南无梵勝佛
南无稱身佛　南无華山佛
南无轉胎佛　南无轉難佛
南无斷諸念佛　南无發起諸念佛
南无常脩行佛　南无善住佛
南无一藏佛　南无一山佛

BD02785號　佛名經（十六卷本）卷一五　（10–9）

南无轉胎佛　南无轉難佛
南无斷諸念佛　南无發起諸念佛
南无常脩行佛　南无善住佛
南无一藏佛　南无一山佛
南无无邊身佛　南无无邊精進佛
南无光明輪佛　南无无邊功德王光佛
南无降伏一切諸怨佛　南无過一切魔境界佛
南无不可量華佛　南无不可量香佛
南无不可量聲佛　南无光明頂佛
南无光明勝佛　南无不離二佛
次礼十二部尊経大藏法輪
南无梵聲経　南无須陁洹四切德経
南无持戒而入綮王経　南无蓮華女経
南无國王薩経　南无阿毗曇経
南无金剛密経　南无持世経
南无阿那律八念経　南无等集経
南无迦羅越経　南无阿難問因緣持戒経
從此以上一万一千八百佛十二部経一切賢聖
南无薩和達王経　南无阿難邠邸四時施経
南无阿闍世王経　南无阿閦佛経
南无德光太子経　南无小阿闌経
南无阿陁三昧経　南无胞藏経
南无阿鳩留経　南无漸脩一切智経

BD02785號　佛名經（十六卷本）卷一五　（10–10）

[illegible]之[illegible]
為火所燒　爭走出穴　鳩槃荼鬼　隨取而食
又諸餓鬼　頭上火然　飢渴熱惱　周章悶走
其宅如是　甚可怖畏　毒害火災　衆難非一
是時宅主　在門外立　聞有人言　汝諸子等
先因遊戲　來入此宅　稚小无知　歡娛樂著
長者聞已　驚入火宅　方宜救濟　令无燒害
告喻諸子　說衆患難　惡鬼毒虫　災火蔓莚
衆苦次第　相續不絕　毒蛇蚖蝮　及諸夜叉
鳩槃荼鬼　野干狐狗　雕鷲鵄梟　百足之屬
飢渴惱急　甚可怖畏　此苦難處　況復大火
諸子无知　雖聞父誨　猶故樂著　嬉戲不已
是時長者　而作是念　諸子如此　益我愁惱
今此舍宅　无一可樂　而諸子等　耽湎嬉戲
不受我教　將為火害　即便思惟　設諸方便
告諸子等　我有種種　珍玩之具　妙寶好車
羊車鹿車　大牛之車　今在門外　汝等出來
吾為汝等　造作此車　隨意所樂　可以遊戲
諸子聞說　如此諸車　即時奔競　馳走而出
到於空地　離諸苦難　長者見子　得出火宅
住於四衢　坐師子座　而自慶言　我今快樂
此諸子等　生育甚難　愚小无知　而入險宅

BD02786號　妙法蓮華經卷二　（2–1）

鳩槃荼鬼　野干狐狗　雕鷲鵄梟　百足之屬
飢渴惱急　甚可怖畏　此苦難處　況復大火
諸子无知　雖聞父誨　猶故樂著　嬉戲不已
是時長者　而作是念　諸子如此　益我愁惱
今此舍宅　无一可樂　而諸子等　耽湎嬉戲
不受我教　將為火害　即便思惟　設諸方便
告諸子等　我有種種　珍玩之具　妙寶好車
羊車鹿車　大牛之車　今在門外　汝等出來
吾為汝等　造作此車　隨意所樂　可以遊戲
諸子聞說　如此諸車　即時奔競　馳走而出
到於空地　離諸苦難　長者見子　得出火宅
住於四衢　坐師子座　而自慶言　我今快樂
此諸子等　生育甚難　愚小无知　而入險宅
多諸毒虫　魑魅可畏　大火猛焰　四面俱起
而此諸子　貪樂嬉戲　我已救之　令得脫難
是故諸人　我今快樂　尒時諸子　知父安坐
皆詣父所　而白父言　願賜我等　三種寶車
如前所許　諸子出來　當以三車　隨汝所欲

BD02786號　妙法蓮華經卷二　（2–2）

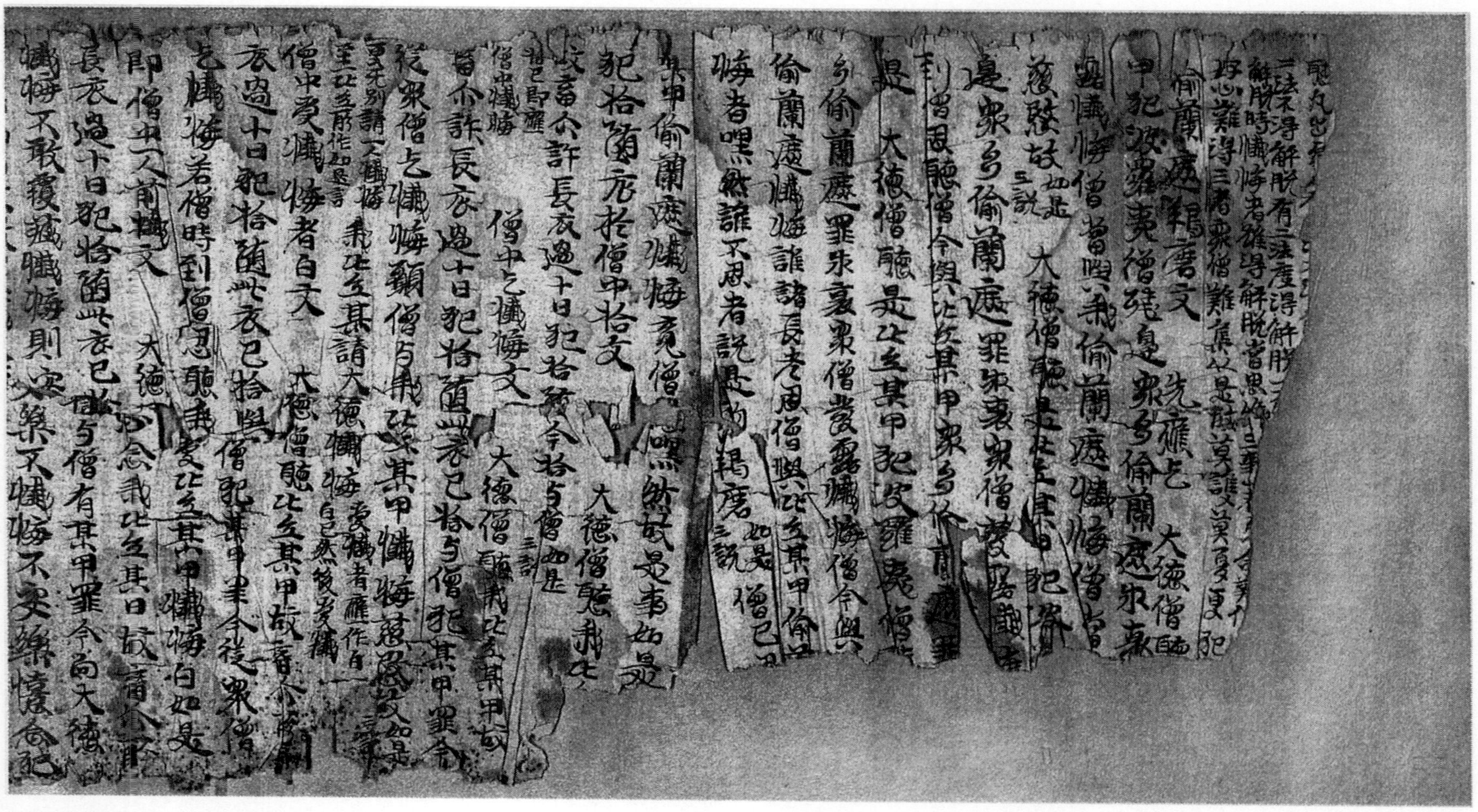

BD02787號　羯磨文（擬）　（17–1）

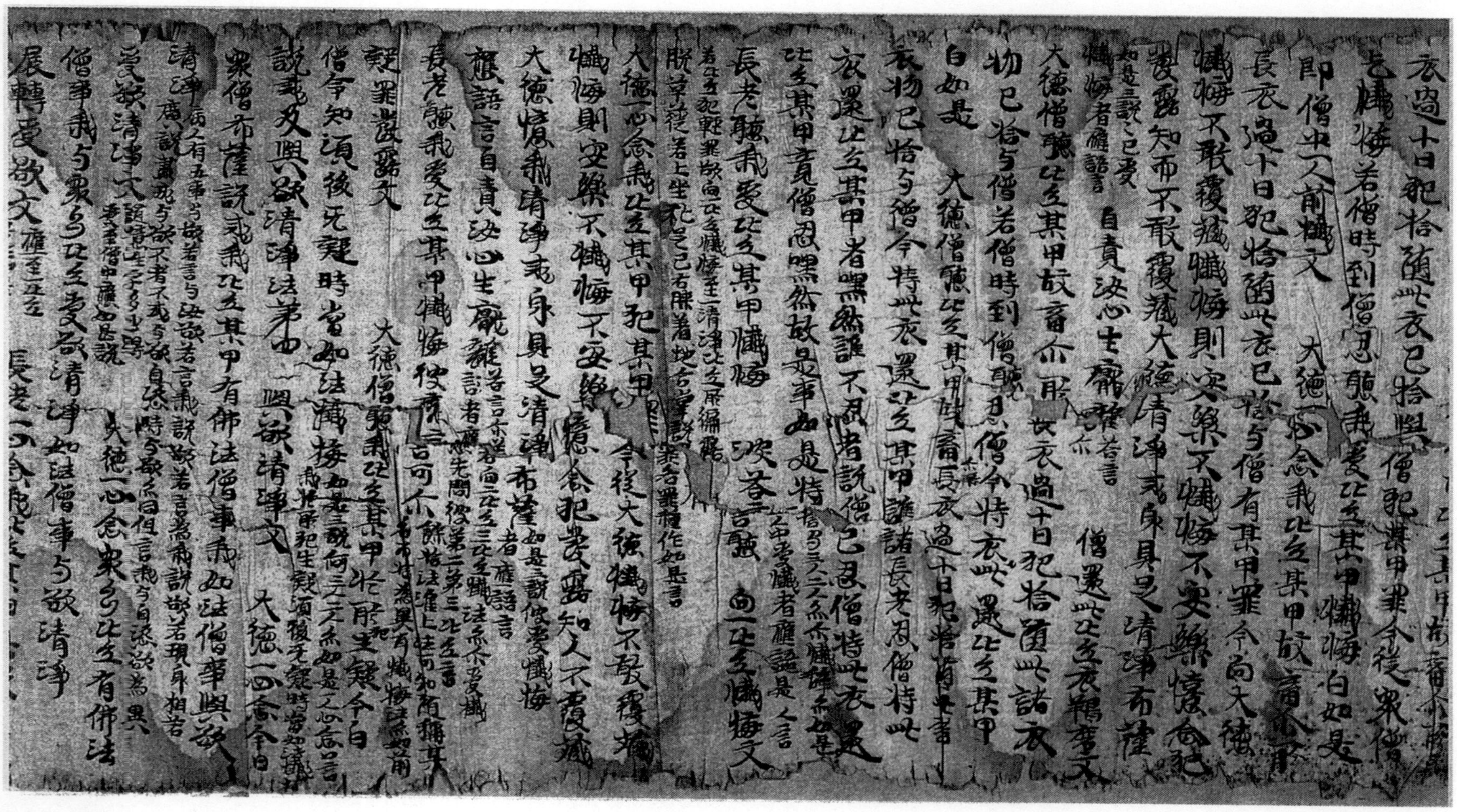

BD02787號　羯磨文（擬）　（17–2）

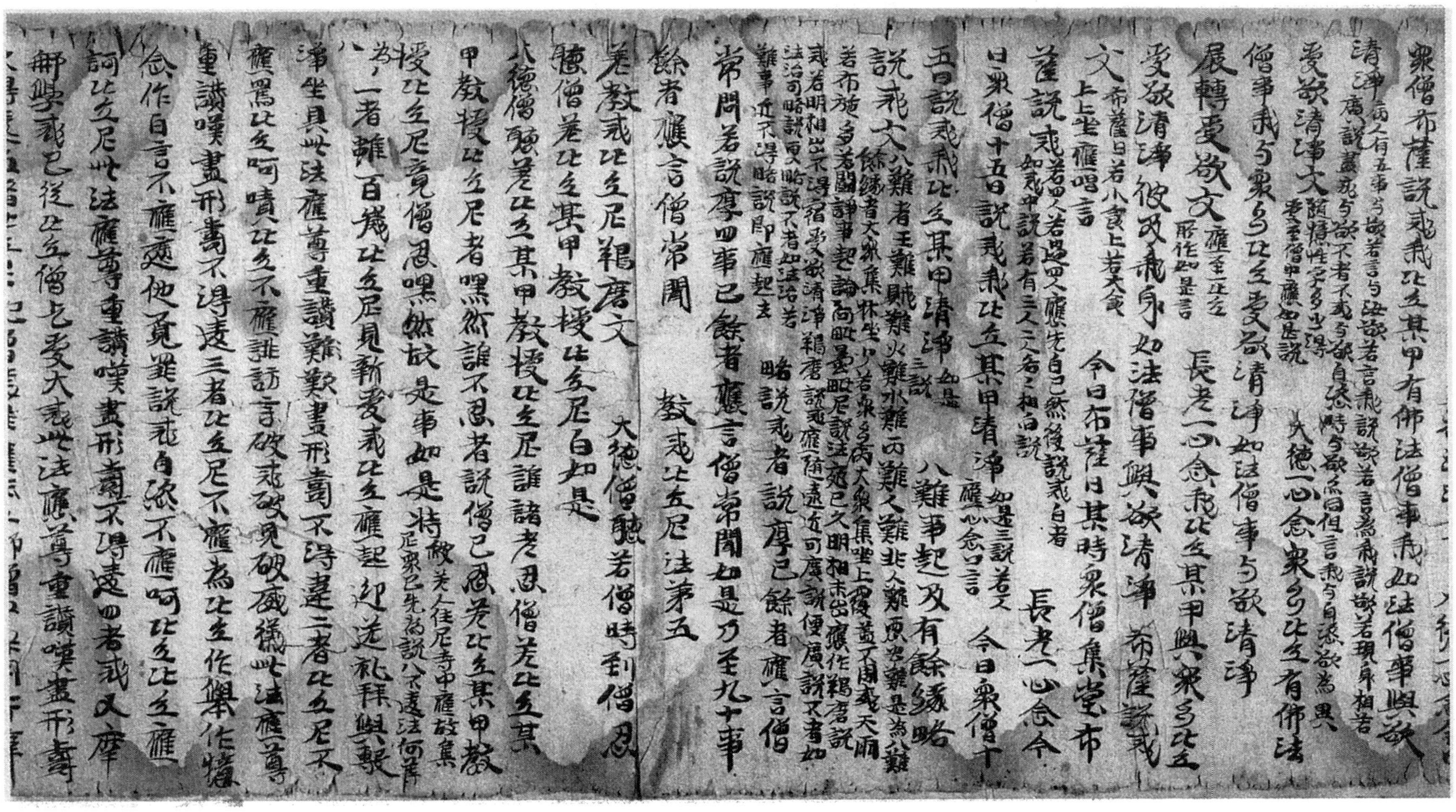

BD02787 號　羯磨文（擬）　（17–3）

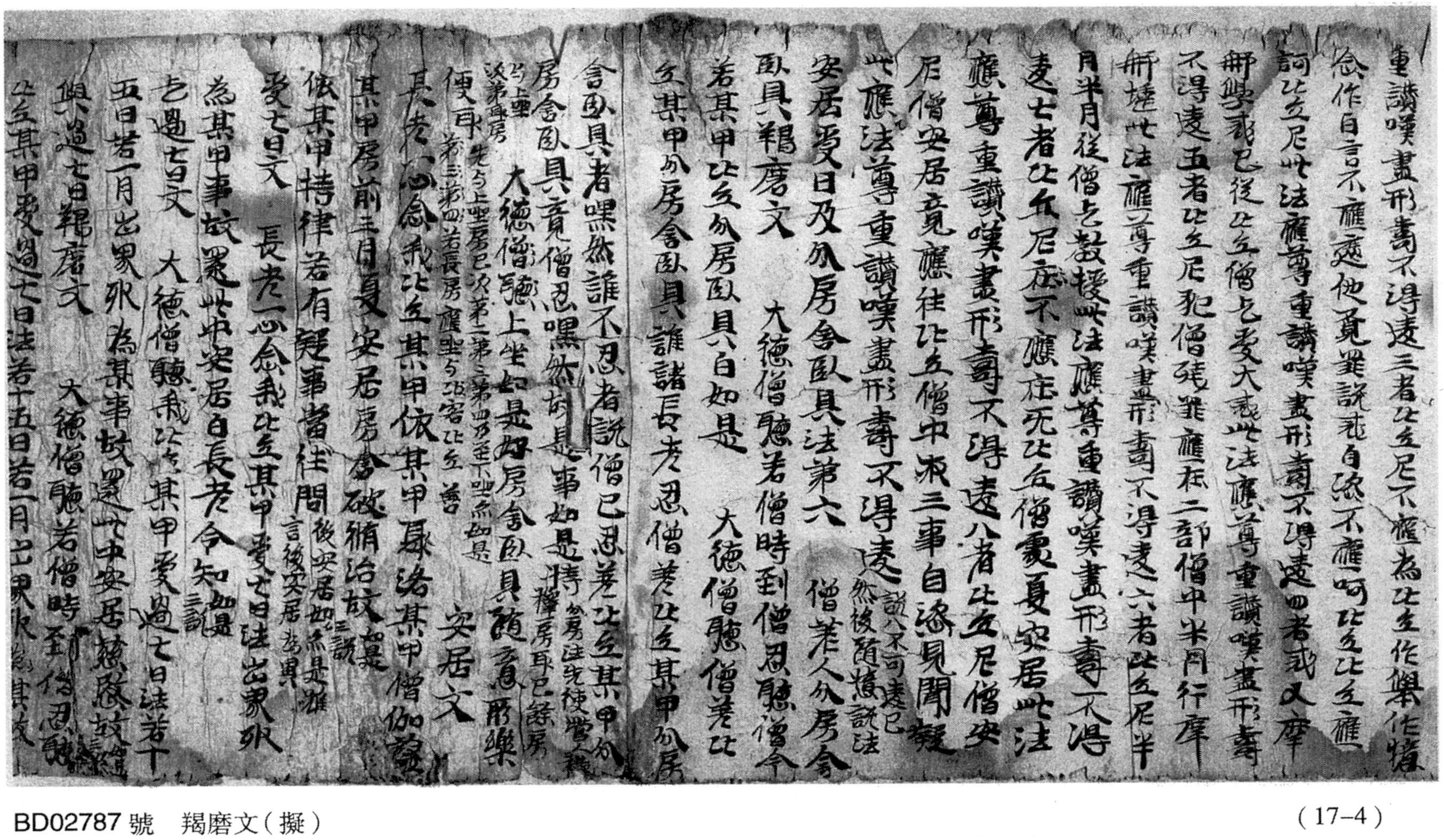

BD02787 號　羯磨文（擬）　（17–4）

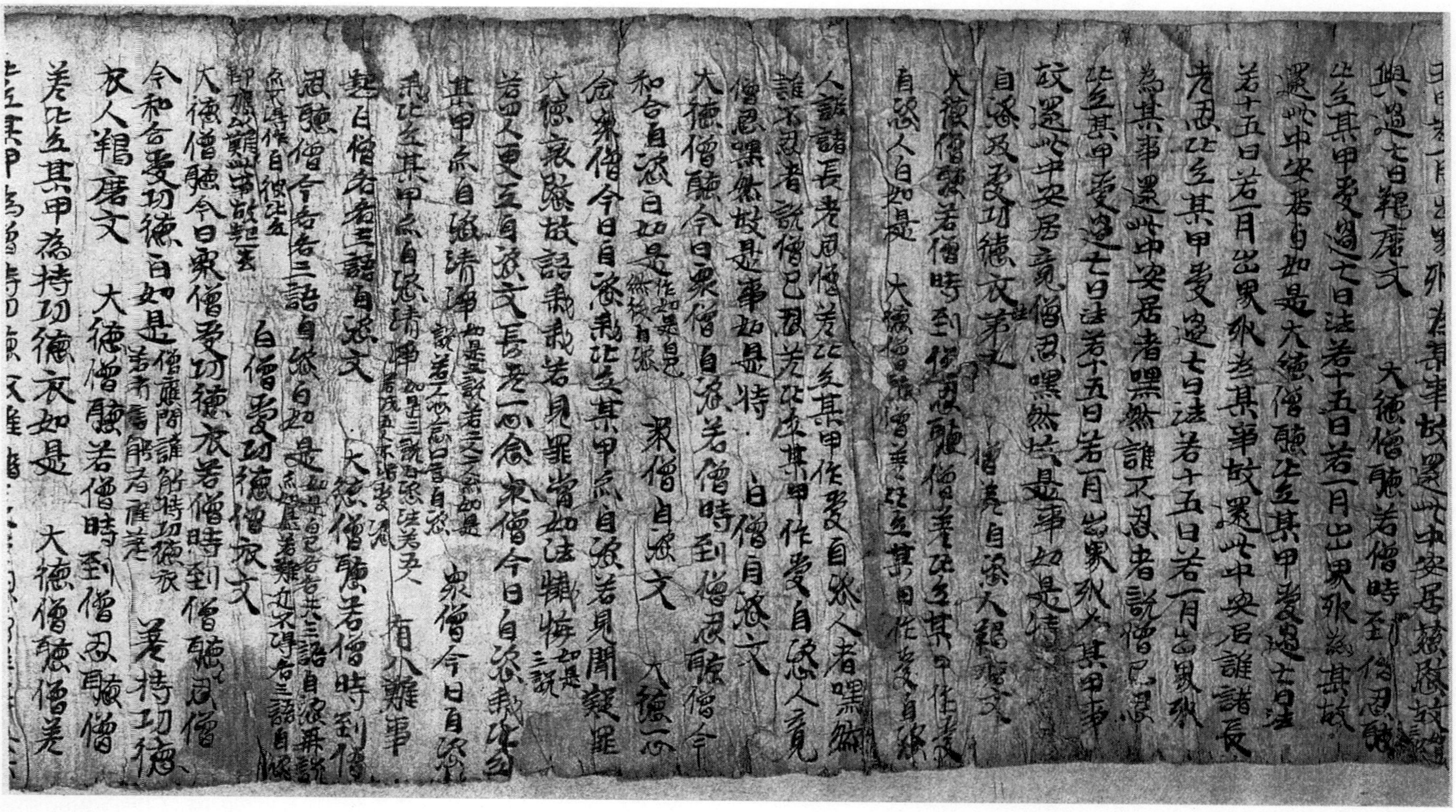

與過七日羯磨文　大德僧聽若僧時至僧忍聽
比丘某甲受過七日法若十五日若一月出界外為某事故
還此中安居白如是　大德僧聽比丘某甲受過七日法
若十五日若一月出界外為某事故還此中安居誰諸長
老忍比丘某甲受過七日法若十五日若一月出界外
為某事還此中安居者嘿然誰不忍者說僧已忍
比丘某甲受過七日法若十五日若一月出界外為某甲事
故還此中安居竟僧忍嘿然故是事如是持
自恣及受功德衣第十　僧差自恣人羯磨文
大德僧聽若僧時到僧忍聽僧差比丘某甲作受自恣
自恣人白如是　大德僧聽僧差比丘某甲作受自恣
人誰諸長老忍僧差比丘某甲作受自恣人者嘿然
誰不忍者說僧已忍差比丘某甲作受自恣人竟
僧忍嘿然故是事如是持　白僧自恣文
大德僧聽今日衆僧自恣若僧時到僧忍聽僧今
和合自恣白如是（作如是白已然後自恣）　衆僧自恣文　大德一心
念衆僧今日自恣我比丘某甲亦自恣若見聞疑罪
大德衆慈愍故語我我若見罪當如法懺悔（如是三說）
若四人更互自恣文　長老一心念衆僧今日自恣我比
丘某甲亦自恣請淨（如是三說）　衆僧今日自恣
我比丘某甲亦自恣請淨（如是三說）　有八難事
是白僧各各三語自恣文
忍聽僧今各各三語自恣白如是　大德僧聽若僧時到僧
白僧受功德僧衣文
大德僧聽今日衆僧受功德衣若僧時到僧聽僧
令和合受功德衣白如是（僧應問誰能持功德衣　若有言能者應差）　差持功德
衣人羯磨文　大德僧聽若僧時到僧忍聽僧
差比丘某甲為持功德衣如是　大德僧聽僧差

BD02787號　羯磨文（擬）

（17-5）

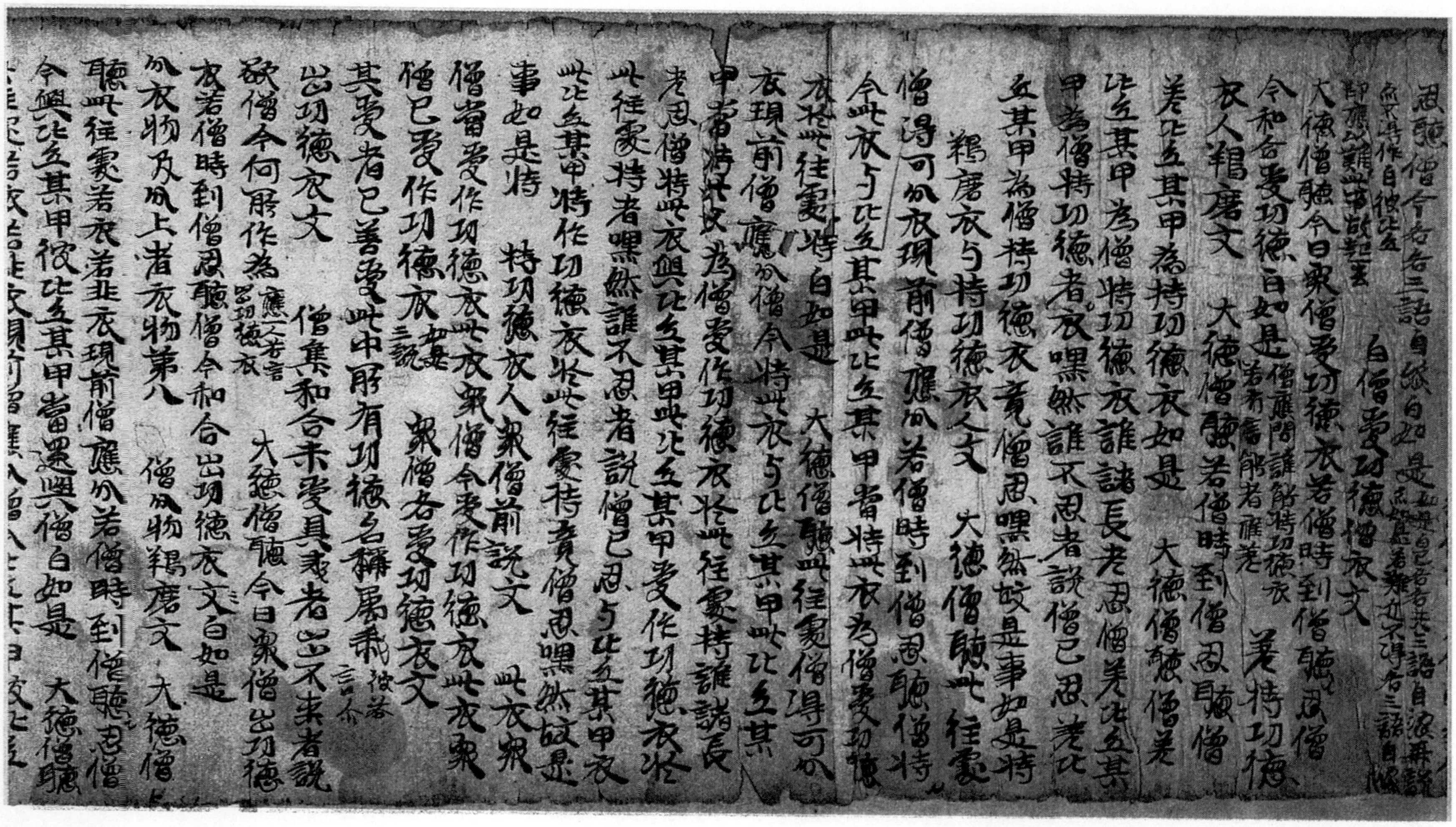

忍聽僧今各各三語自恣白如是
無人得作自恣比丘
即應略說八難事故起去
白僧受功德僧衣文
大德僧聽今日衆僧受功德衣若僧時到僧聽僧
令和合受功德衣白如是（僧應問誰能持功德衣　若有言能者應差）　差持功德
衣人羯磨文　大德僧聽若僧時到僧忍聽僧
差比丘某甲為持功德衣如是　大德僧聽僧差
比丘某甲為僧持功德衣誰諸長老忍僧差比丘某
甲為僧持功德衣者嘿然誰不忍者說僧已忍差比
丘某甲為僧持功德衣竟僧忍嘿然故是事如是持
羯磨衣与持功德衣人文　大德僧聽此住處
僧得可分衣現前僧應分若僧時到僧忍聽僧持
今此衣与比丘某甲比丘某甲當持此衣為僧受功德
衣於此住處持白如是　大德僧聽此住處僧得可分
衣現前僧應分僧今持此衣与比丘某甲比丘某
甲當持此衣為僧受作功德衣於此住處持誰諸長
老忍僧持此衣与比丘某甲比丘某甲受作功德衣於
此住處持者嘿然誰不忍者說僧已忍与比丘某甲衣
此比丘某甲持作功德衣於此住處持竟僧忍嘿然故是
事如是持　持功德衣人衆僧前說文　此衣衆
僧當受作功德衣此衣衆僧今受作功德衣此衣衆
僧已受作功德衣（如是三說）　衆僧各受功德衣文
其受者已善受此中所有功德名稱屬我（彼答言爾）
出功德衣文　僧集和合未受具戒者出不來者說
欲僧今何所作為（答言出功德衣）　大德僧聽今日衆僧出功德
衣若僧時到僧忍聽僧今和合出功德衣文白如是
分衣物及分上者衣物第八　僧分物羯磨文　大德僧
聽此住處若衣若非衣現前僧應分若僧時到僧忍聽僧
今與比丘某甲彼比丘某甲當還與僧白如是　大德僧聽

BD02787號　羯磨文（擬）

（17-6）

……有僧今和合……文白如是
分衣物及分上者衣物第八　　僧分物羯磨文　大德僧
聽此住處若衣若非衣現前僧應分若僧時到僧忍聽僧
今與比丘某甲彼比丘某甲當還與僧白如是　大德僧聽
此住處若衣若非衣現前僧應分僧今比丘某甲彼比丘
某甲當還與僧誰諸長老忍此住處若衣若非衣現前僧
前應分僧今與比丘某甲彼比丘某甲當還與僧者嘿然
誰不忍者說僧已忍與比丘某甲彼比丘某甲當還與僧
竟僧忍嘿然故是事如是持（若住處有二人三人得施衣物應各稱名相向作如是言）
長老一心念是住處得可分衣物現前僧應分此中无僧此
衣物應屬我及長老長老及我屬我受用（如是三說若有一人應心念口言）
是住處可分衣物現前應分是中无僧此衣屬我我受
用（如是三說）　瞻病病人持亡者衣物至僧中白文　大德僧
聽比丘某甲此住處命過所有衣鉢坐具針筒盛衣
櫓器此住處現前僧應分（如是三說）　羯磨者人衣物與看病
人文　大德僧聽比丘某甲命過所有衣鉢坐具針筒
盛衣櫓器現前僧應分若僧時到僧忍聽僧今與比丘某
甲看病人白如是　大德僧聽比丘某甲命過所有衣鉢
坐具針筒盛衣櫓器現前僧應分僧今與某甲看病人
衣鉢坐具針筒盛衣櫓器者嘿然誰不忍者說僧已
忍與某甲看病人衣鉢坐具針筒盛衣櫓器竟僧忍
嘿然故是事如是持　　僧分亡者餘衣物羯磨文
大德僧聽比丘某甲命過所有若衣若非衣現前僧應分
若僧時到僧忍聽僧今與比丘某甲當還與僧白如是
大德僧比丘某甲命過所有若衣若非衣現前僧應分僧今
與比丘某甲比丘某甲當還與僧誰諸長老忍比丘某甲命
過所有若衣若非衣現前僧應分僧今與比丘某甲比丘某甲
當還與僧者嘿然誰不忍者說僧已忍與比丘某甲比丘某

BD02787 號　羯磨文（擬）　（17-7）

大德僧聽比丘某甲命過所有若衣若非衣現前僧應分
若僧時到僧忍聽僧今與比丘某甲比丘某甲當還與僧白如是
大德僧比丘某甲命過所有若衣若非衣現前僧應分僧今
與比丘某甲比丘某甲當還與僧誰諸長老忍比丘某甲命
過所有若衣若非衣現前僧應分僧今與比丘某甲比丘某
甲當還與僧者嘿然誰不忍者說僧已忍與比丘某甲比丘某
甲當還與僧竟僧忍嘿然故是事如是持
若三人若二人分亡者衣物文（若住處有二人三人欲分亡者衣物應各各相向作如是言）　長老一心
念比丘某甲命過所有若衣若非衣現前應分此住處无
僧是衣物屬我及長老我及長老受用（如是三說若一人應心念口言）
比丘某甲命過所有若衣若非衣現前僧應分此處无僧
是衣物應屬我我受用（如是三說）　　自為作房及亡畜杖
絡囊法第九　　亡作小房羯磨文　　大德僧聽我比
丘某甲自乞作房无主為身已我今從衆僧乞知无
難處无妨處（如是三說僧應當觀此比丘若可信即聽若不可信一切僧可應當到彼處看若衆不盡去遣可信者看已應作羯磨）
大德僧聽此比丘某甲自乞欲作房无主自為己今從僧乞
處无難處无妨處若僧時到僧忍聽僧今與比丘某甲分
處无難處无妨處白如是　大德僧聽此比丘某甲自乞作
房无主自為己從僧乞處分无難處无妨處僧今與比
丘某甲處分无難處无妨處誰諸長老忍僧與比丘某
甲處分无難處无妨處者嘿然誰不忍者說僧已忍與
比丘某甲處分无難處无妨處竟僧忍嘿然故是事
如是持（次後大房羯磨與此同但稱有主為異）　老病比丘乞畜杖絡囊
大德僧聽我比丘某甲老病无杖絡囊不行今從衆僧
乞畜杖絡囊願僧聽我畜杖絡囊慈愍故（如是三說）
聽老比丘畜杖絡囊羯磨文　　大德僧聽比丘某甲老
病不能无杖絡囊而行今從僧乞畜杖絡囊若僧
時到僧忍聽比丘某甲畜杖絡囊白如是　大德僧聽比丘

BD02787 號　羯磨文（擬）　（17-8）

乞畜杖絡囊願僧聽我畜杖絡囊慈愍故 如是三說
聽老比丘畜杖絡囊羯磨文　大德僧聽比丘某甲老
病不能无杖絡囊而行今從僧乞畜杖絡囊若僧忍
時到僧忍聽比丘某甲畜杖絡囊白如是　大德僧聽比丘
某甲老病不能无杖絡囊而行今從衆僧乞杖絡囊
僧聽今此比丘某甲畜杖絡囊誰諸長老忍僧聽比丘
某甲畜杖絡囊者嘿然誰不忍者說僧已忍聽比丘某
甲畜杖絡囊竟僧忍嘿然故是事如是持　差營事人文
結淨地法第十　羯磨作淨法人文 使如法作飲食淨菓菜掃技如是等事　大德
僧聽若僧時到僧忍聽比丘某甲能為僧作淨人法白如是
大德僧聽比丘某甲能為僧作淨法人誰諸長老忍比
丘某甲能為僧作淨法人者嘿然誰不忍者說僧已忍
比丘某甲作淨法人竟僧忍嘿然故是事如是持 差作維那
數百處具以僧林以餘以而衣處分比丘 守僧菌人如是等羯磨文同但稱事為異　結作淨地文
大德僧聽若僧時到僧忍聽僧今結某處作淨地白如是
大德僧聽僧今結其處作淨地誰諸長老忍僧結其處
作淨地者嘿然誰不忍者說僧已忍結其處作淨地竟
僧忍嘿然故是事如是持 若故僧伽藍疑先有淨地應解已然後更結淨地
入聚落及諸淨法第十一　非時入聚落囑授文
長老一心念我比丘某甲非時入某甲聚落至某甲家為如是
緣事白長老令知　受請已食後入村囑授文
長老一心念我比丘某甲已受某甲請有緣事欲入某甲
聚落至某甲家白長老令知　真實淨放文　長老一心
念我比丘某甲有此長衣未作淨今為淨故捨與長老為
真實淨故展轉淨施文　長老一心念我比丘某甲有
此長衣未作淨為展轉淨故施與長老 被受請者應如是言
長老一心念汝有此長衣未作淨為展轉淨故施與我我
已受之受已當問彼言　彼答語言……受請者應……

念我比丘某甲有此長衣未作淨今為淨故捨與長老為
真實淨故展轉淨施文　長老一心念我比丘某甲有
此長衣未作淨為展轉淨故施與長老 被受請者應如是言
長老一心念汝有此長衣未作淨為展轉淨故施與我我
已受之受已當問彼言 汝施主是誰　彼答語言施主某甲 受請者應語言如是言
長老一心念汝有此長衣未作淨為展轉淨故施與我我
已受之此衣是某甲許汝為某甲護持用時隨意 作真實淨施者
應問主然後得用展轉請施者若問若不問隨意　足食已受殘食文 應持食至比丘前應如是言
大德我一心念我已足食長老看是作餘食法 汝應取少許食已語言我已止汝取食之
受請作餘食法如前但言受請為異　受七日藥文 先從淨人受已持至大比丘所作如是言
長老一心念我比丘某甲有病因緣是七日藥為共宿七日故今
於長老邊受 如是三說　受盡形壽藥文 先從淨人邊受已持至大比丘所作如是言
長老一心念我比丘某甲有病此盡形壽藥為共宿常服故
今於長老邊受 如是三說　結房庫藏文　大德僧聽若時
僧到僧忍聽僧結某甲房作庫藏白如是　大德僧聽僧
結某房作庫藏屋誰諸長老忍僧結其房作庫藏屋者
嘿然誰不忍者說僧已忍結某甲房作庫藏屋者嘿然
誰不忍者說僧已忍結某甲房作庫藏竟僧忍嘿然故
是事如是持　庫藏不守羯磨守物文　大德僧聽若
僧時到僧忍聽僧比丘某甲作守物人白如是　大德僧聽僧
差比丘某甲作守物人誰諸長老忍僧差比丘某甲作守物人者
嘿然誰不忍者說僧已忍差比丘某甲作守物人竟僧忍嘿然
故是事如是持　比丘尼僧與式叉摩尼受具足戒作本
法已將至大僧中受戒法 與受具足戒者比丘尼僧俱至比丘僧中礼僧足已右膝著地合掌作如是言
大德僧聽我某甲從和上尼某甲求受大戒我某甲今從衆
僧乞受大戒和上尼某甲願僧濟度我慈愍故 如是三說 此尼……
應問諸難事　大德僧聽此某甲從和上尼某甲今從衆
僧乞受大戒和上尼某甲若僧時到僧忍聽我問難事白

…從和上尼某甲求受大戒和某甲今從衆
僧乞受大戒和上尼某甲願僧濟度我慈愍故 如是三說 此中戒師
應問諸難事 大德僧聽此某甲從和上尼某甲今從衆
僧乞受大戒和上尼某甲若僧時到僧忍聽我問難事白
如是 善女人諦聽今是真誠時我今問汝有當
言有无當言无汝不犯邊罪汝不犯淨
行比丘不汝不賊心受戒不汝不破內外道不汝非黃門
不汝不殺父不殺母殺阿羅漢不汝不破僧不汝不惡
心出佛身血不汝非非人不汝非畜生不汝非二根不汝
字何等和上尼字誰年歲滿不衣鉢具不父母夫主
聽汝不汝不負債不汝非婢不汝是女人不女人有如是
諸病癩白癩癰疽顛狂二根二道合道小大小便常
漏涕唾常出汝有如是諸病不 若言无 應問言
汝學戒未清淨不 若言已學戒清淨 某甲學戒未清淨不 若言已學
戒清淨 即應作白 大德僧聽此某甲從和上尼某甲求
受大戒此某甲今從衆僧乞受大戒和上尼某甲自清淨
无諸難事年歲已滿衣鉢具足已學戒清淨若僧時到僧
忍聽僧今為某甲受大戒和上尼某甲白如是 大德僧聽此
某甲從和上尼某甲求受大戒此某甲今從衆僧乞受
大戒和上某甲某甲自說清淨无諸難事年歲已滿
衣鉢具足已學戒清淨僧為今某甲受大戒和上尼
某甲誰諸長老忍僧與某甲受大戒和上某甲者嘿然誰
不忍者說是初羯磨 如是三說 僧已忍為某甲受大戒竟和上
尼某甲僧忍嘿然故是事如是持 善女人諦聽如
來无所著等正覺說八波羅夷法若比丘尼犯者非比丘
尼非釋種女不得作不淨行行婬欲法若比丘尼作不淨行
行婬欲法乃至共畜生非比丘尼非釋種女是中盡形
壽不得犯能持不 若言能持 不得偷盜乃至草葉若
比丘尼盜人五錢若過五錢若自取若教人取若自斫

…八波羅夷法若比丘尼犯者非比丘
尼非釋種女不得作不淨行行婬欲法若比丘尼作不淨行
行婬欲法乃至共畜生非比丘尼非釋種女是中盡形
壽不得犯能持不 若言能持 不得偷盜乃至草葉若
比丘尼盜人五錢若過五錢若自取若教人取若自斫
教人斫若破若教人破若燒若埋若壞色非比丘尼
非釋種女是中盡形壽不得犯能持不 若言能持
不得故斷衆生命乃至蟻子若比丘尼自手斷人命持
刀授與人若教死讚死勸死與人非藥若墮胎若
厭禱咒術若自作方便教人作方便是非比丘尼非
釋種女是中盡形壽不得犯能持不 若言能持 不得妄
語乃至戲笑若比丘尼不真實非己有自稱言得
上人法得禪得解脫得三昧正受得須陀洹果斯陀含
果阿那含果阿羅漢果言天來龍來鬼神來供養
我彼非比丘尼非釋種女是中盡形壽不得犯能持不 若言能持
不得身相觸乃至共畜生若比丘尼有染汙心與
染汙心男子身相觸摩腋以下膝以上若摩若逆
摩若順摩若牽若推舉若下若捉若急捺
彼非比丘尼非釋種女是中盡形壽不得犯能持不 若言能持
不得犯此八事乃至共畜生若比丘尼有染汙心與染汙
男子若捉手若捉衣若屏處語若共行若身相
近共期行犯此八事彼非比丘尼非釋種女是中盡不
得犯能持不 若言能持 不應覆藏他重罪乃至突吉羅
惡說若比丘尼知比丘尼犯波羅夷不自舉亦不白
僧不語人令知後於異時此比丘尼若休道若滅擯若
作不共住若入外道後作如是言我先知此人作如是如
是覆藏他重罪彼非比丘尼非釋種女是中盡形壽
不得犯能持不 若言能持 不得隨彼舉比丘尼語乃至沙彌尼若比丘

……能持……乃至突吉羅
惡說。若比丘尼知比丘尼犯波羅夷，不自舉，亦不白
僧，不語人，令知後，於異時此比丘尼若休道、若滅擯、若
作不共住、若入外道，後作如是言：我先知此人作如是如
是覆藏他重罪。彼非比丘尼，非釋種女，是中盡形壽
不得犯。能持不？（若言能持）　不得隨舉比丘語乃至三諫。若比丘
尼知比丘為僧所舉，如法如毗尼如佛所教，犯威儀未懺
悔，不作共住，便隨順彼。比丘尼諫此比丘尼言：大
姊，彼比丘為僧所舉，如法比丘尼如佛所教，犯威儀未
懺悔，不作供住，莫隨順彼比丘。彼比丘尼諫此比丘尼
時堅持不捨，彼比丘尼應乃至三諫。捨此事故，乃至三諫
捨者善，若不捨者，彼非比丘尼，非釋種女，犯隨舉，是
中盡形壽不得犯。能持不？（若言能持）　善女人諦聽，如來无
所着等正覺說四依法。比丘尼依此出家受大戒，是
比丘尼法。依糞掃衣出家受大戒，是比丘尼法。是中
盡形壽能持不？（若言能持）　若得長利，若檀越施衣，若
得割截衣，應受。依乞食出家受大戒，是比丘尼
法。是中盡形壽能持不？（若言能持）　若得長利，若僧差食，
若檀越送食，月八日食，十五日食，月初日食，眾僧常
食，檀越請食，應受。依樹下坐出家受大戒，是
比丘尼法。是中盡形壽能持不？（若言能持）　若得長利，若別
房、樓閣、小房、石室、兩房一戶，應受。依腐爛藥
出家受大戒，是比丘尼法。是盡形壽能持不？（若言能持）
若得長利，酥油、生酥、蜜、石蜜，應受。汝已受大戒
竟，白四羯磨如法成就，得處所，和上如法，阿闍
梨如法，二部僧具足。汝法當善受教法，當勸供養
佛法僧，和上阿闍梨一切如法教勅，不得違逆，當學

……能持不？（能持）　若得長利，若別
房、樓閣、小房、石室、兩房一戶，應受。依腐爛藥
出家受大戒，是比丘尼法。是盡形壽能持不？（若言能持）
若得長利，酥油、生酥、蜜、石蜜，應受。汝已受大戒
竟，白四羯磨如法成就，得處所，和上如法，阿闍
梨如法，二部僧具足。汝法當善受教法，當勸供養
佛法僧，和上阿闍梨一切如法教勅，不得違逆，當學
問誦經，勤求方便，於佛法中得須陀洹果、斯陀含
果、阿那含果、阿羅漢果。汝始發心出家，功不唐捐，果
報不絕。餘所未知，當問和上阿闍梨。（應一置受戒人在前而去）
比丘尼不意羯磨文（比丘尼犯僧殘罪，應二部僧中半月行摩那埵。彼行摩那埵時，應至
僧中偏露右肩，脫革屣，禮拜僧足，右膝著地，合掌，作如是白二部）　大德僧聽，我比丘尼某甲犯某
甲若干僧殘罪，今從僧乞半月摩那埵，願僧與我半月摩
那埵。慈愍故。（如是三說。僧中應差若堪能羯磨者作如是白）　大德僧聽，此
比丘尼某甲犯某甲若干僧殘罪，今從二部僧乞半
月摩那埵。若僧時到，僧忍聽，僧今與比丘尼某甲半
月摩那埵。白如是。　大德僧聽，此比丘尼某甲犯某
甲若干僧殘罪，今從二部僧乞半月摩那埵，僧今
與比丘尼某甲半月摩那埵。誰諸長老忍僧與比
丘尼某甲半月摩那埵者默然，誰不忍者說。是
初羯磨。（如是三說）　僧已與比丘尼某甲半月摩那埵竟，
僧默然故，是事如是持。（彼比丘尼行摩那埵法，應二部僧中日日唱若干日已過，餘有若干日在。比丘尼應至
僧中偏露右肩，脫革屣，右膝著地，合掌，白作如是言）　大德僧聽，我比丘尼某甲犯
某甲若干僧殘罪，已從二部僧乞半月摩那埵，僧已
與我半月摩那埵，我比丘尼某甲今於二部僧中行半
月摩那埵，已行若干日，過餘有若干日在。若干日白大德
僧令知我行摩那埵。（若比丘尼半月行摩那埵竟，應集比丘僧廿人、比丘尼衆廿人，二部僧中偏右肩，脫革屣，右膝著）

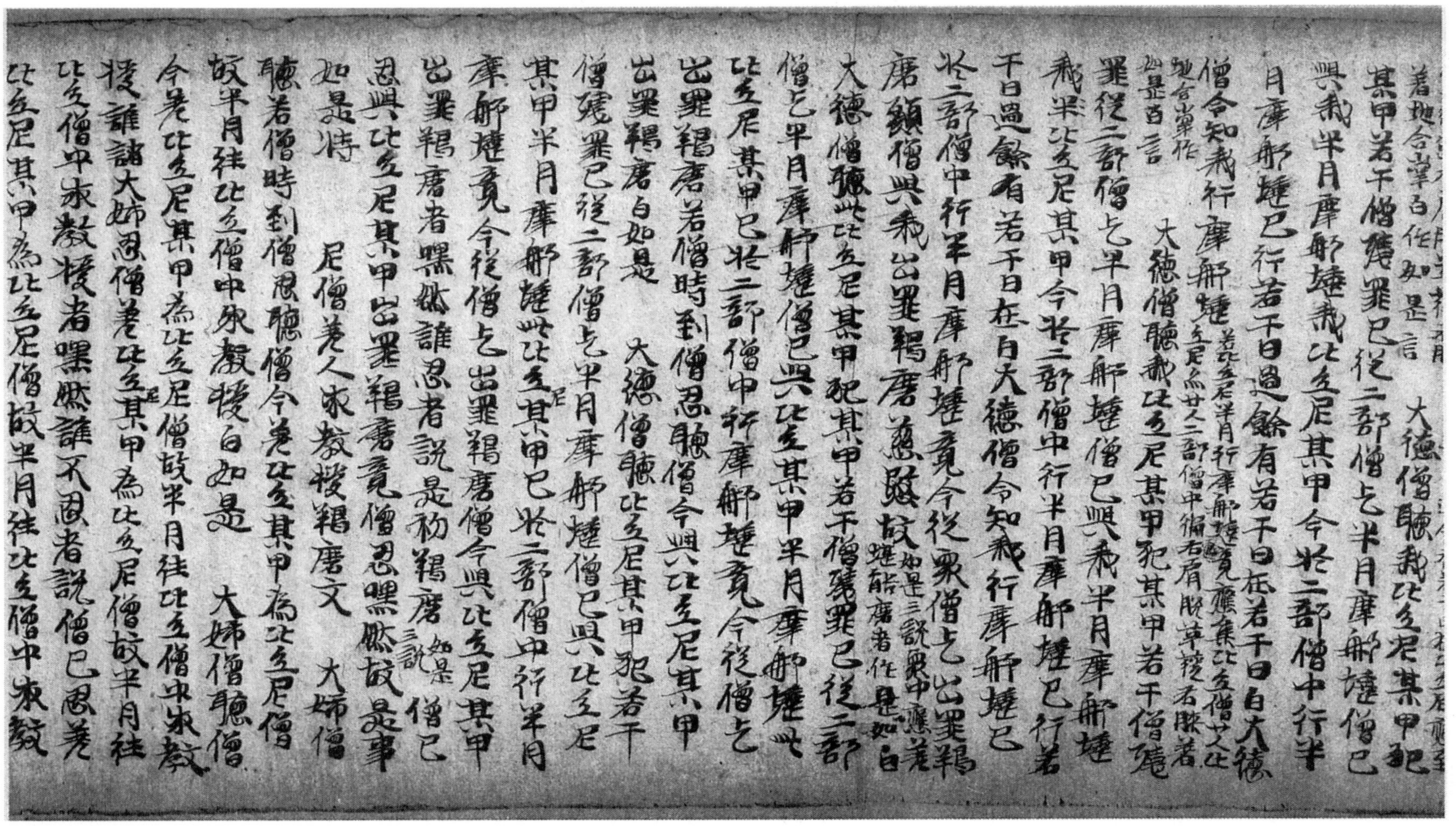

着地合掌白作如是言　大德僧聽我比丘尼某甲犯
某甲若干僧殘罪已從二部僧乞半月摩那埵僧已
與我半月摩那埵我比丘尼某甲今於二部僧中行半
月摩那埵已行若干日過餘有若干日在若干日白大德
僧令知我行摩那埵　若比丘尼半月行摩那埵竟應集比丘僧廿人比丘尼衆廿人二部僧中偏右肩脫革屣右膝着地合掌作如是白言
大德僧聽我比丘尼某甲犯某甲若干僧殘
罪從二部僧乞半月摩那埵僧已與我半月摩那埵
我某比丘尼某甲今於二部僧中行半月摩那埵已行若
干日過餘有若干日在白大德僧令知我行摩那埵已
於二部僧中行半月摩那埵竟今從衆僧乞出罪羯
磨願僧與我出罪羯磨慈愍故　如是三說衆中應差堪能羯磨者作是白
大德僧聽此比丘尼某甲犯某甲若干僧殘罪已從二部
僧乞半月摩那埵僧已與比丘尼某甲半月摩那埵此
比丘尼某甲已於二部僧中行摩那埵竟今從僧乞
出罪羯磨若僧時到僧忍聽僧今與比丘尼某甲
出罪羯磨白如是　大德僧聽比丘尼某甲犯若干
僧殘罪已從二部僧乞半月摩那埵僧已與比丘尼
某甲半月摩那埵此比丘尼某甲已於二部僧中行半月
摩那埵竟今從僧乞出罪羯磨僧今與比丘尼某甲
出罪羯磨者嘿然誰忍者說是初羯磨　如是三說　僧已
忍與比丘尼某甲出罪羯磨竟僧忍嘿然故是事
如是持　尼僧差人來教授羯磨文　大姊僧
聽若僧時到僧忍聽僧今差比丘尼某甲為比丘尼僧
故半月往比丘僧中求教授白如是　大姊僧聽僧
今差比丘尼某甲為比丘尼僧故半月往比丘僧中求教
授誰諸大姊忍僧差比丘尼某甲為比丘尼僧故半月往
比丘僧中求教授者嘿然誰不忍者說僧已忍差
比丘尼某甲為比丘尼僧故半月往比丘僧中求教

BD02787 號　羯磨文（擬）　（17–15）

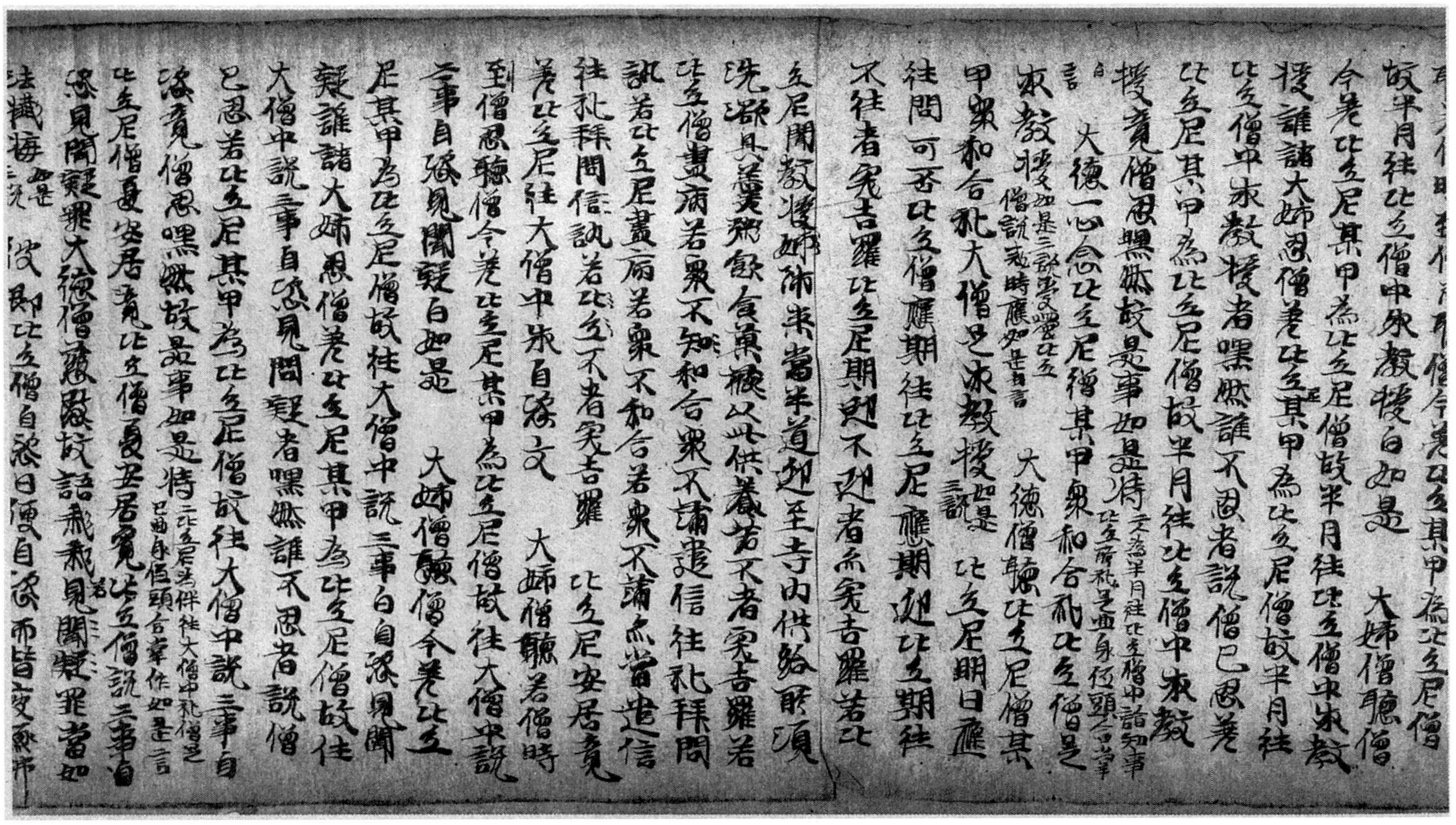

[illegible]僧今差比丘尼某甲為比丘尼僧
故半月往比丘僧中求教授白如是　大姊僧聽僧
今差比丘尼某甲為比丘尼僧故半月往比丘僧中求教
授誰諸大姊忍僧差比丘尼某甲為比丘尼僧故半月往
比丘僧中求教授者嘿然誰不忍者說僧已忍差
比丘尼某甲為比丘尼僧故半月往比丘僧中求教
授竟僧忍嘿然故是事如是持　受差為半月往比丘僧中詣知事比丘尼禮足曲身低頭合掌白言
大德一心念比丘尼僧某甲衆和合禮比丘僧足
求教授　如是三說受教授比丘尼僧說衆時應如是白言　大德僧聽比丘尼僧某
甲衆和合禮大僧足求教授　如是三說　比丘尼明日應
往問可否比丘僧應期迎比丘尼期往
不往者突吉羅比丘尼期迎不迎者亦突吉羅若比
丘尼聞教授姊姊來當半道迎至寺內供給所須
洗浴具美飲食供養以此供養若不者突吉羅若
比丘僧盡病若衆不知和合衆不請遣信往禮拜問
訊若比丘尼盡病若衆不和合若衆不請亦當遣信
往禮拜問信訊若比丘不者突吉羅　比丘尼安居竟
差比丘尼往大僧中求自恣文　大姊僧聽若僧時
到僧忍聽僧今差比丘尼某甲為比丘尼僧故往大僧中說
三事自恣見聞疑白如是　大姊僧聽僧今差比丘
尼某甲為比丘尼僧故往大僧中說三事自恣見聞
疑誰諸大姊忍僧差比丘尼某甲為比丘尼僧故往
大僧中說三事自恣見問疑者嘿然誰不忍者說僧
已忍差比丘尼某甲為比丘尼僧故往大僧中說三事自
恣竟僧忍嘿然故是事如是持　二比丘尼為伴往大僧中禮僧足已曲身低頭合掌作如是言
比丘尼僧夏安居竟比丘僧夏安居竟比丘僧說三事自
恣見聞疑罪大德僧慈愍故語我我若見聞疑罪當如
法懺悔　如是三說　彼即比丘僧自恣日便自恣而皆交恣

BD02787 號　羯磨文（擬）　（17–16）

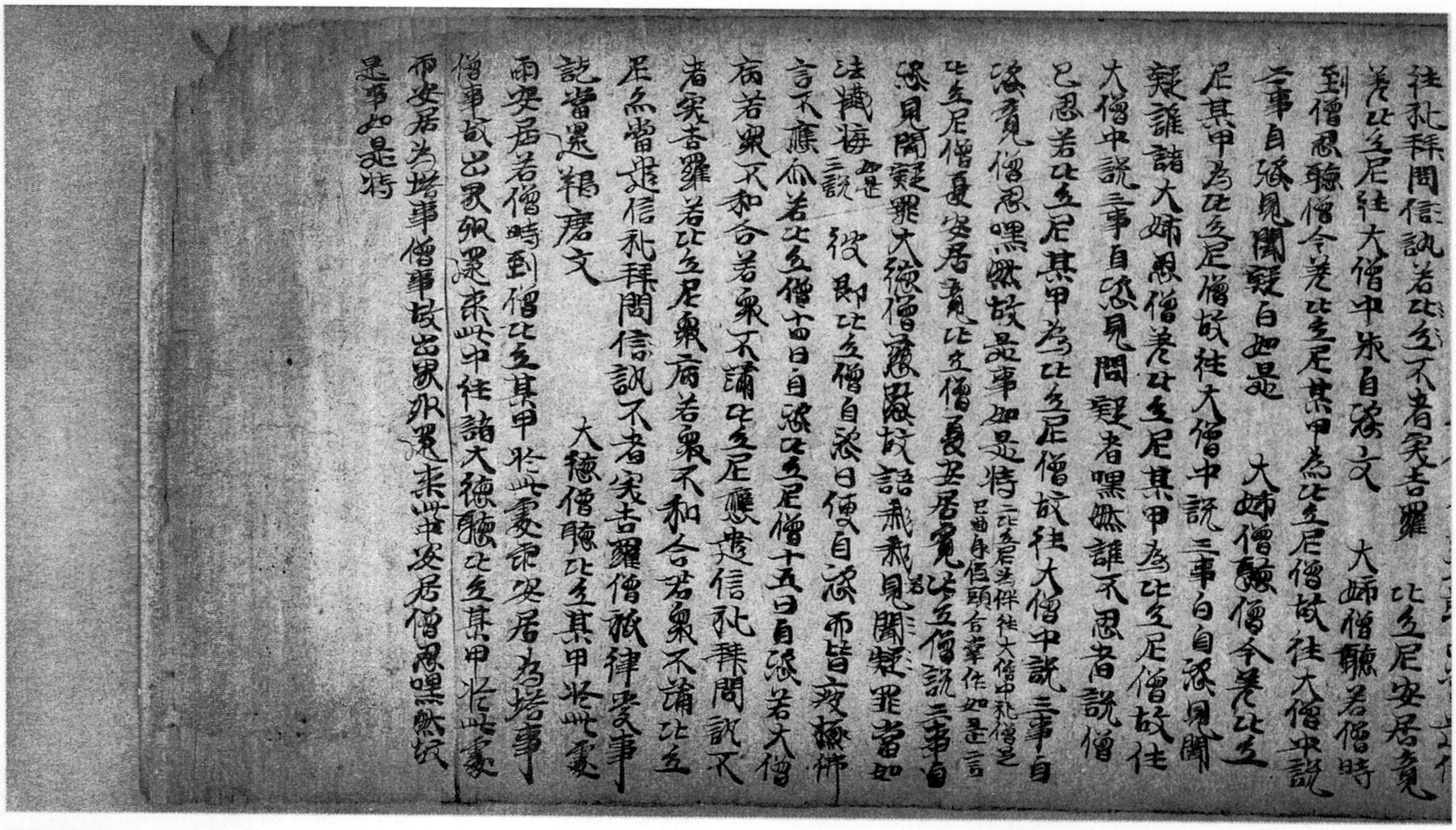

往礼拜問信訊若比丘不者突吉羅　比丘尼安居竟
差比丘尼往大僧中求自恣文　大姉僧聽若僧時
到僧忍聽僧今差比丘尼某甲爲比丘尼僧故往大僧中說
三事自恣見聞疑白如是　大姉僧聽僧今差比丘
尼某甲爲比丘尼僧故往大僧中說三事自恣見聞
疑誰諸大姉忍僧差比丘尼某甲爲比丘尼僧故往
大僧中說三事自恣見聞疑者嘿然誰不忍者說僧
已忍差比丘尼某甲爲比丘尼僧故往大僧中說三事自
恣竟僧忍嘿然故是事如是持 二比丘尼爲伴往大僧中礼僧足已曲身低頭合掌作如是言
比丘尼僧夏安居竟比丘尼僧說三事自
恣見聞疑罪大德僧慈愍故語我我若見聞疑罪當如
法懺悔 三說 如是　彼即比丘僧自恣日便自恣而皆疲極佛
言不應爾若比丘僧十四日自恣比丘尼僧十五日自恣若大僧
病若衆不和合若衆不滿比丘尼應遣信礼拜問訊不
者突吉羅若比丘尼衆病若衆不和合若衆不滿比丘
尼爲當遣信礼拜問信訊不者突吉羅僧祇律受事
說當還羯磨文　大德僧聽比丘某甲於此處
而安居若僧時到僧比丘某甲於此處安居爲塔事
僧事故出界外還來此中往諸大德聽比丘某甲於此處
而安居爲塔事僧事故出界外還來此中安居僧忍嘿然故
是事如是持

BD02787 號　羯磨文（擬）

（17–17）

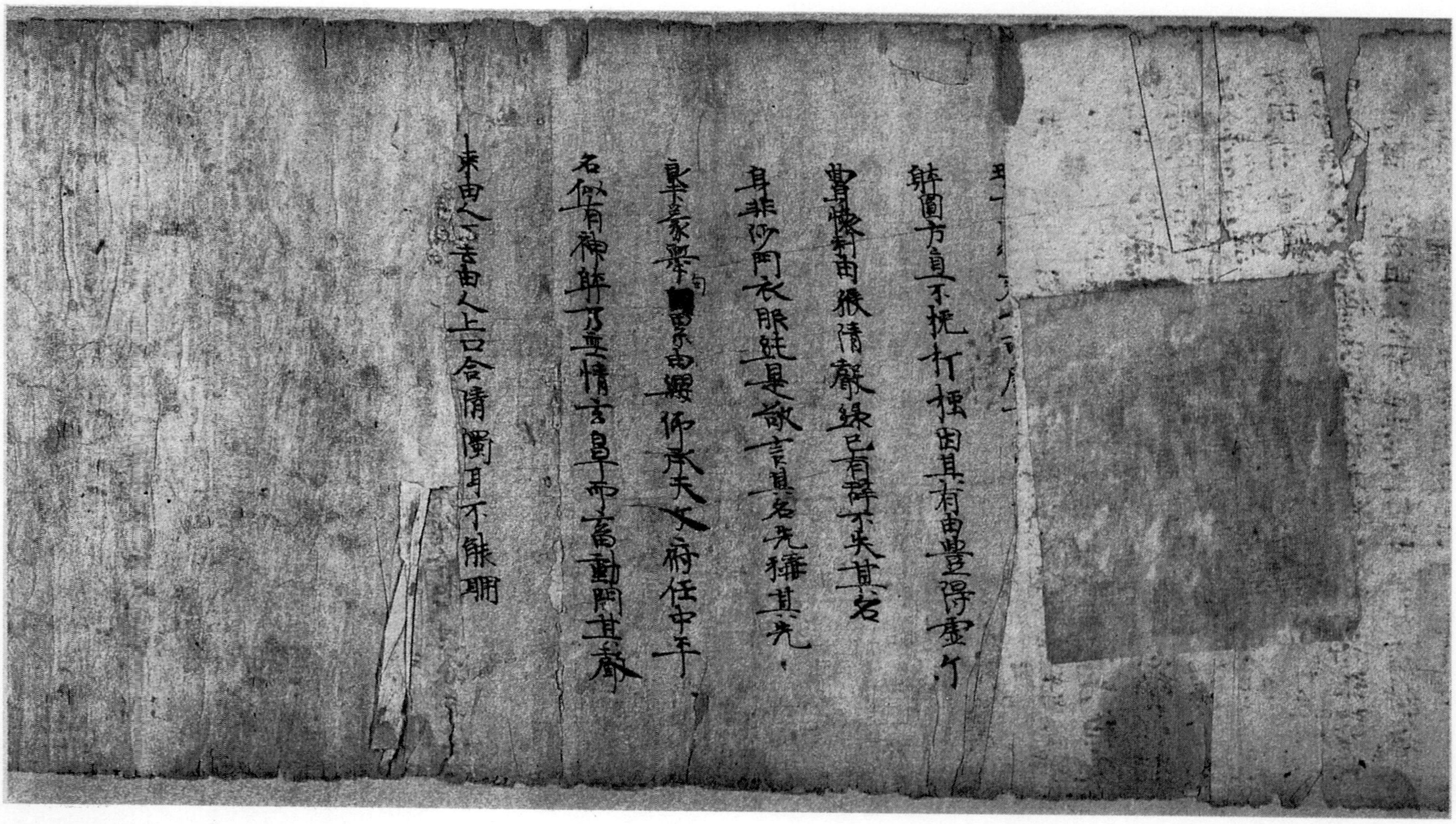

射圓方直不撫打標由其有由豈得虛个
曹懷斛由猴情觸錄已有辭不失其名
身非沙門衣服㚈是敬言其名先稱其光
良卑家舉[illegible]由娛俯承天文府任中平
名似有神戟乃並情言阜而高動問其聲
東西人下吉西人上口合情閨耳不能聽

BD02787 號背　殘文獻（擬）

（2–1）

BD02787 號背　雜寫　　（2–2）

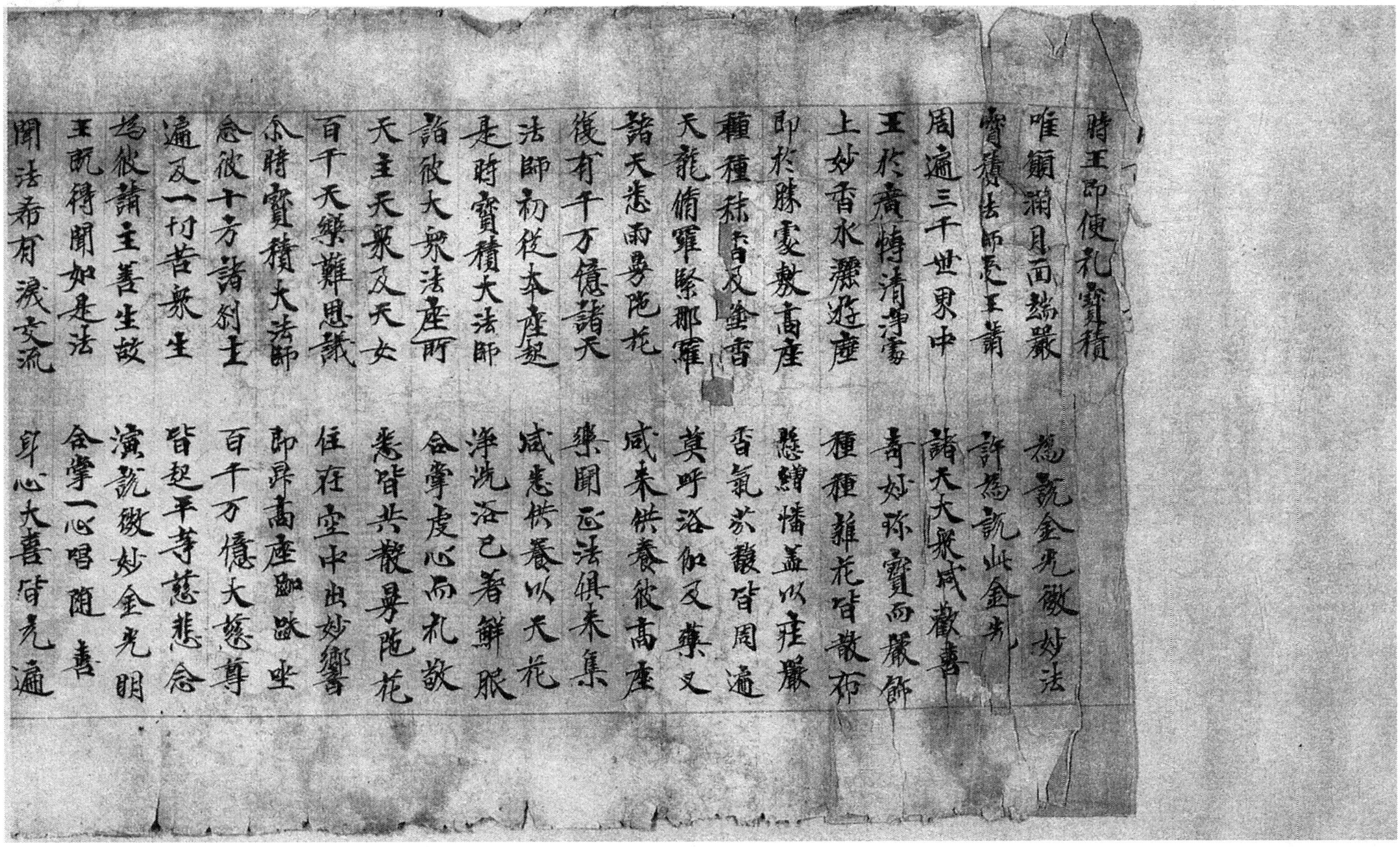

BD02788 號　金光明最勝王經卷九　　（8–1）

念彼十方諸刹土　百千万億大慈尊
遍及一切菩衆生　皆起平等慈悲念
為彼請主善生故　演說微妙金光明
王既得聞如是法　合掌一心唱隨喜
聞法希有淚交流　身心大喜皆充遍
于時國主善生王　為欲供養此經故
手持如意末尼寶　發願咸為諸衆生
今可於斯贍部洲　普雨七寶瓔珞具
所有匱乏資財者　皆得隨心受安樂
即便遍雨於七寶　悉皆充足四洲中
瓔珞嚴身隨所須　衣服飲食皆充足
尒時國主善生王　見此四洲雨珎寶
咸持供養寶髻佛　所有遺教苾芻僧
應知過去善生王　即我釋迦牟尼是
為於昔時捨大地　及諸珎寶滿四洲
昔時寶積大法師　為彼善生說妙法
因彼開演經王故　東方現成不動佛
以我曾聽此經王　合掌一言稱隨喜
及施七寶諸功德　獲此最勝金剛身
金光百福相莊嚴　所有見者皆歡喜
一切有情无不愛　俱胝天衆亦同然
過去曾經九十九　俱胝億劫作輪王
亦於小國為人主　復經无量百千劫
於无量劫為帝釋　亦復曾為大梵王
供養十力大慈尊　彼之數量難窮盡
我昔聞經隨喜善　所有福聚量難知
由斯福故證菩提　獲得法身真妙智

BD02788號　金光明最勝王經卷九　（8–2）

亦於小國為人主　復經无量百千劫
於无量劫為帝釋　亦復曾為大梵王
供養十力大慈尊　彼之數量難窮盡
我昔聞經隨喜善　所有福聚量難知
由斯福故證菩提　獲得法身真妙智
尒時大衆聞是說已歎未曾有皆願奉
持金光明經流通不絕
金光明最勝王經諸天藥叉護持品第二十二
尒時世尊告大吉祥天女曰若有淨信善
男子善女人欲於過去未來現在諸佛以不
可思議廣大微妙供養之具而為奉獻及欲
解了三世諸佛甚深行處是人應當決定至
心隨是經王所在之處城邑聚落或山澤中
廣為衆生敷演流布其聽法者應除亂想
攝耳用心世尊即為彼天及諸大衆說伽他曰
若欲於諸佛　不思議供養　復了諸如來　甚深境界者
若見演說此　最勝金光明　應親詣彼方　至其所住處
此經難思議　能生諸功德　无邊大苦海　解脫諸有情
我觀此經王　初中後皆善　甚深不可測　譬喻无能知
假使恒河沙　大地塵海水　虛空諸山石　无能喻少分
欲入深法界　應先聽是經　法性之制底　甚深善安住
於斯制底內　見我牟尼尊　悅意妙音聲　演說斯經典
由此俱胝劫　數量難思議　生在人天中　常受勝妙樂
若聽是經者　應作如是心　我得不思議　无邊功德蘊
假使大火聚　滿百踰繕那　為聽此經王　直過无辭苦
既至彼住處　得聞如是經　能滅於罪業　及除諸惡夢
惡星諸變怪　蠱道邪魅等　得聞是經時　諸惡皆捨離

BD02788號　金光明最勝王經卷九　（8–3）

若聽是經者　應作如是念　我得不思議　無邊功德藏
假使大火聚　滿百踰繕那　為聽此經王　直過無辭苦
既至彼住處　得聞如是經　能滅於罪業　及除諸惡夢
惡星諸變怪　蠱道邪魅等　得聞是經時　諸惡皆捨離
應嚴勝高座　淨妙若蓮花　法師處其上　猶如大龍坐
於斯安坐已　說此甚深經　書寫及誦持　并為解其義
法師捨此座　往詣餘方所　於此高座中　神通非一相
或見法師像　猶在高座上　或時見世尊　及以諸菩薩
或作普賢像　或如妙吉祥　或見慈氏尊　身處於高座
或見希奇相　及以諸天像　暫得覩容儀　忽然還不現
成就諸吉祥　所作皆隨意　功德悉圓滿　世尊如是說
最勝有名稱　能滅諸煩惱　他國賊皆除　戰時常得勝
惡夢悉皆無　及消諸毒害　所作三業罪　經力能除滅
於此贍部洲　名稱咸充滿　所有諸怨結　悉皆相捨離
設有怨敵至　聞名便退散　不假動兵戈　兩陣生歡喜
梵王帝釋主　護世四天王　及金剛藥叉　正了知大將
無熱池龍王　及以娑竭羅　緊那羅樂神　蘇羅金翅王
大辯才天女　并大吉祥天　斯等上首天　各領諸天眾
常供養諸佛　法寶不思議　恒生歡喜心　於經起恭敬
斯等諸天眾　皆悉共思惟　遍觀修福者　共作如是說
應觀此有情　咸是大福德　善根精進力　當來生我天
為聽甚深經　敬心來至此　供養法制底　尊重正法故
憐愍於眾生　而作大饒益　於此深經典　能為法寶器
入此法門者　能入於法性　於此金光明　至心應聽受
是人曾供養　無量百千佛　由彼諸善根　得聞此經典
如是諸天主　天女大辯才　并彼吉祥天　及此四王眾
無數藥叉眾　勇猛有神通　各於其四方　常來相擁護
日月天帝釋　風水火諸神　吠率怒大青　閻羅辯才等

BD02788號　金光明最勝王經卷九　（8–4）

如是諸天主　天女大辯才　并彼吉祥天　及此四王眾
無數藥叉眾　勇猛有神通　各於其四方　常來相擁護
日月天帝釋　風水火諸神　吠率怒大青　閻羅辯才等
一切諸護世　勇猛具威神　擁護持經者　晝夜常不離
大力藥叉王　那羅延自在　正了知為首　二十八藥叉
餘藥叉百千　神通有大力　恒於恐怖處　常來護此人
金剛藥叉王　并五百眷屬　諸大菩薩眾　常來護此人
寶王藥叉王　及以滿賢王　曠野金毗羅　賓度羅黃色
此等藥叉王　各五百眷屬　見聽此經者　皆來共擁護
彩軍乾闥婆　善王常戰勝　珠頸及青頸　并勃里沙王
大最勝大黑　蘇跋拏雞舍　半之迦羊足　及以大婆伽
小渠并護法　及以獼猴王　針毛及日支　寶髻皆來護
大渠諸狗羅　旃檀欲中勝　舍羅及雪山　及以娑多山
皆有大神通　雄猛具大力　見持此經者　皆來相擁護
阿那婆答多　及以娑揭羅　目真醯羅葉　難陀小難陀
於百千龍中　神通具威德　共護持經人　晝夜常不離
婆稚羅睺羅　毗摩質多羅　母旨苦跋羅　大肩及歡喜
及餘蘇羅王　并無數天眾　大力有勇健　皆來護是人
訶利底母神　五百藥叉眾　於彼人睡覺　常來相擁護
旃荼旃荼利　藥叉旃稚女　昆帝拘吒齒　吸眾生精氣
如是諸神眾　大力有神通　常護持經者　晝夜恒不離
上首辯才天　無量諸天女　吉祥天為首　并餘諸眷屬
此大地神女　果實園林神　樹神江河神　制底諸神等
如是諸天神　心生大歡喜　彼皆來擁護　讀誦此經人
見有持經者　增壽命色力　威光及福德　妙相以莊嚴
星宿現災變　困厄當此人　夢見惡徵祥　皆悉令除滅
此大地神女　堅固有威勢　由此經力故　法味常充足

BD02788號　金光明最勝王經卷九　（8–5）

上首釋梵天　无量諸天女　吉祥天爲首　并餘諸眷屬
此大地神女　果實園林神　樹神江河神　制底諸神等
如是諸天神　心生大歡喜　彼皆來擁護　讀誦此經人
見有持經者　增壽命色力　威光及福德　妙相以莊嚴
星宿現災變　困厄當此人　夢見惡徵祥　皆悉令除滅
此大地神女　堅固有威勢　由此經力故　法味常充足
地肥若流下　過百踰繕那　地神令味上　滋潤於大地
此地厚六十　八億踰繕那　乃至金剛際　地味皆令上
由聽此經王　獲大功德蘊　能使諸天衆　悉蒙其利益
復令諸天衆　威力有光明　歡喜常安樂　捨離於衰相
於此南洲內　林果苗稼神　由此經威力　心常得歡喜
苗實皆成就　處處有妙花　果實並滋繁　充滿於大地
所有諸果樹　及以衆園林　悉皆生妙花　香氣常芬馥
衆草諸林木　咸出微妙花　及生甘美果　隨處皆充遍
於此贍部洲　无量諸龍女　心生大歡喜　皆共入池中
種植鉢頭摩　及以分陀利　青白二蓮花　池中皆遍滿
由此經威力　虛空淨无翳　雲霧皆除遣　冥闇悉光明
日出放千光　无垢燄清淨　由此經王力　流暉遶四天
此經威德力　資助於天子　皆用贍部金　而作於宮殿
日天子初出　見此洲歡喜　常以大光明　周遍皆照耀
於斯大地內　所有蓮花池　日光照及時　无不盡開發
於此贍部洲　田疇諸果藥　悉皆令善熟　充滿於大地
由此經威力　日月所照處　星辰不失度　風雨皆順時
遍此贍部洲　國土咸豐樂　隨有此經處　殊勝倍餘方
若此金光明　經典流布處　有能讀誦者　悉得如上福
尒時大吉祥天女及諸天等聞佛所說皆大歡
喜於此經王及受持者一心擁護令无憂惱

BD02788號　金光明最勝王經卷九　（8–6）

若此金光明　經典流布處　有能讀誦者　悉得如上福
尒時大吉祥天女及諸天等聞佛所說皆大歡
喜於此經王及受持者一心擁護令无憂惱
常得安樂
金光明最勝王經授記品第廿三
尒時如來於大衆中廣說法已欲爲妙幢菩薩
及其二子銀幢銀光授阿耨多羅三藐三
菩提記時有十千天子最勝光明而爲上首
俱從三十三天來至佛所頂禮佛足却坐一
面聽佛說法尒時佛告妙幢菩薩言汝於來
世過无量无數百千万億那庾多劫已於金
光明世界當成阿耨多羅三藐三菩提號金
寶山王如來應供正遍知明行足善逝世間解
无上士調御丈夫天人師佛世尊出現於世
時此如來般涅槃後所有教法亦皆滅盡時
彼長子名曰銀幢即於此界次補佛處世界
尒時轉名淨幢當得作佛名曰金幢光如來
應供正遍知明行足善逝世間解无上士調御
丈夫天人師佛世尊時此如來般涅槃後所
有教法亦皆滅盡次子銀光即補佛處還於
此界當得作佛號曰金光明如來應供正遍知
明行足善逝世間解无上士調御丈夫天人師
佛世尊是時十千天子聞三大士得授記已
復聞如是最勝王經心生歡喜清淨无垢猶
如虛空尒時如來知是十千天子善根成熟
即便与授大菩提記汝等天子於當來世過

BD02788號　金光明最勝王經卷九　（8–7）

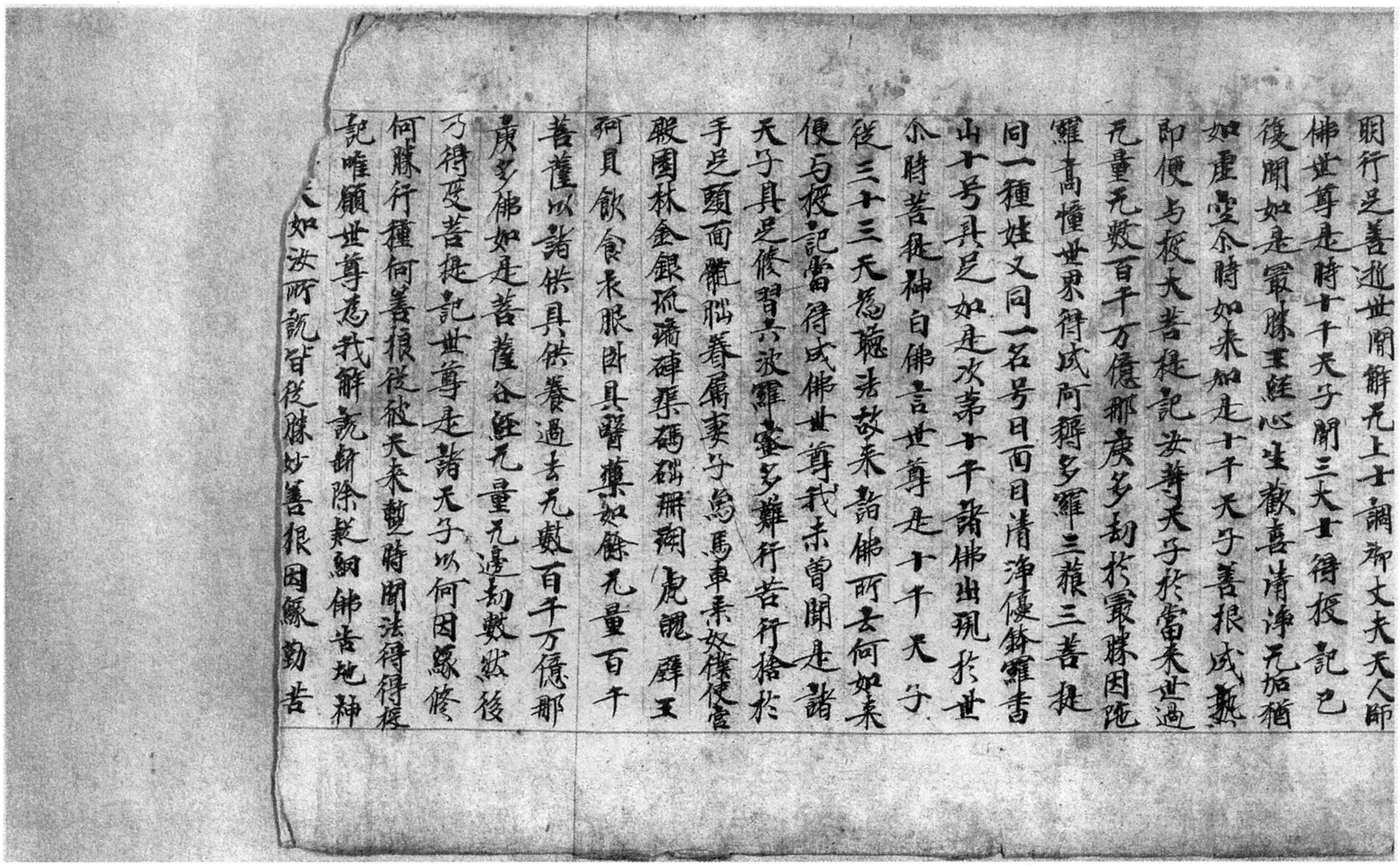
明行足善逝世間解无上士調御丈夫天人師
佛世尊是時十千天子聞三大士得授記已
復聞如是最勝王經心生歡喜清淨无垢猶
如虛空介時如來知是十千天子善根成熟
即便与授大菩提記汝等天子於當來世過
无量无數百千万億那庾多劫於最勝因陁
羅高幢世界得成阿耨多羅三藐三菩提
同一種姓又同一名号曰面目清淨優鉢羅香
山十号具足如是次第十千諸佛出現於世
介時菩提樹神白佛言世尊是十千天子
從三十三天為聽法故来詣佛所云何如来
便与授記當得成佛世尊我未曾聞是諸
天子具足修習六波羅蜜多難行苦行捨於
手足頭面髓腦眷屬妻子象馬車乘奴婢僕使宮
殿園林金銀琉璃硨磲碼碯珊瑚虎珀璧玉
珂貝飲食衣服卧具醫藥如餘无量百千
菩薩以諸供具供養過去无數百千万億那
庾多佛如是菩薩各經无量无邊劫數然後
乃得受菩提記世尊是諸天子以何因緣修
何勝行種何善根從彼天来暫時聞法得授
記唯願世尊為我解說斷除疑網佛告地神
人如汝所說皆從勝妙善根因緣勤苦

BD02788 號　金光明最勝王經卷九　（8–8）

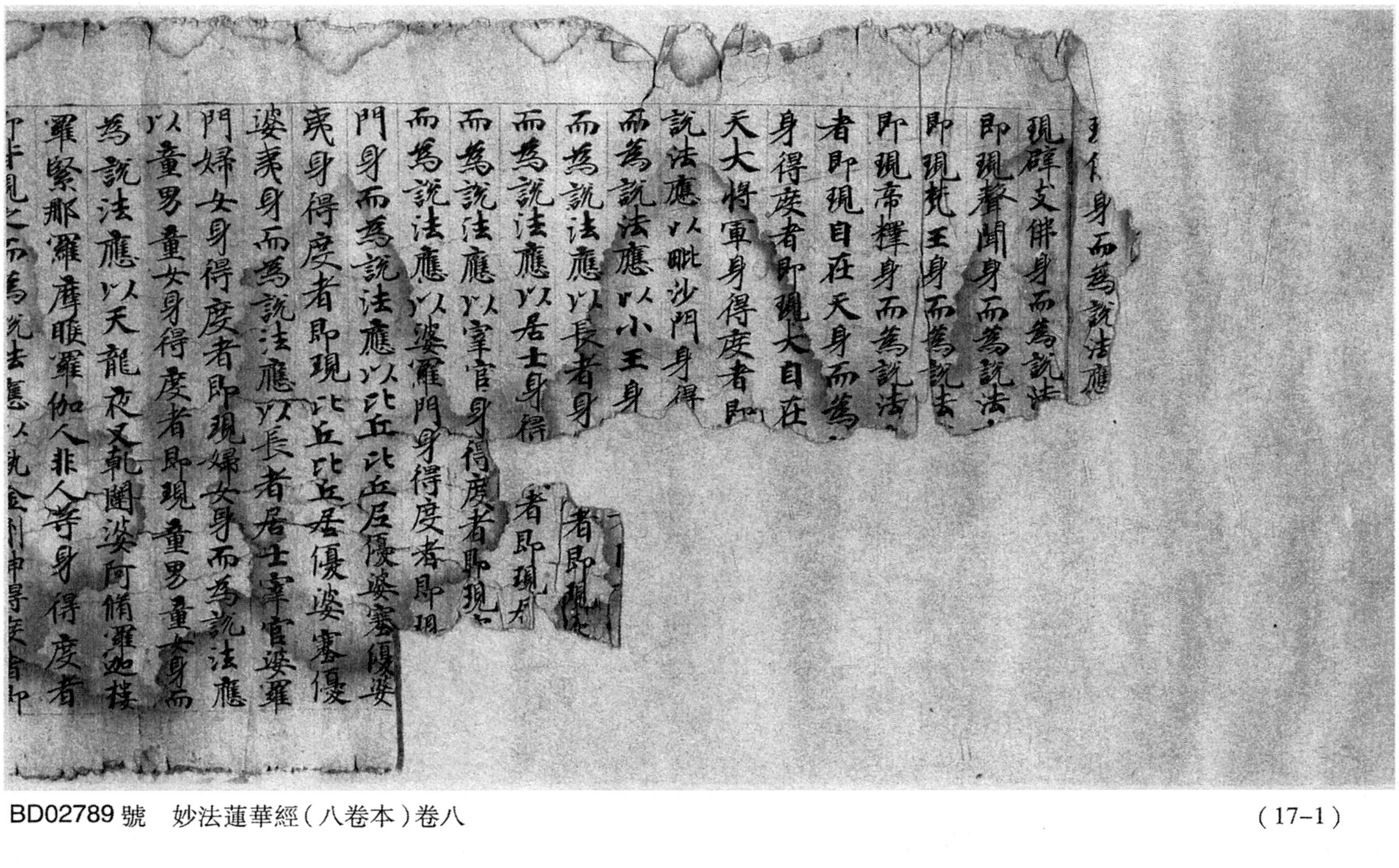
佛身而為說法應
現辟支佛身而為說法
即現聲聞身而為說法
即現梵王身而為說法
即現帝釋身而為說法
者即現自在天身而為
身得度者即現大自在
天大將軍身得度者即
說法應以毗沙門身得
而為說法應以小王身
而為說法應以長者身
而為說法應以居士身得
而為說法應以宰官身得度者即現
而為說法應以婆羅門身得度者即現
門身而為說法應以比丘比丘尼優婆塞優婆
夷身得度者即現比丘比丘尼優婆塞優
婆夷身而為說法應以長者居士宰官婆羅
門婦女身得度者即現婦女身而為說法應
以童男童女身得度者即現童男童女身而
為說法應以天龍夜叉乾闥婆阿脩羅迦樓
羅緊那羅摩睺羅伽人非人等身得度者
即皆現之而為說法應以執金剛神得度者即

BD02789 號　妙法蓮華經（八卷本）卷八　（17–1）

以童男童女身得度者即現童男童女身而
為說法應以天龍夜叉乾闥婆阿脩羅迦樓
羅緊那羅摩睺羅伽人非人等身得度者
即皆現之而為說法應以執金剛神得度者即
現執金剛神而為說法无盡意是觀世音菩
薩成就如是功德以種種形遊諸國土度脫
眾生是故汝等應當一心供養觀世音菩薩
是觀世音菩薩摩訶薩於怖畏急難之中能
施无畏是故此娑婆世界皆号之為施无畏
者尒時无盡意菩薩白佛言世尊我今當供
養觀世音菩薩即解頸眾寶珠瓔珞價直百
千兩金而以與之作是言仁者受此法施珎
寶瓔珞時觀世音菩薩不肯受之无盡意復
白觀世音菩薩言仁者愍我等故受此瓔珞
尒時佛告觀世音菩薩當愍此无盡意菩薩四
眾天龍夜叉乾闥婆阿脩羅迦樓羅緊那羅
摩睺羅伽人非人等故受是瓔珞即時觀世
音菩薩愍諸四眾及於天龍人非人等受其
瓔珞分作二分一分奉釋迦牟尼佛一分奉
多寶佛塔无盡意觀世音菩薩有如是自在
神力遊於娑婆世界尒時无盡意菩薩以偈問曰
世尊妙相具　我今重問彼　佛子何因緣　名為觀世音
具足妙相尊　偈答无盡意　汝聽觀音行　善應諸方所
弘誓深如海　歷劫不思議　侍多千億佛　發大清淨願
我為汝略說　聞名及見身　心念不空過　能滅諸有苦
假使興害意　推落大火坑　念彼觀音力　火坑變成池

弘誓深如海　歷劫不思議　侍多千億佛　發大清淨願
我為汝略說　聞名及見身　心念不空過　能滅諸有苦
假使興害意　推落大火坑　念彼觀音力　火坑變成池
或漂流巨海　龍魚諸鬼難　念彼觀音力　波浪不能沒
或在須弥峯　為人所推墮　念彼觀音力　如日虛空住
或被惡人逐　墮落金剛山　念彼觀音力　不能損一毛
或值怨賊繞　各執刀加害　念彼觀音力　咸即起慈心
或遭王難苦　臨刑欲壽終　念彼觀音力　刀尋段段壞
或囚禁枷鏁　手足被杻械　念彼觀音力　釋然得解脫
呪咀諸毒藥　所欲害身者　念彼觀音力　還著於本人
或遇惡羅剎　毒龍諸鬼等　念彼觀音力　時悉不敢害
若惡獸圍繞　利牙爪可怖　念彼觀音力　疾走无邊方
蚖蛇及蝮蝎　氣毒煙火然　念彼觀音力　尋聲自迴去
雲雷鼓掣電　降雹澍大雨　念彼觀音力　應時得消散
眾生被困厄　无量苦逼身　觀音妙智力　能救世間苦
具足神通力　廣脩智方便　十方諸國土　无剎不現身
種種諸惡趣　地獄鬼畜生　生老病死苦　以漸悉令滅
真觀清淨觀　廣大智慧觀　悲觀及慈觀　常願常瞻仰
无垢清淨光　慧日破諸闇　能伏灾風火　普明照世間
悲體戒雷震　慈意妙大雲　澍甘露法雨　滅除煩惱焰
諍訟經官處　怖畏軍陣中　念彼觀音力　眾怨悉退散
妙音觀世音　梵音海潮音　勝彼世間音　是故須常念
念念勿生疑　觀世音淨聖　於苦惱死厄　能為作依怙
具一切功德　慈眼視眾生　福聚海无量　是故應頂礼
尒時持地菩薩即從坐起前白佛言世尊若
有眾生聞是觀世音菩薩品自在之業普門

念念勿生疑　觀世音淨聖　於苦惱死厄　能為作依怙
具一切功德　慈眼視衆生　福聚海无量　是故應頂礼
尒時持地菩薩即從坐起前白佛言世尊若
有衆生聞是觀世音菩薩品自在之業普門
示現神通力者當知是人功德不少佛說是
普門品時衆中八万四千衆生皆發无等等
阿耨多羅三藐三菩提心
妙法蓮華經陁羅尼品第二十六
尒時藥王菩薩即從坐起偏袒右肩合掌向
佛而白佛言世尊善男子善女人有能受持
法華經者若讀誦通利若書寫經卷得
幾所福佛告藥王若有善男子善女人供養
八百万億那由他恒河沙等諸佛於汝意云
何其所得福寧為多不甚多世尊佛言若善
男子善女人能於是經乃至受持一四句偈讀
誦解義如說修行功德甚多尒時藥王菩薩
白佛言世尊我今當供與說法者陁羅尼呪
以守護之即說呪曰
安尒一 曼尒二 摩祢三 摩摩祢四 旨隸五 遮梨第
六 賒咩羊鳴音反 賒履冈雄反七 多瑋八 羶帝輸于反九 目帝十 目多
履十一 娑履十二 阿瑋娑履十三 桑履十四 沙履十五 叉裔十六
阿叉裔十七 阿耆膩十八 羶帝十九 賒履二十 陁羅尼二十一 阿
盧伽婆娑蘇奈反簸蔗毗叉膩二十二 祢毗剃二十三 阿便哆
都餓反邏祢履剃二十四 阿亶哆婆隸輸地二十五 漚究隸
二十六 牟究隸二十七 阿羅隸二十八 波羅隸二十九 首迦差初几反三十
阿摩三履三十一 佛馱毗吉利袠帝三十二 達磨波利
差猜離反帝三十三 僧伽涅瞿沙祢三十四 婆舍婆舍輸地三十五 曼

BD02789 號　妙法蓮華經（八卷本）卷八　（17–4）

盧伽婆娑蘇奈反簸蔗毗叉膩二十二 祢毗剃二十三 阿便哆
都餓反邏祢履剃二十四 阿亶哆婆隸輸地二十五 漚究隸
二十六 牟究隸二十七 阿羅隸二十八 波羅隸二十九 首迦差初几反三十
阿摩三履三十一 佛馱毗吉利袠帝三十二 達磨波利
差猜離反帝三十三 僧伽涅瞿沙祢三十四 婆舍婆舍輸地三十五 曼
哆邏三十六 曼哆邏叉夜多三十七 郵樓哆三十八 郵樓
哆憍舍略三十九 惡叉邏卌 惡叉冶多冶卌一 阿婆盧卌二
阿摩若荏遮反那多夜四十三
世尊是陁羅尼神呪六十二恒河沙等諸佛
所說若有侵毀此法師者則為侵毀是諸佛
已時釋迦牟尼佛讚藥王菩薩言善哉善
哉藥王汝愍念擁護此法師故說是陁羅尼於
諸衆生多所饒益尒時勇施菩薩白佛言世
尊我亦為擁護讀誦受持法華經者說陁羅
尼若此法師得是陁羅尼若夜叉若羅剎若
富單那若吉遮若鳩槃荼若餓鬼等伺求
其短无能得便即於佛前而說呪曰
痤檻壘反隸一 摩訶痤隸二 郁枳三 目枳四 阿隸五 阿羅
婆剃六 涅隸剃七 涅隸多婆剃八 伊緻豬履反捉九 韋
緻捉十 旨緻捉十一 涅隸墀捉十二 涅梨墀婆底十三
世尊是陁羅尼神呪恒河沙等諸佛所說亦
皆隨喜若有侵毀此法師者則為侵毀是諸
佛已尒時毗沙門天王護世者白佛言世尊
我亦為愍念衆生擁護此法師故說是陁羅
尼即說呪曰
阿梨一 那梨二 㝹那梨三 阿那盧四 那履五 拘那履六
世尊以是神呪擁護法師我亦自當擁護持

BD02789 號　妙法蓮華經（八卷本）卷八　（17–5）

臣即説呪曰
阿梨一 那梨二 兎那梨三 阿那盧四 那履五 拘那履六
世尊以是神呪擁護法師我亦自當擁護持
是經者令百由旬内无諸衰患 尒時持國天
王在此會中與千万億那由他乹闥婆衆恭
敬圍遶前詣佛所合掌白佛言世尊我亦以
陁羅尼神呪擁護持法華經者即説呪曰
阿伽祢一 伽祢二 瞿利三 乹陁利四 旃陁利五 摩蹬耆
六 常求利七 浮樓莎柅八 頞底九
世尊是陁羅尼神呪四十二億諸佛所説若
有侵毁此法師者則為侵毁是諸佛已 尒時有
十羅刹女等一名藍婆二名毗藍婆三名曲齒
四名華齒五名黒齒六名多髮七名无猒足
八名持瓔珞九名睾諦十名奪一切衆生精
氣是十羅刹女與鬼子母并其子及眷屬俱
詣佛所同聲白佛言世尊我等亦欲擁護
讀誦受持法華經者除其衰患若有伺求
法師短者令不得便即於佛前而説呪曰
伊提履一 伊提泯二 伊提履三 阿提履四 伊提履
五 泥履六 泥履七 泥履八 泥履九 泥履十 樓醯十一 樓醯
十二 樓醯十三 樓醯十四 多醯十五 多醯十六 多醯十七 兜醯十八 㝹醯十九
寧上我頭上莫惱於法師若夜叉若羅刹若
餓鬼若富單那若吉遮若毗陁羅若揵陁若
烏摩勒伽若阿跋摩羅若夜叉吉遮若人吉
遮若熱病若一日若二日若三日若四日乃
至七日若常熱病若男形若女形若童男形
若童女形乃至夢見亦復莫惱即於佛前而

BD02789號　妙法蓮華經（八卷本）卷八　（17–6）

烏摩勒伽若阿跋摩羅若夜叉吉遮若人吉
遮若熱病若一日若二日若三日若四日乃
至七日若常熱病若男形若女形若童男形
若童女形乃至夢見亦復莫惱即於佛前而
説偈言
若不順我呪　惱亂説法者　頭破作七分　如阿梨樹枝
如殺父母罪　亦如壓油殃　斗秤欺誑人　調達破僧罪
犯此法師者
諸羅刹女説此偈已白佛言世尊我等亦當
身自擁護受持讀誦修行是經者令得安隱
離諸衰患消衆毒藥 佛告諸羅刹女善哉善
哉汝等但能擁護受持法華名者福不可量
何況擁護具足受持供養經卷華香瓔珞末
香塗香燒香幡蓋伎樂燒種種燈蘇燈油燈
諸香油燈蘇摩那華油燈瞻蔔華油燈婆師
迦華油燈優鉢羅華油燈如是等百千種供
養者睾諦汝等及眷屬應當擁護如是法師
説此陁羅尼品時六万八千人得无生法忍
妙法蓮華經妙莊嚴王本事品第二十七
尒時佛告諸大衆乃往古世過无量无邊不
可思議阿僧祇劫有佛名雲雷音宿王華智
多陁阿伽度阿羅呵三藐三佛陁國名光明
莊嚴劫名喜見彼佛法中有王名妙莊嚴其
王夫人名曰淨德有二子一名淨藏二名淨
眼是二子有大神力福德智慧久修菩薩所
行之道所謂檀波羅蜜尸波羅蜜羼提波羅

BD02789號　妙法蓮華經（八卷本）卷八　（17–7）

莊嚴劫名喜見彼佛法中有王名妙莊嚴其
王夫人名曰淨德有二子一名淨藏二名淨
眼是二子有大神力福德智慧久脩菩薩所
行之道所謂檀波羅蜜尸波羅蜜羼提波羅
蜜毗梨耶波羅蜜禪波羅蜜般若波羅蜜方
便波羅蜜慈悲喜捨乃至三十七品助佛道
法皆悉明了通達又得菩薩淨三昧日星宿
三昧淨光三昧淨色三昧淨照明三昧長莊
嚴三昧大威德藏三昧扵此三昧亦悉通達
尒時彼佛欲引導妙莊嚴王及愍念衆故生
說是法華經時淨藏淨眼二子到其母所合
十指抓掌白言願母往詣雲雷音宿王華智
佛所我等亦當侍從親覲供養礼拜所以者
何此佛扵一切天人衆中說法華經宜應聽
受母告子言汝父信受外道深著婆羅門法
汝等應往白父與共俱去淨藏淨眼合十指
抓掌白母我等是法王子而生此耶見家母
告子言汝等當憂念汝父為現神變若得見
者心必清淨或聽我等往至佛所扵是二子
念其父故踊在虛空高七多羅樹現種種神
變扵虛空中行住坐卧身上出水身下出火
身下出水身上出火或現大身滿虛空中而
復現小小復現大扵空中滅忽然在地入地
如水履水如地現如是等種種神變令其父
王心淨信解時父見子神力如是心大歡喜得
未曾有合掌向子言汝等師為是誰誰之弟
二子白言大王彼雲雷音宿王華智佛今在

BD02789號　妙法蓮華經（八卷本）卷八　（17–8）

身下出水身上出火或現大身滿虛空中而
復現小小復現大扵空中滅忽然在地入地
如水履水如地現如是等種種神變令其父
王心淨信解時父見子神力如是心大歡喜得
未曾有合掌向子言汝等師為是誰誰之弟
二子白言大王彼雲雷音宿王華智佛今在
七寶菩提樹下法坐上扵一切世間天人衆
中廣說法華經是我等師我是弟子父語
子言我今亦欲見汝等師可共俱往扵是二
子從空中下到其母所合掌白母父王今已
信解堪任發阿耨多羅三藐三菩提心我等
為父已作佛事願母見聽扵彼佛所出家脩
道尒時二子欲重宣其意以偈白母
願母放我等　出家作沙門　諸佛甚難值　我等隨佛學
如優曇波羅　值佛復難是　脫諸難亦難　願聽我出家
母即告言聽汝出家所以者何佛難值故扵
是二子白父母言善哉父母願時往詣雲雷
音宿王華智佛所親覲供養所以者何佛難
得值如優曇波羅華又如一眼之龜值浮木
孔而我等宿福深厚生值佛法是故父母當
聽我等令得出家所以者何諸佛難值時亦
難遇彼時妙莊嚴王後宮八万四千人皆悉堪
任受持是法華經淨眼菩薩扵法華三昧久
已通達淨藏菩薩已扵无量百千万億劫通
達離諸惡趣三昧欲令一切衆生離諸惡趣
故其王夫人得諸佛集三昧能知諸佛祕密
之藏二子如是以方便力善化其父令心信

BD02789號　妙法蓮華經（八卷本）卷八　（17–9）

住受持是法華經淨眼菩薩於法華三昧久
已通達淨藏菩薩已於無量百千万億劫通
達離諸惡趣三昧欲令一切衆生離諸惡趣
故其王夫人得諸佛集三昧能知諸佛秘密
之藏二子如是以方便力善化其父令心信
解好樂佛法於是妙莊嚴王與群臣眷屬俱
淨德夫人與後宮婇女眷屬俱其王二子與
四万二千人俱一時共詣佛所到已頭面礼
足遶佛三匝却住一面
尒時彼佛為王說法示教利喜王大歡悅尒
時妙莊嚴王及其夫人解頸珠瓔珞價直百千
以散佛上於虛空中化成四柱寶臺臺中有
大寶床敷百千万天衣其上有佛結加趺坐
放大光明尒時妙莊嚴王作是念佛身希有
端嚴殊特成就第一微妙之色時雲雷音宿
王華智佛告四衆言汝等見妙莊嚴王於我
前合掌立不此王於我法中作比丘精勤脩
習助佛道法當得作佛号娑羅樹王國名大
光劫名大高王其娑羅樹王佛有無量菩薩
衆及無量聲聞其國平正功德如是其王即
時以國付弟與夫人二子并諸眷屬於佛法
中出家脩道王出家已於八万四千歲常勤
精進脩行妙法華經過是已後得一切淨功
德莊嚴三昧即昇虛空高七多羅樹而白佛
言世尊此我二子已作佛事以神通變化
轉我邪心令得安住於佛法中得見世尊此
二子者是我善知識為欲發起宿世善根饒

BD02789號　妙法蓮華經（八卷本）卷八　（17–10）

精進脩行妙法華經過是已後得一切淨功
德莊嚴三昧即昇虛空高七多羅樹而白佛
言世尊此我二子已作佛事以神通變化
轉我邪心令得安住於佛法中得見世尊此
二子者是我善知識為欲發起宿世善根饒
益我故來生我家
尒時雲雷音宿王華智佛告妙莊嚴王言如
是如是如汝所言若善男子善女人種善根
故世世得善知識其善知識能作佛事示教
利喜令入阿耨多羅三藐三菩提大王當知
善知識者是大因緣所謂化導令得見佛發
阿耨多羅三藐三菩提心大王汝見此二子
不此二子已曾供養六十五百千万億那由
他恒河沙諸佛親近恭敬於諸佛所受持法
華經愍念邪見衆生令住正見妙莊嚴王即
從虛空中下而白佛言世尊如來甚希有以
功德智慧故頂上肉髻光明顯照其眼長廣
而紺青色眉間毫相白如珂月齒白齊密常
有光明脣色赤好如頻婆菓
尒時妙莊嚴王讚歎佛如是等無量百千万
億功德已於如來前一心合掌復白佛言世
尊未曾有也如來之法具足成就不可思議
微妙功德教戒所行安隱快善我從今日不
復自隨心行不生邪見憍慢瞋恚諸惡之心
說是語已礼佛而出佛告大衆於意云何妙
莊嚴王豈異人乎今華德菩薩是其淨德夫
人今佛前光照莊嚴相菩薩是哀愍妙莊

BD02789號　妙法蓮華經（八卷本）卷八　（17–11）

說是語已礼佛而出佛告大衆於意云何妙
莊嚴王豈異人乎今華德菩薩是其淨德夫
人今佛前光照莊嚴相菩薩是哀愍妙莊
嚴王及諸眷屬故於彼中生其二子者今藥
王菩薩藥上菩薩是藥王藥上菩薩成就
如此諸大功德已於无量百千万億諸佛所
殖衆德本成就不可思議諸善功德若有人
識是二菩薩名字者一切世間諸天人民亦應
礼拜佛說是妙莊嚴王本事品時八万四千
人遠塵離垢於諸法中得法眼淨
妙法蓮華經普賢菩薩勸發品第二十八
尒時普賢菩薩以自在神通威德名聞與大
菩薩无量无邊不可稱數從東方來所經諸
國普皆震動雨寶蓮華作无量百千万億
種種伎樂又與无數諸天龍夜叉乾闥婆阿脩
羅迦樓羅緊那羅摩睺羅伽人非人等大衆圍
遶各現威德神通之力到娑婆世界耆闍崛
山中頭面礼釋迦牟尼佛右遶七匝白佛言
世尊我於寶威德上王佛國遥聞此娑婆
世界說法華經與无量无邊百千万億諸菩
薩衆共來聽受唯願世尊當為說之若善
男子善女人於如來滅後云何能得是法華
經佛告普賢菩薩若有善男子善女人成就
四法於如來滅後當得是法華經一者為諸佛
護念二者殖諸德本三者入正定聚四者發
救一切衆生之心善男子善女人如是成就

BD02789號　妙法蓮華經（八卷本）卷八　（17–12）

男子善女人於如來滅後云何能得是法華
經佛告普賢菩薩若有善男子善女人成就
四法於如來滅後當得是法華經一者為諸佛
護念二者殖諸德本三者入正定聚四者發
救一切衆生之心善男子善女人如是成就
四法於如來滅後必得是經
尒時普賢菩薩白佛言世尊於後五百歲濁
惡世中其有受持是經典者我當守護除其
衰患令得安隱使无伺求得其便者若魔若
魔子若魔女若魔民若為魔所著者若夜叉
若羅刹若鳩槃荼若毗舍闍若吉遮若富單
那若韋陁羅等諸惱人者皆不得便是人若
行若立讀誦此經我尒時乘六牙白象王與
大菩薩衆俱詣其所而自現身供養守護安
慰其心亦為供養法華經故是人若坐思惟此
經尒時我復乘白象王現其人前其人若於法
華經有所妄失一句一偈我當教之與共讀
誦還令通利尒時受持讀誦法華經者得見
我身甚大歡喜轉復精進以見我故即得三
及陁羅尼名為旋陁羅尼百千万億旋陁羅
尼法音方便陁羅尼得如是等陁羅尼世尊
若後世後五百歲濁惡世中比丘比丘尼優
婆塞優婆夷求索者受持者讀誦者書寫者
欲脩習是法華經於三七日中應一心精進
滿三七日已我當乘六牙白象與无量菩薩
而自圍遶以一切衆生所憙見身現其人前
而為說法示教利喜亦復與其陁羅尼呪得

BD02789號　妙法蓮華經（八卷本）卷八　（17–13）

優婆塞優婆夷求索者受持者讀誦者書寫者
欲脩習是法華經於三七日中應一心精進
滿三七日已我當乘六牙白象與无量菩薩
而自圍遶以一切衆生所憙見身現其人前
而為說法示教利喜亦復與其陀羅尼呪得
是陀羅尼故无有非人能破壞者亦不為女
人所惑亂我身亦自常護是人唯願世尊聽
我說此陀羅尼即於佛前而說呪曰
阿檀地途賣反一 檀陀婆地二 檀陀婆帝三 檀陀究舍隸四
檀陀脩陀隸五 脩陀隸六 脩陀羅婆底七 佛䭾波羶
祢八 薩婆陀羅尼阿婆多尼九 薩婆婆沙阿婆多尼十
脩阿婆多尼十一 僧伽婆履叉尼十二 僧伽涅伽陀尼十三
阿僧祇十四 僧伽波伽地十五 帝隸阿惰僧伽兜略盧遮反
婆羅帝十六 薩婆僧伽三摩地伽蘭地十七 薩婆達摩
脩婆利剎帝十八 薩婆薩埵樓䭾憍舍略阿㝹伽地
十九 辛阿略吉利地帝二十
世尊若有菩薩得聞是陀羅尼者當知普賢
神通之力若法華經行閻浮提有受持者應
作此念皆是普賢威神之力若有受持讀誦
正憶念解其義趣如說脩行當知是人行普
賢行於无量无邊諸佛所深種善根為諸如
來手摩其頭若但書寫是人命終當生忉利
天上是時八万四千天女作衆伎樂而來迎之
其人即著七寶冠於婇女中娛樂快樂何況
受持讀誦正憶念解其義趣如說脩行若有
人受持讀誦解其義趣是人命終為千佛授手
令不恐怖不墮惡趣即往兜率天上弥勒菩

BD02789號　妙法蓮華經（八卷本）卷八　（17–14）

天上是時八万四千天女作衆伎樂而來迎之
其人即著七寶冠於婇女中娛樂快樂何況
受持讀誦正憶念解其義趣如說脩行若有
人受持讀誦解其義趣是人命終為千佛授手
令不恐怖不墮惡趣即往兜率天上弥勒菩
薩所弥勒菩薩有三十二相大菩薩衆所共
圍遶有百千万億天女眷屬而於中生有如
是等功德利益是故智者應當一心自書若
使人書受持讀誦正憶念如說脩行世尊我
今以神通力守護是經於如來滅後閻浮提
內廣令流布使不斷絕
尒時釋迦牟尼佛讚言善哉善哉普賢汝
能護助是經令多所衆生安樂利益汝已成
就不可思議功德深大慈悲從久遠來發阿
耨多羅三藐三菩提意而能作是神通之願守
護是經我當以神通力守護能受持普賢菩
薩名者普賢若有受持讀誦正憶念脩習書
寫是法華經者當知是人則見釋迦牟尼佛
如從佛口聞此經典當知是人供養釋迦牟
尼佛當知是人佛讚善哉當知是人為釋迦
牟尼佛手摩其頭當知是人為釋迦牟尼佛
衣之所覆如是之人不復貪著世樂不好外
道經書手筆亦復不憙親近其人及諸惡者
若屠兒若畜猪羊鷄狗若獵師若衒賣女色
是人心意質直有正憶念有福德力是人不
為三毒所惱亦復不為嫉妬我慢邪慢增上
慢所惱是人少欲知足能脩普賢之行
普賢若如來滅後後五百歲若有人見受持
讀誦法華經者亦應作是念此人不久當詣

BD02789號　妙法蓮華經（八卷本）卷八　（17–15）

若屠兒若畜猪羊雞狗若獵師若衒賣女色
是人心意質直有正憶念有福德力是人不
為三毒所惱亦復不為嫉妬我慢邪慢增上
慢所惱是人少欲知足能脩普賢之行
普賢若如來滅後後五百歲若有人見受持
讀誦法華經者亦應作是念此人不久當詣
道場破諸魔衆得阿耨多羅三藐三菩提
轉法輪擊法鼓吹法蠡雨法雨當坐天人大
衆中師子法坐上普賢若於後世受持讀誦
是經典者是人不復貪著衣服卧具飲食資
生之物所願不虛亦於現世得其福報若有
人輕毀之言汝狂人耳空作是行終无不獲
如是罪報當世世无眼若有供養讚歎之者
當於今世得現果報若復見受持是經者出
其過惡若實若不實此人現世得白癩病若
有輕咲之者當世世牙齒踈缺醜脣平鼻手
脚繚戾眼目角睞身體臭穢惡瘡膿血水
腹短氣諸惡重病是故普賢若見受持是
經者當起遠迎當如敬佛說是普賢勸發
品時恒河沙等無量無邊菩薩得百千億旋
陀羅尼三千大千世界微塵等諸菩薩具普
賢道佛說是經時普賢等諸菩薩舍利弗
等諸聲聞及諸天龍人非人等一切大會
皆大歡喜受持佛語作礼而去

妙法蓮華經卷第八

BD02789號　妙法蓮華經（八卷本）卷八　（17–16）

人輕毀之言汝狂人耳空作是行終无不獲
如是罪報當世世无眼若有供養讚歎之者
當於今世得現果報若復見受持是經者出
其過惡若實若不實此人現世得白癩病若
有輕咲之者當世世牙齒踈缺醜脣平鼻手
脚繚戾眼目角睞身體臭穢惡瘡膿血水
腹短氣諸惡重病是故普賢若見受持是
經者當起遠迎當如敬佛說是普賢勸發
品時恒河沙等無量無邊菩薩得百千億旋
陀羅尼三千大千世界微塵等諸菩薩具普
賢道佛說是經時普賢等諸菩薩舍利弗
等諸聲聞及諸天龍人非人等一切大會
皆大歡喜受持佛語作礼而去

妙法蓮華經卷第八

BD02789號　妙法蓮華經（八卷本）卷八　（17–17）

……
五大慧何者為
慧斷彼二種能
生根本名煞……阿羅漢謂諸
如鼠毒發……不生大慧是
名煞阿羅漢大慧何者破和合僧謂五陰異
相和合積聚究竟所破名為破僧大慧何者
惡心出佛身血謂……見外自心相八種
識身依无漏三解脫……八種識佛名
為惡心出佛身血大慧是名內身五无間若
善男子善女人行此无間得名无間者无間
名諸如實法……
入大慧我為汝等說外五種无間之相諸
菩薩聞是義已於未來世不生疑心大慧何
者是外五種无間謂煞父母羅漢破和合僧
出佛身血行此无間……彼三種解脫門中
不能得證一一解脫除依如來力住持應化
聲聞菩薩如來神力為五種罪人懺悔疑心
斷此疑心令生善根為彼罪人作應化說大
慧若犯五種无間罪者畢竟不得證入道分

BD02790號　入楞伽經卷五

（22–1）

不能得證一一解脫除依如來力住持應化
聲聞菩薩如來神力為五種罪人懺悔疑心
斷此疑心令生善根為彼罪人作應化說大
慧若犯五種无間罪者畢竟不得證入道分
除見自心唯是虛妄離身資生所依住處分
別見我我所相於无量无邊劫中遇善知識
於異道身離於自心虛妄見過尒時世尊重
說偈言
貪愛名為母　无明則為父　了境識為佛　諸使為羅漢
陰聚名為僧　无間斷相續　更无有業間　得真如无間
尒時聖者大慧菩薩復白佛言世尊唯願為
我說諸如來知覺之相佛告聖者大慧菩
薩摩訶薩言大慧如實知人无我法无我如
實能知二種鄣故遠離二種煩惱大慧是名如
來如實知覺大慧聲聞辟支佛得此法者
亦名為佛大慧是因緣故我說一乘尒時世
尊重說偈言
善知二無我　二鄣二煩惱　得不思議變　是名佛知覺
尒時聖者大慧菩薩復白佛言世尊世尊何
故於大眾中說如是言我是過去一切佛及
說種種本生經我於尒時作頂生王六牙大
鳥鸚鵡鳥毗耶婆仙人帝釋王善眼菩薩如
是等百千經皆說本生佛告聖者大慧菩薩
摩訶薩言大慧依四種平等如來應正遍知
於大眾中唱如是言我於尒時作拘留孫佛
拘那含牟尼佛迦葉佛何等為四一者字平
等二者語平等三者法平等四者身平等大

BD02790號　入楞伽經卷五

（22–2）

摩訶薩言大慧依四種平等如來應正遍知
於大眾中唱如是言我於尒時作拘留孫佛
拘那含牟尼佛迦葉佛何等為四一者字平
等二者語平等三者法平等四者身平等大
慧依此四種平等法故諸佛如來在於眾中
說如是言大慧何者字平等謂何等字過去
佛名佛我同彼字亦名為佛不過彼字與彼
字等无異无別入慧是名字平等大慧何
者諸佛語平等謂過去佛有六十四種美妙
梵聲言語說法我亦六十四種微妙梵聲言
語說法大慧未來諸佛亦以六十四種微妙
梵聲言語說法不增不減不異无差別迦陵
頻伽梵聲美妙大慧是名諸佛語平等大慧
何者諸佛身平等大慧我及諸佛法身色身
相好莊嚴无異无差別除依可度眾生彼彼
眾生種種生處諸佛如來現種種身大慧是
名諸佛身平等大慧云何諸佛法平等謂
彼佛及我得卅七菩提分法十力四无畏等大慧
是名諸佛法平等大慧依此四種平等法故
如來於大眾中作如是說我是過去頂生王
等尒時世尊重說偈言
迦葉拘留孫　拘那含是我　說諸佛子等　依四平等故
大慧菩薩復白佛言世尊如來說言我何等
夜證大菩提何等夜入般涅槃我於中間不
說一字佛言非言世尊依何義說如是語佛
語非語佛告大慧言大慧如來依二種法說

大慧菩薩復白佛言世尊如來說言我何等
夜證大菩提何等夜入般涅槃我於中間不
說一字佛言非言世尊依何義說如是語佛
語非語佛告大慧言大慧如來依二種法說
如是言何者為二我說如是一者依自身內
證法二者依本住法作如是言
大慧云何依自身內證法謂彼過去諸佛如
來所證得法我亦如是證得不增不減自
身內證諸境界行離言語分別相離二種字
故大慧何者本住法大慧謂本行路平坦譬
如金銀真珠等寶在於彼處大慧是名法性
本住處大慧諸佛如來出世不出世法性法
界法住法相法證常住如城本道大慧譬如
有人行曠野中見向本城平坦正道即隨入
城入彼城已受種種樂作種種業大慧於意
云何彼人始作是道隨入城耶始作種種諸
莊嚴耶大慧白佛不也世尊大慧我及過去
一切諸佛法性法界法住法相法證常住亦
復如是大慧我依此義於大眾中作如是說
我何等夜得大菩提何等夜入般涅槃此二
中間不說一字亦不已說當說現說尒時世
尊重說偈言
我何夜成道　何等夜涅槃　於此二中間　我都无所說
內身證法性　我依如是說　十方佛及我　諸法无差別
尒時聖者大慧菩薩復請佛言唯願世尊說
一切法有无相令我及餘菩薩大眾得聞是

中間不說一字亦不已說當說現說尒時世
尊重說偈言
我何夜成道　何等夜涅槃　於此二中間　我都无所說
内身證法性　我依如是說　十方佛及我　諸法无差別
尒時聖者大慧菩薩復請佛言唯願世尊說
一切法有无相令我及餘菩薩大衆得聞是
已離有无相疾得阿耨多羅三藐三菩提佛
告聖者大慧菩薩言善哉善哉善哉大慧
諦聽諦聽當為汝說大慧白佛言善哉世尊
唯然受教佛告大慧世間人多墮於二見何等
二見一者見有二者見无以見有諸法見无諸
法故非究竟法生究竟想大慧云何世間
墮於有見謂實有因緣而生諸法非不實
有實有法生非无法生大慧世間人如是說者
是名為說无因无緣及謗世間无因无緣而
生諸法大慧世間人云何墮无見謂說言貪
瞋癡實有貪瞋癡而復說言无貪瞋癡分別
有无大慧若復有人作如是言无有諸法以
不見諸物相故大慧若復有人作如是言聲
聞辟支佛无貪无瞋无癡復言先有此二人
者何等人勝何等人不如大慧菩薩言若人
言先有貪瞋癡後時无此人不如佛告大慧
善哉善哉善哉大慧汝解我問大慧非但
言先實有貪瞋癡後時言无同衛世師等
是故不如大慧非但不如滅一切聲聞辟支佛
法何以故大慧以實无内外諸法故以非一非

是故不如大慧非但不如滅一切聲聞辟支佛
法何以故大慧以實无内外諸法故以非一非
異故以諸煩惱非一非異故大慧貪瞋癡法
内身不可得外法中亦不可得无實體故故
我不許大慧我不許者不許有貪瞋癡是
故彼人滅聲聞辟支佛法何以故諸佛如来
知寂靜法聲聞緣覺不見法故以无能縛所
縛因故大慧若有能縛必有所縛若有所縛
必有能縛因大慧如是說者名滅諸法大慧
是名无法相大慧我依此義餘經中說寧起
我見如須弥山而起憍慢不言諸法是空无
也大慧憎上慢人言諸法无者是滅諸法墮
自相同相見故以見自心見法故以見外物无
常故諸相展轉彼彼差別故以見陰界入相
續體彼彼因展轉而生以自心虛妄分別是
故大慧如此人者滅諸佛法尒時世尊重說
偈言
有无是二邊　以為心境界　離諸境界法　平等心寂靜
无取境界法　滅非有非无　如真如本有　彼是聖境界
本无而有生　生已還復滅　非有非无生　彼不住我教
非外道非佛　非我亦非餘　從因緣不成　云何得言有
若因緣不生　云何而言无　耶見論生法　妄想計有无
若知无所生　亦知无所滅　觀世悉空寂　彼不墮有无
尒時聖者大慧菩薩復白佛言世尊唯願如
来應正遍知天人師為我及諸一切菩薩達
立脩行正法相我及一切菩薩摩訶薩善知

若知无所生　亦知无所滅　觀世悉空寂　彼不住有无
尒時聖者大慧菩薩復白佛言世尊唯願如
來應正遍知天人師為我及諸一切菩薩建
立脩行正法相我及一切菩薩摩訶薩善知
脩行正法相已速得成就阿耨多羅三藐三
菩提不墮一切虛妄覺觀魔事故佛告大慧
菩薩言善哉善哉善哉大慧諦聽諦聽我為
汝說大慧言善哉世尊唯然受教佛告大慧
言大慧有二種法諸佛如來菩薩聲聞辟支
佛建立脩行正法之相何等為二一者建立
正法二者說建立正法相大慧何者建立
正法相謂自身內證諸勝法相離文字語言
章句能取无漏正戒證諸地脩行相法離諸
外道虛妄覺觀諸魔境界降伏一切外道諸
魔顯示自身內證之法如實脩行大慧是
名建立正法之相大慧何者建立說法之相謂
說九部種種教法離於一異有无取相先說
善巧方便為令眾生入所樂處謂隨眾生信
彼彼法說彼彼法大慧是名建立說法相大
慧汝及諸菩薩應當脩學如是正法尒時世
尊重說偈言
建立內證法　及說法相名　善能善分別　不隨他教相
實无外諸法　如凡夫分別　若諸法虛妄　何故取解脫
觀察諸有為　生滅等相續　增長於二見　不能知因緣
涅槃離於識　唯此一法實　觀世間虛妄　如幻夢芭蕉
雖有貪瞋癡　而无有作者　從愛生諸陰　有皆如幻夢
尒時聖者大慧菩薩復白佛言世尊唯願如

BD02790號　入楞伽經卷五　（22–7）

觀察諸有為　生滅等相續　增長於二見　不能知因緣
涅槃離於識　唯此一法實　觀世間虛妄　如幻夢芭蕉
雖有貪瞋癡　而无有作者　從愛生諸陰　有皆如幻夢
尒時聖者大慧菩薩復白佛言世尊唯願如
來應正遍知為諸菩薩說不實妄想何等法
中不實妄想佛告大慧菩薩言善哉善哉
善哉大慧汝為安隱一切眾生饒益一切眾生
安樂一切眾生哀愍一切世間天人請我此
事大慧諦聽諦聽當為汝說大慧言善哉
世尊唯然受教佛告大慧一切眾生執著不實
虛妄想者從見種種虛妄法生以著虛妄能
取可取諸境界故入自心見生虛妄相故墮
於有无二見朋黨非法聚中增長成就外道
虛妄異見薰習故大慧以取外諸戲論義故
起於虛妄心心數法猶如草束分別我我所
法大慧以是義故生不實妄想大慧白佛言
世尊若諸眾生執著不實虛妄想者從見
種種虛妄法生執著虛妄能取可取一切境界
入自心見生虛妄想墮於有无二見朋黨分
別聚中增長成就外道虛妄異見薰習以取
外諸戲論之義不實妄想起於虛妄心心數
法猶如草束取我我所者世尊如彼依外種
種境界種種相墮有墮无朋黨相中離有无
見相世尊第一義諦亦應如是遠離向合聖
所說法遠離諸根遠離建立三種之法譬喻
因相世尊云何一處種種分別執著種種虛
妄想生何故不著第一義諦虛妄分別而生

BD02790號　入楞伽經卷五　（22–8）

種境界種種相隨有隨无朋黨相中離有无
見相世尊第一義諦亦應如是遠離向含聖
所說法遠離諸根遠離建立三種之法譬喻
因相世尊云何一處種種分別執著種種虛
妄想生何故不著第一義諦虛妄分別而生
分別世尊世尊如是說法非平等說无因而
說何以故一處不一處不生故若世尊如是
說者隨二朋黨以見執著虛妄分別而生
分別以世尊說如世幻師依種種因緣生種
種色像以世尊自心虛妄分別以世尊言種
種虛妄若有若无不可言說爲離分別如是
如來墮世間論入耶見心朋黨衆中佛告大
慧我分別虛妄不生不滅何以故不生有无
分別相故不見一切外有无故大慧以見自
心如實見故虛妄分別不生不滅大慧我此
所說唯爲愚癡凡夫而說自心分別分別種
種隨先心生分別種種有相執著何以故若
不說者愚癡凡夫不離自心虛妄覺知不離
執著我我所見不離因果諸因緣過如實覺
知二種心故善知一切諸地行相善知諸佛
自身所行內證境界轉五法體見分別相入
如來地大慧因是事故我說一切諸衆生等
執著不實虛妄生心自心分別種種諸義以
是義故一切衆生知如實義而得解脫尒時
世尊重說偈言
諸因及與緣　從此生世間　妄想著四句　彼不知我說
世有无不生　離有无不生　云何愚分別　依因緣生法

BD02790號　入楞伽經卷五

（22-9）

執著不實虛妄生心自心分別種種諸義以
是義故一切衆生知如實義而得解脫尒時
世尊重說偈言
諸因及與緣　從此生世間　妄想著四句　彼不知我說
世有无不生　離有无不生　云何愚分別　依因緣生法
若能見世間　有无非有无　轉於虛妄心　得真无我法
諸法本不生　故依因緣生　諸緣即是果　從果不生有
從果不生果　若尒有二果　若有二果者　果中果難得
離念及所念　觀諸有爲法　見諸唯心法　故我說唯心
量體及形相　離緣及諸法　究竟有真淨　我說如是量
假名世諦我　彼則无實事　諸陰陰假名　假名非實法
有四種平等　相因生无我　如是四平等　是脩行者法
轉一切諸見　離分別分別　不見及不生　故我說唯心
非有非无法　離有无諸法　如是離心法　故我說唯心
真如空實際　涅槃及法界　意身身心等　故我說唯心
分別依薰縛　心依諸境生　衆生見外境　故我說唯心
可見外法无　心畫見如是　身資生住處　故我說唯心
尒時聖者大慧菩薩復白佛言世尊如來說
言如來所說汝及諸菩薩莫著音聲言語
之義世尊云何菩薩不著言語之義世尊何
者爲言語何者爲義佛告聖者大慧菩薩
言善哉善哉善哉大慧當爲汝說大慧言善
哉世尊唯然受教佛告大慧何者爲聲謂依无
薰習言語名字和合分別因於喉鼻齒頰脣
舌和合動轉出彼言語分別諸法是名爲聲
大慧何者爲義菩薩摩訶薩依聞思脩聖智

BD02790號　入楞伽經卷五

（22-10）

薰習言語名字和合分別因於喉鼻齒頰脣
舌和合動轉出彼言語分別諸法是名為聲
大慧何者為義菩薩摩訶薩依聞思脩聖智
慧力於空閑處獨坐思惟云何涅槃趣涅槃
道觀察內身脩行境界地地處處脩行勝相
轉彼无始薰習之因大慧是名菩薩善解義
相復次大慧云何菩薩摩訶薩善解言語義
大慧菩薩見言語聲義不一不異見義言語
聲不一不異大慧若言語離於義者不應
因彼言語聲故而有於義而義依彼言語了
別大慧如依於燈了別眾色大慧譬如有人
然燈觀察種種珍寶此處如是彼處如
是如是大慧菩薩依言語聲證離言語入自
內身脩行義故復次大慧一切諸法不生不
滅自性本来入於涅槃三乘一乘五法心諸
法體等同言語聲義依眾緣取相恒有无見
謗於諸法見諸法體各住異相分別異相如
是分別已見種種法相如幻見種種分別大
慧譬如幻種種異異分別非謂聖人是凡夫
見尒時世尊重說偈言
分別言語聲　建立於諸法　以彼建立故　故墮於惡道
五陰中无我　我中无五陰　不如彼妄想　亦復非是无
凡夫妄分別　見諸法實有　若如彼所見　一切應見真
一切法若无　染淨亦應无　彼見无如是　亦非无所有
復次大慧我今為汝說智識相汝及諸菩薩
摩訶薩應善知彼智識之相如實脩行智

BD02790號　入楞伽經卷五　（22–11）

凡夫妄分別　見諸法實有　若如彼所見　一切應見真
一切法若无　染淨亦應无　彼見无如是　亦非无所有
復次大慧我今為汝說智識相汝及諸菩薩
摩訶薩應善知彼智識之相如實脩行智
識相故疾得阿耨多羅三藐三菩提大慧有三
種智何等為三一者世間智二者出世間智
三者出世間上上智大慧識者生滅相智者
不生滅相復次大慧識者墮於有相无相墮
彼有无種種相因大慧智相者遠離有相无
相有无因相名為智相復次大慧集諸法
者名為識相不集諸法名為智相大慧智有
三種何等為三一者觀察自相同相二者觀
察生相滅相三者觀察不生不滅相大慧何
者世間智諸外道凡夫人等執著一切諸法
有无是名世間智大慧何者出世間智謂諸
一切聲聞緣覺虛妄分別自相同相是名出
世間智大慧何者出世間上上智謂佛如来
菩薩摩訶薩觀察一切諸法寂靜不生不滅
得如来地无我證法離彼有无朋黨二見復
次大慧所言智者无鄣礙相識者識彼諸境
界相復次大慧識者和合起作所作名為識
相无礙法相應名為智相復次大慧无所得
相名之為智以自內身證得智脩行境界
故出入諸法如水中月是名智相尒時世尊
重說偈言
識能集諸業　智能了分別　慧能得无相　及妙莊嚴境

BD02790號　入楞伽經卷五　（22–12）

故出入諸法如水中月是名智相尒時世尊
重說偈言
識能集諸業　智能了分別　慧能得无相　及妙莊嚴境
識為境界縛　智能了諸境　无相及勝境　是慧所住處
心意及意識　遠離於諸相　聲聞分別法　非是諸弟子
寂靜勝進忍　如來清淨智　生於善勝智　遠離諸所行
我有三種慧　依彼得聖名　於彼相分別　能聞於有无
離於二乘行　慧離於境界　聖於有无相　從諸聲聞生
能入唯是心　智慧无垢相
復次大慧諸外道有九種轉變見何等為九
一者形相轉變二者相轉變三者因轉變四
者相應轉變五者見轉變六者物轉變七者
緣了別轉變八者作法了別轉變九者生轉
變大慧是名九種轉變見依九種轉變見故
一切外道說於轉變從有无生大慧何者外
道形相轉變大慧辟如以金作莊嚴具環釧
纓珞種種各異形相雖殊金體不變一切外
道分別諸法形相轉變亦復如是大慧復有
外道分別諸法依因轉變大慧而彼諸法亦
非如是非不如是依分別故大慧如是一切
切轉變亦尒應知辟如乳酪酒果等熟二
轉變一切外道分別轉變亦復如是而无實
法可以轉變以自心見有无可取分別有无
故大慧一切凡夫亦復如是以依自心分別
而生一切諸法大慧无有法生无有法轉如
幻夢中見諸色事大慧辟如夢中見一切

故大慧一切凡夫亦復如是以依自心分別
而生一切諸法大慧无有法生无有法轉如
幻夢中見諸色事大慧辟如夢中見一切
事石女兒生死尒時世尊重說偈言
轉變時形相　四大種諸根　中陰及諸取　如是取非智
因緣生世間　佛不如是說　因緣即世間　如乾闥婆城
尒時大慧菩薩摩訶薩復白佛言世尊唯
願如來應正遍知善說一切諸法相續不相續
相唯願善逝說一切法相續不相續相我及
一切諸菩薩衆善解諸法相續不相續相善
巧方便知已不墮執著諸法相續不相續相
離一切法相續不相續言說文字妄想已得
力自在神通遊化十方一切諸佛國土大衆
之中陁羅尼門善印所印十盡句善縛所縛
種種變化光明照曜辟如四大日月摩尼自
然而行衆生受用遠離諸地唯自心見分別
之相亦一切法如幻如夢亦入依止諸佛之
地於衆生界隨其所應而為說法攝取令住
一切諸法如幻如夢離於有无一切朋黨生
滅妄想異言說義轉身自在住勝處住
佛告聖者大慧菩薩言善哉善哉善哉大慧
諦聽諦聽當為汝說大慧白佛言善哉世尊
唯然受教佛告大慧一切諸法相續不相續
相者謂如聲聞執著義相續相執著相續
緣執著相續有无執著相續分別生不生執
著相續分別滅不滅執著相續分別乘非乘執

相者謂如聲聞執著義相續相執著相續
緣執著相續有无執著相續分別生不生執
著相續分別滅不滅執著相續分別乗非乗執
著相續分別有為无為執著相續分別地地
相執著相續分別自分別執著相續分別有
无入外道朋黨執著相續大慧如是愚癡凡
夫无有異心分別相續依此相續愚癡分別
如蠶作繭依自心見分別緣相續樂於和合
自纏纏他執著有无和合相續大慧然无相
續无相續相以見諸法寂靜故大慧以諸菩
薩見一切法无分別相是故名見一切菩薩
寂靜法門復次大慧如實能知外一切法離
於有无如實覺知自心見相以入无相自心
相故大慧以見分別有无法故名為相續以
見諸法寂靜故名无相續无相續无相續諸
法相大慧无續无脫墮於二見自心分別有
縛有解何以故以不能知諸法有无故復次
大慧愚癡凡夫有三種相續何等為三謂貪
瞋癡及愛樂生以此相續故有後生大慧相
續者衆生相續生於五道大慧斷相續者无
相續无相續相復次大慧執著因緣相續故
生於三有以諸識展轉相續不斷見三解脫
門轉滅執著三有因識名斷相續尒時世尊
重說偈言
不實妄分別　名為相續相　能如實知彼　相續網則斷
若取聲為實　如蠶繭自纏　自心妄相續　凡夫不能知

三有以諸識展轉相續不斷見三解脫
門轉滅執著三有因識名斷相續尒時世尊
重說偈言
不實妄分別　名為相續相　能如實知彼　相續網則斷
若取聲為實　如蠶繭自纏　自心妄相續　凡夫不能知
大慧菩薩復白佛言如世尊說以何等何等
分別心分別何等何等法而彼彼法无彼如
是如是體相唯自心分別世尊若唯自心分
別非彼法相者如世尊說一切諸法應无染
淨何以故如來說言一切諸法妄分別見无
實體故佛告大慧如是如是如汝所說大慧
而諸一切愚癡凡夫分別諸法而彼諸法无
如是相虛妄分別以為實有大慧彼是凡夫
虛妄分別諸法體相虛妄覺知非如實見大
慧如聖人知一切諸法自體性相依聖人智
依聖人見依聖慧眼是如實知諸法自體大
慧菩薩言世尊世尊如諸聖人等依聖智依
聖見依聖慧眼非肉眼天眼覺知一切諸法
體相无如是相非如凡夫虛妄分別世尊云
何愚癡凡夫轉虛妄相佛告大慧能如實覺
知聖人境界轉虛妄識世尊彼癡凡夫非顛
倒見非不顛倒見何以故以不能見聖人境
界如實法體故以見轉變有无相故大慧白
佛言世尊一切聖人亦有分別一切種種諸
事无如是相以自心見境界相故世尊彼諸
聖人見有法體分別法相以世尊不說有因
不說无因何以故以墮有法相故餘人見竟

佛言世尊一切聖人亦有分別一切種種諸
事无如是相以自心見境界相故世尊彼諸
聖人見有法體分別法相以世尊不說有因
不說无因何以故以墮有法相故餘人見境
不如是見世尊如是說者有无窮過何以故
以不覺知所有法相无自體相故世尊非因
分別有法體相而有諸法世尊彼云何分別
不如彼分別應如彼分別世尊分別相異相
自體相異相世尊而彼二種因不相似彼彼
分別法體相異云何凡夫如此分別此因不
成如彼所見世尊說言我為斷諸一切衆生
虛妄分別心故作如是說如彼凡夫虛妄分
別无如是法世尊何故遮諸衆生有无見事
而執著實法聖智境界世尊復令一切衆生
墮无見處何以故以言諸法寂靜无相聖智
法體如是无相故佛告大慧我不說言一切
諸法寂靜无相亦不說言諸法悉无亦不令
其墮於无見亦令不著一切聖人境界如是
何以故我為衆生離驚怖處故以諸衆生无
始世來執著實有諸法體相是故我說聖人
知法體相實有復說諸法寂靜无相大慧我
不說言法體有无我說自身如實證法以聞
我法脩行寂靜諸法无相得見真如无相境
界入自心見法遠離見外諸法有无得王解
脫門得已以如實印善印諸法自身內證
智慧觀察離有无見復次大慧菩薩不應建

我法脩行寂靜諸法无相得見真如无相境
界入自心見法遠離見外諸法有无得王解
脫門得已以如實印善印諸法自身內證
智慧觀察離有无見復次大慧菩薩不應建
立諸法不生何以故以建立法同諸法有若不
介者同諸法无復次大慧因建立諸法有故
說一切法於建立法中同何以故以彼建立
不同一切法不生是故建立說一切法是言
自破何以故以建立中无彼建立若不介者
彼建立亦不生以同諸法无差別相故是故
建立諸法不生名為自破以彼建立三法五法
和合有故離於建立有无不生大慧彼建立
入諸法中不見无有法故大慧若彼建立
諸法不生而作是言一切法不生大慧如是
說者建立則破何以故離於建立有无相不
可得故大慧是故不應建立諸法不生大慧
以彼建立同彼一切不生法體是故不應建
立諸法不生以有多過故大慧復有不應建
立諸法不生何以故以三法五法彼彼因不
同故大慧復有不應建立諸法不生何以故
以彼三法五法作有為无常故是故不應建
立一切諸法不生大慧如是不應建立一切法
空一切諸法无實體相大慧而諸菩薩為
衆生說一切諸法如幻如夢以見不見相故
以諸法相迷惑見智故是故應說如幻如夢
除遮一切愚癡凡夫離驚怖處大慧以諸凡

空一切諸法无實體相大慧而諸菩薩為
衆生說一切諸法如幻如夢以見不見相故
以諸法相迷惑見智故是故應說如幻如夢
除遮一切愚癡凡夫離驚怖處大慧以諸凡
夫恒在有无邪見中故以凡夫聞如幻如夢
生驚怖故諸凡夫聞生驚怖已遠離大乘尒
時世尊重說偈言
无自體无識　无阿梨耶識　愚癡妄分別　邪見如死屍
一切法不生　餘見說不成　諸法畢不生　因緣不能成
一切法不生　莫建如是法　同不同不成　是故建立壞
辟如目有翳　虛妄見毛輪　分別於有无　凡夫虛妄見
三有唯假名　无有實法體　執假名為實　凡夫起分別
相事及假名　心意所受用　佛子能遠離　住寂境界行
无水取水相　諸獸癡妄心　凡夫見法尒　聖人則不然
聖人見清淨　三脫三昧生　遠離於生滅　得无鄣寂靜
脩行无所有　亦復不見无　有无法平等　是故生聖果
有无法云何　云何成平等　以心不能見　内外法无常
若能滅彼法　見心成平等
尒時聖者大慧菩薩白佛言世尊如世尊說
智慧觀察不能見前境界諸法尒時善知唯
是内心心意意識如實覺知无法可取亦无
能取是故智亦不能分別而取世尊若言智
慧不能取者為見諸法自相同相異異法相
種種異法體不同故智不能智為見諸法種
種體相不可異故智不能智為是山巖石辟
墻幕樹林草木地水火風之所鄣故智不能
知為是極遠極近處故智不能知為是老小

BD02790號　入楞伽經卷五　（22–19）

種種異法體不同故智不能智為見諸法種
種體相不可異故智不能智為是山巖石辟
墻幕樹林草木地水火風之所鄣故智不能
知為是極遠極近處故智不能知為是老小
為是盲冥諸根不具智不能知世尊若一切
法異異法相異異法體自相同相種種不同
故智不能知者世尊若尒彼知非智何以故
不能知前實境界故世尊若一切法種種體
相自相同相不見異故智不能知者若尒彼
智不得言智何以故實有境界不能知故世
尊有前境界如實能見名之為智若為山巖
石辟墻幕樹林草木地水火風極遠極近老
小盲冥諸根不具不能知見者彼智无智有
實境界而不知故佛告大慧如汝所說言无
智者是義不然何以故有實智故大慧我不
依汝如是之說境界是无唯自心見我說不覺
唯是自心見諸外物以為有无是故智慧不
見境界智不見者不行於心是故我說入三
解脫門智亦不見而諸凡夫无始世來虛妄
分別依戲語薰習薰彼心故如是分別見外
境界形相有无為離如是虛妄心故說一切
法唯自心見執著我我所故不能覺知但
是自心虛妄分別是智是境界分別是智是
境界故觀察外法不見有无恒於斷是尒時
世尊重說偈言
有諸境界事　智慧不能見　彼无智非智　虛妄見者說

BD02790號　入楞伽經卷五　（22–20）

是自心虛妄分別是智是境界分別是智是
境界故觀察外法不見有无愼於斷是尒時
世尊重説偈言
有諸境界事　智慧不能見　彼无智非智　虛妄見者説
言諸法无量　是智不能知　鄣礙及遠近　是妄智非智
老小諸根冥　不能生智慧　而實有境界　彼智非實智
復次大慧愚癡凡夫依无始身戲論煩惱分
別煩惱幻夢之身建立自法執著自心見外
境界執著名字章句言説而不能知建立正
法不脩正行離四種句清淨之法大慧菩薩
言如是如是世尊如世尊説世尊為我
説所説法建立法相我及一切諸菩薩等於
未來世善知建立説法之相不迷外道邪見
聲聞辟支佛不正見法佛告大慧菩薩言善
哉善哉善哉大慧諦聽諦聽我為汝説大慧
言善哉世尊唯然受教佛告大慧有二種過
去未來現在如來應正遍知所説法何等為
二一者建立説法相二者建立如實法相大
慧何者建立説法相謂種種功德脩多羅憂
波提舍隨衆生信心而為説法大慧是名建
立説法相大慧何者建立如實法相謂依何
等法而脩正行遠離自心虛妄分別諸法相
故不墮一異俱不俱朋黨聚中離心意意識
内證聖智所行境界離諸因緣相應見相
離一切外道邪見離諸一切聲聞辟支佛見
離於有无二朋黨見大慧是名建立如實法

BD02790號　入楞伽經卷五　（22–21）

二一者建立説法相二者建立如實法相大
慧何者建立説法相謂種種功德脩多羅憂
波提舍隨衆生信心而為説法大慧是名建
立説法相大慧何者建立如實法相謂依何
等法而脩正行遠離自心虛妄分別諸法相
故不墮一異俱不俱朋黨聚中離心意意識
内證聖智所行境界離諸因緣相應見相
離一切外道邪見離諸一切聲聞辟支佛見
離於有无二朋黨見大慧是名建立如實法
相大慧汝及諸菩薩摩訶薩應當脩學
尒時世尊重説偈言
我建立二種　説法如實法　依名字説法　為實脩行者

入楞伽經卷第五

BD02790號　入楞伽經卷五　（22–22）

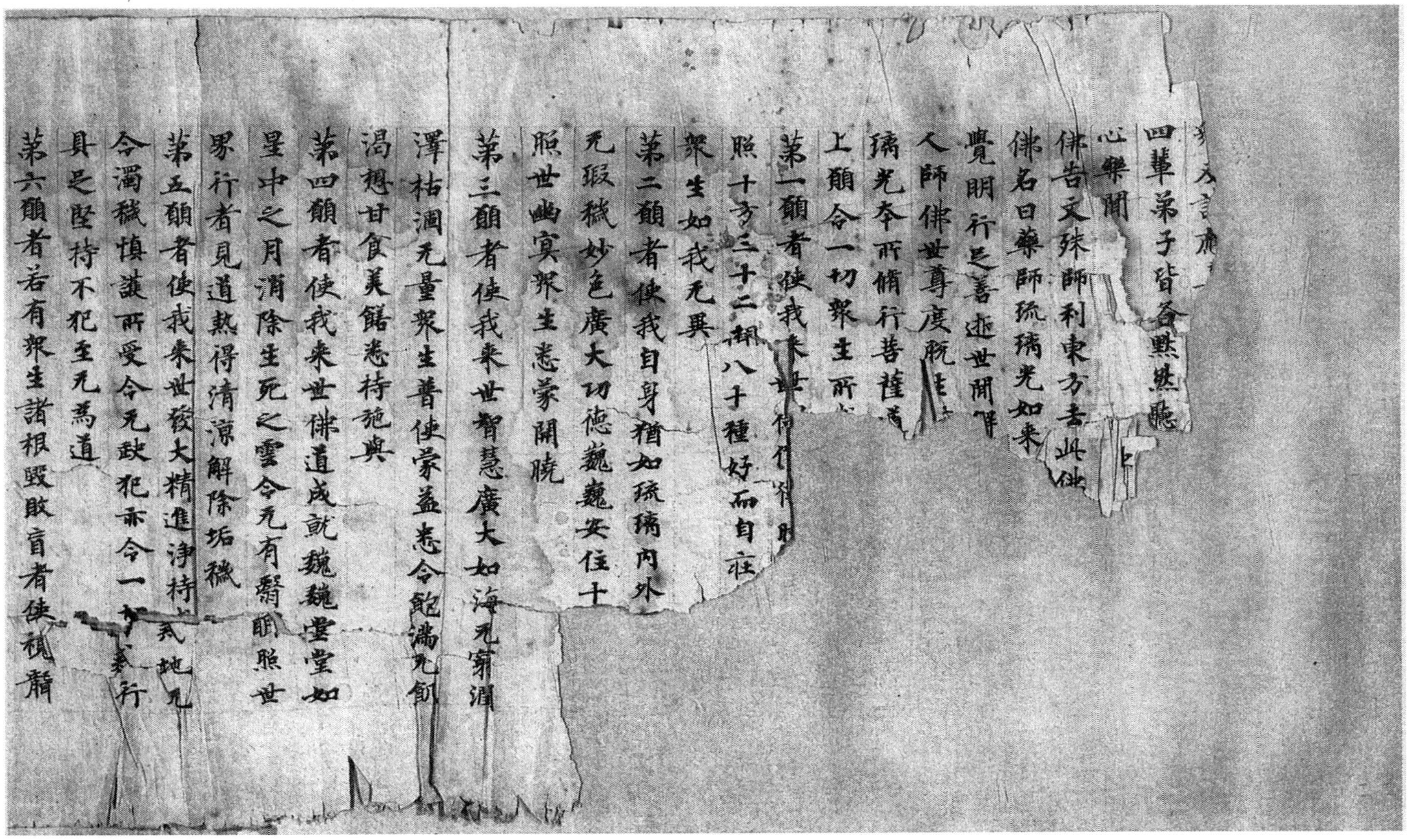
大言
四輩弟子皆答黙然聽
心樂聞
佛告文殊師利東方去此佛
佛名曰藥師琉璃光如來
覺明行足善逝世間解
人師佛世尊度脫生
璃光本所脩行菩薩
上願令一切衆生所
第一願者使我來世
照十方三十二相八十種好而自莊
衆生如我无異
第二願者使我自身猶如琉璃内外
无瑕穢妙色廣大功德巍巍安住十
照世幽冥衆生悉蒙開曉
第三願者使我來世智慧廣大如海无窮潤
澤枯涸无量衆生普使蒙益悉令飽滿无飢
渴想甘食美饍悉持施與
第四願者使我來世佛道成就巍巍堂堂如
星中之月消除生死之雲令无有翳明照世
界行者見道熱得清涼解除垢穢
第五願者使我來世發大精進淨持戒地无
令濁穢慎護所受令无缺犯亦令一切奉行
具足堅持不犯至无爲道
第六願者若有衆生諸根毀敗盲者使視聾

BD02791 號　灌頂章句拔除過罪生死得度經　（12–1）

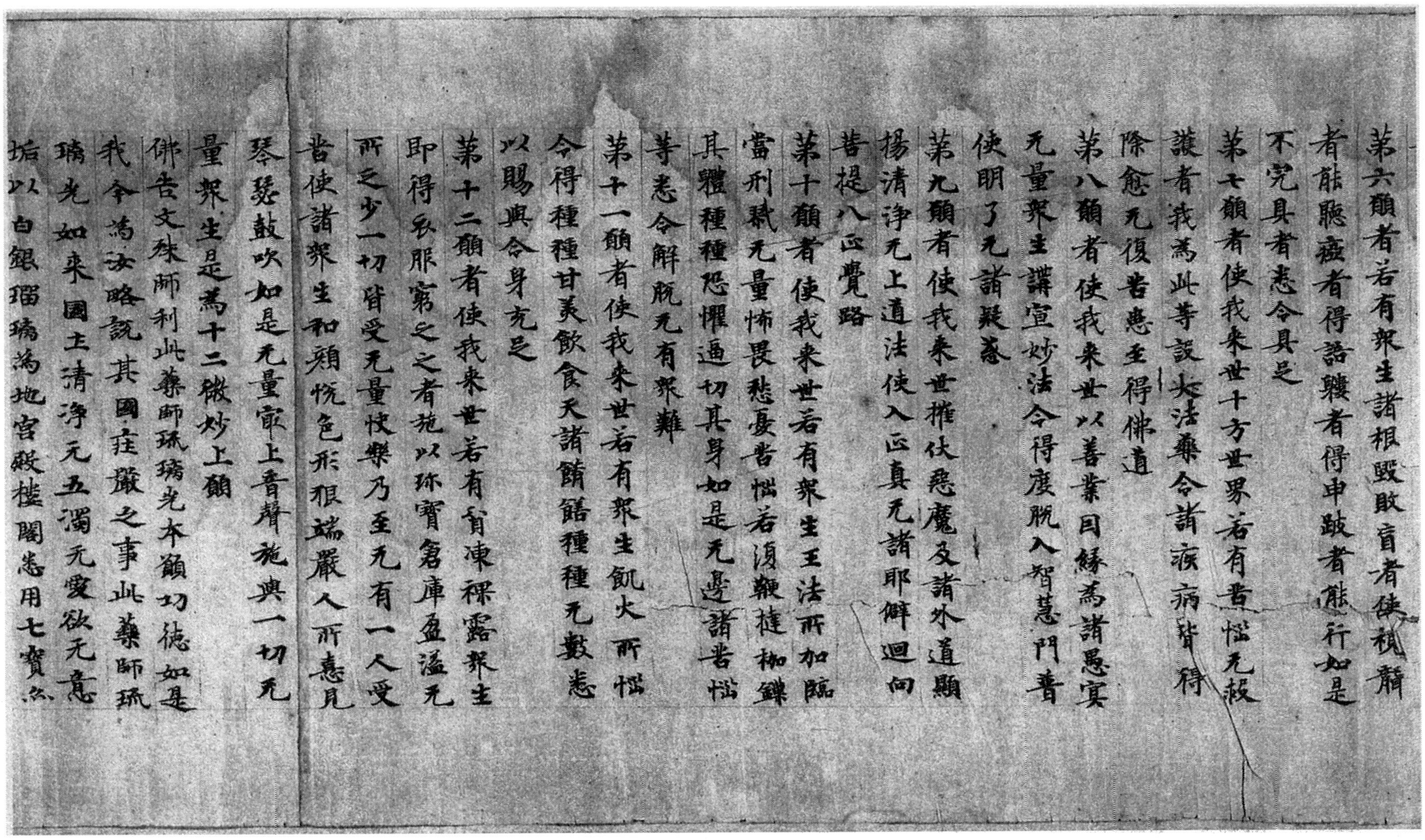
第六願者若有衆生諸根毀敗盲者使視聾
者能聽瘂者得語僂者得申跛者能行如是
不完具者悉令具足
第七願者使我來世十方世界若有苦惱无救
護者我爲此等設大法藥令諸疾病皆得
除愈无復苦患至得佛道
第八願者使我來世以善業因緣爲諸愚冥
无量衆生講宣妙法令得度脫入智慧門普
使明了无諸疑惑
第九願者使我來世摧伏惡魔及諸外道顯
揚清淨无上道法使入正真无諸耶僻迴向
菩提八正覺路
第十願者使我來世若有衆生王法所加臨
當刑戮无量怖畏愁憂苦惱若復鞭撻枷鎖
其體種種恐懼逼切其身如是无邊諸苦惱
等悉令解脫无有衆難
第十一願者使我來世若有衆生飢火所惱
令得種種甘美飲食天諸餚饍種種无數悉
以賜與令身充足
第十二願者使我來世若有貧凍裸露衆生
即得衣服窮乏之者施以珍寶倉庫盈溢无
所乏少一切皆受无量快樂乃至无有一人受
苦使諸衆生和顏悅色形貌端嚴人所憙見
琴瑟鼓吹如是无量最上音聲施與一切无
量衆生是爲十二微妙上願
佛告文殊師利此藥師琉璃光本願功德如是
我今爲汝略說其國莊嚴之事此藥師琉
璃光如來國土清淨无五濁无愛欲无意
垢以白銀琉璃爲地宮殿樓閣悉用七寶亦

BD02791 號　灌頂章句拔除過罪生死得度經　（12–2）

我今為汝說其國[illegible]
琉璃光如来國土清淨无五濁无愛欲无意
垢以白銀瑠璃為地宮殿樓閣悉用七寶亦
如西方无量壽國无有異也有二菩薩一名
日曜二名月淨是二菩薩次補佛處諸善男
子及善女人亦當願生彼國土也文殊師利
白佛言唯願演說藥師流璃光如来无量功
德饒益衆生令得佛道
佛言若有男子女人新破冢魔来入正道
得聞我說藥師琉璃光如来名字者魔家
眷屬退散馳走如是无量拔衆生苦我今
說之佛告文殊師利世間有人不解罪福慳
貪不知布施今世後世當得其福世人愚癡
但知貪惜寧自割身肉而噉食之不肯持錢
財布施求後世之福世又有人身不衣食與大
慳貪命終以後當墮餓鬼及在畜生中聞
我說是藥師琉璃光如来名字之時无不解
脫憂苦者也皆作信心貪福畏罪人從索頭
與頭索眼與眼乞妻與妻乞子與子求金銀
珎寶皆大布施一時歡喜即發无上正真道意
佛言若復有人受佛淨戒尊奉明法不解罪
福唯知明經不及中義不能分別曉了中事
以自貢高恒當嫉慣乃與世間衆魔從事
更作縛著不解行之穢著婦女恩愛之情口
為說空行在有中不能發覺復不自知但能
論說他人是非如此人輩皆當墮於三惡道
中聞我說是藥師琉璃光佛本願功德无不
歡喜念欲捨家作沙門者也
佛言世間有人好自稱譽皆是貢高當墮三

BD02791號　灌頂章句拔除過罪生死得度經

（12–3）

[illegible]論說他人是[illegible]
中聞我說是藥師琉璃光佛本願功德无不
歡喜念欲捨家作沙門者也
佛言世間有人好自稱譽皆是貢高當墮三
惡道中後還為人牛馬奴婢生下賤中人當
乘其力負重而行困苦疲極之失人身聞我
說是藥師瑠璃光如来本願功德者皆當一
心歡喜踊躍更作謙敬即得解脫衆苦之患
長得歡樂聰明智慧遠離惡道得生善處與
善知識共相值遇无復憂惱離諸魔縛佛言
世間愚癡人輩兩舌鬪諍惡口罵詈更相嫌
恨或就山神樹神日月之神南斗北辰諸鬼
神所作諸呪誓或作人名字或作人形像或
作符書以相厭禱呪咀言說聞我說是藥師
琉璃光本願功德无不兩作和解俱生慈心
惡意悉滅各各歡喜无復惡念
佛言若四輩弟子比丘比丘尼清信士清信
女常脩月六齋年三長齋或晝夜精懃一心
苦行願欲往生西方阿弥陁佛國者憶念晝
夜若一日二日三日四日五日六日乃至七日或
復中悔聞我說是琉璃光本願功德盡其
壽命欲終之日有八菩薩皆當飛往迎其精
神不逕八難生蓮華中自然音樂而相娛樂
佛言假使壽命自欲盡時臨終之日得聞我
說是藥師琉璃光佛本願功德者命終皆得
上生天上不復逕歷三惡道中天上福盡若
下生人間當為帝王家作子或生豪姓長者
居士富貴家生皆當端正聰明智慧高才勇
猛若是女人化成男子无復憂苦患難者也
[illegible]

BD02791號　灌頂章句拔除過罪生死得度經

（12–4）

下生人間當為帝王家作子或生豪姓長者
居士富貴家生皆當端正聰明智慧高才勇
猛若是女人化成男子无復憂苦患難者也
佛語文殊我稱譽顯說琉璃光佛至真等正
覺本所脩集无量行願功德如是文殊師利
從座而起長跪叉手前白佛言世尊佛去世
後當以此法開化十方一切衆生使其受持
是經典者若有男子女人愛樂是經受持讀
誦宣通之者復能專念若一日二日三日四日
五日六日乃至七日憶念不忘能以好素帛書
取是經五色雜綵作囊盛之者是時當有諸
天善神四大天王龍神八部常來營衛愛敬
此經能日日作礼是持經者不墮横死所居
安隱惡氣消滅諸魔鬼神亦不中害佛言如
是如是如汝所說文殊師利言天尊所說言
无不善
佛言文殊若有善男子善女人志心造立藥
師琉璃光如來形像供養礼拜懸雜色幡蓋
燒香散華歌詠讚嘆遶遶百迊還本坐處
端坐思惟念藥師琉璃光佛无量功德若有男
子女人七日一夜菜食長齋供養礼拜藥師
琉璃光佛求心中所願者无不穫得求長壽
得長壽求富饒得富饒求安隱得安隱求男
女得男女求官位得官位若命過以後欲生
妙樂天上者亦當礼敬琉璃光佛至真等正
覺若欲上生卅三天者亦當礼拜琉璃光佛
必得往生若欲與明師世世相值者亦當礼
敬琉璃光佛
佛告文殊若欲生十方妙樂國土者亦當礼

BD02791 號　灌頂章句拔除過罪生死得度經　（12–5）

妙樂天上者亦當礼敬琉璃光佛至真等正
覺若欲上生卅三天者亦當礼拜琉璃光佛
必得往生若欲與明師世世相值者亦當礼
敬琉璃光佛
佛告文殊若欲生十方妙樂國土者亦當礼
敬琉璃光佛若欲得生兜率天上見彌勒者
亦應礼敬琉璃光佛若欲遠諸邪道者亦當
礼敬琉璃光佛若夜惡夢鳥鳴百恠蜚尸耶
仵魍魎鬼神之所娆者亦當礼敬琉璃光佛
若為水火之所焚漂亦當礼敬琉璃光佛若
入山谷為虎狼熊羆疾藜諸狩毒龍虵蚖蝮
蝎種種雜類若有惡心來相向者心當存念
琉璃光佛山中諸難不能為害若他方怨賊
偷竊惡人怨家債主欲來侵陵心當存念琉
璃光佛則不為害以善男子善女人礼敬琉
璃光如來功德所致華報如是況果報也是
故吾今勸諸四輩礼事琉璃光佛至真等
正覺佛告文殊我但為汝略說琉璃光佛礼敬
功德若使我廣說是琉璃光佛无量功德與
一切人求心中所願者從一劫至一劫故不周
遍其世間人若有著床痿黄困篤惡病連年
累月不差者聞我說是琉璃光佛名字之時
横病之厄无不除愈唯宿殃不請耳
佛告文殊若男子女人受三自歸若五戒若
十戒若善信菩薩廿四戒若沙門二百五十戒
若比丘尼五百戒若菩薩戒若破是諸戒能至
心一懺悔者復聞我說琉璃光佛終不墮於
三惡道中必得解脫若人愚癡不受父母師
友教誨不信佛不信經戒不信聖僧應墮

BD02791 號　灌頂章句拔除過罪生死得度經　（12–6）

反教誹不信佛不信經戒不信聖僧應墮
三惡道中者云失人種受畜生身聞我說是
琉璃光佛善願功德者即得解脫佛告文殊
世有惡人雖受佛禁戒觸事違犯或煞无道
偷竊他人財實欺誑妄語婬他婦女飲酒鬪
亂兩舌惡口罵詈於人犯戒爲惡復祠祀鬼
神有如是罪過當墮地獄中若當屠割若
銅柱若鐵鉤出舌若洋銅灌口者聞我說是
藥師琉璃光佛无不即得解脫者也
佛告文殊其世間人豪貴下賤不信佛不信
經道不信沙門不不信有須陁洹不信有斯
陁含不信有阿那含不信有阿羅漢不信有
辟支佛不信有十住菩薩不信有三世之事不
信有十方諸佛不信有本師釋迦文佛不信
人死神明更生善者受福惡者受殃有如是
之罪應墮惡道聞我說是藥師琉璃光佛名
字之者一切過罪自然消滅
佛告文殊若有善男子善女人聞我說是藥
師琉璃光佛至真等正覺其誰不發无上正
真道意後皆得作佛又居世間仕官不遷
治生不得飢寒困厄云失財產无復方計聞
我說是藥師琉璃光佛各各得心中所願仕
官皆得高遷財物自然長益飲食充饒皆得
富貴若爲縣官之所拘錄惡人侵枉若爲怨家
所得便者皆心當存念琉璃光佛若他婦女生
產難者皆當念是琉璃光佛兒則易生身體
平正无諸疾痛六情完具聰明智慧壽命得
長不遭枉橫善神擁護不爲惡鬼祇其頭也
佛說是語時阿難在右邊佛顧語阿難言汝

BD02791號　灌頂章句拔除過罪生死得度經　（12–7）

產難者皆當念是琉璃光佛兒則易生身體
平正无諸疾痛六情完具聰明智慧壽命得
長不遭枉橫善神擁護不爲惡鬼祇其頭也
佛說是語時阿難在右邊佛顧語阿難言汝
信我爲文殊師利說往昔東方過十恒河沙
有佛名藥師琉璃光本願功德者不阿難白
佛言唯天中天佛之所言何敢不信耶佛復
語阿難言其世間人雖有眼耳鼻舌身意人
常用是六事以自迷惑信世間魔耶之言不
信至真至誠度世一切之語如是輩人難可
開化也阿難白佛言世尊世人多有惡逆下
賤之者若聞佛說經聞人耳目破治人病除
人陰冥使覩光明解人疑結去人重罪千劫万
劫无復憂患皆回佛說是藥師琉璃光本願
功德悉令安隱得其福也
佛言阿難汝口爲言善而汝內心狐疑我言
阿難汝莫作是念以自毀敗佛言阿難我見
汝心我知汝意汝知之不阿難即以頭面著
地長跪白佛言當如天中天所說我造次聞
佛說是藥師琉璃光佛極大尊貴智慧巍巍
難可度量我心有小疑耳敢不首伏佛言汝
智慧狹劣少見少聞汝聞我說深妙之法无
上空義應生信敬貴重之心必當得至无上
正真道也
文殊白佛言世尊佛說是藥師琉璃光如來
无量功德如是不審誰肯信此言者佛告文
殊師利言唯有百億諸菩薩摩訶薩當信
是耳唯有十方三世諸佛當信是言
佛言我說是藥師琉璃光如來本願功德

BD02791號　灌頂章句拔除過罪生死得度經　（12–8）

文殊白佛言世尊佛說是藥師琉璃光如來
无量功德如是不審誰肯信此言者佛告文
殊師利言唯有百億諸菩薩摩訶薩當信
是耳唯有十方三世諸佛當信是言
佛言我說是藥師琉璃光如來本願功德
難可得見何况得聞亦難得說亦難得書
寫亦難得讀誦文殊師利若有男子女人能
信是經受持讀誦書著竹帛復能為他人解
說中義此皆先世以發道意令復得聞此微
妙法開化十方无量眾生當知此人必當得
至无上正真道意
佛告阿難我作佛以來從生死復至生死
懃苦累劫无所不更无所不歷无所不作无
所不為如是不可思議況復琉璃光佛本願
功德者乎汝所以有疑者亦復如是阿難汝
聞佛所說汝說信之莫作疑惑佛語至誠
无有虛偽亦无二言佛言為信者施不為疑者
說也阿難汝莫作小疑以毀大乘之業汝却
後亦當發摩訶衍意莫以小道毀汝功德
也阿難言唯天中天我從今日已去无復介
心唯佛自當知我心耳
佛語阿難此經能照諸天宮宅若三灾起時
中有天人發心念此琉璃光佛本願功德經
者皆得離於彼處之難是經能除水涸不調
是經能除他方逆賊悉令斷滅四方夷狄各
還正治不相嬈惱國土交通人民歡樂是經
能除穀貴飢凍是經能滅惡星變怪是經
能除疫毒之病是經能救三惡道苦地獄餓
鬼畜生等苦若人得聞此經典者无不解脫

BD02791號　灌頂章句拔除過罪生死得度經　（12–9）

是經能除他方逆賊悉令斷滅四方夷狄各
還正治不相嬈惱國土交通人民歡樂是經
能除穀貴飢凍是經能滅惡星變怪是經
能除疫毒之病是經能救三惡道苦地獄餓
鬼畜生等苦若人得聞此經典者无不解脫
厄難者也
介時眾中有一菩薩名曰救脫從坐而起整
衣服叉手合掌而白佛言我等今日聞佛世
尊演說過去東方過十恒河沙世界有佛
号藥師琉璃光一切眾會靡不歡喜救脫菩
薩又白佛言若族姓男女其有疲羸著
牀痛惱无救護者我今當勸呼諸僧七日
七夜齋戒一心受持八禁六時行道卌九遍
讀是經典勸然七層之燈亦勸懸五色續
命神幡阿難問救脫菩薩言續命幡燈法
則云何救脫語阿難言神幡五色卌九尺燈
亦復介七層之燈一層七燈燈如車輪若遭
厄難閉在牢獄枷鎖著身亦應造立五色神幡
然卌九燈應放雜類眾生至卌九可得過度危
厄之難不為諸橫惡鬼所持救脫菩薩語阿
難言若天王大臣及諸輔相王子妃主中宮
綵女若為病苦所惱亦應造立五色繒幡然
燈續明放諸生命散雜色華燒眾名香王
當放赦厄之人徒鏁解脫王得其福天下太
平雨澤以時人民歡樂惡龍攝毒无病苦者
四方夷狄不生逆害國土交同慈心相向无
諸怨害四海歌詠稱王之德乘此福祿在意
所生見佛聞法信受教悔從是福報至无上
道阿難又問救脫菩薩言命可續也救脫菩

BD02791號　灌頂章句拔除過罪生死得度經　（12–10）

當放救厄危之人徒鏁解脫亞得其福天下太
平雨澤以時人民歡樂惡龍攝毒无病苦者
四方夷狄不生逆害國土交同慈心相向无
諸怨害四海歌詠稱王之德乘此福祿在意
所生見佛聞法信受教悔從是福報至无上
道阿難又問救脫菩薩言命可續也救脫菩
薩答阿難言我聞世尊說有諸橫勸造幡
燈令其脩福又言阿難昔沙弥救蟻已脩福
故盡其受命更不苦患身體安寧福德力強
使之然也阿難因復問救脫菩薩言橫有幾
種世尊說言橫乃无數略而言之大橫有九
一者橫病二者橫有口舌三者橫遭縣官四者
身羸无福又持戒不完橫為鬼神之所得便
五者橫為劫賊所剝六者橫為水火焚漂七者
橫為雜類禽狩所噉八者橫為怨讎符書厭
禱耶神牽引未得其福但受其殃先亡牽
引亦名橫死九者有病不治又不脩福湯藥
不順針灸失度不值良醫為病所困於是滅
亡又信世間妖孽之師為作恐動寒熱言語
妄發禍福所祀者多心不自正不能自定卜問
覓禍殺豬猗牛羊種種眾生解奏神明呼諸
耶妖魍魎鬼神請乞福祚欲望長生終不能得
愚癡迷惑信耶倒見死入地獄展轉其中无
解脫時是名九橫
救脫菩薩語阿難言其世間人癃黃之病困
篤著床求来得求死不得考楚万端此病人
者或其前世造作惡業罪過所招殃咎所
引故使然也救脫菩薩語阿難言閻羅王者

BD02791號　灌頂章句拔除過罪生死得度經　　（12–11）

愚癡迷惑信耶倒見死入地獄展轉其中无
解脫時是名九橫
救脫菩薩語阿難言其世間人癃黃之病困
篤著床求来得求死不得考楚万端此病人
者或其前世造作惡業罪過所招殃咎所
引故使然也救脫菩薩語阿難言閻羅王者
主領世間名籍之記若人為惡作諸非法无
孝順心造作五逆破滅三寶无君臣法又有
眾生不持五戒不信正法設有受者多所毀
犯於是地下鬼神及伺候者奏上五官五官
料簡除死定生或注錄精神未判是非若已
定者奏上閻羅閻羅監察隨罪輕重考而治
之世間癃黃之病困篤不死一絕一生由其
罪福未得料簡錄其精神在彼王所或七日
三五七日乃至七七日名籍定者放其精
神還其身中如從夢中見其善惡其人若
明了者信驗罪福是故我今勸諸四輩造續
命神幡燃卅九燈放諸生命以此幡燈放生功
德拔彼精神令得度苦今世後世不遭厄難
救脫菩薩語阿難言如來世尊說是經典竟
神功德利益不少坐中諸鬼神有十二神王從
坐而起往到佛所胡跪合掌白佛言我等十
二鬼神在所作護若城邑聚落空閑林中若
四輩弟子誦持此經令所結願无求不得阿
難問言其名云何為我說之救脫菩薩言
頂章句其名如是

BD02791號　灌頂章句拔除過罪生死得度經　　（12–12）

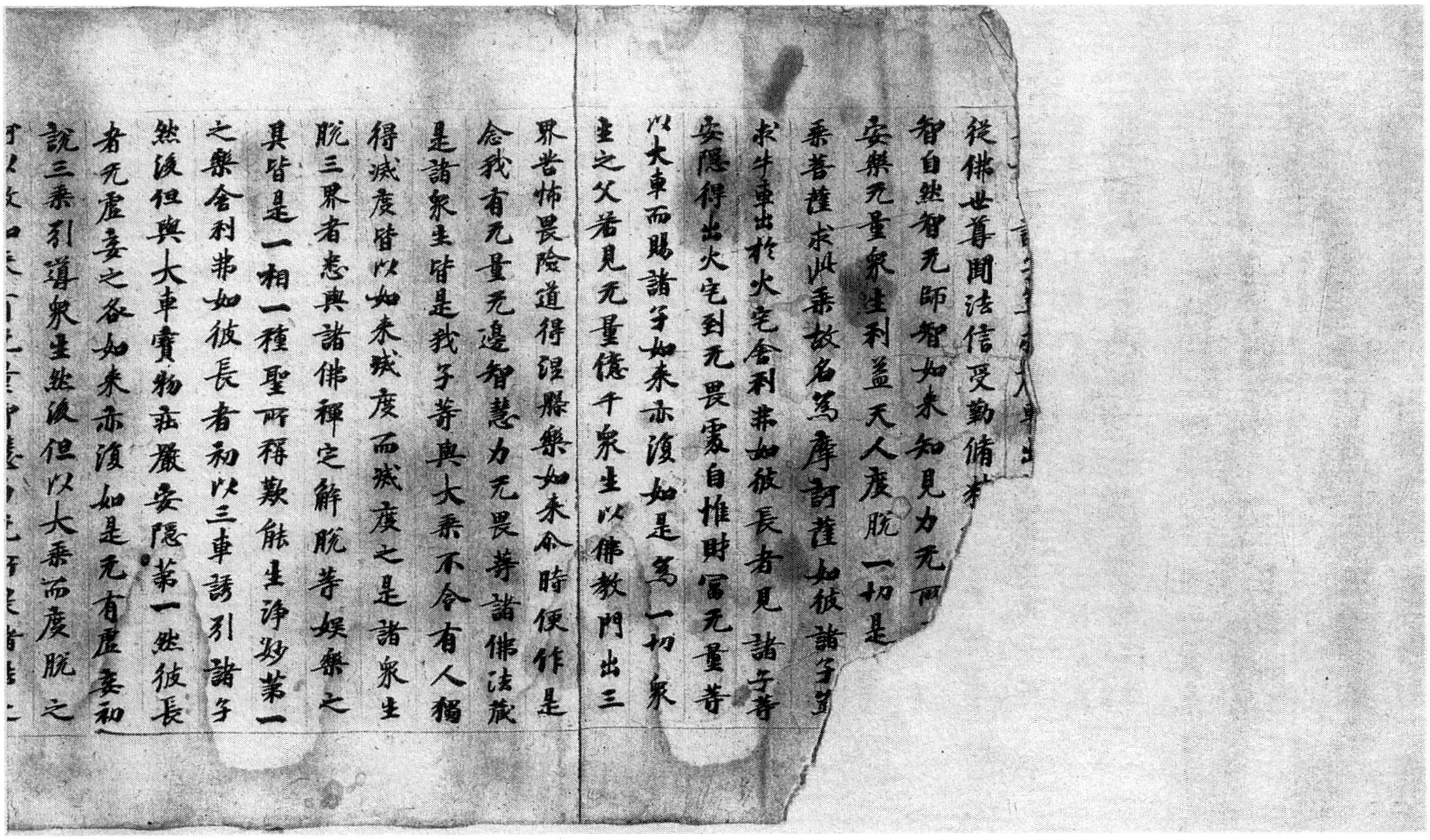

從佛世尊聞法信受勤脩精
智自然智无師智如來知見力无所
安樂无量衆生利益天人度脫一切是
乘菩薩求此乘故名爲摩訶薩如彼諸子爲
求牛車出於火宅舍利弗如彼長者見諸子等
安隱得出火宅到无畏處自惟財富无量等
以大車而賜諸子如來亦復如是爲一切衆
生之父若見无量億千衆生以佛教門出三
界苦怖畏險道得涅槃樂如來尒時便作是
念我有无量无邊智慧力无畏等諸佛法藏
是諸衆生皆是我子等與大乘不令有人獨
得滅度皆以如來滅度而滅度之是諸衆生
脫三界者悉與諸佛禪定解脫等娛樂之
具皆是一相一種聖所稱歎能生淨妙第一
之樂舍利弗如彼長者初以三車誘引諸子
然後但與大車寶物莊嚴安隱第一然彼長
者无虛妄之咎如來亦復如是无有虛妄初
說三乘引導衆生然後但以大乘而度脫之

BD02792號　妙法蓮華經卷二　（18-1）

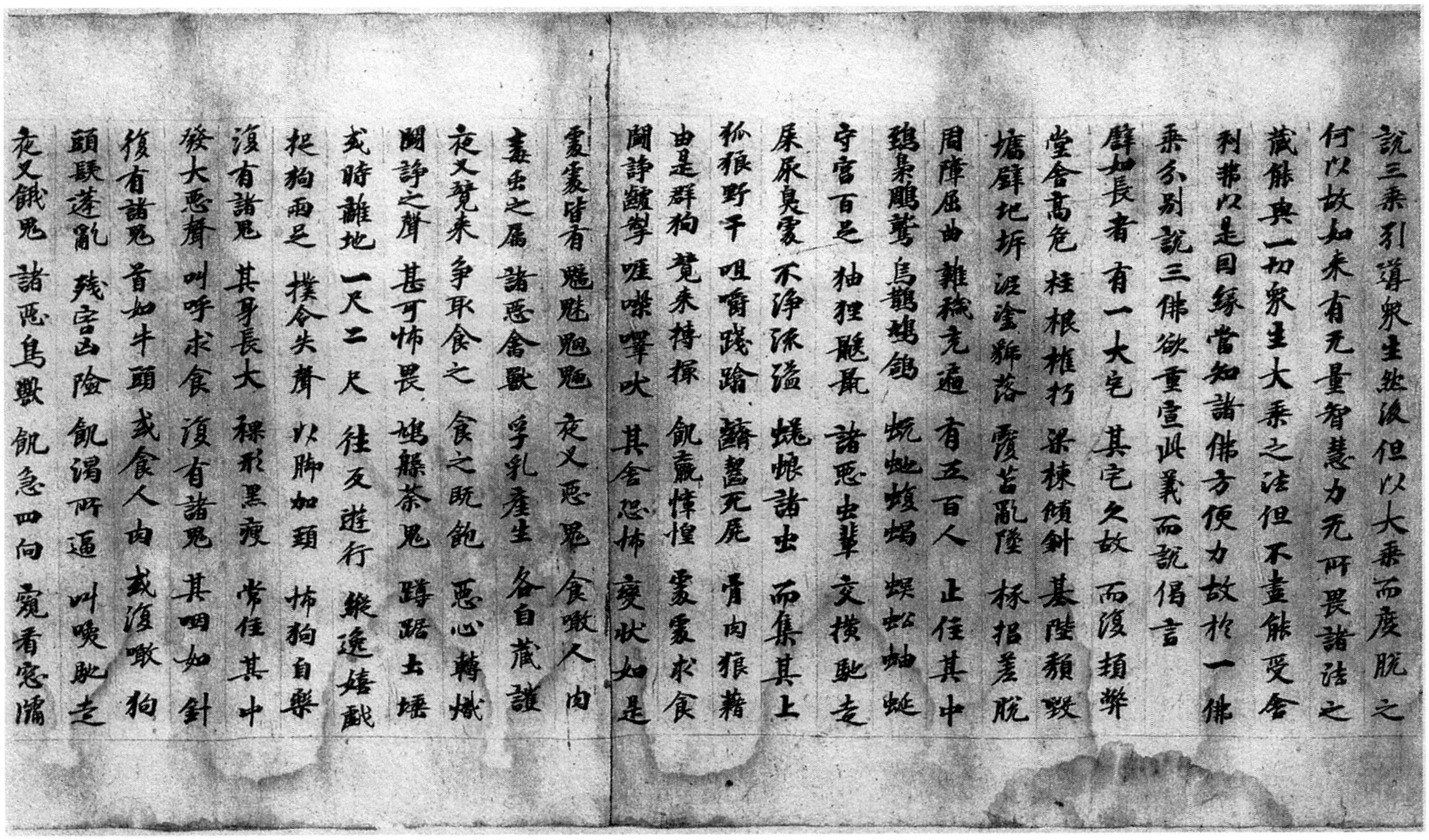

說三乘引導衆生然後但以大乘而度脫之
何以故如來有无量智慧力无所畏諸法之
藏能與一切衆生大乘之法但不盡能受舍
利弗以是因緣當知諸佛方便力故於一佛
乘分別說三佛欲重宣此義而說偈言
譬如長者　有一大宅　其宅久故　而復頓弊
堂舍高危　柱根摧朽　梁棟傾斜　基陛頹毀
墻壁圮坼　泥塗褫落　覆苫亂墜　椽梠差脫
周障屈曲　雜穢充遍　有五百人　止住其中
鵄梟鵰鷲　烏鵲鳩鴿　蚖蛇蝮蝎　蜈蚣蚰蜒
守宮百足　狖狸鼷鼠　諸惡虫輩　交橫馳走
屎尿臭處　不淨流溢　蜣蜋諸虫　而集其上
狐狼野干　咀嚼踐蹋　嚌齧死屍　骨肉狼藉
由是群狗　競來搏撮　飢羸慞惶　處處求食
鬪諍䶥掣　啀喍嘷吠　其舍恐怖　變狀如是
處處皆有　魑魅魍魎　夜叉惡鬼　食噉人肉
毒虫之屬　諸惡禽獸　孚乳產生　各自藏護
夜叉競來　爭取食之　食之既飽　惡心轉熾
鬪諍之聲　甚可怖畏　鳩槃荼鬼　蹲踞土埵
或時離地　一尺二尺　往返遊行　縱逸嬉戲
捉狗兩足　撲令失聲　以脚加頸　怖狗自樂
復有諸鬼　其身長大　裸形黑瘦　常住其中
發大惡聲　叫呼求食　復有諸鬼　其咽如針
復有諸鬼　首如牛頭　或食人肉　或復噉狗
頭髮蓬亂　殘害兇險　飢渴所逼　叫喚馳走
夜叉餓鬼　諸惡鳥獸　飢急四向　窺看窓牖

BD02792號　妙法蓮華經卷二　（18-2）

復有諸鬼 首如牛頭 或食人肉 或復噉狗
頭髮蓬亂 殘害凶險 飢渴所逼 叫喚馳走
夜叉餓鬼 諸惡鳥獸 飢急四向 窺看窓牖
如是諸難 恐畏无量 是朽故宅 屬于一人
其人近出 未久之間 於後舍宅 欻然火起
四面一時 其焰俱熾 棟梁椽柱 爆聲震裂
摧折墮落 墻壁崩倒 諸鬼神等 揚聲大叫
鵰鷲諸鳥 鳩槃茶等 周章惶怖 不能自出
惡獸毒虫 藏竄孔穴 毗舍闍鬼 亦住其中
薄福德故 為火所逼 共相殘害 飲血噉肉
野干之屬 並已前死 諸大惡獸 競來食噉
臭烟熢㶿 四面充塞 蜈蚣蚰蜒 毒蛇之類
為火所燒 爭走出穴 鳩槃茶鬼 隨取而食
又諸餓鬼 頭上火然 飢渴熱惱 周章悶走
其宅如是 甚可怖畏 毒害火災 衆難非一
是時宅主 在門外立 聞有人言 汝諸子等
先因遊戲 來入此宅 稚小无知 歡娛樂著
長者聞已 驚入火宅 方宜救濟 令无燒害
告喻諸子 說衆患難 惡鬼毒虫 災火蔓莛
衆苦次第 相續不絕 毒蛇蚖蝮 及諸夜叉
鳩槃茶鬼 野干狐狗 鵰鷲鵄梟 百足之屬
飢渴惱急 甚可怖畏 此苦難處 況復大火
諸子无知 雖聞父誨 猶故樂著 嬉戲不已
是時長者 而作是念 諸子如此 益我愁惱
今此舍宅 无一可樂 而諸子等 耽湎嬉戲
不受我教 將為火害 即便思惟 設諸方便

BD02792號　妙法蓮華經卷二　（18-3）

是時長者 而作是念 諸子如此 益我愁惱
今此舍宅 无一可樂 而諸子等 耽湎嬉戲
不受我教 將為火害 即便思惟 設諸方便
告諸子等 我有種種 珍玩之具 妙寶好車
羊車鹿車 大牛之車 今在門外 汝等出來
吾為汝等 造作此車 隨意所樂 可以遊戲
諸子聞說 如此諸車 即時奔競 馳走而出
到於空地 離諸苦難 長者見子 得出火宅
住於四衢 坐師子座 而自慶言 我今快樂
此諸子等 生育甚難 愚小无知 而入險宅
多諸毒虫 魑魅可畏 大火猛焰 四面俱起
而此諸子 貪樂嬉戲 我已救之 令得脫難
是故諸人 我今快樂 尒時諸子 知父安坐
皆詣父所 而白父言 願賜我等 三種寶車
如前所許 諸子出來 當以三車 隨汝所欲
今正是時 唯垂給與 長者大富 庫藏衆多
金銀琉璃 車𤦲馬瑙 以衆寶物 造諸大車
莊校嚴飾 周帀欄楯 四面懸鈴 金繩交絡
真珠羅網 張施其上 金華諸瓔 處處垂下
衆綵雜飾 周帀圍繞 柔軟繒纊 以為茵蓐
上妙細㲲 價直千億 鮮白淨潔 以覆其上
有大白牛 肥壯多力 形體姝好 以駕寶車
多諸儐從 而侍衛之 以是妙車 等賜諸子
諸子是時 歡喜踊躍 乘是寶車 遊於四方
嬉戲快樂 自在无礙 告舍利弗 我亦如是
衆聖中尊 世間之父 一切衆生 皆是吾子

BD02792號　妙法蓮華經卷二　（18-4）

多諸儐從 而侍衛之 以是妙車 等賜諸子
諸子是時 歡喜踊躍 乘是寶車 遊於四方
嬉戲快樂 自在无礙 告舍利弗 我亦如是
衆聖中尊 世間之父 一切衆生 皆是吾子
深著世樂 无有慧心 三界无安 猶如火宅
衆苦充滿 甚可怖畏 常有生老 病死憂患
如是等火 熾然不息 如來已離 三界火宅
寂然閑居 安處林野 今此三界 皆是我有
其中衆生 悉是吾子 而今此處 多諸患難
唯我一人 能為救護 雖復教詔 而不信受
於諸欲染 貪著深故 以是方便 為說三乘
令諸衆生 知三界苦 開示演說 出世間道
是諸子等 若心決定 具足三明 及六神通
有得緣覺 不退菩薩 汝舍利弗 我為衆生
以此譬喻 說一佛乘 汝等若能 信受是語
一切皆當 得成佛道 是乘微妙 清淨第一
於諸世間 為无有上 佛所悅可 一切衆生
所應稱讚 供養礼拜 无量億千 諸力解脫
禪定智慧 及佛餘法 得如是乘 令諸子等
日夜劫數 常得遊戲 與諸菩薩 及聲聞衆
乘此寶乘 直至道場 以是因緣 十方諦求
更无餘乘 除佛方便 告舍利弗 汝諸人等
皆是吾子 我則是父 汝等累劫 衆苦所燒
我皆濟拔 令出三界 我雖先說 汝等滅度
但盡生死 而實不滅 今所應作 唯佛智慧
若有菩薩 於是衆中 能一心聽 諸佛實法

BD02792 號　妙法蓮華經卷二　（18–5）

皆是吾子 我則是父 汝等累劫 衆苦所燒
我皆濟拔 令出三界 我雖先說 汝等滅度
但盡生死 而實不滅 今所應作 唯佛智慧
若有菩薩 於是衆中 能一心聽 諸佛實法
諸佛世尊 雖以方便 所化衆生 皆是菩薩
若人小智 深著愛欲 為此等故 說於苦諦
衆生心喜 得未曾有 佛說苦諦 真實无異
若有衆生 不知苦本 深著苦因 不能暫捨
為是等故 方便說道 諸苦所因 貪欲為本
若滅貪欲 无所依止 滅盡諸苦 名第三諦
為滅諦故 脩行於道 離諸苦縛 名得解脫
是人於何 而得解脫 但離虛妄 名為解脫
其實未得 一切解脫 佛說是人 未實滅度
斯人未得 无上道故 我意不欲 令至滅度
我為法王 於法自在 安隱衆生 故現於世
汝舍利弗 我此法印 為欲利益 世間故說
在所遊方 勿妄宣傳 若有聞者 隨喜頂受
當知是人 阿鞞跋致 若有信受 此經法者
是人已曾 見過去佛 恭敬供養 亦聞是法
若人有能 信汝所說 則為見我 亦見於汝
及比丘僧 并諸菩薩 斯法華經 為深智說
淺識聞之 迷惑不解 一切聲聞 及辟支佛
於此經中 力所不及 汝舍利弗 尚於此經
以信得入 況餘聲聞 其餘聲聞 信佛語故
隨順此經 非己智分 又舍利弗 憍慢懈怠
計我見者 莫說此經 凡夫淺識 深著五欲

BD02792 號　妙法蓮華經卷二　（18–6）

以信得入 況餘聲聞 其餘聲聞 信佛語故
隨順此經 非己智分 又舍利弗 憍慢懈怠
計我見者 莫說此經 凡夫淺識 深著五欲
聞不能解 亦勿為說 若人不信 毀謗此經
則斷一切 世間佛種 或復顰蹙 而懷疑惑
汝當聽說 此人罪報 若佛在世 若滅度後
其有誹謗 如斯經典 見有讀誦 書持經者
輕賤憎嫉 而懷結恨 此人罪報 汝今復聽
其人命終 入阿鼻獄 具足一劫 劫盡更生
如是展轉 至无數劫 從地獄出 當墮畜生
若狗野干 其形頹瘦 梨黮疥癩 人所觸嬈
又復為人 之所惡賤 常困飢渴 骨肉枯竭
生受楚毒 死被瓦石 斷佛種故 受斯罪報
若作駱駝 或生驢中 身常負重 加諸杖捶
但念水草 餘无所知 謗斯經故 獲罪如是
有作野干 來入聚落 身體疥癩 又无一目
為諸童子 之所打擲 受諸苦痛 或時致死
於此死已 更受蟒身 其形長大 五百由旬
聾騃无足 宛轉腹行 為諸小虫 之所唼食
晝夜受苦 无有休息 謗斯經故 獲罪如是
若得為人 諸根闇鈍 矬陋攣躄 盲聾背傴
有所言說 人不信受 口氣常臭 鬼魅所著
貧窮下賤 為人所使 多病痟瘦 无所依怙
雖親附人 人不在意 若有所得 尋復忘失
若修醫道 順方治病 更增他疾 或復致死
若自有病 无人救療 設服良藥 而復增劇
若他反逆 抄劫竊盜 如是等罪 橫羅其殃

BD02792號 妙法蓮華經卷二

（18–7）

有所言說 人不信受 口氣常臭 鬼魅所著
貧窮下賤 為人所使 多病痟瘦 无所依怙
雖親附人 人不在意 若有所得 尋復忘失
若修醫道 順方治病 更增他疾 或復致死
若自有病 无人救療 設服良藥 而復增劇
若他反逆 抄劫竊盜 如是等罪 橫羅其殃
如斯罪人 永不見佛 眾聖之王 說法教化
如斯罪人 常生難處 狂聾心亂 永不聞法
於无數劫 如恒河沙 生輒聾瘂 諸根不具
常處地獄 如遊園觀 在餘惡道 如己舍宅
駝驢猪狗 是其行處 謗斯經故 獲罪如是
若得為人 聾盲瘖瘂 貧窮諸衰 以自莊嚴
水腫乾痟 疥癩癰疽 如是等病 以為衣服
身常臭處 垢穢不淨 深著我見 增益瞋恚
婬欲熾盛 不擇禽獸 謗斯經故 獲罪如是
告舍利弗 謗斯經者 若說其罪 窮劫不盡
以是因緣 我故語汝 无智人中 莫說此經
若有利根 智慧明了 多聞強識 求佛道者
如是之人 乃可為說 若人曾見 億百千佛
殖諸善本 深心堅固 如是之人 乃可為說
若人精進 常修慈心 不惜身命 乃可為說
若人恭敬 无有異心 離諸凡愚 獨處山澤
如是之人 乃可為說 又舍利弗 若見有人
捨惡知識 親近善友 如是之人 乃可為說
若見佛子 持戒清潔 如淨明珠 求大乘經
如是之人 乃可為說 若人无瞋 質直柔軟
常愍一切 恭敬諸佛 如是之人 乃可為說

BD02792號 妙法蓮華經卷二

（18–8）

若人恭敬 无有異心 離諸凡愚 獨處山澤
如是之人 乃可為說 又舍利弗 若見有人
捨惡知識 親近善友 如是之人 乃可為說
若見佛子 持戒清潔 如淨明珠 求大乘經
如是之人 乃可為說 若人无瞋 質直柔軟
常愍一切 恭敬諸佛 如是之人 乃可為說
復有佛子 於大眾中 以清淨心 種種因緣
譬喻言辭 說法无礙 如是之人 乃可為說
若有比丘 為一切智 四方求法 合掌頂受
但樂受持 大乘經典 乃至不受 餘經一偈
如是之人 乃可為說 如人至心 求佛舍利
如是求經 得已頂受 其人不復 志求餘經
亦未曾念 外道典籍 如是之人 乃可為說
告舍利弗 我說是相 求佛道者 窮劫不盡
如是等人 則能信解 汝當為說 妙法華經
妙法蓮華經信解品第四
爾時慧命須菩提摩訶迦旃延摩訶迦葉摩
訶目揵連從佛所聞未曾有法世尊授舍利
弗阿耨多羅三藐三菩提記發希有心歡喜
踊躍即從座起整衣服偏袒右肩右膝著地
一心合掌曲躬恭敬瞻仰尊顏而白佛言我
等居僧之首年並朽邁自謂已得涅槃无所
堪任不復進求阿耨多羅三藐三菩提世尊
往昔說法既久我時在座身體疲懈但念空
无相无作於菩薩法遊戲神通淨佛國土成
就眾生心不喜樂所以者何世尊令我等出
於三界得涅槃證又今我等年已朽邁於佛

BD02792號　妙法蓮華經卷二　(18–9)

堪任不復進求阿耨多羅三藐三菩提世尊
往昔說法既久我時在座身體疲懈但念空
无相无作於菩薩法遊戲神通淨佛國土成
就眾生心不喜樂所以者何世尊令我等出
於三界得涅槃證又今我等年已朽邁於佛
教化菩薩阿耨多羅三藐三菩提不生一念
好樂之心我等今於佛前聞授聲聞阿耨多
羅三藐三菩提記心甚歡喜得未曾有不謂
於今忽然得聞希有之法深自慶幸獲大善
利无量珍寶不求自得世尊我等今者樂說
譬喻以明斯義譬若有人年既幼稚捨父逃
逝久住他國或十二十至五十歲年既長大加
復窮困馳騁四方以求衣食漸漸遊行遇
向本國其父先來求子不得中止一城其家
大富財寶无量金銀琉璃珊瑚虎珀頗梨珠
等其諸倉庫悉皆盈溢多有僮僕臣佐吏民
象馬車乘牛羊无數出入息利乃遍他國商估
賈客亦甚眾多時貧窮子遊諸聚落經歷
國邑遂到其父所止之城父每念子與子離別
五十餘年而未曾向人說如此事但自思惟
心懷悔恨自念老朽多有財物金銀珍寶倉
庫盈溢无有子息一旦終沒財物散失无所
委付是以慇懃每憶其子復作是念我若得
子委付財物坦然快樂无復憂慮世尊爾時
窮子傭賃展轉遇到父舍住立門側遙見
其父踞師子床寶几承足諸婆羅門剎利居

BD02792號　妙法蓮華經卷二　(18–10)

子委付財物坦然快樂无復憂慮世尊尒時
窮子傭賃展轉遇到父舍住立門側遥見
其父踞師子床寶几承足諸婆羅門剎利居
士皆恭敬圍繞以真珠瓔珞價直千万莊嚴
其身吏民僮僕手執白拂侍立左右覆以寶
帳垂諸華幡香水灑地散衆名華羅列寶物
出内取與有如是等種種嚴飾威德特尊窮
子見父有大力勢即懷恐怖悔來至此竊作
是念此或是王或是王等非我傭力得物之
處不如往至貧里肆力有地衣食易得若久住
此或見逼迫強使我作作是念已疾走而去
時富長者於師子座見子便識心大歡喜即
作是念我財物庫藏今有所付我常思念
此子无由見之而忽自來甚適我願我雖年
朽猶故貪惜即遣傍人急追將還尒時使者
疾走往捉窮子驚愕稱怨大喚我不相犯何
為見捉使者執之逾急強牽將還于時窮子
自念无罪而被囚執此必定死轉更惶怖悶
絕躃地父遥見之而語使言不須此人勿強
將來以冷水灑面令得醒悟莫復與語所以者
何父知其子志意下劣自知豪貴為子所難審
知是子而以方便不語他人云是我子使者
語之我今放汝隨意所趣窮子歡喜得未
曾有從地而起往至貧里以求衣食尒時長
者將欲誘引其子而設方便密遣二人形色憔
悴无威德者汝可詣彼徐語窮子此有作

BD02792號　妙法蓮華經卷二　(18–11)

語之我今放汝隨意所趣窮子歡喜得未
曾有從地而起往至貧里以求衣食尒時長
者將欲誘引其子而設方便密遣二人形色憔
悴无威德者汝可詣彼徐語窮子此有作
處倍與汝直窮子若許將來使作若言欲何
所作便可語之雇汝除糞我等二人亦共汝
作時二使人即求窮子既已得之具陳上事
尒時窮子先取其價尋與除糞其父見子愍
而怪之又以他日於窓牖中遥見子身羸瘦憔
悴糞土塵坌汙穢不淨即脫瓔珞細軟上
服嚴飾之具更著麁弊垢膩之衣塵土坌
身右手執持除糞之器狀有所畏語諸作人
汝等勤作勿得懈息以方便故得近其子後
復告言咄男子汝常此作勿復餘去當加汝價
諸有所須瓫器米麵塩酢之屬莫自疑難亦
有老弊使人須者相給好自安意我如汝
父勿復憂慮所以者何我年老大而汝少壯
汝常作時无有欺怠瞋恨怨言都不見汝有
此諸惡如餘作人自今已後如所生子即時長
者更與作字名之為兒尒時窮子雖欣此遇
猶故自謂客作賤人由是之故於二十年中
常令除糞過是已後心相體信入出无難然
其所止猶在本處世尊尒時長者有疾自知
將死不久語窮子言我今多有金銀珍寶倉
庫盈溢其中多少所應取與汝悉知之我心
如是當體此意所以者何今我與汝便為
不異宜加用心无令漏失尒時窮子即受教勅

BD02792號　妙法蓮華經卷二　(18–12)

世尊爾時長者有疾自知將死不久語窮子言我今多有金銀珎寶倉庫盈溢其中多少所應取與汝悉知之我心如是當體此意所以者何今我與汝便為不異宜加用心无令漏失爾時窮子即受教勑領知眾物金銀珎寶及諸庫藏而无悕取一飡之意然其所止故在本處下劣之心亦未能捨復經少時父知子意漸已通泰成就大志自鄙先心臨欲終時而命其子并會親族國王大臣刹利居士皆悉已集即自宣言諸君當知此是我子我之所生於某城中捨吾逃走跉跰辛苦五十餘年其本字某我名某甲昔在本城懷憂推覓忽於此間遇會得之此實我子我實其父今我所有一切財物皆是子有先所出內是子所知世尊是時窮子聞父此言即大歡喜得未曾有而作是念我本无心有所悕求今此寶藏自然而至世尊大富長者則是如來我等皆似佛子如來常說我等為子世尊我等以三苦故於生死中受諸熱惱迷惑无知樂著小法今日世尊令我等思惟蠲除諸法戲論之糞我等於中勤加精進得至涅槃一日之價既得此已心大歡喜自以為足便自謂言於佛法中勤精進故所得弘多然世尊先知我等心著弊欲樂於小法便見縱捨不為分別汝等當有如來知見寶藏之分世尊以方便力說如來智慧我等從佛得涅槃一日之價以為大得於此大

所得弘多然世尊先知我等心著弊欲樂於小法便見縱捨不為分別汝等當有如來知見寶藏之分世尊以方便力說如來智慧我等從佛得涅槃一日之價以為大得於此大乘无有志求我等又因如來智慧為諸菩薩開示演說而自於此无有志願所以者何佛知我等心樂小法以方便力隨我等說而我等不知真是佛子今我等方知世尊於佛智慧无所悋惜所以者何我等昔來真是佛子而但樂小法若我等有樂大之心佛則為我說大乘法於此經中唯說一乘而昔於菩薩前毀呰聲聞樂小法者然佛實以大乘教化是故我等說本无心有所悕求今法王大寶自然而至如佛子所應得者皆已得之尒時摩訶迦葉欲重宣此義而說偈言

我等今日　聞佛音教　歡喜踊躍　得未曾有
佛說聲聞　當得作佛　无上寶聚　不求自得
譬如童子　幼稚无識　捨父逃逝　遠到他土
周流諸國　五十餘年　其父憂念　四方推求
求之既疲　頓止一城　造立舍宅　五欲自娛
其家巨富　多諸金銀　車𤦲馬瑙　真珠琉璃
象馬牛羊　輦輿車乘　田業僮僕　人民眾多
出入息利　乃遍他國　商估賈人　无處不有
千万億眾　圍繞恭敬　常為王者　之所愛念
群臣豪族　皆共宗重　以諸緣故　往來者眾
豪富如是　有大力勢　而年朽邁　益憂念子
夙夜惟念　死時將至　癡子捨我　五十餘年

千万億衆　圍繞恭敬　常為王者　之所愛念
群臣豪族　皆共宗重　以諸緣故　往來者衆
豪富如是　有大力勢　而年朽邁　益憂念子
夙夜惟念　死時將至　癡子捨我　五十餘年
庫藏諸物　當如之何　尒時窮子　求索衣食
從邑至邑　從國至國　或有所得　或无所得
飢餓羸瘦　體生瘡癬　漸次經歷　到父住城
傭賃展轉　遂至父舍　尒時長者　於其門內
施大寶帳　處師子座　眷屬圍遶　諸人侍衛
或有計筭　金銀寶物　出內財產　注記券疏
窮子見父　豪貴尊嚴　謂是國王　若是王等
驚怖自怪　何故至此　覆自念言　我若久住
或見逼迫　強驅使作　思惟是已　馳走而去
借問貧里　欲往傭作　長者是時　在師子座
遙見其子　嘿而識之　即勑使者　追捉將來
窮子驚喚　迷悶躄地　是人執我　必當見殺
何用衣食　使我至此　長者知子　愚癡狹劣
不信我言　不信是父　即以方便　更遣餘人
眇目矬陋　无威德者　汝可語之　云當相雇
除諸糞穢　倍與汝價　窮子聞之　歡喜隨來
為除糞穢　淨諸房舍　長者於牖　常見其子
念子愚劣　樂為鄙事　於是長者　著弊垢衣
執除糞器　往到子所　方便附近　語令勤作
既益汝價　并塗足油　飲食充足　薦席厚暖
如是苦言　汝當勤作　又以軟語　若如我子
長者有智　漸令入出　經二十年　執作家事

BD02792號　妙法蓮華經卷二　（18–15）

執除糞器　往到子所　方便附近　語令勤作
既益汝價　并塗足油　飲食充足　薦席厚暖
如是苦言　汝當勤作　又以軟語　若如我子
長者有智　漸令入出　經二十年　執作家事
示其金銀　真珠頗梨　諸物出入　皆使令知
猶處門外　止宿草庵　自念貧事　我无此物
父知子心　漸已曠大　欲與財物　即聚親族
國王大臣　剎利居士　於此大衆　說是我子
捨我他行　經五十歲　自見子來　已二十年
昔於某城　而失是子　周行求索　遂來至此
凡我所有　舍宅人民　悉以付之　恣其所用
子念昔貧　志意下劣　今於父所　大獲珍寶
并及舍宅　一切財物　甚大歡喜　得未曾有
佛亦如是　知我樂小　未曾說言　汝等作佛
而說我等　得諸无漏　成就小乘　聲聞弟子
佛勑我等　說最上道　脩習此者　當得成佛
我承佛教　為大菩薩　以諸因緣　種種譬喻
若干言辭　說无上道　諸佛子等　從我聞法
日夜思惟　精勤脩習　是時諸佛　即授其記
汝於來世　當得作佛　一切諸佛　秘藏之法
但為菩薩　演其實事　而不為我　說斯真要
如彼窮子　得近其父　雖知諸物　心不悕取
我等雖說　佛法寶藏　自无志願　亦復如是
我等內滅　自謂為足　唯了此事　更无餘事
我等若聞　淨佛國土　教化衆生　都无欣樂
所以者何　一切諸法　皆悉空寂　无生无滅
无大无小　无漏无為　如是思惟　不生喜樂

BD02792號　妙法蓮華經卷二　（18–16）

我等內滅 自謂為足 唯了此事 更无餘事
我等若聞 淨佛國土 教化衆生 都无欣樂
所以者何 一切諸法 皆悉空寂 无生无滅
无大无小 无漏无為 如是思惟 不生喜樂
我等長夜 於佛智慧 无貪无著 无復志願
而自於法 謂是究竟 我等長夜 脩習空法
得脫三界 苦惱之患 住最後身 有餘涅槃
佛所教化 得道不虛 則為已得 報佛之恩
我等雖為 諸佛子等 說菩薩法 以求佛道
而於是法 永无願樂 導師見捨 觀我心故
初不勸進 說有實利 如富長者 知子志劣
以方便力 柔伏其心 然後乃付 一切財物
佛亦如是 現希有事 知樂小者 以方便力
調伏其心 乃教大智 我等今日 得未曾有
非先所望 而今自得 如彼窮子 得无量寶
世尊我今 得道得果 於无漏法 得清淨眼
我等長夜 持佛淨戒 始於今日 得其果報
法王法中 久脩梵行 今得无漏 无上大果
我等今者 真是聲聞 以佛道聲 令一切聞
我等今者 真阿羅漢 於諸世間 天人魔梵
普於其中 應受供養 世尊大恩 以希有事
憐愍教化 利益我等 无量億劫 誰能報者
手足供給 頭頂禮敬 一切供養 皆不能報
若以頂戴 兩肩荷負 於恒沙劫 盡心恭敬
又以美饍 无量寶衣 及諸卧具 種種湯藥
牛頭栴檀 及諸珎寶 以起塔廟 寶衣布地

BD02792號　妙法蓮華經卷二　（18–17）

我等今者 真是聲聞 以佛道聲 令一切聞
我等今者 真阿羅漢 於諸世間 天人魔梵
普於其中 應受供養 世尊大恩 以希有事
憐愍教化 利益我等 无量億劫 誰能報者
手足供給 頭頂禮敬 一切供養 皆不能報
若以頂戴 兩肩荷負 於恒沙劫 盡心恭敬
又以美饍 无量寶衣 及諸卧具 種種湯藥
牛頭栴檀 及諸珎寶 以起塔廟 寶衣布地
如斯等事 以用供養 於恒沙劫 亦不能報
諸佛希有 无量无邊 不可思議 大神通力
无漏无為 諸法之王 能為下劣 忍于斯事
取相凡夫 隨宜為說 諸佛於法 得最自在
知諸衆生 種種欲樂 及其志力 隨所堪任
以无量喻 而為說法 隨諸衆生 宿世善根
又知成熟 未成熟者 種種籌量 分別知已
一於乘道 隨宜說三

妙法蓮華經卷第二

BD02792號　妙法蓮華經卷二　（18–18）

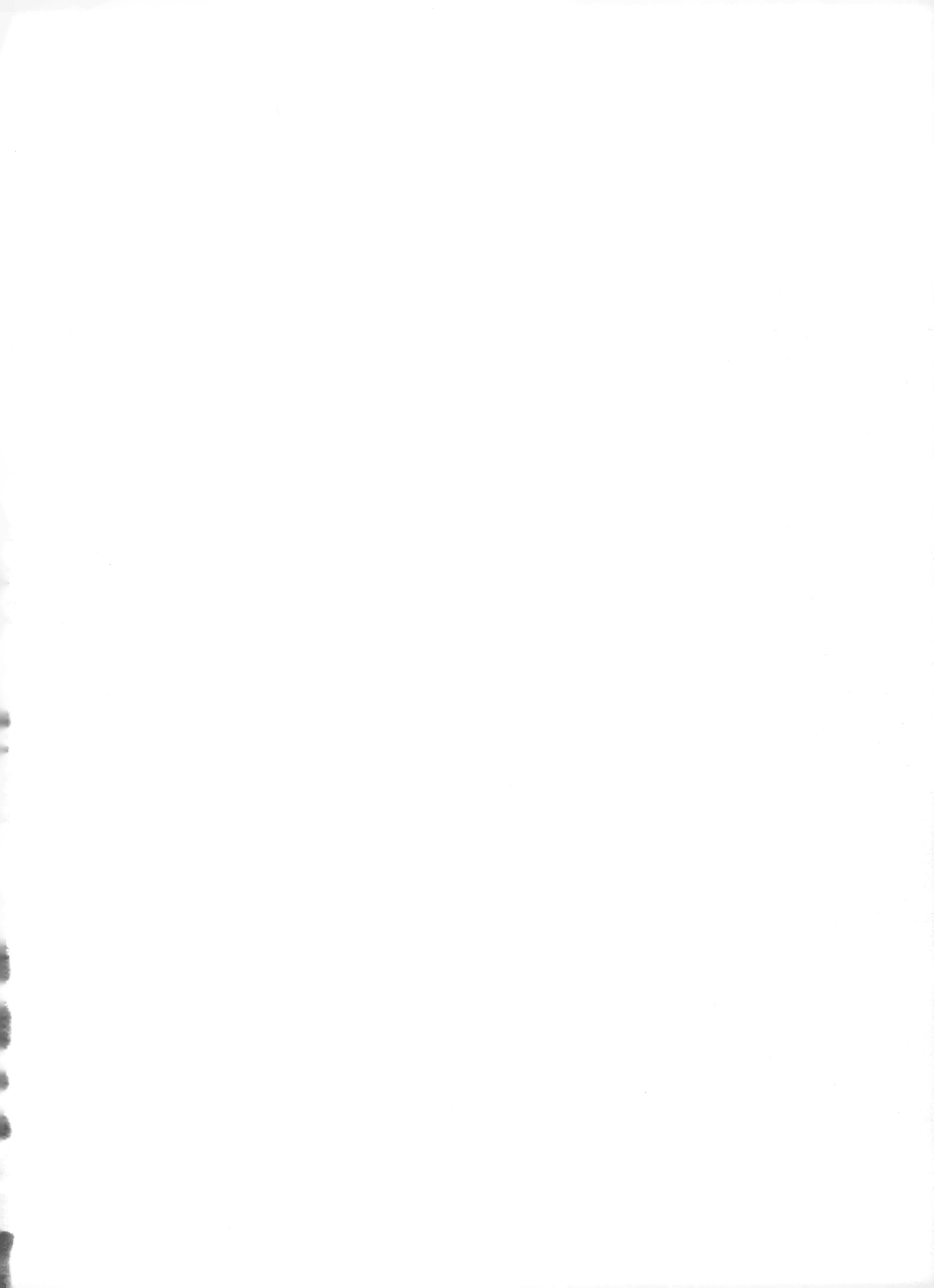

著　録　凡　例

本目録採用條目式著録法。諸條目意義如下：

1.1　著録編號。用漢語拼音首字“BD”表示，意為“北京圖書館藏敦煌遺書”，簡稱“北敦號”。文獻寫在背面者，標註為“背”。一件遺書上抄有多個文獻者，用數字1、2、3等標示小號。一號中包括幾件遺書，且遺書形態各自獨立者，用字母A、B、C等區別。

1.2　著録分類號。本條記目録暫不分類，該項空缺。

1.3　著録文獻的名稱、卷本、卷次。

1.4　著録千字文編號。

1.5　著録縮微膠卷號。

2.1　著録遺書的總體數據。包括長度、寬度、紙數、正面抄寫總行數與每行字數、背面抄寫總行數與每行字數。如該遺書首尾有殘破，則對殘破部分單獨度量，用加號加在總長度上。凡屬這種情況，長度用括弧標註。

2.2　著録每紙數據。包括每紙長度及抄寫行數或界欄數。

2.3　著録遺書的外觀。包括：（1）裝幀形式。（2）首尾存況。（3）護首、軸、軸頭、天竿、縹帶，經名是書寫還是貼簽，有無經名號，扉頁、扉畫。（4）卷面殘破情況及其位置。（5）尾部情況。（6）有無附加物（蟲繭、油污、線繩及其他）。（7）有無裱補及其年代。（8）界欄。（9）修整。（10）其他需要交待的問題。

2.4　著録一件遺書抄寫多個文獻的情況。

3.1　著録文獻首部文字與對照本核對的結果。

3.2　著録文獻尾部文字與對照本核對的結果。

3.3　著録録文。

3.4　著録對文獻的説明。

4.1　著録文獻首題。

4.2　著録文獻尾題。

5　著録本文獻與對照本的不同之處。

6.1　著録本遺書首部可與另一遺書綴接的編號。

6.2　著録本遺書尾部可與另一遺書綴接的編號。

7.1　著録題記、題名、勘記等。

7.2　著録印章。

7.3　著録雜寫。

7.4　著録護首及扉頁的内容。

8　著録年代。

9.1　著録字體。如有武周新字、合體字、避諱字等，予以説明。

9.2　著録卷面二次加工的情況。包括句讀、點標、科分、間隔號、行間加行、行間加字、硃筆、墨塗、倒乙、刪除、兑廢等。

10　著録敦煌遺書發現後，近現代人所加内容，裝裱、題記、印章等。

11　備註。著録揭裱互見、圖版本出處及其他需要説明的問題。

上述諸條，有則著録，無則空缺。

為避文繁，上述著録中出現的各種參考、對照文獻，暫且不列版本説明。全目結束時，將統一編制本條記目録出現的各種參考書目。

本條記目録為農曆年份標註其公曆紀年時，未進行歲頭年末之换算，請讀者使用時注意自行换算。

條　記　目　錄

BD02701—BD02792

1.1　BD02701號
1.3　佛垂般涅槃略說教誡經
1.4　呂001
1.5　132:6543
2.1　97.5×26.5厘米；2紙；共54行，行17字。
2.2　01：47.5，26；　02：50.0，28。
2.3　卷軸裝。首全尾脫。經黄紙。卷背有鳥糞。有烏絲欄。
3.1　首全→大正389，12/1110C13。
3.2　尾殘→12/1111B13。
4.1　佛垂般涅槃略說教戒經一卷（首）。
8　7～8世紀。唐寫本。
9.1　楷書。
11　圖版：《敦煌寶藏》，101/60B～61B。

1.1　BD02702號
1.3　妙法蓮華經卷二
1.4　呂002
1.5　105:4942
2.1　47.6×26.3厘米；1紙；共26行，行16字（偈）。
2.3　卷軸裝。首殘尾脫。有烏絲欄。
3.1　首行中殘→大正262，9/15C23～24。
3.2　尾殘→9/16A29。
6.1　首→BD02703號。
8　8世紀。唐寫本。
9.1　楷書。
11　圖版：《敦煌寶藏》，87/271A～B。

1.1　BD02703號
1.3　妙法蓮華經卷二
1.4　呂003
1.5　105:4941
2.1　49×26.3厘米；1紙；共26行，行16字（偈）。
2.3　卷軸裝。首脫尾殘。有烏絲欄。
3.1　首殘→大正262，9/15B18。
3.2　尾殘→9/15C23。
6.2　尾→BD02702號。
8　8世紀。唐寫本。
9.1　楷書。
11　圖版：《敦煌寶藏》，87/270A～B。

1.1　BD02704號
1.3　妙法蓮華經卷一
1.4　呂004
1.5　105:4548
2.1　（14.3+720）×25厘米；17紙；共438行，行17字。
2.2　01：14.3+1.8，09；　02：45.5，28；　03：45.9，28；
04：46.0，28；　05：45.9，28；　06：46.0，28；
07：46.0，28；　08：46.0，28；　09：45.9，28；
10：46.0，28；　11：46.0，28；　12：46.0，28；
13：46.0，28；　14：45.9，28；　15：45.9，28；
16：45.9，28；　17：29.3，09。
2.3　卷軸裝。首殘尾全。經黄紙。上邊略有殘破，卷尾中部有橫裂，有蟲繭。卷背有古代裱補。有燕尾。有烏絲欄。
3.1　首8行下殘→大正262，9/2C9～19。
3.2　尾全→9/10B21。
4.2　妙法蓮華經卷第一（尾）。
7.3　第4、5紙接縫處上邊雜寫2字。
8　7～8世紀。唐寫本。
9.1　楷書。
11　圖版：《敦煌寶藏》，84/333A～342B。

1.1　BD02705號
1.3　諸星母陀羅尼經
1.4　呂005
1.5　253:7538
2.1　154.5×25.9厘米；4紙；共97行，行17字。

2.2　01：43.0，26；　02：42.9，28；　03：43.0，28；
04：25.6，15。
2.3　卷軸裝。首尾均全。卷中夾裹無字殘片一塊。有烏絲欄。
3.1　首全→大正 1302，21/420A3。
3.2　尾全→21/421/A14。
4.1　諸星母陀羅尼經，沙門法成於甘州修多寺譯（首）。
4.2　諸星母陀羅尼經一卷（尾）。
5　尾附音義。
7.3　本卷經文第 5 行上邊有"子"字。
8　8～9 世紀。吐蕃統治時期寫本。
9.1　楷書。
11　圖版：《敦煌寶藏》，106/619A～621A。

1.1　BD02706 號
1.3　大般若波羅蜜多經卷二九三
1.4　呂 006
1.5　084:2802
2.1　172.1×25 厘米；4 紙；共 93 行，行 17 字。
2.2　01：47.5，28；　02：47.0，28；　03：47.0，28；
04：30.6，09。
2.3　卷軸裝。首脫尾全。有蟲繭。有燕尾。有烏絲欄。
3.1　首殘→大正 220，6/492A7。
3.2　尾全→6/493A10。
4.2　大般若波羅蜜多經卷第二百九十三（尾）。
7.1　卷尾有題記"勘了"。
8　7～8 世紀。唐寫本。
9.1　楷書。
11　圖版：《敦煌寶藏》，75/147A～149A。

1.1　BD02707 號 1
1.3　無量壽宗要經
1.4　呂 007
1.5　275:7764
2.1　(13＋236.5)×31 厘米；6 紙；共 171 行，行 30 餘字。
2.2　01：13＋29，29；　02：41.5，28；　03：41.5，28；
04：41.5，29；　05：41.5，29；　06：41.5，28。
2.3　卷軸裝。首脫尾全。卷首上下殘缺，接縫處有開裂，尾紙上下破裂。有烏絲欄。
2.4　本遺書包括 2 個文獻：（一）《無量壽宗要經》，57 行，今編為 BD02707 號 1。（二）《無量壽宗要經》，114 行，今編為 BD02707 號 2。
3.1　首 9 行上下殘→大正 936，19/83B25～C17。
3.2　尾全→19/84C29。
4.2　佛說無量壽宗要經（尾）。
8　8～9 世紀。吐蕃統治時期寫本。
9.1　楷書。
9.2　有刮改。

11　圖版：《敦煌寶藏》，107/542A～545A。

1.1　BD02707 號 2
1.3　無量壽宗要經
1.4　呂 007
1.5　275:7764
2.4　本遺書由 2 個文獻組成，本號為第 2 個，抄寫在背面，114 行。餘參見 BD02707 號 1 之第 2 項、第 11 項。
3.1　首全→大正 936，19/82A3。
3.2　尾全→19/84C29。
4.1　大乘無量壽經（首）。
4.2　佛說無量壽宗要經（尾）。
8　8～9 世紀。吐蕃統治時期寫本。
9.1　楷書。
9.2　有刮改。有倒乙。

1.1　BD02708 號
1.3　無量壽宗要經
1.4　呂 008
1.5　275:8154
2.1　(6＋160.5＋2.5)×31 厘米；5 紙；共 113 行，行 30 餘字。
2.2　01：6＋23.5，20；　02：41.0，27；　03：42.0，28；
04：42.0，28；　05：12＋2.5，10。
2.3　卷軸裝。首尾均殘。首紙有殘洞，卷上邊有殘破，接縫處有開裂。有烏絲欄。已修整。
3.1　首 4 行上下殘→大正 936，19/82A16～22。
3.2　尾 2 行中下殘→19/84B28。
8　8～9 世紀。吐蕃統治時期寫本。
9.1　行楷。
11　圖版：《敦煌寶藏》，109/152A～154A。

1.1　BD02709 號
1.3　無量壽宗要經
1.4　呂 009
1.5　275:8155
2.1　(127＋2)×31.5 厘米；4 紙；正面 85 行，行 30 餘字。背面 3 行，行字不等。
2.2　01：43.0，28；　02：42.0，28；　03：42.0，28；
04：02.0，01。
2.3　卷軸裝。首尾均殘。通卷上下邊有破裂殘缺，卷面有蟲繭。卷背有古代裱補，裱補紙上有字。有烏絲欄。
2.4　本遺書包括 2 個文獻：（一）《無量壽宗要經》，85 行，抄寫在正面，今編為 BD02709 號。（二）《春秋左傳》，3 行，抄寫在卷背古代裱補紙上，今編為 BD02709 號背。
3.1　首全→大正 936，19/82A3。
3.2　尾行中下殘→19/84B2。

4.1　無量壽宗要經（首）。
7.1　首紙首題前有題名"張小卿"，係上一文獻殘留題名。
8　8～9世紀。吐蕃統治時期寫本。
9.1　行楷。
11　圖版：《敦煌寶藏》，109/154A～156B。

1.1　BD02709號背
1.3　春秋左傳
1.4　呂009
1.5　275:8155
2.4　本遺書由2個文獻組成，本號為第2個，抄寫在背面古代裱補紙上，3行。餘參見BD02709號之第2項、第11項。
3.1　首殘→《十三經註疏》，第1866頁上欄第10行。
3.2　尾殘→《十三經註疏》，第1866頁上欄第16行。
3.3　錄文：

經：二年春，王二月，王（壬）子，宋華元師（帥）師及鄭公子歸生師（帥）師戰于/

大棘。宋師敗績，獲宋(華)元。得大夫，生死皆曰"獲"。例在昭廿三年。大棘在陳留，襄邑縣南。/

秦師伐晉。夏，晉人、宋人、衛人師/

5　與《十三經註疏》本中《春秋左傳正義》相比，本號無疏文，文字略有出入。
7.1　末行下有題記"若有自書寫"。
8　8～9世紀。吐蕃統治時期寫本。
9.1　楷書。

1.1　BD02710號
1.3　勝鬘師子吼一乘大方便方廣經（不分章）
1.4　呂010
1.5　012:0110
2.1　（7＋113.8＋10.5）×26.2厘米；4紙；共74行，行。
2.2　01：7＋29，19；　02：51.3，28；　03：33.5，20；　04：10.5，07。
2.3　卷軸裝。首尾均殘。首紙前部及末紙殘破嚴重，第3紙上有破裂。末紙紙、字與前3紙不同。有烏絲欄。已修整。
3.1　首3行中殘→大正353，12/217A3～8。
3.2　尾7行上下殘→12/218A5～11。
4.1　勝鬘師子吼一乘大方□…□（首）。
5　與《大正藏》對照，此件不分章。
8　8世紀。唐寫本（前3紙）。5～6世紀。南北朝寫本（末紙）。
9.1　楷書。末紙隸楷。
11　圖版：《敦煌寶藏》，56/507B～509A。

1.1　BD02711號
1.3　天地八陽神咒經
1.4　呂011
1.5　256:7655
2.1　128.1×26.4厘米；3紙；共62行，行17字。
2.2　01：50.3，28；　02：50.3，28；　03：27.5，06。
2.3　卷軸裝。首脫尾全。經黄紙。卷尾上下有蟲繭。有烏絲欄。
3.1　首殘→大正2897，85/1424B2。
3.2　尾全→85/1425B3。
4.2　佛說八陽神咒經（尾）。
5　與《大正藏》本對照，文字略有不同。
8　9～10世紀。歸義軍時期寫本。
9.1　楷書。
11　圖版：《敦煌寶藏》，107/227A～228B。

1.1　BD02712號
1.3　妙法蓮華經卷五
1.4　呂012
1.5　105:5528
2.1　（15＋102）×25.7厘米；3紙；正面65行，行17字。背面3行，殘片。
2.2　01：15＋9，13；　02：50.0，28；　03：43.0，24。
2.3　卷軸裝。首殘尾脫。經黄紙。卷首殘破嚴重，脫落兩塊殘片，可以綴接。卷背有兩處古代裱補，一處開裂，一處背面有經文。有烏絲欄。
2.4　本遺書包括2個文獻：（一）《妙法蓮華經》卷五，65行，抄寫在正面，今編為BD02712號。（二）《大方等大集經》卷一〇，3行，抄寫在卷背古代裱補上，今編為BD02712號背。
3.1　首8行下中殘→大正262，9/37A23～B1。
3.2　尾殘→9/38A16。
8　7～8世紀。唐寫本。
9.1　楷書。
11　圖版：《敦煌寶藏》，92/634A～635B。

1.1　BD02712號背
1.3　大方等大集經卷一〇
1.4　呂012
1.5　105:5528
2.4　本遺書由2個文獻組成，本號為第2個，抄寫在背面古代裱補紙上，3行。餘參見BD02712號之第2項、第11項。
3.1　首殘→大正397，13/61C20。
3.2　尾殘→13/61C23。
8　5～6世紀。南北朝寫本。
9.1　隸書。

1.1　BD02713號
1.3　妙法蓮華經卷四
1.4　呂013
1.5　105:5209
2.1　（5＋1106.6）×26.5厘米；24紙；共656行，行17字。
2.2　01：5＋33，23；　02：47.0，28；　03：47.0，28；

04：47.0，28；　05：47.0，28；　06：47.0，28；
07：47.0，28；　08：47.0，28；　09：47.0，28；
10：47.0，28；　11：47.0，28；　12：47.0，28；
13：46.6，28；　14：46.6，28；　15：47.0，28；
16：47.0，28；　17：46.6，28；　18：47.2，28；
19：47.2，28；　20：47.0，28；　21：47.2，28；
22：48.2，28；　23：47.0，28；　24：39.0，17。
2.3　卷軸裝。首殘尾全。經黄打紙。第10、11紙接縫處下開裂，卷尾有等距離蟲蛀殘洞。卷背有古代裱補。有烏絲欄。
3.1　首3行上下殘→大正262，9/27B19～22。
3.2　尾全→9/37A2。
4.2　妙法蓮華經卷第四（尾）。
8　7～8世紀。唐寫本。
9.1　楷書。
11　圖版：《敦煌寶藏》，89/418A～435A。

1.1　BD02714號
1.3　金剛般若波羅蜜經
1.4　呂014
1.5　094:3941
2.1　372.5×26厘米；8紙；共222行，行17字。
2.2　01：46.5，28；　02：46.8，28；　03：46.7，28；
04：46.5，28；　05：46.5，28；　06：46.5，28；
07：46.5，28；　08：46.5，26。
2.3　卷軸裝。首脱尾全。經黄紙。第1、2紙間接縫處脱開爲兩截。接縫處有開裂。背有古代裱補，已脱落。有烏絲欄。
3.1　首殘→大正235，8/749C20。
3.2　尾全→8/752C3。
4.2　金剛般若波羅蜜經（尾）。
8　7～8世紀。唐寫本。
9.1　楷書。
11　圖版：《敦煌寶藏》，81/270B～275A。

1.1　BD02715號
1.3　妙法蓮華經卷五
1.4　呂015
1.5　105:5605
2.1　（9.1+249.4）×26.6厘米；6紙；共144行，行17字。
2.2　01：9.1+35.8，24；　02：42.7，24；　03：42.7，24；
04：42.8，24；　05：42.7，24；　06：42.7，24。
2.3　卷軸裝。首殘尾脱。首紙有殘洞及上方破裂，接縫處有開裂。卷面多水漬，上部變色。有烏絲欄。
3.1　首5行上中殘→大正262，9/42B23～27。
3.2　尾殘→9/44C14。
8　8世紀。唐寫本。
9.1　楷書。
11　圖版：《敦煌寶藏》，93/342A～345B。

1.1　BD02716號
1.3　大般若波羅蜜多經卷一二
1.4　呂016
1.5　084:2040
2.1　86.5×25.2厘米；2紙；共50行，行17字。
2.2　01：46.5，28；　02：40.0，22。
2.3　卷軸裝。首脱尾全。首紙有殘洞，第2紙有縱向破裂。背面有古代裱補。有烏絲欄。
3.1　首殘→大正220，5/66C4。
3.2　尾全→5/67C22。
4.2　大般若波羅蜜多經卷第十二（尾）。
7.1　裱補紙背面寫有勘記“欠頭”。
8　8世紀。唐寫本。
9.1　楷書。
11　圖版：《敦煌寶藏》，71/453A～454A。

1.1　BD02717號
1.3　無量壽宗要經
1.4　呂017
1.5　275:7765
2.1　223.5×31厘米；5紙；共146行，行30餘字。
2.2　01：44.0，28；　02：45.0，30；　03：45.0，30；
04：45.0，30；　05：44.5，28。
2.3　卷軸裝。首尾均全。首紙中間有横向破裂。背有古代裱補。有烏絲欄。
3.1　首全→大正936，19/82A3。
3.2　尾全→19/84C29。
4.1　大乘無量壽經（首）。
4.2　佛説無量壽宗要經（尾）。
7.1　卷首背面有寺院題名“圖（敦煌靈圖寺簡稱）”。
8　8～9世紀。吐蕃統治時期寫本。
9.1　楷書。
9.2　有刮改。
11　圖版：《敦煌寶藏》，107/545B～548A。

1.1　BD02718號
1.3　妙法蓮華經卷七
1.4　呂018
1.5　105:5993
2.1　（3.5+208.5）×25厘米；6紙；共119行，行17字。
2.2　01：3.5+26.5，17；　02：48.5，28；　03：48.5，28；
04：48.5，28；　05：31.0，18；　06：05.5，素紙。
2.3　卷軸裝。首殘尾全。首紙上下邊有殘損，卷中下邊有等距離殘破。卷尾有古代裱補。有烏絲欄。
3.1　首2行上殘→大正262，9/56C1～2。
3.2　尾殘→9/58B7。
8　7～8世紀。唐寫本。

9.1 楷書。
9.2 有倒乙符號。
11 圖版:《敦煌寶藏》,96/282B～285A。

1.1 BD02719號
1.3 大般若波羅蜜多經卷四九七
1.4 呂019
1.5 084:3242
2.1 (17.2+146.6)×25.4厘米;4紙;共95行,行17字。
2.2 01:17.2,11; 02:48.5,28; 03:48.7,28;
04:49.4,28。
2.3 卷軸裝。首殘尾脫。卷首殘破嚴重,接縫處有開裂。有烏絲欄。
3.1 首11行下殘→大正220,7/526C20～527A3。
3.2 尾殘→7/527C27。
6.2 尾→BD01514號。
7.1 首紙背有勘記"四百九十七"。
8 8～9世紀。吐蕃統治時期寫本。
9.1 楷書。
9.2 有刮改。
11 圖版:《敦煌寶藏》,77/34B～36B。

1.1 BD02720號
1.3 金剛般若波羅蜜經
1.4 呂020
1.5 094:3853
2.1 (8+142.5)×27.5厘米;4紙;共86行,行17字。
2.2 01:8+16,14; 02:42.5,24; 03:42.5,24;
04:41.5,24。
2.3 卷軸裝。首殘尾脫。經黃紙。第1、2紙下邊殘損,卷面有火灼等距離殘洞,尾紙有殘洞。卷尾中部繫一段麻繩。有烏絲欄。
3.1 首5行上下殘→大正235,8/749B22～27。
3.2 尾殘→8/750B25。
8 7～8世紀。唐寫本。
9.1 楷書。
11 圖版:《敦煌寶藏》,80/597B～599A。

1.1 BD02721號1
1.3 大般若波羅蜜多經卷二六三
1.4 呂021
1.5 084:2705
2.1 480.6×26厘米;10紙;共279行,行17字。
2.2 01:48.0,27; 02:48.1,28; 03:48.3,28;
04:48.2,28; 05:48.2,28; 06:48.2,28;
07:48.2,28; 08:48.2,28; 09:48.0,28;
10:47.2,28。
2.3 卷軸裝。首尾均脫。首紙及卷尾下邊殘破。有烏絲欄。
2.4 本遺書包括2個文獻:(一)《大波若波羅蜜多經》卷二六三,251行,今編為BD02721號1。(二)《大般若波羅蜜多經》卷二七四,28行,今編為BD02721號2。
3.1 首殘→大正220,6/330C10。
3.2 尾殘→6/333C1。
8 8～9世紀。吐蕃統治時期寫本。
9.1 楷書。第9紙有武周新字"正"。
9.2 有行間校加字。
11 圖版:《敦煌寶藏》,74/464B～470B。

1.1 BD02721號2
1.3 大般若波羅蜜多經卷二七四
1.4 呂021
1.5 084:2706
2.4 本遺書由2個文獻組成,本號為第2個,28行。餘參見BD02721號1之第2項、第11項。
3.1 首殘→大正220,6/387C14。
3.2 尾殘→6/388A13。
3.4 說明:
本文獻為第10紙,與BD02721號1並非同一卷,顯係廢卷誤接。
8 8～9世紀。吐蕃統治時期寫本。
9.1 楷書。

1.1 BD02722號
1.3 無量壽宗要經
1.4 呂022
1.5 275:7766
2.1 167×31.5厘米;4紙;共113行,行30餘字。
2.2 01:41.5,27; 02:42.0,29; 03:42.0,29;
04:41.5,28。
2.3 卷軸裝。首尾均全。首紙上下邊有破裂,卷面有殘洞。卷背有鳥糞。有烏絲欄。
3.1 首全→大正936,19/82A3。
3.2 尾全→19/84C29。
4.1 大乘無量壽經(首)。
4.2 佛說無量壽宗要經(尾)。
7.1 尾紙有題名"田廣談"。
8 8～9世紀。吐蕃統治時期寫本。
9.1 楷書。
9.2 有刮改。
11 圖版:《敦煌寶藏》,107/548B～550B。

1.1 BD02723號
1.3 大般涅槃經(北本)卷三六
1.4 呂023

1.5　117:6591
2.1　(2.5+24.5+6)×26 厘米；1 紙；共 11 行，行 17 字。
2.3　卷軸裝。首尾均殘。有烏絲欄。
3.1　首 2 行上下殘→大正 374，12/578A16～18。
3.2　尾 4 行下殘→12/578B5～7。
8　5～6 世紀。南北朝寫本。
9.1　楷書。
11　圖版：《敦煌寶藏》，100/423A。

1.1　BD02724 號
1.3　佛頂尊勝陀羅尼經（佛陀波利本）
1.4　呂 024
1.5　229:7359
2.1　(8.1+179.3)×27.3 厘米；5 紙；共 107 行，行 17 字。
2.2　01：8.1+11.2，13；　02：42.5，28；　03：42.8，28；　04：42.6，28；　05：40.2，10。
2.3　卷軸裝。首殘尾全。首紙有殘洞，上邊下邊殘破；第 2 紙上邊殘缺殘破，下邊等距殘缺；第 3 紙有殘洞。有燕尾。有烏絲欄。
3.1　首 5 行上殘→大正 967，19/351A5～9。
3.2　尾全→19/352A26。
4.2　佛頂尊勝陀羅尼經（尾）。
8　8 世紀。唐寫本。
9.1　楷書。
11　圖版：《敦煌寶藏》，105/595A～597A。

1.1　BD02725 號
1.3　妙法蓮華經卷二
1.4　呂 025
1.5　105:4805
2.1　(15.6+29.2)×25.2 厘米；1 紙；共 26 行，行 17 字。
2.3　卷軸裝。首殘尾脫。經黃打紙。卷首殘破嚴重。有烏絲欄。
3.1　首 9 行中殘→大正 262，9/10B24～C8。
3.2　尾殘→9/11A6。
4.1　妙法蓮□…□，二（首）。
8　7～8 世紀。唐寫本。
9.1　楷書。
11　圖版：《敦煌寶藏》，86/639A～B。

1.1　BD02726 號
1.3　大般涅槃經（北本）卷三
1.4　呂 026
1.5　115:6304
2.1　(19+39+11)×26 厘米；2 紙；共 42 行，行 17 字。
2.2　01：19+30，30；　02：9+11，12。
2.3　卷軸裝。首尾殘。上下邊有破損。背有古代裱補。有劃界欄針孔。有烏絲欄。
3.1　首 10 行下殘→大正 374，12/383C28～384A9。
3.2　尾 6 行下殘→12/384B8～13。
6.1　首→BD07516 號。
8　5～6 世紀。南北朝寫本。
9.1　楷書。
11　圖版：《敦煌寶藏》，98/19A～B。

1.1　BD02727 號
1.3　無量壽宗要經
1.4　呂 027
1.5　275:7767
2.1　204.5×31 厘米；5 紙；共 124 行，行 30 餘字。
2.2　01：25.0，15；　02：44.0，28；　03：45.0，29；　04：45.5，29；　05：45.0，23。
2.3　卷軸裝。首尾均全。前 3 紙上邊有火燒等距離殘缺，下邊有殘破。有烏絲欄。
3.1　首全→大正 936，19/82A3。
3.2　尾全→19/84C29。
4.1　大乘無量壽經（首）。
4.2　佛說無量壽宗要經（尾）。
7.1　末紙有題名“田廣談”。
8　8～9 世紀。吐蕃統治時期寫本。
9.1　楷書。
11　圖版：《敦煌寶藏》，107/551A～553B。

1.1　BD02728 號
1.3　金光明最勝王經卷五
1.4　呂 028
1.5　083:1742
2.1　(3.5+203.4+26.5)×25.2 厘米；6 紙；共 145 行，行 17 字。
2.2　01：3.5+10，08；　02：45.0，28；　03：45.2，28；　04：45.2，28；　05：45.2，28；　06：12.8+26.5，25。
2.3　卷軸裝。首尾均殘。上下邊有殘破。有烏絲欄。
3.1　首 2 行上下殘→大正 665，16/424A16～18。
3.2　尾 17 行下殘→16/425C6～23。
8　9～10 世紀。歸義軍時期寫本。
9.1　楷書。
9.2　有行間校加字。
11　圖版：《敦煌寶藏》，69/558A～560B。

1.1　BD02729 號
1.3　梵網經盧舍那佛說菩薩心地戒品第十卷下
1.4　呂 029
1.5　143:6708
2.1　(17.6+932.9)×26 厘米；27 紙；共 436 行，行 16～18 字。

2.2 01：07.6，04； 02：10+26，18； 03：35.0，19；
04：34.0，16； 05：23.4，12； 06：28.8，18；
07：37.6，17； 08：37.6，17； 09：39.0，17；
10：37.2，17； 11：38.2，17； 12：38.3，16；
13：38.6，16； 14：38.7，16； 15：37.8，16；
16：38.7，18； 17：38.4，18； 18：25.7，12；
19：38.0，17； 20：38.2，18； 21：38.5，18；
22：37.5，18； 23：37.0，18； 24：28.7，14；
25：46.5，17； 26：35.5，18； 27：40.0，14。

2.3 卷軸裝。首殘尾全。通卷破碎嚴重。卷背有多處古代裱補，裱補紙上有字，已揭下另編。尾紙係歸義軍時期後補。已修整。

3.1 首9行上下殘→大正1484，24/1003C29～104A14。

3.2 尾全→24/1009C8。

4.2 佛說菩薩戒經一卷（尾）。

5 與《大正藏》對照，本經首行《大正藏》本無，卷尾缺偈及偈前一段文字。

7.3 卷背有雜寫、淡墨雜畫及揭裱後留下殘字痕。

8 7～8世紀。唐寫本。

9.1 楷書。

9.2 有行間校加字。有倒乙符號。

11 從本號卷背揭下古代裱補紙若干，今編為BD16187號，BD16188號，BD16189號，BD16190號，BD16191號，BD16192號，BD16193號，BD16194號，BD16195號，BD16196號，BD16197號，BD16198號，BD16199號，BD16200號。

圖版：《敦煌寶藏》，101/262B～280A。

1.1 BD02730號

1.3 金光明最勝王經卷三

1.4 呂030

1.5 083:1606

2.1 （18.5+544.5）×28.3厘米；13紙；共309行，行16～19字。

2.2 01：18.5+25，24； 02：43.6，24； 03：43.3，24；
04：42.8，24； 05：43.7，24； 06：43.8，24；
07：43.7，24； 08：42.0，23； 09：43.5，27；
10：43.2，27； 11：43.7，27； 12：43.0，27；
13：43.2，10。

2.3 卷軸裝。首殘尾全。卷首右上殘缺一塊。有烏絲欄。

3.1 首10行上殘→大正665，16/414A9～18。

3.2 尾全→16/417C16。

4.2 金光明最勝王經卷第三（尾）。

8 9～10世紀。歸義軍時期寫本。

9.1 楷書。

9.2 有行間校加字。有刮改。有倒乙符號。

11 圖版：《敦煌寶藏》，68/589A～596A。

1.1 BD02731號

1.3 金光明最勝王經卷三

1.4 呂031

1.5 083:1599

2.1 571.6×25.5厘米；14紙；共310行，行17字。

2.2 01：18.5，素紙； 02：42.1，25； 03：43.0，25；
04：43.3，25； 05：43.2，25； 06：43.6，25；
07：43.7，25； 08：41.8，24； 09：43.8，25；
10：43.8，25； 11：43.5，25； 12：38.1，22；
13：43.2，25； 14：40.0，14。

2.3 卷軸裝。首尾均全。經黃紙。全卷破碎嚴重，卷背有古代裱補，紙上有後補闕字。有烏絲欄。已修整。

3.1 首缺→大正665，16/414A8。

3.2 尾全→16/417C16。

4.2 金光明經卷第三（尾）。

5 尾附音義。

7.3 第8紙下邊有雜寫8字。

8 7～8世紀。唐寫本。

9.1 楷書。

11 從該件上揭下古代裱補紙2塊，今編爲BD16070號，BD16071號。

圖版：《敦煌寶藏》，68/543B～550B。

1.1 BD02732號1

1.3 金光明最勝王經卷一

1.4 呂032

1.5 083:1472

2.1 （1.5+225.5+1）×26厘米；5紙；共190行，行字不等。

2.2 01：1.5+36.8，32； 02：46.7，39； 03：46.5，38；
04：47.0，39； 05：48.5+1，42。

2.3 卷軸裝。首殘尾斷。卷端污損嚴重，通卷下邊殘缺。背有古代裱補紙，字面向裏，難以辨認。其中卷尾裱補紙露出半行殘字，不錄。卷背有鳥糞。有烏絲欄。已修整。

2.4 本遺書包括2個文獻：（一）《金光明最勝王經》卷一，20行，今編為BD02732號1。（二）《金光明最勝王經》卷二，170行，今編為BD02732號2。

3.1 首行上下殘→大正665，16/407C15～16。

3.2 尾全→16/408A28。

4.2 金光明最勝王經卷第一（尾）。

5 尾附音義。

8 9～10世紀。歸義軍時期寫本。

9.1 楷書。

9.2 有刮改。

11 圖版：《敦煌寶藏》，68/34A～36B。

1.1 BD02732號2

1.3 金光明最勝王經卷二

1.4 呂032

1.5　083:1472
2.4　本遺書由2個文獻組成，本號為第2個，170行。餘參見BD02732號1之第2項、第11項。
3.1　首全→大正665，16/408B2。
3.2　尾殘→16/413B27。
4.1　金光明最勝王經分別三身品第三，卷二（首）。
8　8～9世紀。吐蕃統治時期寫本。
9.1　楷書。
9.2　有行間校加字。
11　圖版：《敦煌寶藏》，68/34A～36B。

1.1　BD02733號
1.3　金光明經卷三
1.4　呂033
1.5　081:1403
2.1　（15+327）×28厘米；9紙；共172行。
2.2　01：15+9.1，13；　02：40.5，22；　03：41.3，22；
04：41.4，22；　05：41.2，22；　06：41.5，22；
07：41.3，22；　08：41.7，22；　09：29.0，05。
2.3　卷軸裝。首殘尾全。卷面有殘洞。背有古代裱補。有劃界欄針孔。有烏絲欄。
3.1　首8行上下殘→大正663，16/346C12～20。
3.2　尾全→16/349A28。
4.2　金光明經卷第三（尾）。
5　與《大正藏》本對照，分卷不同。
8　5～6世紀。南北朝寫本。
9.1　隸楷。
11　圖版：《敦煌寶藏》，67/357B～361B。

1.1　BD02734號
1.3　妙法蓮華經卷二
1.4　呂034
1.5　105:4859
2.1　47.8×26.3厘米；1紙；共26行，行17字。
2.3　卷軸裝。首尾均脫。有烏絲欄。
3.1　首殘→大正262，9/11C19。
3.2　尾殘→9/12A29。
8　8世紀。唐寫本。
9.1　楷書。
11　圖版：《敦煌寶藏》，87/104B～105A。

1.1　BD02735號
1.3　妙法蓮華經卷四
1.4　呂035
1.5　105:5362
2.1　（2.7+466.9）×26.8厘米；10紙；共268行，行17字。
2.2　01：2.7+46.2，28；　02：48.7，28；　03：49.2，29；
04：48.8，28；　05：48.8，28；　06：48.8，28；
07：48.8，28；　08：48.8，28；　09：48.8，28；
10：30.0，15。
2.3　卷軸裝。首殘尾全。上下邊略殘，首紙有橫向開裂。卷背有鳥糞。有烏絲欄。
3.1　首行上殘→大正262，9/33A26。
3.2　尾全→9/37A2。
4.2　妙法蓮華經卷第四（尾）。
8　7～8世紀。唐寫本。
9.1　楷書。
11　圖版：《敦煌寶藏》，91/178A～184B。

1.1　BD02736號
1.3　大般涅槃經（北本）卷九
1.4　呂036
1.5　115:6337
2.1　（3+616.8）×26厘米；16紙；共369行，行17字。
2.2　01：3+30，20；　02：40.5，25；　03：40.5，25；
04：40.5，25；　05：40.5，25；　06：40.5，25；
07：40.5，25；　08：40.5，25；　09：40.7，25；
10：40.7，25；　11：40.5，25；　12：40.8，25；
13：41.0，25；　14：40.8，25；　15：40.8，24；
16：18.0，拖尾。
2.3　卷軸裝。首殘尾全。首紙下方有破裂，卷面有等距離火灼痕跡。前3紙背有古代裱補。有燕尾。有劃界欄針孔。有烏絲欄。
3.1　首2行下殘→大正374，12/418A26～28。
3.2　尾全→12/422B28。
4.2　大般涅槃經卷第九（尾）。
8　5～6世紀。南北朝寫本。
9.1　隸楷。
11　圖版：《敦煌寶藏》，98/257A～265A。

1.1　BD02737號
1.3　百法明門論疏（擬）
1.4　呂037
1.5　209:7239
2.1　（14.5+1467.5）×27厘米；31紙；共1174行，行30字左右。
2.2　01：13.0，11；　02：1.5+46.5，39；　03：49.0，39；
04：49.0，39；　05：49.0，39；　06：49.0，39；
07：49.0，39；　08：49.0，39；　09：49.0，39；
10：49.0，39；　11：49.0，39；　12：49.0，38；
13：49.0，39；　14：49.0，39；　15：49.0，39；
16：49.0，38；　17：49.0，39；　18：49.0，39；
19：49.0，38；　20：49.0，39；　21：49.0，39；
22：49.0，39；　23：49.0，39；　24：49.0，39；

25：49.0，39；　26：49.0，39；　27：49.0，37；
28：49.0，38；　29：49.0，39；　30：49.0，39；
31：49.0，38。
2.3　卷軸裝。首尾均殘。卷前部殘破。第1、2紙接縫處脫開爲兩截。有烏絲欄。已修整。
3.4　說明：
本文獻首12行中上殘，尾15行中上殘。未為歷代大藏經所收。
8　8～9世紀。吐蕃統治時期寫本。
9.1　行書。
9.2　有行間加行及行間校加字。有硃筆塗抹，有點標、間隔、重文符號。上邊有校加字。
11　圖版：《敦煌寶藏》，105/38A～56A。

1.1　BD02738號
1.3　無量壽宗要經
1.4　呂033
1.5　275:7768
2.1　209.5×30厘米；5紙；共141行，行30餘字。
2.2　01：42.0，28；　02：42.0，29；　03：42.0，29；
04：42.0，29；　05：41.5，26。
2.3　卷軸裝。首尾均全。首紙下邊有破裂，中間有橫向破裂。有烏絲欄。
3.1　首全→大正936，19/82A3。
3.2　尾全→19/84C29。
4.1　大乘無量壽經（首）。
4.2　佛說無量壽宗要經（尾）。
7.1　首紙背面有勘記"一切經音義卷第十三"。
8　8～9世紀。吐蕃統治時期寫本。
9.1　楷書。
11　圖版：《敦煌寶藏》，107/554A～557A。

1.1　BD02739號
1.3　佛名經（十二卷本　異卷）卷一〇
1.4　呂039
1.5　060:0512
2.1　（2+960.5）×27.6厘米；23紙；共463行，行18字。
2.2　01：2+10，6；　02：43.0，21；　03：43.0，21；
04：43.0，21；　05：43.0，21；　06：43.5，21；
07：43.5，21；　08：43.5，21；　09：43.5，21；
10：43.5，21；　11：43.5，21；　12：43.5，21；
13：43.5，21；　14：43.5，21；　15：43.5，21；
16：42.0，21；　17：43.5，21；　18：43.5，21；
19：43.5，21；　20：43.0，21；　21：43.0，21；
22：43.0，21；　23：42.0，16。
2.3　卷軸裝。首殘尾全。打紙，砑光上蠟。卷上部油污變色。有燕尾。有烏絲欄。
3.1　首1行上中殘→大正440，14/174C2。
3.2　尾全→14/179A29。
4.2　佛名經卷第十（尾）。
5　與《大正藏》對照，分卷不同，相當於卷一一後半部分與卷一二前半部分。與其他諸藏分卷亦均不同。
8　7～8世紀。唐寫本。
9.1　楷書。
9.2　有行間加行及行間校加字。有刮改。
11　圖版：《敦煌寶藏》，59/459B～473A。

1.1　BD02740號
1.3　大般若波羅蜜多經卷五三九
1.4　呂040
1.5　084:3311
2.1　66.1×24.9厘米；3紙；共38行，行17字。
2.2　01：16.4，09；　02：48.2，28；　03：01.5，01。
2.3　卷軸装。首殘尾斷。前2紙下邊殘破。有烏絲欄。
3.1　首殘→大正220，7/768C22。
3.2　尾殘→7/769B2。
7.1　卷端背面有勘記"五百三十九"。
8　7～8世紀。唐寫本。
9.1　楷書。
11　圖版：《敦煌寶藏》，77/201B～202A。

1.1　BD02741號
1.3　阿彌陀經
1.4　呂041
1.5　014:0133
2.1　（9.5+193.8）×25.8厘米；5紙；共120行，行約17字。
2.2　01：9.5+35.5，27；　02：45.3，28；　03：45.5，28；
04：45.5，28；　05：22.0，09。
2.3　卷軸装。首殘尾全。麻紙，未入潢。卷首殘破。第2、3紙接縫處上部開裂。有烏絲欄。已修整。
3.1　首5行上下殘→大正366，12/346B28～C4。
3.2　尾全→12/348A29。
4.2　佛說阿彌陀經（尾）。
8　7～8世紀。唐寫本。
9.1　楷書。
9.2　有刮改。
11　圖版：《敦煌寶藏》，56/612A～614B。

1.1　BD02742號
1.3　金剛般若波羅蜜經
1.4　呂042
1.5　094:4360
2.1　119×25.6厘米；3紙；共62行，行17字。
2.2　01：48.5，28；　02：48.5，28；　03：22.0，06。

2.3　卷轴装。首脱尾全。經黄紙。卷上部殘缺嚴重，接縫處均脱開，卷尾上下有蟲繭。有燕尾。有烏絲欄。
3.1　首4行上殘→大正235，8/751C24～27。
3.2　尾全→8/752C3。
4.2　金剛般若波羅蜜經（尾）。
8　7～8世紀。唐寫本。
9.1　楷書。
11　圖版：《敦煌寶藏》，83/55B～56B。

1.1　BD02743號
1.3　大般若波羅蜜多經卷五五三
1.4　呂043
1.5　084:3333
2.1　（33.8+753.2）×26厘米；18紙；共480行，行17字。
2.2　01：33.8+3.6，23；　02：45.4，28；　03：45.4，28；
04：45.3，28；　05：45.3，28；　06：45.5，28；
07：45.4，28；　08：45.2，28；　09：45.3，28；
10：45.4，28；　11：45.2，28；　12：45.2，28；
13：45.3，28；　14：44.9，28；　15：45.0，28；
16：44.7，28；　17：44.6，28；　18：26.5，09。
2.3　卷轴装。首殘尾全。首紙殘缺嚴重。卷尾有原軸，兩端塗黑漆。有烏絲欄。
3.1　首21行下殘→大正220，7/847B15～C6。
3.2　尾全→7/852C29。
4.2　大般若波羅蜜多經卷第五百五十三（尾）。
8　8～9世紀。吐蕃統治時期寫本。
9.1　楷書。
11　圖版：《敦煌寶藏》，77/290B～300B。

1.1　BD02744號
1.3　妙法蓮華經卷六
1.4　呂044
1.5　105:5699
2.1　220×26厘米；5紙；共135行，行17字。
2.2　01：44.0，27；　02：44.0，27；　03：44.2，27；
04：44.0，27；　05：43.8，27。
2.3　卷轴装。首尾均脱。經黄紙。有烏絲欄。
3.1　首殘→大正262，9/46C19。
3.2　尾殘→9/49A7。
8　7～8世紀。唐寫本。
9.1　楷書。
11　圖版：《敦煌寶藏》，94/336B～339B。

1.1　BD02745號
1.3　無量壽宗要經
1.4　呂045
1.5　275:7769
2.1　161.5×29.5厘米；4紙；共114行，行30餘字。
2.2　01：40.5，29；　02：40.5，30；　03：40.5，30；
04：40.0，25。
2.3　卷轴装。首尾均全。首紙下邊有殘缺。有烏絲欄。
3.1　首全→大正936，19/82A3。
3.2　尾全→19/84C29。
4.1　大乘無量壽經（首）。
4.2　佛說無量壽宗要經（尾）。
7.1　末紙有題名“呂日興”。首紙背有寺院題名“金（敦煌金光明寺簡稱）”。
8　8～9世紀。吐蕃統治時期寫本。
9.1　楷書。
11　圖版：《敦煌寶藏》，107/557B～559B。

1.1　BD02746號
1.3　妙法蓮華經卷六
1.4　呂046
1.5　105:5697
2.1　（5+176.3+5.5）×26.5厘米；5紙；共105行，行17字。
2.2　01：5+3，4；　02：49.8，28；　03：50.0，28；
04：49.0，28；　05：24.5+5.5，17。
2.3　卷轴装。首尾均殘。卷面多有殘破。有烏絲欄。
3.1　首2行上中殘→大正262，9/46C17～18。
3.2　尾3行中下殘→9/48B16～18。
8　8世紀。唐寫本。
9.1　楷書。
11　圖版：《敦煌寶藏》，94/329A～331B。

1.1　BD02747號
1.3　金剛般若波羅蜜經
1.4　呂047
1.5　094:3893
2.1　（4.5+457.3）×27厘米；11紙；共245行，行17字。
2.2　01：4.5+37.5，21；　02：42.0，22；　03：41.5，22；
04：42.0，22；　05：42.0，23；　06：42.3，23；
07：42.0，23；　08：42.0，23；　09：42.0，23；
10：42.0，23；　11：42.0，20。
2.3　卷轴装。首殘尾全。首紙有豎裂，各紙接縫處均脱開。尾有原軸，下端鑲蓮蓬形軸頭，上軸頭脱落。上下邊欄爲烏絲欄，竪欄為折疊欄。
3.1　首2行上殘→大正235，8/749C7～8。
3.2　尾全→8/752C3。
4.2　金剛般若波羅蜜經（尾）。
8　7～8世紀。唐寫本。
9.1　楷書。
9.2　有倒乙符號。

11　圖版：《敦煌寶藏》，81/89B～95B。

1.1　BD02748 號
1.3　金剛般若波羅蜜經
1.4　呂 048
1.5　094:4173
2.1　47×25.5 厘米；1 紙；共 28 行，行 17 字。
2.3　卷軸裝。首尾均脫。經黄打紙。有烏絲欄。
3.1　首殘—大正 235，8/750C19。
3.2　尾殘—8/751A20。
8　7～8 世紀。唐寫本。
9.1　楷書。
11　圖版：《敦煌寶藏》，82/310A～B。

1.1　BD02749 號
1.3　梵網經盧舍那佛說菩薩心地戒品第十卷下
1.4　呂 049
1.5　143:6707
2.1　（10.5＋358.2＋1）×25 厘米；8 紙；共 208 行，行 17 字。
2.2　01：10.5＋33.5，25；　02：50.0，28；　03：50.0，28；
04：50.2，28；　05：50.0，28；　06：50.0，28；
07：50.0，28；　08：24.5＋1，15。
2.3　卷軸裝。首尾均殘。經黄打紙。尾有蟲繭。有烏絲欄。
3.1　首 6 行上下殘→大正 1484，24/1003C12～18。
3.2　尾殘—24/1006B16～17。
8　7～8 世紀。唐寫本。
9.1　楷書。
11　圖版：《敦煌寶藏》，101/257A～262A。

1.1　BD02750 號
1.3　諸星母陀羅尼經
1.4　呂 050
1.5　253:7542
2.1　（3＋148.3）×26 厘米；4 紙；共 95 行，行 17 字。
2.2　01：（3＋32.6），23；　02：43.0，28；　03：43.0，28；
04：29.7，16。
2.3　卷軸裝。首殘尾全。首紙前半脆損嚴重，脫落 3 塊小殘片，已綴接。有烏絲欄。已修整。
3.1　首 2 行上下殘→大正 1302，21/420A5～10。
3.2　尾全→21/421A14。
4.1　□…□沙門法□…□（首）。
4.2　諸星母陀羅尼經一卷（尾）。
5　尾附音義。
8　8～9 世紀。吐蕃統治時期寫本。
9.1　楷書。
9.2　有刮改。
11　圖版：《敦煌寶藏》，106/628A～630A。

1.1　BD02751 號
1.3　維摩詰所說經卷下
1.4　呂 051
1.5　070:1294
2.1　88×26 厘米；2 紙；共 53 行，行 17 字。
2.2　01：41.5，25；　02：46.5，28。
2.3　卷軸裝。首殘尾脫。有烏絲欄。
3.1　首殘→大正 475，14/556B16。
3.2　尾殘→14/557A14。
6.1　首→BD02784 號。
8　8 世紀。唐寫本。
9.1　楷書。
11　圖版：《敦煌寶藏》，66/436A～437A。

1.1　BD02752 號
1.3　無量壽宗要經
1.4　呂 052
1.5　275:8000
2.1　126×30 厘米；3 紙；共 82 行，行 30 餘字。
2.2　01：42.0，29；　02：42.0，28；　03：42.0，25。
2.3　卷軸裝。首脫尾全。卷面有殘洞，接縫處有開裂，尾紙下邊有殘損。有烏絲欄。
3.1　首殘→大正 936，19/82C11。
3.2　尾全→19/84C29。
4.2　佛說無量壽宗要經（尾）。
7.1　卷末有題名“孟郎子”。
8　8～9 世紀。吐蕃統治時期寫本。
9.1　楷書。
11　圖版：《敦煌寶藏》，108/485B～487A。

1.1　BD02753 號
1.3　妙法蓮華經卷七
1.4　呂 053
1.5　105:6026
2.1　（31.5＋124＋7）×25.5 厘米；5 紙；共 90 行，行 17 字。
2.2　01：28.0，16；　02：3.5＋45，28；　03：49.5，28；
04：29.5＋2，18；05：05.0，拖尾。
2.3　卷軸裝。首尾均殘。卷首殘破嚴重，脫落 2 塊殘片。接縫處有開裂，第 3 紙上下邊各有 1 處破裂。有烏絲欄。
3.1　首 18 行中下殘→大正 262，9/57A2～22。
3.2　尾行下殘→9/58B7。
7.3　第 2 紙背有雜寫 1 行：“及諸比丘比丘尼，諸佛悉皆供養。”
8　9～10 世紀。歸義軍時期寫本。
9.1　楷書。
11　圖版：《敦煌寶藏》，96/345A～347A。

1.1　BD02754 號

1.3　維摩詰所說經卷上
1.4　呂 054
1.5　070:0988
2.1　77.5×25 厘米；2 紙；共 44 行，行 17 字。
2.2　01：49.0，28；　02：28.5，16。
2.3　卷軸裝。首脫尾斷。有烏絲欄。
3.1　首殘→大正 475，14/542A11。
3.2　尾殘→14/542B29。
6.1　首→BD02587 號。
8　8～9 世紀。吐蕃統治時期寫本。
9.1　楷書。
11　圖版：《敦煌寶藏》，64/280B～281B。

1.1　BD02755 號
1.3　諸星母陀羅尼經
1.4　呂 055
1.5　253:7533
2.1　153.6×25.5 厘米；4 紙；共 97 行，行 17 字。
2.2　01：42.2，26；　02：43.0，28；　03：43.0，28；
04：25.4，15。
2.3　卷軸裝。首尾均全。背面有古代裱補。有烏絲欄。
3.1　首全→大正 1302，21/420A3。
3.2　尾全→21/421A14。
4.1　諸母陀羅尼經，沙門法成於甘州修多寺譯（首）。
4.2　諸星母陀羅尼經一卷（尾）。
5　尾附音義。
8　8～9 世紀。吐蕃統治時期寫本。
9.1　楷書。
11　圖版：《敦煌寶藏》，106/604A～606A。

1.1　BD02756 號
1.3　灌頂章句拔除過罪生死得度經
1.4　呂 056
1.5　250:7513
2.1　（189.3＋13）×25.5 厘米；4 紙；正面 112 行，行 17 字。背面 7 行，殘片。
2.2　01：50.8，28；　02：50.6，28；　03：50.7，28；
04：37.2＋13，28。
2.3　卷軸裝。首脫尾殘。經黄紙。各紙均有殘洞或殘裂，接縫處有開裂，卷尾殘破嚴重。卷背面有古代裱補，裱補紙上有文字。有烏絲欄。
2.4　本遺書包括個文獻：（一）《灌頂章句拔除過罪生死得度經》，112 行，抄寫在正面，今編為 BD02756 號。（二）《殘文書》（擬），7 行，抄寫在背面裱補紙上，今編為 BD02756 號背。
3.1　首殘→大正 1331，21/534C6。
3.2　尾 7 行中下殘→21/535C24～536A2。
8　7～8 世紀。唐寫本。
9.1　楷書。
11　圖版：《敦煌寶藏》，106/542A～544B。

1.1　BD02756 號背
1.3　殘文書（擬）
1.4　呂 056
1.5　250:7513
2.4　本遺書由 2 個文獻組成，本號為第 2 個，7 行，抄寫在背面裱補紙上。餘參見 BD02756 號之第 2 項、第 11 項。
3.3　錄文：
□…□尉（?）候備預□…□/
□…□閣□□則□…□/
□…□問某乙生□…□/
□…□當墜地□…□/
□…□方纔能□…□/
□…□可能並□…□/
（錄文完）
8　7～8 世紀。唐寫本。
9.1　楷書。

1.1　BD02757 號
1.3　大般若波羅蜜多經卷五二四
1.4　呂 057
1.5　084:3287
2.1　198.8×26.2 厘米；4 紙；共 112 行，行 17 字。
2.2　01：51.5，28；　02：49.2，28；　03：49.1，28；
04：49.0，28。
2.3　卷軸裝。首殘尾脫。有烏絲欄。
3.1　首殘→大正 220，7/685B14。
3.2　尾殘→7/686C11。
8　8～9 世紀。吐蕃統治時期寫本。
9.1　楷書。
11　圖版：《敦煌寶藏》，77/117A～119B。

1.1　BD02758 號
1.3　維摩詰所說經卷上
1.4　呂 058
1.5　070:1018
2.1　97.5×25 厘米；2 紙；共 56 行，行 17 字。
2.2　01：49.0，28；　02：48.5，28。
2.3　卷軸裝。首殘尾脫。首紙下邊有破裂。有烏絲欄。
3.1　首殘→大正 475，14/540C7。
3.2　尾殘→14/541B8。
8　8～9 世紀。吐蕃統治時期寫本。
9.1　楷書。
11　圖版：《敦煌寶藏》，64/394B～395B。

1.1　BD02759 號
1.3　大般若波羅蜜多經卷一五一
1.4　呂 059
1.5　084:2397
2.1　792.1×25.5 厘米；17 紙；共 440 行，行 17 字。
2.2　01：19.0，護首；　02：45.5，26；　03：47.8，28；
　04：48.5，28；　05：48.5，28；　06：48.6，28；
　07：48.6，28；　08：48.9，28；　09：48.8，28；
　10：48.6，28；　11：48.8，28；　12：48.8，28；
　13：48.8，28；　14：48.8，28；　15：48.6，28；
　16：48.5，28；　17：47.0，22。
2.3　卷軸裝。首尾均全。有護首，護首有横向破裂，下邊殘缺。有烏絲欄。
3.1　首全→大正 220，5/815A2。
3.2　尾全→5/820A10。
4.1　大般若波羅蜜多經卷第一百五十一，/初分較量功德品第卌之卌九，三藏法師玄奘奉詔譯/（首）。
4.2　大般若波羅蜜多經卷第一百五十一（尾）。
7.3　護首有雜寫“十二”。
7.4　護首背端有半殘經名及所屬袟次“□…□蜜多經卷第一百五十一，十六”。
8　8～9 世紀。吐蕃統治時期寫本。
9.1　楷書。
11　圖版：《敦煌寶藏》，73/154B～164B。

1.1　BD02760 號
1.3　大般涅槃經（北本）卷五
1.4　呂 060
1.5　115:6321
2.1　（10+6047）×26.7 厘米；13 紙；共 344 行，行 17 字。
2.2　01：10+39.9，28；　02：49.8，28；　03：49.7，28；
　04：49.5，28；　05：49.8，28；　06：49.6，28；
　07：49.6，28；　08：49.4，28；　09：49.5，28；
　10：49.2，28；　11：49.5，28；　12：49.7，28；
　13：19.5，08。
2.3　卷軸裝。首殘尾全。卷首紙張變黑，接縫處有開裂。背有古代裱補。有烏絲欄。
3.1　首 6 行下殘→大正 374，12/392C12～18。
3.2　尾全→12/396C11。
4.2　大般涅槃經卷第五（尾）。
8　8～9 世紀。吐蕃統治時期寫本。
9.1　楷書。
11　圖版：《敦煌寶藏》，98/131B～139B。

1.1　BD02761 號
1.3　妙法蓮華經卷七
1.4　呂 061
1.5　105:6144
2.1　147×25.5 厘米；3 紙；共 84 行，行 17 字。
2.2　01：49.0，28；　02：49.0，28；　03：49.0，28。
2.3　卷軸裝。首尾均脱。經黄打紙。有烏絲欄。
3.1　首殘→大正 262，9/61A22。
3.2　尾殘→9/62A29。
8　7～8 世紀。唐寫本。
9.1　楷書。
11　圖版：《敦煌寶藏》，97/125A～127A。

1.1　BD02762 號
1.3　金剛般若波羅蜜經
1.4　呂 062
1.5　094:3922
2.1　（2+332.2+2）×25 厘米；9 紙；共 200 行，行 17 字。
2.2　01：02.0，01；　02：47.0，28；　03：47.3，28；
　04：47.3，28；　05：47.3，28；　06：47.3，28；
　07：46.5，28；　08：46.5，28；　09：3+2，03。
2.3　卷軸裝。首尾均殘。經黄紙。上下邊略殘。卷背有古代裱補，裱補紙上有補寫文字。有烏絲欄。
3.1　首行上殘→大正 235，8/749C18。
3.2　尾 1 行中殘→8/752A27～28。
8　7～8 世紀。唐寫本。
9.1　楷書。
11　圖版：《敦煌寶藏》，81/205A～209A。

1.1　BD02763 號 A
1.3　金剛般若波羅蜜經
1.4　呂 063
1.5　094:3524
2.1　（44.8+7.5）×26.5 厘米；2 紙；共 25 行，行 14～16 字。
2.2　01：38.3，17；　02：6.5+7.5，08。
2.3　卷軸裝。首全尾殘。尾紙殘破嚴重，脱落一殘片，已綴接。有護首，上有經名。背有古代裱補。已修整。
3.1　首全→大正 235，8/748C17。
3.2　尾部 4 行下殘→8/749A10～13。
4.1　金剛般若波羅蜜經（首）。
7.4　護首端有經名“金剛般若□□□□”。
8　9～10 世紀。歸義軍時期寫本。
9.1　楷書。
11　圖版：《敦煌寶藏》，78/426B～427A。

1.1　BD02763 號 B
1.3　金剛般若波羅蜜經
1.4　呂 063
1.5　094:3623
2.1　527.8×26 厘米；12 紙；共 290 行，行 17 字。

2.2 01：10.2，06； 02：48.1，28； 03：48.8，28；
04：48.6，28； 05：49.2，28； 06：48.6，28；
07：48.7，28； 08：48.6，28； 09：48.6，28；
10：48.8，28； 11：48.8，28； 12：30.8，04。
2.3 卷軸裝。首殘尾全。卷面有破裂，有殘洞，多水漬，紙張變色，卷尾有等距離殘洞。首紙背有古代裱補。有烏絲欄。
3.1 首殘→大正 235，8/749A10。
3.2 尾全→8/752C3。
4.2 金剛般若波羅蜜多經（尾）。
8 9～10 世紀。歸義軍時期寫本。
9.1 楷書。
11 圖版：《敦煌寶藏》，79/194B～201A。

1.1 BD02764 號
1.3 無量壽宗要經
1.4 呂 064
1.5 275:7770
2.1 170×31 厘米；4 紙；共 108 行，行 30 餘字。
2.2 01：43.0，28； 02：42.5，29； 03：42.5，29；
04：42.0，22。
2.3 卷軸裝。首尾均全。上下邊有殘破。有烏絲欄。
3.1 首全→大正 936，19/82A3。
3.2 尾全→19/84C29。
4.1 大乘無量壽經（首）。
4.2 佛說無量壽宗要經（尾）。
8 8～9 世紀。吐蕃統治時期寫本。
9.1 楷書。
9.2 有校改。
11 圖版：《敦煌寶藏》，107/560A～562A。

1.1 BD02765 號
1.3 四分比丘尼戒本
1.4 呂 065
1.5 157:6940
2.1 （23＋283.5＋6）×28 厘米；7 紙；共 201 行，行 23 字。
2.2 01：23＋23，30； 02：46.5，30； 03：46.5，30；
04：46.5，30； 05：46.5，30； 06：46.5，30；
07：28＋6，21。
2.3 卷軸裝。首尾均殘。首紙中部橫向破裂，第 2、3 紙上下方破裂，第 6 紙下方開裂。有烏絲欄。已修整。
3.1 首 15 行上中殘→大正 1431，22/1035A4～22。
3.2 尾 3 行上殘→22/1038A7～9。
7.3 卷背有雜寫“佛”字。
8 9～10 世紀。歸義軍時期寫本。
9.1 楷書。
11 圖版：《敦煌寶藏》，102/634A～637B。

1.1 BD02766 號
1.3 金剛般若波羅蜜經
1.4 呂 066
1.5 094:3923
2.1 （2＋45）×24.5 厘米；1 紙；共 28 行，行 17 字。
2.3 卷軸裝。首殘尾脫。經黄紙。卷面殘破，紙張變色，有殘洞。有烏絲欄。
3.1 首行下殘→大正 235，8/749C18～19。
3.2 尾殘→8/750A19。
8 7～8 世紀。唐寫本。
9.1 楷書。
11 圖版：《敦煌寶藏》，81/209B～210A。

1.1 BD02767 號 1
1.3 佛說灌頂七萬二千神王護比丘咒經（兌廢稿）卷一
1.4 呂 067
1.5 377:8490
2.1 （52＋17）×25.3 厘米；2 紙；共 40 行，行 17 字。
2.2 01：47.0，26； 02：5＋17，14。
2.3 卷軸裝。首脫尾殘。本號由殘卷、廢卷拼接而成，通卷泥污。有破裂殘損，尾紙碎裂嚴重。背有古代裱補。卷端脫落一塊殘片，已綴接。有烏絲欄。已修整。
2.4 本遺書包括 2 個文獻：（一）《佛說灌頂七萬二千神王護比丘咒經》（兌廢稿）卷一，26 行，今編為 BD02767 號 1。（二）《大寶積經》卷七一，14 行，今編為 BD02767 號 2。
3.1 首殘→大正 1331，21/495B7。
3.2 尾缺→21/495C14。
5 與《大正藏》本對照，漏抄經文一行，缺文見 21/495C2“身亦當爲他說使獲吉祥之福。”
8 7～8 世紀。唐寫本。
9.1 楷書。有武周新字“人”、“國”，使用周遍。
9.2 尾有墨書大字“馬押牙（衙）兌”。
11 圖版：《敦煌寶藏》，110/450B～451C。

1.1 BD02767 號 2
1.3 大寶積經（兌廢稿）卷七一
1.4 呂 067
1.5 377:8490
2.4 本遺書由 2 個文獻組成，本號為第 2 個，14 行。餘參見 BD02767 號 1 之第 2 項、第 11 項。
3.1 首殘→大正 310，11/405B21。
3.2 尾 11 行上下殘→11/405B26～C11。
8 7～8 世紀。唐寫本。
9.1 楷書。

1.1 BD02768 號
1.3 金剛般若波羅蜜經

1.4　呂068
1.5　094:3992
2.1　(10.5+343.5)×25.7厘米；9紙；共207行，行17字。
2.2　01：10.5+5，10；　02：46.5，28；　03：46.9，28；
04：46.5，28；　05：46.5，28；　06：44.6，26；
07：46.0，27；　08：45.8，27；　09：15.7，05。
2.3　卷軸裝。首殘尾全。經黄打紙，研光上蠟。卷首殘破嚴重，卷面殘損，接縫處有開裂。卷尾有黴爛，有蟲繭。有烏絲欄。
3.1　首7行中下殘→大正235，8/750A7～13。
3.2　尾全→8/752C3。
4.2　佛說金剛般若波羅蜜經（尾）。
8　7～8世紀。唐寫本。
9.1　楷書。
11　圖版：《敦煌寶藏》，81/425A～429B。

1.1　BD02769號
1.3　金剛般若波羅蜜經
1.4　呂069
1.5　094:3673
2.1　373.5×25.5厘米；8紙；共224行，行17字。
2.2　01：45.7，28；　02：46.7，28；　03：46.5，28；
04：45.0，28；　05：47.0，28；　06：47.0，28；
07：47.0，28；　08：46.6，28。
2.3　卷軸裝。首脱尾全。經黄紙。接縫處有開裂。有烏絲欄。
3.1　首殘→大正235，8/749A18。
3.2　尾全→8/752C3。
4.2　金剛般若波羅蜜經（尾）。
8　7～8世紀。唐寫本。
9.1　楷書。
11　圖版：《敦煌寶藏》，79/449B～454A。

1.1　BD02770號
1.3　金剛般若波羅蜜經
1.4　呂070
1.5　094:3996
2.1　(12.5+348.5)×25.5厘米；9紙；共208行，行17字。
2.2　01：12.5+31，25；　02：43.0，25；　03：43.2，25；
04：42.8，25；　05：43.2，25；　06：43.2，25；
07：43.0，25；　08：42.6，25；　09：16.5，08。
2.3　卷軸裝。首殘尾全。卷面多有殘裂。有烏絲欄。已修整。
3.1　首7行下中殘→大正235，8/750A7～14。
3.2　尾全→8/752C3。
4.2　金剛般若波羅蜜經（尾）。
8　7～8世紀。唐寫本。
9.1　楷書。
11　從該件上揭下古代裱補紙1塊，今編爲BD16149號。
圖版：《敦煌寶藏》，81/441B～446A。

1.1　BD02771號
1.3　妙法蓮華經卷七
1.4　呂071
1.5　105:5960
2.1　(19.5+176.5+2)×26.5厘米；4紙；共112行，行17字。
2.2　01：19.5+30，28；　02：49.5，28；　03：49.5，28；
04：47.5+2，28。
2.3　卷軸裝。首尾均殘。經黄紙。通卷下部有多處破裂殘損，卷面有等距離黴爛，尾紙有等距離殘洞。背有古代裱補。有烏絲欄。
3.1　首11行上殘→大正262，9/57B3～14。
3.2　尾行上下殘→9/59A20～21。
8　7～8世紀。唐寫本。
9.1　楷書。
11　圖版：《敦煌寶藏》，96/213A～215B。

1.1　BD02772號
1.3　妙法蓮華經卷二
1.4　呂072
1.5　105:4975
2.1　(2+89)×26.3厘米；3紙；共47行，行16字（偈）。
2.2　01：02.0，01；　02：50.1，27；　03：38.9，19。
2.3　卷軸裝。首殘尾全。背面有古代裱補。有烏絲欄。
3.1　首行上下殘→大正262，9/18B8～9。
3.2　尾全→9/19A12。
4.2　妙法蓮華經卷第二（尾）。
8　8世紀。唐寫本。
9.1　楷書。
11　圖版：《敦煌寶藏》，87/358B～359B。

1.1　BD02773號
1.3　大般涅槃經（北本）卷一八
1.4　呂073
1.5　115:6399
2.1　(8+189+52)×28.5厘米；7紙；共126行，行22字。
2.2　01：8+31，21；　02：39.5，19；　03：39.5，20；
04：39.5，20；　05：39.5，20；　06：14+35，19；
07：17.0，07。
2.3　卷軸裝。首尾均殘。通卷黴爛，前6紙有等距離殘破，卷尾上部殘破。尾端有裱補。有烏絲欄。已修整。
3.1　首4行中部殘→大正374，12/469B17～22。
3.2　尾19行上殘損→12/471A5～28。
8　5～6世紀。南北朝寫本。
9.1　隸楷。
9.2　通卷有硃筆斷句、校改。
11　圖版：《敦煌寶藏》，98/582B～585B。

1.1 BD02774 號
1.3 維摩詰所說經卷中
1.4 呂 074
1.5 070:1058
2.1 （15.5 + 1002.5 + 16.5）×25.5 厘米；22 紙；共 589 行，行 17 字。
2.2 01：15.5 +32.5，26； 02：48.5，28； 03：48.5，28；
04：48.5，28； 05：48.5，28； 06：48.5，28；
07：48.5，28； 08：48.5，28； 09：48.5，28；
10：48.5，28； 11：48.5，28； 12：48.5，28；
13：48.5，28； 14：48.5，28； 15：48.5，28；
16：48.5，28； 17：48.5，28； 18：48.5，28；
19：48.5，28； 20：48.5，28； 21：48.5，28；
22：16.5，03。
2.3 卷軸裝。首尾均全。麻紙，未入潢。卷首卷尾有殘缺。脫落 1 塊殘片，可綴接。卷首背有蟲繭。有烏絲欄。
3.1 首 11 行下殘→大正 475，14/544A25 ~ B3。
3.2 尾殘→14/551C26 ~27。
4.1 文殊師利問疾品第五（首）。
4.2 維摩詰經卷中（尾）。
8 7 ~8 世紀。唐寫本。
9.1 楷書。
11 圖版：《敦煌寶藏》，64/534B ~548B。

1.1 BD02775 號
1.3 賢愚經卷一一
1.4 呂 075
1.5 042:0397
2.1 （3.4 +264.2）×26 厘米；9 紙；共 174 行，行 17 字。
2.2 01：03.4，02； 02：37.0，24； 03：37.2，24；
04：37.3，24； 05：36.9，24； 06：37.3，24；
07：37.3，24； 08：36.7，24； 09：04.5，04。
2.3 卷軸裝。首尾皆殘。卷面略殘，後部破損嚴重。背有古代裱補。有烏絲欄。
3.1 首 2 行中下殘→大正 202，4/425C8 ~10。
3.2 尾 4 行下殘→4/427C21 ~24。
8 5 ~6 世紀。南北朝寫本。
9.1 隸書。
9.2 有倒乙符號。
11 圖版：《敦煌寶藏》，58/517B ~521A。

1.1 BD02776 號
1.3 無量壽宗要經
1.4 呂 076
1.5 275:7771
2.1 170 ×31.5 厘米；4 紙；共 107 行，行 30 餘字。
2.2 01：42.5，28； 02：42.5，30； 03：42.5，30；
04：42.5，19。
2.3 卷軸裝。首尾均全。首紙上邊有破裂。有烏絲欄。
3.1 首全→大正 936，19/82A3。
3.2 尾全→19/84C29。
4.1 大乘無量壽經（首）。
4.2 佛說無量壽經（尾）。
8 8 ~9 世紀。吐蕃統治時期寫本。
9.1 楷書。
11 圖版：《敦煌寶藏》，107/562B ~564B。

1.1 BD02777 號
1.3 金光明最勝王經卷九
1.4 呂 077
1.5 083:1902
2.1 （8 +743.7）×26.5 厘米；17 紙；共 440 行，行 17 字。
2.2 01：8 +30，23； 02：46.8，28； 03：47.0，28；
04：47.0，28； 05：46.9，28； 06：47.1，28；
07：46.6，28； 08：47.0，28； 09：46.8，28；
10：46.8，28； 11：47.0，28； 12：47.0，28；
13：46.8，28； 14：47.0，28； 15：46.7，28；
16：46.8，25； 17：10.4，拖尾。
2.3 卷軸裝。首殘尾全。卷面有殘破，上下邊略殘。有烏絲欄。
3.1 首 5 行上下殘→大正 665，16/444A17 ~21。
3.2 尾全→16/450C15。
4.2 金光明最勝王經卷第九（尾）。
5 尾附音義。
8 8 世紀。唐寫本。
9.1 楷書。
9.2 有刮改。
11 圖版：《敦煌寶藏》，70/544A ~553B。

1.1 BD02778 號
1.3 無量壽宗要經
1.4 呂 078
1.5 275:8001
2.1 （14 +134）×31 厘米；4 紙；共 97 行，行 30 餘字。
2.2 01：14 +5，13； 02：43.0，30； 03：43.0，30；
04：43.0，24。
2.3 卷軸裝。首殘尾全。卷面有等距離殘洞。有烏絲欄。
3.1 首 10 行中上殘→大正 936，19/82B14 ~ C5。
3.2 尾全→19/84C29。
4.2 佛說無量壽宗要經（尾）。
8 8 ~9 世紀。吐蕃統治時期寫本。
9.1 行楷。
9.2 有行間加行。有刮改。有倒乙符號。
11 圖版：《敦煌寶藏》，108/487B ~489A。

1.1　BD02779 號
1.3　妙法蓮華經卷一
1.4　呂 079
1.5　105:4610
2.1　(15.5+226.2)×25.4 厘米；5 紙；共 133 行，行 17～18 字。
2.2　01：15.5+23.5，22；　02：50.4，28；　03：50.7，28；
　　04：50.0，27；　05：51.6，28。
2.3　卷軸裝。首殘尾脫。卷首殘破嚴重。尾紙為經黄紙。上下有刻劃欄，堅欄為烏絲欄。
3.1　首 9 行上下殘→大正 262，9/1C23～2A4。
3.2　尾殘→9/3C14。
7.3　尾紙背面有雜寫"次廾二"。
8　9～10 世紀。歸義軍時期寫本。
9.1　楷書。
11　圖版：《敦煌寶藏》，85/86A～89B。

1.1　BD02780 號
1.3　大般若波羅蜜多經卷四九五
1.4　呂 080
1.5　084:3236
2.1　(9.1+37.1)×26 厘米；1 紙；共 26 行，行 17 字。
2.3　卷軸裝。首全尾脫。卷右下殘破嚴重。有烏絲欄。
3.1　首 4 行下殘→大正 220，7/515C14～20。
3.2　尾殘→7/516A14。
4.1　大般若波羅蜜多經卷第四百□…□，/第三分善現品第三之十四□…□/（首）。
8　8～9 世紀。吐蕃統治時期寫本。
9.1　楷書。
11　圖版：《敦煌寶藏》，77/18B。

1.1　BD02781 號
1.3　金光明最勝王經卷三
1.4　呂 081
1.5　404:8544
2.1　(5.4+114.8)×27.1 厘米；3 紙；共 66 行，行 17 字。
2.2　01：5.4+15，11；　02：50.0，27；　03：49.8，28。
2.3　卷軸裝。首殘尾脫。上下有水漬，通卷下邊殘破。有烏絲欄。
3.1　首 3 行下殘→大正 665，16/414A27～B2。
3.2　尾殘→16/415A10。
8　9～10 世紀。歸義軍統治時期寫本。
9.1　楷書。
11　圖版：《敦煌寶藏》，110/555B～557A。

1.1　BD02782 號
1.3　無量壽宗要經（兑廢稿）
1.4　呂 082
1.5　275:7923
2.1　86.4×28 厘米；2 紙；共 43 行，行 18～20 字。
2.2　01：48.7，27；　02：37.7，16。
2.3　卷軸裝。首全尾殘。尾有餘空。有烏絲欄。
3.1　首全→大正 936，19/82A3。
3.2　尾缺→19/83A23。
4.1　佛說無量壽宗要經一卷（首）。
5　與《大正藏》本相比，本遺書漏抄陀羅尼經多段。
8　9～10 世紀。歸義軍時期寫本。
9.1　楷書。
9.2　有行間校加字。
11　圖版：《敦煌寶藏》，108/312B～313B。

1.1　BD02783 號
1.3　妙法蓮華經卷二
1.4　呂 083
1.5　105:4905
2.1　48.2×26.3 厘米；1 紙；共 26 行，行 17 字。
2.3　卷軸裝。首尾均脫。有烏絲欄。
3.1　首殘→大正 262，9/13A25。
3.2　尾殘→9/13B24。
8　8 世紀。唐寫本。
9.1　楷書。
11　圖版：《敦煌寶藏》，87/198B～199A。

1.1　BD02784 號
1.3　維摩詰所說經卷下
1.4　呂 084
1.5　070:1289
2.1　99×26 厘米；3 紙；共 59 行，行 17 字。
2.2　01：47.0，28；　02：47.0，28；　03：05.0，03。
2.3　卷軸裝。首脫尾斷。首紙下邊有破裂，接縫處有開裂。有烏絲欄。
3.1　首殘→大正 475，14/555C13。
3.2　尾殘→14/556B16。
6.1　首→BD02603 號。
6.2　尾→BD02751 號。
8　8 世紀。唐寫本。
9.1　楷書。
11　圖版：《敦煌寶藏》，66/428A～429A。

1.1　BD02785 號
1.3　佛名經（十六卷本）卷一五
1.4　呂 085
1.5　063:0808
2.1　(3.3+365.5)×25 厘米；8 紙；共 209 行，行字不等。

2.2　01：3.3+19，13；　02：49.5，28；　03：49.5，28；
04：49.5，28；　05：49.5，28；　06：49.5，28；
07：49.5，28；　08：49.5，28。
2.3　卷軸裝。首殘尾脱。經黄打紙。首紙上下横豎殘破嚴重。背有古代裱補。有烏絲欄。已修整。
3.1　首2行上殘→《七寺古逸經典研究叢書》，3/747頁第14行~15行。
3.2　尾殘→《七寺古逸經典研究叢書》，3/762頁第215行。
8　7~8世紀。唐寫本。
9.1　楷書。
11　圖版：《敦煌寶藏》，62/398A~403A。

1.1　BD02786號
1.3　妙法蓮華經卷二
1.4　吕086
1.5　105:4929
2.1　48×26.3厘米；1紙；共26行，行16字（偈）。
2.3　卷軸裝。首殘尾脱。有烏絲欄。
3.1　首殘→大正262，9/14B1。
3.2　尾殘→9/14C6。
6.1　首→BD02396號。
8　8世紀。唐寫本。
9.1　楷書。
11　圖版：《敦煌寶藏》，87/250B~251A。

1.1　BD02787號
1.3　羯磨文（擬）
1.4　吕087
1.5　198:7153
2.1　(32+546.5)×25.2厘米；17紙；正面357行，行21字。背面9行，殘片。
2.2　01：19.0，13；　02：13+24，23；　03：36.5，23；
04：37.0，23；　05：34.5，22；　06：35.5，23；
07：36.5，23；　08：37.0，23；　09：37.0，23；
10：37.0，23；　11：37.0，23；　12：37.0，23；
13：36.5，22；　14：37.5，22；　15：37.5，23；
16：37.0，23；　17：09.0，02。
2.3　卷軸裝。首殘尾缺。前4紙中部横向破裂，上下方破損。第7紙上部横豎破裂，中部有殘洞。卷面粘有1小塊紫紅色綢子。背有古代裱補。每紙有多個劃界欄針孔。有烏絲欄。
2.4　本遺書包括2個文獻：（一）《羯磨文》（擬），357行，抄寫在正面，今編為BD02787號。（二）殘文獻（擬），9行，抄寫在背面古代裱補紙上，今編為BD02787號背。
3.4　説明：
本文獻首21行中下殘，尾殘。未為歷代大藏經所收。
8　5~6世紀。南北朝寫本。
9.1　隸書。
9.2　有行間校加字。有倒乙、刪除符號。
11　圖版：《敦煌寶藏》，104/336A~344A。

1.1　BD02787號背
1.3　殘文獻（擬）
1.4　吕087
1.5　198:7153
2.4　本遺書由2個文獻組成，本號為第2個，抄寫在背面的古代裱補紙上，9行。餘參見BD02787號1之第2項、第11項。
3.3　錄文：
□…□/
體圓方直，不捥（挽?）打捶，因具有由，豐得虛爾（個?），/
曲身懷利，由獲清聲，緣已有辭，不失其名，/
身非沙門，衣服純是，欲言其名，先稱其先，/
良下豢（豪）舉，句累由纓，仰承天文，府（俯）任中平，/
名似有神，體乃無情，玄阜（?）而畜，動門其聲，/
來由人□（下?），去由人上，口合清濁，耳不能聽。/
（錄文完）
7.3　第5紙背有另一古代裱補紙，上有：“□…□已久高慕/□…□見若斯疏。/”
8　5~6世紀。南北朝寫本。
9.1　隸書。
9.2　有行間校加字。

1.1　BD02788號
1.3　金光明最勝王經卷九
1.4　吕088
1.5　083:1916
2.1　(2+287.9+1.5)×28厘米；8紙；共175行，行17字。
2.2　01：02.0，01；　02：46.5，28；　03：46.8，28；
04：46.7，28；　05：46.5，28；　06：46.5，28；
07：46.5，28；　08：8.4+1.5，6。
2.3　卷軸裝。首尾均殘。卷面有黴斑。背有古代裱補。有烏絲欄。
3.1　首行下殘→大正665，16/444B10。
3.2　尾行上殘→16/447B12~13。
6.2　尾→BD03242號。
8　9~10世紀。歸義軍時期寫本。
9.1　楷書。
11　圖版：《敦煌寶藏》，70/659A~662B。

1.1　BD02789號
1.3　妙法蓮華經（八卷本）卷八
1.4　吕089
1.5　105:5945

2.1　(23.5+589.3)×25 厘米；15 紙；共 356 行，行 17 字。
2.2　01：02.0，01；　02：21.5+22，26；　03：44.0，26；
04：44.0，26；　05：42.1，25；　06：44.0，26；
07：44.0，26；　08：44.0，26；　09：44.0，26；
10：44.0，26；　11：44.0，26；　12：44.0，26；
13：42.5，25；　14：43.0，27；　15：43.7，18。
2.3　卷軸裝。首殘尾全。經黄紙。卷首右下殘缺，卷上邊有破裂，接縫處有開裂。有燕尾。有烏絲欄。
3.1　首 14 行下殘→大正 262，9/57A24～B10。
3.2　尾全→9/62B1。
4.2　妙法蓮華經卷第八（尾）。
8　7～8 世紀。唐寫本。
9.1　楷書。
11　圖版：《敦煌寶藏》，96/121B～130A。

1.1　BD02790 號
1.3　入楞伽經卷五
1.4　吕 090
1.5　037:0331
2.1　(20.5+795.9)×25 厘米；18 紙；共 471 行，行 17 字。
2.2　01：20.5+10.5，20；　02：46.0，27；　03：46.0，27；
04：46.5，27；　05：46.5，27；　06：46.3，27；
07：46.3，27；　08：46.0，27；　09：46.5，27；
10：46.0，27；　11：46.5，27；　12：46.0，27；
13：46.5，27；　14：46.5，27；　15：46.5，27；
16：46.5，27；　17：46.3，27；　18：44.5，19。
2.3　卷軸裝。首殘尾全。卷首殘破嚴重。有烏絲欄。已修整。
3.1　首 5 行上殘→大正 671，16/540C23～27。
3.2　尾全→16/547A18。
4.2　入楞伽經卷第五（尾）。
8　8 世紀。唐寫本。
9.1　楷書。
11　從該號上揭下殘片 1 塊，今編爲 BD16012 號。
圖版：《敦煌寶藏》，58/105A～116A。

1.1　BD02791 號
1.3　灌頂章句拔除過罪生死得度經
1.4　吕 091
1.5　250:7482
2.1　(22.2+437.4)×26.7 厘米；10 紙；共 296 行，行 17 字。
2.2　01：22.2+2.4，15；　02：48.5，31；　03：48.7，31；
04：48.8，31；　05：48.7，31；　06：48.6，32；
07：48.8，31；　08：48.8，31；　09：48.8，32；
10：45.3+3.4，31。
2.3　卷軸裝。首殘尾脱。卷首右下殘破，第 2 紙下部多有横裂，6、7 紙間脱開 2 截，7 紙中部有横裂，尾紙下邊有殘損。有烏絲欄。
3.1　首 14 行下殘→大正 1331，21/532B23～C8。
3.2　尾 2 行下殘→21/536A12～13。
8　7～8 世紀。唐寫本。
9.1　楷書。
11　圖版：《敦煌寶藏》，106/413A～418B。

1.1　BD02792 號
1.3　妙法蓮華經卷二
1.4　吕 092
1.5　105:4768
2.1　(7.8+662.9)×26.7 厘米；17 紙；共 387 行，行 17 字。
2.2　01：7.8+6.8，8；　02：41.3，24；　03：41.2，24；
04：41.2，24；　05：41.1，24；　06：41.2，24；
07：41.0，24；　08：41.1，24；　09：41.1，24；
10：41.0，24；　11：41.1，24；　12：40.8，24；
13：40.8，24；　14：40.8，24；　15：40.8，24；
16：40.8，24；　17：40.8，19。
2.3　卷軸裝。首殘尾全。尾紙末端有殘損。有烏絲欄。
3.1　首 4 行下殘→大正 262，9/13B24～29。
3.2　尾全→9/19A12。
4.2　妙法蓮華經卷第二（尾）。
8　9～10 世紀。歸義軍時期寫本。
9.1　楷書。
11　圖版：《敦煌寶藏》，86/450B～459A。

新舊編號對照表

一、千字文號與北敦號、縮微膠卷號對照表

千字文號	北敦號	縮微膠卷號
呂 001	BD02701 號	132：6643
呂 002	BD02702 號	105：4942
呂 003	BD02703 號	105：4941
呂 004	BD02704 號	105：4548
呂 005	BD02705 號	253：7538
呂 006	BD02706 號	084：2802
呂 007	BD02707 號 1	275：7764
呂 007	BD02707 號 2	275：7764
呂 008	BD02708 號	275：8154
呂 009	BD02709 號	275：8155
呂 009	BD02709 號背	275：8155
呂 010	BD02710 號	012：0110
呂 011	BD02711 號	256：7655
呂 012	BD02712 號	105：5528
呂 012	BD02712 號背	105：5528
呂 013	BD02713 號	105：5209
呂 014	BD02714 號	094：3941
呂 015	BD02715 號	105：5605
呂 016	BD02716 號	084：2040
呂 017	BD02717 號	275：7765
呂 018	BD02718 號	105：5993
呂 019	BD02719 號	084：3242
呂 020	BD02720 號	094：3853
呂 021	BD02721 號 1	084：2706
呂 021	BD02721 號 2	084：2706
呂 022	BD02722 號	275：7766
呂 023	BD02723 號	117：6591
呂 024	BD02724 號	229：7359
呂 025	BD02725 號	105：4805
呂 026	BD02726 號	115：6304
呂 027	BD02727 號	275：7767
呂 028	BD02728 號	083：1742
呂 029	BD02729 號	143：6708
呂 030	BD02730 號	083：1606

千字文號	北敦號	縮微膠卷號
呂 031	BD02731 號	083：1599
呂 032	BD02732 號 1	083：1472
呂 032	BD02732 號 2	083：1472
呂 033	BD02733 號	081：1403
呂 034	BD02734 號	105：4859
呂 035	BD02735 號	105：5362
呂 036	BD02736 號	115：6337
呂 037	BD02737 號	209：7239
呂 038	BD02738 號	275：7768
呂 039	BD02739 號	060：0512
呂 040	BD02740 號	084：3311
呂 041	BD02741 號	014：0133
呂 042	BD02742 號	094：4360
呂 043	BD02743 號	084：3333
呂 044	BD02744 號	105：5699
呂 045	BD02745 號	275：7769
呂 046	BD02746 號	105：5697
呂 047	BD02747 號	094：3893
呂 048	BD02748 號	094：4173
呂 049	BD02749 號	143：6707
呂 050	BD02750 號	253：7542
呂 051	BD02751 號	070：1294
呂 052	BD02752 號	275：8000
呂 053	BD02753 號	105：6026
呂 054	BD02754 號	070：0988
呂 055	BD02755 號	253：7533
呂 056	BD02756 號	250：7513
呂 056	BD02756 號背	250：7513
呂 057	BD02757 號	084：3287
呂 058	BD02758 號	070：1018
呂 059	BD02759 號	084：2397
呂 060	BD02760 號	115：6321
呂 061	BD02761 號	105：6144
呂 062	BD02762 號	094：3922

呂 063	BD02763 號 A	094：3524
呂 063	BD02763 號 B	094：3623
呂 064	BD02764 號	275：7770
呂 065	BD02765 號	157：6940
呂 066	BD02766 號	094：3923
呂 067	BD02767 號 1	377：8490
呂 067	BD02767 號 2	377：8490
呂 068	BD02768 號	094：3992
呂 069	BD02769 號	094：3673
呂 070	BD02770 號	094：3996
呂 071	BD02771 號	105：5960
呂 072	BD02772 號	105：4975
呂 073	BD02773 號	115：6399
呂 074	BD02774 號	070：1058
呂 075	BD02775 號	042：0397
呂 076	BD02776 號	275：7771
呂 077	BD02777 號	083：1902
呂 078	BD02778 號	275：8001
呂 079	BD02779 號	105：4610
呂 080	BD02780 號	084：3236
呂 081	BD02781 號	404：8544
呂 082	BD02782 號	275：7923
呂 083	BD02783 號	105：4905
呂 084	BD02784 號	070：1289
呂 085	BD02785 號	063：0808
呂 086	BD02786 號	105：4929
呂 087	BD02787 號	198：7153
呂 087	BD02787 號背	198：7153
呂 088	BD02788 號	083：1916
呂 089	BD02789 號	105：5945
呂 090	BD02790 號	037：0331
呂 091	BD02791 號	250：7482
呂 092	BD02792 號	105：4768

二、縮微膠卷號與北敦號、千字文號對照表

縮微膠卷號	北敦號	千字文號
012：0110	BD02710 號	呂 010
014：0133	BD02741 號	呂 041
037：0331	BD02790 號	呂 090
042：0397	BD02775 號	呂 075
060：0512	BD02739 號	呂 039
063：0808	BD02785 號	呂 085
070：0988	BD02754 號	呂 054
070：1018	BD02758 號	呂 058
070：1058	BD02774 號	呂 074
070：1289	BD02784 號	呂 084
070：1294	BD02751 號	呂 051
081：1403	BD02733 號	呂 033
083：1472	BD02732 號 1	呂 032
083：1472	BD02732 號 2	呂 032
083：1599	BD02731 號	呂 031
083：1606	BD02730 號	呂 030
083：1742	BD02728 號	呂 028
083：1902	BD02777 號	呂 077
083：1916	BD02788 號	呂 088
084：2040	BD02716 號	呂 016
084：2397	BD02759 號	呂 059
084：2706	BD02721 號 1	呂 021
084：2706	BD02721 號 2	呂 021
084：2802	BD02706 號	呂 006
084：3236	BD02780 號	呂 080
084：3242	BD02719 號	呂 019
084：3287	BD02757 號	呂 057
084：3311	BD02740 號	呂 040
084：3333	BD02743 號	呂 043
094：3524	BD02763 號 A	呂 063
094：3623	BD02763 號 B	呂 063
094：3673	BD02769 號	呂 069
094：3853	BD02720 號	呂 020
094：3893	BD02747 號	呂 047
094：3922	BD02762 號	呂 062
094：3923	BD02766 號	呂 066
094：3941	BD02714 號	呂 014
094：3992	BD02768 號	呂 068
094：3996	BD02770 號	呂 070
094：4173	BD02748 號	呂 048
094：4360	BD02742 號	呂 042
105：4548	BD02704 號	呂 004
105：4610	BD02779 號	呂 079
105：4768	BD02792 號	呂 092
105：4805	BD02725 號	呂 025
105：4859	BD02734 號	呂 034
105：4905	BD02783 號	呂 083
105：4929	BD02786 號	呂 086

105：4941	BD02703號	呂003
105：4942	BD02702號	呂002
105：4975	BD02772號	呂072
105：5209	BD02713號	呂013
105：5362	BD02735號	呂035
105：5528	BD02712號	呂012
105：5528	BD02712號背	呂012
105：5605	BD02715號	呂015
105：5697	BD02746號	呂046
105：5699	BD02744號	呂044
105：5945	BD02789號	呂089
105：5960	BD02771號	呂071
105：5993	BD02718號	呂018
105：6026	BD02753號	呂053
105：6144	BD02761號	呂061
115：6304	BD02726號	呂026
115：6321	BD02760號	呂060
115：6337	BD02736號	呂036
115：6399	BD02773號	呂073
117：6591	BD02723號	呂023
132：6643	BD02701號	呂001
143：6707	BD02749號	呂049
143：6708	BD02729號	呂029
157：6940	BD02765號	呂065
198：7153	BD02787號	呂087
198：7153	BD02787號背	呂087
209：7239	BD02737號	呂037
229：7359	BD02724號	呂024
250：7482	BD02791號	呂091
250：7513	BD02756號	呂056
250：7513	BD02756號背	呂056
253：7533	BD02755號	呂055
253：7538	BD02705號	呂005
253：7542	BD02750號	呂050
256：7655	BD02711號	呂011
275：7764	BD02707號1	呂007
275：7764	BD02707號2	呂007
275：7765	BD02717號	呂017
275：7766	BD02722號	呂022
275：7767	BD02727號	呂027
275：7768	BD02738號	呂038
275：7769	BD02745號	呂045
275：7770	BD02764號	呂064
275：7771	BD02776號	呂076
275：7923	BD02782號	呂082
275：8000	BD02752號	呂052
275：8001	BD02778號	呂078
275：8154	BD02708號	呂008
275：8155	BD02709號	呂009
275：8155	BD02709號背	呂009
377：8490	BD02767號1	呂067
377：8490	BD02767號2	呂067
404：8544	BD02781號	呂081